PSYCHOLOGIE SOCIALE

PSYCHOLOGIE SOCIALE

David G. Myers

Professeur
Hope College (Michigan)

Luc Lamarche

Professeur agrégé
Université de Montréal

Traduction :
Louise Rousselle

McGRAW-HILL, ÉDITEURS
750, boulevard Laurentien, bureau 131
Saint-Laurent (Québec) H4M 2M4
Téléphone : (514) 744-5531 • Télécopieur : (514) 744-4132

Montréal • Toronto • New York • Auckland • Bogotá
Caracas • Hambourg • Lisbonne • Londres • Madrid • Mexico • Milan
New Delhi • Paris • San Juan • São Paulo • Singapour • Sydney • Tokyo

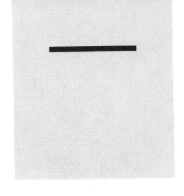

Social Psychology
© 1990, 1987, 1983, McGraw-Hill, Inc.
All rights reserved

PSYCHOLOGIE SOCIALE

L'utilisation du seul masculin, dans cet ouvrage, n'a pour objet que d'en alléger la lecture. À moins que le contexte n'indique le contraire, les termes utilisés pour désigner des personnes sont pris au sens générique. Ils ont à la fois valeur de féminin et de masculin.

Chargé de projet
Jean-Pierre Albert

Réviseure linguistique
Antonine Pilon

Illustration de la page de couverture*
Yvon Blain

Conception graphique, réalisation technique et éditique
Le Groupe Flexidée

Dépôt légal : 3e trimestre 1992
Bibliothèque nationale du Québec
Bibliothèque nationale du Canada
ISBN 0-07-551137-1

Imprimé et relié au Canada
1234567890 INTER92 1098765432

---

* Huile sur toile intitulée *Ville et Visages*. Peintre autodidacte, né à Sainte-Julie en 1959, Yvon Blain s'initie à la peinture dès l'âge de 16 ans. Il s'est mérité, en 1987, la mention d'honneur au Grand Prix de peinture canadien et, en 1990, la mention d'honneur au Concours national des arts visuels. Yvon Blain se consacre depuis à l'étude pictorale du centre-ville.

LES AUTEURS

David G. Myers enseigne la psychologie sociale depuis près de vingt-cinq ans au Hope College dans l'État du Michigan aux États-Unis. Conférencier, auteur de nombreux articles scientifiques, il a également participé, à titre d'auteur et de coauteur, à la rédaction de huit volumes en psychologie en plus d'écrire dans des revues spécialisées comme *Psychology Today, Saturday review* et *Today's Education*. Il a été consultant à l'édition pour le *Journal of Experimental Social Psychology* et le *Journal of Personality and Social Psychology*. Enfin, il a reçu le prix Gordon Allport de l'Association des psychologues américains pour ses recherches sur la polarisation de groupe.

Luc Lamarche enseigne la psychologie sociale depuis plus de vingt ans au département de psychologie de l'Université de Montréal. Il y enseigne également la méthodologie scientifique. Il a été directeur de recherche de nombreux étudiants devenus à leur tour enseignants. Il poursuit depuis quelques années des recherches ayant comme objectif une meilleure compréhension du phénomène de la surconfiance croissante dans différentes situations telles que l'autodiagnostic médical, l'évaluation de l'auto-efficacité et la formation d'impression. Il profite présentement d'une année sabbatique pour poursuivre ses travaux avec des collègues de l'Université René Descartes (Paris V).

TABLE
DES MATIÈRES

**PREMIÈRE
PARTIE**

**LA PENSÉE
SOCIALE**

CROYANCES SOCIALES 113

CHAPITRE 4

DEUXIÈME PARTIE

INFLUENCE SOCIALE

CHAPITRE 5

CHAPITRE 6

CHAPITRE 7

PERSUASION 233

CHAPITRE 8

INFLUENCE DU GROUPE 273

TROISIÈME PARTIE

RELATIONS SOCIALES

CHAPITRE 9

PRÉJUGÉ : LES AUTRES QUE L'ON N'AIME PAS

CHAPITRE
10

CHAPITRE
11

ALTRUISME : AIDER LES AUTRES   **449**

AVANT-PROPOS

Les deux premiers manuels de psychologie sociale ont été publiés en 1908. Depuis, il y en a eu des dizaines, presque tous américains. Au fil des ans, leur contenu s'est enrichi, bien sûr, des nombreuses recherches visant à rendre compte du comportement social. Mais ce qui frappe d'abord le lecteur qui compare les manuels anciens aux plus récents, c'est la présentation matérielle des ouvrages. Les éditeurs ne ménagent pas leurs efforts pour rendre la tâche agréable au professeur et à ses étudiants. Le texte est le plus souvent agrémenté de photographies qui accrochent l'œil, de figures qui illustrent, à l'aide de courbes faciles à retenir, des statistiques qui, autrement, pourraient rebuter l'étudiant le mieux disposé, sans parler des tableaux récapitulatifs qui synthétisent en quelques lignes les points centraux du texte. Bref, l'étudiant en psychologie sociale d'aujourd'hui est choyé plus que jamais.

Ce manuel-ci ne fait pas exception. Il suffit de le feuilleter rapidement pour s'en rendre compte. Toutefois, le professeur qui a la responsabilité de choisir le manuel qui convienne le mieux à ses étudiants doit se livrer à une analyse assez substantielle. Il s'attend que l'auteur d'un manuel initie ses étudiants à la psychologie sociale en faisant des choix judicieux dans la masse des articles et des livres publiés annuellement, qu'il traduise cette somme de connaissances en termes simples sans pour autant en sacrifier la rigueur ou déformer la pensée des auteurs retenus. La troisième édition américaine du manuel de psychologie sociale de David G. Myers satisfait à ces normes minimales.

Mais là où David G. Myers se signale tout particulièrement, c'est par sa façon de faire partager sa passion pour la psychologie sociale. Sa longue expérience pédagogique lui a appris à communiquer efficacement avec un public qu'il connaît bien. Cela veut dire qu'il peut prévoir ses interrogations et y répondre brillamment. Il sait, par exemple, que les étudiants se demandent d'entrée de jeu si la psychologie sociale n'est pas redondante avec les leçons de la vie tant elle leur semble proche de leur vécu quotidien. Il a tôt fait, à l'aide d'exemples frappants et de phénomènes cognitifs étudiés par la psychologie sociale elle-même, de démasquer cette illusion pour ce qu'elle est.

Par ailleurs, la psychologie sociale est une discipline où les théories foisonnent. David G. Myers transcende les oppositions entre les théories pour montrer leur complémentarité, ce qui est la position la plus réaliste en l'état actuel de notre science. Trop de manuels, enfin, n'ont pas su incorporer les nouveaux paradigmes en psychologie sociale et se répètent inlassablement d'une édition à l'autre. David G. Myers, au contraire, nous convie à partager avec lui une approche heuristique qui donne un sens très contemporain autant aux recherches classiques qu'aux recherches de pointe. En considérant l'acteur social comme un «solutionneur» de problèmes, il réussit, en effet, à réunir intelligemment des travaux d'inspirations diverses et à éviter au lecteur l'agacement inévitable qui résulte du parcours d'une collection hétéroclite.

Un manuel est forcément situé dans le temps et dans l'espace en fonction d'un contexte culturel. Mon objectif premier, en tant que second auteur de ce manuel, était donc que l'étudiant francophone se reconnaisse dans les pages qui suivent. Concrètement, cela s'est traduit par une double démarche. Dans un premier temps, il s'agissait de trouver des exemples pertinents susceptibles de mieux capter l'attention des lecteurs visés, de remplacer ou de compléter les statistiques américaines par des statistiques de chez nous (le taux de criminalité à Montréal n'a rien à voir avec celui de New York).

Dans un deuxième temps, j'avais comme mission de présenter les travaux de mes collègues francophones canadiens ou européens. Il y a eu, depuis environ dix ans, une augmentation notable de la production des chercheurs canadiens-français. Ces recherches nous en apprennent long sur l'évolution de nos représentations et de nos aspirations, sur notre identité et sur nos relations avec les autres, et, enfin, sur nos comportements en général. Il était hors de question de citer toutes les recherches que j'ai relevées. En plus des critères habituels qui font que l'on retient telle ou telle étude pour citation, je devais tenir compte de la possibilité d'incorporer ces études dans le texte originel sans défigurer celui-ci. Mais j'ai dû aussi, à mon grand regret, passer sous silence des recherches fort intéressantes dont la complexité aurait demandé une présentation trop longue pour les rendre accessibles au public auquel est destiné un manuel d'introduction de psychologie sociale.

Les mêmes considérations ont prévalu dans le choix des travaux des chercheurs européens. Ces derniers éprouvent le même besoin que nous de s'affirmer devant une psychologie sociale dominée par la recherche américaine. Depuis quelques années, leurs efforts ont commencé à porter fruit si l'on en juge par le contenu des manuels américains. Ces derniers reconnaissent de plus en plus les mérites de leur approche originale, plus soucieuse de profiter des enseignements de la sociologie. Les nombreux travaux que j'ai retenus provenant de ces laboratoires constituent, me semble-t-il, un témoignage éloquent de l'excellence de leur apport à l'avancement des connaissances dans notre discipline.

En terminant, je tiens à remercier Jean-Pierre Albert, chargé de projet chez McGraw-Hill, Éditeurs, pour m'avoir convaincu d'entreprendre cette tâche et pour m'avoir apporté son appui chaleureux tout au long de sa réalisation. Pour sa part, Antonine Pilon, par ses nombreuses corrections et suggestions, m'a rassuré quant à la qualité stylistique de la version finale de l'ouvrage. Enfin, l'excellente traduction de Louise Rousselle a permis d'achever ce manuel à l'intérieur d'un délai raisonnable.

Luc Lamarche

CHAPITRE

1

INTRODUCTION À LA PSYCHOLOGIE SOCIALE

———

Qu'est-ce que la psychologie sociale ? Le 6 décembre 1989, à l'École polytechnique de l'Université de Montréal, 14 jeunes femmes, dont 13 étudiantes, étaient victimes d'un jeune homme de leur âge, Marc Lépine. Ces événements ont suscité spontanément de nombreuses questions dans la population. Or, une bonne part de ces questions relèvent justement du domaine de la psychologie sociale.

Qui, par exemple, ne s'est pas demandé ce qui pourrait expliquer une telle agression ? Certains ont souligné le fait que Marc Lépine avait fréquemment été battu par son père lorsqu'il était enfant et qu'il avait été témoin des nombreux sévices que son père avait fait subir à sa mère avant leur divorce. Comme nous le verrons, les psychologues sociaux ont trouvé qu'il y a effectivement un lien important entre le comportement violent des parents et celui des enfants. D'autres se sont demandé une fois de plus si la violence diffusée par les médias n'était pas responsable de cette agression. D'ailleurs, dans les jours qui suivirent la tragédie de l'École polytechnique, Radio-Canada retirait de l'horaire deux films où des femmes étaient massacrées. Là encore, les nombreuses recherches des psychologues sociaux sur cette question sont susceptibles de nous éclairer.

Les hommes sont-ils plus violents que les femmes ? Après la tragédie de l'École polytechnique, Marcel Adam (1989), journaliste à *La Presse*, soulignait qu'il existe une différence entre les hommes et les femmes dans la forme de l'agression plutôt que dans son intensité. Les psychologues sociaux se sont aussi posé cette question, de même que celle, plus générale, de l'influence culturelle sur l'agression. Celle-là a d'ailleurs été évoquée lors de la tragédie de l'École polytechnique. En effet, certains ont vu dans le comportement de Marc Lépine un des résultats du vide créé par la disparition des valeurs traditionnelles. D'autres commentateurs, pour leur part, constatant que les Ontariens sont soumis à la même ration de violence dans les médias que les Québécois, expliquent de tels comportements par notre « personnalité latine », par notre « sang bouillant ». Le caporal Lortie, celui qui avait fait irruption à l'Assemblée nationale du Québec en faisant feu avec son arme automatique, n'était-il pas lui-même un Québécois francophone de souche ?

Dans la lettre qu'il portait sur lui, le 6 décembre 1989, Marc Lépine faisait justement allusion au caporal Lortie. Jusqu'à quel point ce dernier lui aurait-il servi de modèle ? Cette question relève de l'étude de l'influence sociale. Les raisons qui poussent quelqu'un à se conformer ou non au comportement d'autrui ne sont pas simples et ont mérité l'attention de nombreux chercheurs en psychologie sociale.

Nous pourrions en dire autant en ce qui concerne le racisme. La chronique de l'actualité y fait quotidiennement référence, que ce soit ici ou ailleurs, qu'il s'agisse d'épisodes violents opposant les *skinheads* et les Noirs de l'est de Montréal ou du racisme institutionnel tel qu'il est pratiqué en Afrique du Sud. Le traitement journalistique de la tragédie de l'École polytechnique a donné lieu à une accusation de racisme de la part de la communauté algérienne qui n'a pas apprécié l'insistance de quelques journalistes à mentionner l'origine algérienne du père de Marc Lépine. Le nom de naissance de Marc Lépine était Gamel Gharbi. L'étude des préjugés, des stéréotypes et de la discrimination constitue un chapitre important de tout manuel de psychologie sociale. Depuis quelques années, on trouve une section portant spécifiquement sur un autre type de discrimination que le racisme, c'est-à-dire le sexisme. S'il a été question de racisme à propos des événements de l'École polytechnique, c'est surtout le sexisme de Marc Lépine qui a alors retenu l'attention. Je citerai à cet égard un extrait d'un article de Francine Pelletier, paru dans *La Presse* du samedi 9 décembre 1989.

Un jeune homme entre dans une classe armé d'une carabine et évacue les hommes de la salle. Devant les femmes, il dit : «Vous êtes toutes des féministes. J'haïs (*sic*) les féministes!» Il en tue quelques-unes [...] Si c'est de la folie ça, jamais n'aura-t-elle été aussi lucide, aussi calculée [...] Le message est : il y a un prix à l'émancipation des femmes, la mort.

Marc Lépine partageait un appartement avec un autre jeune homme. Une de leurs voisines, interrogée par un journaliste (Foglia, 1989), décrit les deux individus en question : L'un est beau et réservé, l'autre est moins beau et porte une barbe; ce dernier est très ouvert, gentil et toujours prêt à rendre service. Pour cette voisine, il est évident que le meurtrier est le premier, même si elle ne connaît pas le nom de ses voisins et qu'elle n'ait pas vu la photo du meurtrier. Elle arrive à cette conclusion erronée en utilisant ce que les psychologues sociaux appellent une théorie implicite de la personnalité. Ces théories «naïves» qui nous permettent trop souvent de nous prononcer avec une assurance excessive sur nous-mêmes et sur les autres ont été abondamment étudiées dans le champ plus vaste de la perception d'autrui ou cognition sociale.

Nous verrons que le concept le plus important en psychologie sociale est celui d'attitude. De nombreux chercheurs ont apporté leur contribution à la compréhension de la formation, du maintien et du changement des attitudes. Ils ont montré, entre autres choses, que plusieurs conditions favorables devaient être réunies pour que le changement d'une attitude bien ancrée se produise. Les étudiants et les étudiantes de l'École polytechnique de l'Université de Montréal, les parents des victimes et les milliers de pétitionnaires qui les ont appuyés afin de changer l'attitude du législateur au sujet du contrôle des armes à feu ne contesteront sûrement pas cette conclusion, étant donné le succès mitigé de leurs efforts conjugués auprès des personnes intéressées.

Vers un changement d'attitude ?

Si plusieurs des questions soulevées par la tragédie de l'École polytechnique peuvent recevoir des réponses grâce aux travaux des psychologues sociaux, il ne faudrait pas croire, toutefois, que la psychologie sociale ne vise à se prononcer que sur des événements sortant de l'ordinaire. Au contraire, la matière première de la psychologie sociale est, d'abord et avant tout, constituée du comportement quotidien des individus et des groupes «normaux».

Comment notre participation à l'intérieur d'un groupe est-elle donc influencée? Ou, pour élargir la question, jusqu'à quel point et de quelles façons les autres influencent-ils nos attitudes et nos actions?

Psychologie sociale:
Étude scientifique de la façon dont les gens se perçoivent, s'influencent et entrent en relation les uns avec les autres.

Voilà précisément le sujet d'étude de la psychologie sociale. Comme nous le verrons, les psychologues sociaux essaient de répondre à ce genre de questions en se servant de la méthode scientifique. Ils veulent en savoir plus sur les attitudes et les croyances, la conformité et l'indépendance, l'amour et la haine. En termes formels, on pourrait dire que la **psychologie sociale** est l'étude scientifique de la façon dont les gens se perçoivent, s'influencent et entrent en relation les uns avec les autres.

La psychologie sociale est encore une jeune science, et nous ne manquons pas de le rappeler aux gens, ne serait-ce qu'à titre d'excuse pour nos réponses incomplètes à certaines des questions soulevées précédemment. Mais c'est un fait. Les premières expériences en psychologie sociale ne furent rapportées qu'à la fin du siècle dernier et aucun livre de psychologie sociale ne fut publié avant le siècle présent. Ce n'est qu'à partir des années 1930 que la psychologie sociale a adopté sa forme actuelle. Et ce n'est pas avant la Seconde Guerre mondiale, alors que les psychologues contribuèrent à des recherches fort imaginatives sur la persuasion et la morale militaire, qu'elle a vraiment commencé à émerger comme le champ d'études intéressant qu'elle est aujourd'hui (Smith, 1982). Le nombre de périodiques qui traitent de psychologie sociale a plus que doublé au cours des deux dernières décennies seulement. Au Québec, la recherche en psychologie sociale est plus active que jamais. Le nombre de publications des chercheurs québécois a plus que décuplé depuis les 10 dernières années. On voit de plus en plus les psychologues sociaux appliquer leurs méthodes et leurs concepts à des problèmes sociaux tels que le bien-être émotif, la santé, les décisions judiciaires et la recherche de la paix.

Quels sont donc les concepts et les méthodes propres à la psychologie sociale? Quelles sont les méthodes de recherche du psychologue social et comment pourrions-nous les appliquer à nos réflexions quotidiennes? Les valeurs personnelles et culturelles des psychologues sociaux influencent-elles leurs intérêts et leurs méthodes? Voilà les questions que nous traiterons dans ce chapitre.

PSYCHOLOGIE SOCIALE ET AUTRES DISCIPLINES

Nous, les psychologues sociaux, sommes particulièrement intéressés à la façon dont les gens se perçoivent, s'influencent et entrent en relation les uns avec les autres. Mais les sociologues, les psychologues et même les romanciers et les philosophes s'intéressent aussi à ces problèmes. Voyons brièvement les similitudes et les différences entre la psychologie sociale et certains de ces champs connexes d'activité.

PSYCHOLOGIE SOCIALE ET SOCIOLOGIE

On confond souvent psychologie sociale et sociologie. Effectivement, sociologues et psychologues sociaux partagent un intérêt commun pour l'étude de la façon dont les gens se comportent en groupe. Le champ d'études de même que les méthodes de la psychologie sociale diffèrent cependant de ceux de la sociologie. La plupart des *sociologues* étudient la structure et le fonctionnement des *groupes*, qu'il s'agisse de petits ou de très grands groupes (sociétés). Le *psychologue social*, quant à lui, s'intéresse habituellement à l'*individu* – ce qu'il pense des autres, la façon dont il est influencé par les autres et son comportement à leur égard. Ainsi, tout en s'intéressant aux groupes, les psychologues sociaux cherchent surtout à déterminer et à vérifier comment les groupes influencent les individus, ou comment un individu peut influencer un groupe.

Le psychologue social s'intéresse à l'individu en tant que membre d'un groupe.

Alors que le sociologue s'intéresserait à la façon dont les attitudes raciales des gens de classe économique moyenne en tant que groupe diffèrent de celles des gens de classe économique plus pauvre, le psychologue social s'intéresserait davantage à la façon dont se forment les attitudes raciales chez un individu en particulier. Le simple fait, par exemple, d'étiqueter des gens comme membres d'un groupe quelconque – joueurs de hockey, allophones, féministes, gens âgés – incite-t-il l'individu à surestimer à la fois la similitude des gens appartenant aux groupes et les différences entre les groupes ? (La réponse, soit dit en passant, est oui.)

Même si les sociologues et les psychologues sociaux utilisent parfois les mêmes méthodes de recherche, les psychologues sociaux s'appuient beaucoup plus sur des expériences au cours desquelles ils *manipulent* l'un des facteurs, comme la présence ou l'absence de pression de la part des pairs, dans le but d'en mesurer ou d'en voir l'influence. Les facteurs étudiés par les sociologues sont habituellement difficiles à manipuler. C'est pourquoi ils se servent souvent des enquêtes pour étudier, par exemple, la relation qui existe entre la classe socio-économique des gens et leurs attitudes raciales. Sans doute des considérations éthiques empêcheront-elles également les sociologues de faire des expériences sur des facteurs tels que le niveau socio-économique des gens. Il est tout simplement impossible de modifier le bien-être économique de quelqu'un pour en voir l'influence à long terme sur ses attitudes raciales. Le psychologue social peut toutefois amener des gens à se sentir temporairement frustrés, dans le but de voir comment cette expérience influence leurs attitudes envers les autres.

La psychologie sociale se différencie également du travail social. Même si les psychologues sociaux désirent ardemment voir leurs principes appliqués à des problèmes endémiques tels que le crime et la détérioration des mariages, les problèmes eux-mêmes ne constituent cependant pas le principal centre d'intérêt de la psychologie sociale.

PSYCHOLOGIE SOCIALE ET PSYCHOLOGIE DE LA PERSONNALITÉ

La psychologie sociale et la psychologie de la personnalité se concentrent toutes les deux sur l'individu, si bien qu'elles sont, elles aussi, très apparentées. Leur différence réside dans le caractère social de la psychologie sociale. Les psychologues accordent une plus grande attention à notre fonctionnement intérieur privé et ont un intérêt particulier pour les *différences* entre les individus – pourquoi, par exemple, certains individus sont-ils plus agressifs que d'autres? Quant aux psychologues sociaux, ils se concentrent davantage sur notre humanité commune, sur la façon dont les gens, en général, se perçoivent et s'influencent mutuellement – comment, par exemple, certaines situations sociales peuvent conduire *la plupart* des gens à agir cruellement ou avec compassion, à se conformer ou à être indépendants, à éprouver de la sympathie ou à avoir des préjugés. Nous aurons l'occasion d'examiner la façon dont nous concentrons habituellement notre attention sur les autres, en attribuant plus souvent qu'autrement leurs comportements à leurs dispositions intérieures, oubliant de tenir compte des forces sociales à l'œuvre. À la vue d'un étranger s'exprimant avec colère, il se peut que l'on ignore la situation génératrice de colère ou que l'on n'en tienne pas compte, et que l'on suppose que l'étranger est une *personne* hostile.

«On ne peut jamais prédire ce que fera quelqu'un, mais on peut dire avec précision ce que fera la moyenne des gens. Les individus peuvent être différents, mais les pourcentages demeurent constants.»
Sherlock Holmes, *A Study in Scarlet*, Sir Arthur Conan Doyle, 1887

Pour Serge Moscovici (1984), la psychologie sociale se distingue autant de la sociologie que de la psychologie générale par la même caractéristique. Ces deux dernières, en effet, mettent en relation un sujet (individuel ou collectif, selon le cas) et un objet (environnement, stimulus), alors que la psychologie sociale, elle, substitue à la relation à deux termes (sujet-objet) une relation à trois termes: sujet individuel (*ego*), sujet social (*alter*) et objet (physique, social, imaginaire ou réel). Elle introduit donc une médiation constante entre le sujet et l'objet, qui se traduit par des modifications de la pensée et du comportement de chacun.

NIVEAUX D'EXPLICATION

Les points de vue à partir desquels nous pouvons étudier les êtres humains sont organisés en disciplines scolaires allant des sciences de base, comme la physique et la chimie, aux disciplines qui visent une plus grande intégration de la connaissance, comme la philosophie et la théologie. Le meilleur point de vue dépend de ce dont on veut parler. Prenons par exemple l'amour: le physiologiste pourrait décrire l'amour comme un état d'excitation. Un psychologue social étudierait comment diverses caractéristiques et diverses conditions – belle apparence, ressemblance des partenaires, des rencontres véritables et répétées – augmentent l'émotion de l'amour. Un poète chanterait les louanges de l'expérience sublime que peut parfois constituer l'amour. Le théologien décrirait l'amour comme le but assigné par Dieu aux relations humaines. Ce n'est pas parce qu'un événement, comme l'amour, peut être décrit simultanément à différents niveaux qu'il nous est permis de supposer qu'un niveau est la *cause* de l'autre – en présumant, par exemple, qu'un état particulier du cerveau est la cause de l'émotion amoureuse ou que l'émotion amoureuse est la cause de l'état particulier du cerveau. Les points de vue affectif et physiologique ne sont que deux façons différentes de considérer le même événement.

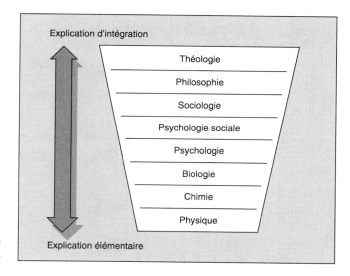

Figure 1.1
Hiérarchie partielle des disciplines. Les disciplines vont des sciences de base étudiant les éléments fondamentaux de la nature aux disciplines visant une plus grande intégration par l'étude des systèmes complexes dans leur totalité. Une explication réussie du fonctionnement humain à un certain degré n'a pas à contredire une explication à d'autres degrés.

Il est également important de se rappeler qu'un type d'explication n'a pas à rivaliser avec les autres. Une explication scientifique réussie n'a pas, par exemple, à discréditer les points de vue de la littérature et de la philosophie ou à empiéter sur eux. De même, une explication évolutionniste de l'universalité des tabous de l'inceste (sur le plan de la pénalité génétique payée par le rejeton des unions consanguines) n'a pas à empiéter sur une explication sociologique (pouvant considérer la fonction des tabous sur le plan de la protection de l'unité familiale) ou sur une explication théologique (sur le plan de la vérité morale). Toutes ces explications du tabou de l'inceste peuvent se compléter plutôt que de se contredire.

Si «la vérité est une», différents niveaux d'explication devraient alors pouvoir s'intégrer les uns aux autres en une vision d'ensemble, au même titre que l'assemblage de différentes perspectives bidimensionnelles d'un objet afin d'en obtenir une image en trois dimensions plus complète. Ce n'est qu'en admettant la relation complémentaire des différents niveaux d'explication que l'on se libère de toute la vaine controverse: devrait-on envisager la nature humaine de manière scientifique ou de manière plus subjective ? Il ne s'agit pas là d'une opposition nette. Les points de vue scientifique et subjectif sont tous les deux valables par rapport à leur but respectif. Même si, dans ce livre, nous attachons une importance particulière aux résultats de la recherche scientifique, nous n'avons pas à dévaloriser les riches idées issues d'autres manières d'aborder les problèmes.

«La connaissance est une. Qu'on l'ait divisée en diverses disciplines n'est qu'une concession à la faiblesse humaine.»
Sir Halford John MacKinder, 1887

En résumé, on peut aborder les êtres humains selon une multitude de points de vue, chacun étant incapable de répondre aux questions soulevées par les autres. La psychologie sociale est *un* point de vue important à partir duquel il est possible de s'étudier et de se comprendre soi-même. Par contre, Willem Doise (1982) démontre que ce point de vue peut lui-même se décomposer en quatre niveaux d'analyse. Il y a d'abord le niveau de l'étude des processus intrapersonnels. À ce niveau, le psychologue social s'intéresse, par exemple, aux processus qui permettent à un individu de se faire une opinion globale sur quelqu'un à partir de l'intégration de différents traits de personnalité qui lui sont présentés. Le deuxième niveau se rapporte à l'interindividuel et à la situation. C'est le cas lorsque l'objet d'étude est, par exemple, l'attribution d'intentions à autrui. Le troisième niveau est celui du statut social. Ce niveau entre en jeu quand, par exemple, une argumentation convainc plus facilement un individu parce que celui qui présente cette argumentation a un statut social plus élevé. Enfin, le quatrième niveau est celui de l'idéologie, c'est-à-dire des systèmes de croyance partagés, des valeurs acceptées dans une culture donnée, des normes qui valident l'ordre établi. Doise donne l'exemple des travaux de Melvin Lerner (1971) pour illustrer ce niveau. Selon Lerner, il y a, chez les gens, une profonde conviction selon laquelle «le monde est juste» et que ce qui arrive aux personnes qui souffrent est mérité.

COMMENT FAIRE DE LA PSYCHOLOGIE SOCIALE

À la différence des autres disciplines scientifiques, la psychologie sociale compte cinq milliards de praticiens amateurs. Alors que peu d'entre nous possèdent une expérience pratique en physique nucléaire, nous constituons tous le sujet même de la psychologie sociale. Chacun d'entre nous, à partir de ses observations quotidiennes des gens, se forme plusieurs idées quant à la façon dont les gens se perçoivent, s'influencent et se comportent les uns envers les autres. Les psychologues sociaux professionnels bénéficient d'un léger avantage sur les amateurs, parce que leurs observations de la nature humaine sont plus élaborées, mettant sur pied des expériences qui créent des drames sociaux miniatures où il est plus facile d'identifier avec précision la cause et l'effet. Une bonne partie de ce que vous apprendrez des méthodes de recherche sociopsychologiques s'intégrera par la simple lecture des chapitres ultérieurs. Mais allons d'abord dans la coulisse pour y voir brièvement comment on fait de la psychologie sociale. Nous espérons que ce coup d'œil à l'arrière-scène suffira à vous faire reconnaître les évidences dont il sera question tout au long de ce volume.

Recherche sur le terrain :
Recherche effectuée dans l'environnement naturel et quotidien, hors du laboratoire.

Presque toute la recherche en psychologie sociale se fait en **laboratoire** (une situation dirigée) ou sur le **terrain** (situations quotidiennes hors du laboratoire) et cette recherche est soit **corrélationnelle** (cherchant à savoir si deux facteurs sont naturellement associés), soit **expérimentale** (modifiant un facteur pour en voir l'effet sur un autre). Pour devenir un lecteur avisé en matière de recherche psychologique, surtout celle dont on parle dans les journaux et dans les périodiques, il vous faut absolument comprendre la différence entre la recherche corrélationnelle et la recherche expérimentale.

Pour illustrer les avantages et les inconvénients des deux méthodes, prenons une question pratique : L'université constitue-t-elle un bon investissement financier ? Sans doute connaissez-vous les messages publicitaires portant sur les bénéfices économiques futurs liés à la fréquentation de l'université. Ces messages ne sont souvent rien de plus que les spéculations optimistes des administrateurs et des gens chargés du recrutement pour les universités. Étudions donc les messages. Comment séparer les faits du mensonge lorsqu'il s'agit de déterminer l'impact de l'université sur les revenus futurs des étudiants ?

RECHERCHE CORRÉLATIONNELLE : TROUVER LES ASSOCIATIONS NATURELLES

Recherche corrélationnelle :
Étude des relations s'établissant naturellement entre des variables.

Pour commencer, il nous faudrait prouver qu'il y a relation – ou **corrélation**, comme on dit – entre le niveau de scolarité des gens et leurs revenus. Si l'université, par exemple, constitue un bon investissement financier, les diplômés devraient gagner en moyenne plus d'argent que les gens n'ayant pas fréquenté l'université. Cela signifie-t-il que nous sommes maintenant d'accord avec les recruteurs des universités pour dire que l'éducation supérieure est la porte ouverte au succès économique ?

Avant de répondre oui à cette question, considérons-la avec attention. Nous savons que, en fait, l'éducation officielle a été associée aux revenus. Voilà qui est incontestable. Mais cela veut-il nécessairement dire que la scolarité est la *cause* des revenus plus élevés ? Peut-être pouvez-vous identifier des facteurs autres que la scolarité pouvant expliquer la corrélation entre la scolarité et les revenus. (Nous appelons ces facteurs des *variables* parce qu'ils varient en fonction des gens.) Pourquoi ne pas considérer le statut social de la famille ? Pourquoi ne pas considérer les capacités intellectuelles et le désir de succès des gens ? Ces facteurs ne seraient-ils pas déjà plus marqués chez les gens allant à l'université ? Les revenus plus élevés sont peut-être dus à une combinaison de ces variables plutôt qu'au fait d'obtenir un diplôme universitaire. Ou peut-être les revenus et la scolarité sont-ils en corrélation parce que ceux qui ont de l'argent sont les premiers à pouvoir se permettre des études universitaires.

Corrélation ne veut pas nécessairement dire cause

La question de la scolarité et des revenus illustre l'erreur de jugement la plus commune, tant chez les psychologues sociaux professionnels que chez les amateurs. Lorsque deux facteurs comme la scolarité et les revenus vont ensemble, il est extrêmement tentant de conclure que l'un est la cause de l'autre, *surtout* lorsque nous avons une prédisposition à adhérer à une conclusion de ce genre.

Au hockey, comme dans bien d'autres sports d'ailleurs, il est courant d'entendre les commentateurs sportifs dire que, lorsque tel joueur vedette joue bien, l'équipe gagne. Ils veulent dire par là que ce joueur vedette est la *cause* du bon rendement de l'équipe. Mais ne faudrait-il pas se demander si l'excellent jeu de ses coéquipiers ne pourrait pas aussi être la *cause* du bon rendement de ce joueur ?

Examinons deux illustrations de la question de la corrélation-causalité, tirées du domaine de la psychologie. Si un style particulier d'éducation des enfants est associé à certains traits de personnalité développés chez les enfants qui l'ont reçu, que devons-nous en conclure ? Si, comme le croyait Freud, les enfants éduqués à la propreté de façon sévère et intransigeante deviennent compulsifs et anxieux, cela prouve-t-il la théorie freudienne baptisée « théorie de la personnalité fondée sur le papier de toilette » ? Il y a au moins trois explications possibles à chaque corrélation. L'influence des parents sur l'enfant [$x \rightarrow y$] en est une. Vous seriez cependant surpris par la force de la preuve d'une influence des enfants sur leurs parents [x ← y] (Bell et Chapman, 1986). Ou peut-être, comme le suggère l'explication 3 à la figure 1.2, y a-t-il une source commune [z] à la fois au style d'éducation et aux traits de personnalité de l'enfant. Les caractéristiques, tant des parents que des enfants, proviennent peut-être des gènes qu'ils ont en commun. Ou peut-être que la technique d'éducation à la propreté et la personnalité de l'enfant sont toutes les deux la conséquence de la relation parent-enfant prise dans sa totalité.

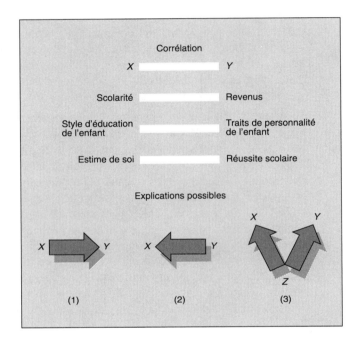

Figure 1.2
Quand deux variables sont corrélationnelles, toute combinaison d'au moins trois explications est possible.

À titre de seconde illustration, voyons la corrélation très réelle qui existe entre l'estime de soi et la réussite scolaire. Les enfants jouissant d'une forte estime de soi ont également tendance à connaître un très grand succès scolaire. (Comme pour toute corrélation, nous pouvons aussi inverser la proposition : Ceux qui réussissent bien ont tendance à jouir d'une forte estime de soi.) Pourquoi pensez-vous qu'il en est ainsi ? Certains croient qu'une «bonne image de soi» contribue au succès. Fortifier l'image de soi d'un enfant engendre par conséquent son succès scolaire. D'autres soutiennent qu'un succès important procure une image de soi favorable. Une série d'étoiles dorées autour du nom d'un élève au tableau d'honneur et des éloges constants de la part d'un professeur admiratif peuvent nourrir l'estime de soi de l'enfant. Des études approfondies, effectuées par Jerald Bachman et Patrick O'Malley (1977), sur un échantillon national de 1600 jeunes hommes, et par Geoffrey Maruyama *et al.* (1981), sur un échantillon de 715 jeunes issus du Minnesota, ont donné un surprenant résultat : l'estime de soi et le succès *n'ont pas* entre eux de relation de causalité. Ils sont en corrélation simplement parce qu'ils sont tous les deux reliés à l'intelligence et au statut social de la famille. Quand les chercheurs enlevèrent l'influence de l'intelligence et du statut social de la famille, la corrélation entre estime de soi et succès s'évapora. De même, John McCarthy et Dean Hoge (1984) contestent l'idée que la corrélation entre faible estime de soi et délinquance signifie qu'une faible estime de soi provoque la délinquance. Leur étude auprès de 1658 adolescents suggère plutôt que les actes délinquants affaiblissent l'estime de soi.

Les chercheurs ont trouvé une corrélation faible mais positive entre la préférence des adolescents et des adolescentes pour la musique heavy metal et leurs attitudes favorables à la sexualité avant le mariage, à la pornographie, au satanisme et à la consommation de drogues et d'alcool (Landers, 1988). Quelles sont les explications possibles à cette corrélation ?

En résumé, la grande force de la recherche corrélationnelle réside dans le fait qu'elle s'effectue habituellement sur le terrain de la vie quotidienne où elle peut étudier des facteurs comme la race, le sexe et la scolarité qui ne peuvent être modifiés en laboratoire. Son inconvénient majeur est l'ambiguïté de ses résultats. Sachant que deux variables, comme la scolarité et les revenus, augmentent et diminuent ensemble, on peut prédire l'un quand on connaît l'autre, mais cela ne crée pas une relation de cause à effet.

Heureusement, on a maintenant mis au point des techniques statistiques *révélant* des relations de cause à effet dans le domaine de la recherche corrélationnelle. Elles y parviennent en isolant les facteurs reliés de façon évidente (comme la scolarité, le statut familial et les aptitudes) pour déterminer la force de prédiction de chacun. Elles peuvent également tenir compte de la séquence des événements (en déterminant, par exemple, si les changements sur le plan du succès précèdent ou suivent des changements sur le plan de l'estime de soi. La morale de l'histoire n'en demeure pas moins que la recherche corrélationnelle permet la prédiction, mais n'est cependant pas en mesure de nous dire si le fait de modifier une variable (comme la scolarité) *causera* un changement à une autre variable (comme les revenus).

Recherche par enquête

Comment faire, alors, pour mesurer des variables comme la scolarité et les revenus ? Une méthode consiste à procéder à une enquête auprès d'échantillons représentatifs de gens (Chauchat, 1985). Les enquêteurs obtiennent un groupe représentatif en prenant un **échantillon au hasard** – à l'intérieur duquel chaque personne du groupe a une chance égale d'être choisie pour participer. Grâce à cette méthode, n'importe quel sous-groupe (les roux, par exemple) se verra représenté dans l'enquête dans la même proportion qu'il est représenté dans la population totale.

Échantillon au hasard :
Méthode d'enquête où chaque personne du groupe étudié a une chance égale d'être choisie.

Ce qui est surprenant, c'est le fait que d'enquêter auprès d'environ 1200 participants choisis au hasard permettra à l'enquêteur d'être certain à 95 % de décrire la population dans son ensemble, avec une marge d'erreur de 3 % ou moins, et cela, malgré le fait que l'enquêteur soit en train d'étudier les caractéristiques des citadins ou de la population de tout le pays. Pour bien comprendre, imaginez une immense chaudronnée de fèves, dont 50 % sont rouges et 50 % sont blanches. Quelqu'un qui prend au hasard un échantillon de 1200 fèves sera certain à 95 % de retirer entre 47 % et 53 % de fèves rouges, que la chaudronnée contienne 10 000 fèves ou 100 000 000 de fèves. Si l'on voit les fèves rouges comme les partisans d'un candidat présidentiel et les fèves blanches comme les partisans de l'autre candidat, on comprendra alors pourquoi, depuis 1950, les sondages Gallup effectués juste avant les scrutins ont, en moyenne, un écart de seulement 1,4 % avec les résultats des élections.

Il faut toutefois garder à l'esprit que de tels sondages ne prédisent pas du tout le vote; ils ne font que *décrire* l'opinion publique telle qu'elle est au moment où ils sont effectués. L'opinion publique peut changer. Lors de l'élection fédérale de 1988, le Nouveau Parti démocratique était en tête de liste au début de la campagne électorale, alors que le Parti conservateur était dernier; les résultats du vote ont été exactement à l'inverse.

Pour évaluer correctement les enquêtes, il faut aussi garder à l'esprit quatre facteurs qui peuvent les biaiser: des échantillons non représentatifs, l'ordre dans lequel sont posées les questions, les réponses optionnelles proposées et la formulation des questions.

Échantillons non représentatifs   Il n'y a pas que la grosseur de l'échantillon qui compte. Il faut aussi savoir jusqu'à quel point il représente la population étudiée. En 1984, la journaliste Ann Landers accepta de relever le défi lancé par l'un de ses correspondants de sonder ses lecteurs pour savoir si les femmes trouvaient l'affection plus importante que la sexualité. La question fut la suivante: «Seriez-vous satisfaite d'être serrée dans les bras et tendrement traitée en l'absence de toute sexualité?» Sur plus de 100 000 femmes ayant répondu, 72 % ont dit oui. Une publicité monstre sur le plan international s'ensuivit. En réponse aux critiques, Landers (1985, p. 45) concéda que «l'échantillon ne représente peut-être pas l'ensemble des femmes américaines, mais nous fournit des idées valables et honnêtes d'une coupe transversale du public. Cela est dû au fait que ma chronique est lue par des gens de tous les échelons de la société, soit environ 70 millions de personnes». On est quand même en droit de se demander si les 70 millions de lecteurs sont représentatifs de la population entière. De plus, le lecteur sur 70 qui a participé est-il représentatif des 69 autres n'ayant pas participé?

L'importance de la représentativité de l'échantillon d'enquête fut effectivement démontrée en 1936, lorsqu'une revue américaine, le *Literary Digest*, posta une carte postale pour le vote présidentiel à 10 millions d'Américains. D'après les deux millions et plus de réponses, Alf Landon remportait une écrasante victoire sur Franklin D. Roosevelt. Mais quand, le jour du scrutin, on dépouilla les votes, soit quelques jours plus tard, Landon ne l'emportait que dans deux États. Pourquoi l'erreur de sondage? Parce que la revue n'avait envoyé le questionnaire qu'aux personnes dont le nom figurait dans les annuaires téléphoniques et dans les enregistrements d'automobile, laissant par conséquent de côté tous ceux qui ne pouvaient s'offrir ni l'un ni l'autre (Cleghorn, 1980).

On peut trouver un échantillon biaisé même dans les meilleures des enquêtes contemporaines. Les sondages simultanés d'opinion politique, étant supposés avoir chacun une marge d'erreur de 3 %, diffèrent généralement entre eux par plus de 3 %. Philip Converse et Michael Traugott (1986) attribuent de telles divergences en partie aux quelque 30 % des gens sélectionnés qui refusent de coopérer ou qui ne sont pas disponibles, rendant de la sorte imparfait l'échantillon obtenu.

Ordre des questions   Quand il a un échantillon représentatif, l'enquêteur doit ensuite se débattre avec d'autres sources de biais, notamment l'ordre dans lequel sont posées les questions. La plupart des Américains auxquels on a demandé si «on devrait permettre au gouvernement japonais d'imposer des restrictions aux industries américaines quant à leurs ventes au Japon» ont répondu non (Schuman et Ludwig, 1983). Simultanément, les deux tiers d'un échantillon équivalent répondaient oui à la même question – parce qu'on leur avait d'abord demandé si «on devrait permettre au gouvernement américain d'imposer des restrictions aux industries japonaises quant à leurs ventes aux États-Unis». La plupart de ces personnes avaient déclaré que les États-Unis avaient le droit de restreindre les importations; pour paraître logiques et équitables, elles ont alors déclaré que le Japon devait jouir du même droit. Aux élections provinciales de 1985, au Québec, le chef du Parti québécois, Pierre-Marc Johnson, était plus populaire que son parti, alors que c'était l'inverse pour le chef du Parti libéral, Robert Bourassa. Une question sur l'intention de vote qui venait juste après une question sur la popularité des chefs pouvait être biaisée (Lemieux, 1988).

Options de réponse Il faut aussi tenir compte des conséquences désastreuses liées au choix de réponses. Lorsque Joop van der Plight et ses collaborateurs (1987) ont demandé à des électeurs britanniques quel pourcentage de l'énergie nucléaire britannique devrait provenir des centrales nucléaires, la préférence moyenne était de 41 %. À d'autres, on a demandé quel pourcentage devrait provenir (1) du nucléaire, (2) du charbon, (3) d'autres sources. Leur préférence moyenne pour les centrales nucléaires ne dépassait pas 21 %. Une conséquence semblable au choix de réponses se produisit lorsque Howard Schuman et Jacqueline Scott (1987) ont demandé aux Américains : «Quel est, d'après vous, le plus grave problème auquel doit faire face la nation aujourd'hui : la pénurie d'énergie, la qualité de l'enseignement public, la légalisation de l'avortement ou la pollution ? Si vous préférez, vous pouvez choisir un problème différent.» Devant ces choix, 32 % étaient d'avis que la qualité de l'enseignement public était le problème le plus grave. Parmi ceux à qui l'on avait seulement demandé : «Quel est, d'après vous, le plus grave problème auquel doit faire face aujourd'hui le pays ?» seulement 1 % a mentionné les écoles. Il faut donc garder en mémoire que la façon dont on pose la question influence la réponse. Selon André Blais (1984), on obtient généralement des résultats fiables lorsqu'on demande aux gens de dire s'ils sont satisfaits du gouvernement provincial et qu'on leur propose quatre options de réponse : «très satisfait», «assez satisfait», «peu satisfait», «pas du tout satisfait».

Formulation La formulation précise des questions et des choix de réponses peut également influencer les réponses. Dans un sondage réalisé à Hull, l'expression «comité de citoyens» avait une signification différente selon les personnes interrogées; pour certaines personnes, il pouvait inclure, par exemple, les groupes d'âge d'or (Blais, 1984). Par ailleurs, il faut tenir compte du vieillissement des questions. La question «Êtes-vous gai ?» faisant partie d'un questionnaire de concept de soi n'a pas la même signification aujourd'hui qu'en 1970, année où elle fut utilisée pour la première fois. Le titre accompagnant les résultats d'un sondage effectué en février 1985 affirmait que René Lévesque était un meilleur chef que Robert Bourassa. Cependant, la question posée ne demandait pas aux répondants de comparer les deux chefs, mais si chacun des deux chefs faisaient du très bon, du bon, du mauvais ou du très mauvais travail (Lemieux, 1988). Les questions d'un sondage doivent être courtes, une ou deux lignes, pour qu'elles soient bien comprises. Pour plusieurs, la question du référendum de 1980 sur la souveraineté-association est apparue excessivement longue. Notons, en passant, qu'une maison de sondage, deux jours avant la tenue de ce référendum, annonçait que le «oui» allait l'emporter sur le «non», alors que le résultat du vote a donné 60 % pour le «non» et 40 % pour le «oui». Selon Vincent Lemieux, cet écart pourrait s'expliquer par un effet de contagion dû à la façon de poser la question, qui aurait amené les répondants à s'exprimer à la fois sur le Parti québécois et sur la question référendaire.

La recherche en langue française qui se pratique au Canada français ne serait pas possible sans la traduction fréquente de questionnaires anglais. La validation transculturelle de questionnaires ne va pas de soi. Robert Haccoun (1987) et Robert Vallerand (1989) proposent une technique de vérification de l'équivalence de mesures traduites et une démarche systématique pour y arriver (pour un exemple de l'application de cette démarche, voir la validation canadienne-française de l'Échelle des Orientations Générales à la Causalité par Vallerand [1987]).

RECHERCHE EXPÉRIMENTALE : TROUVER LA CAUSE ET L'EFFET

La quasi-impossibilité de discerner la cause et l'effet parmi des événements en corrélation naturelle incite la plupart des psychologues sociaux à créer en laboratoire des simulations des processus quotidiens, pourvu que la chose soit faisable et morale. On pourrait comparer ces simulations de la vie quotidienne à ce que font les ingénieurs en aéronautique. Commencent-ils par observer la façon dont se comportent les objets volants dans une grande variété d'environnements naturels ? Les variations, tant sur le plan des conditions atmosphériques que sur le plan des objets volants, sont si complexes que les ingénieurs ne tarderaient pas à ne plus savoir comment utiliser toutes ces informations pour concevoir de meilleurs avions. C'est pourquoi ils construisent plutôt une réalité simulée, qu'ils peuvent diriger – un tunnel aérodynamique. Ils peuvent alors manipuler les conditions de vent et s'assurer de l'effet précis d'un type de vent sur des structures particulières d'ailes.

VOUS OBTENEZ CE QUE VOUS DEMANDEZ

Il n'y a pas que les questions d'enquête qui importent, mais il y a aussi d'importantes décisions quotidiennes qui dépendent de la façon dont on pose le problème. Amos Tversky et Daniel Kahneman (1981) ont soumis à leurs étudiants de l'Université de Stanford et de l'Université de Colombie-Britannique, le problème suivant :

Imaginez que les États-Unis se préparent à l'éclosion d'une maladie asiatique inhabituelle, qui devrait apparemment tuer 600 personnes. On a proposé un choix de deux programmes visant à combattre la maladie. Supposons que l'évaluation scientifique précise des conséquences des programmes soit la suivante :

Si l'on adopte le programme A, on sauvera la vie de 200 personnes.

Si l'on adopte le programme B, il y a un tiers de probabilité que 600 personnes soient sauvées et deux tiers de probabilité que personne ne soit sauvé.

Ceux à qui l'on a proposé ce choix ont favorisé le programme A à environ trois contre un.

Mais quand on a énoncé différemment les deux mêmes possibilités, le programme B remporta les faveurs à trois contre un.

Si l'on adopte le programme A, 400 personnes mourront.

Si l'on adopte le programme B, il y a un tiers de probabilité que personne ne meure et deux tiers de probabilité que 600 personnes meurent.

Comment répondriez-vous à la façon dont une chose est présentée – peut-être comme ceux qui sont plus favorables au bœuf haché décrit comme étant «maigre à 75 %» plutôt que «gras à 25 %» ; ou comme ceux qui préfèrent un nouveau traitement médical décrit comme ayant «un taux de succès de 50 %» à celui ayant «un taux d'échec de 50 %» (Levin *et al.*, 1987-1988) ?

Morale : la façon dont on présente les décisions de tous les jours peut faire une grosse différence.

Contrôle : modifier une variable tout en maintenant les autres constantes

Tout comme les ingénieurs en aéronautique, les psychologues sociaux expérimentent en créant des situations sociales simulant d'importantes caractéristiques de nos vies quotidiennes. En modifiant seulement un ou deux éléments à la fois, tout en maintenant les autres constants, le chercheur peut alors préciser comment les changements de un ou de deux éléments nous influencent. À l'instar du tunnel aérodynamique aidant l'ingénieur en aéronautique à découvrir les principes de base de l'aérodynamique, l'expérience aide le psychologue social à découvrir les principes de base de la pensée sociale, des influences sociales et des relations sociales. Et tout comme l'objectif ultime des simulations en tunnel aérodynamique consiste à comprendre et à prédire les caractéristiques de vol d'avions complexes, de même le but des expériences en laboratoire que font les psychologues sociaux est de comprendre et de pouvoir prédire. Cette analogie, cependant, ne doit pas nous faire perdre de vue que la situation sociale est souvent beaucoup plus difficile à contrôler parce qu'elle est plus complexe. Par exemple, dans une expérience portant sur l'influence sociale, si l'hypothèse est confirmée pour la majorité des sujets, il n'en demeure pas moins que les raisons pour lesquelles elle ne l'est pas pour les autres peuvent dépendre de phénomènes intéressants en soi qu'il ne faut pas ramener à de simples erreurs de mesure (Lemaine, 1989).

On utilise la méthode expérimentale pour environ les trois-quarts de la recherche en psychologie sociale (Higbee *et al.*, 1982) et l'endroit où deux études sur trois sont effectuées est un laboratoire de recherche (Adair *et al.*, 1985). À titre d'exemple, prenons l'impact de la télévision sur les attitudes et les comportements des enfants (que l'on analysera plus en profondeur au chapitre 10, intitulé «Agression»). Les enfants qui regardent beaucoup d'émissions violentes ont tendance à être plus agressifs que ceux qui en regardent moins. Cela semble indiquer que les enfants pourraient apprendre certains de leurs comportements à partir de ce qu'ils voient à l'écran. Mais il s'agit là, comme vous l'aurez sans doute reconnu, d'un résultat corrélationnel. La figure 1.2 nous rappelle qu'il y a au moins deux autres interprétations de causalité n'impliquant pas la télévision comme cause de l'agressivité des enfants. (Quelles sont-elles ?) Les psychologues ont donc apporté les émissions de télévision au laboratoire où ils peuvent diriger l'écoute de la violence en montrant aux enfants des émissions violentes et non violentes et en en observant les effets sur leur comportement.

Robert Liebert et Robert Baron (1972) ont, par exemple, montré à de jeunes garçons et à de jeunes filles de l'Ohio un extrait violent d'un film de bandits ou un extrait d'une course excitante. Les enfants qui avaient vu l'extrait violent avaient, par la suite, plus tendance à appuyer fortement sur un certain bouton rouge dont le but supposé était de transmettre une douleur de brûlure à un autre enfant (en fait, il n'y avait pas d'autre enfant, si bien que personne n'était vraiment atteint). De telles expériences indiquent que la télévision *peut* être l'une des causes du comportement agressif des enfants.

La recherche et ses applications   Comme l'illustre cette expérience, la fascination exercée par la psychologie sociale est en partie due au fait qu'elle joint l'expérience quotidienne à l'analyse de laboratoire. Tout au long de ce volume, nous garderons un pied dans chaque domaine, tirant la majeure partie de nos informations du laboratoire et prenant nos exemples dans la vie quotidienne. En fait, il y a, en psychologie sociale, une saine interaction entre la recherche en laboratoire et la vie de tous les jours. Les intuitions fournies par la vie quotidienne ont inspiré une bonne partie de la recherche en laboratoire, recherche qui a mis en relief d'importantes facettes de la nature humaine, approfondissant ainsi notre conscience des choses. Cette interaction est évidente dans la recherche portant sur la télévision et les enfants. Ce qu'avaient constaté les gens dans la vie quotidienne a incité à certaines expériences. L'ensemble du réseau de télévision de même que les législateurs connaissent maintenant parfaitement les résultats de ces expériences. Par conséquent, ce que nous observons dans la vie courante peut souvent être étudié de plus près au cours d'expériences soigneusement dirigées dont les résultats peuvent par la suite être appliqués aux problèmes sociaux. De plus en plus, on reconnaît l'application en psychologie sociale comme une composante essentielle qui mérite au moins autant d'attention que la psychologie sociale expérimentale (voir Joshi, 1984).

Il faut toutefois faire preuve de prudence devant les généralisations passant du laboratoire à la vie courante. Le laboratoire, même s'il nous aide considérablement à découvrir des secrets fondamentaux de l'existence humaine, n'en demeure pas moins une réalité simplifiée. Il nous indique l'effet à attendre d'une variable X, toutes choses étant par ailleurs égales, ce qui n'est jamais le cas dans la complexité de la vie courante. De plus, comme vous le constaterez, les participants à plusieurs des expériences en psychologie sociale sont des étudiants. Bien que cela puisse vous aider à vous identifier à eux, les étudiants ne peuvent constituer un échantillon pris au hasard de toute l'humanité. Obtiendrait-on les mêmes résultats avec des gens d'âges différents, de scolarité différente et de culture différente? C'est là une question toujours ouverte, même si l'expérience nous a appris à faire la différence entre le *contenu* des pensées et des actes des gens – leurs normes et leurs attitudes, par exemple – et le *processus* de leurs pensées et de leurs actes – jusqu'à quel point, par exemple, leurs attitudes influencent leurs actes et vice versa. D'une culture à l'autre, le contenu varie probablement plus que le processus. Des gens de cultures différentes peuvent, par exemple, avoir des opinions différentes tout en se les formant de manière semblable. Ce n'est que tout récemment que la psychologie sociale transculturelle a commencé à nous apporter une réponse à cette question en reprenant des recherches classiques en psychologie sociale dans diverses cultures à différents moments (Kagitcibasi et Berry, 1989).

Recherche expérimentale: Études cherchant des indices de relations de cause à effet grâce à la modification de un ou de plusieurs éléments, tout en maîtrisant les autres (en les maintenant constants).

Nous avons vu jusqu'ici que la logique de l'expérimentation est très simple: en créant et en maîtrisant une réalité miniature, on peut modifier l'un ou l'autre élément et découvrir comment ces éléments, pris séparément ou ensemble, influencent les gens. L'expérience de laboratoire nous permet de vérifier des idées glanées dans nos expériences de vie et, avec la prudence qui s'impose, nous pouvons relier nos découvertes à la vie courante. Allons maintenant un peu plus en profondeur et voyons comment se fait une expérience.

Toute expérience de psychologie sociale a deux ingrédients essentiels. Nous venons d'en considérer un, le *contrôle*. Nous manipulons une ou deux variables en essayant de maintenir constantes les autres variables. L'autre ingrédient est la *répartition faite au hasard*.

Répartition faite au hasard

Rappelez-vous que nous hésitions à donner aux universités le crédit pour les revenus plus élevés des diplômés, parce que ces diplômés peuvent aussi bénéficier, indépendamment de leur scolarité, de leur contexte social, de leurs aptitudes, et ainsi de suite. Un enquêteur pourrait mesurer chacun de ces facteurs potentiels et noter ensuite l'avantage dont jouissent les diplômés universitaires sur le plan des revenus, au-delà et en deçà de ce à quoi l'on pourrait s'attendre de ces facteurs. Un telle gymnastique est excellente, mais le chercheur ne peut jamais faire les ajustements pour tous les facteurs qui pourraient, à part le fait d'aller à l'université, différencier les diplômés des gens qui ne vont pas à l'université. Les explications possibles sur la différence des revenus sont illimitées, comme l'héritage ethnique, la sociabilité, la belle apparence, ou n'importe quel facteur parmi des centaines auxquels n'avait jamais pensé le chercheur.

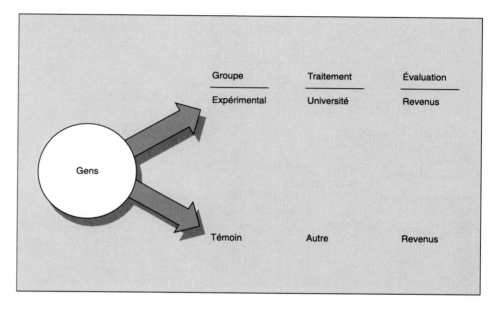

Figure 1.3
Répartir au hasard des gens dans un groupe subissant un traitement expérimental ou dans un groupe témoin ne subissant pas de traitement expérimental peut assurer au chercheur que toute autre différence ultérieure est provoquée par le traitement.

Répartition faite au hasard :
Répartir les participants dans des conditions d'une expérience en faisant en sorte que toutes les personnes aient une chance égale d'être dans une condition donnée. Cela égalise les conditions au début de l'expérience. Par conséquent, si les participants dans les conditions différentes se comportent par la suite différemment, cela sera rarement dû aux différences préexistant entre eux. (Notez la différence entre la *répartition* faite au hasard lors des expériences et l'*échantillon* pris au hasard lors des enquêtes.

Pour le moment, laissons libre cours à notre imagination et voyons comment tous ces facteurs de complication pourraient être égalisés d'un seul coup. Supposons qu'on nous donne le pouvoir de prendre un groupe de diplômés du collégial et d'en **répartir au hasard** un certain nombre à l'université et les autres à d'autres occupations. Dans notre supposée expérience, chaque personne aurait une chance égale de se retrouver à l'université ou dans une autre occupation, si bien que les gens de chacun des groupes auraient à peu près la même moyenne, dans tous les domaines imaginables : statut familial, apparence physique, aptitudes, etc. La répartition faite au hasard nivellerait en gros tous ces facteurs qui nous compliquaient auparavant les choses. Toute différence ultérieure de revenus entre ces deux groupes ne pourrait plus être attribuée à aucun de ces facteurs. De toute évidence, elle aurait plutôt *quelque chose* à voir avec la variable que nous avons modifiée. Ainsi, si une expérience sur la malaria en Amérique centrale révélait que seules les personnes à qui furent attribuées des chambres à coucher sans moustiquaires ont contracté la malaria, cela ne voudrait pas dire que les fenêtres sans moustiquaires sont la *cause* de la malaria, mais plutôt que la cause a quelque chose à voir avec le manque de moustiquaires.

Éthique de l'expérimentation

Notre exemple de l'université démontre également pourquoi certaines expériences ne sont ni réalisables ni morales. Les psychologues sociaux ne modifieraient jamais la vie des gens de cette façon. Dans les cas de ce genre, nous nous fions à la méthode corrélationnelle et nous essayons d'en tirer le maximum d'informations. Dans les autres cas, comme le problème de l'influence de la télévision sur les enfants, nous modifions, pour un court laps de temps, l'expérience sociale des gens et nous en notons les effets. Le traitement expérimental est quelquefois une expérience inoffensive, peut-être même agréable, à laquelle les gens donnent leur plein consentement. Toutefois, les chercheurs se trouvent parfois dans cette zone grise entre l'inoffensif et le dangereux.

Quand ils conçoivent des expériences faisant vraiment appel aux pensées et aux émotions des gens, les psychologues sociaux s'aventurent souvent dans cette zone éthique grise. Les expériences n'ont pas à assurer ce que Elliot Aronson, Marilyn Brewer et Merrill Carlsmith (1985) appellent le **réalisme de notre monde**, ce qui signifie qu'un comportement de laboratoire (par exemple, administrer des chocs électriques, action faisant partie d'une expérience portant sur l'agression) n'a pas à être exactement le même qu'un comportement de la vie courante. Pour bien des chercheurs, cette sorte de réalisme n'est pas en fait une question si importante. L'expérience *devrait* cependant posséder un **réalisme expérimental** : elle devrait absorber et engager les gens. Les chercheurs ne veulent pas que leurs sujets fassent consciemment semblant ou ronflent; ils veulent solliciter les véritables processus psychologiques. Forcer les gens à choisir entre administrer de gros ou de petits chocs électriques à quelqu'un d'autre peut, dans ce sens, constituer une mesure réaliste de l'agression.

Il faut souvent, pour atteindre un réalisme expérimental, tromper les participants. Si la personne dans la salle d'à côté n'est pas en train de subir les chocs électriques, le chercheur ne veut pas que les participants le sachent. S'ils le savaient, il n'y aurait alors plus de réalisme expérimental. Voilà pourquoi le tiers, environ, des expériences en psychologie sociale (bien que ce nombre ait diminué au cours des 15 dernières années) comporte de la tromperie (Vitelli, 1988).

Les chercheurs veulent aussi cacher leurs prédictions, de peur que les sujets désireux d'être de «bons sujets» ne fassent que ce que l'on attend d'eux. Les mots qu'emploie l'expérimentateur, le ton et les gestes qu'il adopte peuvent, par inadvertance, subtilement «exiger» les réponses désirées. Pour atténuer ce genre de **perception subjective des caractéristiques de la situation**, les expérimentateurs normalisent habituellement leurs directives, allant même jusqu'à les écrire ou à les enregistrer.

Les chercheurs sont souvent sur la corde raide lorsqu'il s'agit de mettre au point des expériences qui demandent un engagement de la part des sujets, tout en respectant les principes de l'éthique. Croire que vous êtes en train de faire mal à quelqu'un ou avoir à subir une très forte pression sociale pour vérifier si vos comportements ou vos opinions en seront influencés peut être temporairement déplaisant. Les expériences de ce genre soulèvent l'ancienne question où il s'agit de savoir si la fin justifie les moyens – si l'acquisition de nouvelles connaissances justifie la tromperie et des choses quelquefois pénibles à vivre. De plus, les sujets eux-mêmes peuvent être influencés dans leur comportement, lors d'une expérience, par leur perception de la plus ou moins grande légitimité de cette expérience (Lindsay et Adair, 1990). Voilà pourquoi la recherche en psychologie sociale fait maintenant

Réalisme de notre monde : Degré de similitude superficielle d'une expérience avec les situations quotidiennes.

Réalisme expérimental : Degré auquel une expérience absorbe et engage les participants.

Perception subjective des caractéristiques de la situation : Indices permettant aux participants de découvrir, au cours de l'expérience, ce que l'on attend d'eux.

l'objet d'une évaluation préalable de la part d'un comité d'éthique professionnelle veillant à ce que les gens soient bien traités. Les principes éthiques élaborés par l'*American Psychological Association* (1981) incitent les chercheurs à:

Consentement éclairé:
Principe éthique voulant que les participants à une expérience soient suffisamment informés pour pouvoir choisir s'ils désirent ou non participer.

- Donner suffisamment d'informations sur l'expérience aux éventuels participants pour leur permettre de donner un **consentement éclairé**.

- Dire la vérité. La tromperie ne devrait être employée que lorsqu'elle est justifiée et qu'il n'y a pas d'autre solution de rechange.

- Protéger les participants de la douleur ou d'un inconfort manifeste.

- Respecter le caractère confidentiel des informations touchant les participants.

- Expliquer après coup l'expérience dans son entier, incluant toute forme de tromperie. La seule exception à cette règle concerne la rétroaction pouvant être brutale, faisant tout à coup prendre conscience aux gens qu'ils ont été stupides ou cruels. L'expérimentateur devrait être suffisamment explicite *et* prévenant, de façon que les gens partent en se sentant au moins aussi bien vis-à-vis d'eux-mêmes qu'au moment de leur arrivée. Le mieux serait encore que les participants se sentent récompensés par le fait qu'ils ont appris quelque chose sur la nature de la recherche psychologique. Traités de la sorte, peu de participants s'offusqueront de la tromperie dont ils ont été l'objet (Christensen, 1988).

EXPLIQUER ET PRÉDIRE : UTILISATION DE THÉORIES

«Pour élargir l'esprit, rien n'égale la capacité d'examiner systématiquement et soigneusement tout ce qui, dans la vie, se présente à ton observation.»

Marc Aurèle, *Méditations*

Bien que la recherche fondamentale engendre souvent des bénéfices pratiques, il ne s'agit pas là de la seule raison pour laquelle nous faisons de la psychologie sociale. Plusieurs d'entre nous exercent cette profession parce qu'il leur est difficile de concevoir quelque chose de plus intrinsèquement fascinant que l'existence humaine. Si, comme le disait Socrate, «une vie sans remise en question ne vaut pas la peine d'être vécue», le «connais-toi toi-même» est alors, en lui-même, un objectif valable.

Théorie:
Ensemble intégré de principes expliquant et prévoyant les événements observés.

Dans notre corps-à-corps avec la nature humaine pour lui faire dévoiler ses secrets, nous organisons habituellement nos idées et nos découvertes sous forme de théories. Une **théorie** est un ensemble intégré de principes expliquant et prédisant les phénomènes observés. Des gens se demandent pourquoi les psychologues sociaux se préoccupent tant de leurs théories; pourquoi ils ne se contentent pas de recueillir des données. Pour répondre à cette question, nous nous servirons, encore une fois, de notre analogie des ingénieurs en aéronautique. Sans principes directeurs, ces derniers ne tarderaient pas à crouler sous la tâche de constituer, par seuls essais et erreurs, un catalogue exhaustif des façons dont diverses conditions atmosphériques affectent différentes structures d'ailes. C'est pourquoi ils formulent, à la place, de grands concepts ou de grandes théories sur la façon dont les mouvements atmosphériques interagissent avec les structures d'ailes, et ils utilisent le tunnel aérodynamique pour vérifier les prédictions dérivées de ces concepts. Que ce soit en ingénierie aéronautique ou en psychologie sociale, les théories sont une sorte de sténographie.

Dans le langage populaire, «théorie» signifie souvent une connaissance moins bonne que les faits eux-mêmes – un barreau du milieu sur une échelle de confiance, descendant du fait à la théorie, et de la théorie à la devinette. Mais pour tout scientifique, les faits et les théories sont deux choses différentes, plutôt que deux points différents d'un continuum. Les faits sont des énoncés sur lesquels nous nous entendons et qui concernent nos observations.

Les théories sont des *idées* qui résument et expliquent les faits. «La science se construit à partir de faits, comme la maison à partir de pierres, a dit Jules Poincaré, mais une collection de faits n'est pas plus une science qu'un tas de pierres n'est une maison.»

Les théories ne font pas que résumer; elles comportent également des prédictions vérifiables que l'on appelle **hypothèses**. Les hypothèses ont différentes utilités. Elles nous permettent d'abord de *vérifier* les théories sur lesquelles elles se fondent. En énonçant des prédictions spécifiques, une théorie joint l'acte à la parole. Ensuite, les prédictions *orientent* la recherche. N'importe quel domaine scientifique mûrira beaucoup plus vite si ses chercheurs savent où chercher plutôt que de se contenter de recueillir au hasard des faits isolés. Les prédictions théoriques proposent de nouvelles avenues de recherche; elles indiquent où chercher des choses auxquelles les chercheurs n'auraient même pas pensé. Pour finir, l'aspect prophétique des bonnes théories peut aussi les rendre très *pratiques*. Dans un monde déchiré par les luttes et les conflits, qu'est-ce qui aurait plus de valeur pratique qu'une théorie complète de l'agression, pouvant prédire dans quelles conditions elle risque de se produire et comment la maîtriser? Comme l'a déclaré Kurt Lewin, l'un des fondateurs de la psychologie sociale moderne: «Il n'y a rien de plus pratique qu'une bonne théorie.»

Supposons que l'observation démontre que les foules explosent parfois violemment. Nous pourrions dès lors émettre l'hypothèse que la présence des autres engendre chez les individus un sentiment d'anonymat faisant baisser leurs inhibitions d'agressivité. Laissons nos esprits jouer pour un moment avec cette théorie de l'anonymat. Peut-être pourrions-nous la vérifier en mettant sur pied une expérience de laboratoire, semblable à l'exécution par chaise électrique. Qu'arriverait-il si l'on demandait à des groupes d'individus d'administrer, tous ensemble, des chocs punitifs à une infortunée victime, sans savoir lesquels d'entre eux atteignent vraiment la victime? Les individus administreraient-ils des chocs plus intenses que les individus agissant seuls, comme le prédit notre théorie? Ou, nous pourrions manipuler l'anonymat: Les gens cachés derrière des masques d'Halloween administreraient-ils des chocs plus intenses que ne le feraient des gens clairement identifiables? Si les résultats confirmaient notre hypothèse, il en résulterait peut-être certaines applications pratiques. Peut-être pourrions-nous, par exemple, réduire le nombre d'incidents de brutalité policière en faisant porter aux policiers de gros insignes d'identification et en leur faisant conduire des automobiles identifiées par de gros numéros.

Comment s'y prendre toutefois pour conclure qu'une théorie est meilleure qu'une autre? Une bonne théorie remplit bien toutes ses fonctions: (1) elle résume réellement un large éventail d'observations; et (2) elle fait des prévisions claires dont on peut se servir pour (a) confirmer ou modifier la théorie, (b) créer une nouvelle recherche et (c) proposer des applications pratiques. Quand on rejette des théories, ce n'est habituellement pas parce qu'elles ont été faussées, mais parce que, à l'exemple d'un ancien modèle d'automobile, elles ont été remplacées par de meilleurs modèles plus neufs.

Mais, objectera-t-on, les théories de la psychologie sociale nous fournissent-elles vraiment de *nouvelles* informations sur la condition humaine? Ou se contentent-elles de décrire ce qui est évident?

Hypothèse:
Proposition vérifiable qui décrit une relation pouvant exister entre les événements.

LA PSYCHOLOGIE SOCIALE
N'EST-ELLE QU'UNE FORME SOPHISTIQUÉE DU BON SENS?

Étant donné que la matière principale de la psychologie sociale est présente partout autour de nous, plusieurs des conclusions présentées dans ce volume ne vous seront probablement pas étrangères. Chaque être humain observe quotidiennement la façon dont les gens se perçoivent, s'influencent ou entrent en relation les uns avec les autres, tant et si bien qu'une certaine sagesse sociale s'est nécessairement développée. Depuis des siècles, les philosophes, les romanciers et les poètes ont observé et commenté le comportement social, souvent avec beaucoup d'acuité. Cela nous autorise-t-il à dire que la psychologie sociale n'est rien d'autre que le bon sens présenté dans un nouveau jargon? La psychologie sociale a fait l'objet de deux critiques contradictoires. L'une consiste à dire que cette science est sans importance, parce qu'elle ne fait que fournir une documentation à ce qui est évident; la seconde consiste à dire que la psychologie sociale est dangereuse, parce qu'on peut se servir de ses découvertes pour manipuler les gens. La première objection est-elle valable? Est-il vrai que la psychologie sociale ne fait que formaliser ce que sait déjà intuitivement tout bon psychologue social amateur?

PHÉNOMÈNE DU «JE-LE-SAVAIS!»

L'un des problèmes des explications fondées sur le bon sens, c'est que nous avons tendance à les invoquer *après* avoir pris connaissance des faits. Les événements sont beaucoup plus «évidents» et prévisibles avec du recul (rétrospectivement) qu'à l'avance. Baruch Fischhoff et autres (Slovic et Fischhoff, 1977) ont démontré à plusieurs reprises que lorsqu'on donne le résultat d'une expérience aux gens, ce résultat semble tout à coup peu surprenant – moins surprenant qu'il n'apparaît aux gens à qui l'on ne dit que la technique expérimentale et ses résultats possibles. Les gens surestiment leur capacité de prévoir le résultat. C'est ainsi qu'il nous arrive souvent, dans la vie courante, de ne pas nous attendre à ce qu'un événement survienne avant qu'il ne se produise. Nous voyons alors subitement les forces à l'œuvre et nous n'éprouvons aucune surprise. Après la victoire du président Ronald Reagan sur Jimmy Carter, en 1980, les commentateurs – oubliant que l'élection avait été «trop serrée pour déterminer le gagnant» jusqu'aux derniers jours de la campagne – trouvaient que la majorité remportée par Reagan était fort compréhensible et pas du tout étonnante. Quand, à la veille du scrutin, Mark Leary (1982) demanda aux gens quel pourcentage du vote récolterait, à leur avis, chaque candidat, la moyenne des individus prévoyait, elle aussi, une faible victoire de Reagan. Au lendemain du scrutin, quand Leary demanda à d'autres gens le résultat qu'ils *auraient prédit* à la veille des élections, la plupart ont indiqué une victoire de Reagan plus près du résultat final. Jack Powell (1988) a trouvé un effet semblable de «je-le-savais!» après le triomphe de Ronald Reagan sur Walter Mondale, en 1984. Être mis en face du fait accompli le rendait plus inévitable. Comme le présumait le philosophe-théologien Soren Kierkegaard: «La vie se vit au futur et se comprend au passé.»

Si le phénomène du «je-le-savais!» est si envahissant, vous devriez maintenant avoir l'impression que vous le saviez déjà. En effet, à peu près tous les résultats imaginables d'une expérience psychologique peuvent sembler relever du bon sens – *après* avoir pris connaissance des résultats. C'est sans ménagement que l'on peut prouver ce phénomène en donnant à la moitié d'un groupe une découverte à portée psychologique et à l'autre moitié, le résultat contraire.

> Dites par exemple à l'une des moitiés :
>
> Les psychologues sociaux ont découvert que, dans nos choix amoureux, nous sommes plus attirés par les gens ayant un caractère opposé au nôtre. Il semble y avoir du vrai dans le vieux proverbe «Les contraires s'attirent».

> Dites à l'autre moitié du groupe :
>
> Les psychologues sociaux ont découvert que, en matière de choix d'amitié ou d'amour, nous sommes plus attirés par les gens ayant un caractère semblable au nôtre. Il semble y avoir du vrai dans le vieux proverbe «Qui se ressemble s'assemble».

Lorsqu'on leur demandera d'«expliquer» le résultat et de dire s'il est «surprenant» ou «pas surprenant», pratiquement tous les membres du groupe trouveront n'importe lequel des résultats donnés «pas surprenant».

Comme l'indiquent ces résultats, on peut faire appel au réservoir d'anciens proverbes pour rendre à peu près n'importe quel résultat plein de bon sens. Qu'on imagine n'importe quel résultat, on trouvera bien un proverbe pour presque toutes les occasions. Dirons-nous, à l'instar de John Donne, «Aucun homme n'est une île» ou, à l'instar de Thomas Wolfe, «Chaque homme est une île» ? Est-ce que «La hâte entraîne le gaspillage» ou est-ce que «Celui qui hésite est vaincu» ? Si un psychologue social rapporte que la séparation augmente l'attraction amoureuse, il peut être sûr qu'on lui répondra : «Bien sûr, l'absence nourrit les sentiments.» Si le même psychologue social rapportait l'inverse, la même personne nous rappellerait que «Loin des yeux, loin du cœur». Quoi qu'il arrive, on trouvera toujours quelqu'un qui «le savait !»

Karl Teigen (1986) a dû rire dans sa barbe quand il a demandé à des étudiants de l'Université de Leicester (Angleterre) d'évaluer des proverbes courants de même que leur contraire. Confrontés au proverbe «La peur est plus forte que l'amour», la plupart l'ont considéré comme généralement vrai; mais c'est aussi ce que firent les étudiants confrontés à sa forme opposée : «L'amour est plus fort que la peur». L'authentique proverbe «Celui qui vient de tomber ne peut aider celui qui gît par terre» reçut une évaluation très favorable, au même titre que «Qui vient de tomber peut aider celui qui gît par terre». Mes préférés sont les deux proverbes très prisés «Les sages formulent les proverbes et les imbéciles les répètent» (forme authentique) et «Les imbéciles formulent les proverbes et les sages les répètent» (qui en est la contrepartie).

Toutefois, un psychologue canadien (Rogers, 1990) soutient que les proverbes n'ont de sens que dans le contexte d'une situation particulière. Par «contexte», il entend un ensemble complexe de facteurs sociaux, historiques ou relevant des situations qui accompagnent le proverbe à un moment spécifique et qui contribuent à la composante la plus importante du sens. De la sorte, il est possible d'accepter la vérité de deux proverbes qui semblent contradictoires. Soulignons, d'ailleurs, que la situation expérimentale elle-même est la mise en rapport d'un expérimentateur et d'un sujet qui ont élaboré spontanément une interprétation de la situation basée sur le contexte spécifique de leur rencontre (Clément, 1983).

«Une bonne théorie prédit; une théorie de seconde main défend; et une théorie de troisième ordre explique après coup.»
Aleksander Isaakovich Kitaigorodskii

Biais de la rétrospective :
Tendance à exagérer sa propre capacité de prévoir le cours des événements, *après* en avoir pris connaissance. Également appelé phénomène du «je-le-savais!».

Le **biais de la rétrospective** constitue un problème pour plusieurs étudiants en psychologie. Lorsqu'ils lisent les résultats d'expériences dans leurs manuels, la matière leur semble souvent facile et même pleine de bon sens. Par la suite, quand ils passent à un test à choix multiples où il faut choisir parmi plusieurs résultats plausibles, la tâche peut tout à coup leur sembler étonnamment difficile. «Je ne sais pas ce qui s'est passé», se plaindra plus tard l'étudiant confus. «Je pensais connaître la matière.» (Avis aux intéressés : méfiez-vous de ce phénomène quand vous préparez vos examens, de peur de vous fourvoyer à penser que vous connaissez mieux la matière que vous ne la connaissez réellement.)

Le phénomène du «je-le-savais!» n'a pas pour seule conséquence de donner une apparence de bon sens aux découvertes des sciences sociales, mais il peut aussi entraîner des conséquences pernicieuses. Il conduit à l'arrogance – la surestimation de nos facultés intellectuelles. Après l'invention et l'approbation de la machine à écrire, les gens disaient, en rétrospective, que l'invention de cette machine avait demandé beaucoup de créativité et que, maintenant qu'elle était inventée, il fallait qu'elle ait du succès. Cependant, pour Christopher Latham Sholes, créateur de la Remington, son succès n'était pas, par avance, si évident. Dans une lettre datée de 1872, il confia : «J'ai peur qu'elle ait son jour de gloire et qu'on la mette ensuite de côté.»

De plus, étant donné que les résultats semblent avoir été prévus, nous avons tendance à blâmer les dirigeants pour ce qui nous semble rétrospectivement de mauvais choix «évidents» plutôt qu'à les féliciter de leurs bons choix qui, eux aussi, semblent «évidents». Ainsi, *après* l'échec des négociations du Lac Meech, les historiens du dimanche ont pu lire les signes de ce qui s'annonçait et percevoir le «caractère inévitable» de ce qui s'est produit. C'est dans le même ordre d'idées que nous nous punissons nous-mêmes de nos «erreurs stupides» – pour n'avoir peut-être pas été plus à la hauteur d'une situation ou de ne pas avoir adopté le bon comportement à l'égard d'une personne. En regardant maintenant en arrière, nous voyons comment nous aurions pu, évidemment, nous comporter. Nous sommes parfois trop sévères envers nous-mêmes. Nous oublions que ce qui nous semble maintenant si évident ne l'était pas tant que cela à ce moment-là.

C'est sûr que le bon sens se trompe parfois. Pendant des siècles, l'expérience quotidienne nous disait que l'univers tournait autour de la terre. C'est alors que la science a contredit nos sens et qu'elle a fini par détrôner la perception populaire.

La conclusion à en tirer *n'est pas* que le bon sens est habituellement faux. La sagesse populaire s'applique souvent, et dans certaines conditions. L'idée est plutôt que le bon sens vaut souvent *après coup*, il décrit les événements plus facilement qu'il ne les prédit. C'est pourquoi il nous arrive souvent de nous leurrer en pensant que nous en savons et en saviez plus que ne le laissent et ne le laissaient supposer nos actes.

Nous avons vu ce qu'est la psychologie sociale, comment on procède à la recherche et comment elle se distingue du bon sens. Il y a encore une chose à laquelle il faut se sensibiliser avant d'entreprendre notre voyage à l'intérieur de la discipline.

PSYCHOLOGIE SOCIALE ET VALEURS HUMAINES

La psychologie sociale ne détient pas de réponse scientifique aux questions des valeurs humaines comme : Quel devrait être notre but ultime? Quelle conception d'une bonne vie conviendrait à nos aspirations? Bien que les psychologues sociaux n'aient pas de réponse privilégiée à ces questions, leurs valeurs personnelles influencent néanmoins leur travail de bien des façons, parfois subtiles et parfois beaucoup moins subtiles.

EXPRESSIONS ÉVIDENTES DES VALEURS

Nous avons déjà vu comment les valeurs influencent nos normes éthiques en matière de recherche. Mais, avant même l'étape du projet de recherche, nos valeurs se sont déjà manifestées, ne serait-ce que par le choix du sujet. Ce n'est pas simplement par hasard que l'étude des préjugés a fleuri au cours des années 1940, alors que le fascisme faisait rage en Europe, et que les années 1960 ont vu croître l'intérêt pour l'agression, alors que les émeutes et le taux de criminalité augmentaient en Amérique.

Ce sont également des questions de valeurs qui peuvent déterminer le genre de personnes attirées par différentes disciplines. À votre collège, par exemple, les élèves sont-ils attirés très différemment par les sciences humaines, les sciences pures ou les sciences sociales? On a prétendu que la psychologie et les autres sciences sociales attiraient les gens désireux de défier la tradition, ceux qui préféreraient bâtir l'avenir plutôt que de préserver la tradition (Campbell, 1975; Moynihan, 1979). Au Québec, les travaux de Jacques Perron (1981, 1986) ont mis en évidence le rôle central des valeurs dans le choix d'une carrière.

Pour terminer, les valeurs jouent un rôle évidemment très différent comme *sujet* de l'analyse psychosociologique. Les psychologues sociaux ont cherché à savoir comment se forment les valeurs, comment on peut les modifier et comment elles influencent nos attitudes et nos actes. Rien de tout cela cependant ne nous dit lesquelles de ces valeurs sont les «bonnes».

EXPRESSIONS MOINS ÉVIDENTES DES VALEURS

Les engagements concernant les valeurs ont des façons subtiles de se faire passer pour la vérité objective qu'il est souvent difficile de reconnaître Les sciences sociales semblent particulièrement vulnérables à l'interprétation de valeurs déguisées en faits. À la différence des sciences pures, dont les analyses sont plus dégagées des valeurs, et des sciences humaines, où l'on discute plus ouvertement des valeurs, les psychologues et les sociologues perçoivent moins souvent leurs valeurs implicites. Voici trois manières plus ou moins évidentes par lesquelles les valeurs se manifestent dans la psychologie sociale et les domaines connexes.

La science comporte des aspects subjectifs

On s'aperçoit de plus en plus, tant chez les scientifiques que chez les philosophes, que la science n'est pas si purement objective qu'on avait l'habitude de le croire. Contrairement à l'opinion populaire, les scientifiques ne font pas que lire dans le grand livre de la nature. La vérité est plutôt qu'ils interprètent la nature, utilisant leurs propres catégories intellectuelles. Il en est de même dans nos vies quotidiennes où nous voyons le monde à travers les lunettes de nos idées préconçues.

Figure 1.4
Que voyez-vous ?

«La science ne se contente pas
de décrire et d'expliquer la nature ;
elle fait partie de notre interaction
avec la nature ; elle décrit la nature
telle qu'elle se présente à notre
méthode d'investigation.»
Werner Heisenberg. *Physics and
Philosophy*

Ce point est facilement démontrable. Que voyez-vous à la figure 1.4 ? Pouvez-vous voir, sur la droite, un chien dalmatien reniflant par terre au centre de l'image ? Avant d'avoir eu des indices, la plupart des gens ne perçoivent pas ce que peuvent voir ceux qui ont des idées préconçues. Aussitôt que l'on connaît l'idée préconçue, c'est elle qui commande notre interprétation de l'image, tant et si bien qu'il devient difficile de *ne pas* voir le chien. Voilà comment fonctionne notre esprit. Pendant que vous lisiez ces phrases, vous n'avez probablement pas remarqué, jusqu'à maintenant, que vous étiez en train de regarder votre nez. Notre esprit nous empêche de prendre conscience de quelque chose qui est là, à moins que nous ne soyons prédisposés à le percevoir. Cette tendance à préjuger de la réalité en se fondant sur nos attentes constitue l'une des principales caractéristiques de l'esprit humain.

Il y a quelques années, une partie de football entre les universités de Princeton et de Dartmouth (Hastorf et Cantril, 1954 ; voir aussi Loy et Andrews, 1981) nous a fourni une preuve classique de la façon dont nos présuppositions dirigent nos interprétations. La partie fut digne d'un match de revanche ; elle finit par devenir l'une des plus dures et des plus sales parties de l'histoire de chacune des universités. Un joueur de Princeton fut plaqué par l'équipe qui s'empila sur lui, et c'est avec un nez cassé qu'il dut se retirer de la partie. Des batailles à coups de poing éclatèrent et d'autres joueurs des deux camps furent blessés.

Peu après la partie, deux psychologues, un de chaque université, ont montré des extraits filmés de la partie à des étudiants issus des deux campus, aux fins d'une expérience de psychologie sociale. Les étudiants jouaient le rôle de scientifiques «objectifs», notant chaque infraction et chaque joueur en défaut au fur et à mesure du déroulement du film. Comme vous l'avez sûrement supposé, les étudiants de Princeton avaient beaucoup plus tendance que ceux de Dartmouth à percevoir leurs joueurs de Princeton comme des victimes plutôt que comme les auteurs d'agressions illégales. À titre d'exemple, les étudiants de

Représentations sociales:
Croyances ayant cours dans une société. Idées et valeurs largement répandues, incluant nos idéologies culturelles et nos suppositions. Nos représentations sociales nous aident à trouver un sens à notre monde.

Princeton ont vu deux fois plus d'infractions de la part de Dartmouth que n'en ont vu les étudiants de Dartmouth. Il existe certes une réalité objective, mais, que ce soit en science ou dans la vie courante, nous la percevons toujours à travers les lunettes de nos valeurs et de nos croyances préconçues.

Puisque l'ensemble des gens instruits travaillant dans n'importe quel domaine donné partagent un point de vue commun, leurs suppositions risquent de ne pas être remises en question. Ce que nous tenons pour acquis – les croyances partagées et appelées **représentations sociales** par les psychologues sociaux européens (Billig, 1988; Moscovici, 1988) – sont nos convictions les plus importantes quoique les moins controversées. Il arrive parfois, cependant, que quelqu'un de l'extérieur attire l'attention sur ce qui est tenu pour acquis. Certaines des suppositions de la psychologie sociale, jusque-là non remises en question, sont maintenant mises sur la sellette par les féministes et les marxistes, des gens se situant quelque peu à l'extérieur du champ de la psychologie sociale traditionnelle. Les critiques féministes attirent l'attention sur les partis pris subtils (dans le cas, par exemple, du conservatisme politique de plusieurs scientifiques qui favorisent une interprétation biologique des différences fondées sur le sexe en matière de comportement social – Unger, 1985). Les critiques marxistes, quant à eux, attirent l'attention sur les biais compétitifs et individualistes (en supposant, par exemple, que le conformisme est mauvais et que les récompenses individuelles sont bonnes). Des biais de ce genre peuvent modifier ce que nous «voyons» au moment où nous concevons et interprétons nos expériences. (Certes, tout groupe a ses propres partis pris.)

Qu'en conclure? Que nous devrions rejeter la science à cause de son petit côté subjectif? C'est plutôt le contraire: la prise de conscience du fait que la pensée humaine comporte toujours une interprétation est justement la raison pour laquelle nous avons besoin de l'analyse scientifique. L'observation et l'expérimentation nous aident à nettoyer les lunettes à travers lesquelles nous percevons la réalité. En confrontant sans cesse nos croyances aux faits, dans la mesure où nous pouvons les discerner, nous affaiblissons les partis pris.

Les concepts psychologiques cachent des valeurs

Les valeurs influencent en outre les concepts spécifiques de la psychologie. C'est ce qui ressort notamment des tentatives faites par les psychologues pour spécifier ce qu'est une bonne vie. Nous parlons des gens comme étant adultes ou immatures, bien ou mal adaptés, mentalement sains ou déficients, comme s'il s'agissait là de jugements de fait, alors que ce ne sont en réalité que des jugements de valeur déguisés. Le psychologue Abraham Maslow, par exemple, s'est acquis une certaine notoriété par ses descriptions épineuses des caractéristiques propres aux gens «actualisés» – des gens cherchant à réaliser leur plein potentiel humain tout en répondant à leurs besoins de survie, de sécurité, «d'appartenance» et d'estime de soi. Peu de lecteurs remarquent que Maslow a lui-même subjectivement effectué le choix initial des personnes actualisées. C'est ainsi que la description qui ressort de leurs personnalités actualisées – spontanées, autonomes, mystiques, et ainsi de suite – est un énoncé des valeurs personnelles de Maslow. Si Maslow avait commencé avec la collection de personnages héroïques de quelqu'un d'autre – des gens comme Napoléon, Alexandre le Grand et John D. Rockefeller père –, la description de l'actualisation de soi qui en serait ressortie eût été fort différente (Smith, 1978).

Les conseils psychologiques reflètent les valeurs personnelles de la personne qui les prodigue.

De la même façon, les conseils psychologiques reflètent les valeurs personnelles de la personne qui les prodigue. Quand les professionnels de la santé mentale nous donnent des conseils sur notre manière de vivre, quand les experts en éducation des enfants nous disent quoi faire avec nos enfants et quand certains psychologues nous incitent à ne pas nous préoccuper des attentes de notre entourage, ils sont habituellement en train de nous proposer leurs valeurs personnelles plutôt que de simplement nous faire part de leur expertise technique. Ne s'en rendant pas compte, bien des gens sont tout disposés à renoncer à leur propre jugement au profit du jugement «professionnel». Étant donné que les décisions en matière de valeurs devraient nous concerner tous, il vaudrait mieux pour nous ne pas les abandonner aux scientifiques et aux professionnels. La science peut nous aider à découvrir une meilleure façon d'atteindre nos objectifs, seulement après que nous les avons déterminés. Les questions concernant l'obligation morale ultime, le but, le sens et la signification de la vie ne peuvent cependant pas être directement résolues par une science du comportement.

L'aspect envahissant des valeurs cachées peut aussi être illustré par les concepts de base des recherches effectuées par les psychologues sociaux et de la personnalité. Supposons que vous veniez de subir un test psychologique et que, après évaluation de vos réponses, le psychologue vous annonce que «votre estime de soi est très élevée, vous n'êtes pas très anxieux et la force de votre *ego* est exceptionnelle». Ah! penserez-vous, c'est ce que je m'imaginais, mais ça fait du bien de le savoir! Un autre psychologue vous fait alors subir un test similaire qui, pour des raisons particulières, pose même certaines questions identiques. Le psychologue vous informe par la suite que, selon toute apparence, vous êtes totalement sur la défensive, compte tenu que vous avez obtenu une note élevée à la question «refoulement».

Comment cela se fait-il ? vous demanderez-vous. L'autre psychologue m'a dit de si belles choses. Il se pourrait que cela soit dû au fait que toutes ces étiquettes décrivent le même ensemble de réponses (une tendance à dire les belles choses à quelqu'un tout en taisant les problèmes). Parlerons-nous d'estime de soi ou d'attitude défensive ? L'étiquette reflète le jugement de valeur du chercheur à propos de ce trait de personnalité.

Le fait qu'il y ait souvent des jugements de valeur cachés sous le langage de la psychologie sociale n'est pas une raison pour la calomnier, car cela vaut pour tout langage qu'utilisent les humains. Que nous appelions un membre du Parti québécois un «séparatiste» ou un «souverainiste» dépend de notre degré de sympathie à l'égard de la cause. Que nous disions de la personne vivant une aventure extraconjugale qu'elle pratique le «mariage ouvert» ou l'«adultère» dépend de nos valeurs personnelles. L'expression «lavage de cerveau» désigne l'influence sociale que nous n'approuvons pas. Les «perversions» sont les actes sexuels que nous ne pratiquons pas. Ne trouvez-vous pas que les remarques touchant les hommes «ambitieux» et les femmes «agressives» ou à propos des garçons «prudents» et des filles «timides» sont porteuses d'un message caché ?

Encore une fois, des valeurs se cachent derrière nos définitions de la santé mentale et de l'estime de soi, nos conseils psychologiques quant à la meilleure façon de vivre et nos étiquettes psychologiques. Tout au long de ce volume, nous vous ferons remarquer d'autres exemples de valeurs cachées. Nous espérons que vous comprendrez qu'il ne s'agit pas de dire que les valeurs implicites sont nécessairement mauvaises. Il s'agit simplement de dire que l'interprétation scientifique, même sur le plan de l'appellation des phénomènes, est une activité typiquement humaine. Il est par conséquent assez naturel et inévitable que les croyances et les valeurs antérieures des psychologues sociaux influencent ce qu'ils pensent et ce qu'ils écrivent. Quand nous avons pris, par exemple, le revenu postuniversitaire comme moyen de mesurer l'effet des universités, cela impliquait-il (et nous ne croyons vraiment pas que c'était le cas) le message subtil que le but premier de l'enseignement universitaire est de maximiser vos revenus potentiels ?

Il n'y a pas de pont entre «ce qui est» et «ce qui devrait être»

Illusion naturaliste :
Définir le bien à partir de ce que l'on observe. Par exemple, ce qui est typique est normal; ce qui est normal est bien.

L'une des erreurs les plus tentantes pour les gens travaillant en sciences humaines consiste à convertir une description de ce qui *est* en une prescription de ce qui *devrait être*. Les philosophes ont baptisé ce phénomène l'**illusion naturaliste**. L'abîme entre ce qui «est» et ce qui «devrait être», entre la description scientifique et la prescription morale demeure aussi profond aujourd'hui qu'à l'époque où le philosophe David Hume l'a signalé, il y a plus de 200 ans. Voilà pourquoi aucune enquête portant sur un comportement humain – les pratiques sexuelles, par exemple – ne peut logiquement devenir un diktat de ce qui est un «bon» comportement. Si la plupart des gens ne font pas une chose, celle-ci n'en devient pas pour autant mauvaise; si la plupart des gens la font, cela n'en fait pas pour autant une bonne chose. Pour envisager ce qui devrait être, vous et moi pouvons accueillir volontiers toute information portant sur ce qui est. Mais les décisions morales doivent finalement être prises en fonction de leur propre mérite.

La célèbre recherche sur le développement moral effectuée par le psychologue du développement Lawrence Kohlberg (1981, 1984) est un exemple à point. Kohlberg a observé que la pensée morale se développe selon une suite continue d'étapes, tout comme le développement physique suit une séquence prévisible. Peu de gens, toutefois, atteignent le niveau le plus «élevé» du développement moral, soit le niveau «postconventionnel» des principes moraux choisis par soi-même. Par conséquent, on a entrepris des expériences visant à établir comment stimuler les gens à atteindre de plus hauts niveaux de «maturité» dans leur pensée morale. Remarquez ici un léger déplacement d'une *description* objective des stades de pensée morale à une *prescription* du stade postconventionnel. Le système de Kohlberg semble fournir une base scientifique à notre propre pensée morale [qui est, selon Norma Haan (1978) et Carol Gilligan (1982) particulièrement typique des mâles individualistes et rationalistes], nous donnant ainsi un raisonnement tout trouvé grâce auquel nous, les scientifiques du champ social, pouvons juger les philosophies morales opposées comme étant immatures.

Nous ne cherchons pas ici à contester les jugements de valeur implicites de la description très influente de Kohlberg du développement moral. Nous voulons simplement souligner qu'il est impossible de passer d'un énoncé objectif des faits à un énoncé normatif de ce qui devrait être, sans faire appel à nos valeurs.

Voilà comment les valeurs personnelles des psychologues sociaux peuvent influencer leur travail, que ce soit de manière évidente ou plus subtile. Mieux vaut nous en souvenir et nous rappeler aussi que ce qui vaut pour eux vaut également pour chacun d'entre nous : nos valeurs et nos suppositions colorent notre perception du monde. Ceux qui ne connaissent que leur propre culture assument sa vision du monde. Pour découvrir comment nos valeurs et nos représentations sociales déterminent ce que nous tenons pour acquis, nous pouvons faire la connaissance d'un monde culturel différent – et c'est ce que nous ferons de temps en temps en parcourant ce volume.

PSYCHOLOGIE SOCIALE ET ENVIRONNEMENT PHYSIQUE

Une des plus importantes leçons que nous pouvons retirer de l'étude de la psychologie sociale est que nous sommes, beaucoup plus que nous ne le pensons spontanément, l'objet d'influences qui restreignent notre responsabilité par rapport à ce que nous pensons, à ce que nous éprouvons et à ce que nous faisons. Les psychologues sociaux eux-mêmes ont pris beaucoup de temps à se rendre compte que, parmi ces influences, il fallait inclure celle de l'environnement physique. Nous verrons, en effet, à quel point nous pouvons nous illusionner lorsque nous attribuons la cause de certains de nos comportements à un choix délibéré de notre part plutôt qu'à une caractéristique, en apparence sans importance, de l'environnement physique naturel ou construit.

La conjugaison des retombées négatives de deux problèmes sociaux importants, les développements technologiques et l'accroissement exponentielle de la population, a conduit, dans les années 1960, à une prise de conscience nouvelle à l'égard des dangers menaçant la qualité de l'environnement : pollution, entassement, bruit, etc. (Stokols et Altman, 1987).

Pour faire face à la très grande complexité de ces problèmes, la collaboration interdisciplinaire des intervenants s'est vite avérée essentielle (Morval, 1981). C'est ainsi que les architectes, les urbanistes, les spécialistes de la santé et les psychologues ont mis sur pied des équipes de recherche ou, encore, ont communiqué entre eux, de façon officieuse, par différents réseaux d'échange d'information.

Psychologie de l'environnement:
Champ de la psychologie qui traite de l'interaction de l'environnement physique et du comportement humain.

C'est dans ce contexte qu'est apparue la **psychologie de l'environnement** dont l'objet d'étude est l'interaction de l'environnement physique et du comportement humain (Holohan, 1986). L'environnement y est mis en relation avec de nombreuses variables qui relèvent de la représentation, de l'affectivité, de la performance, des interactions sociales, etc.

Déjà, Roger Barker et Herbert Wright (1950) avaient mené, dans les années 1940, les premières études annonçant la psychologie de l'environnement. Ils avaient observé les comportements des habitants de deux petites villes, l'une américaine et l'autre anglaise. Pour comprendre la cause des comportements, ils avaient constaté qu'il fallait, entre autres choses, prendre en considération les facteurs physiques des sites dans lesquels se produisaient ces comportements. Ils nommèrent l'étude du comportement humain dans un contexte social et physique, la **psychologie écologique**.

Psychologie écologique:
Approche où les chercheurs utilisent l'observation du milieu naturel pour étudier les relations entre le comportement et l'environnement dans lequel il a lieu.

La psychologie de l'environnement proprement dite allait se faire connaître au début des années 1960 par des travaux devenus, depuis, des classiques. Ainsi, alors que William Ittelson et Harold Proshansky étudiaient la relation entre le comportement des malades mentaux et l'architecture des établissements dans lesquels ils étaient internés (Ittelson *et al.*, 1974), Kevin Lynch, lui, publiait *Image of the City* (1960) qui, comme son titre l'indique, porte sur la perception de l'espace urbain.

Ces travaux allaient être suivis par ceux de Edward Hall sur la *dimension cachée* (1966). Les facteurs qui déterminent la distance entre les individus constituent le sujet de sa recherche. Hall entend par **espace personnel** cette région, mobile, entourant un individu, que ce dernier considère comme sienne et qu'il a bien en main. Robert Sommer (1969) reprend cette notion, mais il l'utilise à propos des sites collectifs. Il fait ressortir l'importance des contraintes situationnelles en fonction des objectifs des personnes. Par exemple, le choix d'un endroit pour travailler dans une bibliothèque dépendra de la présence d'autres utilisateurs, de leur répartition et de la position des tables dans l'espace de la bibliothèque.

Espace personnel:
Région entourant un individu, qu'il traite comme une partie de lui-même et dont la majorité des gens sont exclus.

Quelques années plus tard, la notion de territoire était empruntée aux éthologistes pour la transposer à l'explication des comportements humains. Cependant, Irwin Altman (1976), entre autres chercheurs, a montré que, si le comportement territorial existait bien chez les humains, il ne fallait pas le considérer comme étant de même nature que chez les animaux. Il ne saurait, par exemple, être question de *défense instinctive* du territoire chez l'humain.

Par ailleurs, dès le début, les chercheurs en psychologie de l'environnement se sont penchés sur les effets du bruit et de la température sur le comportement. Ainsi, les travaux de David Glass et de ses collaborateurs (1969) ont montré qu'il est d'autant plus difficile de s'adapter au bruit qu'il est imprévisible. L'individu soumis à ce dernier perçoit qu'il n'est pas maître de son environnement. Très tôt, les chercheurs ont aussi mis en évidence les réponses négatives qui se rencontrent dans les interactions sociales et qui sont produites par l'élévation de la température (Griffitt, 1970).

Les effets négatifs du bruit sur le comportement ne représentent qu'une facette des nombreuses études menées par des chercheurs en psychologie de l'environnement.

Le bruit et la température sont considérés comme des agents environnementaux stressants. Les nombreuses études portant sur la vie dans les grandes villes ont révélé l'existence et l'importance d'autres facteurs stressants. Dès 1970, Stanley Milgram analysait les effets négatifs de la stimulation extrême des villes, c'est-à-dire la présence de trop d'information. Mais il ne s'agit là que d'un problème parmi bien d'autres qui guettent les habitants de ces villes. De plus, la recherche de solutions à ces problèmes prend les allures d'un défi qui sécrète une bonne dose de pessimisme quand il s'agit de villes très populeuses comme Mexico, New York, Calcutta.

Cette situation de même qu'un certain nombre de problèmes nouveaux depuis l'avènement de la psychologie de l'environnement drainent aujourd'hui une partie importante de l'attention des chercheurs en psychologie de l'environnement. Ces problèmes sont tous reliés au sort que nous faisons subir à notre environnement physique global. Nous en entendons parler constamment; ils concernent les pluies acides, les dangers des centrales nucléaires, l'effet de serre et l'exploitation abusive des forêts. Devant tous ces périls, la principale tâche du psychologue social est de tenter de comprendre ce qui peut aider chacun à adopter un comportement socialement responsable.

Comme nous l'avons énoncé, les psychologues sociaux auront mis beaucoup de temps à saisir l'importance de l'environnement physique comme déterminant du comportement humain. Cependant, une fois cette constatation faite, ils ont vite souligné que la relation causale entre l'environnement et le comportement n'est pas unidirectionnelle. En d'autres termes, il nous arrive de prendre activement en charge notre environnement pour le modifier; il y a donc une influence réciproque.

Cela se comprend facilement si l'on considère que le niveau d'adéquation entre les personnes et leur environnement est directement relié à leur bien-être. Ce niveau est d'autant plus élevé que l'environnement arrive à satisfaire les besoins des personnes. Toutefois, ces

Sites comportementaux:
Endroits où des formes
particulières de comportements
humains se produisent
normalement et de façon
prévisible.

besoins n'étant pas nécessairement stables, un environnement satisfaisant un individu à un moment donné peut éventuellement devenir moins adéquat. Par exemple, une personne peut vouloir, à une certaine période de sa vie, fréquenter un environnement qui favorise la multiplication des échanges sociaux, alors que plus tard, au contraire, elle cherchera la tranquillité et un environnement qui s'y prête (Altman, Lawton et Wohwill, 1984).

Les humains ont créé des environnements physiques divers pour satisfaire des besoins divers. Les comportements qu'ils adoptent dans ces endroits spécifiques sont relativement stéréotypés. À titre d'exemple de ces **sites comportementaux** (Barker, 1968), on peut penser au cinéma, à l'école, à la maison, au bureau. Ces environnements sont conçus de manière à pouvoir mieux réaliser certains buts en organisant nos activités.

L'analyse du comportement peut se limiter à la considération de conduites dans un site comportemental unique. Mais la région géographique considérée devra être plus large si le sujet de l'étude est le comportement à l'intérieur de sites en relation les uns avec les autres [par exemple, la maison + le lieu de travail + la zone commerciale] plutôt qu'étroite [par exemple, la maison seulement] (Stokols, 1987).

Les chercheurs en psychologie de l'environnement utilisent les deux grandes méthodes scientifiques d'acquisition des connaissances que nous avons déjà présentées : la recherche corrélationnelle et la recherche expérimentale. Cependant, étant donné, d'une part, les contraintes importantes qu'impose la recherche expérimentale quant à la manipulation et au contrôle des variables et, d'autre part, la complexité des facteurs intervenant dans les situations naturelles impliquant l'environnement physique, certains des principaux chercheurs en psychologie de l'environnement ont exprimé leur nette préférence pour la recherche corrélationnelle et leurs réserves par rapport aux recherches en laboratoire plutôt que sur le terrain où l'environnement peut être saisi dans son intégrité et dans son authenticité (Lévy-Leboyer, 1980).

C'est pourquoi ces chercheurs adoptent souvent une approche dite de la *recherche-action* (Lewin, 1948). Celle-ci procède par l'application de connaissances scientifiques pour résoudre les problèmes auxquels elle s'intéresse, mais elle tire de cette intervention même de nouvelles connaissances qui font avancer la science. Cette approche est très différente de celle qui est habituellement retenue en psychologie sociale où la recherche et l'intervention constituent, en principe, deux étapes d'un processus; en pratique, cependant, la recherche est souvent une fin en soi, les résultats obtenus ne se traduisant pas en éléments d'une stratégie d'intervention. Quant à l'intervention, elle court-circuite souvent le processus en ne s'appuyant pas sur des connaissances obtenues à la suite d'une recherche rigoureuse.

Les techniques utilisées en psychologie de l'environnement ne diffèrent généralement pas de celles qui sont bien connues en psychologie sociale : observation systématique, échelles d'attitude, tests de personnalité, etc. Ainsi, la technique de l'observation systématique, par exemple, a été adaptée aux besoins spécifiques de la recherche en psychologie de l'environnement, par la cartographie des comportements, au moyen d'une grille où les comportements observables sur le terrain sont enregistrés et classés. Cela offre la possibilité, éventuellement, d'une comparaison selon les sites, les périodes ou les individus. Nous verrons, cependant, que la psychologie de l'environnement propose également quelques techniques originales, comme le dessin de la carte mentale.

Nous présenterons les résultats des travaux en psychologie de l'environnement dans les chapitres pertinents. La représentation et l'évaluation de l'environnement feront l'objet d'une section du chapitre 4; la notion d'espace personnel, du chapitre 5; l'effet des agents stressants de l'environnement et de la vie dans les grandes villes, des chapitres 9 et 10; la notion de territoire, du chapitre 11.

RÉSUMÉ

PSYCHOLOGIE SOCIALE ET AUTRES DISCIPLINES

La psychologie sociale est l'étude scientifique de la façon dont les gens se perçoivent, s'influencent et entrent en relation les uns avec les autres. La sociologie et la psychologie sont les plus proches parentes de la psychologie sociale. La psychologie sociale fait preuve de plus d'individualisme dans son contenu et utilise une méthode plus expérimentale que les autres domaines de la sociologie. Comparée à la psychologie de la personnalité, la psychologie sociale donne moins d'importance aux différences individuelles et plus d'importance à la façon dont, en général, les gens se perçoivent et s'influencent mutuellement. Il y a plusieurs autres façons d'aborder la nature humaine, chacune amenant son propre ensemble de questions. Une explication réussie du fonctionnement humain selon une perspective donnée ne contredit pas les autres points de vue.

COMMENT FAIRE DE LA PSYCHOLOGIE SOCIALE

Presque toute la recherche effectuée en psychologie sociale est soit corrélationnelle, soit expérimentale. Les recherches corrélationnelles, effectuées parfois au moyen de méthodes systématiques d'enquêtes, vérifient les relations existant entre des variables, par exemple, entre le niveau de scolarité et l'importance des revenus. Savoir que deux choses sont naturellement reliées constitue une information valable, mais cela ne nous en indique habituellement pas la cause. C'est pourquoi, dans la mesure du possible, les psychologues sociaux préfèrent diriger des expériences où ils peuvent identifier la cause et l'effet avec plus de précision. En forgeant une réalité miniature qu'ils dirigent, les chercheurs peuvent modifier un élément ou un autre et découvrir comment ces facteurs, combinés ou pris séparément, influencent les gens. C'est par hasard que les participants sont placés dans les deux groupes, soit le groupe expérimental où on leur fait subir un traitement expérimental et le groupe témoin où on ne leur fait pas subir de traitement. Toute différence se manifestant entre les deux groupes peut alors être attribuable au traitement expérimental. Les problèmes moraux soulevés par ces expériences ont nécessité l'instauration de normes éthiques dans le domaine de la recherche.

Les psychologues sociaux organisent leurs découvertes et leurs idées sous forme de théories. Une bonne théorie est celle qui pourra déduire d'un ensemble impressionnant de faits une liste beaucoup plus courte de principes servant à faire des prévisions. On peut utiliser ces principes pour confirmer ou modifier la théorie, pour stimuler la recherche et pour proposer des applications pratiques.

LA PSYCHOLOGIE SOCIALE N'EST-ELLE QU'UNE FORME SOPHISTIQUÉE DU BON SENS ?

Les découvertes de la psychologie sociale peuvent parfois avoir l'air d'évidences. Des expériences prouvent cependant que les résultats sont souvent beaucoup plus «évidents» après avoir pris connaissance des faits qu'avant. Ce biais de rétrospective incite les gens à surestimer la validité de leurs intuitions.

PSYCHOLOGIE SOCIALE ET VALEURS HUMAINES

Les valeurs des psychologues sociaux influencent leur travail de manière évidente, par exemple, dans leur choix de sujets de recherche. Il est plus difficile d'identifier les façons subtiles qu'ont les valeurs d'influencer la psychologie sociale. De plus en plus, on se rend compte du caractère subjectif de l'interprétation scientifique, des valeurs cachées derrière les concepts et les étiquettes de la psychologie sociale et de l'abîme séparant la description scientifique de ce qui est de la prescription morale de ce qui devrait être. Cette présence des valeurs dans la science n'est pas spécifique à la psychologie sociale, pas plus qu'il ne s'agit d'une chose honteuse. Que la pensée humaine soit rarement impartiale est justement la raison pour laquelle nous avons besoin d'observations et d'expérimentations systématiques pour confronter nos précieuses conjectures à la réalité. C'est aussi ce qui motive les psychologues sociaux issus de cultures différentes à échanger leurs idées et leurs découvertes.

PSYCHOLOGIE SOCIALE ET ENVIRONNEMENT PHYSIQUE

L'importance des problèmes sociaux posés par la dégradation de l'environnement physique dans notre monde moderne a amené les psychologues sociaux à s'intéresser à de nouvelles questions qui relèvent de ce qu'il est maintenant convenu d'appeler la psychologie de l'environnement.

LECTURES SUGGÉRÉES

Ouvrages en français

DECONCHY, J.-P. (1989). *Psychologie sociale. Croyances et idéologies.* Paris, Méridiens Klinksieck.

DOISE, W. (1982). *L'explication en psychologie sociale.* Paris, Presses Universitaires de France.

MOSCOVICI, S. (1984). Le domaine de la psychologie sociale. *In* S. Moscovici (dir.). *Psychologie sociale* (p. 5-22). Paris, Presses Universitaires de France.

Ouvrages en anglais

ARON, A. et ARON, E. (1990). *The heart of social psychology,* 2e éd. Lexington, Ma, D. C. Heath.

DANE, F. C. (1988). *The common and uncommon sense of social behavior.* Belmont, Ca, Brooks/Cole.

HUNT, M. (1985). *Profiles of social research: The scientific study of human interactions.* New York, Russell Sage.

PREMIÈRE PARTIE

LA PENSÉE SOCIALE

«Changez la façon de penser des gens et
les choses ne seront plus jamais pareilles.»
Steven Biko

L'organisation de ce livre repose sur la définition qu'il propose de la psychologie sociale: l'étude scientifique de la façon dont nous percevons les autres (première partie), nous nous influençons mutuellement (deuxième partie) et nous entrons en relation les uns avec les autres (troisième partie).

Les prochains chapitres consacrés à la pensée sociale étudient nos représentations de nous-mêmes et des autres. Chaque chapitre se veut une réponse à une question primordiale: Jusqu'à quel point nos attitudes sociales, nos explications et nos croyances sont-elles raisonnables? Ce que l'on pense les uns des autres correspond-il à la réalité? Notre pensée sociale est-elle sujette aux biais et à l'erreur, et comment la rendre plus fidèle à la réalité?

Le chapitre 2 explore les liens existant entre nos attitudes et nos comportements: Nos attitudes déterminent-elles nos comportements? Nos comportements déterminent-ils nos attitudes? Ou s'influencent-ils réciproquement?

Le chapitre 3 analyse la façon dont nous rationalisons nos propres comportements de même que ceux d'autrui. Quand, par exemple, attribuons-nous les actes des gens à la situation qu'ils vivent («elle était fâchée à cause de l'insulte») ou à leurs dispositions intérieures («c'est une personne colérique et hostile»)? Faisons-nous la même chose quand ce sont nos propres actions qui sont en cause?

Le chapitre 4 traite des façons surprenantes et parfois amusantes que nous utilisons pour former nos croyances à propos de notre environnement social et révèle une demi-douzaine de manières qui nous amènent à nous tromper.

CHAPITRE

2

COMPORTEMENT ET ATTITUDES

À la suite de l'échec des négociations sur l'accord du Lac Meech, en juin 1990, le premier ministre Robert Bourassa exprima sa déception et affirma qu'à l'avenir il ne négocierait qu'avec le gouvernement fédéral. Le langage qu'il tint à cette époque et le rapprochement entre son gouvernement et l'opposition officielle amenèrent certaines personnes à se demander si ce ne serait pas, contre toute attente, le Parti libéral lui-même, plutôt que le Parti québécois, qui réaliserait la souveraineté. Avant même l'échec du Lac Meech, un sondage Léger & Léger paru dans *Le Journal de Montréal*, le 30 mai 1990, montrait qu'il y avait presque autant de Québécois qui pensaient que Robert Bourassa était fédéraliste (37,7 %) qu'il y en avait qui pensaient qu'il était souverainiste (32,5 %).

Lorsque nous nous interrogeons sur l'**attitude** de Robert Bourassa à l'égard de la souveraineté du Québec, nous nous référons à ses croyances et à ses sentiments par rapport à ce choix pour le Québec et, conséquemment, à sa tendance à l'appuyer ou à s'y opposer. Considérées dans leur ensemble, ces *réactions indicatives*, qu'elles soient favorables ou défavorables – manifestées sous forme de croyances, de sentiments ou d'inclinations à agir – définissent l'attitude de quelqu'un à l'égard de quelque chose (Breckler, 1984; Jamieson et Zanna, 1989; Zanna et Rempel, 1988). Les attitudes fournissent un moyen efficace de tout évaluer: quand il nous faut rapidement réagir à quelque chose, ce que nous *ressentons* par rapport à cette chose peut déterminer notre réaction.

Nous supposons, en général, qu'il y a un lien entre les diverses manières dont se manifeste une attitude – par exemple, que la personne qui *croit* qu'un groupe ethnique (un objet de pensée) en particulier est (le lien, qui peut être plus ou moins intense, entre l'objet de pensée et les attributs) paresseux et agressif (des attributs reliés à l'objet de pensée) doit *ressentir* de l'inimitié envers les membres de ce groupe et doit par conséquent *avoir l'intention d'agir* de façon discriminatoire. L'une ou l'autre de ces trois dimensions peut servir à évaluer les attitudes des gens. Par exemple, si tout ce qui est exprimé verbalement à l'égard d'un objet est négatif, on peut conclure que l'attitude à l'égard de cet objet est négative; les échelles d'attitude servent justement à recueillir l'expression verbale des croyances (ce que l'on appelle une opinion) à l'égard d'un objet d'attitude (Lamarche, 1979). Une étude de Françoise Askevis-Leherpeux (1981) montre que les gens font la distinction entre différents types de croyances: les croyances scientifiques, les croyances controversées et les croyances superstitieuses.

Lorsque les différentes composantes de l'attitude sont partagées par les membres d'un groupe, d'une culture, Serge Moscovici parle alors d'une représentation sociale. Son étude de la représentation sociale de la psychanalyse (1961) l'amène à constater que les Français retiennent de la psychanalyse que celle-ci a mis en évidence une opposition entre le conscient et l'inconscient, ce qui produit un refoulement menant lui-même à l'apparition de complexes. Cette représentation devient une grille de perception de la réalité, de sorte que les personnes qui la partagent en viennent à déceler autour d'eux des individus qui sont victimes de complexes par suite d'un refoulement dans l'inconscient. De plus, comme la représentation est ancrée dans l'ensemble des cognitions, la psychanalyse en vient à être perçue comme étant américaine. Moscovici ne se contente donc pas d'analyser le contenu des représentations sociales, mais il en dégage aussi le fonctionnement. Pour Jean-Claude Abric (1976), la représentation sociale est un ensemble structuré d'éléments cognitifs dont certains forment un noyau central. Un changement à ce niveau a évidemment plus de conséquences qu'un changement au niveau d'un élément périphérique. De plus, ce noyau central assurerait deux fonctions essentielles : d'une part, la signification des autres éléments se créerait et se transformerait sous l'impulsion de ce noyau (fonction génératrice), d'autre part, c'est lui qui déterminerait la nature des liens qui unissent entre eux les éléments (fonction organisatrice). Depuis la première étude de Moscovici, de très nombreux travaux, en Europe en particulier, ont porté sur la représentation sociale de nombreux objets : la maladie, la culture, la ville, la famille, la femme, la vie professionnelle. Notons, en passant, que l'opinion publique, telle qu'elle est recueillie dans les sondages d'opinion, constitue aussi une représentation collective, comme la représentation sociale, mais elle ne donne pas lieu à une anlyse aussi poussée que cette dernière.

L'étude des attitudes est centrale en psychologie sociale et constitue historiquement l'une de ses premières préoccupations. Il est donc à propos de commencer notre exploration de la psychologie sociale par une analyse détaillée de l'impact de la pensée sociale : comment nos attitudes influencent-elles nos actions ?

NOS ATTITUDES DÉTERMINENT-ELLES NOTRE COMPORTEMENT ?

«L'ancêtre de chaque action est une pensée.»
Ralph Waldo Emerson, *Essays, First Series*

La question de savoir si nos attitudes déterminent notre comportement est fondamentale : Quelle est la relation entre ce que nous *sommes* (à l'intérieur) et ce que nous *faisons* (à l'extérieur) ? Les philosophes, les théologiens et les éducateurs spéculent depuis longtemps sur le lien existant entre pensée et action, caractère et conduite, discours privé et acte public. La supposition la plus courante et à la base d'une bonne partie de l'enseignement, de la consultation professionnelle et de l'éducation des enfants a toujours été que nos croyances et nos sentiments déterminent notre comportement public. Ainsi, pour modifier le comportement des gens, mieux vaudrait changer leurs esprits et leurs cœurs.

SOMMES-NOUS TOUS DES HYPOCRITES ?

«Au début», les psychologues sociaux partageaient de tout cœur l'idée selon laquelle connaître les attitudes de quelqu'un c'est pouvoir prédire ses actes. Mais, en 1964, Leon Festinger concluait que la recherche n'avait pas prouvé qu'un changement dans les attitudes des gens entraînait un changement de leur comportement. Festinger a aussi émis l'idée radicale que la relation attitude-comportement doit être considérée dans le sens inverse, c'est-à-dire avec notre comportement comme bœufs et nos attitudes comme charrue. Comme le dit Robert Abelson (1972), nous sommes apparemment «très bien formés et très bons pour trouver des raisons à ce que nous faisons, mais pas très bons à faire ce pour quoi nous avons trouvé des raisons».

La supposée puissance de nos attitudes a donné lieu à une remise en question encore plus importante quand, en 1969, le psychologue social Allan Wicker a passé en revue plusieurs douzaines d'études portant sur une grande diversité de gens, d'attitudes et de comportements. Wicker en est arrivé à la troublante conclusion que les attitudes manifestées par des personnes ne permettaient pas beaucoup de prévoir les variations de leur comportement. Les attitudes des élèves envers la tricherie, par exemple, n'avaient que peu de rapport avec la probabilité qu'ils trichent. Les convictions religieuses exprimées par les gens n'avaient pas grand-chose à voir avec l'assistance aux offices du dimanche. Il arrive souvent que les parents demandent à leurs enfants de faire ce qu'ils disent, mais en oubliant qu'ils ne se conforment pas eux-mêmes à leurs propres règles. Michel Alain (1989) a constaté que des enfants de 11 ans à 16 ans n'acceptent pas facilement l'inconsistance du comportement de leurs parents en ce qui a trait, justement, à la pratique religieuse. D'autres études ont montré que la description que font les gens de leurs attitudes raciales prédisait peu les variations de comportement survenant au moment où ils faisaient face à des situations interraciales.

Si les gens ne font pas ce qu'ils disent, il n'est pas étonnant que les tentatives que l'on fait pour changer le comportement en modifiant les attitudes échouent souvent. Les mises en garde contre les dangers du tabagisme modifient très peu la consommation des fumeurs. La sensibilisation accrue des gens aux effets de l'exposition prolongée à la violence télévisée, susceptible de les rendre plus insensibles et plus brutaux, a incité les Nord-Américains à exprimer leur désir d'une programmation moins violente – ironiquement, leur temps d'écoute du meurtre médiatique est cependant aussi élevé qu'avant. Les incitations à adopter des habitudes de prudence au volant ont eu moins d'impact sur les taux d'accidents que n'en ont eu les limites de vitesse et les autoroutes à sens unique (Etzioni, 1972).

À peu près à la même époque où Wicker et d'autres présentaient leur évaluation de la puissance des attitudes, quelques psychologues de la personnalité ont commencé à laisser entendre que les traits de caractère – du moins ceux qui sont évalués par nos tests de personnalité les plus connus – échouaient également à prédire notre comportement (Mischel, 1968). Pour mesurer, par exemple, l'éventuelle compassion des gens, les tests évaluant l'estime de soi, l'anxiété ou les attitudes défensives ne nous seront pas d'une très grande utilité. Si une situation pose des exigences précises, mieux vaut pour nous savoir comment agissent la plupart des gens; c'est du moins ce que semblent suggérer plusieurs études. Plusieurs psychothérapeutes ont par ailleurs commencé à dire que les thérapies de conversation comme la psychanalyse «règlent» rarement les problèmes des gens et que les thérapeutes devraient plutôt travailler directement à modifier le comportement problématique et laisser tomber l'analyse des défauts de personnalité qui sont supposés être à la racine du problème.

Tout compte fait, on s'est aperçu que ce qui dicte notre comportement semble relever de facteurs extérieurs à nous – les influences sociales, par exemple – , alors que l'importance accordée aux facteurs qui nous sont extérieurs tels que les attitudes et les traits de caractère perd du terrain. La nouvelle représentation des humains serait celle de petites balles de billard, aux couleurs et aux rayures certes différentes, mais qui sont toutes de façon semblable ballottées par des forces les dominant.

En résumé, la thèse originale voulant que nos attitudes déterminent nos comportements s'est vue supplantée, durant les années 1960, par l'antithèse disant que nos attitudes ne déterminaient à peu près rien. «Ah! ah! direz-vous, thèse, antithèse, et quelle est donc la synthèse?» Cette dernière en vint à être proposée. La découverte surprenante que ce que disent les gens est souvent différent de ce qu'ils font a vite fait de pousser les psychologues sociaux à chercher pourquoi. Certes, nous disions-nous, nos convictions et nos sentiments changent parfois quelque chose.

Le luxe de la sagesse rétrospective nous permet d'ordonner nos découvertes. Ce que nous nous apprêtons à expliquer semble en fait tellement évident qu'il nous est difficile de comprendre pourquoi la plupart des psychologues sociaux (nous y compris) ne pensaient pas comme ça avant le début des années 1970. Nous devons donc nous rappeler que la vérité n'est évidente que lorsqu'on la connaît et que l'«évidente» synthèse d'aujourd'hui peut devenir la thèse contestable de demain.

QUAND NOS ATTITUDES PRÉDISENT-ELLES NOTRE COMPORTEMENT?

La raison pour laquelle nous agissons si souvent de façon contraire à nos attitudes c'est que, tel que l'indique la figure 2.1, notre comportement et nos attitudes exprimées sont soumis à des influences sociales. Un psychologue social a dénombré 40 facteurs différents qui compliquent la relation entre les attitudes et le comportement (Triandis, 1982). S'il était possible de tout simplement neutraliser les influences sociales – laissant toutes choses égales par ailleurs –, nos attitudes réussiraient-elles à prédire sans risque d'erreur nos comportements? Voyons un peu cette question.

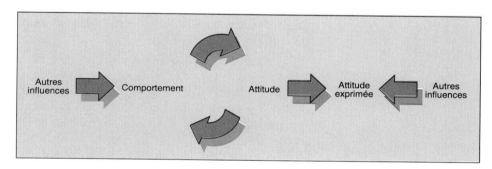

Figure 2.1

Nos attitudes exprimées peuvent imparfaitement prédire notre comportement, parce que tous deux subissent des influences sociales.

Minimiser les autres influences sur les attitudes exprimées

À la différence du médecin prenant le pouls d'un patient, nous, les psychologues sociaux, n'avons jamais un accès direct aux attitudes des gens. Il nous faut plutôt évaluer leurs attitudes *exprimées*. Et les expressions sont des comportements qui, comme tous les comportements, subissent des influences extérieures. Au chapitre 1, nous avons vu que la manière dont on pose une question au cours d'une enquête peut modifier la réponse donnée. Il en est de même pour le contexte dans lequel se trouve la personne interrogée. Il nous arrive souvent d'exprimer ce que les autres veulent bien entendre.

Puisque les gens ne sont pas transparents, les psychologues sociaux désirent depuis longtemps trouver le moyen d'avoir accès aux pensées secrètes des gens, de découvrir une espèce de «pipeline vers le cœur». C'est ainsi qu'Edward Jones et Harold Sigall (1971) ont conçu une méthode appelée **faux pipeline** visant à évaluer les attitudes des gens. Il ne s'agit pas d'un vrai pipeline, mais c'est ce qui s'en rapproche le plus. Au cours d'une expérience dirigée conjointement avec Richard Page, Sigall (1971) a mis dans les mains d'étudiants de l'Université de Rochester un volant bloqué qui, une fois débloqué, pouvait pointer une flèche lumineuse vers la gauche, indiquant le désaccord, ou vers la droite, indiquant l'accord. Après qu'on eut installé des électrodes sur les bras des étudiants, la fausse machine était censée mesurer de minuscules réponses musculaires pouvant, leur dit-on, jauger leur supposée impulsion à tourner le volant à gauche (désaccord) ou à droite (accord). Pour faire la démonstration de cette extraordinaire nouvelle machine, les chercheurs ont posé aux étudiants des questions à l'égard desquelles l'expérimentateur avait déjà secrètement vérifié

Faux pipeline:
Procédé de détection des attitudes. On convainc d'abord les participants qu'une nouvelle machine peut utiliser leurs réponses psychologiques pour évaluer leurs attitudes secrètes. On leur demande ensuite de prédire ce que trouvera la machine, dévoilant par le fait même leurs attitudes.

Notez ici la tromperie et rappelez-vous le chapitre 1 où il est dit que les normes professionnelles ne permettent une telle tromperie que lorsqu'elle est nécessaire et justifiée.

leurs attitudes. Après quelques instants de lumières clignotantes et de bruits impressionnants de vrombissement, un compteur électrique, placé sur la machine, indiquait l'attitude de l'étudiant – qui n'était rien d'autre que l'attitude qu'il avait exprimée auparavant. Le procédé réussit à convaincre tout le monde.

Quand les étudiants furent convaincus, on cacha le compteur d'attitudes et on leur posa des questions sur leurs attitudes envers les Noirs, leur demandant de deviner ce qu'indiquerait le compteur. Que pensez-vous que ces étudiants blancs ont répondu? Comparativement aux autres étudiants ayant répondu à un questionnaire ordinaire, ceux ayant répondu par l'intermédiaire du faux pipeline ont admis avoir des croyances plus négatives. C'était comme s'ils s'étaient dit: «Mieux vaut dire ce que je pense si je ne veux pas que l'expérimentateur considère que j'ai perdu contact avec moi-même.» Par exemple, ceux qui répondaient sur l'échelle graduée avec papier et crayon ont évalué les Noirs comme étant plus sensibles que les autres Américains, alors que ceux qui répondaient au moyen de la fausse machine ont inversé ces jugements. Faire preuve de préjugés raciaux est généralement considéré comme maladroit chez ces étudiants sophistiqués, mais le faux pipeline pouvait percer leurs faux-semblants.

Les expériences avec le faux pipeline ont donné d'autres résultats intéressants. Par exemple, Joseph Faranda, Joseph Kaminski et Barbara Giza (1979) ont découvert que lorsque les étudiants et les étudiantes de l'Université du Delaware étaient questionnés par la méthode papier-crayon, ils exprimaient des attitudes semblables au sujet des droits des femmes et de leurs rôles. Avec le faux pipeline, les hommes ont exprimé beaucoup moins de sympathie à l'égard des droits des femmes que ne l'ont fait les femmes. (Nous soupçonnons certains d'entre vous d'être en train de vous dire que vous le saviez: «Les étudiants d'université sont chauvins dans l'âme.») Même une version simplifiée du faux pipeline – par exemple, dire aux gens qu'on vérifiera de nouveau leurs réponses avec un détecteur de mensonges – provoque des réponses plus honnêtes quant aux attitudes (Jamieson et Zanna, 1983). La collecte d'information de nature privée ou délicate peut aussi être grandement facilitée grâce à la technique de la réponse aléatoire. Elle consiste à demander au sujet de lancer un dé et de répondre honnêtement lorsqu'il obtient un «1», un «2», un «3» ou un «4»; de répondre «oui» s'il obtient un «5» et «non», s'il obtient un «6». Il suffit alors de soustraire la proportion de réponses «oui» attendue de la proportion des «oui» obtenue et de diviser ce résultat par la probabilité des réponses honnêtes (Bégin et Savard, 1979-1980; Bellerose *et al.*, 1980).

Toutes ces recherches proposent une raison pour laquelle les attitudes exprimées peuvent mal prédire d'autres comportements: les véritables attitudes des gens sont quelquefois déformées au moment où elles sont exprimées.

Minimiser les autres facteurs influençant le comportement

Si les attitudes exprimées sont soumises à des influences extérieures, les autres comportements le sont probablement encore plus. Comme nous le verrons souvent dans les chapitres 5 à 8, les influences sociales peuvent être extrêmement fortes – assez fortes parfois pour amener les gens à aller à l'encontre de leurs convictions les plus profondes. Voilà pourquoi Pierre, le disciple de Jésus, nie le connaître juste avant la crucifixion; les assistants du président décident d'entreprendre des actions qu'ils savent être mauvaises; les politiciens disent ce qu'ils croient que les électeurs veulent entendre.

Étant donné qu'en toute circonstance nous ne sommes pas seulement influencés par nos attitudes intérieures, mais aussi par la situation prévalant, le fait d'*établir la moyenne* de plusieurs circonstances nous aiderait-il à mieux discerner l'impact de nos attitudes? Prédire le comportement de quelqu'un c'est comme prédire comment un joueur de baseball va frapper la balle. Il est presque impossible de prédire comment, cette fois-ci en particulier, il va la frapper, parce que cela ne dépend pas seulement du frappeur, mais aussi du genre de balle envoyée par le lanceur et de facteurs de chance qu'on ne peut mesurer. On neutralise ces facteurs de complication en considérant plusieurs apparitions au bâton. C'est ainsi que, connaissant les joueurs, nous pouvons prédire leur *moyenne* approximative au bâton. Ou, pour prendre un exemple tiré de la recherche, l'attitude générale des gens envers la religion ne peut dire s'ils iront ou non à l'église dimanche prochain (parce que la fréquentation de l'église est, elle aussi, influencée par la température, le prédicateur, la façon dont les gens se sentent, etc.). Cependant, les attitudes religieuses des gens prédisent assez bien l'ensemble de leurs comportements religieux sur une période donnée (Fishbein et Ajzen, 1974; Kahle et Berman, 1979). Morale de tout cela: Les effets d'une attitude sur le comportement deviennent plus clairs quand on considère le comportement typique ou moyen de quelqu'un plutôt que des actes isolés ou pris séparément.

Mesurer les attitudes spécifiques au comportement

D'autres conditions augmentent encore plus la force de prédiction des attitudes. Comme l'ont souligné Icek Ajzen et Martin Fishbein (1977; Ajzen, 1982), lorsque l'attitude évaluée est générale – comme l'attitude à l'égard des minorités ethniques – et que le comportement est très spécifique – comme la décision d'aider tel immigrant dans telle situation –, il ne faut pas s'attendre à une étroite correspondance entre les paroles et les actes. En fait, rapportent Fishbein et Ajzen, dans 26 des 27 études du genre, les attitudes ne prédisaient pas le comportement. Mais les attitudes *prédisaient* le comportement dans les 26 études qu'ils purent trouver où l'attitude évaluée correspondait étroitement à la situation considérée. On peut s'attendre, par exemple, à ce que les attitudes à l'égard du concept général de «bonne forme physique» prédisent mal des exercices physiques ou des comportements alimentaires spécifiques. La probabilité que les gens s'adonnent au jogging dépendra probablement plus de leurs idées quant aux coûts et aux bénéfices du *jogging*. Voilà pourquoi il nous faudrait changer les attitudes des gens par rapport à des pratiques *spécifiques* reliées à la santé si nous voulons changer leurs habitudes en matière de santé au moyen de la persuasion (Olson et Zanna, 1981; Ajzen et Timko, 1986). D'ailleurs, dans une étude récente, Edward Zamble et Kerry Kalm (1990) n'ont trouvé qu'une faible corrélation entre les jugements globaux et les jugements spécifiques concernant les sentences données à des criminels par des Canadiens.

Jusqu'ici, nous avons vu qu'il fallait deux conditions pour que nos attitudes prédisent notre comportement: (1) que les autres influences pesant sur l'expression de nos attitudes et sur notre comportement soient minimisées et (2) que l'attitude évaluée soit spécifiquement pertinente au comportement observé. La figure 2.1 propose une troisième condition: une attitude prédira beaucoup plus le comportement si on la renforce.

Maximiser la force des attitudes

Lorsque nous agissons automatiquement, c'est-à-dire sans prendre le temps de réfléchir, nos attitudes sont mises en veilleuse. Nous agissons souvent selon des «scénarios» appris d'avance, sans nous arrêter pour réfléchir à ce que nous faisons. Dans le corridor, nous dirons le même «bonjour» automatique à nos amis et aux purs étrangers. À la caissière du restaurant qui nous demande comment était notre repas, nous répondons «bien», même si nous l'avons trouvé insipide. Ces actes irréfléchis ont souvent une fonction d'adaptation. Étant donné que nous nous concentrons normalement sur une seule chose à la fois, les actes non prémédités libèrent nos esprits du fardeau d'avoir à résoudre d'autres problèmes. Comme l'a dit le philosophe Alfred North Whitehead, «Le progrès de la civilisation se mesure au nombre d'opérations que nous pouvons réussir sans avoir à y penser.»

Penser aux attitudes

«Penser est facile; agir, difficile; et mettre ses pensées en pratique, la chose la plus difficile au monde.»

Goethe

Notre comportement est moins automatique dans les situations nouvelles; sans scénario appris d'avance, nous pensons habituellement avant d'agir. Les gens seraient-ils plus authentiques si on les incitait à réfléchir à leurs attitudes avant d'agir? C'est ce qu'ont voulu savoir Mark Snyder et William Swann (1976). Deux semaines après que 120 de leurs étudiants masculins à l'Université du Minnesota eurent indiqué leurs attitudes à l'égard des politiques d'embauche à action positive, Snyder et Swann les ont invités à agir comme jurés pour un procès de discrimination sexuelle. Ce n'est que lorsque les hommes étaient d'abord incités à se souvenir de leurs attitudes – en leur donnant «quelques minutes pour mettre de l'ordre dans leurs idées à propos du problème de l'action positive» – que leurs attitudes prédisaient leur verdict. De même, les gens qui prennent le temps de passer en revue leur comportement antérieur ont tendance à exprimer des attitudes prédisant mieux leur futur comportement (Zanna *et al.*, 1981). Nous pouvons en conclure que nos attitudes dicteront notre comportement seulement si elles nous viennent à l'esprit. Les attitudes qui ne viennent pas facilement à l'esprit sont souvent mises en veilleuse lorsque se présentent des occasions de les traduire en actes (Fazio, 1987; Kallgren et Wood, 1986).

«Seuls ceux qui savent ce qu'ils pensent et connaissent les conséquences de leurs pensées sur leurs actes sont en mesure de mettre leurs convictions en pratique.»

Mark Snyder, 1982

Les gens conscients d'eux-mêmes sont plus en accord avec leurs attitudes (Miller et Grush, 1986). Un autre moyen qu'utilisent les expérimentateurs pour inciter les gens à se concentrer sur leurs convictions intimes consiste par conséquent à les *rendre* plus conscients d'eux-mêmes, par exemple, en les faisant agir devant un miroir (Carver et Scheier, 1981). Peut-être pouvez-vous vous souvenir d'avoir été brusquement extrêmement conscient de vous-même en entrant dans une pièce où se trouvait un grand miroir. Le fait de rendre ainsi les gens conscients d'eux-mêmes favorise la cohérence entre les paroles et les actes (Gibbons, 1978; Froming *et al.*, 1982). À titre d'exemple, Edward Diener et Mark Wallbom (1976) ont noté qu'à peu près tous les étudiants *disent* que tricher est moralement mal. Mais suivent-ils le conseil du Polonius de Shakespeare «Sois fidèle à toi-même»? Diener et Wallbom ont placé des étudiants de l'Université de Washington devant un problème d'anagramme (supposé prédire le QI) et leur ont dit d'arrêter au son de la cloche. Laissés seuls, 71 % ont triché en travaillant après le son de la cloche. D'autres étudiants, rendus conscients d'eux-mêmes en travaillant devant un miroir tout en entendant un enregistrement de leur voix, furent plus fidèles à eux-mêmes – seulement 7 % ont triché. Cela laisse songeur : Des miroirs placés à la hauteur des yeux dans les magasins diminueraient-ils le vol à l'étalage en rendant les gens plus conscients de leurs attitudes vis-à-vis du vol?

«Sans doute y a-t-il merveilleuse harmonie quand la parole et le geste vont de pair.»

Montaigne, *Les Essais*

Puissance des attitudes acquises par l'expérience

Finalement, c'est la manière dont nous acquérons nos attitudes qui les rend ou non puissantes. Il y a trois sources d'attitude: l'expérience directe (goûter au nouveau mets concocté dans les cuisines de la chaîne McDonald), la communication d'une information par autrui (un ami nous livre son opinion à propos du nouveau mets en question), le raisonnement (j'ai déjà mangé chez McDonald, je peux en tirer des conclusions à l'égard de leur nouveau mets). Une vaste série d'expériences menées par Russell Fazio et Mark Zanna (1981) indiquent que lorsque nos attitudes sont enracinées dans notre expérience – et non seulement fondées sur du ouï-dire – elles ont beaucoup plus de chances de durer et de prédire nos futures actions. L'une de leurs études fut menée grâce au secours involontaire de l'Université Cornell. Une pénurie de logements avait forcé l'université à faire dormir des étudiants de première année sur des lits de camp placés dans les salles des résidences pendant plusieurs semaines, alors que les autres étudiants jouissaient du luxe relatif de leur chambre permanente. Interrogés par Dennis Regan et Russell Fazio (1977), les étudiants des deux groupes manifestèrent des attitudes négatives équivalentes par rapport à la situation du logement et à la façon dont l'administration s'en occupait. Mais quand il fut question de passer aux actes – de signer une pétition et de solliciter d'autres signatures, de se joindre à un comité étudiant la situation, d'écrire une lettre à ce sujet – , seuls ceux dont les attitudes émanaient d'une expérience directe avec le logement temporaire ont agi en fonction de leurs attitudes. [Comme le souligne de plus cette expérience, les gens agiront vraisemblablement selon leurs attitudes dans la mesure où il y va de leur intérêt personnel (Borgida et Campbell, 1982; Sivacek et Crano, 1982)]. Une autre recherche effectuée par Fazio et Zanna, William Watts (1967) et Steven Sherman et ses collègues (1983) indique que, comparativement aux attitudes acquises passivement, celles qui sont forgées au feu de l'expérience concrète sont mieux définies, plus assurées, plus durables, plus résistantes à l'attaque et moins facilement oubliées.

Les attitudes fondées sur l'expérience sont par ailleurs plus réfléchies (Wu et Schaffer, 1988). De plus, les attitudes réfléchies – surtout celles qui sont adoptées par des gens analytiques – sont moins vulnérables aux caprices du moment. Quand vient, par exemple, le temps de voter, les gens ayant beaucoup réfléchi à un problème auront plus tendance à voter selon leurs attitudes (Cacioppo et al., 1986). Voilà pourquoi les adultes ayant une plus longue histoire d'expériences de vie ont des attitudes plus fortes que les collégiens de 18 ans (Sears, 1986).

Pour résumer, nos attitudes prédisent nos comportements si: (1) les autres influences sont minimisées; (2) l'attitude est spécifique à l'action; et (3) nous sommes conscients, au moment d'agir, de nos attitudes, que ce soit parce que quelque chose nous y fait penser ou parce que la façon dont nous les avons acquises les rend plus solides. Quand elles ne répondent pas à ces trois conditions, nos attitudes semblent déconnectées de nos actes.

Ces trois conditions semblent-elles évidentes? En les considérant rétrospectivement, on peut être tenté de penser qu'on les connaissait déjà. Rappelez-vous toutefois qu'elles n'étaient pas évidentes pour les chercheurs, en 1970. Pas plus qu'elles n'étaient évidentes pour les étudiants de l'Université de l'Allemagne de l'Ouest qui se montrèrent incapables de deviner les résultats d'études publiées portant sur la cohérence entre attitudes et comportements (Six et Krahe, 1984). Tel que nous l'avons vu au chapitre 1, les résultats des recherches ne sont généralement pas évidents – jusqu'à ce qu'ils soient connus et expliqués.

Il est donc maintenant clair que, selon les conditions, la relation entre nos attitudes et nos comportements peut varier, allant d'absente à importante. L'écrivain français La Rochefoucauld avait raison de dire, au XVIIe siècle: «Il est plus facile de prêcher la vertu que de la mettre en pratique.» Nous pouvons quand même pousser un soupir de soulagement, car nos attitudes sont, malgré tout, l'*un* des facteurs déterminant nos actes. Cette conclusion est étayée par la découverte que les attitudes des gens peuvent en fait prédire leurs actes survenant deux semaines, deux mois ou même deux ans plus tard (Kahle, 1983; Kahle et Berman, 1979). De nombreuses recherches, autant sur le terrain qu'en laboratoire, ont aussi montré qu'il y a un lien direct entre les représentations sociales et les actions. Ainsi, la représentation de la maladie oriente la décision de consulter ou non (Farr, 1984). Pour répondre à notre question philosophique du début, il y a un lien entre ce que nous sommes et ce que nous faisons, même si ce lien est souvent plus faible que nous n'aimerions le croire.

Penchons-nous maintenant sur l'idée moins répandue voulant que notre comportement détermine nos attitudes. Certes, nous défendons parfois ce que nous pensons, mais il est aussi vrai que nous finissons par croire aux causes que nous défendons. Si la psychologie sociale nous a appris quelque chose au cours des 25 dernières années, c'est bien que *non seulement avons-nous tendance à nous faire une idée de nous-mêmes à partir de notre comportement, mais aussi à nous comporter selon l'idée que nous nous faisons de nous-mêmes.*

Une grande partie de la recherche allant dans le sens de cette conclusion s'est inspirée des théories de la psychologie sociale. Plutôt que de commencer par ces théories, il nous semble plus intéressant d'inverser l'ordre et de présenter en premier lieu les différentes preuves à l'effet que le comportement influence les attitudes. Nous vous invitons donc à jouer les théoriciens au fur et à mesure que vous lirez ces lignes. Pensez aux raisons pour lesquelles les actions influencent les attitudes et comparez ensuite vos idées avec les trois explications avancées par des psychologues sociaux.

NOTRE COMPORTEMENT DÉTERMINE-T-IL NOS ATTITUDES ?

«C'est en faisant qu'on apprend.»
George Herbert, *Jacula Prudentum*

Comment apprenons-nous à faire de la bicyclette, à taper à la machine, à jouer d'un instrument de musique ou à nager? Comme pour à peu près tout ce que nous apprenons, il nous faut le *faire* pour l'apprendre. Certes pouvons-nous lire des livres sur la façon de faire de la bicyclette, mais nous ne *saurons* pas le faire avant de l'avoir fait. Mais cet effet de l'action se limite-t-il à l'acquisition de compétences physiques? Considérez les incidents suivants, basés sur des événements réels:

On hypnotise Mélanie et on lui donne l'ordre d'enlever ses souliers quand un livre tombe par terre. Quinze minutes plus tard, un livre tombe et Mélanie enlève tranquillement ses mocassins. «Eh! Mélanie, lui demande l'hypnotiseur, pourquoi as-tu enlevé tes souliers?» «Bien... mes pieds sont chauds et fatigués, répond Mélanie, la journée a été longue.» L'acte produit l'idée.

On a temporairement placé des électrodes dans le cerveau de Denis, dans la région qui commande les mouvements de sa tête. Quand on stimule l'électrode par télécommande, Denis tourne toujours la tête. Ne sachant pas que la stimulation à distance a cet effet, il pense agir spontanément et, quand on le questionne, il a toujours une réponse sensée à offrir: «Je cherche ma pantoufle», «J'ai entendu un bruit» ou «Je regardais sous le lit» (Delgado, 1973).

Les graves crises d'épilepsie de Carole ont cessé à la suite d'une opération chirurgicale consistant à séparer les deux hémisphères cérébraux. À présent, au cours d'une expérience, on projette la photographie d'une femme nue sur la partie gauche de son champ de vision, soit à la partie droite, non verbale de son cerveau. Un sourire penaud s'étend sur son visage et elle commence à glousser. Quand on lui demande pourquoi, elle invente – et semble y croire – une explication plausible: «Oh! quelle drôle de machine!» (Gazzaniga, 1985). À Claude, un autre patient ayant subi la même opération, on projette le mot *sourire* à l'hémisphère droit, non verbal. Il acquiesce et sourit bon gré mal gré. Quand on lui demande pourquoi il sourit, il explique que «cette expérience est très amusante».

De tels exemples laissent supposer que ce que nous faisons influence grandement ce que nous «savons». En fait, les répercussions mentales de notre comportement sont évidentes dans une si grande variété de situations sociales et expérimentales qu'il nous faut choisir parmi tout un assortiment. Quoi qu'il en soit, les exemples suivants réussiront sans doute à souligner le pouvoir de l'autosuggestion – à montrer que les attitudes peuvent émaner de notre comportement.

JEU DE RÔLE

Le terme *rôle* est emprunté au théâtre et, comme au théâtre, se rapporte à des actes prescrits – des actes auxquels on s'attend de la part des personnes occupant une position sociale particulière. Lorsqu'on acquiert un nouveau rôle, il nous faut en accomplir les actes, même si, en ce faisant, nous nous sentons plus ou moins authentiques.

Souvenez-vous d'une occasion où vous avez eu à jouer un nouveau rôle – peut-être vos premières journées comme employé, comme élève du collège ou comme membre d'une équipe sportive. Au cours de cette première semaine au collège, par exemple, vous étiez probablement hypersensible aux nouvelles prescriptions sociales et avez dû vaillamment essayer d'y répondre en éliminant les comportements que vous aviez au secondaire. Durant ces moments, nous nous sentons souvent superficiels; conscients de nous-mêmes, nous observons nos nouvelles manières de parler et d'agir, parce qu'elles ne nous viennent pas naturellement. Et un bon jour, une chose étonnante se produit: nous remarquons que notre pseudo-enthousiasme pour l'équipe sportive ou que notre langage pseudo-intellectuel ne sont plus du tout forcés. Nous avons alors commencé à coller à notre rôle. D'accord, nous choisissons le rôle. Nous avons même commencé à nous y sentir à l'aise, comme dans un vieux jean et un vieux chandail.

Voyons les expériences portant sur les effets de l'interprétation d'un rôle. Dans une étude, de jeunes fumeuses ayant joué l'aspect émotionnel du rôle de victimes du cancer du poumon ont, par la suite, davantage réduit leur consommation de tabac que les personnes à qui l'on s'était contenté de donner l'information touchant les dangers du tabagisme (Janis et Mann, 1965; Mann et Janis, 1968). Une autre expérience engageait des étudiants dans un jeu simulant un combat avec l'Union soviétique. Ce jeu, dont l'objectif était de rendre les étudiants plus compréhensifs envers les Russes, eut pour résultat que les participants jouant le rôle de conseillers américains adoptèrent des attitudes plus hostiles envers la Russie (Trost *et al.*, 1989).

Dans un contexte de vie quotidienne, les chercheurs ont observé des travailleurs industriels promus au rôle de contremaître (un poste à l'intérieur de la compagnie) ou de délégué syndical (un poste à l'intérieur du syndicat). Les nouveaux rôles exigeaient de nouveaux

«Il est impossible d'avoir, pendant très longtemps, un visage pour soi-même et un autre pour autrui, sans finir par ne plus savoir lequel est le vrai.»
Nathaniel Hawthorne

comportements, et les hommes ne tardèrent pas à adopter de nouvelles attitudes (figure 2.2). Les contremaîtres devinrent plus ouverts aux points de vue de l'administration, les délégués, à ceux du syndicat (Lieberman, 1956).

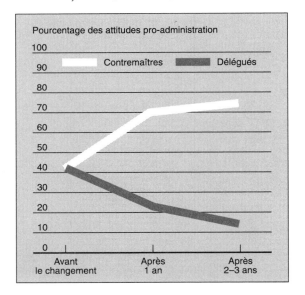

Figure 2.2
Les travailleurs promus au rôle de contremaître ou de délégué syndical adoptèrent des attitudes compatibles à leur nouveau rôle. (Information tirée de Lieberman, 1956.)

Cette dernière étude fait allusion à l'énorme importance de notre rôle professionnel. La carrière que vous choisissez n'affectera pas seulement ce que vous ferez comme travail, mais aussi les attitudes et les valeurs que vous adopterez probablement. Les nouveaux enseignants, les nouveaux policiers, les nouveaux soldats et les nouveaux gérants intériorisent habituellement leur rôle, ce qui ne manque pas d'avoir d'importantes conséquences sur leurs attitudes et leur personnalité.

L'influence du comportement sur l'attitude est évidente, même au théâtre. Le jeu théâtral devient moins conscient à mesure que l'acteur épouse le rôle jusqu'à en ressentir la véritable émotion. Dans le roman de William Golding, intitulé *Lord of the Flies*, un groupe de garçons anglais naufragés s'abaissent à un comportement brutal et primitif. Au moment du tournage de la version filmée du livre, les jeunes acteurs sont devenus les créatures qu'exigeaient leurs rôles. Le directeur du film, Peter Brook (1964), rapporta que «plusieurs de leurs interactions hors tournage étaient tout à fait semblables à celles de l'histoire et l'un de nos plus gros problèmes fut de les inciter à être sans retenue pendant les prises de vue et à être disciplinés au cours des intermèdes» (p. 163). Jonathan Winters faisait remarquer que le risque couru par les comiques se produisant comme lui en solo est que «vous finissez par croire à vos salades». Effectivement, après plusieurs années d'interprétation de personnages fantastiques, Winters a dû entreprendre une thérapie pour soigner son identité personnelle devenue confuse (Elliott, 1986).

DIRE DEVIENT CROIRE

Il existe plusieurs preuves à l'effet que la plupart d'entre nous adaptent leur discours pour plaire à leurs interlocuteurs. Le psychologue social Philip Tetlock (1981b) a découvert que les déclarations de principes des présidents américains ont tendance à être fort simplistes durant la campagne électorale (par exemple : «Pour réduire le déficit, il faut effectuer de grosses coupures dans les dépenses gouvernementales»). Immédiatement après les élections, leurs déclarations deviennent plus complexes – jusqu'à la prochaine année d'élection. De même sommes-nous plus disposés à annoncer les bonnes nouvelles aux gens que les mauvaises et ajustons-nous notre message en fonction de la position de notre interlocuteur (Manis *et al.*, 1974 ; Tesser *et al.*, 1972 ; Tetlock, 1983). Au cours d'une expérience, on a même vu des professeurs d'université, censés écrire des lettres de recommandation sincères en vue du doctorat, écrire des commentaires plus enthousiastes lorsque les étudiants se réservaient le droit de lire les lettres (Ceci et Peters, 1984). Il ne s'agit pas de véritables mensonges, remarquez, c'est simplement que nous nuançons nos idées ici et là, selon la personne à qui nous nous adressons.

Thomas Jefferson s'était aperçu de cela dès 1785 :

> Celui qui se permet de mentir une fois trouve la chose beaucoup plus facile la deuxième et la troisième fois, jusqu'à ce que, à la longue, l'habitude s'installe ; il ment sans s'en rendre compte et, lorsqu'il dit la vérité, on ne le croit pas. Ce mensonge de la langue devient celui du cœur et, avec le temps, corrompt toutes ses bonnes dispositions.

Des expériences confirment cette idée. Des gens incités à parler ou à écrire sur un sujet qu'ils maîtrisent mal se sentent souvent mal à l'aise devant leur supercherie. Cela ne les empêche pas de finir par croire en ce qu'ils disent, *à condition qu'*ils n'aient pas été trop forcés ou soudoyés pour le faire. C'est surtout quand il n'y a pas d'explication extérieure manifeste aux dires de quelqu'un que dire devient croire (Klaas, 1978).

Après avoir émis notre message modifié, nous avons tendance à y croire. Tony Higgins et ses collègues (Higgins et Rholes, 1978 ; Higgins et McCann, 1984) ont confirmé que «ce que l'on dit devient ce que l'on croit» en faisant lire à des étudiants une description de la personnalité de quelqu'un et en leur demandant ensuite d'en faire le résumé pour un tiers qui était reconnu soit pour aimer, soit pour détester la personne décrite. Non seulement les étudiants ont-ils fourni une description plus positive à celui qui aimait la personne, mais eux-mêmes ont ensuite davantage aimé la personne décrite. Et quand on leur demanda de se rappeler ce qu'ils avaient lu, leur souvenir de la description était plus positif que la description réelle. En résumé, il semble que nous ayons tendance à ajuster nos messages selon nos interlocuteurs et à croire par la suite nos messages modifiés.

«J'avais pensé leur faire plaisir (à mes ravisseurs) en répétant leurs clichés et leur jargon, sans croire personnellement à ces choses... En essayant de les convaincre, j'ai fini par me convaincre moi-même.»

Patricia Campbell Hearst, victime d'un enlèvement, *Every Secret Thing*

EN VENIR À CROIRE CE QUE L'ON FAIT ; DIRE C'EST CROIRE

Le psychologue Ray Hyman (1981), de l'Université de l'Oregon, décrit comment, en jouant le rôle de médium, il s'est convaincu lui-même de ses pouvoirs parapsychiques :

> J'ai commencé à lire les lignes de la main au cours de mon adolescence pour augmenter mes revenus en tant que magicien et hypnotiseur. Au moment où j'ai commencé, je ne croyais pas à la chiromancie. Mais je savais que pour pouvoir «vendre» il fallait faire comme si j'y croyais. Après quelques années, je suis devenu un inconditionnel de la chiromancie. Un jour, feu Stanley Jaks, qui était un médium professionnel et un homme que je respectais, me suggéra avec délicatesse qu'il serait intéressant de donner une interprétation contraire à ce qu'indiquaient les lignes de la main. J'ai essayé cela avec quelques clients. À ma grande stupéfaction, mes interprétations avaient autant de succès que d'habitude. C'est à partir de ce moment-là que j'ai commencé à m'intéresser aux forces puissantes qui nous convainquent, tant le chiromancien que son client, qu'une chose est telle alors qu'elle ne l'est pas du tout. (p. 86)

PHÉNOMÈNE DU PREMIER PAS

Nous pouvons tous nous souvenir de moments où, après avoir accepté de contribuer à un projet ou de nous joindre à un organisme, nous nous sommes retrouvés beaucoup plus engagés que prévu, jurant qu'à l'avenir nous dirions non à ce genre de sollicitations. Comment cela se produit-il? Les expériences semblent indiquer que si vous voulez que les gens vous fassent une grande faveur, l'une des techniques consiste à commencer par obtenir d'eux une petite faveur. Dans la démonstration la plus connue de ce **phénomène du premier pas**, des ménagères de Californie ont répondu de bon gré à la simple demande de signer une pétition pour la conduite automobile préventive (Freedman et Fraser, 1966). Comparativement à d'autres à qui l'on n'avait pas demandé cette petite faveur, ces femmes avaient trois fois plus tendance à acquiescer à la demande plus exigeante de placer à l'avant de leur propriété un horrible panneau disant «conduisez prudemment».

Bien que les effets ne soient habituellement pas aussi prononcés, plusieurs autres chercheurs ont confirmé la découverte de Freedman et Fraser (Beaman *et al.*, 1983; Dillard *et al.*, 1984). Beaucoup de ces études visaient à provoquer des actes d'altruisme, comme contribuer à une œuvre de bienfaisance. Patricia Pliner et ses collaborateurs (1974) ont trouvé, par exemple, que 46 % des banlieusards torontois étaient disposés à contribuer à la Société canadienne du cancer après une sollicitation directe. D'autres à qui l'on avait demandé, la veille de la visite de la Société canadienne du cancer, de porter un macaron faisant la publicité de la campagne (et qui acceptèrent tous) avaient à peu près deux fois plus de chances de donner au moment de la visite. De même, 53 % des résidants d'une ville de classe moyenne d'Israël contribuèrent à une collecte de fonds en faveur des handicapés intellectuels lorsqu'ils furent approchés par des solliciteurs travaillant pour le compte de Joseph Schwarzwald et ses collègues (1983). Deux semaines auparavant, on avait approché d'autres résidants pour leur demander de signer une pétition en faveur d'un centre récréatif pour handicapés; 92 % ont contribué. On peut même constater cette réaction chez de jeunes enfants qui, vers la fin de leur deuxième année scolaire, possèdent déjà la notion indispensable que «la cohérence est une bonne chose» (Eisenberg *et al.*, 1987).

À noter que lors de ces expériences, l'accord initial – signer une pétition, porter un macaron publicitaire – était volontaire et en aucun cas forcé par la menace ou un pot-de-vin. Nous aurons sans cesse l'occasion de voir que, lorsque les gens adoptent un comportement public en le percevant comme émanant de leur propre initiative, ils croient plus fermement à ce qu'ils font. Pourquoi est-ce ainsi? Qu'est-ce qui, par exemple, produit l'effet du premier pas? L'une des réponses possibles est que l'acte initial modifie l'*attitude* de l'individu vis-à-vis des actes de même nature. Si tel est le cas, ne devrions-nous pas alors nous attendre à un acquiescement encore plus empressé lorsque la petite demande correspond étroitement à la grande? Anthony Greenwald et ses collaborateurs (1987) offrent un exemple pratique. Le jour précédant les élections présidentielles américaines de 1984, ils ont posé à un échantillon d'électeurs enregistrés la petite question suivante: «Pensez-vous aller voter ou non?» Tous ont répondu oui et, comparativement aux autres électeurs à qui l'on n'avait rien demandé, ils avaient plus de chances de voter, dans une proportion de 41 %. Une recherche de Robert Joule (1987) offre une belle illustration de ce phénomène. Lorsqu'il demande à des étudiants qui fument au moins 15 cigarettes par jour de remplir un questionnaire sur l'usage du tabac, il n'obtient pas un plus grand nombre d'étudiants qui acceptent de se priver de fumer pendant les 18 heures qui suivent que lorsqu'il demande à un groupe sembla-

Phénomène du premier pas: Tendance, chez les gens ayant déjà accepté de répondre à une petite demande, d'obtempérer par la suite à une demande plus importante.

«Vous trouverez des gens pour vous faire des faveurs si vous cultivez l'amitié de ceux qui vous en ont déjà fait.»
Publilius Syrus, 42 av. J.-C.

ble d'étudiants de se priver pendant 18 heures sans requête préalable. En revanche, lorsqu'il demande à un autre groupe d'étudiants de se priver de fumer deux heures avant le rendez-vous au laboratoire, quatre fois plus d'étudiants que ceux du groupe témoin acceptent de se priver pendant les 18 prochaines heures et, de ceux-ci, 10 fois plus que ceux du groupe témoin se privent effectivement pendant les 18 heures qui suivent.

Technique de l'amorçage :
Technique faisant en sorte que les gens acceptent de faire quelque chose. Les gens ayant accepté une demande initiale (tout en n'ayant pas encore passé aux actes) ont plus tendance à accepter une hausse de la demande que les gens à qui l'on ne présente que la demande finale.

Robert Cialdini et ses collaborateurs (1978) ont fait une démonstration convaincante des effets de l'engagement en se servant de la **technique de l'amorçage**, une technique utilisée par certains vendeurs d'automobiles. Lorsque le client est décidé à acheter une nouvelle automobile à cause de son très bas prix et qu'il commence à remplir les formulaires, le vendeur fait disparaître l'avantage monétaire en facturant des accessoires optionnels que le client croyait inclus dans le prix ou en procédant à une vérification auprès du patron qui refuse la vente sous le prétexte d'une «vente à perte». Le folklore veut que les clients démordent moins de leur achat, même à un prix plus élevé, qu'ils ne l'auraient fait si on leur avait révélé le plein prix dès le départ. Cialdini et ses collaborateurs ont découvert qu'effectivement cette technique fonctionne. Au moment, par exemple, où l'on a invité des étudiants de psychologie (première année) à participer à une expérience devant avoir lieu à 7 h, seulement 24 % s'y sont rendus. Par contre, quand les étudiants avaient d'abord accepté de participer à l'expérience sans savoir à quelle heure elle avait lieu et qu'on leur demanda ensuite de s'y rendre, 53 % se présentèrent.

Pour sa part, Robert Joule (1987) demanda d'abord à des étudiants qui avaient accepté de participer à une expérience portant sur la concentration des fumeurs de remplir un questionnaire. Quelque temps plus tard, il leur téléphona pour leur donner rendez-vous le lendemain. À ce rendez-vous, ils apprirent qu'on leur demandait de se priver de fumer pendant les 18 prochaines heures et qu'ils seraient moins payés que ce qui avait été prévu (30 francs au lieu de 50). Dans cette situation, 95,2 % acceptèrent et 90,5 % se privèrent effectivement de fumer pendant les 18 heures qui suivirent. Des expériences menées auprès d'étudiants de l'Université Missouri-Columbia par Jerry Burger et Richard Petty (1981) indiquent que l'efficacité de la technique de l'amorçage repose en partie sur le fait qu'après s'être engagé on se sente obligé à l'égard du demandeur.

Pour éviter d'être naïvement vulnérable, il vaut mieux connaître le phénomène du premier pas. Quelqu'un essayant de vous séduire, que ce soit financièrement, politiquement ou sexuellement, va habituellement essayer de créer une occasion d'acquiescement de votre part. Avant d'accepter la petite demande, pensez à ce qui s'ensuivra !

Les chercheurs en commercialisation et les vendeurs ont découvert que le principe fonctionne même lorsque l'on connaît la motivation réelle – le profit (Cialdini, 1988). Notre premier engagement inoffensif – retourner une carte pour obtenir de l'information et un cadeau en prime, accepter d'écouter une offre d'investissement – nous entraîne souvent vers un engagement plus important. Je venais à peine d'écrire cette dernière phrase qu'un vendeur d'assurances-vie se présenta à mon bureau et m'offrit une analyse détaillée de la situation financière de ma famille. Après s'être présenté, il ne m'a pas demandé si je voulais ou non souscrire à son assurance-vie ou si je désirais ou non me prévaloir de ses services sans frais. Sa question en fut plutôt une petite du genre premier pas, une question soigneusement calculée pour provoquer mon accord : étais-je d'avis que les gens devraient avoir ce genre d'information touchant leur situation financière ? Je ne pouvais que répondre «oui» et, avant même de comprendre ce qui se passait, j'avais accepté qu'il procède à son analyse.

Les vendeurs utilisent parfois le pouvoir des petits engagements pour tenter d'amener les gens à conclure leurs ententes de vente. Il y a maintenant des lois provinciales permettant aux clients des solliciteurs aux portes de jouir de quelques jours pour annuler leurs achats. Pour combattre l'effet de ces lois, plusieurs compagnies utilisent ce que le programme de formation des vendeurs, dans l'encyclopédie d'une compagnie, appelle «un outil psychologique très important pouvant servir à prévenir le bris de contrat de la part des clients» (Cialdini, 1988, p. 78). Il s'agit simplement de s'arranger pour que ce soit le client, plutôt que le vendeur, qui remplisse par écrit le contrat de vente. En l'ayant eux-mêmes rempli, les clients respecteront probablement plus leur engagement.

Le premier pas peut parfois pervertir. Comme nous le verrons au chapitre 6, la plaie sociale de la «conformité» est souvent due à une escalade graduelle d'engagements. Un acte comportant peu de méchanceté rendra le suivant plus facile à poser. Pour paraphraser une autre des *Maximes* de La Rochefoucauld (1665), il n'est pas aussi difficile de trouver quelqu'un n'ayant jamais succombé à une tentation que de trouver quelqu'un n'y ayant succombé qu'une seule fois.

C'est ce processus d'engagement graduel, de spirale d'actions et d'attitudes qui a contribué à l'implication néfaste des États-Unis dans la guerre du Viêt-nam. Une fois qu'ils eurent adopté et justifié des décisions difficiles, les dirigeants politiques et militaires semblèrent ignorer les informations incompatibles avec leurs actes. Ils tenaient compte et se souvenaient des commentaires s'harmonisant avec leurs actions tout en ignorant ou en écartant les informations sapant leurs suppositions. Comme le disait Ralph White (1971) «Les dirigeants avaient tendance, quand les actions ne correspondaient pas aux idées, à aligner leurs idées sur leurs actions.»

Plus près de nous, nous avons connu au moins un exemple d'un pareil processus d'engagement graduel qui aboutit à une catastrophe. Les installations olympiques de Montréal devaient, au départ, être un exemple de jeux modestes. Malgré cela, un concept grandiose fut retenu comme projet. Il coûta 10 fois plus que prévu, plus d'un milliard de dollars, à cause d'une série de décisions mal avisées prises tout au long de sa réalisation pour respecter l'intégrité du plan de l'architecte Taillibert.

ACTIONS ET MORALE

La séquence action → attitude n'apparaît pas seulement lorsqu'il s'agit de modifier un peu la réalité, mais aussi quand il est question d'actes beaucoup plus immoraux. Les actes cruels dégradent la conscience de leurs auteurs. Blesser une innocente victime – que ce soit au moyen de commentaires désobligeants ou en lui administrant des chocs électriques – incite habituellement les agresseurs à dénigrer leurs victimes, ce qui les aide, par le fait même, à justifier leur comportement blessant (Berscheid *et al.*, 1968; Davis et Jones, 1960; Glass, 1964). Dans toutes les études démontrant ce fait, les gens avaient plus tendance à justifier leurs actions s'ils avaient été amadoués plutôt que forcés de les poser. En effet, lorsque nous acceptons de poser un acte, nous en portons plus la responsabilité.

C'est ainsi que, dans la vie quotidienne, les agresseurs dénigrent leurs victimes. Non seulement avons-nous tendance à blesser ceux que nous n'aimons pas, mais aussi à ne pas aimer ceux que nous blessons. En temps de guerre, les soldats dénigrent généralement leurs victimes, comme dans l'exemple des appellations avilissantes telles que «Asiates» utilisées par les soldats américains pour parler des Vietnamiens. C'est encore là un autre exemple des effets en spirale de l'action et de l'attitude; plus on s'adonne aux atrocités, plus c'est facile de s'y adonner. La même chose vaut pour les préjugés. Si un groupe en tient un autre en esclavage, il aura tendance à percevoir les esclaves comme possédant des caractéristiques justifiant la continuation de l'oppression. Nos actions et nos attitudes se renforcent mutuellement, parfois jusqu'à l'engourdissement moral. Albert Memmi (1966) décrit bien le «mécanisme quasi fatal» qui, dans le cas de la colonisation, amène le colonialiste à chercher les différences entre le colonisateur et le colonisé, à valoriser ces différences à son profit et à les proclamer définitives. Dans un petit livre écrit par l'historien québécois Robert Rumilly (1965), celui-ci défend la supériorité de la race blanche ainsi:

> La civilisation est l'œuvre de la race blanche et les autres races appliquent leurs plus grands efforts à l'imiter. Ces races peuvent avoir d'autres aptitudes, qui les servent dans un autre milieu géographique. Ce sont tout de même des aptitudes mineures comparées à celles de l'homme blanc. Encore ne sont-elles qu'atrophiées, faute d'exercice, chez l'homme blanc, et susceptibles de se réveiller. Prenons le seul exemple de Pierre Radisson, enlevé par les Agniers [...] [il] se montra plus débrouillard dans la forêt, plus habile à la chasse et plus rusé au conseil que les plus éprouvés des guerriers indiens [...].

Ces observations laissent à penser que les actes mauvais ne reflètent pas seulement le moi; ils forment le moi. Les situations produisant des actes mauvais érodent par conséquent la sensibilité morale des auteurs.

Les actes cruels engendrent souvent des attitudes cruelles.

Le dialogue présenté à la page suivante illustre ce qui est arrivé à un homme ayant juré n'être qu'un simple rouage de la machine nazie.

> **Q:** Avez-vous tué des gens dans le camp?
>
> **R:** Oui.
>
> **Q:** Les avez-vous empoisonnés au gaz?
>
> **R:** Oui.
>
> **Q:** Les avez-vous enterrés vivants?
>
> **R:** C'est arrivé quelquefois...
>
> **Q:** Avez-vous personnellement collaboré à tuer des personnes?
>
> **R:** Absolument pas, je n'étais que le trésorier du camp.
>
> **Q:** Que pensiez-vous de ce qui se passait?
>
> **R:** C'était horrible au début, mais on s'y est habitués.
>
> **Q:** Savez-vous que les Russes vont vous pendre?
>
> **R:** *(Éclatant en sanglots)* Pourquoi feraient-ils cela? *Qu'est-ce que j'ai fait?* (Arendt, 1971, p. 262)

Heureusement, le principe joue dans les deux sens. Une bonne action a un effet positif sur son auteur. Les expériences démontrent que, lorsque les enfants résistent à une tentation, ils ont tendance à intérioriser leur conduite consciencieuse si l'élément dissuasif est assez puissant pour provoquer le comportement désiré tout en étant assez faible pour leur donner l'impression d'avoir le choix. Au cours d'une spectaculaire expérience, Jonathan Freedman (1965) a mis des élèves du primaire en face d'un beau robot à piles, leur demandant de ne pas y toucher en son absence. Avec la moitié des enfants, Freedman a utilisé une menace très forte, tandis qu'il n'avait que faiblement menacé les autres. Quelques semaines plus tard, un autre chercheur, sans lien apparent avec les événements précédents, a laissé tous les enfants jouer dans la même pièce, avec les mêmes jouets. Quatorze des 18 enfants sévèrement menacés jouaient maintenant librement avec le robot, alors que les deux tiers des enfants faiblement menacés s'abstenaient toujours d'y toucher. Ayant consciemment choisi de ne pas y toucher, ils ont apparemment intériorisé leur décision et cette attitude nouvellement acquise a déterminé leurs actions subséquentes.

D'autres expériences confirment les effets des bonnes actions sur la pensée morale. Les personnes chargées, par exemple, d'enseigner ou de faire respecter une règle, vont généralement l'intérioriser, la mettant ainsi plus volontiers en pratique (Parke, 1974). Chez les Alcooliques anonymes, le «pigeon» – un nouveau membre – est celui qui «est arrivé juste à temps pour garder son parrain (mentor) sobre». En encourageant activement les nouveaux membres, les parrains renforcent leur propre engagement vis-à-vis de la sobriété.

COMPORTEMENT INTERRACIAL ET ATTITUDES RACIALES

Si la bonne action contribue à créer la bonne attitude, un comportement interracial plus positif ne pourrait-il pas engendrer une diminution des préjugés raciaux? Tel était en partie le témoignage des scientifiques du domaine social juste avant la décision, prise en 1954, par la Cour suprême des États-Unis, de supprimer la ségrégation raciale dans les écoles. L'argument soutenu était le suivant: Si nous attendons que les cœurs changent – par l'enseignement et la prédication –, nous attendrons longtemps la justice raciale. Mais si nous faisons de la bonne action une loi, nous pouvons, dans des circonstances appropriées, indirectement changer les attitudes profondes. Bien que cette idée aille à l'encontre de l'opinion populaire voulant que l'on «ne puisse ériger la morale en loi», les faits semblent indiquer qu'un changement cognitif important a en fait suivi de peu la déségrégation. Par exemple :

> Depuis le jugement de la Cour suprême, le pourcentage d'Américains blancs favorisant l'intégration scolaire a plus que doublé.

> Au cours des 10 années suivant la Charte des droits civils de 1964, le pourcentage d'Américains blancs décrivant leurs voisins, leurs amis, leurs collègues ou leurs camarades comme étant des Blancs véritables a baissé d'environ 20 % pour chacune de ces mesures – une amélioration importante du comportement interracial. Au cours de la même période, le pourcentage d'Américains blancs disant que les Noirs devraient pouvoir habiter n'importe où est passé de 65 % à 87 % (ISR Newsletter, 1975).

> L'uniformisation des standards nationaux contre la discrimination fut suivie d'une diminution des différences sur le plan des attitudes raciales parmi des gens de religions, de classes et de régions géographiques différentes. Au fur et à mesure que les Américains ont réussi à uniformiser leurs actes, ils en sont venus à uniformiser leur façon de penser (Greeley et Sheatsley, 1971; Taylor *et al.*, 1978).

Il est intéressant de noter qu'au Québec, alors que l'attitude des anglophones à l'égard de la Charte de la langue française est très négative, le comportement le plus fréquent est de faire un effort pour apprendre le français (Taylor, 1986). Cela semble démontrer, malgré tout, un changement d'attitude à l'égard de la langue française.

Ces faits ne sont pas tout à fait probants, car il existe d'autres éléments pouvant justifier ces changements d'attitude. De plus, il ne suffit pas d'imposer une situation pour que les attitudes changent. Denise Jodelet (1983), par exemple, a constaté que les comportements de ruraux français dont la communauté accueille des malades mentaux depuis le début du siècle ne démontrent pas une intégration de ces malades, mais un souci d'éviter la contagion. Ils demeurent des étrangers permanents : ils prennent leurs repas et lavent leur linge à part, on les sépare des enfants du village, etc.

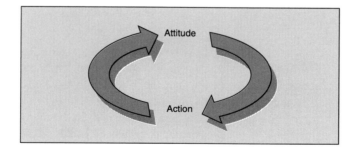

Figure 2.3
Les attitudes et les actions s'engendrent mutuellement comme les œufs et les poules.

«Nous n'aimons pas tant les gens pour le bien qu'ils nous ont fait que pour le bien que nous leur avons fait.»

Léon Tolstoï, *Guerre et Paix*

La plupart des données des recherches vont toutefois dans le sens de l'affirmation disant que nos attitudes se modèlent sur notre comportement. Des expériences confirment l'idée qu'un comportement positif envers quelqu'un favorise de bons sentiments envers cette personne. Faire une faveur à un expérimentateur ou à quelqu'un d'autre, donner des leçons particulières à un étudiant, augmente généralement l'attirance éprouvée pour la personne que l'on aide (Blanchard et Cook, 1976). (À noter que ces expériences complètent celles qui démontrent que le fait de *blesser* quelqu'un incite les gens à dénigrer leur victime.)

Benjamin Franklin a eu l'occasion, en 1793, de vérifier cette idée que faire une faveur engendre de bons sentiments. En tant que greffier à l'Assemblée générale de Pennsylvanie, Franklin était troublé par l'opposition qu'exprimait un autre législateur important. Il se mit donc en frais de le gagner à sa cause :

> Je ne cherchais pas à [...] gagner ses faveurs en lui manifestant une forme ou une autre de respect servile, mais, au bout d'un certain temps, j'ai plutôt adopté une autre méthode. Ayant entendu dire qu'il avait dans sa bibliothèque un certain livre très rare et très étrange, je lui ai écrit un mot lui exprimant mon désir d'examiner ce livre et lui demandant de me faire la faveur de me le prêter pour quelques jours. Il me l'envoya immédiatement et je le lui rendis environ une semaine plus tard, lui exprimant chaleureusement ma gratitude pour sa faveur. Quand nous nous sommes rencontrés par la suite à la Chambre, il m'adressa la parole (ce qu'il n'avait jamais fait) sur un ton très poli et il a toujours continué à manifester beaucoup d'empressement à m'être utile en toutes occasions, de sorte que nous sommes devenus de grands amis et notre amitié s'est poursuivie jusqu'au moment de son décès. C'est là un autre exemple de la véracité d'un vieil adage que j'avais appris et qui disait : «Celui qui vous a déjà fait une faveur voudra davantage vous en faire une autre que celui à qui vous avez rendu service.» (Rosenzweig, 1972, p. 769)

MOUVEMENTS SOCIAUX

L'effet du comportement racial d'une société sur ses attitudes raciales suppose la possibilité, tout autant que le danger, d'utiliser cette même idée à des fins de socialisation politique des masses. C'est ce qui ressort clairement de l'Allemagne nazie où la participation aux assemblées collectives, le port d'uniformes, les manifestations et surtout le salut public «Heil Hitler» ont créé chez plusieurs une incohérence profonde entre le comportement et les croyances. L'historien Richard Grunberger rapporte que :

> Le «salut allemand» était un puissant outil de conditionnement. Après avoir décidé de le proclamer dans le but de manifester ouvertement leur conformisme, plusieurs éprouvèrent un malaise schizophrène devant la contradiction entre leurs paroles et leurs sentiments. Épargnés d'avoir à dire ce qu'ils pensaient, ils essayèrent de trouver un équilibre psychologique en se faisant consciemment croire ce qu'ils disaient. (p. 27)

Cette pratique ne se rencontre pas uniquement dans les régimes totalitaires. Nos propres rituels politiques – le salut au drapeau, l'hymne national – utilisent le conformisme public dans le but d'assurer un conformisme privé à l'égard du patriotisme. C'est ce que Serge Moscovici, dans *L'âge des foules* (1981), appelle «le cérémonial», c'est-à-dire une réunion où les symboles ont pour but d'éveiller les émotions et de créer un climat qui produit la fusion collective préparatoire pour passer à l'action. Pensons, par exemple, à l'agitation de la multitude de drapeaux bleu et blanc lors du défilé de la Saint-Jean-Baptiste dans les rues de Montréal. Dans le même ordre d'idée, comment oublier le célèbre «Vive le Québec libre !» du général de Gaulle lancé du haut du balcon de l'hôtel de ville de Montréal.

Je me souviens d'avoir participé, à mon école primaire, située non loin de la compagnie Boeing, à Seattle, à des exercices de sauvetage en cas de raids aériens. Après s'être exercés plusieurs fois à faire semblant d'être victimes d'une attaque russe, plusieurs d'entre nous se sont mis à craindre les Russes. Les législateurs ont également fait remarquer que les marches des années 1960, en faveur des droits civiques, furent aussi importantes pour consolider l'engagement des manifestants que pour les effets directs qu'elles ont eus sur la législation.

Leurs actions exprimaient une idée dont le temps était venu et implantaient plus profondément cette idée dans leur cœur. De même, la tendance des années 1980 à utiliser un langage plus global (se référant, par exemple, à la «nature humaine» plutôt qu'à la «nature de l'homme») a autant servi à renforcer qu'à exprimer des attitudes moins sexistes.

LAVAGE DE CERVEAU

Pour bien des gens, l'influence humaine la plus terrible est le lavage de cerveau, expression qu'on utilisa la première fois pour décrire ce qui arriva aux prisonniers américains lors de le guerre de Corée. Le programme chinois de «maîtrise de la pensée» n'était cependant pas aussi irrésistible que le laisse penser l'expression. Quoi qu'il en soit, il était déconcertant de voir des centaines de prisonniers collaborer avec leurs ravisseurs, d'en voir 21 choisir d'y rester après avoir obtenu la permission de retourner en Amérique, et de voir que plusieurs de ceux qui revinrent au pays croyaient que «même si le communisme n'a aucune chance de fonctionner en Amérique, c'est une bonne chose pour l'Asie» (Segal, 1954). Edgar Schein (1956) a interrogé plusieurs prisonniers de guerre au cours de leur voyage de retour et a rapporté que les méthodes des ravisseurs incluaient une escalade graduelle des demandes. Les Chinois commençaient toujours par des requêtes banales pour en arriver graduellement à des demandes plus importantes. «C'est ainsi que, après avoir été «formés» à s'exprimer verbalement ou par écrit sur des bagatelles, les prisonniers devaient se prononcer sur des problèmes plus importants.» De plus, les Chinois s'attendaient toujours à une participation active, même si ce n'était que copier quelque chose ou participer à des discussions de groupe, rédiger une autocritique ou faire des confessions publiques.

Après avoir dit ou écrit un énoncé, le prisonnier ressentait le besoin de faire concorder ses croyances avec ses actes publics. C'est ce besoin qui a souvent incité les prisonniers à se persuader eux-mêmes de ce qu'ils avaient fait. Cette tactique constituait une application efficace de la technique du premier pas.

N'y a-t-il pas une puissante leçon à tirer de ces observations – des effets des jeux de rôles, de l'expérience du premier pas, des actes moraux et immoraux, du comportement interracial, des mouvements sociaux et du lavage de cerveau? Si nous voulons nous changer de façon importante, mieux vaudrait ne pas se fier exclusivement à l'introspection et aux prises de conscience intellectuelles. Il nous faut parfois commencer par agir – écrire cet article, faire ces téléphones, aller visiter cette personne – même si cela nous sourit peu. Jacques Barzun (1975) reconnaissait le pouvoir énergisant de l'action lorsqu'il conseillait aux apprentis écrivains de s'engager dans l'acte d'écrire malgré le doute semé dans leurs idées par la contemplation passive :

> Si vous êtes trop modestes ou trop indifférents à l'égard de l'éventuel lecteur et que vous êtes malgré tout appelés à écrire, il vous faut alors faire semblant. Faire croire que vous voulez convaincre quelqu'un ; en d'autres termes, adopter une thèse et commencer à l'expliquer... Grâce à ce petit effort du début – relever le défi de s'exprimer –, vous vous rendrez compte que la feinte disparaît et qu'un intérêt réel se manifeste. Le sujet se sera alors emparé de vous comme il le fait dans le travail de tous les écrivains de métier. (p. 173-174)

Dire que ce que nous faisons affecte notre état d'esprit ne veut pas dire que l'effet de l'autopersuasion est irrationnel. Ce qui nous pousse à agir peut également nous pousser à réfléchir. Écrire un roman, ou jouer le rôle de l'opposition, nous oblige à nous souvenir des arguments qu'autrement nous aurions négligés et à y réfléchir. Il ne faut pas non plus oublier que nous nous souvenons mieux d'une information qu'il nous a fallu expliquer en nos propres termes. Gordon Bower et Mark Masling (1979) ont donné à des étudiants de l'Université de Stanford une liste de corrélations bizarres telles que : «À mesure que le nombre de bouches d'incendie diminue dans une région, le taux de criminalité augmente.» Les étudiants qui s'étaient contentés d'étudier ou d'écouter les explications données pour ces corrélations ne pouvaient se souvenir que de 40 % de celles-ci lorsqu'ils furent plus tard testés. Quant à ceux qui avaient inventé leurs propres explications, ils se souvenaient de 73 % des corrélations. (Prenez un moment pour trouver une explication à la corrélation bouche d'incendie – criminalité et, dans un chapitre ultérieur, nous vérifierons votre souvenir de la corrélation).

Le fait que l'on se souvienne plus de l'information produite par soi-même est probablement l'une des raisons pour lesquelles nous sommes plus touchés par l'information reformulée en nos propres termes (Greenwald, 1968; Petty *et al.*, 1981). Comme me l'a écrit un étudiant, «Ce n'est qu'au moment où j'ai essayé de verbaliser mes croyances que je les ai vraiment comprises.» En tant qu'enseignant et écrivain, je dois par conséquent me souvenir de ne pas toujours étaler les résultats finis. Mieux vaut commencer par stimuler les étudiants à réfléchir aux implications d'une théorie, en en faisant ainsi des interlocuteurs et des lecteurs actifs. Le simple fait de prendre des notes peut intensifier l'impression grâce à l'expression active. Ce fait fut prouvé par William James (1899) il y a plus de 80 ans : «Pas de réception sans réaction, pas d'impression sans expression corrélative – c'est la grande maxime que ne doit jamais oublier l'enseignant.»

POURQUOI NOS ACTIONS CHANGENT-ELLES NOS ATTITUDES ?

Nous avons vu que des courants indépendants d'observation, qu'il s'agisse des expériences en laboratoire ou de l'histoire sociale, se fondent en un courant majeur : l'effet de nos actions extérieures sur nos attitudes intérieures. Cette conclusion est plus clairement établie que son explication. Les diverses observations fournissent-elles des indices quant aux *raisons* pour lesquelles l'action modifie l'attitude ? Les détectives, psychologues sociaux, suspectent trois coupables possibles. La **théorie de la présentation de soi** suppose que, pour des raisons stratégiques, nous exprimons des attitudes nous faisant apparaître cohérents. La **théorie de la dissonance cognitive** suppose que, pour réduire notre malaise, nous justifions nos actes. La **théorie de la perception de soi** suppose que nos actes sont révélateurs de nous-mêmes (en cas de doute au sujet de nos sentiments ou de nos croyances, nous n'avons qu'à regarder notre comportement, comme le ferait n'importe qui). Examinons de plus près chacune de ces théories.

PRÉSENTATION DE SOI

La première explication vient d'une idée très simple : Qui d'entre nous ne se préoccupe pas de ce que pensent les autres ? Nous dépensons des fortunes pour des vêtements raffinés, des diètes, des cosmétiques et même des chirurgies plastiques – tout cela parce que nous nous inquiétons de ce que pensent les autres à notre sujet. Faire bonne impression se traduit souvent par des récompenses matérielles et sociales, par un sentiment de mieux-être par rapport à nous-mêmes et même par le fait de nous sentir plus sécurisés quant à notre identité sociale (Leary et Kowalski, 1989).

Certes, personne n'a envie d'avoir l'air follement incohérent. Pour éviter d'en avoir l'air, nous exprimons des attitudes conformes à nos actions. Pour *avoir l'air* cohérent, nous pouvons même feindre des attitudes ne nous appartenant pas réellement. Même si cela nécessite un petit manque de sincérité ou un peu d'hypocrisie, il peut être payant de gérer l'impression que nous faisons. C'est du moins ce que suppose la *théorie de la présentation de soi*.

Nous avons déjà eu la preuve que les gens s'engagent effectivement dans la «gestion de l'impression». Pour plaire plutôt qu'offenser, ils adaptent ce qu'ils disent au point de vue de leur interlocuteur. Il faut parfois utiliser le faux pipeline pour percer à jour les attitudes feintes. De plus, les gens mettent plus de temps à annoncer les mauvaises nouvelles (par exemple, souligner les mauvaises réponses dans un test de QI) qu'à annoncer les bonnes; mais ce n'est que lorsque les porteurs de nouvelles savent qu'ils pourront être identifiés qu'ils se préoccuperont de l'impression qu'ils feront (Bond et Anderson, 1987).

Pour certains, l'effort fourni pour faire bonne impression constitue pratiquement un mode de vie. En surveillant continuellement leur propre comportement et en notant la façon dont y réagissent les autres, ils peuvent ajuster leur conduite sociale en fonction de l'effet désiré. Dans des douzaines d'études, les personnes obtenant un score élevé pour la mesure de la tendance à l'**autosurveillance** (qui, par exemple, sont d'accord avec l'affirmation : «J'ai tendance à être comme les gens veulent que je sois») se comportent comme des caméléons sociaux – ajustant leur comportement selon les circonstances extérieures (Snyder, 1987). Étant conscients des autres, ils ont moins tendance à agir en fonction de leurs attitudes et, après avoir harmonisé leur comportement avec la situation, ils tendent plus à épouser une attitude qu'ils n'ont pas vraiment (Zanna et Olson, 1982). Pour les experts en autosurveillance, les attitudes remplissent par conséquent un rôle d'ajustement social; elles permettent aux gens de s'adapter aux nouveaux emplois, aux nouveaux rôles et aux nouvelles relations interpersonnelles (Snyder et DeBono, 1989; Snyder et Copeland, 1989).

Autosurveillance:
Se modeler sur le comportement d'autrui dans les situations sociales et adopter un comportement créant l'impression désirée.

Ceux qui obtiennent un faible score pour l'autosurveillance se préoccupent moins de ce que pensent les autres. Ils sont plus guidés de l'intérieur et ont par conséquent plus tendance à parler ou à agir conformément à ce qu'ils ressentent et croient (McCann et Hancock, 1983). Pour les gens se surveillant peu, les attitudes servent à exprimer leurs propres valeurs intérieures. La plupart d'entre nous se situent quelque part entre l'extrême élevé de l'autosurveillance, représenté par l'arnaqueur, et l'extrême bas de l'autosurveillance, représenté par l'insensible obstiné.

Notre désir de présenter une image favorable pourrait-il expliquer pourquoi les attitudes exprimées vont dans le sens de la cohérence avec le comportement ? Jusqu'à un certain point, oui – les gens exhibent un changement d'attitude beaucoup plus atténué quand un faux pipeline inhibe leur tentative de faire bonne impression (Paulhus, 1982; Tedeschi *et*

Présentation de soi:
Une façon de s'exprimer de même qu'un comportement destinés à créer soit une impression favorable, soit une impression correspondant à ses idéaux (on parle aussi de «gestion de l'impression»).

al., 1987). De plus, la **présentation de soi** n'implique pas seulement d'essayer d'impressionner les autres, mais aussi d'essayer d'exprimer nos idéaux et notre identité, et d'établir une réputation les reflétant. Nous voulons nous connaître nous-mêmes et que les autres nous connaissent tels que nous sommes réellement (Schlenker, 1986, 1987; Baumeister, 1982, 1985).

C'est ainsi que les changements d'attitude étudiés semblent partiellement dus à des tactiques de présentation de soi. Des premiers ministres du Québec qui ont été engagés dans des rondes de négociation ont pu parfois adopter la stratégie d'afficher une attitude quasi souverainiste afin d'évoquer le sceptre du «séparatisme» chez leurs interlocuteurs. L'attitude de Robert Bourassa à la suite de l'échec de l'accord du Lac Meech ou le célèbre «Égalité ou Indépendance» du premier ministre Daniel Johnson relevaient peut-être d'une telle stratégie. Mais on peut aussi penser qu'il y avait plus que de la stratégie dans ces deux exemples. N'oublions pas que nous exprimons des attitudes différentes même à quelqu'un ignorant notre conduite passée. (En effet, il n'est pas besoin de présenter une attitude cohérente lorsqu'on parle à quelqu'un ignorant tout de notre comportement.) De plus, nos présentations de soi sont parfois intériorisées comme de véritables changements d'attitude. Voyons les deux autres théories pour expliquer comment cela se produit.

AUTOJUSTIFICATION

L'une de ces théories veut que nous changions d'attitude parce que nous sommes poussés à rationaliser notre comportement. C'est ce qu'implique la **théorie de la dissonance cognitive** de Leon Festinger (1957). La théorie est très simple, mais son champ d'application est énorme. Elle suppose que nous éprouvons une tension («dissonance») lorsque deux de nos pensées ou croyances («cognitions») sont psychologiquement incompatibles – quand nous nous apercevons qu'elles ne vont pas ensemble. De plus, Festinger a soutenu que nous adaptons nos pensées pour atténuer cette tension. Steven Sherman et Larry Gorkin (1980) ont, par exemple, provoqué une dissonance chez leurs étudiants de l'Université d'Indiana en leur posant la devinette suivante:

Dissonance cognitive:
Impressions de tension ressenties lors de la prise de conscience de deux cognitions incompatibles. Par exemple, la dissonance peut se manifester quand on se rend compte que l'on a agi, sans justification, contrairement à ses attitudes, ou que l'on a pris une décision favorisant une option alors qu'il y avait de bonnes raisons d'en favoriser une autre.

> Un père et son fils sont partis faire une promenade en automobile. Ils sont impliqués dans un accident. Le père est tué et le fils est dans un état critique. On amène le fils à l'hôpital et on le prépare pour une opération. Le médecin arrive, voit le patient et s'exclame: «Je ne peux pas l'opérer, c'est mon fils.» Comment cela se peut-il?

Bien qu'à peu près tous les étudiants aient, au préalable, indiqué leur appui inconditionnel à l'égalité des sexes et à d'autres idéaux féministes, la plupart ont échoué à trouver la réponse (en identifiant le médecin comme étant la mère du garçon). L'idée «je ne suis pas sexiste» et la prise de conscience «j'ai perçu cette devinette avec des préjugés sexistes» suscitaient par conséquent une dissonance. Lorsque ces étudiants eurent plus tard à juger d'un cas de présumée discrimination sexuelle, comment pensez-vous qu'ont réagi ceux qui avaient échoué à résoudre l'énigme? Ils ont réagi en manifestant un appui exceptionnellement marqué pour la plaignante, atténuant ainsi leur dissonance et réaffirmant leur image d'eux-mêmes non sexiste.

Les applications de la théorie de la dissonance se rapportent principalement aux divergences existant entre notre comportement et nos attitudes. En règle générale, nous avons conscience des deux. C'est la raison pour laquelle nous nous sentons forcés de changer dès que nous sentons une incohérence. Le bons sens veut que, si vous réussissez à convaincre les gens d'adopter une nouvelle attitude, leur comportement devrait alors s'ajuster en conséquence. Si vous pouvez, par ailleurs, inciter quelqu'un à se comporter différemment, la dissonance pourra être atténuée par un changement d'attitude: c'est là l'effet de l'autopersuasion que nous avons déjà vu.

Justification insuffisante

La théorie de la dissonance cognitive est reconnue pour ses étonnantes prédictions. Peut-être pouvez-vous en trouver la raison. Imaginez que vous participiez à l'expérience célèbre dirigée par Festinger et J. Merrill Carlsmith (1959). On exige que vous y accomplissiez des tâches ennuyeuses comme de tourner sans cesse des boutons de bois pendant une heure. L'expérimentateur vous explique par la suite que l'étude a pour but d'analyser l'effet des attentes des gens sur leur performance. Il faut inciter le prochain participant, attendant son tour à l'extérieur, à penser que l'expérience sera intéressante. L'expérimentateur vous informe alors que l'assistant habituellement chargé de créer cette attente n'a pu se présenter pour la prochaine séance. «Voudriez-vous donc le faire à sa place?» vous demande-t-il. C'est pour le bénéfice de la science et l'on vous paie pour le faire, de sorte que vous consentez à aller dire au participant suivant (qui est justement le vrai assistant de l'expérimentateur) comment l'expérience que vous venez de vivre a été agréable. «Vraiment?» répond le présumé participant. «Un de mes amis a vécu cette expérience la semaine dernière et m'a dit qu'elle était ennuyeuse.» «Oh! non, répondez-vous, c'est vraiment très intéressant! Vous prenez de l'exercice en tournant des boutons. Je suis certain que cela vous plaira.» Pour finir, au moment où vous vous apprêtez à quitter le laboratoire, une personne étudiant la façon dont les gens réagissent aux expériences vous demande de remplir un questionnaire portant sur votre appréciation de l'expérience consistant à tourner des boutons.

Passons maintenant à la prédiction: Qu'est-ce qui vous inciterait davantage à croire votre petit mensonge et à dire que l'expérience était effectivement intéressante? Que l'on vous paie 1,00 $ pour le faire, comme ce fut le cas pour quelques participants travaillant avec Festinger et Carlsmith? Ou que l'on vous paie 20,00 $ comme on l'a fait pour d'autres participants? Contrairement à l'idée populaire voulant que les grosses récompenses produisent de gros effets, Festinger et Carlsmith supposèrent que ceux qui étaient payés seulement 1,00 $ auraient plus tendance à ajuster leurs attitudes à leurs actions. Ayant une **justification insuffisante** de leur action, ils éprouveraient un plus grand malaise (dissonance) et seraient par conséquent plus motivés à croire à ce qu'ils avaient fait. Ceux qui étaient payés 20,00 $ auraient une justification suffisante pour ce qu'ils avaient fait, éprouvant ainsi moins de dissonance. Comme le démontre la figure 2.4, les résultats confirmèrent cette fascinante prédiction*.

Effet de la justification insuffisante:
Diminution de la dissonance par une justification intérieure de son propre comportement quand les incitations extérieures sont insuffisantes pour le justifier totalement.

---

*Cette expérience datant des années 1950 comportait un dernier aspect que l'on a rarement mentionné. Imaginez-vous de retour avec l'expérimentateur qui, à la toute fin, vous explique honnêtement l'expérience dans son ensemble. Non seulement apprenez-vous qu'on vous a dupé mais l'expérimentateur vous demande de lui redonner les 20,00 $. Acceptez-vous? Festinger et Carlsmith rapportent que tous leurs étudiants de Stanford ont volontiers redonné l'argent. C'est là un avant-goût de quelques stupéfiantes observations d'acquiescement et de conformité que nous étudierons au chapitre 6. Comme nous aurons l'occasion de le voir, les gens sont habituellement très coopératifs lorsque la situation sociale pose clairement des exigences.

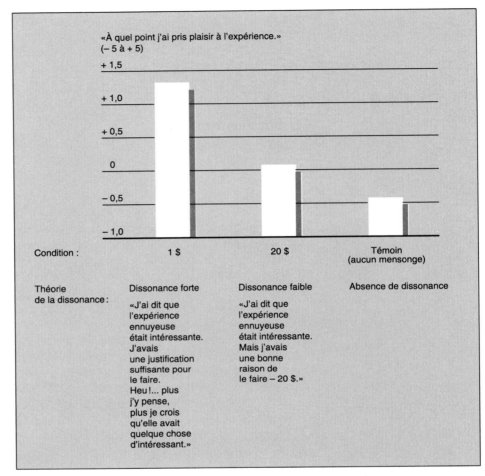

Figure 2.4

Justification insuffisante. La théorie de la dissonance prédit que lorsque nos actions ne peuvent entièrement s'expliquer par des récompenses ou des contraintes extérieures, nous expérimentons une dissonance que nous pouvons atténuer en nous forçant à croire en ce que nous avons fait. (Information tirée de Festinger et Carlsmith, 1959.)

Des douzaines d'autres expériences ont donné des résultats similaires. Les gens auront généralement plus tendance à se persuader eux-mêmes de la validité d'un acte lorsqu'ils auront l'impression d'avoir le choix et que les conséquences en seront prévisibles. Si, comme dans certaines expériences, vous acceptez, pour la modique somme de 1,50 $, d'aider un chercheur en écrivant un texte sur un sujet auquel vous ne croyez pas – comme l'augmentation des frais de scolarité – il est probable que vous commencerez à éprouver une sympathie plus grande à l'égard de cette mesure. Cela se produira d'autant plus si vous êtes mis en face de l'incohérence ou si vous accordez de l'importance au fait que les gens liront ce texte portant votre signature (Leippe et Elkin, 1987). Vous sentant responsable des propos que vous aurez tenus, vous y croyez alors plus fermement. C'est ainsi que la prétention peut devenir réalité.

En 1971, l'Oregon devint le premier État à adopter une loi alors controversée, appelée la «loi de la bouteille», imposant un dépôt et un remboursement sur les bouteilles d'alcool et de boissons gazeuses. À partir de ce moment-là, les gens ont toujours choisi de retourner les bouteilles pour la modique somme de 0,05 $ chacune. Par suite de ce comportement, leur attitude à l'égard du recyclage des bouteilles est devenue très positive, si bien que la loi n'est plus du tout controversée (Kahle et Beatty, 1987).

Nous avons déjà vu le principe de la justification insuffisante à l'œuvre lorsqu'il s'agit de punitions et de récompenses. Rappelez-vous l'exemple des enfants que l'on avait fortement menacés dans le but de les dissuader de jouer avec un objet intéressant (le robot à piles); ils ont moins dévalué le jouet que les enfants qui, ayant été faiblement menacés, eurent à lutter un peu contre eux-mêmes. Si des parents disent: «Range ta chambre, Julien, sinon tu vas recevoir une correction», Julien n'a pas besoin de chercher au-dedans de lui-même pour trouver une justification au rangement de sa chambre. La menace très forte est une justification totalement adéquate. À noter que la théorie de la dissonance cognitive s'intéresse à ce qui *incite* au comportement désiré plutôt qu'à l'efficacité relative des récompenses et des punitions données *après* l'acte. Elle vise, par exemple, à ce que Julien se dise: «Je range ma chambre parce que je veux une chambre bien rangée» plutôt que «Je range ma chambre parce que mes parents m'y obligent.» Avis aux dirigeants d'entreprise et aux administrateurs publics: les gens se conformeront vraisemblablement plus à des règles s'ils partagent la responsabilité de les faire respecter. C'est la raison pour laquelle les résidants d'un dortoir partageant la responsabilité d'en faire respecter les règles sont moins tolérants envers les insoumis que ne le sont les résidants n'ayant pas à se charger du respect des règles (Triplet *et al.*, 1988).

Ce genre d'implications de la théorie de la dissonance a poussé certaines personnes à la percevoir comme une intégration des points de vue humaniste et scientifique. Une gestion autoritaire, prédit la théorie, ne sera efficace qu'en présence de l'autorité; le comportement risque peu de s'intérioriser lorsque le sentiment d'avoir le choix est faible. Comme le dit Bree, un cheval parlant réduit en esclavage dans le roman de C.S. Lewis, *The Horse and His Boy* (1974), «L'une des pires conséquences au fait d'avoir été un esclave forcé de faire des choses est que, lorsqu'il n'y a personne pour te forcer, tu t'aperçois que tu as presque perdu la capacité de te forcer toi-même» (p. 193). La théorie de la dissonance n'est pas très permissive quant à ses implications, puisqu'elle insiste sur le fait que les encouragements et les incitations sont suffisants pour provoquer le comportement désiré. Elle suggère toutefois aux dirigeants, aux professeurs et aux parents de n'utiliser que l'encouragement nécessaire pour provoquer le comportement désiré. Le principe est le suivant: Nous prenons d'autant plus la responsabilité de nos actes que nous avons choisi de les poser en l'absence de pressions et d'encouragements trop évidents.

Dissonance à la suite de décisions

L'insistance sur le choix perçu et la responsabilité implique que prendre des *décisions* engendrera de la dissonance. Devant une importante décision – quel collège fréquenter, avec qui sortir, quel travail accepter – il nous arrive parfois d'être déchirés entre deux possibilités également attirantes. Peut-être pouvez-vous vous souvenir d'une occasion où, ayant entrepris de faire quelque chose, vous êtes devenu douloureusement conscient de cognitions dissonantes – des aspects intéressants de ce que vous avez mis de côté et des aspects désagréables de ce que vous avez choisi de faire. Si vous avez choisi de vivre en chambre, vous vous êtes peut-être rendu compte que vous renonciez à la liberté et aux grandes dimensions d'un appartement en faveur d'une pièce beaucoup plus restreinte. Si vous avez choisi de vivre loin du collège, vous avez probablement réfléchi au fait que votre décision occasionnait des frais supplémentaires de transport en plus de l'éloignement des équipements du collège.

Les expériences démontrent que, après avoir pris des décisions aussi importantes, nous atténuons habituellement la dissonance en revalorisant l'option choisie et en dénigrant celle qui fut éliminée. Au cours de la première expérience à être publiée (1956) et portant sur la dissonance, Jack Brehm a demandé à huit femmes de l'Université du Minnesota d'évaluer huit produits tels qu'un grille-pain, une radio, un séchoir à cheveux. On leur présenta ensuite deux objets pour lesquels elles avaient donné à peu près la même évaluation et on leur dit qu'elles pouvaient avoir celui de leur choix. Plus tard, au cours d'une réévaluation des huit objets, les femmes haussèrent l'évaluation de l'article choisi et baissèrent celle de l'article rejeté. Il semble que, une fois que l'on a choisi son sort, la pelouse du voisin *n'*apparaisse *pas* plus verte que la nôtre. C'est plutôt la clôture qui semblera pleine de raisins trop verts.

Si vous comprenez le principe, vous serez peut-être en mesure de prédire le résultat de l'une des plus récentes expériences portant sur la dissonance. Mark Zanna et Gerald Sande (1987) ont engagé un groupe d'étudiants de l'Université de Waterloo à évaluer la qualité de l'information reçue au sujet de deux candidats pour le projet d'une nouvelle résidence étudiante. Un second groupe d'étudiants ont également pris ce qu'ils croyaient être des *décisions réelles* quant au choix du candidat. Lorsqu'on demanda par la suite aux étudiants des deux groupes d'évaluer sept candidats au nombre desquels figuraient les deux qu'ils avaient déjà examinés de près, quelle a été, d'après vous, l'évaluation des deux groupes par rapport aux deux candidats? Le groupe n'ayant pas pris de décision ne les a pas évalués différemment; le groupe ayant pris une décision considérait maintenant la candidature retenue comme étant très supérieure à celle qui n'avait pas été retenue.

Dans le cas de décisions simples, cet effet du «décider-devient-croire» peut se produire très rapidement. Robert Knox et James Inkster (1968) ont découvert que les parieurs aux courses de chevaux manifestaient, immédiatement après avoir engagé leur argent, plus d'optimisme sur leur mise que n'en manifestaient ceux sur le point de parier. Au cours des quelques minutes écoulées entre la file d'attente et le retour du guichet des paris, rien n'avait changé, sauf le fait que la décision avait été prise et que le parieur éprouvait maintenant des sentiments vis-à-vis de cette décision.

De même, les concurrents des jeux de hasard lors des carnavals sont plus sûrs de gagner immédiatement après avoir accepté de jouer qu'immédiatement avant, et les électeurs manifestent plus d'estime et de confiance dans leur candidat immédiatement après le vote qu'ils n'en manifestent juste avant (Younger *et al.*, 1977). Il peut parfois n'y avoir qu'une toute petite différence entre les deux options, comme ce fut le cas, je me rappelle, lorsque j'ai participé aux décisions concernant le choix de titulaires pour la faculté. La compétence du candidat qui gagnait de peu et celle de celui qui perdait de peu ne semblaient pas très différentes – jusqu'au moment où la décision fut prise et officiellement annoncée.

Toutes ces expériences et tous ces exemples suggèrent que les décisions, une fois prises, ont tendance à se faire pousser des racines – des racines autojustificatrices du choix le plus sage. Ces nouvelles racines sont parfois assez puissantes pour que la décision ne tombe pas à l'eau advenant le cas où l'une d'entre elles – peut-être même l'originelle – soit coupée. Mireille décide d'aller rendre visite à sa famille, à condition que le prix du billet d'avion ne dépasse pas 300 $. C'est effectivement le cas et elle fait par conséquent sa réservation tout en commençant à penser aux autres raisons pour lesquelles elle est contente de partir. Lorsqu'elle se présente au guichet pour acheter ses billets, elle apprend qu'il y a eu une augmentation et qu'ils coûtent maintenant 350 $. Peu importe, elle est maintenant décidée à partir. C'était la même chose lorsqu'un vendeur d'automobiles nous a fait le coup de l'amorçage; il ne vient jamais à l'esprit des gens, rapporte Robert Cialdini (1984, p. 103), «que ces bonnes raisons de plus pour faire quelque chose n'auraient jamais existé si le choix n'avait d'abord été fait».

PERCEPTION DE SOI

Bien que la théorie de la dissonance ait inspiré énormément de recherches, les phénomènes auxquels elle s'intéresse peuvent s'expliquer par une théorie encore plus simple. Voyons comment nous faisons des déductions à partir des attitudes des gens. Nous observons d'abord le comportement de quelqu'un de même que son contexte pour ensuite attribuer le comportement aux traits de personnalité et aux attitudes de l'individu ou aux forces exercées par le milieu. Si nous voyons M. et Mme Dubois obliger leur petite Nathalie à dire «Je suis désolée», nous attribuerons le comportement peu enthousiaste de Nathalie aux contraintes de la situation plutôt qu'à son regret personnel. Si nous voyons Nathalie faire des excuses sans incitation apparente, nous lui attribuerons probablement les excuses à elle-même.

Théorie de la perception de soi: Théorie voulant que, lorsque nous sommes incertains de nos attitudes, nous les déduisions, comme le ferait quelqu'un nous observant - en examinant notre comportement et les circonstances qui l'entourent.

La **théorie de la perception de soi** (proposée par Daryl Bem, 1972) suppose que c'est le même genre de déductions que nous faisons lorsque nous observons notre propre comportement. Quand nos attitudes sont mitigées ou ambiguës, nous sommes dans la même situation que quelqu'un nous observant de l'extérieur. Tout comme nous percevons ce que sont vraiment les gens en examinant de près leurs actions accomplies librement, de même faisons-nous pour percevoir qui nous sommes réellement. M'entendre parler m'informe de mes attitudes; observer mes actes me donne des indices quant à la force de mes croyances, surtout lorsque je ne peux facilement attribuer mon comportement à des contraintes extérieures. Les actes posés librement sont parfois très révélateurs de ce que nous sommes.

«Pour atteindre la connaissance de soi, mieux vaut l'action que la contemplation.»
Goethe

Il y a un siècle, le philosophe-psychologue William James a proposé, pour l'émotion, une explication similaire. Nous déduisons nos émotions, supposa-t-il, en observant nos corps et nos comportements. Une femme dans la forêt fait face à un stimulus comme le grognement d'un ours. Elle devient tendue, sa fréquence cardiaque s'accélère, la sécrétion d'adrénaline augmente et elle s'enfuit. Observant tout cela, elle expérimente alors la peur. Alors que je devais faire une conférence dans une université, je me réveillai avant l'aube et fus incapable de me rendormir. Observant mon insomnie, j'en conclus que je devais être anxieux.

«Je peux m'observer, moi et mes actions, tout comme le ferait un étranger.»
Anne Frank, *Le journal d'Anne Frank*

Peut-être douterez-vous de cette idée; c'était mon cas quand j'en ai entendu parler la première fois. Il y a toutefois des expériences la prouvant. Une recherche sur les influences des expressions faciales propose même un moyen d'expérimenter soi-même l'effet de la perception de soi. Quand James Laird (1974, 1984) incita, par exemple, des étudiants à froncer les sourcils au moment où l'on plaçait des électrodes sur leur visage – «contractez ces muscles», «rapprochez vos sourcils» – les étudiants rapportèrent s'être sentis en colère. L'autre découverte de Laird est plus amusante à essayer: les étudiants incités à sourire se sentaient plus heureux et trouvaient les dessins animés plus drôles. Certaines des réponses des muscles faciaux, associées aux émotions, sont plus subtiles, assez subtiles pour échapper à l'observation (Cacioppo *et al.*, 1988). Les gens formés à maîtriser ces muscles, en tendant, par exemple, les muscles du front, peuvent subtilement modifier leurs réponses émotionnelles (McCanne et Anderson, 1987). L'effet peut être tant physiologique que cognitif. Une théorie soutient que le fait de tendre certains muscles limite l'afflux sanguin au cerveau, le menaçant ainsi d'un refroidissement et provoquant de sa part le déclenchement d'éléments chimiques provocateurs d'émotions (Zajonc *et al.*, 1988).

Nous avons tous fait l'expérience de ce phénomène de la perception de soi. Nous nous sentons grognons et c'est alors que sonne le téléphone ou qu'on frappe à la porte. Un comportement poli et chaleureux se manifeste en nous. «Comment ça va?», «Très bien merci, et toi?», «Oh! ça va...!» Si notre irritabilité n'est pas trop grande, ce comportement chaleureux peut complètement changer notre attitude avant même que nous n'ayons raccroché le téléphone. Il est en effet difficile de sourire tout en se sentant maussade. Faire semblant peut déclencher les émotions.

Votre démarche elle-même peut modifier la façon dont vous vous sentez. Lorsque vous vous lèverez après avoir lu ce chapitre, marchez environ une minute à petits pas traînants, les yeux baissés. Marchez ensuite une minute à longues enjambées, en balançant les bras et en gardant les yeux droit devant. Pouvez-vous, à l'instar des participants à une expérience conduite par Sara Snodgrass (1986) à l'Université Skidmore, sentir la différence?

Si nos expressions influencent nos émotions, le fait d'imiter les expressions des autres nous aiderait-il alors à savoir ce qu'ils ressentent? Une expérience menée par Katherine Burns Vaughan et John Lanzetta (1981) semble indiquer que oui. Ils ont demandé à des étudiants de l'Université Dartmouth d'observer quelqu'un en train de subir des chocs électriques. On avait dit à certains des observateurs de manifester une expression de douleur chaque fois qu'il y avait un choc. Comparés aux autres qui n'exprimaient rien, ces étudiants grimaçants transpiraient plus et leur pouls augmentait chaque fois qu'ils voyaient le patient subir un choc. Le fait d'exprimer l'émotion de la personne permettait aux observateurs d'éprouver plus d'empathie. Il en ressort que pour deviner ce que ressentent les gens, vous devez vous-même mimer leurs expressions.

Se mouvoir et s'émouvoir. Le psychologue allemand Fritz Strack et ses collègues (1988) rapportent que les gens trouvent les dessins animés plus drôles lorsqu'ils tiennent un crayon entre les dents (ce qui fait appel à l'un des muscles du sourire) que lorsqu'ils le tiennent entre les lèvres (ce qui active des muscles incompatibles avec le sourire).

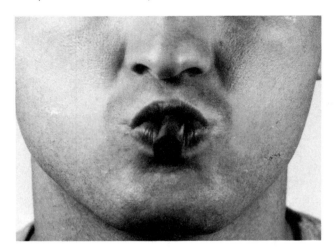
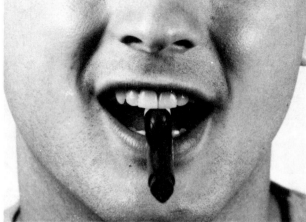

Nos expressions faciales influencent également nos attitudes. Au cours d'une astucieuse expérience, Gary Wells et Richard Petty (1980) ont fait tester des «casques d'écoute» par des étudiants de l'Université d'Alberta, leur faisant faire des mouvements horizontaux ou verticaux de la tête pendant qu'ils écoutaient l'éditorial radiophonique. Lesquels furent le plus d'accord avec l'éditorial? Ceux qui avaient incliné la tête de haut en bas. Pourquoi? Wells et Petty ont émis l'hypothèse que les pensées positives sont compatibles avec le hochement de tête vertical et incompatibles avec le mouvement horizontal. Essayez-le vous-même lorsque vous écouterez quelqu'un: Vous sentez-vous plus d'accord en hochant la tête plutôt qu'en la secouant?

Justification excessive et motivation intrinsèque

Souvenons-nous de l'effet de la justification insuffisante – que *la plus petite* motivation à faire quelque chose est généralement la plus efficace à rendre cette chose agréable à faire et à nous inciter à continuer de la faire. La théorie de la dissonance cognitive offre une explication à ce phénomène: quand les incitations extérieures ne suffisent pas à justifier notre comportement, nous le *justifierons* probablement *de l'intérieur*.

La théorie de la perception de soi offre une autre explication: les gens expliquent leur comportement en tenant compte des conditions extérieures dans lesquelles il s'est manifesté. C'est ainsi que, en entendant quelqu'un démontrer le bien-fondé d'une augmentation des frais de scolarité après avoir été payé 20 $ pour le faire, nous aurons certainement moins tendance à croire à l'authenticité des opinions de cette personne que si nous avions cru qu'elle exprimait ces opinions sans être payée. Ce sont peut-être des déductions similaires que nous faisons en nous observant nous-mêmes.

La théorie de la perception de soi va même un peu plus loin. Contrairement à l'idée voulant que les récompenses augmentent toujours la motivation, elle prétend que les récompenses inutiles comportent parfois un désavantage caché. Récompenser les gens pour faire quelque chose qu'ils aiment faire peut les inciter à attribuer leur comportement à la récompense, minant ainsi la perception selon laquelle ils le faisaient parce qu'ils aimaient cela. Des expériences effectuées par Edward Deci et Richard Ryan (1985, 1987), à l'Université de Rochester, par Mark Lepper et David Greene (1979), à Stanford, et par Ann Boggiano et ses collègues (1985, 1987), à l'Université du Colorado, ont confirmé cet **effet de la justification excessive**. Les gens payés pour jouer avec des casse-tête amusants ont, par la suite, moins joué avec les casse-tête que les gens qui n'étaient pas payés pour le faire; promettre une récompense aux enfants pour faire ce qu'ils aiment intrinsèquement (jouer, par exemple, avec des crayons magiques) change le jeu en travail.

Un conte populaire illustre bien l'effet de la justification excessive. Un vieil homme habitait une rue où, chaque après-midi, des garçons jouaient bruyamment. Le vacarme le dérangeait, de sorte qu'un jour il appela les garçons à sa porte. Il leur dit qu'il aimait le bruit joyeux des voix enfantines et leur promit à chacun 50 ¢ s'ils revenaient le lendemain. L'après-midi suivant, les jeunes revinrent à la course et jouèrent avec plus d'entrain que jamais. Le vieil homme les paya et leur promit une autre récompense pour le lendemain. Ils revinrent encore, avec des cris de joie, et le vieil homme les paya encore, cette fois 25 ¢. Le jour suivant, ils n'eurent que 15 ¢ et le vieil homme leur expliqua que ses maigres ressources

Effet de la justification excessive:
Soudoyer les gens pour faire ce qu'ils aiment déjà faire a pour conséquence qu'ils en viendront probablement à percevoir ce qu'ils font comme étant extérieurement dirigé plutôt qu'intrinsèquement intéressant.

s'épuisaient. «S'il vous plaît, viendriez-vous quand même demain jouer pour 10 ¢ ?» Les garçons furent désappointés et dirent à l'homme qu'ils ne reviendraient pas. Cela ne valait pas la peine, dirent-ils, de jouer chez lui tout l'après-midi pour seulement 10 ¢.

Comme l'implique la théorie de la perception de soi, une récompense *inattendue* et survenant après coup ne diminue pas l'intérêt intrinsèque, parce qu'apparemment les gens peuvent encore attribuer leur action à leur propre motivation (Bradley et Mannell, 1984). (C'est comme l'héroïne qui, s'étant éprise du bûcheron, apprend par la suite qu'il s'agit en fait d'un prince.) Et si des félicitations pour un travail bien fait nous font sentir plus compétents et plus heureux, elles peuvent en fait augmenter notre motivation intrinsèque (Vallerand, 1983; Vallerand et Reid, 1984, 1988). Il est toutefois probable que l'effet de la justification excessive se manifeste lorsqu'une récompense inutile est offerte à l'avance dans le but évident de dicter le comportement. L'important est par conséquent la signification de la récompense. Les récompenses et les louanges qui *informent* les gens de leurs réussites (qui les amènent à penser : «J'excelle dans cela») *renforceront* probablement leur motivation intrinsèque; les récompenses visant à *diriger* les gens, c'est-à-dire qui les conduiront à croire que la récompense est la cause de leur effort («Je l'ai fait pour l'argent») *diminueront* probablement le désir intrinsèque lié à la tâche agréable (Rosenfeld *et al.*, 1980; Sansone, 1986).

Comment faire alors pour cultiver le plaisir des gens pour des tâches ne les intéressant pas intrinsèquement ? La jeune Sylvie trouve peut-être ses premières leçons de piano frustrantes. Simon n'éprouve peut-être pas un amour intrinsèque pour les matières au programme de la cinquième année. Sophie n'a peut-être pas très hâte d'aller rencontrer ses premiers clients. Dans des cas semblables, les parents, le professeur ou le patron devraient probablement utiliser des encouragements pour promouvoir le comportement désiré (Workman et Williams, 1980; Boggiano et Ruble, 1985). Par conséquent, si nous donnons aux étudiants *juste assez* de justification pour réussir un apprentissage (et utiliser les récompenses pour les aider à se sentir compétents), nous pouvons ainsi les aider à maximiser leur plaisir à le faire et leur enthousiasme à continuer seuls. Lorsque la justification est excessive – comme cela se produit dans les classes où les enseignants dictent le comportement et utilisent les récompenses pour diriger les enfants – le désir d'apprentissage risque de diminuer chez l'enfant (Deci et Ryan, 1985). Il en va de même si la compétition entre les enfants est mal utilisée. Elle peut entraîner la comparaison sociale et la perception d'une faible compétence, d'où une motivation intrinsèque faible (Vallerand, Gauvin et Halliwell, 1986a, 1986b). Mon plus jeune fils dévorait avidement six à huit livres de bibliothèque par semaine – jusqu'à ce que notre bibliothèque fonde un club de lecture promettant une surprise-partie aux enfants qui liraient 10 livres sur une période de trois mois. Trois semaines plus tard, il commença à n'emprunter qu'un ou deux livres par visite hebdomadaire. Pourquoi ? «Parce que, tu sais, il ne faut lire que 10 livres.»

COMPARAISON DES THÉORIES

Nous avons vu une explication de la raison pour laquelle nos actions *semblent* modifier nos attitudes (la théorie de la présentation de soi), de même que deux explications de la raison pour laquelle nos actions changent *vraiment* nos attitudes : (1) l'hypothèse de la théorie de la dissonance voulant que nous soyons motivés à justifier notre comportement dans le but de diminuer notre malaise interne; et (2) l'hypothèse de la théorie de la perception de soi voulant que nous observions calmement notre comportement pour en faire des déductions raisonnables au sujet de nos attitudes, tout comme nous le faisons en observant les autres.

Les deux dernières explications semblent se contredire l'une l'autre. Laquelle est alors la bonne ? Il est difficile de trouver une preuve irréfutable pouvant trancher la question. Dans la plupart des cas, elles permettent les mêmes prédictions et chacune peut convenir à la plupart des découvertes étudiées jusqu'ici (Greenwald, 1975). Daryl Bem (1972), théoricien de la perception de soi, a même laissé entendre que tout se ramenait à une question de loyauté et d'esthétique. Voilà bien une illustration de la subjectivité des théories scientifiques (voir le chapitre 1). Ni la théorie de la dissonance ni celle de la perception de soi ne nous ont été révélées par la nature. Les deux sont des produits de l'imagination humaine – des efforts créateurs en vue de simplifier et d'expliquer nos observations.

Dans le domaine scientifique, il n'est pas rare de s'apercevoir qu'un principe (comme : «les attitudes dérivent du comportement») est prévisible à partir de plus d'une théorie. Le physicien Richard Feynman (1967) s'émerveillait que «l'une des caractéristiques étonnantes de la nature» soit «la grande variété de merveilleux moyens» grâce auxquels on peut la décrire : «Je ne comprends pas comment il se fait que les lois correctes de la physique semblent pouvoir s'exprimer de tant de façons différentes» (p. 53-55). À l'exemple de différents chemins menant au même endroit, différents ensembles d'hypothèses peuvent aboutir au même principe. Quoi qu'il en soit, cela ne fait que *renforcer* notre confiance au principe. Non seulement devient-il crédible à cause des données sur lesquelles il s'appuie, mais aussi parce qu'il repose sur plus d'un coussin théorique.

Dissonance en tant que stimulation

Peut-on dire que l'une de nos théories vaut mieux que l'autre ? La théorie de la dissonance reçoit un appui considérable sur un point capital. Rappelons-nous que la dissonance est, par définition, un état de stimulation créé par une tension désagréable. Pour réduire cette tension, nous modifierions nos attitudes. La théorie de la perception de soi ne parle pas de la tension engendrée par l'absence d'harmonie entre nos actes et nos attitudes. Elle dit seulement que, lorsque nous ne pouvons clairement identifier nos attitudes, nous utilisons notre comportement et son contexte comme indice de nos attitudes (à l'exemple de la personne qui disait : «Comment savoir ce que je ressens avant d'avoir entendu ce que j'en dis ?»).

Les circonstances étant supposées produire la dissonance (par exemple, prendre des décisions ou agir contrairement à ses attitudes) sont-elles vraiment *stimulantes* ? Les preuves accumulées vont dans le sens d'une réponse positive, à condition que le comportement ait des *conséquences indésirables* dont l'*individu se sente responsable* (Cooper et Fazio, 1984). Si vous dites quelque chose que vous ne croyez pas dans l'intimité de votre appartement, la dissonance sera minime. Elle sera par contre beaucoup plus intense s'il y a des conséquences désagréables – si (comme dans l'expérience de faire dire des mensonges pour 1 $ ou 20 $) quelqu'un vous entend ou vous croit, si les effets négatifs sont irrévocables plutôt que révocables et si la personne blessée est quelqu'un qui vous est sympathique plutôt qu'antipathique. De plus, si vous vous sentez responsable de ces conséquences – s'il ne vous est pas facile d'excuser votre acte parce que vous y aviez librement consenti et si vous pouviez en prévoir les conséquences – la dissonance se fera alors sentir (figure 2.5) et se manifestera par une transpiration et une fréquence cardiaque accrues (Cacioppo et Petty, 1986; Croyle et Cooper, 1983).

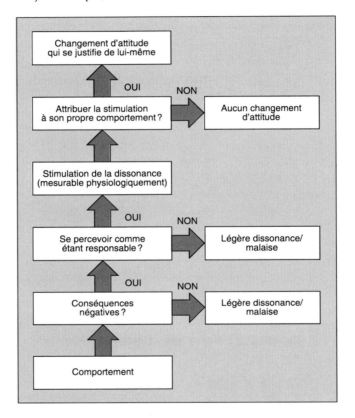

Figure 2.5
Une version corrigée de la théorie de la dissonance : la séquence allant du comportement au changement d'attitude.

Par ailleurs, dans des situations d'apprentissage, on a démontré que la dissonance peut avoir des effets semblables à ceux de la motivation dans la théorie de l'apprentissage traditionnelle (Hull, 1943) : il y a augmentation de la performance dans le cas des situations où des réponses sont déjà acquises et diminution de la performance dans les situations impliquant l'apprentissage de nouvelles réponses. Ainsi, Joëlle Lebreuilly (1989) observe plus de substitutions de mots et de transformations, mais moins d'arguments originaux chez des sujets en état de dissonance. Robert Joule (1991) observe pour sa part des effets semblables sur l'apprentissage lorsque la privation de tabac pendant 24 heures fait suite à une décision (motivation cognitive, dissonance) ou est imposée (motivation non cognitive, besoin effectif de tabac).

Dire ou faire «volontairement» des choses indésirables stimule la dissonance et Claude Steele (1988) pense qu'il y a une raison fondamentale à ce fait. Les actes de ce genre sont gênants. Ils nous font nous sentir stupides. Ils constituent une menace à notre sens de compétence personnelle et de bonté. Voilà pourquoi le fait de justifier nos actes et nos décisions constitue une mesure de protection de soi ; en agissant de la sorte, nous réaffirmons notre sens d'intégrité et de valeurs personnelles.

Qu'arrive-t-il, d'après vous, si les gens, après avoir posé un acte contraire à eux-mêmes, se voient offrir un moyen quelconque de réaffirmer leur valeur personnelle, l'occasion par exemple, de faire une bonne action ? Steele a découvert, au cours de diverses expériences, que les gens, lorsqu'ils sont sécurisés dans leur image de soi, éprouvent beaucoup moins le besoin de justifier leurs actes. Par conséquent, de dire Steele, les gens sont stimulés par leurs propres comportements indésirables dissonants parce que ces actes menacent les idées positives qu'ils ont d'eux-mêmes. Si les Chinois s'étaient servi de la torture pour obtenir l'acquiescement des prisonniers de guerre, ces derniers auraient eu moins besoin de justifier leurs actes à leurs propres yeux. Point n'est besoin, en effet, de se sentir coupable ou de se justifier pour des actes imposés de force.

Les circonstances de dissonance stimulent donc effectivement la tension, surtout quand le sens de la valeur personnelle de quelqu'un est menacé. Mais cette stimulation est-elle nécessaire pour produire l'effet des «attitudes dérivant du comportement»? Encore une fois, certains indices vont dans le sens d'une réponse positive. Au cours d'expériences faites avec des étudiants de l'Université de Washington, Steele et ses collègues (1981) ont trouvé que, lorsque la stimulation était atténuée par l'ingestion d'alcool, l'effet des «attitudes dérivant du comportement» disparaissait. Les étudiants incités à écrire un essai en faveur d'une forte augmentation des frais de scolarité réduisirent leur dissonance en ajustant leurs attitudes, *sauf* s'ils ingéraient de l'alcool après la rédaction de leur texte (on leur faisait croire que cela faisait partie d'une expérience de dégustation de bière ou de vodka). L'alcool et les autres drogues peuvent apparemment constituer un moyen de remplacement pour atténuer la dissonance.

Se percevoir sans se contredire

La preuve est claire et suffisante: les mécanismes de la dissonance sont stimulants et la stimulation fait partie des effets autopersuasifs consécutifs à une action contraire à ses propres attitudes. (En fait, l'accroissement de stimulation grâce à l'ingestion d'un comprimé d'amphétamine, perçu par la personne qui l'avale comme un simple placebo inoffensif, accentue le changement d'attitude.) La théorie de la dissonance n'est cependant pas en mesure d'expliquer toutes les observations. Quand les gens défendent un point de vue conforme à leur opinion, quoique la dépassant quelque peu, les mécanismes éliminant habituellement toute forme de stimulation ne semblent pas réduire le changement des attitudes (Fazio *et al.*, 1977, 1979). La théorie de la dissonance n'explique pas, non plus, l'effet de la justification excessive, puisque le fait d'être payé pour faire ce que l'on aime faire ne devrait pas susciter une grande tension. Sans parler des situations où l'action à laquelle nous sommes incités n'entre pas vraiment en contradiction avec l'une ou l'autre de nos attitudes – quand, par exemple, on incite les gens à sourire ou à grimacer. Là encore, il ne devrait pas y avoir de dissonance. La théorie de la perception de soi a une explication à fournir dans les cas de ce genre.

En résumé, il semble que la théorie de la dissonance réussisse à expliquer ce qui se passe lorsque nous agissons contrairement à nos attitudes clairement définies (dans le cas, par exemple, des élections ou dans celui d'un problème d'actualité au collège) : nous éprouvons une tension nous poussant à ajuster nos attitudes dans le but de la diminuer. C'est ainsi que la théorie de la dissonance explique le *changement* d'attitude. Dans les situations où nos attitudes sont mal définies, la théorie de la perception de soi explique la *formation* des attitudes au fur et à mesure que nous agissons et réfléchissons, adoptant ainsi des attitudes plus facilement accessibles pour guider notre futur comportement (Fazio, 1987).

RÉSUMÉ

NOS ATTITUDES DÉTERMINENT-ELLES NOTRE COMPORTEMENT ?

Quelle est la relation entre nos attitudes intérieures et nos actions extérieures ? Les psychologues sociaux s'entendent à dire que les attitudes et les actions ont, entre elles, une relation de réciprocité, les unes alimentant les autres. La sagesse populaire fait ressortir l'impact des attitudes sur les actions. Chose étonnante, nos attitudes – habituellement perçues comme étant ce que nous pensons de quelqu'un ou de quelque chose – sont souvent d'assez piètres présages de nos actions. De plus, le fait de changer les attitudes des gens ne réussit presque jamais à changer, ne serait-ce que quelque peu, leur comportement. Ces découvertes ont stimulé les psychologues sociaux à chercher pourquoi nous échouons si souvent à faire ce que nous disons. La réponse semble maintenant claire : les expressions de nos attitudes et de nos comportements subissent plusieurs influences. En conséquence, nos attitudes *présageront* de notre comportement lorsque (1) ces autres influences seront minimisées, (2) l'attitude correspondra étroitement au comportement prévu (comme dans les recherches portant sur les intentions de vote) et (3) nous serons conscients de nos attitudes (que ce soit parce que quelque chose nous y fait penser ou parce que la façon dont elles furent acquises les a solidifiées). Il y a donc un lien entre ce que nous pensons et ressentons et ce que nous faisons, même si, dans bien des cas, ce lien est moins étroit que nous n'aimerions le croire.

NOTRE COMPORTEMENT DÉTERMINE-T-IL NOS ATTITUDES ?

Le lien attitude-action joue dans les deux directions : non seulement avons-nous tendance à agir selon ce que nous pensons, mais aussi à penser en fonction de ce que nous faisons. En agissant, nous amplifions l'idée à la base de notre action, surtout lorsque nous nous en sentons responsables. De nombreuses preuves convergent en faveur de ce principe. Les actes prescrits par les rôles sociaux modèlent les attitudes des acteurs. La recherche portant sur le phénomène du premier pas indique que l'accomplissement d'une petite action (par exemple, accepter de faire une petite faveur) rend les gens mieux disposés à poser par la suite un geste plus important. Les actes modifient également nos attitudes morales : nous avons en effet tendance à considérer ce que nous avons fait comme étant bien. De même, nos comportements politiques et raciaux jouent un rôle dans la formation de notre conscience sociale. Apparemment, nous ne nous contentons pas de défendre nos idées ; nous croyons en plus à ce que nous avons défendu.

POURQUOI NOS ACTIONS CHANGENT-ELLES NOS ATTITUDES ?

Trois théories se disputent l'explication du fait que nos actions modifient nos attitudes. La *théorie de la présentation de soi* suppose que les gens, en particulier ceux qui surveillent leur comportement dans l'espoir de faire bonne impression, adapteront leur discours de façon à avoir l'air raisonnablement cohérents avec leurs actions. Il a été prouvé que les gens ajustent effectivement leur discours par souci de l'opinion d'autrui, mais qu'un véritable changement d'attitude se produit aussi. La *théorie de la dissonance* explique ce changement d'attitude en présumant que nous sommes motivés à justifier notre comportement dans le but de réduire la tension éprouvée lorsque nous agissons contrairement à nos attitudes, ou lorsque nous avons pris une décision difficile. Elle ajoute que moins nous disposons d'une justification extérieure pour un acte indésirable plus nous nous en sentirons coupables, de sorte qu'il y aura plus de dissonance, amenant ainsi un changement d'attitude. La *théorie de la perception de soi* suppose que, lorsque nos attitudes sont mal définies, nous observons simplement notre comportement et son contexte extérieur afin de déduire la nature de nos attitudes. L'une des implications intéressantes de cette théorie est « l'effet de la justification excessive » : récompenser les gens pour avoir fait ce que, de toute façon, ils aiment faire, peut convertir un plaisir en une corvée (si la récompense les amène à attribuer leur comportement à la récompense). Des preuves existent à l'appui des prédictions émises par ces deux théories, laissant ainsi supposer que chacune décrit bien ce qui se passe selon la nature des circonstances.

LECTURES SUGGÉRÉES

Ouvrages en français

CODOL, J.-P. (1969). Note terminologique sur l'emploi de quelques expressions concernant les activités et processus cognitifs en psychologie sociale. *Bulletin de psychologie*, 23, 63-71.

JODELET, D. (1987). *Représentations sociales*. Paris, Presses Universitaires de France.

JOULE, R. V. et BEAUVOIS, J.-L. (1987). *Petit traité de manipulation à l'usage des honnêtes gens*. Grenoble, Presses Universitaires de Grenoble.

Ouvrages en anglais

CIALDINI, R. B. (1988). *Influence: Science and practice*, 2e éd. Glenview, Il, Scott, Foresman/Little, Brown.

LINDZEY, G. et ARONSON, E. (dir.). (1985). *Handbook of social psychology*, 3e éd., vol. 1-2. New York, Random House.

SNYDER, M. (1987). *Public appearances/Private realities: The psychology of self-monitoring*. New York, Freeman.

CHAPITRE

3

EXPLIQUER
LE COMPORTEMENT

———

En septembre 1983, l'Union soviétique abattit l'avion 007 de la Korean Airlines, tuant les 269 personnes à bord. La réaction américaine ne se fit pas attendre : on condamna sévèrement les Russes pour leur hostilité impulsive les ayant conduits à tuer des gens innocents à bord d'un vol civil faisant fausse route.

En juillet 1988, le *USS Vincennes*, se battant contre des canonnières iraniennes dans le golfe Persique, abattit l'avion 655 d'Airbus Iran, tuant les 290 personnes à bord. Ce fut au tour des Russes de condamner les Américains pour leur hostilité impulsive qui les avait conduits à tuer des gens innocents à bord d'un vol civil suivant le cap fixé.

Chacun des deux pays avait-il raison d'attribuer le geste de l'autre à de mauvaises intentions et de mettre en doute l'alibi voulant qu'il y ait eu erreur d'identification de l'avion qui s'approchait ? Ou chacun de ces actes constituait-il une réaction compréhensible à des événements récents ? – Les perceptions des Russes étaient-elles brouillées par les incidents d'invasion des frontières et d'espionnage aérien, et les perceptions des Américains étaient-elles brouillées par leur combat avec les canonnières iraniennes et le souvenir du récent dommage fait à un contre-torpilleur par un missile aérien ?

Comme l'illustrent ces exemples, les jugements que nous portons sur les nations ou sur les gens dépendent des explications que nous donnons de leur comportement. Selon l'explication fournie, tuer quelqu'un peut être considéré comme un meurtre, un massacre, de la légitime défense ou du patriotisme. Voilà pourquoi les psychologues sociaux consacrent tant d'énergie à comprendre comment nous nous y prenons pour expliquer le comportement des autres. Cette recherche qui vise à comprendre nos explications quotidiennes s'inscrit dans un cadre plus large décrit dans le présent chapitre et le suivant; elle cherche à savoir comment nous traitons l'information sociale – comment nous recueillons, emmagasinons et nous rappelons l'information concernant les événements auxquels nous faisons face. Quels facteurs influencent, par exemple, les comportements que nous remarquons et la façon dont nous les interprétons et nous en souvenons ? Et comment, en retour, nos explications du comportement des gens influencent-elles la façon dont nous l'évaluons et y réagissons ? Voyons tout cela.

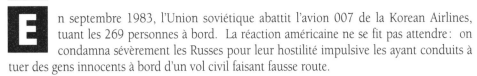

ATTRIBUTION DE LA CAUSE : À LA PERSONNE OU À LA SITUATION ?

Les fusillades d'avions sont de dramatiques exemples d'un problème auquel nous faisons face quotidiennement. En cherchant à comprendre les gens – surtout lorsqu'ils font quelque chose d'inattendu ou de désagréable (Bohner *et al.*, 1988) –, nous nous demandons *pourquoi* ils agissent ainsi. Lorsqu'une vendeuse dit : «Cet ensemble vous va à ravir», exprime-t-elle un véritable sentiment ou se sert-elle d'un stratagème qu'on lui a appris à utiliser dans de telles circonstances ? Si la productivité des travailleurs diminue, dirons-nous que c'est parce que les travailleurs deviennent plus paresseux ou que c'est à cause de changements survenus dans leur travail (par exemple, des incompétences provoquées par de nouveaux règlements) ? Le comportement agressif d'un jeune garçon envers ses camarades de classe signifie-t-il qu'il a une personnalité hostile ou qu'il réagit à des situations stressantes ?

COMMENT EXPLIQUONS-NOUS LE COMPORTEMENT DES AUTRES ?

Nous passons énormément de temps à analyser la raison pour laquelle les choses se produisent comme elles le font et à en discuter, surtout lorsque se produit quelque chose d'inattendu ou de désagréable (Hamilton, 1989; Weiner, 1985). Amy Holtzworth-Munroe et Neil Jacobson (1985) rapportent que les gens mariés analysent souvent les comportements de leur conjoint et de leur conjointe, principalement leurs comportements négatifs. La froide hostilité provoquera probablement plus d'interrogations de la part du conjoint ou de la conjointe qu'une étreinte chaleureuse. Leurs réponses habituelles – «C'est une personne froide et grincheuse» par opposition à «Elle est frustrée de la façon dont j'ai agi» ou «Il a eu une mauvaise journée» – sont liées à leur satisfaction conjugale.

Nos conclusions relatives aux actions des gens sont en fait très importantes. Elles déterminent nos réactions envers les gens et les décisions que nous prenons à leur sujet. Par exemple, Antonia Abbey et ses collègues (1987) ont trouvé à maintes reprises que les hommes ont plus tendance que les femmes à attribuer l'attitude amicale d'une femme à un intérêt sexuel. Cette mauvaise interprétation de la cordialité comme étant une invitation sexuelle (un exemple d'«erreur d'attribution») peut engendrer un comportement inadéquat et nous aide à comprendre l'assurance sexuelle plus marquée dont font preuve les hommes à travers le monde (Kenrick et Trost, 1987). De telles erreurs d'attribution peuvent également contribuer au viol lors de rendez-vous ainsi qu'à la tendance plus marquée chez les hommes issus de cultures différentes, de Boston à Bombay, à justifier le viol en blâmant le comportement de la victime (Kanekar et Nazareth, 1988; Muehlenhard, 1988; Shotland, 1988).

Théories de l'attribution

Théorie de l'attribution:
Théorie de la façon dont on s'explique le comportement d'autrui – en l'attribuant, par exemple, à des *dispositions* internes (traits de caractère durables, motifs et attitudes) ou à des *situations* externes.

Une **théorie de l'attribution** analyse la façon dont nous jugeons les autres. Michael Bagby *et al.* (1990) soulignent, dans une étude récente, que ces théories ont suscité un intérêt constant auprès des chercheurs au cours des 15 dernières années, alors que le nombre de recherches portant sur la théorie de la dissonance cognitive n'a cessé de décroître. Il y a plusieurs variétés distinctes de théories de l'attribution. Elles partagent toutefois des hypothèses communes: que nous cherchons à donner un sens au monde où nous vivons, que nous attribuons souvent les actions des gens à des causes internes ou externes, que nous faisons cela de façon assez logique. Examinons ces hypothèses.

Fritz Heider (1958), généralement considéré comme le père de la théorie de l'attribution, a analysé la «psychologie du bon sens» grâce à laquelle les gens expliquent les événements quotidiens. Heider en conclut que les gens ont tendance à attribuer le comportement de quelqu'un soit à des causes *internes* (par exemple, à ses dispositions intérieures), soit à des causes *externes* (par exemple, à quelque chose concernant sa situation). C'est ainsi qu'un enseignant peut se demander si la piètre performance d'un élève est due à un manque de motivation et de capacités (une «attribution aux dispositions») ou à des circonstances physiques et sociales telles qu'une alimentation inadéquate et des difficultés familiales (une «attribution à la situation»). Cette distinction entre causes internes (dispositions) et externes (situations) peut parfois devenir embrouillée. Dire d'un élève qu'il «est apeuré» peut alors constituer un raccourci sémantique à l'expression «l'école fait peur à l'enfant». Quoi qu'il en soit, les psychologues sociaux ont découvert que nous ne nous gênons pas pour attribuer le comportement des gens à leurs dispositions plutôt qu'à leurs situations.

Inférence des traits de caractère

Edward Jones et Keith Davis (1965), par exemple, ont remarqué que les gens ont fortement tendance à inférer que les intentions et les dispositions des gens correspondent à leurs actes. En voyant Richard faire un commentaire blessant et sarcastique à Émilie, j'en déduirai probablement que Richard est une personne hostile. La «théorie des inférences correspondantes» de Jones et Davis spécifie les conditions dans lesquelles il est le plus probable que de telles attributions se fassent. Un comportement normal et habituel, par exemple, nous en dit moins au sujet de quelqu'un que ne le fait un comportement inhabituel. Si Richard est sarcastique lors d'une entrevue pour un emploi, alors que la plupart des candidats se montrent agréables, cela nous en dit plus long sur Richard que s'il avait été sarcastique parce que sa nouvelle automobile venait juste d'être bosselée.

«La théorie de l'attribution constitue le plus important progrès de la psychologie sociale.»

Craig A. Anderson, 1988

La facilité avec laquelle nous déduisons des traits de caractère est en fait remarquable. Au cours d'expériences à l'Université de New York, James Uleman (1989) a découvert que si on leur demande de se souvenir d'un énoncé tel que «Le libraire porte les emplettes de la dame âgée pour traverser la rue», les étudiants en déduiront instantanément, involontairement et inconsciemment un trait de caractère. Plus tard, lorsqu'on les aide à se souvenir de la phrase, le mot clé le plus valable ne sera pas «livres» (comme indice du libraire) ni «paquets» (comme indice des emplettes) mais «serviable» – le trait de caractère déduit que nous vous soupçonnons, vous aussi, d'avoir spontanément attribué au libraire.

Attributions du sens commun

Comme semblent l'indiquer ces exemples, les gens font souvent des attributions assez sensées. Un témoignage supplémentaire en faveur des façons raisonnables dont nous expliquons le comportement d'autrui nous vient du théoricien de l'attribution Harold Kelley (1973), de UCLA, qui a remarqué comment les gens se servent de l'information concernant la constance, le caractère distinctif et le consensus (voir la figure 3.1). Pour expliquer, par exemple, le comportement de quelqu'un [pourquoi Guillaume vient juste de marcher sur les pieds de Julie, sa partenaire de danse], la plupart des gens utilisent de façon adéquate l'information touchant la constance [Guillaume marche-t-il souvent sur les pieds de Julie?], le caractère distinctif [Guillaume marche-t-il sur les pieds de ses autres partenaires de danse?] et le consensus [les autres marchent-ils sur les pieds de Julie?] (McArthur, 1972). Si nous apprenons que Guillaume, et lui seul, marche toujours sur les pieds de Julie – et, en fait, sur les pieds de toutes ses partenaires de danse – nous attribuerons probablement l'incident à Guillaume, comme l'exige la logique. C'est ainsi que notre psychologie du bon sens explique souvent le comportement de la même façon que le ferait un scientifique professionnel. (Kelley trouve cependant que l'explication courante ne tient souvent pas compte d'une cause ayant contribué au comportement de quelqu'un, surtout lorsque l'on connaît déjà des causes plausibles. Si nous pouvons déterminer une ou deux raisons pour lesquelles un étudiant a pu échouer à un examen, il se peut qu'il y ait d'autres raisons que nous ignorons ou dont nous ne tenons pas compte.) Notons aussi que l'information portant sur le consensus est souvent moins utilisée pour tirer des conclusions, sauf, semble-t-il, si elle fait suite à une discussion de groupe (Wright *et al.*, 1990).

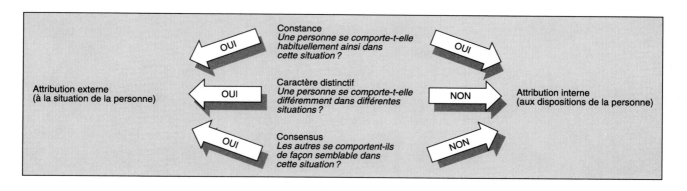

Figure 3.1

Théorie des attributions de Harold Kelley. Trois facteurs - la constance, le caractère distinctif et le consensus - nous influenceront au moment d'attribuer le comportement de quelqu'un à des causes internes ou externes.

Intégration de l'information

Une autre preuve du caractère raisonnable de nos jugements sur autrui nous vient de la recherche effectuée par Norman Anderson (1968, 1974) sur l'«intégration de l'information». Anderson et ses collègues ont discerné des règles logiques au moyen desquelles nous combinons différentes bribes d'information touchant une personne pour nous en faire une impression globale. Supposons, par exemple, que vous deviez rencontrer un inconnu qu'on vous décrit comme intelligent, hardi, paresseux et sincère. La recherche portant sur la façon dont on combine de telles informations indique que vous soupèserez probablement chaque élément selon son importance. Si la sincérité est particulièrement importante pour vous, vous lui accorderez plus de poids. Si vous ressemblez aux participants d'expériences effectuées par Solomon Asch (1946), David Hamilton et Mark Zanna (1972), et Bert Hodges (1974), il est également possible que vous accordiez plus d'importance à l'information transmise en premier et que vous soyez plus sensible à l'information négative qu'à l'information positive. Les premières impressions peuvent teinter votre interprétation de l'information subséquente. Ayant commencé par apprendre que quelqu'un est «intelligent», il se peut que vous interprétiez son côté «hardi» comme signifiant courageux plutôt que téméraire. Il est plus facile de faire une nouvelle interprétation de certaines informations, parce qu'elles peuvent plus facilement prendre plusieurs sens, elles sont polysémiques. C'est le cas, par exemple, de l'attribut «curieux» dont le sens peut varier beaucoup selon le contexte (Lamarche, 1979). Christopher Lee (1989) a constaté que nous avons tendance à attribuer des qualités positives aux personnes qui nous sont proches lorsque les attributs ne sont pas polysémiques, alors que c'est le contraire avec des attributs polysémiques. Cela serait dû au fait que nous chercherions à construire une image sans ambiguïté des dispositions des personnes qui nous sont proches. L'information négative telle que «elle est malhonnête» a aussi plus de poids, peut-être à cause de son caractère inhabituel. Après avoir interprété et soupesé chaque élément d'information, vous utilisez ensuite votre algèbre mental pour intégrer l'information. Le résultat en est l'impression globale au sujet de la personne que vous vous apprêtez à rencontrer.

L'intégration de l'information peut aussi porter sur les caractéristiques morphologiques d'un individu. La personne de la rue prévoit le comportement à partir de la forme du visage, de la longueur du nez, de l'aspect du corps. Après tout, quand nous nous trouvons en face d'une personne pour la première fois et que nous n'avons d'autre information sur elle que son apparence, nous n'hésitons pas à la juger sur sa mine (Leyens, 1983; Paicheler, 1984). Mais le contexte dans lequel se fait cette évaluation peut aussi jouer un rôle important. Le jugement d'autrui s'accompagne habituellement d'un biais de la positivité, appelé effet de

Pollyanne. Toutefois, lorsque Eva Drozda-Senkowska et Bernard Personnaz (1988) présentent des photographies à des personnes en leur demandant de les évaluer, cette évaluation est moins positive dans un contexte de compétition.

Dans les recherches portant sur l'intégration de l'information, la personne est appelée à se former une impression sur quelqu'un qu'elle ne connaît pas et qui ne lui est pas physiquement présenté. Pour combler cette lacune, Anne-Marie La Haye (1987) a étudié la formation d'impression *in vivo* afin de mettre en évidence l'influence de la composition de la famille sur la catégorisation d'autrui. Elle a pu constater que les personnes appartenant à une fratrie mixte accordent plus de poids au critère sexe dans leur évaluation d'autrui que celles qui appartiennent à une fratrie non mixte, pour qui le critère d'autorité est le plus important.

Pourquoi étudier les erreurs d'attribution?

Jusqu'à présent, tout va bien. Nous formons nos impressions au sujet des autres et expliquons leur comportement de manière sensée. Il est toutefois beaucoup plus intéressant de se pencher sur les erreurs prévisibles déformant nos sages jugements. Ce chapitre et le suivant présentent la recherche, toute nouvelle, sur les faiblesses et les erreurs de notre pensée sociale. À la lecture de ces chapitres, vous aurez peut-être l'impression, comme l'a dit un étudiant, que «les psychologues sociaux prennent un malin plaisir à jouer des tours aux gens». À vrai dire, les expériences ne sont pas un spectacle de magie intellectuelle conçu pour démontrer la «folie des mortels» (même si certaines de ces expériences sont effectivement amusantes). Elles visent plutôt à mettre en lumière ce que nous pensons des autres et de nous-mêmes. C'est pour cette même raison que les autres psychologues étudient les hallucinations visuelles, non seulement en tant que démonstrations des espiègleries de l'esprit, mais pour ce qu'elles révèlent de la façon dont notre appareil visuel traite l'information.

Si notre capacité de nous illusionner et de nous aveugler semble choquante, rappelons-nous que nos modes de pensée sont fonctionnels. Une pensée erronée est souvent le sous-produit des stratégies qu'utilise notre esprit pour simplifier des informations complexes. Cela est l'équivalent des mécanismes perceptifs qui nous fournissent généralement une image utile du monde, tout en produisant parfois des illusions.

Une autre raison pour nous pencher sur les biais s'infiltrant dans notre pensée est qu'en général nous n'en n'avons pas conscience. Nous avons le pressentiment qu'il y a plus de surprises, de défis à relever et de profit personnel à trouver dans l'analyse de nos erreurs et de nos biais que dans l'énonciation d'un chapelet de preuves de ce dont nous avons déjà conscience, soit notre capacité de penser logiquement et nos performances intellectuelles. C'est aussi pour cette raison que les épopées classiques de l'ensemble de la littérature font si souvent le portrait de l'orgueil et d'autres défauts humains. L'éducation libérale nous fait l'exposé des erreurs de pensée dans l'espoir de l'améliorer, en la rapprochant plus de la réalité. L'espoir ne semble pas vain: on a découvert que les étudiants en psychologie expliquaient le comportement de façon moins simpliste que les étudiants aussi doués des autres disciplines (Fletcher *et al.*, 1986). Gardant à l'esprit ce but extrêmement important – *développer notre capacité de penser de façon critique* – voyons donc, d'ici à la fin de ce chapitre et dans le suivant, comment la nouvelle recherche en pensée sociale peut améliorer notre raisonnement social. Ce faisant, il nous faudra éviter nous-mêmes de transposer trop rapidement à des situations de la vie de tous les jours des données obtenues dans des situations de laboratoire (Vallerand, 1985).

ERREUR D'ATTRIBUTION FONDAMENTALE

Comme nous le verrons dans les prochains chapitres, la plus importante leçon à retenir de la psychologie sociale est de savoir jusqu'à quel point notre environnement social nous affecte. Tout ce que nous faisons et disons dépend surtout de la situation et du rôle que nous y jouons. Une petite différence entre deux situations peut engendrer, comme le prouvent les expériences, de grandes différences entre les réactions des gens. Des regards silencieux m'accueillent à 8 h 30; à 19 h 00, il faut presque un porte-voix pour se faire entendre dans le chahut. Dans chacune de ces situations, certains individus parlent plus que d'autres, mais la différence entre les deux situations excède les différences individuelles.

Les chercheurs s'intéressant à l'attribution ont trouvé que nous n'apprécions pas à sa juste valeur cette importante leçon de la psychologie sociale. En expliquant le comportement d'une personne, nous sous-estimons souvent l'impact de la situation tout en surestimant l'importance des traits de caractère et des attitudes de cette personne. Ainsi, tout en connaissant l'effet du moment de la journée sur la conversation dans les classes, je penserai probablement que les gens de ma classe de 19 h 00 sont plus extravertis que les «types silencieux» qui s'inscrivent au cours de 8 h 30.

Même le comportement imposé de force est attribué à son auteur

Erreur d'attribution fondamentale :
Tendance, en observant le comportement d'autrui, à sous-estimer les influences de la situation et à surestimer les influences des dispositions intérieures. (Appelée aussi «biais de la correspondance» – l'idée que les dispositions intérieures des gens correspondent à leur comportement.)

Plusieurs expériences ont fait état de cet oubli des éléments de la situation, surnommé par Lee Ross (1977) l'**erreur d'attribution fondamentale**. Dans la première des études du genre, Edward Jones et Victor Harris (1967) ont fait lire à des étudiants de l'Université Duke des discours bien argumentés, favorisant ou attaquant le chef de Cuba, Fidel Castro. Lorsqu'on disait que le point de vue exposé avait été choisi par la personne elle-même, les étudiants estimèrent, non sans logique, qu'il reflétait son attitude. Mais que se passa-t-il lorsqu'on informa les étudiants que le point de vue avait été déterminé par le modérateur ? Tout en sachant qu'on avait *assigné* à l'argumentateur la position favorable à Castro, les étudiants n'en déduisirent pas moins, et ce, de façon remarquable, que l'argumentateur avait des attitudes pro-Castro (voir la figure 3.2; également, Miller *et al*., 1981).

Figure 3.2

Erreur d'attribution fondamentale. À la lecture d'un discours de débat favorisant ou attaquant Fidel Castro, les gens attribuèrent des attitudes intérieures correspondantes à l'auteur, même lorsqu'ils savaient que la prise de position affichée par l'auteur avait été déterminée par l'animateur du débat. (Données fournies par Jones et Harris, 1967.)

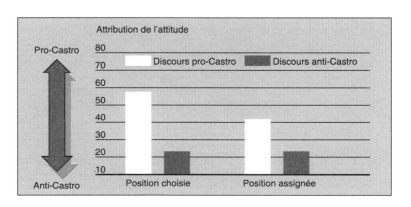

L'effet est tellement irrésistible que, même s'ils provoquent eux-mêmes le comportement de quelqu'un, les gens n'admettront pas que le comportement de cette personne soit influencé de l'extérieur. Par exemple, si des participants dictent une opinion que quelqu'un d'autre exprime par la suite, ils persistent à percevoir cet autre comme adhérant à l'opinion dictée (Gilbert et Jones, 1986). Si l'on demande à des participants de s'autovaloriser ou de s'autodéprécier au cours d'une entrevue, ils sont très conscients de ce qui les pousse à agir ainsi. Cela ne les empêche cependant pas de demeurer tout aussi *inconscients* de l'effet de leur comportement sur le camarade d'entrevue. Si Patrick feint la modestie, Marc-André, son naïf partenaire, se montrera probablement aussi modeste que lui. Patrick comprendra facilement sa propre modestie apparente, mais pensera que le pauvre Marc-André souffre d'un manque d'estime de soi (Baumeister *et al.*, 1988).

Erreur d'attribution fondamentale dans des situations quotidiennes

L'erreur d'attribution fondamentale se retrouve-t-elle dans la vie quotidienne ? Sachant que le caissier a été formé à dire «Merci et passez une bonne journée», cela nous empêchera-t-il de conclure automatiquement que le caissier est une personne amicale et empressée ? David Napolitan et George Goethals (1979) se sont penchés sur cette question en faisant parler des étudiants du collège Williams avec une supposée diplômée de psychologie clinique se montrant tantôt chaleureuse et amicale, tantôt distante et critique. La moitié des étudiants fut auparavant avisée que le comportement de la diplômée serait spontané. À l'autre moitié, on dit que, pour les fins de l'expérience, on avait demandé à la diplômée de feindre un comportement amical (ou froid). Quel fut l'effet de cette information ? Les étudiants n'en tinrent absolument pas compte. Si la diplômée se montrait amicale, ils déduisaient qu'elle était vraiment une personne amicale et si elle se montrait froide, ils pensaient qu'elle était une personne froide, sans tenir compte de la raison pour laquelle elle agissait ainsi. C'est la même chose que lorsqu'on regarde un pantin sur les genoux du ventriloque ou un acteur de cinéma jouant le rôle du «bon gars» ou du «méchant»: il est difficile d'échapper à l'illusion que le comportement affiché reflète une disposition intérieure. C'est peut-être la raison qui a poussé Leonard Nimoy, qui jouait Spock dans *Patrouille du Cosmos*, à intituler son livre *Je ne suis pas Spock*.

Le fait de ne pas tenir compte des contraintes sociales fut davantage mis en évidence par une expérience conduite par Lee Ross et ses collaborateurs (Ross *et al.*, 1977) et qui porte à réfléchir. L'expérience recréait ce que vécut Ross quand il passa du rang de diplômé à celui de professeur. Son examen oral de doctorat fut une expérience mortifiante, étant donné que ses professeurs apparemment brillants l'ont questionné sur des sujets relevant de *leur* expertise. Six mois plus tard, le «docteur» Ross était lui-même examinateur, capable à présent de poser des questions intelligentes touchant *ses propres* sujets favoris. L'infortuné candidat de Ross confessa plus tard avoir ressenti la même chose que Ross avait ressenti une demi-année auparavant – mécontent de son ignorance et impressionné par l'apparente intelligence supérieure des examinateurs, incluant le plus jeune d'entre eux.

Travaillant avec Teresa Amabile et Julia Steinmetz, Ross attribua au hasard, à des étudiants de l'Université Stanford, le rôle d'interrogateur et, à d'autres, le rôle de concurrent d'un jeu-questionnaire simulé. Ils invitèrent les interrogateurs à trouver des questions difficiles et pouvant faire état de leur grande culture. Il est amusant d'imaginer de telles ques-

Avez-vous déjà remarqué que les animateurs des jeux-questionnaires télévisés ont l'air plus intelligents que les participants ?

tions : «Où se trouve l'île Bainbridge ?», «Comment s'intitule le livre sept de l'Ancien Testament ?». Si ces quelques questions réussissent déjà à vous faire sentir mal informé, vous apprécierez sûrement les résultats de cette expérience. Même en étant parfaitement au courant du fait que la distribution faite au hasard pour les rôles d'interrogateurs et de concurrents garantissait un avantage à l'interrogateur, tant les concurrents que les observateurs succombèrent à l'impression fausse que les interrogateurs *étaient vraiment* mieux informés que les concurrents (voir la figure 3.3). [La recherche complémentaire indique que les fausses impressions sont rarement le reflet d'une intelligence sociale inférieure. Les gens intelligents et socialement compétents sont peut-être même ceux qui ont *le plus* tendance à faire l'erreur d'attribution (Block et Funder, 1986).]

Figure 3.3
Tant les concurrents que les observateurs d'un jeu-questionnaire simulé pensaient que la personne choisie au hasard pour jouer le rôle de l'interrogateur était beaucoup mieux informée que le concurrent. Cet échec à évaluer correctement l'impact de la distribution des rôles d'interrogateur et de concurrent, donnant à l'interrogateur l'avantage d'*avoir l'air* mieux informé, illustre l'erreur d'attribution fondamentale. (Données fournies par Ross, Amabile et Steinmetz, 1977.)

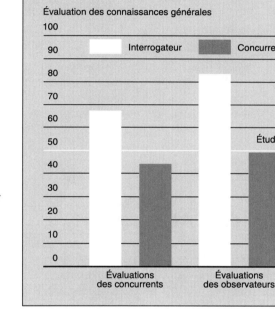

Dans la vraie vie, ce sont les gens détenant le pouvoir social qui engagent et dirigent les conversations, ce qui amène souvent les subalternes à surestimer les connaissances et l'intelligence de leurs supérieurs. On pense souvent, par exemple, que les médecins sont des experts dans toutes sortes de sujets n'ayant aucun rapport avec la médecine. Mon expérience m'a de même appris que les élèves surestiment souvent l'intelligence de leurs professeurs. (Les enseignants sont, tout comme dans l'expérience, des interrogateurs sur des sujets relevant de leur expertise particulière.) Lorsque certains de ces élèves deviennent à leur tour des enseignants, ils sont habituellement stupéfaits de découvrir qu'après tout les enseignants ne sont pas aussi intelligents que cela.

Nous commettons l'erreur d'attribution fondamentale lorsque nous expliquons les comportements des *autres*. Souvent, nous expliquons notre propre comportement en tenant compte de la situation, alors que nous donnons aux autres toute la responsabilité de leur comportement. C'est ainsi que nous penserons probablement que «Jean est hostile parce que c'est un coléreux» même si ce dernier attribue son comportement à des facteurs extérieurs: «J'étais fâché parce que tout allait de travers». En fait, lorsque nous parlons de nous-mêmes, c'est habituellement en utilisant des verbes décrivant nos actions et nos réactions [«Ça me dérange lorsque....»]; quand nous parlons de quelqu'un d'autre, plus souvent qu'autrement nous décrivons ce qu'est cette personne [«C'est un grognon»] (McGuire et McGuire, 1986). C'est ainsi que nous nous décrivons habituellement selon nos pensées et nos sentiments actuels, mais que nous décrivons les autres selon leurs traits de caractère (White et Younger, 1988).

Les attributions de la responsabilité sont au cœur de plusieurs décisions judiciaires (Fincham et Jaspars, 1980). En 1988, après que le colonel Oliver North fut accusé de vol, de fraude et de conspiration, une controverse s'ensuivit: North était-il responsable d'activités illégales et devait-il par conséquent être emprisonné? Ou North agissait-il sur les ordres d'un supérieur, dans l'exercice de ses fonctions? Ce cas illustre plusieurs controverses judiciaires; l'accusation dit: «Vous portez le blâme parce que vous auriez pu agir autrement», alors que le prévenu rétorque: «Ce n'était pas ma faute; j'étais victime d'une situation» ou «Compte tenu des circonstances, j'ai bien agi».

Pour illustrer l'erreur d'attribution, la plupart d'entre nous n'ont pas besoin de chercher ailleurs que dans leurs propres expériences. Décidée à se faire de nouveaux amis, Anne-Marie plaque un sourire sur son visage et plonge anxieusement dans la surprise-partie. Ici, chacun semble assez détendu et heureux pour rire et parler avec les autres. Anne-Marie se demande: «Comment se fait-il que chacun soit toujours à l'aise dans des groupes comme celui-ci, pendant que moi, je me sens timide et nerveuse?» En fait, chacun se sent nerveux aussi et fait la même erreur d'attribution en pensant qu'Anne-Marie et les autres *sont* tels qu'ils *apparaissent* – pleins d'entrain et sûrs d'eux-mêmes.

POURQUOI L'ERREUR D'ATTRIBUTION?

Nous avons vu, jusqu'ici, une erreur dans notre façon d'expliquer le comportement des autres. Il nous arrive souvent de l'attribuer tellement à leurs dispositions intérieures que nous ignorons de puissants déterminants propres aux situations. Pourquoi avons-nous cette tendance, quand il s'agit des autres, à sous-estimer les déterminants propres aux situations et à ne pas le faire quand il s'agit de nous-mêmes?

Centre de l'attention

Les théoriciens de l'attribution font d'abord remarquer que la perspective est différente selon que nous observons ou que nous agissons (Jones et Nisbett, 1971; Jones, 1976). Lorsque nous regardons une autre *personne* agir, cette personne occupe le centre de notre attention et semble ainsi être la cause de tout ce qui arrive. Lorsque nous agissons, c'est l'environnement qui exige notre attention. Si cela est vrai, à quoi pourrions-nous nous attendre d'un renversement des perspectives – si nous pouvions nous voir tels que nous voient les autres et si nous pouvions voir le monde avec leurs yeux? Cela n'éliminerait-il pas ou même n'inverserait-il pas l'erreur habituelle d'attribution?

Voyons si vous pouvez, en suivant cette ligne de pensée, prédire le résultat d'une astucieuse expérience conduite par Michael Storms (1973). Supposons que vous participiez à l'expérience de Storms: vous vous retrouvez assis devant un autre élève à qui vous êtes censé parler pendant quelques minutes. Près de vous, il y a une caméra de télévision qui partage votre vision de l'autre élève. Vous faisant face, du côté de l'autre élève, se trouvent un observateur et une autre caméra de télévision. Par la suite, vous et l'observateur qui vous faisait face jugez ensemble si vos traits de caractère sont davantage la cause de votre comportement que la situation à laquelle vous réagissiez.

Question: Qui de vous deux attribuera le moins d'importance à la situation? Storms a trouvé que c'était l'observateur (une autre démonstration de l'erreur d'attribution fondamentale). Que se passe-t-il maintenant si nous inversons votre point de vue et celui de l'observateur en vous faisant tous les deux visionner l'enregistrement vidéo du point de vue de l'autre? (C'est maintenant vous que vous voyez pendant que l'observateur voit ce que vous voyiez.) Cela inverse les attributions: vous avez maintenant tendance à voir votre comportement comme émanant davantage de votre personne, alors que l'observateur l'attribue maintenant en majeure partie à la situation que vous viviez.

Au cours d'une autre expérience, des gens regardaient un enregistrement vidéo où un suspect passait aux aveux lors d'un interrogatoire dirigé par un détective policier. S'ils voyaient la confession grâce à une caméra centrée sur le suspect, les gens la percevaient comme spontanée. S'ils la voyaient au moyen d'une caméra centrée sur le détective, ils la percevaient comme plus forcée (Lassiter et Irvine, 1986). Voilà pourquoi l'une des raisons nous poussant à sous-estimer l'impact des situations où se retrouvent les autres vient du fait que notre attention est plus centrée sur *eux* que sur leur situation. Étant le centre d'attention, le quart-arrière et les porteurs du ballon d'une équipe de football ont tendance (comparativement aux bloqueurs) à recevoir trop de crédit pour les victoires et trop de blâme pour les défaites.

Nous voir à la télévision ne constitue qu'un des moyens de réorienter notre attention sur nous-mêmes. Nous voir dans un miroir, entendre un enregistrement de notre voix, nous faire photographier et remplir des questionnaires biographiques – des expériences de ce genre centrent également notre attention sur notre intérieur, nous rendant conscients de *nous-mêmes* plutôt que conscients de la *situation*. La communication par l'intermédiaire d'un ordinateur plutôt que face à face produit un effet semblable (Matheson et Zanna, 1988).

Robert Wicklund, Shelley Duval et leurs collaborateurs ont examiné plus à fond les conséquences d'une **conscience de soi** accrue lorsque l'attention est centrée sur soi (Duval et Wicklund, 1979, 1982). Nous avons vu, au chapitre précédent, que les attitudes intérieures sont souvent mises en veilleuse, à moins d'y centrer son attention; les gens devenus plus conscients d'eux-mêmes du fait de se voir dans un miroir agissent plus en conformité avec leurs attitudes (ils auront, par exemple, moins tendance à tricher). Quand l'attention des gens est davantage centrée sur eux-mêmes, il s'attribuent également plus de responsabilité. Allan Fenigstein et Charles Carver (1978) en ont fait la démonstration en demandant à leurs étudiants du collège Kenyon et de l'Université de Miami (Floride) de s'imaginer en train de vivre des situations hypothétiques. Ceux qui étaient rendus plus conscients d'eux-mêmes, parce qu'ils croyaient entendre battre leur cœur pendant qu'ils réfléchissaient à la situation, se percevaient comme plus responsables de la tournure imaginaire des événements que ne le faisaient ceux qui ne croyaient entendre que des bruits sans importance. Ces chercheurs, de concert avec Michael Scheier, ont également découvert que certains individus sont régulièrement plus conscients d'eux-mêmes que les autres. Au cours d'expériences, les gens se disant conscients d'eux-mêmes en privé (d'accord pour dire, par exemple: «Je suis en général attentif à ce que je ressens intérieurement») présentaient le même comportement

Conscience de soi:
État de conscience où l'attention est dirigée sur soi-même. Sensibilise les gens à leurs propres dispositions et à leurs propres attitudes.

que les gens dont l'attention avait été centrée sur eux-mêmes à l'aide d'un miroir (Carver et Scheier, 1978). Par conséquent, les gens dont l'attention est centrée sur eux-mêmes – que ce soit brièvement au cours d'une expérience ou parce qu'ils sont des gens conscients d'eux-mêmes – se perçoivent plus à la manière des observateurs ; ils attribuent davantage leur comportement à des facteurs internes qu'à la situation.

Nous avons donc ici une bonne raison pour justifier l'erreur d'attribution : *on trouve la cause là où l'on attire l'attention.* Pour le comprendre à partir de votre propre expérience, considérez ceci : Diriez-vous de votre professeur de psychologie sociale qu'il est plus silencieux que volubile ?

Nous supposons que vous avez déduit que votre professeur est une personne assez ouverte. Mais allons plus loin : votre attention est centrée sur le professeur alors qu'il évolue dans un contexte exigeant de lui qu'il parle. Le professeur, quant à lui, observe son propre comportement dans plusieurs situations, non seulement dans une classe, mais aussi au cours des réunions, à la maison, et ainsi de suite. En réponse à la même question, votre professeur pourrait dire : « Moi, volubile ? Tout dépend de la situation. En classe ou avec des amis intimes, je suis plutôt ouvert. Mais dans les congrès et les situations inhabituelles, je me sens embarrassé et j'agis plutôt timidement. »

S'il est vrai que nous voyons plus volontiers comment notre propre comportement dépend de situations particulières, nous devrions également nous percevoir comme moins prévisibles et plus changeants que les autres. C'est précisément ce qu'ont révélé plusieurs recherches récentes effectuées aux États-Unis, au Canada et en Allemagne de l'Ouest (Baxter et Goldberg, 1987 ; Kammer, 1982 ; Sande *et al.*, 1988). À cet égard, toutefois, il est intéressant de noter que nous avons tendance à estimer que nous avons plus changé dans le passé que nous ne changerons dans l'avenir. Ce n'est pas le cas, cependant, lorsque la focalisation personnelle porte sur une expérience de changement contextuel comme dans une expérience éducative où la personne s'attend à faire un apprentissage et, donc, à changer (Piolat, 1989).

De plus, moins nous avons l'occasion d'observer le comportement des gens dans leur contexte, plus nous l'attribuons à leur personnalité. Thomas Gilovich (1987) a étudié ce phénomène en faisant voir à des gens l'enregistrement vidéo d'une personne, leur demandant par la suite de décrire aux autres les actions de cette personne. Les impressions forgées à partir de ouï-dire étaient plus excessives. De même, les impressions touchant quelqu'un dont on entend souvent parler par un ami sont habituellement plus excessives que celles de l'ami ayant eu directement affaire à la personne en question. Mieux on connaît quelqu'un, moins on est enclin aux impressions excessives – et qui connaît-on mieux que soi-même ?

Attributions et différences culturelles

D'autres explications à l'erreur d'attribution furent également proposées (Ickes, 1980 ; Watson, 1982). Notre vision occidentale du monde nous prédispose, par exemple, à penser que les gens, et non les situations, sont la source des événements. Jerald Jellison et Jane Green (1981) rapportent que, chez les étudiants de l'Université de Southern California, les explications axées sur l'intérieur sont socialement plus approuvées. « Vous pouvez le faire », nous dit la psychologie populaire de notre culture de la pensée positive.

Cela suppose que, avec les bonnes dispositions et les bonnes attitudes, n'importe qui peut résoudre n'importe quel problème: Vous avez ce que vous méritez et vous méritez ce que vous avez. C'est ainsi qu'on explique souvent le mauvais comportement en traitant son auteur de «malade», de «paresseux» ou de «sadique». Plus les enfants grandissent au sein de la culture occidentale, plus ils expliquent le comportement des autres en termes de traits de caractère personnels (Dubois, 1991; Ross *et al.*, 1978; Ross, 1981; Ruble *et al.*, 1979). Alors qu'il était en première année, l'un de mes fils rapporta à la maison un exemple de la façon dont se produit ce phénomène. Lorsqu'il déchiffra les mots «la clôture sa manche a accroché dans Pierre» pour faire la phrase «La clôture a accroché Pierre dans sa manche», son professeur, appliquant les idées de la culture occidentale à propos des matières au programme, lui dit que c'était erroné. La «bonne» réponse devait localiser la cause à l'intérieur de Pierre et non dans la clôture: «Pierre a accroché sa manche dans la clôture.»

Certaines langues encouragent les attributions externes. Au lieu de «J'étais en retard», l'expression courante en espagnol permet de dire «L'horloge m'a fait être en retard». Dans les cultures moins individualistes, les gens sont moins portés à percevoir les autres en fonction de leurs dispositions personnelles (Zebrowitz-McArthur, 1988). Quand on leur parle des actes de quelqu'un, les Hindous ont moins tendance que les Américains à offrir des explications relevant des dispositions [«Elle est gentille»] et ils s'attachent davantage à offrir des explications relevant des situations [«Ses amis l'aidaient»] (Miller, 1984). Les élèves du collégial, au Japon, ont moins tendance que les élèves américains à répondre à la question «Qui suis-je?» par des caractéristiques psychologiques [«Je suis sincère», «Je suis sûr de moi»]. Ils tendent plutôt à déclarer leurs identités sociales [«Je suis un élève du Keio»] (Cousins, 1989).

L'ERREUR D'ATTRIBUTION FONDAMENTALE EST-ELLE SI FONDAMENTALE?

Comme pour la plupart des idées provocantes, la supposition que nous sommes tous sujets à une erreur d'attribution fondamentale a ses opposants. Admettons, disent certains, qu'il puisse y avoir un *biais* d'attribution; dans n'importe quelle situation, cela occasionnera ou non une «erreur», tout comme les parents portés à croire que leur enfant ne consomme pas d'alcool ou de drogue peuvent être ou ne pas être dans l'erreur (Harvey *et al.*, 1981). On peut très bien être influencé à croire ce qui est vrai. De plus, il y a des circonstances ordinaires, telles que se retrouver à l'église ou dans une entrevue pour un emploi, qui sont semblables aux expériences dont nous avons parlé: elles impliquent des contraintes évidentes, plus facilement observables par les acteurs que par les spectateurs. D'où, l'erreur d'attribution. D'autres cadres cependant – comme la chambre à coucher ou le parc d'amusement – permettent aux gens de montrer leur personnalité. Dans ces endroits, les gens peuvent percevoir leur propre comportement comme *moins* contraint et, donc, plus motivé de l'intérieur que ne le perçoivent les observateurs (Monson et Snyder, 1977; Quattrone, 1982). Voilà pourquoi il peut être exagéré de dire que les observateurs sous-estiment les influences propres aux situations, quel qu'en soit le cadre.

Les expériences révèlent malgré tout que le biais survient même lorsque nous sommes conscients des forces extérieures – lorsqu'on nous rappelle, par exemple, que le point de vue assigné pour le débat ne constitue vraiment pas une bonne base pour déduire les attitudes de quelqu'un (Croxton et Morrow, 1984; Croxton et Miller, 1987; Reeder *et al.*, 1989) ou que le rôle d'interrogateurs pour le jeu-questionnaire leur donne l'avantage de faire étalage de leurs connaissances (Johnson *et al.*, 1984). Déterminer les influences sociales pesant sur le comportement des gens demande plus d'efforts intellectuels que d'attribuer simplement leur comportement à des dispositions intérieures (Gilbert *et al.*, 1988). C'est comme si l'on se disait : «Voilà qui n'est pas une très bonne base pour fonder mon jugement, mais c'est facile et c'est tout ce dont je dispose pour aller de l'avant.» Il est quand même grave de penser que vous et nous pouvons être au courant d'un processus social déformant notre pensée sans cesse d'y succomber.

L'erreur d'attribution est *fondamentale* parce qu'elle peut influencer nos attitudes et nos conduites. Les chercheurs de l'Angleterre, de l'Inde, de l'Australie et des États-Unis ont découvert que les attributions des gens ont un lien direct avec leurs attitudes envers le pauvre et le chômeur (Feather, 1983 ; Furnham, 1982 ; Pandey *et al.*, 1982 ; Wagstaff, 1983). Ceux qui attribuent la pauvreté et le chômage à des dispositions personnelles («Ce ne sont que des paresseux et des bons à rien») ont tendance à adopter des positions politiques démontrant moins de sympathie envers ces gens que les positions adoptées par ceux qui font des attributions externes («Aurions-nous mieux fait qu'eux si nous avions eu à vivre dans les mêmes conditions de surpopulation, de pauvre éducation et de discrimination ?»). Les chercheurs français Jean-Léon Beauvois et Nicole Dubois (1988) rapportent que les gens «relativement privilégiés» de la classe moyenne ont plus tendance que les moins bien nantis à penser que les comportements des gens ont des explications internes. (Ceux qui ont «réussi» ont tendance à croire que l'on a ce que l'on mérite.) Et en laboratoire, les observateurs d'un jeu-questionnaire ne se contentent pas de trouver l'interrogateur plus intelligent que le concurrent, mais ils ont, de plus, tendance à s'en remettre aux connaissances de l'interrogateur pour des questions de connaissances générales (Quattrone, 1982b). C'est ainsi qu'une erreur d'attribution peut devenir une erreur de conduite.

Gardant à l'esprit que notre analyse des erreurs de jugement a un but constructif, comment tirer profit du fait de reconnaître le biais ? Le fait d'y être sensibilisés va peut-être nous aider à évaluer nos réactions vis-à-vis des gens. J'ai participé récemment à l'évaluation de deux candidats pour un poste universitaire. Le premier candidat dut faire face à six examinateurs, chacun ayant l'occasion de poser deux ou trois questions. Je suis parti en pensant «quelle personne rigide et empotée !». J'ai rencontré en privé le deuxième candidat, en prenant une tasse de café, et nous avons tout de suite découvert que nous avions un ami intime commun. Plus nous parlions, plus j'étais impressionné, me disant «quelle personne chaleureuse, accueillante et stimulante !». Ce n'est que plus tard que je me suis souvenu de l'erreur d'attribution fondamentale et que j'ai réévalué mon analyse si assurée. J'avais attribué la rigidité du premier candidat et la chaleur humaine du second à leurs dispositions intérieures ; en fait, j'ai compris plus tard que leur comportement était peut-être partiellement attribuable au caractère officiel par opposition au caractère officieux de leur situation respective en entrevue. Si j'avais pu voir ces interactions avec leurs yeux plutôt qu'avec les miens, j'aurais été plus compréhensif.

PERCEPTION ET EXPLICATION DE SOI

Nous avons étudié comment nous expliquons le comportement des autres, accordant une attention particulière à l'erreur d'attribution fondamentale. Les psychologues sociaux s'intéressent également à la façon dont nous expliquons notre propre comportement, cherchant à savoir comment nos perceptions de nous-mêmes influencent nos choix, nos interprétations et nos souvenirs de l'information. En fait, il n'y avait pas, au cours des années 1980, de sujet plus exploré en psychologie que le soi. En 1988, le mot «soi» apparut dans plus de 5500 livres et résumés d'articles du *Psychological Abstracts* – environ le triple de ce qu'était ce nombre 15 ans plus tôt. Nous avons vu, au chapitre 2, des exemples de cette centration sur soi – dans les théories de la présentation de soi, de l'autojustification et de la perception de soi, de même que dans la recherche portant sur l'autosurveillance et la conscience de soi.

Au cours des années 1980, une nouvelle vague de recherche a révélé que nos idées à propos de nous-mêmes (nos «schémas de soi») influencent profondément notre traitement de l'information sociale. Nos perceptions de nous-mêmes servent à mettre de l'ordre dans nos idées, nos sentiments et nos actions, influençant notre manière de percevoir, de nous souvenir et d'évaluer tant les autres que nous-mêmes (Markus et Wurf, 1987). Un exemple en est l'**effet d'autoréférence**: nous traitons plus rapidement une information pertinente à notre concept de soi et nous nous en souvenons mieux (Higgins et Bargh, 1987; Kihlstrom *et al.*, 1988; Reeder *et al.*, 1987). Lorsqu'on nous demande si des mots spécifiques tels que «sociable» décrivent ce que nous sommes, nous nous souvenons mieux plus tard de ces mots que lorsqu'on nous demande s'ils décrivent quelqu'un d'autre. Si l'on nous demande de nous comparer à un personnage de roman, nous nous souvenons mieux du personnage. La référence à soi produit aussi des biais de centration sur soi. Jean-Paul Codol (1985) a trouvé, par exemple, que la perception de la distance physique entre soi et autrui varie selon qu'elle est estimée en référence à soi («À quelle distance les autres sont-ils de vous?») ou à autrui («À quelle distance êtes-vous des autres?»).

Au fur et à mesure que nous traitons l'information pertinente à soi, un puissant biais fait son apparition. Nous attribuons volontiers nos échecs aux situations difficiles tout en nous octroyant le crédit de nos succès. C'est là un de nos moyens de conserver une image de soi généralement favorable, jouissant ainsi des bénéfices d'une image de soi positive bien que souffrant occasionnellement des dangers de la suffisance.

Effet d'autoréférence:
Tendance à traiter efficacement l'information portant sur soi-même et à bien s'en souvenir.

BIAIS AUTO-AVANTAGEUX: «AH! COMME JE M'AIME! VOYONS-EN TOUTES LES MANIÈRES.»

La croyance populaire veut que nous souffrions, pour la plupart, d'un problème de faible estime de soi exprimé par l'expression «Je ne suis pas correct – toi, tu es correct». Le psychologue clinicien Carl Rogers (1958) concluait, par exemple, que la majorité des gens qu'il avait connus «se méprisaient eux-mêmes, se considérant comme des bons à rien et peu attachants». Comme l'a dit le comédien Groucho Marx «Jamais je ne me joindrais à un club qui accepterait quelqu'un comme moi.» On a toutefois la preuve que l'écrivain William Saroyan était plus près de la vérité en disant: «Chacun, comme il le sait lui-même, est un

Biais auto-avantageux:
Tendance à se percevoir
favorablement.

homme bon dans un monde méchant.» Bien que les psychologues sociaux débattent de la raison de ce **biais auto-avantageux**, ils sont en général d'accord au sujet de son existence, de son importance et de sa puissance.

Attributions concernant les événements positifs et négatifs

Les expériences ont maintes fois démontré que les gens acceptent volontiers le crédit des actions qu'ils ont réussies (attribuant le succès à leur habileté et à leurs efforts) tout en attribuant souvent l'échec à des facteurs extérieurs tels que la malchance ou l'«impossibilité» inhérente au problème (Whitley et Frieze, 1985, 1986). Il en est de même des athlètes qui s'octroient couramment le crédit de leurs victoires tout en ayant plus tendance à attribuer leurs défaites à quelque chose d'autre: freins défectueux, erreurs de la part des officiels ou effort extraordinaire fourni par l'autre équipe (Mullen et Riordan, 1988). Et jusqu'à quel point pensez-vous que les conducteurs acceptent de prendre la responsabilité de leurs accidents? Voici les termes utilisés par les conducteurs pour décrire leurs accidents sur les formulaires d'enquête d'assurance: «Une auto invisible est apparue de nulle part, m'a frappé et a disparu», «Comme j'arrivais à une intersection, une haie s'est brusquement dressée devant moi, obscurcissant ma vision, de sorte que je n'ai pas vu arriver l'autre véhicule», «Un piéton m'a frappé et s'en est allé sous mon automobile» (*Toronto News*, 1977). Les situations combinant le talent et la chance (comme les jeux, les examens, les demandes d'emploi) sont particulièrement sujettes à ce phénomène: les gagnants peuvent facilement attribuer leurs succès à leur habileté, alors que les perdants peuvent attribuer leurs défaites à la malchance. Quand je gagne au scrabble, c'est grâce à ma maîtrise du vocabulaire; quand je perds, c'est parce que «il n'y a rien à faire au scrabble quand on a un Q sans U». Lorsque les parieurs gagnent, ils peuvent en attribuer la cause à leur habileté; quand ils perdent, ils ont tendance à justifier le résultat par un jeu de «hasard extraordinaire» au cours de l'événement sportif (Gilovich, 1983).

Dans des expériences nécessitant la coopération de deux personnes pour faire de l'argent, la plupart des individus blâment leur partenaire en cas d'échec (Myers et Bach, 1976). Cela s'inscrit dans la tradition établie par le plus ancien exemple du biais auto-avantageux, l'excuse présentée par Adam: «La femme que vous m'avez donnée comme compagne m'a donné le fruit de l'arbre et je l'ai mangé.» C'est ainsi que, pendant que les administrateurs blâment habituellement les travailleurs pour leur manque d'habileté ou de talent en cas d'une piètre performance, les travailleurs ont tendance, pour leur part, à invoquer une cause extérieure – un défaut d'approvisionnement, une charge excessive de travail, des collègues de travail difficiles, une attribution ambiguë des tâches (Rice, 1985).

Lorsque les autres sont blâmés pour leurs erreurs pendant qu'on justifie les siennes propres, l'hostilité ouverte n'est pas loin. Elle surgit lors des confrontations agressives entre policiers et citoyens. Elle se produit dans les relations parents-enfants. Elle survient dans le mariage (Harvey, 1987). Lors des conflits, chacune des deux parties considère sa propre «fermeté» comme raisonnable, mais attribue les actes de l'autre à une disposition brutale. Après une querelle, Jean, le mari, attribue les paroles acerbes de sa femme, Marie, à sa méchanceté, tout en considérant sa propre colère comme justifiée.

«Donnez-leur la grâce, lorsqu'ils s'entre-déchirent, de reconnaître et d'admettre leurs torts et de se pardonner mutuellement.»

«Prière du mariage», *Le livre de la prière*

De même, en expliquant leurs problèmes dans les courriers du cœur, les gens blâment habituellement quelqu'un d'autre («Sébastien est un vrai boulet en voyage – il ne veut pas visiter de nouveaux endroits ou faire de nouvelles connaissances»). En expliquant les problèmes des autres, les gens ont beaucoup moins tendance à extérioriser le blâme (Fischer *et al.*, 1987). De plus, comparés aux gens heureux en ménage, les couples malheureux manifestent beaucoup plus le biais auto-avantageux, en blâmant plutôt qu'en acceptant le ou la partenaire quand surgit un problème (Fincham *et al.*, 1987). Au cours d'une enquête, les hommes et les femmes en instance de divorce avaient 10 fois plus tendance à blâmer l'époux ou l'épouse pour la rupture qu'à se blâmer eux-mêmes ou elles-mêmes (Kitson et Sussman, 1982).

Michael Ross et Fiore Sicoly (1979) ont observé une autre version conjugale du biais auto-avantageux. Ils ont découvert que les jeunes mariés canadiens estimaient habituellement prendre plus de responsabilités à l'égard des tâches comme le nettoyage de la maison et le soin des enfants que ne voulait bien l'admettre leur conjoint ou leur conjointe. Une enquête plus récente auprès des Américains démontra que 91 % des épouses, en comparaison de seulement 76 % des époux, reconnurent que l'épouse faisait la majorité des emplettes de nourriture (Burros, 1988). Chaque soir, ma femme et moi mettons notre linge sale à côté du panier à linge sale de notre chambre à coucher. Le matin venu, l'un de nous le dépose dedans. Quand elle me suggéra de m'occuper davantage de cette tâche, je pensai : «Hein ? je le fais déjà les trois-quarts du temps.» Je lui demandai donc combien de fois elle pensait l'avoir fait. «Oh ! répondit-elle, à peu près les trois-quarts du temps !»

Les élèves aussi manifestent ce biais auto-avantageux. Les chercheurs Walter Stephan, Robert Arkin, Mark Davis et d'autres ont régulièrement trouvé qu'après avoir obtenu le résultat d'un examen les élèves ayant bien réussi avaient tendance à s'en octroyer le crédit personnel, jugeant que l'examen constituait une mesure valable de leur compétence (par exemple : Arkin et Maruyama, 1979; Davis et Stephan, 1980; Gilmor et Reid, 1979; Griffin *et al.*, 1983). Ceux qui n'avaient pas bien réussi avaient beaucoup plus tendance à critiquer l'examen comme étant un mauvais indicateur. En lisant les comptes rendus de ces expériences, nous ne pouvons nous empêcher d'éprouver l'agréable sensation du «je-le-savais !».

«Le besoin de se percevoir favorablement à la suite d'un échec ou d'une réussite... constitue peut-être l'une des découvertes les mieux établies et le plus souvent reproduites de la psychologie sociale.»

Michael Ross et Garth Fletcher, 1985

Les expériences portant sur les moyens qu'utilisent les élèves pour expliquer leurs bonnes et leurs mauvaises performances sont jumelées à des expériences portant sur les moyens qu'utilisent les professeurs pour expliquer les bonnes et les mauvaises performances de leurs élèves. Quand il n'était pas nécessaire de feindre la modestie, les personnes à qui l'on attribua le rôle de professeurs avaient tendance à s'octroyer le crédit pour les résultats positifs et à blâmer les élèves pour les échecs, surtout lorsque la performance de l'élève risquait de nuire à leur réputation (Arkin *et al.*, 1980; Davis, 1979; Tetlock, 1980). Il semble que les professeurs aient tendance à penser : «J'ai aidé Martine à réussir avec de bonnes notes. Mais malgré toute mon aide, Nathalie s'est fait recaler.»

Sommes-nous tous supérieurs à la moyenne ?

Ces indices de l'existence d'un biais auto-avantageux sont renforcés par des expériences invitant les gens à se comparer aux autres. Si le philosophe chinois Lao-Tseu avait raison de dire «Jamais un homme sain d'esprit n'entreprendra plus qu'il ne peut, ne se dépensera trop ou ne se surestimera» (*L'art de vivre*, 600 av. J.-C.), nous sommes tous plus ou moins malades. En effet, la plupart des gens se perçoivent au-dessus de la moyenne pour à peu près n'importe quelle dimension, tant subjective que socialement désirable. Voyons ce qui suit :

- La plupart des gens d'affaires se perçoivent comme plus moraux que la moyenne des gens d'affaires (Baumhart, 1968 ; Brenner et Molander, 1977), 90 % des administrateurs évaluent leur performance comme supérieure à celle de la moyenne des administrateurs (French, 1968) et la plupart des cadres supérieurs considèrent leur façon de diriger comme favorisant plus l'ouverture et l'innovation que celle de leurs subordonnés ou d'observateurs impartiaux (Hollander, 1985).

- Quand les annonces d'offre d'emploi comportent des caractéristiques de la personnalité (par exemple, «dynamique», «esprit d'équipe»), les candidats répondent en plus grand nombre, même si les autres caractéristiques exigées dans la description du poste (par exemple, diplôme, expérience) ne leur conviennent pas. C'est comme s'ils se disaient «Les qualités personnelles demandées sont les miennes, finalement ce poste me va assez bien», quasi convaincus qu'ils sont les seuls à être comme cela (Le Poultier et Guéguen, 1991).

- La plupart des résidants des centres communautaires se perçoivent comme ayant moins de préjugés et comme plus équitables que les autres résidants (Fields et Schuman, 1976 ; Lenihan, 1965 ; Messick *et al.*, 1985 ; O'Gorman et Garry, 1976).

- La plupart des conducteurs – et même la plupart de ceux qui ont été hospitalisés à la suite d'accidents – se croient plus prudents et plus habiles que la moyenne des conducteurs (Svenson, 1981).

- La plupart des Américains se perçoivent comme plus intelligents que la moyenne des Américains (Wylie, 1979) et comme ayant une meilleure apparence (*Public Opinion*, 1984).

- Nous avons tendance à nous percevoir comme adhérant mieux aux normes locales et à les mettre en œuvre mieux que les autres ; ce que Jean-Paul Codol (1975) appelle l'effet de *conformité supérieure de soi*.

- Même les résidants de Los Angeles respirant le «smog» à pleins poumons se perçoivent comme étant en meilleure santé que la plupart de leurs voisins, tandis que la plupart des étudiants croient qu'ils vivront 10 ans de plus que leur espérance actuelle de vie (Larwood, 1978 ; C.R. Snyder, 1978).

- L'une des raisons de cet optimisme est peut-être que, même si 12 % des Américains se sentent vieux pour leur âge et que 22 % sentent qu'ils ont bien leur âge, beaucoup plus – 66 % – se pensent jeunes pour leur âge (*Public Opinion*, 1984). Tout cela fait penser au mot de Freud à propos de l'homme disant à sa femme : «Si l'un de nous vient à mourir, je pense que j'irai vivre à Paris.»

Les aspects subjectifs (tels que «bien s'entendre avec les autres») sont ceux qui provoquent davantage le biais auto-avantageux, parce qu'ils nous fournissent une plus grande marge de manœuvre pour élaborer nos propres définitions du succès (Dunning *et al.*, 1989). Si l'on me questionne au sujet de ma «propreté», je penserai plus à ma personne qu'à mon bureau. Évaluant mes capacités athlétiques, je considérerai probablement ma performance au basket-ball plutôt que les semaines angoissantes vécues, en tant que joueur de la Petite Ligue de baseball, à me cacher au champ droit. En définissant les critères ambigus selon ses propres termes, chacun d'entre nous peut se percevoir comme réussissant assez bien.

Autres tendances auto-avantageuses

Ces tendances (1) aux attributions auto-avantageuses et (2) aux comparaisons autolouangeuses ne sont pas les seules indications de l'existence de perceptions de soi favorablement biaisées. Dans les prochains chapitres, nous verrons que la plupart d'entre nous (3) croient plus volontiers aux informations flatteuses qu'aux informations les dépréciant, (4) surestiment leur façon désirable de réagir à une quelconque situation, (5) font preuve d'une «vanité intellectuelle» en surestimant l'exactitude de leurs croyances et de leurs jugements et (6) déforment leur propre passé à leur avantage.

De plus, (7) s'il nous est impossible de déformer ou de réparer un acte indésirable, nous pouvons alors, comme nous l'avons vu au chapitre 2, le justifier. (8) Plus nous nous percevons favorablement sous certains aspects (comme l'intelligence, la persévérance ou le sens de l'humour), plus nous utiliserons ces aspects comme critères de base pour juger autrui (Lewicki, 1983). (9) Si le résultat d'un test ou une autre source d'information nous flattent, non seulement nous les croyons, mais nous évaluons positivement à la fois le test et toute preuve qui suggère que le test est valide (Pyszczynski *et al.*, 1985; Tesser et Paulhus, 1983). (10) Nous avons tendance à nous percevoir comme le centre du monde, surestimant à quel point le comportement des autres est dirigé sur nous et nous percevant comme responsables d'événements auxquels nous n'avons que faiblement participé (Fenigstein, 1984). (11) Bien que certaines de ces conséquences puissent se révéler négatives, nous avons tendance à percevoir nos motivations profondes comme essentiellement bonnes et celles des autres comme moins bonnes (Schlenker, 1984). (12) En examinant des photographies, non seulement estimons-nous que les gens séduisants ont des personnalités désirables, mais aussi qu'ils ont des personnalités plus semblables à la nôtre que n'en ont les gens peu séduisants (Marks *et al.*, 1981). (13) Nous aimons nous associer à la gloire du succès des autres, mais si nous nous voyons associés à une personne répréhensible (née, par exemple, le même jour que nous), nous nous renforçons nous-mêmes en modérant notre opinion envers le vaurien (Finch et Cialdini, 1989).

Qui plus est, (14) la plupart d'entre nous démontrent, selon les termes du chercheur Neil Weinstein (1980, 1982; Weinstein et Lachendro, 1982), «un optimisme non réaliste à propos d'événements futurs». À l'Université de Rutgers, par exemple, les étudiants se perçoivent comme capables d'expérimenter des événements beaucoup plus positifs que leurs compagnons de classe, qu'il s'agisse de décrocher un bon emploi, d'obtenir un bon salaire ou de posséder une maison. Ils pensent, de plus, qu'ils vivront beaucoup moins d'événements négatifs tels que développer un problème de boisson, être victimes d'un arrêt cardiaque avant l'âge de 40 ans ou être congédiés.

La plupart des jeunes Nord-Américains, sachant que la moitié des mariages nord-américains se terminent par un divorce, croient néanmoins que leur idylle matrimoniale durera toute la vie.

L'ILLUSION DE L'INVULNÉRABILITÉ

Au cours d'une méditation à la chapelle de Harvard, en 1942, le psychologue Gordon W. Allport (1978, p. 19-20) a décrit les dangers de l'optimisme non réaliste:

> J'ai étudié récemment 200 autobiographies écrites par des réfugiés de l'Allemagne nazie. Ces gens, à peu d'exception près, se sont vus aveuglés par leurs propres espoirs.
>
> Aucun d'entre eux n'aurait d'abord cru que l'hitlérisme deviendrait une telle catastrophe pour eux.
>
> En 1932, ils espéraient et, par conséquent, croyaient que Hitler n'accéderait jamais au pouvoir.
>
> En 1933, ils espéraient et, par conséquent, croyaient qu'il ne pourrait jamais mettre ses menaces à exécution.
>
> En 1934, ils espéraient et, par conséquent, croyaient que le cauchemar tirait à sa fin.
>
> En 1938, les Autrichiens étaient certains que Hitler ne pourrait jamais venir en Autriche, parce qu'ils espéraient que les Autrichiens étaient différents des Allemands...

Un autre exemple nous est fourni par une étude auprès d'étudiants de premier cycle à qui l'on demanda d'estimer leurs revenus 5 ans et 10 ans après avoir quitté l'université. J'ai le regret de rapporter que les résultats sont assez fantastiques. La plupart des étudiants se décrivent comme riches, oubliant complètement les probabilités.

Les futurs médecins estimèrent leurs revenus à un niveau où ne se situe que 5% de la profession médicale. Quant aux futurs pilotes, ils se virent dotés d'un salaire supérieur à celui que touche n'importe quel pilote.

L'espoir fondé sur l'ignorance fait peut-être vivre, mais il conduit sûrement à la catastrophe. C'est plus un vice qu'une vertu.

Linda Perloff (1987) soutient que cette «illusion d'invulnérabilité» peut en fait nous rendre plus vulnérables. Si nous croyons être à l'abri du malheur, les précautions nous sembleront superflues. La plupart des jeunes Américains savent que la moitié des mariages américains se terminent par un divorce, mais ils persistent à croire que *leur* idylle matrimoniale durera toute la vie (Lehman et Nisbett, 1985). Au cours d'une étude portant sur des étudiantes de premier cycle, Jerry Burger et Linda Burns (1988) ont découvert que celles qui avaient une vie sexuelle active se percevaient néanmoins, comparativement à d'autres femmes de leur université, comme beaucoup *moins* vulnérables à une grossesse non désirée, perception encore plus marquée chez celles qui *n*'utilisaient *pas* régulièrement une méthode contraceptive efficace. Les gens qui évitent allégrement les ceintures de sécurité, qui nient les effets du tabagisme et qui s'engagent dans des relations malsaines nous rappellent que l'optimisme aveugle, tout comme l'orgueil, peut conduire à la perte.

Un peu de pessimisme ne ferait pas de tort aux élèves qui manifestent, pour la plupart, un optimisme excessif au sujet des futurs examens (Sparrell et Shrauger, 1984). Les élèves trop sûrs d'eux-mêmes ont tendance à trop peu se préparer, alors que leurs pairs, aussi capables mais plus anxieux et craintifs, étudient avec plus d'acharnement et obtiennent de bonnes notes (Goodhart, 1986; Norem et Cantor, 1986; Showers et Ruben, 1987). Le succès à l'école, et au-delà, exige suffisamment d'optimisme pour nourrir l'espoir et juste assez de pessimisme pour motiver l'intérêt.

Finalement, (15) nous avons une curieuse tendance à rehausser notre image de soi en surestimant ou en sous-estimant à quel point les gens pensent et agissent comme nous. En matière d'*opinions*, nous trouvons un appui à nos positions en surestimant dans quelle mesure les autres sont d'accord avec nous (Marks et Miller, 1987; Mullen *et al.*, 1985; Mullen et Hu, 1988). De même, lorsque nous nous comportons mal ou que nous échouons à une tâche, nous nous rassurons en pensant que ces comportements sont habituels. Non

«Seigneur, donne-nous la grâce d'accepter sereinement les choses impossibles à changer, le courage de changer les choses qu'il faut changer et la sagesse de distinguer les unes des autres.»

Reinhold Niebuhr, *Prière de la sérénité*, 1943

seulement avons-nous tendance à penser et à agir selon notre perception de ce que font les autres (voir le chapitre 6), mais aussi à penser que les autres pensent et agissent comme nous. Si nous préférons Brian Mulroney comme premier ministre, si nous trichons dans nos rapports d'impôt ou si nous fumons, nous surestimerons probablement le nombre de personnes faisant la même chose. L'**effet de faux consensus** consiste donc à surestimer le caractère général de ses opinions, de ses sentiments et de ses comportements. Lance Shotland et Jane Craig (1988) soupçonnent que cela aide à expliquer pourquoi les hommes sont plus rapides que les femmes à voir une motivation sexuelle dans un comportement amical: les hommes, ayant un seuil plus bas d'excitation sexuelle, supposent vraisemblablement que les femmes partagent le même genre de désirs sexuels.

Effet de faux consensus:
Tendance à surestimer le caractère général de ses propres opinions et de ses conduites indésirables ou fâcheuses.

Quand il est question d'*aptitudes* ou lorsque nous nous comportons bien ou avons du succès, c'est un **effet de fausse unicité** qui, le plus souvent, se produit (Mullen *et al.*, 1988; Suls et Wan, 1987). Nous nourrissons notre image de soi en considérant nos talents et nos comportements admirables comme plutôt exceptionnels. Ainsi, ceux qui consomment beaucoup d'alcool tout en attachant leur ceinture de sécurité *surestiment* (faux consensus) le nombre de personnes buvant beaucoup et *sous*-estiment (fausse unicité) le caractère général du port de la ceinture (Suls *et al.*, 1988). Pour le dire plus simplement, on perçoit ses propres manquements comme normaux et ses vertus comme rares.

Effet de fausse unicité:
Tendance à sous-estimer le caractère général de ses propres capacités ou de ses comportements désirables ou couronnés de succès.

Considérer que les autres nous ressemblent alors que nous-mêmes différons des autres dépend d'une trop grande centration sur soi. En centrant quelqu'un sur les autres, par exemple en lui demandant de se mettre à la place de l'autre, de prévoir ses propres jugements, etc., peut être suffisant pour éviter les estimations de similitude biaisées, mais pas les estimations de différence (Codol, 1988).

Autodépréciation

Vous vous souvenez peut-être d'occasions où quelqu'un s'autodépréciait plutôt que de s'autolouanger. Pensons à l'instructeur de hockey qui porte aux nues la force extraordinaire de l'adversaire à vaincre, juste avant la joute pour la coupe Stanley. Est-il sincère? Robert Gould, Paul Brounstein et Harold Sigall (1977; voir également Bond, 1979) ont découvert, lors d'un concours organisé en laboratoire, que leurs étudiants de l'Université du Maryland avaient ainsi grandi leur futur adversaire seulement lorsque l'évaluation était faite publiquement. Ceux qui firent part de leurs évaluations en privé et sous le couvert de l'anonymat ont attribué beaucoup moins d'habileté à leur futur adversaire. Lorsque les instructeurs exaltent publiquement les adversaires, ils ne transmettent pas seulement une image de modestie et de bon esprit sportif; ils créent un cadre qui permet une évaluation favorable, quel que soit le résultat. Une victoire devient un accomplissement digne d'éloges, alors que la défaite est attribuable à l'«extraordinaire défensive» de l'adversaire. La modestie, a dit le philosophe Francis Bacon, au XVIIᵉ siècle, n'est rien d'autre qu'un «art ostentatoire». Les gens sabotent parfois leurs chances de succès en se présentant comme timides, malades ou handicapés par d'anciens traumatismes. Loin d'être délibérément autodestructeurs, ces comportements ont habituellement un but d'autodéfense (Arkin *et al.*, 1986; Baumeister et Scher, 1988; Rhodewalt, 1987): «Je ne suis pas un raté – je suis correct, c'est ce problème qui m'a handicapé.»

«L'humilité n'est souvent rien d'autre qu'une feinte de l'orgueil qui s'abaisse momentanément pour s'exalter lui-même plus tard.»
La Rochefoucauld, *Maximes*

En extrapolant un peu, se pourrait-il que les gens s'imposent un handicap intentionnel, par un comportement allant à l'encontre du but recherché? Souvenons-nous que les gens protègent âprement leur image de soi en attribuant leurs échecs à des facteurs extérieurs plutôt qu'à eux-mêmes. Pouvez-vous comprendre pourquoi, *craignant un échec*, les gens vont par conséquent s'imposer un handicap intentionnel en fêtant une bonne partie de la nuit la veille d'une entrevue, en ayant mal à la tête le jour d'un rendez-vous important ou en s'abstenant d'étudier avant un examen décisif? Quand l'image de soi est reliée à la performance, il peut être plus dévalorisant de faire de gros efforts et d'échouer que d'avoir une excuse toute prête. Si nous échouons en travaillant avec un handicap, nous pouvons toujours nous raccrocher à un sentiment de compétence; si nous réussissons dans de telles conditions, cela ne peut que rehausser notre image de soi.

Handicap intentionnel:
Progéger l'image de soi en créant une excuse toute prête en cas d'échec.

Cette analyse du **handicap intentionnel** proposée par Steven Berglas et Edward Jones (1978) s'est vue confirmée par les expériences. Agiriez-vous, par exemple, comme leurs étudiants de l'Université Duke, au cours d'une expérience portant apparemment sur «les drogues et le rendement intellectuel»? Imaginez-vous en train d'essayer de deviner les réponses à des questions d'aptitude horriblement difficiles, pour vous faire dire, par la suite: «Le résultat que vous avez obtenu est l'un des meilleurs jamais vus!» Vous sentant incroyablement chanceux, vous avez ensuite la possibilité de choisir l'une des deux drogues que l'on vous propose avant de continuer à répondre à d'autres questions du même genre. L'une des drogues est censée augmenter le rendement intellectuel, tandis que l'autre est censée l'inhiber. Laquelle voulez-vous? La plupart de leurs étudiants voulaient la drogue perturbant la pensée, leur fournissant ainsi une bonne excuse pour le rendement inférieur redouté.

«Si l'on n'essaie pas, il n'y aura pas d'échec; s'il n'y a pas d'échec, il n'y aura pas d'humiliation.»
William James, *Principles of Psychology,* 1890

Les chercheurs ont répertorié d'autres façons de s'imposer des handicaps intentionnels. On a pu observer des gens qui, craignant l'échec, minimisaient leur préparation à d'importantes compétitions athlétiques individuelles (Rhodewalt *et al.*, 1984), ne fournissaient pas tous les efforts requis pour une tâche difficile impliquant l'ego (Hormuth, 1986; Pyszczynski et Greenberg, 1983) et s'acquittaient mal d'une tâche à son début de façon à ne pas créer d'attentes impossibles à atteindre (Baumgardner et Brownlee, 1987). Après avoir été défaite par des rivales plus jeunes, la championne de tennis Martina Navratilova avoua qu'elle avait «eu peur de jouer du mieux que je pouvais... J'avais peur de découvrir qu'elles me battraient malgré tout parce qu'alors cela aurait signifié que j'étais finie» (Frankel et Snyder, 1987).

Une autre raison pour laquelle on se déprécie peut venir du fait que l'on valorise parfois plus certains aspects de sa personnalité que d'autres. Après que des hommes et des femmes eurent démontré des aptitudes critiques équivalentes dans un jeu de rôle, les femmes se sont évaluées comme ayant moins de talent pour des comportements qui demandent des aptitudes critiques. Les auteurs de cette étude interprètent cela comme le signe d'une contradiction chez ces femmes entre avoir de telles aptitudes et être désirables en tant que femmes (McCarrey *et al.*, 1990).

Pourquoi le biais auto-avantageux?

Nous avons présenté trois façons d'expliquer le biais auto-avantageux. Ces explications vont dans le même sens que celles qui ont été étudiées au chapitre 2 au sujet de l'effet des comportements sur les attitudes.

Présentation de soi

Comme vous vous en souvenez probablement, la théorie de la présentation de soi suppose que nous aimons présenter une bonne image, tant à un auditoire extérieur (les autres) qu'à un auditoire intérieur (nous-mêmes). Voilà qui nous aide à comprendre pourquoi les gens s'imposeront un handicap intentionnel si l'échec risque de les faire paraître mauvais (Arkin et Baumgardner, 1985). Cela explique aussi pourquoi les gens expriment plus de modestie quand leur autoflatterie court le risque d'être démasquée ou quand des experts s'apprêtent à examiner leurs auto-évaluations (Arkin *et al.*, 1980 ; Riess *et al.*, 1981 ; Weary *et al.*, 1982). Devant des collègues de travail, l'enseignant se montrera probablement moins sûr de lui-même quant à la signification de son travail que s'il se trouve devant des élèves.

Se présenter de manière à faire bonne impression n'est pas chose simple. Les gens veulent être vus comme capables en même temps que modestes et honnêtes (Carlston et Shovar, 1983). Comme la modestie fait généralement bonne impression (Forsyth *et al.*, 1981 ; Schlenker et Leary, 1982), les gens montrent souvent *moins* d'estime de soi qu'ils n'en éprouvent en privé (Miller et Schlenker, 1985). Il y a cependant des situations (par exemple, lorsque vous avez très bien fait) où les faux démentis (« J'ai bien fait, mais il n'y a vraiment rien là ») peuvent avoir l'air de vantardises et d'autres situations (lors d'une entrevue, par exemple) où trop de modestie peut coûter très cher. Faire constamment bonne impression – être modeste tout en étant compétent – est un art difficile. La tendance à une présentation de soi modeste est peut-être particulièrement prononcée dans des cultures comme celle de la Chine, qui valorise la retenue (Wu et Tseng, 1985), mais le biais auto-avantageux n'est certes pas l'apanage de l'Amérique du Nord. On a pu remarquer des perceptions auto-avantageuses chez des élèves du secondaire et des étudiants au Danemark, chez les joueurs de basket-ball de la Belgique, chez les Hindous, les conducteurs japonais, les étudiants et les travailleurs d'Australie, les étudiants chinois et les Français de tout âge (de Vries et van Knippenberg, 1987 ; Liebrand et autres, 1986 ; Lefèbvre, 1979 ; Murphy-Berman et Sharma, 1986 ; Hagiwara, 1983 ; Feather, 1983 ; Ruzzene et Noller, 1986 ; Chan, 1987 ; et Codol, 1976, respectivement).

Traitement de l'information

Pourquoi les gens, à travers le monde entier, se perçoivent-ils (alors qu'ils ne se présentent pas toujours) de façon avantageuse ? L'une des explications est une variante de ce que l'on a appelé, au chapitre 2, la théorie de la perception de soi ; selon cette théorie, le biais auto-avantageux ne surgit pas d'un profond besoin émotionnel de se rehausser, mais n'est qu'un sous-produit de notre façon de traiter les informations nous concernant et de nous en souvenir.

Qu'on se souvienne de l'étude de Michael Ross et Fiore Sicoly (1979) où les gens mariés s'octroyaient plus de crédit qu'à leur partenaire pour les tâches domestiques. Ne serait-ce pas dû, comme le croient Ross et Sicoly, à la plus grande facilité avec laquelle nous nous souvenons des choses que nous avons nous-mêmes accomplies, en comparaison des choses que nous n'avons pas faites ou de celles que nous avons vu les autres accomplir ? Je peux facilement me revoir en train de ramasser le linge sale, mais il m'est difficile de me revoir en train d'oublier distraitement de le faire.

Il y a aussi des différences individuelles dans le traitement de l'information, lesquelles peuvent expliquer la présence du biais auto-avantageux. Nathalie Brière et Robert Vallerand (1990) observent que les personnes qui sont plus particulièrement portées à la réflexion sur soi sont plus sujettes à ce biais.

Autojustification

Les perceptions biaisées ne sont-elles donc qu'une simple erreur perceptive, une disposition dénuée d'émotion et relevant de notre façon de traiter l'information? Ou, y a-t-il aussi des *motivations* auto-avantageuses? Une troisième explication – que nous sommes motivés à protéger et à rehausser notre estime de soi – s'apparente à la théorie de la dissonance qui suppose une semblable motivation d'autoprotection. Comme le dit un théoricien: «Le comportement réducteur de dissonance est un comportement d'autodéfense; en réduisant la dissonance, nous maintenons une image positive de soi – une image nous dépeignant comme bons, intelligents ou valables» (Aronson, 1984, p. 124).

Les expériences les plus récentes confirment que les émotions colorent effectivement notre pensée sociale. Une force motrice de motivation pousse notre machinerie intellectuelle. Ce que nous ressentons à la suite d'un succès ou d'un échec motive les explications auto-avantageuses, principalement lorsque l'ego est concerné (Burger, 1986; Pyszczynski et Greenberg, 1987; Steele, 1988). Nous ne sommes pas seulement de froides machines traitant l'information.

Abraham Tesser (1988), de l'Université de Géorgie, rapporte, par exemple, qu'une motivation de «maintien de l'estime de soi» prédit une variété de découvertes intéressantes incluant même les frictions entre frères et sœurs. Avez-vous un parent, frère ou sœur, du même sexe que vous, un peu plus âgé ou plus jeune que vous? Si oui, on vous a déjà probablement comparés au cours de votre croissance. Tesser présume que si l'un des deux est plus doué que l'autre, le moins doué se verra probablement motivé à agir de façon à maintenir son estime de soi. (Tesser pense que la menace pesant sur l'estime de soi est plus grande pour l'aîné ayant un jeune frère très doué.) Les données de Tesser alimentent sa théorie du maintien de l'estime de soi. Un homme ayant, par exemple, un frère qui n'a pas le même niveau d'habileté que lui, se souviendra habituellement de rapports tendus avec ce frère; un homme ayant un frère dont l'habileté est semblable à la sienne aura probablement peu de souvenir de frictions.

Les idées de présentation de soi, de traitement de l'information et d'autojustification peuvent toutes les trois réussir à englober la plupart des découvertes, de sorte qu'il est difficile d'en privilégier une au détriment des autres (Tetlock et Manstead, 1985). Ces trois processus sont probablement tous à l'œuvre, quoique à des stades probablement différents. Le théoricien Craig Anderson (1988) croit que des motivations d'autojustification ont une influence sur le genre d'informations que nous considérons – si nous obtenons une mauvaise note à un examen, eh bien! nous nous demanderons si l'examen était juste. Nous tiendrons alors obstinément à l'idée d'avoir froidement traité une information.

Dans les relations entre frères et sœurs, la menace pesant sur l'estime de soi est plus grande pour l'aîné ayant un plus jeune frère très doué ou pour l'aînée ayant une plus jeune sœur très douée.

Réflexions sur le biais auto-avantageux

Plusieurs lecteurs considéreront sans doute tout cela déprimant ou contraire à leurs propres sentiments occasionnels de médiocrité. Certes, ceux d'entre nous qui manifestent un biais auto-avantageux – et selon toute apparence cela nous inclut presque tous – peuvent néanmoins se sentir inférieurs à certains individus en particulier, surtout lorsqu'ils se comparent à quelqu'un se situant un peu plus haut qu'eux sur l'échelle du succès, du charme ou de n'importe quoi d'autre.

Tout le monde n'a pas nécessairement un biais auto-avantageux. Il y a des gens souffrant *effectivement* d'une estime de soi beaucoup trop faible. Sont-ils plus avides d'estime et, par conséquent, plus sujets que les gens jouissant d'une haute estime de soi à manifester le biais auto-avantageux ? Ce biais n'est-il qu'un masque de vantardise utilisé par ceux qui sont tourmentés par une faible estime de soi ? C'est ce qu'ont soutenu certains théoriciens comme Erich Fromm (Shrauger, 1975). Et c'est vrai : quand on se sent vraiment bien dans sa peau, il semble que l'on soit moins sur la défensive (Epstein et Feist, 1988). Au cours d'une expérience, ceux qui venaient tout juste de subir des blessures d'amour-propre étaient en fait plus sujets aux attributions auto-avantageuses en matière de succès ou d'échecs que ne l'étaient les personnes dont l'amour-propre venait tout juste d'être flatté (McCarrey *et al.*, 1982). Par ailleurs, ceux qui obtiennent les plus hauts scores dans les tests mesurant l'estime de soi (qui disent beaucoup de bien d'eux-mêmes) disent également beaucoup de bien d'eux-mêmes lorsqu'ils expliquent leurs succès et leurs échecs (Ickes et Layden, 1978 ;

«Le narcissisme, à l'instar de l'égoïsme, est une surcompensation au manque fondamental d'estime de soi.»
Erich Fromm, *Escape from Freedom*

Levine et Uleman, 1979; Rosenfeld, 1979), lorsqu'ils décrivent leurs propres traits de caractère (Roth *et al.*, 1986), lorsqu'ils évaluent leur groupe (Brown *et al.*, 1988) et lorsqu'ils se comparent aux autres (Brown, 1986). C'est ainsi que les études sous forme de questionnaires démontrent que l'estime de soi élevée et le biais auto-avantageux vont main dans la main.

En fait, trouver des excuses – déplacer les attributions des événements fâcheux vers quelque chose d'extérieur à nous-mêmes (habituellement, sans nous en apercevoir) – sert à maintenir l'estime de soi, protège de l'anxiété et de la dépression, maintient la santé et l'ambition (Snyder et Higgins, 1988). Alors que la plupart des gens trouvent des excuses à leurs échecs lors de tâches effectuées en laboratoire ou se perçoivent plus maîtres de la situation qu'ils ne le sont en réalité, les gens déprimés font preuve de beaucoup plus d'exactitude et de complexité dans leurs auto-évaluations (Flett *et al.*, 1990). Plus tristes, mais plus sages.

N'oublions pas cependant qu'il faut dire merci à notre réticence à exprimer nos impressions négatives, car elle nous permet de ne pas très bien connaître la façon dont nous perçoivent les étrangers et les gens nous connaissant à peine (De Paulo *et al.*, 1987; Kenny et Albright, 1987). Les gens déprimés sont moins victimes d'illusions; ils se perçoivent généralement *comme* les autres les perçoivent (Lewinsohn *et al.*, 1980). Voilà qui incite à penser, non sans un certain trouble, que Pascal avait peut-être raison de dire: «J'établis comme un fait que, si tous les hommes savaient ce que disent d'eux les autres, il n'y aurait pas quatre amis dans le monde.» C'est une pensée vraiment déprimante!

«Personne ne dit la même chose de nous en notre absence qu'en notre présence.»
Pascal, *Pensées*, 1670

Les perceptions auto-avantageuses ne sont pas des mensonges; elles sont de l'aveuglement. Comme l'indique la recherche récente sur la dépression, il y a peut-être, en fait, une sagesse pratique à ce genre d'amour-propre: l'aveuglement constitue peut-être un mode d'adaptation ayant valeur de survie. C'est lorsqu'ils y croient que les tricheurs, par exemple, peuvent davantage nous convaincre de leur honnêteté. Croire à notre supériorité peut également nous motiver à accomplir des choses et à nourrir notre espoir par temps durs.

Le biais auto-avantageux n'est quand même pas toujours un moyen d'adaptation. Il n'est pas rare, en fait, que l'amour-propre coure à sa perte. Les gens qui blâment les autres pour leurs difficultés sociales sont souvent moins heureux que ceux qui sont capables d'admettre leurs erreurs (Newman et Langer, 1981; Peterson *et al.*, 1981; C. A. Anderson *et al.*, 1982). La recherche effectuée par Barry Schlenker (1976; Schlenker et Miller, 1977a, 1977b), à l'Université de Floride, a montré comment les perceptions auto-avantageuses peuvent également empoisonner un groupe. Au cours de neuf expériences différentes, Schlenker a fait travailler ensemble des gens à une même tâche. Il leur a ensuite donné la fausse information que leur groupe avait été meilleur ou pire que les autres. Dans chacune de ces expériences, les membres du groupe ayant bien travaillé revendiquèrent plus de responsabilité pour la réussite de leur groupe que ne le firent les membres des groupes ayant apparemment échoué à la tâche. De plus, la plupart se présentèrent comme ayant mieux collaboré au succès que les autres membres du groupe; peu avouèrent avoir moins collaboré que les autres.

Ce genre d'aveuglement peut inciter les membres d'un groupe à s'attendre individuellement à des récompenses plus élevées que la moyenne lorsque leur organisation fonctionne bien et à un blâme plus faible que la moyenne dans le cas contraire. Si la plupart des individus au sein d'un groupe se croient sous-payés et peu appréciés en échange de leurs contributions plus importantes que la moyenne, ils adopteront probablement des airs suffisants issus de la mésentente et de l'envie. Les directeurs de collège et les recteurs d'université, à l'intérieur du système nord-américain, admettront volontiers ce phénomène. La majorité des membres de faculté – 94 % lors d'une enquête menée à l'Université du Nebraska (Cross, 1977), 90 % lors d'une enquête auprès des facultés de 24 établissements (Blackburn *et al.*, 1980) – s'évaluent eux-mêmes comme supérieurs à la moyenne de leurs collègues. Il est par conséquent inévitable que plusieurs s'estiment victimes d'une injustice à l'annonce des augmentations de salaire fondées sur le mérite, alors que la moitié des professeurs reçoivent l'augmentation régulière ou moins.

Les auto-évaluations biaisées peuvent également déformer le jugement des administrateurs. Quand des groupes sont comparables, les gens ont tendance à considérer leur propre groupe comme supérieur (Codol, 1976; D. M. Taylor et Doria, 1981; Zander, 1969). C'est ainsi que la plupart des présidents de corporation prévoient une meilleure croissance pour leur propre entreprise que pour celle de leurs concurrents (Larwood et Whittaker, 1977). De même, les directeurs de production exagèrent souvent leurs prévisions de production (Kidd et Morgan, 1969). Comme l'a fait remarquer Laurie Larwood (1977), un tel excès d'optimisme peut avoir des conséquences désastreuses. Si les gens œuvrant dans les valeurs boursières ou mobilières perçoivent leurs intuitions comme supérieures à celles de leurs compétiteurs, ils risquent de courir au-devant de sérieuses difficultés. L'économiste capitaliste Adam Smith, qui avait l'habitude de défendre la rationalité économique des gens, avait même prévu que les gens surestimeraient leurs chances de gain à cause d'«une absurde croyance en leur bonne étoile» qui naît d'«une prétention démesurée, affichée par la plupart des gens quant à leurs propres capacités» (Spiegel, 1971, p. 243).

Cette observation d'un biais favorable dans la façon qu'ont les gens de se percevoir et de se présenter n'a rien de nouveau. La recherche sur le biais auto-avantageux ne fait que confirmer l'antique sagesse. Le défaut tragique, illustré par les tragédies grecques, se nommait *hubris* ou orgueil. À l'instar des participants à nos expériences, les personnages tragiques grecs n'étaient pas consciemment méchants; ils n'avaient qu'une trop bonne opinion d'eux-mêmes. Les pièges de l'orgueil constituent un sujet de prédilection en littérature. Dans la religion, l'orgueil a longtemps été considéré comme le pire des «sept péchés capitaux».

Si l'orgueil s'apparente au biais auto-avantageux, qu'en est-il alors de l'humilité? S'agit-il de mépris de soi? Est-il possible de s'affirmer et de s'accepter sans avoir recours au biais auto-avantageux? Pour paraphraser le savant écrivain anglais C. S. Lewis, l'humilité, ce n'est certainement pas de belles personnes essayant de se faire croire qu'elles sont laides ou des gens intelligents essayant de se faire croire qu'ils sont stupides. En effet, la fausse modestie peut conduire à l'ironie de l'amour-propre vis-à-vis de sa propre humilité plus grande que la moyenne. (Il y a peut-être des lecteurs qui se sont déjà félicités d'être exceptionnellement à l'abri du biais auto-avantageux.) La véritable humilité relève plus de l'oubli de soi que de la fausse modestie. Elle permet aux gens de se réjouir librement de leurs talents particuliers tout en reconnaissant, avec la même honnêteté, les talents d'autrui.

Les travaux qui ont été présentés jusqu'ici dans ce chapitre montrent deux choses: (1) les individus ont tendance à entretenir une image positive d'eux-mêmes et (2) ils ont tendance à se définir comme différents d'autrui. Mis dans une situation où ils doivent choisir entre ces deux tendances, c'est la première qui devient nettement dominante s'il faut en croire une étude de Véronique Kientz (1987). Jamais leurs sujets ne se dévalorisent, même quand c'est la seule possibilité qu'ils ont de se différencier.

AUTO-EFFICACITÉ

Nous avons examiné deux puissants biais récemment découverts par les psychologues sociaux: la tendance à ignorer les forces extérieures lorsque nous expliquons le comportement des autres (l'erreur d'attribution fondamentale) et la tendance à se percevoir et à se présenter favorablement (le biais auto-avantageux). Le premier peut nous pousser à mal comprendre les problèmes d'autrui (en supposant, par exemple, que les chômeurs sont nécessairement paresseux et incompétents), alors que l'orgueil pharisaïque peut alimenter les conflits entre individus et nations qui se perçoivent tous comme plus moraux et plus méritants que les autres.

Toutefois, n'y a-t-il pas un danger à s'arrêter ici, sans rien rajouter? Allons-nous commencer à excuser les fautes des gens? Ou n'allons-nous pas, en mettant la hache dans nos ego bien gonflés, perdre la confiance en soi que nous avions? Comme l'enseigna Pascal il y a plus de 300 ans, aucune vérité simple n'est à jamais suffisante, parce que le monde n'est pas simple.

Les recherches sur l'erreur d'attribution fondamentale et sur le biais auto-avantageux révèlent de profondes vérités concernant la nature humaine. Il y a cependant un complément important à ces vérités. L'estime de soi élevée – le sens de sa propre valeur – est fonctionnelle. Comparativement aux gens à faible estime de soi, les gens à l'estime de soi élevée sont plus heureux, moins névrosés, moins victimes d'ulcères et d'insomnie, moins portés à se droguer ou à boire (Brockner et Hulton, 1978). Au cours des expériences, les gens dont l'estime de soi avait été temporairement froissée – parce qu'ils avaient, par exemple, appris leur piètre résultat à un test d'intelligence – avaient plus tendance à dénigrer les autres. En d'autres termes, les gens négatifs vis-à-vis d'eux-mêmes ont tendance à être également négatifs vis-à-vis des autres (Wills, 1981). La moquerie en dit aussi long sur le moqueur que sur sa victime.

«Une demi-vérité est souvent un gros mensonge.»
Benjamin Franklin

POUR VOUS SENTIR MIEUX: AUGMENTEZ VOS SUCCÈS OU DIMINUEZ VOS PRÉTENTIONS

Le philosophe-psychologue William James, dans son texte original datant de 1890 et intitulé *Principles of Psychology*, présenta une formule de l'estime de soi:

La façon dont nous nous sentons en ce monde dépend entièrement d'une fraction où nos prétentions sont le dénominateur et notre succès, le numérateur:

$$estime\ de\ soi = \frac{succès}{prétentions}$$

Nous pouvons augmenter cette fraction en diminuant le dénominateur ou en augmentant le numérateur. L'abandon des prétentions amène le même bienheureux soulagement que leur gratification; c'est toujours ce que feront les hommes lorsque la déception est incessante et la bataille interminable. L'histoire de la théorie évangélique, avec sa condamnation du péché, son désespoir de soi et son délaissement du salut par les œuvres en est l'un des exemples les plus profonds, mais nous en trouvons d'autres à chaque pallier de la vie... Comme nous bénissons le jour où nous abandonnons la lutte pour rester jeunes – ou minces! Merci mon Dieu, disons-nous, ces illusions m'ont quitté. Tout ce que l'on ajoute au Soi est un fardeau autant qu'une vanité.

La recherche complémentaire sur des sujets comme le «lieu de contrôle» (voir l'encadré), l'«incapacité apprise» et la «motivation intrinsèque» confirme les bénéfices inhérents au fait de se percevoir comme une personne efficace et compétente. Albert

Auto-efficacité:
Sentiment d'être compétent et efficace. À distinguer de l'estime de soi et du sentiment de sa propre valeur. L'aviateur bombardier peut ressentir beaucoup d'auto-efficacité et peu d'estime de soi.

Bandura (1986) fusionne presque toutes ces recherches sous le concept d'**auto-efficacité**, une version savante de la sagesse à la base d'un livre de Jean-Guy Leboeuf, qui a connu une grande popularité au Québec et qui s'intitule *Cessez d'avoir peur et croyez au succès*. Une vision optimiste quoique réaliste de nos propres possibilités engendre des dividendes. Les gens ayant de forts sentiments d'auto-efficacité sont plus persévérants, moins anxieux et moins déprimés, et ont de meilleurs résultats scolaires (Maddux et Stanley, 1986; Scheier et Carver, 1988). Ces personnes ne connaissent pas de meilleures opérations cognitives pour résoudre les problèmes, mais elles possèdent des stratégies pour aborder les problèmes qui leur permettent, par exemple, de mieux utiliser leur temps (Bouffard-Bouchard, 1990; Bouffard-Bouchard et Pinard, 1988).

LIEU DE CONTRÔLE

À quoi croyez-vous le plus?

À longue échéance, les gens obtiennent dans ce monde le respect qu'ils méritent.
ou
Malheureusement, la valeur d'un individu passe souvent inaperçue, quels que soient les efforts qu'il fait.

J'y suis pour quelque chose dans ce qui m'arrive.
ou
Je trouve parfois que je n'ai pas suffisamment de contrôle sur la tournure que prend ma vie.

L'individu moyen peut avoir une influence sur les décisions gouvernementales.
ou
Ce monde est dirigé par une poignée de gens au pouvoir et le pauvre individu n'y peut pas grand-chose.

Vos réponses à ces questions (tirées de Rotter, 1973) indiquent-elles que vous croyez maîtriser votre destinée («lieu interne de contrôle») ou que la chance ou d'autres forces extérieures déterminent votre sort («lieu externe de contrôle»)? Comparativement aux gens ayant un lieu externe de contrôle, ceux qui se perçoivent comme intérieurement en contrôle ont plus tendance à bien réussir leurs études, à réussir à cesser de fumer, à porter la ceinture de sécurité, à utiliser les moyens de contraception, à régler directement les problèmes conjugaux, à faire beaucoup d'argent et à retarder la gratification immédiate pour pouvoir atteindre des buts à long terme (tiré de Findlay et Cooper, 1983; Lefcourt, 1982; Miller *et al.*, 1986). Hanna Levenson (1973) a distingué le lieu de contrôle externe dû au pouvoir d'autrui et celui qui est dû au hasard.

Le degré de compétence et d'efficacité que nous ressentons dépend de notre manière d'expliquer les événements négatifs. Vous avez peut-être connu des élèves qui rejettent le blâme pour les mauvais résultats aux examens sur des choses échappant à leur volonté – leurs sentiments de stupidité ou leurs «mauvais» professeurs, les «mauvais» textes ou les «mauvais» tests. Lorsqu'on leur montre à adopter une attitude plus confiante – à croire que l'effort, les bonnes habitudes d'étude et l'autodiscipline peuvent changer bien des choses –, leurs résultats ont tendance à s'améliorer (Noel *et al.*, 1987; Peterson et Barrett, 1987). L'interprétation donnée aux événements n'est pas étrangère à la motivation des élèves. Robert Vallerand *et al.* (1989), dans le cadre de leur programme de recherche sur la motivation intrinsèque, ont construit une échelle canadienne-française qui permet de mesurer cette dernière.

Les gens ayant du succès ont plus tendance à considérer les revers comme des hasards ou à penser: «Je dois adopter une approche différente.» Les nouveaux représentants d'assurances-vie, par exemple, qui considèrent les échecs comme insurmontables («Cela m'est impossible et il n'y a rien que je puisse faire pour changer les choses») vendent moins de polices d'assurances et risquent deux fois plus que leurs collègues plus optimistes de démissionner au cours de leur première année (Seligman et Schulman, 1986). Comme nous l'avons déjà souligné, on peut aussi être naïvement optimiste – à l'exemple des partisans israélites des joueurs de rugby qui, juste avant les finales, sont certains que *leur* club va gagner, quel que soit le club qu'ils encouragent (Babad, 1987). «Il est par conséquent sage, dit le philosophe Bertrand Russell (1930), de ne pas être trop prétentieux, sans pour autant être modeste au point de manquer d'initiative» (p. 113).

Résignation acquise par opposition à autodétermination

La recherche a également démontré les bénéfices du sentiment d'auto-efficacité chez les animaux. Les chiens à qui l'on a appris un sentiment d'impuissance (en leur montrant qu'ils ne peuvent échapper aux chocs électriques) ne prendront pas, plus tard, d'initiative dans une situation où ils *pourraient* éviter la punition. Par contre, les animaux à qui l'on a appris la maîtrise personnelle (en leur permettant de fuir les premiers chocs électriques) s'adapteront facilement à une nouvelle situation. Le chercheur Martin Seligman (1975, 1977) note des similitudes dans les situations humaines, comme lorsque les gens déprimés ou opprimés, par exemple, deviennent passifs parce qu'ils croient que leurs efforts sont vains. Les chiens impuissants et les gens déprimés souffrent pareillement d'une paralysie de la volonté, d'une résignation passive et même d'une apathie immobile. Pour diminuer la résignation acquise, il faut que les personnes attribuent de nouveau les événements à des causes internes et maîtrisables plutôt que de continuer à les attribuer à des causes externes et insurmontables (Blais, 1985).

Voici un indice de la façon dont les établissements – qu'ils soient malveillants comme les camps de concentration ou bienveillants comme les hôpitaux – peuvent involontairement priver les gens de leur humanité. Les «bons malades» dans les hôpitaux ne se servent pas de la sonnette, ne posent pas de questions, n'essaient pas de diriger ce qui se passe (S. E. Taylor, 1979). Une telle passivité est peut-être bonne pour l'efficacité de l'hôpital, mais elle ne fait aucun bien aux malades. Les sentiments d'efficacité et d'habileté à diriger sa propre vie sont reliés à la santé et à la survie. La perte de maîtrise de ce que nous faisons ou de ce que nous font les autres peut rendre les événements déplaisants et extrêmement stressants (Pomerleau et Rodin, 1986). Plusieurs maladies sont associées à des sentiments d'impuissance et de choix restreints. C'est ce qui explique la rapidité du déclin et de la mort dans les camps de concentration et les maisons de retraite. Les malades hospitalisés que l'on encourage à croire en leur capacité à maîtriser le stress ont besoin de moins de calmants et de sédatifs, et le personnel infirmier les perçoit comme manifestant moins d'anxiété (Langer *et al.*, 1975).

Au cours d'une expérience, Helen Langer et Judith Rodin (1976; Rodin et Langer, 1977) ont traité différemment deux groupes de malades âgés habitant une maison de retraite très cotée du Connecticut. À l'un des groupes, le personnel bienveillant souligna «notre responsabilité de faire de cette maison un endroit dont vous puissiez être fiers et où vous soyez heureux de vivre». Ces malades étaient traités comme les bénéficiaires passifs de soins normalement bien intentionnés et sympathiques. Trois semaines plus tard, la plupart d'entre eux s'évaluèrent et furent évalués par le personnel infirmier et les enquêteurs comme étant davantage débilités. Leur expérience fut probablement semblable à celle de James McKay (1980), un psychologue de 87 ans:

> L'été dernier, je devins une nullité. Ma femme dut utiliser une marchette à cause de son genou arthritique et c'est justement le moment que j'ai choisi pour me casser une jambe. Nous sommes allés dans une maison de retraite qui avait tout d'un hôpital et rien d'une maison. Le médecin et l'infirmière-chef prenaient toutes les décisions; nous n'étions que des objets animés. Grâce au ciel, cela n'a duré que deux semaines... Le patron de la maison de retraite était très bien formé et très compatissant; je trouvais que c'était la meilleure maison de retraite en ville. Mais, de notre admission à notre sortie, nous avons été des nullités.

Les sentiments d'auto-efficacité et d'autonomie influencent notre bien-être tant physique que psychologique.

Le traitement donné à l'autre groupe par Langer et Rodin encourageait l'auto-efficacité. Il faisait voir aux malades les occasions de faire des choix, leurs possibilités d'influencer les règles de la maison de retraite, de même que leur responsabilité «de faire de leur vie ce qu'ils voulaient». Ces malades eurent également de petites décisions à prendre et des responsabilités à assumer. Dans les trois semaines qui suivirent, 93 % des malades de ce groupe se montrèrent plus actifs, plus vifs d'esprit et plus heureux.

Les résultats de ces recherches laissent supposer que les méthodes de gestion et de direction maximisant le sentiment d'auto-efficacité engendreront plus de santé et de bonheur (Deci et Ryan, 1987; Vallerand et O'Connor, 1989; Vallerand *et al.*, 1989). Lorsque l'on concède aux prisonniers une certaine maîtrise de leur environnement – de pouvoir déplacer les chaises, s'occuper des appareils de télévision et des commutateurs des lumières – ils vivent moins de stress, manifestent moins de problèmes de santé et se livrent moins à des actes de vandalisme (Ruback *et al.*, 1986; Wener *et al.*, 1987). Les travailleurs ont un meilleur moral quand on leur alloue une certaine marge de manœuvre dans l'accomplissement de leurs tâches et qu'on leur permet de prendre part aux décisions (Miller et Monge, 1986). Si l'on permettait aux pensionnaires d'établissements de bénéficier de choix tels que le genre de nourriture, le moment où aller au cinéma, l'heure du coucher ou du lever, ils vivraient probablement plus longtemps et seraient certainement plus heureux que si l'on prenait ces décisions à leur place.

Efficacité collective

Même si l'on pense en général que le désespoir engendre le militantisme social, la vérité est que, plus souvent qu'autrement, il engendre l'apathie. Les protestataires appartenant à des groupes lésés ont généralement plus d'orgueil personnel et croient plus fermement en leur capacité d'influencer le cours des événements que ceux qui ne protestent pas (Caplan, 1970; Forward et Williams, 1970; Lipset, 1966). Dans bien des pays, les étudiants, qui ne sont certes pas les membres les plus désavantagés de la société, constituent le fer de lance de l'activité politique. Albert Bandura (1982) écrit:

> Les gens ayant le sens de l'efficacité collective mobilisent leurs efforts et leurs ressources pour surmonter les obstacles extérieurs aux changements qu'ils prônent. Par contre, les gens convaincus de leur impuissance ne tenteront rien, même si les changements sont accessibles par un effort concerté... En tant que société, nous jouissons des bénéfices hérités de nos prédécesseurs qui ont collectivement dénoncé les cruautés et qui ont instauré des réformes sociales favorisant une meilleure vie. Notre propre efficacité collective sera, à son tour, à la base du genre de vie des futures générations.

Bien que cette recherche psychologique sur l'auto-efficacité soit nouvelle, l'importance accordée à la prise en charge de sa propre vie et à la réalisation de son propre potentiel ne date pas d'hier. Le thème du «vous pouvez le faire» des livres d'Horatio Alger, destinés tant aux pauvres qu'aux riches, est une idée américaine existant depuis longtemps et qui fut exprimée dans le succès de librairie de Norman Vincent Peale intitulé *Le pouvoir de la pensée positive* et datant de 1950 («Pensez en termes positifs et vous obtiendrez des résultats positifs. C'est aussi simple que cela.»). On retrouve cette idée dans plusieurs livres et dans plusieurs cours populaires plus récents qui exhortent les gens à réussir grâce à des attitudes mentales positives. Bandura est d'avis que ce n'est pas tellement par autopersuasion («Je pense que je peux, je pense que je peux») que l'auto-efficacité augmente, mais plutôt par le fait d'entreprendre et de réussir des tâches stimulantes. Par exemple, les élèves faisant l'expérience d'un succès scolaire acquièrent de meilleures évaluations de leurs capacités scolaires, ce qui, en retour, les stimule souvent à travailler plus et à réussir encore mieux (Felson, 1984). Quoi qu'il en soit, la recherche sur l'auto-efficacité nous est fort utile, puisqu'elle augmente notre confiance en des vertus traditionnelles comme l'espoir et la persévérance.

Revenons tout de même au point de départ de nos considérations sur l'auto-efficacité, soit que: toute vérité, présentée sans sa vérité complémentaire, n'est rien d'autre qu'une demi-vérité. La vérité propre au concept d'auto-efficacité peut nous encourager à ne pas nous résigner devant les situations difficiles, à persévérer en dépit d'échecs initiaux, à fournir des efforts sans être trop dérangés par des doutes sur soi. Pour éviter cependant que le balancier du pendule n'aille trop loin dans la direction de *cette* vérité, mieux vaut nous souvenir qu'il ne s'agit pas là, non plus, de la vérité dans son entier. En disant que la pensée positive peut tout, l'implication en est alors que nous n'avons qu'à nous blâmer nous-mêmes si nous sommes malheureux en ménage, pauvres ou déprimés. Honte à soi! Si seulement nous avions fait plus d'efforts, avions été plus disciplinés, moins stupides! Ne pas reconnaître que les problèmes des gens reflètent parfois le pouvoir oppressant de situations sociales peut nous induire à la tentation de blâmer les autres de leurs problèmes, ou encore de nous blâmer nous-mêmes trop sévèrement des nôtres. Des Québécois francophones auxquels on demande d'interpréter l'infériorité économique des Québécois francophones attribuent cette dernière à des contraintes de la situation plutôt qu'à des causes individualistes (Lamarche et Tougas, 1979). Les anglophones, eux, blâment le groupe francophone pour son infériorité économique (Guimond et Dubé, 1989).

La confiance et les sentiments d'auto-efficacité s'enracinent dans nos succès.

«Ma confiance vient de monter de plusieurs crans.»

RÉSUMÉ

ATTRIBUTION DE LA CAUSE : À LA PERSONNE OU À LA SITUATION ?

Les chercheurs en matière d'attribution étudient la façon dont nous expliquons le comportement d'autrui. Quand allons-nous, par exemple, attribuer le comportement de quelqu'un à des causes internes comme son état d'esprit et quand allons-nous l'attribuer à la situation ? Nos attributions sont en général assez raisonnables. Nous avons toujours tendance, cependant, à commettre deux erreurs. Lorsque nous expliquons le comportement d'autrui, il nous est difficile de ne pas commettre l'*erreur d'attribution fondamentale*. Il s'agit de la tendance à tellement attribuer le comportement à des traits de caractère et à des attitudes intérieures que les contraintes, même évidentes, relevant des situations sont écartées. L'une des raisons de cette erreur d'attribution est que, au moment où nous observons le comportement de quelqu'un, cette *personne* devient le centre de notre attention et que, en général, nous attribuons la cause à tout ce sur quoi nous centrons notre attention. Lorsque *nous* agissons, notre attention se porte habituellement sur ce à quoi nous réagissons. Voilà pourquoi nous sommes plus sensibles aux influences propres aux situations que nous vivons.

PERCEPTION ET EXPLICATION DE SOI

Lorsque nous nous percevons nous-mêmes, nous sommes sujets à une autre erreur, le *biais auto-avantageux*. C'est la tendance à blâmer la situation pour nos erreurs et à nous octroyer le crédit de nos succès, à nous percevoir en général comme «supérieurs à la moyenne» et à protéger et rehausser notre image de soi grâce à au moins une douzaine de moyens. Les comportements d'autodénigrement et de handicap intentionnel peuvent même être parfois considérés comme des stratégies visant à protéger ou à rehausser l'image de soi. Nous avons présenté trois explications du biais auto-avantageux. La première veut que nous cherchions à *présenter* une image de soi positive. Les deux autres proposent que nous nous percevions vraiment de manière à nous rehausser nous-mêmes, que ce soit en tant que sous-produit de notre façon de *traiter l'information* (quand il y a plus de bonnes que de mauvaises choses qui nous arrivent, il est logique de blâmer les circonstances inhabituelles pour les mauvais résultats occasionnels) ou en tant que conséquence d'une *motivation* d'estime de soi. Des preuves existent selon lesquelles nous sommes effectivement motivés à nous percevoir favorablement.

La recherche sur ces tendances à ne pas tenir compte de puissantes forces extérieures lorsqu'il s'agit d'expliquer le comportement d'autrui tout en adoptant un point de vue infatué par rapport à soi-même est complétée par d'autres recherches portant sur les bienfaits de croire à son propre potentiel et d'encourager les autres à croire au leur. Les gens ressentant un fort sentiment d'*auto-efficacité* se débrouillent mieux et accomplissent plus que les gens n'éprouvant pas un sentiment de compétence et d'efficacité.

LECTURES SUGGÉRÉES

Ouvrages en français

BRONLET, R. (1983). Mécanismes de l'explication ordinaire. Présentation et analyse critique des théories de l'attribution. Les *Cahiers de psychologie sociale, 17*, 1-28.

LEYENS, J.-P. (1983). *Sommes-nous tous des psychologues ?* Bruxelles, Mardaga.

PAICHELER, H. (1984). L'épistémologie du sens commun de la perception à la connaissance de l'autre. *In* S. Moscovici (dir.). *Psychologie sociale* (p. 277-307). Paris, Presses Universitaires de France.

Ouvrages en anglais

BANDURA, A. (1986). *Social foundations of thought and action : A social-cognitive theory.* Englewood Cliffs, N.J., Prentice-Hall.

HARVEY, J. H. et WEARY, G. (1981). *Perspectives on attributional processes.* Dubuque, Ia, Brown.

HEIDER, F. (1958/1980). *The psychology of interpersonal relations.* New York, Wiley.

SNYDER, C. R., HIGGINS, R. L. et STUCKY, R. J. (1983). *Excuses : Masquarades in search of grace.* New York, Wiley.

CHAPITRE
4

CROYANCES
SOCIALES

—

ù nous situons-nous sur le continuum allant de nous percevoir comme des dieux à ne nous voir que comme des fétus de paille? Jusqu'à quel point méritons-nous l'appellation d'*homo sapiens*, d'humains raisonnables?

Le débat séculaire sur la sagesse et la folie humaines se poursuit toujours dans la controverse scientifique à propos de la rationalité humaine. Les gens impressionnés par nos facultés intellectuelles insistent sur l'incroyable complexité de nos cerveaux, capables de devancer les ordinateurs les plus sophistiqués quand il s'agit d'identifier des ensembles, de maîtriser une langue ou de traiter des données abstraites. Quant aux gens impressionnés par notre capacité d'erreur, ils insistent sur nos manières de nous forger et d'entretenir de fausses croyances en matière de vie sociale (au nombre desquelles figurent les trois exemples étudiés dans les chapitres précédents – le phénomène du «je-le-savais!», l'erreur d'attribution fondamentale et le biais auto-avantageux).

Presque de tout temps, la psychologie a exploré et a fait ressortir la facilité avec laquelle le cerveau fabrique des expériences – les rêves, les hallucinations, les fantasmes et les illusions perceptives. Sigmund Freud était fasciné par notre capacité de créer un tissu d'illusions. «Freud a démasqué nos hypocrisies, nos faux-semblants, nos rationalisations, nos vanités, disait Calvin Hall (1978), et tous les efforts des humanistes et des rationalistes ne réussiront pas à rétablir le masque.» Plus récemment, les spécialistes du cerveau ont découvert que les patients ayant subi une intervention chirurgicale visant à séparer les deux hémisphères du cerveau fabriquent instantanément – et croient – des explications aux comportements incompréhensibles (Gazzaniga, 1985). Lorsque le patient se lève et fait quelques pas après avoir perçu le message «marche» envoyé par l'expérimentateur à son hémisphère droit, non verbal, l'hémisphère gauche, verbal, invente instantanément une explication plausible («J'avais envie d'aller boire quelque chose»).

Les indications les plus frappantes de la pensée illusoire ne nous viennent cependant pas des spéculations de Freud ou des expériences faites avec les patients au cerveau séparé, mais de l'énorme documentation récente traitant de la façon dont nous recevons, emmagasinons et récupérons l'information. Ces derniers temps, les psychologues sociaux ont souligné les égarements auxquels peut nous conduire notre traitement de l'information en dépit de sa valeur généralement adaptative. À l'instar des spécialistes de la perception qui étudient les illusions visuelles – pour ce qu'elles révèlent de nos mécanismes perceptifs normaux –, les psychologues sociaux se penchent sur les distorsions de la pensée sociale pour ce qu'elles révèlent du traitement normal de l'information. Ils veulent nous tracer une carte de la pensée sociale quotidienne où les risques soient clairement indiqués. N'oublions pas, en étudiant ces risques de la pensée, que les démonstrations de la façon dont les gens se forgent de fausses croyances ne prouvent absolument pas que toutes les croyances sont fausses. Toutefois, pour se prémunir de la contrefaçon, mieux vaut savoir comment elle se fabrique. Pour poursuivre la discussion entamée au chapitre 3, explorons donc comment nous formons naturellement nos idées à propos de nous-mêmes et des autres et comment notre traitement de l'information peut mal tourner.

NOUS IGNORONS SOUVENT POURQUOI NOUS FAISONS CE QUE NOUS FAISONS

«Il y a une chose, et une chose seulement dans tout l'univers, qu'il est plus facile de connaître sans observation extérieure», disait C. S. Lewis (1960, p. 18-20). «Cette chose unique c'est [nous-mêmes]. Nous avons, pour ainsi dire, de l'information interne; nous sommes au courant.»

Sans doute y a-t-il des choses que nous connaissons mieux par intuition et par expérience personnelle. La *faillibilité* de la connaissance de soi nous est cependant beaucoup moins évidente; nous *pensons* parfois «être au courant», alors que la fausseté de l'information interne est facilement démontrable. C'est là la conclusion incontournable de fascinantes recherches entreprises récemment.

NOUS OUBLIONS FACILEMENT NOS ATTITUDES ANTÉRIEURES

Que pensiez-vous, il y a cinq ans, du racisme ? du fédéralisme ? de vos parents ? Si vos attitudes ont changé, avez-vous conscience de l'ampleur du changement ?

Pour répondre à ces questions, des expérimentateurs ont demandé à des gens dont les attitudes avaient été modifiées, de se souvenir des attitudes qu'ils avaient avant l'expérience. Le résultat est déconcertant : les gens disent souvent qu'ils ressentaient à peu près la même chose que présentement. Daryl Bem et Keith McConnell (1970), par exemple, ont mené une enquête auprès d'étudiants de l'Université Carnegie-Mellon. Il y avait, perdue dans le questionnaire, une question touchant l'emprise étudiante exercée sur les cours offerts à l'université. Une semaine plus tard, les étudiants acceptèrent de rédiger un essai s'opposant à cette emprise. Leurs attitudes, à la suite de ce travail, se modifièrent pour devenir plus opposées à l'emprise étudiante. Quand on leur demanda de se souvenir de la réponse qu'ils avaient donnée une semaine auparavant, ils se «souvinrent» avoir eu la même opinion que celle qu'ils avaient *présentement* et nièrent que l'expérience avait eu un effet sur eux.

Après avoir vu leurs étudiants de l'Université Clark nier de même leurs attitudes antérieures, D. R. Wixon et James Laird (1976) ont fait remarquer que «la vitesse, l'ampleur et la certitude» avec lesquelles les étudiants révisèrent leur histoire personnelle «étaient remarquables».

Cathy McFarland et Michael Ross (1985) ont découvert que nous allons même jusqu'à réviser nos souvenirs d'opinions sur les autres à mesure que changent nos relations avec eux. Ils ont demandé à leurs étudiants d'évaluer leur partenaire et de procéder à la même évaluation deux mois plus tard. Les étudiants qui étaient en amour plus que jamais avaient tendance à se souvenir d'un coup de foudre, tandis que ceux qui avaient rompu avaient plus tendance à se souvenir d'avoir remarqué que leur partenaire était une personne plutôt égoïste et ayant mauvais caractère.

Ce n'est pas que nous ignorons complètement ce que nous pensons, c'est simplement que, lorsque nos souvenirs sont vagues, nous utilisons nos sentiments actuels comme ligne directrice de ce que nous avons l'habitude de penser. Les parents de chaque génération déplorent les valeurs de la génération suivante, en partie parce qu'ils se souviennent mal de leurs valeurs de jeunesse qu'ils pensent plus près de leurs valeurs actuelles.

NOUS NIONS VOLONTIERS LES INFLUENCES RÉELLES S'EXERÇANT SUR NOUS

Pourquoi avez-vous choisi ce collège? Pourquoi vous êtes-vous emporté contre votre camarade? Pourquoi êtes-vous tombé amoureux de votre fiancée ou de votre conjointe? Pourquoi êtes-vous tombée amoureuse de votre fiancé ou de votre conjoint? Sommés de nous expliquer, nous concocterons peut-être une belle mais fausse histoire.

Expliquer notre comportement

Habituellement, lorsqu'on nous demande pourquoi nous avons agi ou pensé comme nous l'avons fait, nous avons des réponses toutes prêtes. Nos explications sont toutefois souvent erronées lorsque les causes sont moins évidentes. On dit parfois de facteurs très déterminants qu'ils ont eu peu d'effet, tandis qu'on prête un gros impact à des facteurs qui n'étaient que peu déterminants.

Richard Nisbett et Stanley Schachter (1966) en ont fait la démonstration en demandant à des étudiants de l'Université de Columbia de subir une série de chocs électriques d'intensité toujours croissante. On donna auparavant à certains d'entre eux une fausse pilule qui provoquerait, leur dit-on, des sensations de palpitations, de respiration irrégulière et de papillons dans l'estomac – exactement les symptômes que provoquent habituellement les chocs électriques. Nisbett et Schachter s'attendaient à ce que les participants attribuent par conséquent ces symptômes de chocs électriques à la fausse pilule plutôt qu'aux chocs et qu'ils seraient plus disposés à tolérer davantage de chocs que ceux qui n'avaient pas reçu la pilule. L'effet fut effectivement considérable – les gens ayant reçu la fausse pilule endurèrent quatre fois plus de chocs. Quand on les informa après coup qu'ils avaient subi plus de chocs que la moyenne, on leur demanda pourquoi. Non seulement leurs réponses ne firent-elles aucune allusion à la pilule, mais lorsqu'on insista (et même après que l'expérimentateur leur eut expliqué en détail l'hypothèse de l'expérience) ils nièrent tout effet de la pilule. Ils disaient habituellement que la pilule avait probablement influencé les *autres* mais pas eux; la réponse typique était «Je n'ai même pas pensé à la pilule».

«Tu ne connais pas ton propre esprit.»

Jonathan Swift, *Polite Conversation*, 1738

Il arrive, par ailleurs, que les gens pensent *avoir été* influencés par quelque chose n'ayant aucun effet. Nisbett et Timothy Wilson (1977), par exemple, ont demandé à des étudiants de l'Université du Michigan d'évaluer un film documentaire. Au cours de la projection, une scie électrique fut actionnée à l'extérieur de la pièce. La plupart des spectateurs estimèrent que ce bruit dérangeant avait influencé leurs évaluations. En fait, leurs évaluations n'étaient en rien différentes de celles des participants du groupe témoin qui avaient visionné le film sans distraction.

Plusieurs études où l'on demanda aux gens d'écrire chaque jour leurs états d'esprit, pendant une période de deux ou trois mois, donnent encore plus à réfléchir (Stone *et al.*, 1985; Weiss et Brown, 1976; Wilson *et al.*, 1982). Les gens notèrent également les facteurs pouvant influencer leur humeur: le jour de la semaine, la température, la durée de leur sommeil, et ainsi de suite. À la fin de chacune des études, les gens déterminèrent le degré d'influence que chacun des facteurs exerçait sur leur humeur. Il y avait remarquablement peu de relation (compte tenu qu'on avait attiré leur attention sur leurs états d'esprit quotidiens) entre leurs perceptions de l'importance d'un facteur et l'exactitude avec laquelle ce facteur prédisait effectivement leur humeur. En fait, leurs estimations de la justesse avec laquelle la température ou le jour de la semaine avait prédit leur humeur n'étaient pas meil-

«Il y a trois choses extrêmement dures, l'acier, le diamant et se connaître soi-même.»

Benjamin Franklin

leures que les estimations faites par des étrangers. Ces résultats soulèvent une question déconcertante: Quel est notre degré de perspicacité quant aux causes de notre bonheur ou de notre malheur?

Prédire notre comportement

Finalement, nous prédisons souvent très mal ce que sera notre propre comportement. Quand on demande aux gens s'ils accepteraient ou non d'administrer de cruels chocs électriques ou s'ils hésiteraient à venir en aide à une victime en présence d'autres personnes, ils nient massivement leur vulnérabilité à des influences de ce genre. Comme nous le verrons, les expériences ont cependant démontré que plusieurs d'entre nous sommes vulnérables. Considérons de plus ce qu'a découvert Sydney Shrauger (1983) lorsqu'il a demandé à des étudiants de prédire la probabilité qu'ils vivent des douzaines d'événements différents au cours des deux mois suivants (tomber en amour, être malade, etc.). Leurs prédictions personnelles n'étaient pas plus exactes que les prédictions fondées sur l'expérience de la moyenne des individus. Ce que l'on peut dire de plus certain par rapport à notre avenir c'est qu'il est difficile à prédire. Le meilleur conseil à donner à ceux qui désirent prédire leur comportement futur est de réfléchir à leur comportement passé dans des situations semblables (Osberg et Shrauger, 1986).

Sagesse et illusions de l'auto-analyse

C'est donc dans une large mesure que nous faisons souvent de faux énoncés au sujet de ce que nous ressentions par le passé, de ce qui nous a influencés et de ce que nous penserons et ferons dans l'avenir. Nos «compréhensions intuitives de nous-mêmes» sont parfois complètement fausses. Il ne faut cependant pas exagérer. Nos perceptions de soi peuvent être exactes lorsque les causes du comportement sont évidentes et que l'explication correcte correspond à notre intuition (Gavanski et Hoffman, 1987). Par exemple, Peter Wright et Peter Rip (1981) ont trouvé que des élèves du secondaire en Californie *pouvaient* discerner comment leurs réactions à un collège étaient influencées par des caractéristiques comme ses dimensions, ses frais de scolarité et son éloignement de la maison. C'est lorsque les causes du comportement ne sont pas évidentes, pas même à un observateur, que les explications que nous donnons de notre propre comportement deviennent plus fausses.

Soutenant que nous ne sommes pas conscients d'une bonne part de ce qui se passe dans notre esprit, les psychologues prétendent que nous mettons fort peu en pratique le conseil de Thalès, «Connais-toi toi-même». Les études de la perception et de la mémoire démontrent que nous avons surtout conscience des *résultats* de notre pensée plutôt que de son *processus*. Nous avons tous fait l'expérience des résultats du travail inconscient de notre esprit – lorsque nous recourons à une horloge mentale inconsciente pour enregistrer le passage du temps afin de nous réveiller à une heure précise ou lorsque la réponse à un problème mis en «incubation» inconsciente surgit apparemment de façon spontanée et créatrice. C'est ainsi que les scientifiques créateurs et les artistes sont souvent incapables de rendre compte du processus cognitif ayant engendré leurs idées.

Le psychologue social Timothy Wilson (1984) avance l'idée audacieuse que les processus mentaux dictant notre comportement social sont différents de ceux auxquels nous faisons appel lorsque nous tentons consciemment d'expliquer notre comportement. C'est pourquoi nos déclarations d'attitudes, dans la mesure où elles reposent sur une auto-analyse rationnelle, risquent de ne pas refléter nos attitudes sous-jacentes guidant en fait notre comportement. Au cours de neuf expériences, Wilson et ses collaborateurs (1989) ont découvert que les attitudes exprimées par les gens – à l'égard des choses ou des individus – prédisaient raisonnablement bien leur comportement à venir, *sauf* si l'on demandait aux gens d'analyser leurs sentiments avant d'indiquer leurs attitudes. Quand, par exemple, des couples engagés dans une relation suivie indiquèrent, sur une échelle graduée, leur degré de satisfaction par rapport à cette relation, leurs sentiments exprimés constituaient une mesure de prédiction raisonnablement exacte de la probabilité qu'ils soient encore ensemble après plusieurs mois; mais s'ils commençaient, avant l'indication sur l'échelle graduée, par dresser la liste de toutes les raisons leur venant à l'esprit et pour lesquelles leur relation était bonne ou mauvaise, leurs attitudes exprimées n'étaient alors plus d'aucun secours pour prédire l'avenir de leur relation! Manifestement, le processus de dissection de la relation attirait l'attention des gens sur les facteurs plus faciles à verbaliser, mais qui étaient, en fait, moins importants que d'autres aspects plus difficiles à verbaliser. Comme l'avait vu Pascal il y a plus de 300 ans, «Le cœur a ses raisons que la raison ne connaît pas.»

Murray Millar et Abraham Tesser (1985, 1989) sont d'avis que Wilson exagère notre ignorance de nous-mêmes. Leur recherche indique que, effectivement, le fait d'attirer l'attention des gens sur les *raisons* peut diminuer l'utilité des rapports d'attitudes pour prédire des comportements suscités par des *sentiments*. Si Wilson avait demandé aux gens de se mettre davantage en contact avec leurs sentiments («Que ressentez-vous lorsque vous êtes avec votre partenaire et lorsque vous n'êtes pas avec lui ou elle?»), plutôt que de leur demander d'analyser rationnellement leur relation amoureuse, alors leurs déclarations subséquentes d'attitudes auraient peut-être été *plus* perspicaces. D'autres domaines de comportement – par exemple, le choix de l'école à fréquenter, à partir de considérations telles que le coût, le plan de carrière, et ainsi de suite – semblent plus motivés par la raison. Quand il s'agit de ce genre de comportements, l'analyse des raisons plutôt que des sentiments peut être très utile. Il semble donc que si le cœur a des raisons échappant à l'esprit conscient, les raisons de l'esprit sont parfois décisives.

En résumé, nous oublions facilement nos anciennes attitudes et éprouvons de la difficulté à identifier les influences auxquelles nous sommes assujettis. Cette recherche sur l'aspect incomplet de la connaissance de soi-même présente au moins deux implications pratiques. La première vaut pour l'investigation psychologique. Les introspections d'un client ou des participants à des expériences peuvent fournir des indices utiles de leurs processus psychologiques, mais ces *énoncés sur soi sont souvent peu fiables*. Les erreurs des gens en matière de compréhension de soi posent des limites à l'utilité scientifique de leurs déclarations subjectives personnelles.

La deuxième implication a des ramifications dans nos vies quotidiennes. La sincérité avec laquelle les gens rapportent et interprètent leurs expériences ne constitue pas une garantie de la validité de ces rapports personnels. Le fait de garder à l'esprit cette possibilité d'erreur pourrait peut-être nous aider à nous sentir moins intimidés par les autres et à être moins crédules.

«L'intelligence seule est un instrument extraordinairement imprécis.»

Madeline L'Engle, *A Wind in the Door*

NOS IDÉES PRÉCONÇUES DICTENT NOS INTERPRÉTATIONS ET NOS SOUVENIRS

Les expériences indiquent que l'une des caractéristiques importantes de notre fonctionnement cognitif est l'influence de nos idées préconçues sur notre façon de percevoir et d'interpréter les informations qui nous parviennent et de nous en souvenir. La plupart d'entre nous n'ont pas besoin des expériences pour reconnaître que leurs croyances actuelles influencent leur manière d'interpréter les événements et de s'en souvenir. Il nous est toutefois difficile de comprendre l'ampleur de ce phénomène. Penchons-nous sur certaines expériences récentes nous montrant que l'influence de nos croyances est effectivement très grande. Certaines d'entre elles examinent comment les *préjugés* modifient la façon dont les gens perçoivent et interprètent l'information qu'on leur donne. D'autres expériences implantent un jugement dans l'esprit des gens *après* transmission de l'information; ces expériences ont pour but d'étudier comment les idées après coup biaisent le *souvenir* des gens.

COMMENT NOUS PERCEVONS ET INTERPRÉTONS LES ÉVÉNEMENTS

C'est habituellement dans les cours d'introduction à la psychologie que l'on étudie la preuve des effets de nos préjugés et de nos attentes. Plusieurs démonstrations illustrent que ce que nous voyons sur une image peut être influencé par ce que nous nous attendons d'y trouver. Souvenez-vous du chien dalmatien au chapitre 1. Ou regardez cette phrase :

UN

OISEAU

DANS LA

LA MAIN

Avez-vous remarqué une anomalie ? La perception, c'est plus que ce que voit l'œil. Nous en avons eu la preuve tragique lorsque l'équipage du *USS Vincennes* a pris un avion iranien pour un F-14 et s'est ensuite arrangé pour mal percevoir l'information radar. Lors d'une audience du Congrès portant sur l'incident, le psychologue social Richard Nisbett (1988) fit remarquer que «les effets des attentes sur la création et l'entretien d'hypothèses erronées peuvent être dramatiques».

La même chose vaut pour la perception sociale. Comme nous l'avons vu au chapitre 1, les partisans des deux camps adverses peuvent, lors d'une compétition athlétique agressive, trouver chacun de leur côté que l'autre équipe est la plus ignoble. Parce que les perceptions sociales sont d'abord et avant tout dans l'œil de la personne qui regarde, le stimulus le plus simple peut frapper fort différemment deux individus. Dire «Brian Mulroney est un premier ministre ordinaire» peut paraître comme un abaissement aux yeux d'un de ses ardents admirateurs, alors que, pour qui le considère avec mépris, l'énoncé apparaîtra comme la preuve d'un parti pris favorable.

Une expérience effectuée par Robert Vallone, Lee Ross et Mark Lepper (1985) souligne la forte influence de nos idées préconçues sur nos perceptions sociales. Ils ont présenté à des étudiants pro-Israéliens et pro-Arabes six extraits de téléjournaux décrivant le «Massacre de Beyrouth» de 1982 – le meurtre de réfugiés civils dans deux camps du Liban. Comme le montre la figure 4.1, chacun des groupes a perçu les téléjournaux comme hostiles à leur point de vue et cherchant à les faire changer d'avis. C'est là un phénomène courant: les candidats présidentiels et leurs partisans perçoivent les bulletins d'information des médias comme antipathiques à leur cause; les partisans sportifs perçoivent les arbitres comme partiaux en faveur du camp opposé; les gens en conflit (couples mariés, employeurs et employés, groupes raciaux s'opposant) considèrent les médiateurs impartiaux comme ayant envers eux des partis pris défavorables.

«Je vois selon ce que je suis.»
Ralph Waldo Emerson, *Essays*

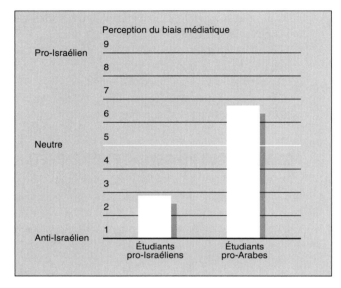

Figure 4.1
Les étudiants pro-Israéliens et pro-Arabes qui regardèrent les reportages des médias sur le «Massacre de Beyrouth» trouvèrent la couverture de l'événement biaisée négativement contre leur point de vue. (Information tirée de Vallone, Ross et Lepper, 1985.)

Nos suppositions communes concernant le monde peuvent même nous faire voir une preuve contraire à nos idées comme étant en accord avec nos idées. Ross et Lepper assistèrent Charles Lord (1979) dans la présentation de deux prétendues nouvelles études à des étudiants de l'Université Stanford. La moitié des étudiants était en faveur de la peine capitale, alors que l'autre y était opposée. L'une des études confirmait les croyances des étudiants par rapport à l'efficacité de la peine capitale à prévenir le crime. L'autre étude infirmait ces croyances. Les partisans et les adversaires de la peine capitale acceptèrent de bon gré la preuve confirmant leur point de vue, mais se montrèrent très critiques vis-à-vis de la preuve l'infirmant. Le fait de leur montrer les deux côtés d'un ensemble *identique* de preuves pour et contre n'a cependant en rien diminué leur désaccord, mais l'a plutôt *augmenté*. Chacun des deux camps avait perçu la preuve confirmant son point de vue et y croyait encore plus fermement.

Serait-ce là la raison pour laquelle une preuve ambiguë active plutôt qu'elle n'éteint les feux du débat entre personnes d'avis contraires, que ce soit en politique, en religion ou en science? Les scientifiques sont, eux aussi, influencés par leurs propres perceptions. Rappelez-vous le chapitre 1 où l'on voyait dans quelle mesure les croyances et les valeurs transparaissent dans les sciences. C'est pour cette raison que les philosophes des sciences prennent soin de nous rappeler que nos observations de la réalité sont toujours «chargées de théorie». Il y a certes une réalité objective, mais c'est toujours à travers les lunettes de nos croyances, de nos attitudes et de nos valeurs que nous la percevons. C'est là une des raisons pour les-

«Dès que vous avez une idée, elle influence votre perception de toutes les autres informations pertinentes. Quand vous considérez une nation hostile, vous interprétez probablement les gestes ambigus de cette nation comme des marques d'hostilité.»
Robert Jervis, politicologue, 1985

quelles nos croyances sont si importantes; elles modèlent notre interprétation de tout le reste, et bien souvent avait raison. Nos idées préconçues quant aux normes éditoriales de certains journaux tabloïds justifieront probablement notre indifférence à l'égard de titres tels que «Les ordinateurs communiquent avec les morts». En ce sens, elles nous sont utiles. Les biais qu'elles créent de temps en temps sont le prix qu'il nous faut payer pour l'aide qu'elles nous fournissent lorsque nous devons filtrer et organiser efficacement d'énormes quantités d'informations.

C'est aujourd'hui un fait accepté que les idées préconçues influencent autant la pensée scientifique que la pensée quotidienne. Les expériences de manipulation des idées préconçues des gens, avec leurs étonnants résultats sur la façon dont ils interprètent et se rappellent ce qu'ils observent, sont par contre moins bien connues. Myron Rothbart et Pamela Birrell (1977) ont demandé à des étudiants de l'Université d'Oregon de déterminer l'expression faciale de «Kurt Waldheim» d'après la photographie ci-dessous. Les étudiants à qui l'on avait dit qu'il était un leader raciste de la Gestapo nazie, responsable d'expériences médicales barbares sur les prisonniers des camps de concentration, ont jugé son expression sur cette photo comme cruelle et renfrognée. (Pouvez-vous voir cette ombre de sourire méprisant?) Ceux à qui on avait dit qu'il était l'un des chefs du mouvement clandestin antinazi, dont le courage avait sauvé la vie de milliers de Juifs, jugèrent son expression faciale plus chaleureuse et humaine. (À bien y penser, voyez ce regard bienveillant et ce sourire qui s'ébauche.)

«L'erreur de l'œil dirige l'esprit : ce qui est conduit par l'erreur va nécessairement errer.»

Shakespeare, *Troilus et Cressida*

Kurt Waldheim : Diriez-vous de cet homme qu'il est bon ou cruel ?

Le chercheur de l'Allemagne de l'Ouest Harald Wallbott (1988) a de la même façon dirigé les perceptions que les gens se font de l'émotion en manipulant le cadre dans lequel un visage était observé. Il souligne que les cinéastes connaissent ce procédé sous le nom de l'«effet Kulechov», nom donné en l'honneur d'un réalisateur soviétique qui guidait adroitement les inférences des spectateurs en manipulant leurs suppositions. Kulechov a fait la démonstration du phénomène en produisant trois courts métrages présentant l'expression faciale neutre d'un acteur après avoir d'abord montré aux spectateurs une femme morte, une assiette de soupe ou une fillette en train de jouer – si bien que l'acteur avait l'air triste, pensif ou heureux.

Persistance des croyances

Pour vous donner une idée des prochaines expériences, essayez de vous souvenir de la relation entre les bouches d'incendie et le taux de criminalité, dont nous avions parlé vers la fin du chapitre 2. (Cet exemple voulait démontrer que les gens qui expliquent activement quelque chose ont les meilleures chances de s'en souvenir.) Permettez-nous maintenant de clore ce dossier en confessant que les chercheurs, dans cette étude, n'avaient aucune information quant à la relation entre le nombre de bouches d'incendie dans une région et son taux de criminalité; ils avaient simplement inventé cette relation. Quelle est, d'après vous, cette relation? Que, à mesure que grimpe le nombre de bouches d'incendie dans une région, son taux de criminalité a tendance à augmenter ou à diminuer?

Au cours d'expériences, Lee Ross, Craig Anderson et leurs collègues ont pareillement fait croire une fausseté à des gens pour essayer ensuite de la discréditer. Si une idée fausse biaise la façon dont les gens traitent l'information, ses effets sur la pensée seront-ils effacés lorsque, plus tard, on la discréditera? Imaginez une gardienne d'enfants se disant, au cours d'une soirée passée avec un bébé qui pleure sans cesse, que le lait de vache donne des coliques aux bébés: «Pensez-y, le lait de vache convient manifestement mieux aux veaux qu'aux bébés.» Quand on découvre par la suite que le bébé avait une forte fièvre, la gardienne persistera-t-elle, malgré tout, à penser que le lait de vache donne des coliques (Ross et Anderson, 1982)?

Les expériences révèlent qu'il est en fait étrangement difficile d'éliminer une fausseté après l'avoir enrobée dans un raisonnement. Au cours de chacune des expériences, on commençait d'abord par établir une croyance, que ce soit en la proclamant vraie (comme dans le cas des bouches d'incendie et de la criminalité) ou en incitant l'individu à conclure à sa véracité après en avoir étudié deux exemples types. On demandait ensuite aux gens d'expliquer *pourquoi* elle était vraie. Pour finir, on discréditait totalement l'information initiale – on disait la vérité aux gens, que l'information avait été fabriquée de toutes pièces et que l'on avait donné à la moitié des participants une théorie ou de l'information contraire. Cela n'empêcha pas la nouvelle croyance de survivre au discrédit, en restant intacte à 75 %, probablement parce que les gens conservèrent leurs explications inventées pour le bénéfice de la croyance. Ce phénomène, appelé **persistance des croyances**, démontre que les croyances peuvent vivre d'elles-mêmes, en survivant au discrédit de la preuve qui leur avait donné naissance.

Anderson, Lepper et Ross (1980) ont, par exemple, demandé à des gens si les personnes prenant des risques faisaient de bons ou de mauvais pompiers. Ils ne leur donnèrent que deux cas concrets à examiner; on montra à l'un des groupes une personne aimant pren-

Persistance des croyances: S'accrocher à son idée de départ, comme lorsque le fondement de la croyance est discrédité, mais que survit une explication de la raison pour laquelle la croyance pourrait être vraie.

dre des risques qui faisait un excellent pompier et une personne prudente qui faisait un mauvais pompier. À l'autre groupe on montra des cas suggérant la conclusion contraire. Après s'être forgé une théorie à l'effet que les gens aimant prendre des risques faisaient de meilleurs ou de pires pompiers, les gens en rédigèrent une explication – par exemple, que les personnes aimant prendre des risques sont braves, ou que les personnes prudentes font attention. Une fois créée, chaque explication pouvait exister indépendamment de l'information ayant initialement donné naissance à la croyance. C'est ainsi que, lorsqu'on discrédita l'information, les gens continuèrent de croire aux explications qu'ils s'étaient eux-mêmes forgées, persistant par conséquent à croire que les personnes aimant prendre des risques *faisaient* vraiment de meilleurs ou de pires pompiers.

Il ne faudrait cependant pas conclure de ce qui précède que le discrédit n'est jamais efficace. Elizabeth Loftus (1979) a observé qu'un témoin qui se rétracte lors d'un procès n'a pas d'effet sur l'opinion déjà formée des membres du jury. Mais qu'arrive-t-il si, lors d'un procès, les témoins qui se succèdent affirment avoir vu, entendu ou soupçonné quelque chose qui leur fait croire que l'accusé est coupable, mais qu'ils sont suivis d'un dernier témoin, mieux placé qu'eux lors de l'événement et qui, d'emblée, se déclare incertain? Selon Jacques-Philippe Leyens (1983), ce dernier témoignage est suffisant pour renverser l'opinion des jurés.

Ces expériences indiquent également que plus nous examinons de près nos théories pour voir *si* elles sont vraies, plus nous risquons de discréditer de l'information. Au moment où nous nous demandons pourquoi telle personne accusée est coupable, pourquoi quelqu'un nous faisant mauvaise impression à première vue se comporte ainsi ou pourquoi les actions choisies vont prendre de la valeur sur le marché, nos explications peuvent survivre aux preuves les plus fortes (Jelalian et Miller, 1984).

Lorsque les croyances qui nous concernent personnellement survivent au discrédit, il peut alors en résulter un comportement autodestructeur. Un échec aux mains d'un enseignant incompétent peut conduire les gens à se percevoir eux-mêmes comme incompétents, bien après que les causes de leur échec eurent été expliquées et éliminées (Lepper *et al.*, 1986). La persistance des croyances peut aussi aller dans l'autre sens: qu'on pense, par exemple, aux gens qui se font dire qu'ils ont beaucoup de potentiel par l'établissement américain d'enseignement par correspondance *Famous Writers*. Quand ils découvrent que d'autres personnes ayant répondu à la même annonce ont reçu des lettres identiques, cela les empêchera-t-il de s'accrocher à l'idée que l'évaluation est exacte en ce qui *les* concerne et d'entreprendre une infortunée carrière d'écrivain (Slusher et Anderson, 1989)?

En résumé, il ne fait aucun doute que nos croyances et nos attentes influencent fortement notre façon de remarquer et d'interpréter les événements. Tout bien pesé, nous tirons certainement profit de nos idées préconçues, tout comme les scientifiques bénéficient des théories qui les guident dans leur interprétation et leur perception des événements. Mais il y a parfois un prix à payer pour ces bénéfices; nous devenons prisonniers de nos propres modèles intellectuels. C'est ainsi qu'on s'aperçut que les canaux si souvent observés sur Mars étaient effectivement le produit d'une vie intelligente – l'intelligence de la personne regardant dans le télescope.

«Personne ne nie que de nouveaux faits puissent faire changer les gens d'idée. Les enfants finissent par renoncer à leur croyance au père Noël. Nous disons seulement que ces changements se produisent en général lentement et qu'il faut souvent des preuves plus éloquentes pour modifier une croyance que pour en susciter une.»
Lee Ross et Mark Lepper, 1980

«Les deux tiers de ce que nous voyons se trouvent derrière nos yeux.»
Proverbe chinois

Les gens qui prennent des risques font-ils de bons ou de mauvais pompiers ?

Y a-t-il moyen de limiter le phénomène de la persistance des croyances ? Il existe heureusement un remède fort simple : *expliquer le contraire*. Charles Lord, Mark Lepper et Elizabeth Preston (1984) ont réitéré l'expérience de l'étude sur la peine capitale en y ajoutant deux variations. Ils ont d'abord demandé à certains de leurs participants d'être «*aussi objectifs* et *sans parti pris* que possible» au moment d'évaluer la preuve. Ce fut sans résultat; les partisans et les adversaires de la peine capitale à qui l'on avait fait cette demande se montrèrent aussi partiaux dans leur évaluation de la preuve que les participants à qui l'on n'avait pas fait cette demande spécifique. Dans une autre variation, les chercheurs demandèrent à un troisième groupe de considérer le point de vue opposé – de se demander «s'ils auraient fait les mêmes évaluations si la même étude avait produit des résultats en faveur du point de vue *contraire*». Devant la possibilité de résultats contradictoires, ces participants avaient tendance à être beaucoup moins partiaux dans leurs évaluations de la preuve en faveur de leur opinion ou contre elle. De même, au cours de ses expériences, Craig Anderson (1982 ; Anderson et Sechler, 1986) a constamment trouvé que le fait d'expliquer pourquoi la théorie contraire pourrait être vraie – pourquoi une personne prudente ferait un meilleur pompier que celle aimant prendre des risques – réduisait ou éliminait la persistance des croyances. Pour contrecarrer la persistance des croyances, forcez-vous donc à expliquer pourquoi la croyance contraire pourrait être vraie.

COMMENT NOUS NOUS SOUVENONS DES ÉVÉNEMENTS

Nos croyances ne dictent pas seulement nos perceptions et nos interprétations, mais elles régissent également nos souvenirs. Êtes-vous ou non d'accord avec l'énoncé suivant ?

> On peut comparer la mémoire à un tiroir du cerveau où nous pouvons déposer du matériel, pour ensuite le retirer si c'est nécessaire. Il arrive parfois que quelque chose se perde dans le «tiroir» et c'est alors que nous disons avoir oublié.

Élaboration de la mémoire

Environ 85 % des étudiants sont d'accord pour dire que la mémoire est comme un tiroir (Lamal, 1979). Comme le dit une annonce de la revue *Psychology Today*, «La science a prouvé que notre cerveau conserve parfaitement l'expérience accumulée tout au long de la vie.» En fait, la recherche en psychologie a pratiquement prouvé le contraire. Beaucoup de souvenirs ne sont pas des copies d'expériences passées demeurant en dépôt dans notre banque de souvenirs. Les souvenirs sont plutôt souvent construits au moment du retrait (Loftus, 1980b; Loftus et Loftus, 1980). À l'instar du paléontologue inférant l'apparition d'un dinosaure à partir de fragments osseux, nous pouvons reconstruire notre passé lointain à partir de bribes d'information. C'est ainsi qu'il peut facilement (quoique inconsciemment) nous arriver d'adapter nos souvenirs à notre connaissance actuelle. Quand l'un de mes fils se plaignit «qu'il n'avait pas reçu le numéro de juin de la revue *Croc*» et que je lui montrai où il se trouvait, il répondit avec beaucoup de charme «Ah, bon! Je savais bien que je l'avais reçu!»

L'élaboration de la mémoire permet aux gens de modifier leur propre histoire. Par exemple, Michael Ross, Cathy McFarland et Garth Fletcher (1981) ont fait entendre à des étudiants de l'Université de Waterloo un message les convainquant des avantages de se brosser les dents. Plus tard, à l'occasion d'une expérience différente (apparemment), ces étudiants se rappelèrent s'être plus souvent brossé les dents au cours des deux dernières semaines que les autres étudiants n'ayant pas entendu le message. De même, lorsqu'on s'enquiert auprès d'échantillons représentatifs des Américains de leur consommation de cigarettes et que l'on fait la projection de leurs rapports sur un plan national, il y manque au moins un tiers des 600 milliards de cigarettes vendues annuellement (Hall, 1985). Remarquant la similitude de ces résultats avec les événements relatés dans le roman de George Orwell, *1984* – où il fallait «se souvenir des événements de la bonne façon» –, le psychologue social Anthony Greenwald (1980) présume que nous avons tous des «ego totalitaires» qui modifient constamment nos passés en faveur de nos visions actuelles.

Il arrive parfois que nous pensons nous être améliorés – nous pouvons, dans ce cas, mal nous souvenir de notre passé pour le voir plus *différent* du présent que ce qu'il n'était en réalité. Cette tendance pourrait nous aider à comprendre une paire de résultats inexplicables auxquels nous aboutissons sans cesse; les études de recherche démontrent que les gens participant à des programmes d'amélioration personnelle (programmes de diète, antitabagisme, exercices physiques, psychothérapie) ne montrent qu'une légère amélioration dans l'ensemble, tout en prétendant en avoir tiré d'énormes avantages (Myers, 1989). Michael Ross et Michael Conway (1985) proposent une solution partielle à ce problème. Ayant consacré du temps, des efforts et de l'argent dans cette entreprise, les gens se diront, fort à propos, «Peut-être ne suis-je pas maintenant parfait, mais, avant, j'étais pire; cela m'a fait beaucoup de bien». C'est exactement la même façon de penser qu'ont rencontrée Conway et Ross (1984) lorsqu'ils ont demandé aux participants d'un cours de techniques d'étude de faire un rapport de leurs habitudes d'étude avant et après le cours. Les participants croyaient que l'expérience avait amélioré leurs techniques, en comparaison surtout de leurs souvenirs maintenant biaisés de leurs si mauvaises techniques avant de suivre le cours. Mais en dépit de leur dépréciation du passé et de leur optimisme concernant leur avenir scolaire, la triste vérité est que leurs notes n'ont pas changé.

Vous pouvez comprendre l'élaboration de la mémoire en vous souvenant d'une scène d'une de vos expériences passées favorites... Vous voyez-vous dans la scène? Si oui, votre souvenir est sûrement une reconstruction parce qu'au moment de la scène réelle vous ne vous voyiez pas.

Les études sur les dépositions contradictoires de témoins oculaires illustrent davantage notre tendance à nous souvenir du passé avec grande confiance et maigre certitude. Elizabeth Loftus et John Palmer (1973) ont montré à des étudiants de l'Université de Washington le film d'un accident de la circulation et leur ont ensuite posé des questions sur ce qu'ils avaient vu. Ceux à qui on posa la question «À quelle vitesse allaient les automobiles quand elles se sont fracassées l'une contre l'autre?» estimèrent la vitesse plus élevée que ceux à qui on demanda «À quelle vitesse allaient les automobiles quand elles se sont frappées?» Une semaine plus tard, on leur demanda aussi s'ils se souvenaient d'avoir vu de la vitre brisée. Bien qu'il n'y ait pas eu de vitre brisée dans l'accident, les gens à qui l'on avait posé la question contenant l'expression «fracassées» avaient deux fois plus tendance à rapporter avoir vu de la vitre brisée que ceux à qui l'on avait posé la question contenant l'expression «frappées». Il faut ajouter qu'il est très difficile pour des observateurs amateurs de faire la différence entre les souvenirs irréels (ceux élaborés à partir de suggestions) et les souvenirs fondés sur l'expérience véritable (Schooler *et al.*, 1986). Ces expériences démontrent comment, lors de l'élaboration de nos souvenirs, nous utilisons inconsciemment nos connaissances générales et nos croyances pour combler les lacunes, organisant de ce fait de simples fragments de notre véritable passé en un souvenir convaincant. Ce qui ne veut pas dire que nos connaissances générales nous empêchent nécessairement de retenir l'information spécifique. C'est du moins ce qu'a démontré Zuroff (1989) dans le cas de la formation d'impression.

Ce processus d'élaboration de la mémoire influence la manière dont nous nous rappelons des événements tant physiques que sociaux. Jack Croxton, Timothy Eddy et Nancy Morrow (1984) ont demandé à des étudiants de converser 15 minutes avec quelqu'un. Après l'entretien, ceux à qui l'on dit que leur interlocuteur avait déclaré avoir apprécié autant leur vis-à-vis que l'expérience avaient plus tard tendance à se souvenir de cette personne comme étant détendue, à l'aise et heureuse. Ceux que l'on informa du contraire se souvinrent de leur interlocuteur comme d'une personne nerveuse, mal à l'aise et pas très heureuse.

Amorçage:
Activation d'associations spécifiques dans la mémoire.

Pour comprendre ce phénomène, il est utile de savoir comment fonctionnent nos souvenirs. On peut considérer que les fragments de mémoire sont enregistrés dans un tissu d'associations. Pour retracer un souvenir, il nous faut en suivre le fil, processus appelé **amorçage** (Bower, 1986). L'amorçage est ce que le philosophe-psychologue William James a décrit comme l'«éveil des associations». Nos associations sont souvent stimulées ou amorcées à notre insu. Le fait de lire une encyclopédie de médecine peut amorcer notre pensée, activer notre imagination et nous pousser à interpréter la moindre petite tache noire à la surface de notre peau comme le symptôme de l'imminence d'un cancer généralisé. Au cours des expériences, les idées implantées dans l'esprit des gens agissent comme des idées préconçues de longue date: elles influencent automatiquement – involontairement, sans effort et à leur insu – l'interprétation qu'ils se font des événements et le souvenir qu'ils en ont (Bargh, 1989). Selon Jean-Claude Croizet (1991), l'amorçage dans la formation d'impression peut être efficace même quand il n'y a pas de lien descriptif entre un comportement que le sujet doit qualifier et les traits (par exemple, «ouvert/hypocrite») qui servent d'amorce, mais seulement un lien d'évaluation (par exemple, «printemps/cadavre»).

Les psychiatres et les psychologues cliniciens ne sont pas à l'abri de ces tendances humaines involontaires. En fait, tous nous *remarquons, interprétons et nous rappelons les événements de façon sélective, de manière à entretenir nos idées.*

NOUS SURESTIMONS L'EXACTITUDE DE NOS JUGEMENTS

Nous avons vu la facilité avec laquelle nous pouvons nous faire de fausses idées par rapport : (1) à ce que nous avons pensé et ressenti dans le passé; (2) aux causes de notre comportement; et (3) à ce que nous ferons. Nous avons également vu comment nos croyances dictent nos perceptions, nos interprétations et nos souvenirs. Inconscients de ces tendances, il se peut que nous soyons également inconscients de nos erreurs de jugement.

PHÉNOMÈNE DE SURCONFIANCE

La prétention intellectuelle évidente dans les jugements que nous portons sur nos connaissances antérieures (le phénomène du «je-le-savais!» étudié au chapitre 1) touche également les évaluations que nous faisons de nos connaissances actuelles. Daniel Kahneman et Amos Tversky (1979), par exemple, ont posé des questions factuelles à des gens, leur demandant de remplir les espaces vides comme dans la phrase «Je suis certain ou certaine à 98 % que la distance aérienne entre New Delhi et Pékin est de plus de _____ kilomètres mais de moins de _____ kilomètres.»

Les gens se montrèrent confiants à l'excès : dans 30 % des cas, les réponses exactes se trouvaient à l'extérieur de la marge dont ils s'estimaient certains à 98 %. Baruch Fischhoff et ses collègues (1977) ont découvert que le même **phénomène de surconfiance** se produit lorsque les gens indiquent leur degré de certitude par rapport aux réponses qu'ils ont données à des questions à choix multiples (Lequel est le plus long : [a] le canal de Panama ou [b] le canal de Suez?»). Si les gens ont 60 % de chances de répondre correctement à une question de ce genre, ils se *sentiront* habituellement certains à 75 %.

POURQUOI SOMMES-NOUS CONFIANTS À L'EXCÈS ?

La surconfiance est un fait acquis pour la psychologie expérimentale, qui touche nos prédictions concernant le comportement social des gens (Fischhoff, 1982; Dunning *et al.*, 1989). Le problème est maintenant de savoir ce qui la provoque. Pourquoi faisons-nous tant confiance à nos jugements? Pourquoi l'expérience ne nous incite-t-elle pas à une auto-évaluation plus réaliste? Il y a à cela plusieurs raisons (Klayman et Ha, 1987; Skov et Sherman, 1986). Pour commencer, les gens ne sont pas enclins à rechercher l'information susceptible de réfuter ce qu'ils croient. P. C. Wason (1960) l'a démontré, comme vous-même pouvez le faire, en donnant à des gens une série de trois nombres – 2, 4, 6 – qui était conforme à une règle qu'il avait à l'esprit (la règle était simplement *n'importe lesquels de trois nombres ascendants*). Pour aider les gens à découvrir la règle, Wason autorisa chaque personne à produire des séries de trois nombres. À chacune des séries, Wason disait à la personne si la série se conformait ou non à la règle. Lorsqu'ils étaient certains d'avoir découvert la règle, les gens devaient s'interrompre et l'annoncer. Le résultat? Les gens avaient rarement raison, mais ne doutaient jamais : 23 des 29 participants se persuadèrent d'une fausse règle. Ils se sont forgé de fausses croyances sur ce qu'était la règle de Wason (par exemple, compter par deux) pour ne chercher ensuite que des données *confirmant* ces croyances (par exemple, 8, 10, 12) plutôt que d'essayer de *réfuter* leurs intuitions. D'autres expériences confirment qu'*il nous est difficile de renoncer à nos idées*. Nous désirons ardemment valider nos croyances, mais nous

Phénomène de surconfiance :
Tendance à être plus sûr de soi qu'à avoir raison - à surestimer l'exactitude de ses propres croyances.

«Quand vous connaissez quelque chose, soutenir que vous la connaissez; et quand vous ne connaissez pas quelque chose, vous permettre de ne pas le savoir; c'est cela la connaissance.»
Confucius, *Analects*

Biais de confirmation:
Tendance à chercher l'information confirmant ses idées préconçues.

ne sommes pas enclins à rechercher la preuve susceptible de les réfuter, phénomène connu sous le nom de **biais de confirmation**. Selon Jean-Philippe Leyens (1989), dans une situation d'entrevue, ce biais sera d'autant plus grand que la personne qui pose les questions interagit avec l'autre plutôt que de se contenter de formuler des questions pour une entrevue éventuelle. De plus, les questions les plus biaisées sont posées au début plutôt qu'à la fin de l'entrevue.

Cette préférence pour l'information qui confirme aide à comprendre pourquoi nos images de soi sont si remarquablement stables. Au cours d'expériences à l'Université du Texas à Austin, William Swann et Stephen Read (1981a; 1981b) ont découvert que les étudiants recherchaient, provoquaient et se rappelaient presque toujours les réactions confirmant les idées qu'ils se faisaient d'eux-mêmes. Swann et Read relient leurs observations à la manière dont se comporterait, dans une réunion mondaine, une personne ayant une image de soi de dominateur. Dès son arrivée, cette personne *cherche* les invités qui, elle le sait, reconnaissent sa domination. Au cours de la conversation, elle présente alors ses idées de façon à *provoquer* le respect qu'elle s'attend maintenant à avoir. Après la soirée, elle a du mal à se souvenir des conversations où son influence était minime et *se souvient* beaucoup plus facilement de son pouvoir de persuasion dans les conversations où elle dominait. Elle croit ainsi que son image de soi a été grandement fortifiée.

SURCONFIANCE CROISSANTE

Il y a de multiples situations où nous devons aboutir à une conclusion après avoir pris en considération un certain nombre d'informations. Ces situations peuvent relever d'une tâche professionnelle, comme lorsqu'un médecin ou un psychologue clinicien doivent poser un diagnostic, mais elles peuvent aussi être le lot de chacun d'entre nous quand, par exemple, nous analysons les différents symptômes que nous éprouvons pour aboutir à une conclusion quant à la gravité d'une maladie, quant au besoin de consulter un professionnel, etc.

La confiance excessive du départ augmente alors avec l'apport de nouvelles informations (Oskamp, 1965; Lamarche, 1988b). Cela est particulièrement vrai lorsque les questions sont difficiles. Ce phénomène, simple à décrire, semble avoir plusieurs causes, le biais de confirmation n'en étant qu'une parmi d'autres. Nous avons observé que la confiance augmente de la même façon lorsque les informations présentées se rapportent à la formation d'impression (série de traits présentée par écrit), c'est-à-dire à un traitement d'information où il n'y a pas nécessairement de réponses correctes (Lamarche, 1988a).

La plupart des situations où nous devons porter un jugement comportent des informations dont la validité ne fait pas de doute, mais aussi, comme dans la formation d'impression, des informations approximatives. La plupart d'entre nous ne font pas suffisamment attention à l'ampleur de leur incertitude quand il s'agit de combler les lacunes de leurs connaissances par une chaîne d'inférences portant sur les contraintes de la situation qui ont pu avoir un effet sur le comportement de quelqu'un à un moment donné (Griffin *et al.*, 1990).

SURCONFIANCE DANS LA VIE QUOTIDIENNE

Dans la vie de tous les jours, nous portons plus volontiers notre attention sur ce qui se passe *réellement* que sur ce qui *ne* se passe *pas*. Au travail, par exemple, la plupart des gens donnent un assez bon rendement, de sorte que les dirigeants en arrivent à avoir confiance

La distance aérienne entre New Delhi et Pékin est de 4 023 kilomètres. Le canal de Suez est deux fois plus long que le canal de Panama.

dans leur propre habileté à identifier les candidats prometteurs; scrutant leurs employés, ils se sentent gratifiés du bon rendement de la majorité. Les dirigeants ne peuvent pas examiner ceux qu'ils n'ont pas embauchés, si bien qu'il est difficile d'imaginer comment ils pourraient contrecarrer leur surconfiance dans leur habileté à embaucher (Slovic, 1972). Il en est de même pour les experts à la Bourse qui, armés de leur dernière transaction sensationnelle, vendent leurs services avec la confiante présomption qu'ils peuvent surpasser la moyenne à la Bourse. Mais, aussi incroyable que cela puisse paraître, l'économiste Burton Malkiel (1985) rapporte que le rendement des portefeuilles de fonds mutuels choisis par les spécialistes en investissements ne surpassent pas celui des actions choisies au hasard.

Il y un rapprochement qui mérite d'être fait entre les travaux sur la perception de sa propre efficacité, ce que nous avons appelé l'auto-efficacité dans le chapitre précédent, et les travaux portant sur le réalisme de la confiance, les premiers étant un cas particulier de ces derniers (Lamarche, 1989). Les experts, par définition, sont des personnes qui ont des connaissances que le commun des mortels n'a pas. C'est ainsi qu'ils veulent être perçus et c'est ainsi qu'ils se perçoivent. Certaines recherches récentes montrent cependant qu'ils se trompent plus souvent qu'ils ne le pensent. John Winterdyk (1988), par exemple, observe que des policiers canadiens sont moins informés qu'ils ne le pensent des pièges que peuvent comporter les informations provenant de témoignages visuels. Les évaluations des manuscrits par les éditeurs révèlent également une marge d'erreur étonnante dans le jugement humain. Les recherches en psychologie ont démontré qu'il y a habituellement une relation plus que modeste entre deux évaluations d'un manuscrit effectuées par deux réviseurs différents. Cela ne vaut pas seulement pour la psychologie. L'écrivain Chuck Ross (1979), empruntant un pseudonyme, fit parvenir à 38 des plus importantes maisons d'édition et agences littéraires américaines une copie dactylographiée du roman de Jerzy Kosinski intitulé *Steps*. Toutes le rejetèrent, y compris Random House qui avait publié le livre en 1968 et l'avait vu gagner le *Book Award* et se vendre à plus de 400 000 exemplaires. C'est la maison Houghton Mifflin, éditeur de trois autres romans de Kosinski, qui faillit le plus l'accepter: «C'est avec admiration pour le style et l'écriture que plusieurs d'entre nous ont lu votre roman sans titre. Comme point de comparaison, c'est Jerzy Kosinski qui nous vient à l'esprit... Dans sa forme actuelle, ce manuscrit présente l'inconvénient de ne pas former un tout satisfaisant.»

«Les sages connaissent trop bien leurs faiblesses pour endosser l'infaillibilité; et celui qui en sait le plus est celui qui sait à quel point il en sait peu.»
Thomas Jefferson, *Writings*

Concernant la bombe atomique: «C'est la plus grosse folie que nous ayons jamais faite. La bombe n'explosera jamais et c'est en tant qu'expert en explosifs que je le dis.»
Amiral William Leahy au président Truman, 1945

Comme l'insinue cet exemple, les dirigeants trop confiants en eux-mêmes peuvent faire des ravages. C'est un Lyndon Johnson confiant qui a investi des armes américaines et des soldats dans l'effort de sauver la démocratie au Viêt-nam du Sud. C'est un Ronald Reagan confiant qui croyait que vendre des armes à l'Iran favoriserait la modération et aiderait à la libération des otages au Liban. C'était une équipe de dirigeants de la NASA confiants qui ordonnèrent le lancement de la navette spatiale *Challenger* malgré les réserves émises par les ingénieurs quant à sa sécurité. Ce sont des dirigeants confiants qui lancèrent leurs hommes à l'assaut de Kanesatake, au cours duquel un policier devait perdre la vie.

Les dirigeants trop confiants en eux-mêmes peuvent causer des ravages, comme ce fut le cas des dirigeants de la NASA qui ordonnèrent le lancement de la navette spatiale *Challenger* en dépit des réserves émises par les ingénieurs quant à sa sécurité.

POUR REMÉDIER À LA SURCONFIANCE

Quelles leçons constructives pouvons-nous tirer de la recherche sur la surconfiance ? Quand les gens sont absolument certains d'avoir raison, nous pouvons en conclure qu'ils ont 85 % de chances de ne pas se tromper (Fischhoff, 1982).

Deux techniques utilisées au cours d'expériences ont réussi à diminuer le biais de la surconfiance. Former les gens en leur donnant une rétroaction rapide quant à l'exactitude de leurs jugements semble aider (Lichtenstein et Fischhoff, 1980). Dans la vie quotidienne, ceux qui font les prévisions météorologiques et ceux qui établissent les cotes pour les courses de chevaux reçoivent une rétroaction claire et quotidienne sur l'exactitude de leurs prévisions – et les experts de chacun de ces groupes réussissent assez bien à estimer l'exactitude probable de leurs prédictions (Fischhoff, 1982). Une autre façon de réduire la surconfiance consiste à demander aux gens de réfléchir à une bonne raison pouvant justifier qu'ils se trompent, les forçant ainsi à tenir compte de l'information réfutant leurs jugements (Koriat *et al.*, 1980). Peut-être les dirigeants pourraient-ils entretenir des jugements plus réalistes s'ils demandaient que toutes les propositions et les recommandations soient accompagnées des raisons expliquant pourquoi elles pourraient ne pas fonctionner.

Il nous faut tout de même faire attention de ne pas miner la confiance en soi des gens au point qu'ils consacrent trop de temps à s'analyser ou que les doutes commencent à ronger leur esprit d'initiative. Quand il leur faut faire preuve de sagesse, ces manques de confiance en soi peuvent les empêcher de s'affirmer ou de prendre des décisions difficiles. La *surconfiance* peut nous nuire, mais une confiance en soi réaliste est un moyen d'adaptation.

SOUVENT NOUS NE TENONS PAS COMPTE D'INFORMATIONS UTILES

Un groupe de psychologues interrogèrent un échantillon de 30 ingénieurs et de 70 avocats et résumèrent leurs impressions sous la forme de croquis décrivant ces individus. La description suivante fut tirée au hasard parmi l'échantillon des 30 ingénieurs et des 70 avocats:

> Jack est un homme de 39 ans.
>
> *Question:* Quelle est la probabilité que Jack soit un avocat plutôt qu'un ingénieur?

Ne détenant que cette information concernant Jack, la plupart des gens supposent que ses chances d'être un avocat sont de 70% si c'est là la fréquence (ou «ligne de base») des avocats à l'intérieur de l'échantillon duquel on tira son nom.

Voyons maintenant un autre exemple tiré du même échantillon d'avocats et d'ingénieurs.

> Divorcé deux fois, Frank passe la plupart de ses temps libres à traîner au club. Ses conversations de bar tournent souvent autour des regrets qu'il éprouve d'avoir essayé de suivre les traces de son vénéré père. Les longues heures qu'il a consacrées à de fastidieux travaux universitaires lui auraient été plus bénéfiques s'il les avait consacrées à apprendre à être moins querelleur avec les gens.

Quand on leur demanda de deviner la profession de Frank, plus de 80% des étudiants de l'Université d'Oregon supposèrent qu'il était l'un des avocats (Fischhoff et Bar-Hillel, 1984). Assez juste. Mais jusqu'à quel point pensez-vous que changèrent leurs évaluations lorsqu'on modifia la description de l'échantillon pour dire que 70% étaient des ingénieurs? Pas le moins du monde. Les étudiants ne tinrent pas compte de la ligne de base des ingénieurs et des avocats; dans leur esprit, Frank était plus représentatif des avocats et c'est tout ce qui semblait avoir de l'importance.

En retournant maintenant à Jack, qu'arriverait-il, selon vous, si l'on ajoutait de l'information anecdotique et sans rapport?

> Jack est un homme de 39 ans. Il est marié et n'a pas d'enfant. Homme de grande compétence et très motivé, il est voué à un brillant avenir professionnel. Ses collègues l'apprécient beaucoup.

Cette information ne donne aucun indice permettant de savoir si Jack est avocat ou ingénieur. Les gens le savent puisqu'ils disent habituellement que ses chances d'être l'un ou l'autre sont de 50-50 – *en dépit* du fait qu'on leur ait ou non dit qu'il y avait 70% d'avocats et 30% d'ingénieurs dans le groupe de Jack (Kahneman et Tversky, 1973). Voilà qui illustre jusqu'à quel point nous utilisons de l'information anecdotique et ne tenons pas compte de l'information abstraite (comme les statistiques).

USAGE QUE NOUS FAISONS D'INFORMATIONS INUTILES

Notre empressement à ne pas tenir compte d'informations utiles et à nous servir d'informations inutiles ressort également de certaines expériences amusantes. Voyons les deux questions suivantes adaptées d'une expérience effectuée par Henry Zukier (1982 ; Nisbett *et al.*, 1981).

> Roberta est une étudiante qui consacre une moyenne d'environ trois heures par semaine à étudier en dehors des cours. Quelle serait, d'après vous, sa moyenne universitaire ?
>
> Judith est une étudiante qui consacre une moyenne d'environ trois heures par semaine à étudier en dehors des cours. Judith a quatre plantes dans son appartement. Durant la semaine, elle se couche vers minuit. Elle a un frère et deux sœurs. Sa plus longue période de fréquentation amoureuse a été de deux mois. Elle se décrit comme étant souvent de bonne humeur. Quelle serait, d'après vous, sa moyenne universitaire ?

La première question ne donne qu'une parcelle d'information utile. Les gens à qui on la pose évaluent habituellement les notes comme étant faibles. Devant des questions comme la seconde, les gens ne croient pas qu'il y ait un rapport entre le nombre de plantes que possède quelqu'un et sa moyenne universitaire. Lorsqu'on ajoutait cependant de l'information inutile à l'information utile touchant le temps d'étude, la première diminuait l'impact de la seconde – de telle sorte qu'il n'était plus important de savoir si l'étudiante hypothétique consacrait 3 heures ou 31 heures par semaine à l'étude ! En s'occupant de l'information inutile, les gens ratèrent l'information cruciale. Le fait que la personne évaluée appartienne à son propre groupe (par exemple, Québécois) ou à un autre groupe (par exemple, Australiens) ne modifie pas la manifestation de l'effet (Denhaerinck *et al.*, 1989).

Thomas Gilovich (1981) a observé une utilisation semblable de l'information inutile lorsqu'il demanda à des journalistes sportifs et à des entraîneurs de football de la Californie d'évaluer le potentiel professionnel d'hypothétiques joueurs de football universitaires. Gilovich découvrit avec amusement que les jugements ne dépendaient pas seulement de l'information pertinente touchant l'habileté du joueur, mais également de banalités telles que le fait qu'un joueur soit issu de la même ville qu'un joueur professionnel bien connu.

Certaines informations, sans être inutiles, peuvent parfois être plus ou moins redondantes. Germaine de Montmollin et Vincent Rogard (1987) ont noté que, lorsque des personnes doivent se former une impression sur quelqu'un, la présentation d'un comportement redondant négatif par rapport à un trait central lui-même négatif entraîne une impression générale nettement plus négative, alors qu'un comportement et un trait positifs redondants ne produisent pas une impression générale nettement plus positive.

NE PAS TENIR COMPTE DE L'INFORMATION SUR LA LIGNE DE BASE

L'information anecdotique et spécifique a parfois un énorme pouvoir de persuasion. Les chercheurs Richard Nisbett et Eugene Borgida (Nisbett *et al.*, 1976) ont étudié la tendance à surutiliser de l'information anecdotique en montrant à des étudiants de l'Université du Michigan des entrevues sur bandes vidéo de gens qui auraient participé à une expérience où pratiquement personne ne vint en aide à quelqu'un en proie à une attaque. Le fait de leur dire à l'avance comment la plupart des participants s'étaient effectivement comportés n'eut presque pas d'effet sur leurs prédictions touchant le comportement de la personne observée. L'apparente gentillesse de tel individu était plus frappante et irrésistible que la vérité

Erreur de la ligne de base:
Tendance à ne pas tenir compte de la ligne de base (information décrivant la plupart des gens) et d'être plutôt influencé par des caractéristiques particulières au cas jugé.

générale concernant le véritable comportement de la plupart des participants: «Ted a l'air tellement sympathique que je ne peux l'imaginer indifférent au malheur d'autrui.» Voilà qui illustre l'**erreur de la ligne de base**: s'attarder à l'individu en particulier semblait pousser à l'arrière-plan l'information utile concernant le groupe d'appartenance de la personne.

Il y a certes un aspect positif à considérer les gens à titre d'individus plutôt qu'à titre de simples unités statistiques. Mais le problème surgit lorsque nous formulons nos croyances à propos des gens en général en nous basant sur nos observations d'individus en particulier; se préoccuper des individus peut facilement gauchir nos perceptions quant à ce qui est généralement vrai. Nos impressions concernant un groupe, par exemple, semblent trop influencées par les membres extrémistes du groupe. C'est ainsi que l'on pourrait expliquer l'impact démesuré qu'a eu l'image largement télédiffusée de citoyens ontariens se servant du drapeau québécois pour s'essuyer les pieds. Les colonnes de chiffres d'un sondage ont peu d'influence comparativement à celle du caractère frappant d'une pareille image.

Il serait exagéré de dire que les gens ne tiennent jamais compte de l'information touchant la ligne de base. Les gens utiliseront ces données lorsque leur pertinence saute aux yeux ou lorsqu'ils sont déjà sensibilisés à leur importance (Zukier et Pepitone, 1984; Ginossar et Trope, 1987). Si l'on nous dit, par exemple, que les élèves ont eu un taux d'échec élevé pour tel examen en particulier, nous en déduirons que l'examen était difficile, ce qui influencera par la suite notre jugement quant à la probabilité que tel élève réussisse l'examen. De même en sera-t-il pour l'information pouvant toucher tous les individus d'un échantillon; pour trouver, par exemple, la probabilité que telle famille ait été victime d'un cambriolage, on se servira de l'information concernant la fréquence des cambriolages d'appartement dans cet immeuble spécifique.

Il n'en reste pas moins que la recherche laisse supposer un principe de base de la pensée sociale chez les humains: les gens sont lents à déduire des cas particuliers à partir d'une vérité générale, mais sont remarquablement rapides à inférer une vérité générale à partir d'un cas frappant. Dans une étude effectuée à l'Université du Michigan, on présenta aux étudiants un cas frappant d'assistance sociale – un article de revue portant sur une femme portoricaine bonne à rien qui a eu une ribambelle d'enfants indisciplinés engendrés par une série de conjoints de fait. Lorsque l'on compara ce cas aux statistiques factuelles touchant les cas d'assistance sociale – par exemple, l'information indiquant que, contrairement à ce cas, 90 % des bénéficiaires d'aide sociale de sa catégorie d'âge «n'ont plus besoin d'aide sociale après une période de quatre ans» – les faits eurent moins d'impact sur les idées des gens quant à la paresse et à l'état lamentable des bénéficiaires de l'aide sociale que n'en eut ce seul cas éloquent (Hamill *et al.*, 1980). Il n'est donc pas surprenant que, après avoir entendu et lu d'innombrables cas de viol, de vol qualifié et d'agression physique, 9 Canadiens sur 10 surestiment – habituellement dans une très large mesure – le pourcentage de crimes comportant de la violence (Doob et Roberts, 1988).

«Les exemples ont plus d'impact sur l'esprit que les préceptes.»
Henry Fielding, *Joseph Andrews*

L'exemple frappant vient quelquefois de l'expérience personnelle. Lors d'une expérience, 85 % des étudiants de l'Université de Varsovie, en Pologne, qui avaient dialogué avec une expérimentatrice chaleureuse et amicale choisirent par la suite, entre deux photographies, la femme lui ressemblant le plus comme celle qui était la plus amicale des deux; les étudiants qui n'avaient pas d'abord dialogué avec l'expérimentatrice chaleureuse choisirent en fait l'une ou l'autre dans une proportion de 50-50 (Lewicki, 1985). Au cours d'une étude complémentaire, l'expérimentatrice se comporta de façon *inamicale* avec la moitié des étudiants. Lorsque ceux-ci eurent à recourir à leur expérience pour choisir l'une des deux femmes sur les photographies, ils évitèrent presque toujours celle qui ressemblait un peu à l'expérimentatrice. (Peut-être pouvez-vous, vous aussi, vous souvenir d'une fois où vous avez réagi positivement ou négativement à quelqu'un qui vous faisait penser à quelqu'un d'autre.)

Avant d'acheter ma nouvelle Honda, j'ai consulté l'enquête faite par le *Consumer Reports* auprès des propriétaires de voitures et j'y ai trouvé le coût des réparations pour la Dodge Colt que j'avais déjà considérée comme assez bonne. Un peu plus tard, j'ai fait part à un étudiant de mon intérêt pour la Colt. «Ah non! se récria-t-il, oubliez la Colt! L'été dernier, j'ai travaillé dans un garage et j'ai dû m'occuper de deux Dodge Colt qui tombaient toujours en morceaux et qu'il fallait toujours réparer pour un problème ou un autre.» Comment ai-je utilisé cette information – de même que les témoignages enthousiastes de deux de mes amis possédant une Honda? Me suis-je contenté d'ajouter un iota de deux propriétaires de Colt et de Honda aux enquêtes effectuées par le *Consumer Reports* auprès de propriétaires de Colt et de Honda? Même si je savais que c'était ce que la logique me demandait de faire, il m'était presque impossible de minimiser ma conscience de ces comptes rendus frappants.

HEURISTIQUE DE LA DISPONIBILITÉ

Les témoignages personnels des gens ont plus de poids que l'information générale, en partie parce que l'information vivante se grave plus profondément dans la mémoire (Reyes *et al.*, 1980). Arrêtons-nous aux deux questions suivantes:

1. Dans la langue anglaise, la lettre *k* apparaît-elle plus souvent en tant que troisième lettre d'un mot qu'en tant que première lettre?
2. Quel est le pourcentage de morts aux États-Unis attribuables annuellement aux:
   —— accidents?
   —— maladies cardio-vasculaires (par exemple, crises cardiaques)?

Vos réponses reflètent probablement la tendance humaine à juger de la probabilité des événements en fonction de la rapidité avec laquelle les exemples viennent à l'esprit. Si l'on a facilement des exemples *disponibles* en mémoire – comme les exemples frappants que sont d'habitude les morts accidentelles –, on aura alors tendance à supposer que l'événement est banal. Il l'est habituellement, de sorte que nous sommes souvent bien servis par cette approximation cognitive appelée **heuristique de la disponibilité**. (L'heuristique est une stratégie simple et efficace de pensée – une approximation.) Mais nous ne sommes pas toujours bien servis par cette faculté. Les événements faciles à imaginer, tels que les maladies aux symptômes faciles à décrire, peuvent sembler plus probables que les maladies aux symptômes plus difficiles à décrire (Sherman *et al.*, 1985).

L'heuristique de la disponibilité explique pourquoi le risque perçu est souvent sans commune mesure avec les véritables risques. Les séquences filmées d'accidents d'avion sont facilement disponibles dans la mémoire des gens. Cela en pousse plusieurs à croire, à tort, qu'ils courent plus de risques à voyager en avion qu'à voyager en automobile. Dans les faits, les voyageurs nord-américains, entre 1980 et 1986, couraient 76 fois plus de risques de périr dans un accident routier que dans un accident d'avion commercial couvrant la même distance. De même, bien des gens croyant que le charbon constitue une source d'énergie moins dangereuse que l'énergie nucléaire (qui n'a d'ailleurs pas encore tué qui que ce soit aux États-Unis - Lewis, 1985) tiennent à peine compte des dizaines de milliers de personnes suc-

Heuristique de la disponibilité: Approximation efficace mais faillible qui détermine la probabilité des choses en fonction de leur disponibilité dans la mémoire. Si des exemples d'une chose nous viennent facilement à l'esprit, nous supposons qu'elle est habituelle.

combant silencieusement à des maladies reliées au charbonnage et à la pollution de l'air, pour ne rien dire des futures conséquences de l'amplification de l'effet de serre. Le principe est que les événements dramatiques nous restent plus à l'esprit, et, lorsque nous jugeons de la probabilité des événements, nous nous servons de ce qui est facile à se rappeler – l'heuristique de la disponibilité.

Dans leur recherche sur la préservation de l'énergie, Marti Gonzales et ses collègues (1988) ont montré comment on peut faire servir l'heuristique de la disponibilité à de bonnes causes. Ils ont formé des vérificateurs d'énergie domestique à communiquer leurs découvertes aux propriétaires en se servant d'images frappantes et mémorables. Plutôt que d'indiquer simplement les petits espaces près des portes où se perd la chaleur, le vérificateur devait dire : «En additionnant toutes les fissures autour et en dessous des portes de votre maison, on aurait un trou de la grosseur d'un ballon de football dans le mur de votre salon.» Grâce à des commentaires de ce genre et à la mise à contribution active des propriétaires, en leur faisant mesurer les fissures et déclarer leur intention d'y remédier, les vérificateurs provoquèrent une augmentation de 50 % du nombre de clients s'inscrivant à des programmes de financement d'énergie.

ILLUSIONS DE CAUSALITÉ, DE CORRÉLATION ET DE CONTRÔLE PERSONNEL

Une autre des influences pesant sur notre pensée quotidienne est notre désir d'organiser les hasards, une tendance pouvant nous mener aux illusions de corrélation et de contrôle.

CORRÉLATION ILLUSOIRE

Corrélation illusoire :
Perception d'une relation entre deux facteurs là où il n'y en a pas ou perception d'une relation plus marquée que celle qui existe réellement.

Il est facile de voir une corrélation là où il n'y en a pas. Lorsque nous nous attendons à trouver des relations significatives, il nous est facile de mal percevoir les hasards comme étant reliés de façon significative – une **corrélation illusoire**. L'un des volets de la recherche de William Ward et Herbert Jenkins (1965), menée conjointement avec les Laboratoires de Bell Téléphone, consistait à montrer aux gens les résultats d'une expérience hypothétique d'ensemencement des nuages sur une période de 50 jours. Ils indiquèrent à leurs participants les jours où furent ensemencés les nuages et les jours où il plut. Cette information n'était rien d'autre qu'un mélange de résultats pris au hasard; il y eut quelquefois de la pluie après l'ensemencement et quelquefois il n'y en eut pas. Les gens n'en furent pas moins convaincus – conformément à leur supposition intuitive concernant les effets de l'ensemencement des nuages – qu'ils avaient vraiment observé une relation entre l'ensemencement des nuages et la pluie.

D'autres expériences confirment qu'il est facile pour les gens de mal percevoir les hasards pour y voir la confirmation de leurs croyances (Crocker, 1981; Jennings *et al.*, 1982; Troiler et Hamilton, 1986). Quand nous croyons qu'il y a une corrélation entre deux événements, nous avons tendance à remarquer et à nous rappeler davantage les cas qui la confirment que ceux qui la réfutent. Le fait que deux événements inhabituels surviennent conjointement – par exemple, la prémonition d'un événement étrange qui, effectivement, se produit subséquemment – est beaucoup plus susceptible d'être remarqué et mémorisé que toutes les fois où ces événements inhabituels ne coïncidaient pas. Par conséquent, nous sur-estimons facilement la fréquence à laquelle ces événements étranges se produisent. Si un ami nous appelle au moment où, justement, nous pensions à lui, nous aurons beaucoup plus tendance à remarquer et à nous rappeler cette coïncidence que toutes les fois où nous avons pensé à un ami sans qu'il y ait eu d'appel téléphonique ou des fois où nous avons reçu un appel de quelqu'un à qui nous ne pensions pas.

Thomas Gilovich (1988) nous propose un autre exemple familier: les couples «stériles» qui adoptent un enfant ont plus de chances de concevoir que les couples semblables qui n'adoptent pas d'enfant. Les couples qui adoptent, selon la théorie populaire, finissent par se détendre – et conçoivent. Mais nous n'avons pas besoin d'une théorie de ce genre, parce qu'elle n'est pas nécessaire. Bien que les chercheurs n'aient trouvé aucune corrélation entre l'adoption et la conception, notre attention est attirée par les couples qui ont conçu après avoir adopté (plutôt que par ceux qui ont conçu avant d'adopter ou ceux qui n'ont pas conçu après avoir adopté).

> «Ce ne sont pas tant les choses que nous ne connaissons pas qui nous donnent des problèmes. Ce sont les choses que nous croyons connaître.»
> Dicton américain du XIXᵉ siècle

Notre difficulté à reconnaître les hasards et les coïncidences pour ce qu'ils sont nous prédispose à percevoir de l'ordre même devant une série d'événements due au seul hasard (voir l'encadré). Au cours du bombardement de l'Angleterre par les Allemands lors de la Seconde Guerre mondiale, les Londoniens émirent des théories élaborées sur les cibles visées par les Allemands. Plus tard, toutefois, lorsqu'on divisa Londres en petites régions géographiques, les bombardements par région semblèrent avoir été faits au hasard (Feller, 1968). Cependant, et à cause du fait que les hasards ont tendance à survenir en bloc – tirez 20 fois à pile ou face et vous obtiendrez plusieurs piles et plusieurs faces consécutives – les gens pouvaient «voir» un certain ordre *après* les bombardements. Il en va de même pour le personnel hospitalier qui explique parfois les séries de garçons et de filles dans la suite des naissances en imaginant des théories comme celle qui veut que les garçons soient conçus au cours d'une certaine phase de la lune. Et les joueurs de basket-ball, de concert avec leurs instructeurs, se fondent sur les séries de bons et de mauvais lancers pour se passer le ballon en conséquence – malgré des analyses statistiques complètes et détaillées révélant que les joueurs professionnels et universitaires n'ont pas une plus grande probabilité de faire un panier tout de suite après en avoir réussi un que tout de suite après en avoir manqué un (Gilovich, 1988). Un lanceur à 50 % aura effectivement des séries de paniers réussis et manqués, mais il n'en aura pas plus que celui qui tire à pile ou face n'aura de séries de piles et de faces.

Ce désir humain intense de trouver de l'ordre jusque dans les hasards est ce qui nous pousse aux attributions. En attribuant telle ou telle cause aux événements, nous ordonnons nos vies et nous arrangeons pour que les choses nous semblent plus prévisibles et maîtrisables. Cette tendance est habituellement fonctionnelle, mais elle peut parfois nous égarer.

TROUVER UN ORDRE DANS LES HASARDS

Si l'on tire à pile ou face six fois, l'une des trois séries suivantes de piles (P) et de faces (F) serait-elle plus probable que les deux autres: FFFPPP ou FPPFPF ou FFFFFF?

Daniel Kahneman et Amos Tversky (1972) ont découvert que les gens pensaient que la série FPPFPF et son contraire étaient plus probables que les deux autres. En fait, n'importe quelle série précise de résultats, en tirant six fois, a une chance sur 64 de se produire.

Illusion du contrôle:
Perception de pouvoir contrôler des événements incontrôlables ou de les voir plus contrôlables qu'ils ne le sont en réalité.

ILLUSION DU CONTRÔLE

Notre tendance à percevoir les hasards comme étant reliés nourrit l'illusion fréquente que les événements chanceux sont soumis à notre contrôle personnel. Lors de sécheresses récentes aux États-Unis et en Angleterre, les médias firent état de plusieurs danses de la pluie dont très peu furent suivies de pluie. Au cours de la sécheresse de l'été 1988, Elmer Carlson, un fermier à la retraite, organisa une danse de la pluie avec 16 amérindiens Hopis, à Audubon, en Iowa. Le jour suivant, il y eut 2,5 cm de pluie. «Les miracles existent toujours, il suffit de les demander», expliqua Carlson (*Associated Press*, 1988). Pour l'exposition de Vancouver de 1988, on fit appel à un sorcier amérindien, non pour attirer la pluie, mais pour la faire cesser...

Contrôle perçu au moment de parier

Ellen Langer (1977) a démontré l'illusion du contrôle grâce à des expériences portant sur le comportement du parieur. Les gens se laissaient facilement convaincre qu'ils pouvaient triompher du hasard. S'ils choisissaient eux-mêmes leur numéro de loterie, ils demandaient quatre fois plus cher pour la vente de leur billet que les gens dont le numéro avait été déterminé par l'expérimentateur. S'ils jouaient à un jeu de hasard contre une personne nerveuse et maladroite, ils étaient beaucoup plus disposés à gager que lorsqu'ils jouaient contre une personne sûre d'elle et bien mise. Ces comportements de même que d'autres ont incité Langer à faire remarquer que les gens se comportent comme s'ils pouvaient décider des hasards.

L'étude des vrais parieurs a confirmé ces découvertes expérimentales. Les joueurs de dés se comportent comme s'ils pouvaient conditionner le résultat en lançant doucement pour faire sortir les petits chiffres et en lançant fort pour faire sortir les plus gros chiffres (Henslin, 1967). Pour mettre à profit les résultats de ses expériences, Langer propose aux loteries nationales de donner aux participants le choix maximal touchant leurs billets – laisser les gens choisir leurs propres numéros chanceux – de façon à maximiser les paris. Le fait que l'industrie du pari prospère dans la mesure où les parieurs sont victimes de l'illusion du contrôle est la preuve que ce phénomène résiste à la raison. Les espoirs des parieurs de triompher des lois du hasard alimentent leurs paris. On attribue les victoires à la compétence et à la perspicacité du parieur, tandis que l'on dira des pertes qu'il s'en est fallu de peu pour qu'elles soient des victoires, ce peu étant un hasard extraordinaire – peut-être (pour le parieur sur les événements sportifs) une mauvaise décision de l'arbitre ou un bond insolite de la balle (Gilovich et Douglas, 1986).

Une autre des études de Langer indique que, lorsque les gens connaissent des succès inhabituels et rapides dans des activités de hasard, ils ne tiendront probablement pas compte des échecs futurs (Langer et Roth, 1975). Les gens devaient prédire les résultats de 30 tirs à pile ou face. Langer truqua la rétroaction de façon que certains participants gagnent presque toujours aux 10 premiers tirs et que les autres perdent presque tout le temps ou gagnent et perdent au hasard. Sur l'ensemble des 30 tirs, chaque personne arrivait toutefois au même résultat total, soit 15 victoires et 15 défaites. Ceux qui débutèrent avec une série assez constante de victoires firent néanmoins des évaluations gonflées du nombre de tirs qu'ils avaient réellement prédits et du nombre de tirs qu'ils pourraient prédire si on leur donnait 100 essais. Ceux qui connaissent des succès rapides dans des tâches faisant appel aux perceptions extra-sensorielles ont pareillement tendance à se souvenir d'avoir eu plus de succès que ceux qui avaient connu des échecs rapides, et ce, même lorsque les résultats ultérieurs démontraient que la performance globale pour les deux groupes n'était imputable qu'à un simple niveau de chance (Zenker *et al.*, 1982). Qu'il s'agisse de prédire des tirs à pile ou face ou des événements futurs, les gens connaissant de rapides succès en viennent manifestement à se percevoir comme doués et, par conséquent, ne tiennent pas compte de leurs éventuels échecs. Notre propension à croire que les événements sont contrôlables est apparemment si forte que quelques résultats positifs et rapides peuvent suffire à provoquer l'illusion du contrôle.

L'illusion du contrôle prend plusieurs formes.

«J'exécuterai maintenant la danse des conditions partiellement nuageuses et des températures modérées.»

En famille, il nous est déjà arrivé de régler des disputes banales en tirant à pile ou face. À un moment donné, l'un de mes fils a commencé à se plaindre qu'il perdait toujours. Je lui rappelai que chaque tir était une affaire de 50-50. À ma consternation, il essuya encore plusieurs défaites consécutives. Aucun raisonnement logique ne pouvait plus réussir à le convaincre qu'il avait vraiment une chance égale, 50-50, pour le tir suivant. Les résultats des expériences de Langer sont d'autant plus impressionnants que ses participants n'étaient pas des garçons de 10 ans, mais des étudiants instruits de l'Université Yale.

Régression vers la moyenne

Tversky et Kahneman (1974) ont identifié une autre façon dont peut se manifester l'illusion du contrôle: nous n'admettons pas le phénomène de la **régression vers la moyenne** malgré qu'elle se produise souvent dans la vie quotidienne. En voici un exemple très simple: étant donné que les résultats d'examen sont imparfaitement en corrélation, la plupart des élèves ayant obtenu des résultats extrêmement élevés lors d'un examen obtiendront des résultats moins élevés à l'examen suivant. Leurs premiers résultats touchent le plafond, de sorte que le second résultat de chaque élève risque davantage de baisser («régresser») vers sa moyenne personnelle plutôt que de défoncer le plafond. (Voilà pourquoi l'élève qui travaille bien de façon constante va parfois terminer un cours à la tête de sa classe, même s'il n'a jamais été le meilleur.) Inversement, ceux qui ont obtenu les plus faibles résultats au premier examen vont probablement s'améliorer. Ainsi, le professeur donnant des leçons particulières aux élèves les plus faibles lors du premier examen se verra probablement récompensé de ses efforts, même si les leçons particulières, comme telles, n'ont rien donné.

Le psychologue devant traiter des gens lorsqu'ils sont le plus abattus aura pareillement de meilleures chances de se voir gratifié par leurs progrès subséquents que de les voir se détériorer davantage. Quand ça va extrêmement mal, nous ferons n'importe quoi plutôt que d'attendre passivement la suite des événements, et ce que nous entreprendrons – que ce soit une psychothérapie, un régime alimentaire doublé d'exercices physiques ou la lecture d'un livre sur l'effort personnel – provoquera probablement plus d'amélioration que de détérioration. C'est la raison pour laquelle notre initiative semble souvent efficace, qu'elle ait ou non vraiment eu un effet quelconque.

Nous admettons parfois que les événements ne peuvent pas toujours continuer de se situer à une extrémité bonne ou mauvaise. L'expérience nous a enseigné que, lorsque tout va bien, quelque chose va mal tourner et que, lorsque la vie nous envoie des coups durs, nous pouvons habituellement nous attendre à ce que les choses s'améliorent. Il nous arrive quand même assez souvent de ne pas admettre cet effet de régression. Nous nous demandons pourquoi le joueur de baseball de l'année est souvent moins bon l'année suivante – est-il devenu présomptueux? conscient de lui-même? Nous oublions que la performance exceptionnelle a tendance à régresser vers la normalité. Imaginez l'entraîneuse d'une équipe de volley-ball qui récompense son équipe par des éloges et une légère pratique après le meilleur match de la saison et qui la harcèle après un match particulièrement mauvais. L'équipe en conclut alors, à tort, que les récompenses entraînent une moins bonne performance au match suivant tandis que les punitions améliorent la performance – ne comprenant pas que, étant donné qu'on ne peut se fier totalement à la performance, les performances inhabituelles ont tendance à retourner à la normale. Les parents et les enseignants peuvent aboutir aux mêmes conclusions erronées après avoir réagi à des comportements exceptionnellement bons ou mauvais.

Voulant simuler les conséquences des éloges et de la punition, Paul Schaffner (1985) invita des élèves du collège Bowdoin à entraîner un hypothétique garçon de quatrième année, du nom de «Harold», à arriver à l'école pour 8 h 30 tous les matins. Pour chacun des jours d'école d'une période de trois semaines, un ordinateur devait indiquer l'heure d'arrivée d'Harold, laquelle se situait toujours entre 8 h 20 et 8 h 40. Les participants devaient alors choisir, parmi un éventail allant d'éloges appuyés à une réprimande très forte, ce qu'ils diraient à Harold. Comme vous avez dû vous y attendre, ils ont habituellement louangé Harold quand il arrivait avant 8 h 30 et l'ont réprimandé lorsqu'il arrivait après 8 h 30. Schaffner ayant programmé l'ordinateur à montrer une séquence choisie au hasard des temps d'arrivée pour Harold, son temps d'arrivée avait tendance à s'améliorer (à régresser vers 8 h 30) par suite des réprimandes. En arrivant, par exemple, à 8 h 39, Harold était pratiquement certain d'être réprimandé, et son temps d'arrivée, choisi au hasard, pour le jour suivant avait de bonnes chances d'être plus tôt que 8 h 39. Par conséquent, *même si leurs réprimandes n'avaient aucun effet*, la plupart des participants terminèrent l'expérience en croyant que leurs réprimandes avaient été efficaces. Cette expérience prouve la conclusion osée de Tversky et Kahneman voulant que la nature opère de façon que nous nous sentions (à tort) souvent punis d'avoir récompensé les autres et récompensés de les avoir punis. En réalité, comme tout étudiant en psychologie le sait, le renforcement positif d'une conduite appropriée est habituellement plus efficace tout en ayant moins d'effets secondaires négatifs.

NOS CROYANCES ERRONÉES PEUVENT CRÉER LEUR PROPRE RÉALITÉ

Prophétie s'autoréalisant : Tendance, propre aux attentes personnelles, à susciter le comportement confirmant ces attentes.

Une cause additionnelle de la résistance de nos croyances à toute forme de réfutation consiste en ce que nos croyances nous poussent souvent à agir de façon à favoriser leur apparente confirmation. Nous avons vu, au chapitre 3, que cet effet des **prophéties s'autoréalisant** s'applique aux croyances que nous avons à notre sujet. Les gens possédant un fort sentiment d'auto-efficacité – qui croient à leur compétence et à leur capacité de réussir – réussissent effectivement mieux que des gens comparables ayant des attentes personnelles plus faibles. Nos croyances au sujet des autres peuvent également créer leur propre réalité. Robert Rosenthal (1984), dans ses recherches bien connues portant sur le «biais de l'expérimentateur», a démontré que les participants aux recherches se comportent parfois selon ce qu'on attend d'eux. Au cours d'une expérience, par exemple, les expérimentateurs demandèrent aux participants de juger du taux de réussite des gens apparaissant sur diverses photographies. Bien que tous les expérimentateurs aient donné les mêmes directives aux participants et leur aient montré les mêmes photographies, les expérimentateurs s'attendant à obtenir des évaluations favorables obtinrent toutefois des évaluations plus positives que les expérimentateurs s'attendant à ce que les participants considèrent les gens photographiés comme des ratés. Les comptes rendus de recherches subséquentes sont encore plus surprenants – et controversés – puisqu'ils indiquent que les croyances des enseignants au sujet de leurs élèves opèrent de la même façon que des prophéties s'autoréalisant.

LES ATTENTES DES PROFESSEURS INFLUENCENT-ELLES LEURS ÉLÈVES ?

On sait bien que les professeurs ont réellement des attentes plus élevées envers certains de leurs élèves. Peut-être l'avez-vous déjà remarqué si vous avez eu un frère ou une sœur vous précédant à l'école, ou si vous avez reçu l'étiquette de «doué» ou de «en difficulté d'apprentissage», ou si vous avez senti que les conversations dans la salle des professeurs vous avaient créé une réputation, ou si vous avez appris que le professeur avait examiné votre dossier scolaire ou qu'il avait découvert le statut social de votre famille. Les attentes que se forgent ainsi les professeurs ont-elles un effet sur les élèves? Il est clair que les évaluations des professeurs sont *en corrélation* avec la performance de l'élève: les professeurs ont une bonne opinion des élèves qui travaillent bien. Mais les évaluations des professeurs sont-elles causées *par* la performance de l'élève ou sont-elles la cause *de* cette performance? Une étude auprès de 4300 élèves britanniques, effectuée par William Crano et Phyllis Mellon (1978), semble indiquer que les croyances des professeurs sont autant la cause que la conséquence de la performance de leurs élèves. Les évaluations élevées (surtout du développement social de l'enfant) avaient plus de chances d'être suivies d'une haute performance scolaire que n'en avait la haute performance d'être suivie de hautes évaluations.

Est-il possible de vérifier expérimentalement cette conclusion? Par exemple, si l'on fait croire à un professeur que Martine, Nathalie, Jean et Julien, quatre élèves choisis au hasard, sont exceptionnellement doués, aura-t-il tendance à les traiter différemment, favorisant ainsi de leur part une performance supérieure? C'est exactement la conclusion à laquelle aboutirent Rosenthal et Lenore Jacobson (1968) au cours d'une expérience désormais célèbre. Des écoliers choisis au hasard dans une école primaire de San Francisco, et dont on prétendit (à partir d'un test fictif) qu'ils frôlaient le génie, obtinrent effectivement par la suite d'extraordinaires résultats à un test de QI. Comme ce résultat spectaculaire semblait indiquer que les problèmes scolaires des enfants «défavorisés» pourraient n'être que le reflet des faibles attentes de leurs professeurs, on s'empressa de diffuser ces découvertes dans les médias, de même que dans les manuels de psychologie et d'enseignement. Une analyse plus approfondie a toutefois révélé que l'effet des attentes du professeur n'était pas aussi marqué et fiable que ne le laissait croire la recherche initiale. Certaines critiques touchaient la mesure du QI et les méthodes statistiques employées par Rosenthal et Jacobson (Thorndike, 1968; Elashoff et Snow, 1971). De plus, selon le propre calcul de Rosenthal, ce n'est que dans 36 % des 400 expériences publiées que les attentes des professeurs influençaient de façon significative la performance des élèves (Rosenthal, 1985, 1987). Évidemment, les attentes faibles ne font pas échouer l'élève doué, pas plus que les attentes élevés ne transformeront magiquement un élève lent en un premier de classe. La nature humaine n'est pas aussi malléable.

Pourquoi les attentes des professeurs influencent-elles *parfois* les élèves? Rosenthal et d'autres chercheurs rapportent que les professeurs regardent plus souvent les élèves très «prometteurs», leur sourient et leur font davantage de signes de tête approbateur. Mais l'effet ne semble pas être uniquement provoqué par des messages non verbaux de ce genre. Les professeurs peuvent aussi insister davantage auprès de leurs élèves «talentueux», leur fixer des objectifs plus élevés, les questionner davantage tout en leur donnant plus de temps pour répondre (Cooper, 1983; Harris et Rosenthal, 1985; Jussim, 1986).

À la lecture des expériences sur les attentes des professeurs, nous nous demandons toujours si les attentes des *élèves* ont un effet sur le professeur. Il ne fait pas de doute que, au début de vos cours, vous avez à l'esprit les commentaires des élèves à l'effet que «telle professeure est intéressante» et que «tel autre est ennuyeux au possible». Robert Feldman et Thomas Prohaska (1979; Feldman et Theiss, 1982) ont récemment démontré que de telles attentes pouvaient aussi bien influencer le professeur que l'élève. Au cours d'une expérience d'enseignement, les élèves s'attendant à avoir un professeur compétent perçurent le professeur (qui ne savait rien de leurs attentes) comme plus compétent et plus intéressant que ne le firent les élèves ayant de faibles attentes; les premiers apprirent effectivement plus.

Feldman et Prohaska, dans une expérience complémentaire, enregistrèrent sur bandes vidéo des professeurs et demandèrent ensuite à des observateurs d'évaluer leur performance. Les professeurs évalués par un élève émettant non verbalement des attentes positives furent jugés plus compétents.

Pour voir si des effets de ce genre se manifestaient dans les classes réelles, une équipe de chercheurs dirigée par David Jamieson (1987) effectuèrent une expérience auprès de quatre classes d'une école secondaire ontarienne où la professeure venait d'être transférée. On dit aux élèves de deux des classes, lors d'entrevues individuelles, que leurs camarades de classe de même que l'équipe de recherche avaient très favorablement évalué leur professeure qui, elle-même, s'était montrée très enthousiaste à l'égard de leur classe. Comparativement aux classes témoins dont on n'avait pas gonflé les attentes, ces élèves se montrèrent par la suite beaucoup plus attentifs en classe, obtinrent de meilleurs résultats à la fin de la période d'enseignement et dirent de leur professeure qu'elle était plus claire dans son enseignement. Les attitudes d'une classe envers le professeur semblent avoir autant d'importance que les attitudes du professeur envers les élèves.

OBTENONS-NOUS DES AUTRES CE QUE NOUS EN ATTENDONS ?

Ainsi donc, les attentes des expérimentateurs et des professeurs créent parfois leur propre réalité. Peut-on généraliser cet effet de prophétie s'autoréalisant ? Avons-nous tendance à obtenir des autres ce que nous en attendons ? Il y des fois où nos attentes négatives envers quelqu'un nous poussent à plus de gentillesse à son égard, l'incitant ainsi à nous payer de retour – réfutant par conséquent nos attentes. Mais ce que l'on découvre habituellement dans les recherches sur les interactions sociales c'est que, oui, nous avons tendance à obtenir ce à quoi nous nous attendons (Miller et Turnbull, 1986).

Dans les jeux organisés en laboratoire, l'hostilité engendre presque toujours l'hostilité ; les gens qui *perçoivent* leurs adversaires comme refusant de coopérer les inciteront facilement à *refuser* de coopérer (Kelley et Stahelski, 1970). En temps de conflit, les croyances créant leur propre réalité abondent. Chacun des deux camps perçoit l'autre comme agressif, amer et vindicatif, le poussant ainsi à adopter ces comportements défensifs, de sorte que s'établit un cercle vicieux. Les gens mariés, par exemple, vont agir de façon à s'inciter mutuellement à confirmer leurs perceptions. Si je m'attends à ce que mon épouse soit de mauvaise humeur, ou d'humeur affectueuse et chaleureuse, je n'agirai probablement pas de la même manière avec elle, l'incitant ainsi à confirmer ce que je pense.

Confirmation par le comportement :
Genre de prophétie s'autoréalisant où les attentes sociales des gens les poussent à agir de façon que les autres confirment leurs attentes.

Plusieurs expériences menées par Mark Snyder (1984) à l'Université du Minnesota montrent que, une fois formées, les fausses croyances au sujet de la vie sociale peuvent pousser les autres à confirmer ces croyances, un phénomène appelé la **confirmation par le comportement**. Au cours d'une recherche, Snyder, Elizabeth Tanke et Ellen Berscheid (1977) demandèrent à des étudiants masculins de parler au téléphone avec des femmes qu'ils croyaient (à partir de photographies) séduisantes ou antipathiques. En analysant seulement les commentaires émis par les femmes durant les conversations, on s'aperçut que les femmes supposées attirantes parlaient effectivement de façon plus chaleureuse et agréable que les femmes supposées antipathiques. Les fausses croyances des hommes ont créé leur propre réalité, les poussant à se comporter de manière à influencer les femmes vers la réalisation de leur stéréotype voulant que les belles personnes soient des personnes désirables.

Quand il s'agit d'influencer le rendement scolaire d'une classe, les attitudes des élèves envers le professeur sont aussi importantes que les attitudes du professeur envers les élèves.

LES CROYANCES CRÉANT LEUR PROPRE RÉALITÉ À LA BOURSE

Au soir du 6 janvier 1981, Joseph Granville, un populaire conseiller en investissements œuvrant en Floride, télégraphia à ses clients: «Les prix vont piquer du nez: vendez dès demain.» Le conseil de Granville se répandit rapidement, si bien que le 7 janvier devint le jour record de ventes dans toute l'histoire de la Bourse de New York. Le Dow Jones baissa de 23 points. Pour tout dire, les valeurs boursières perdirent 40 milliards de dollars.

Il y a près d'un demi-siècle, John Maynard Keynes apparenta ce genre de psychologie de la bourse aux populaires concours de beauté organisés par des journaux londoniens. Pour gagner, il fallait trouver, parmi 100 visages, les 6 qui seraient par la suite choisis le plus fréquemment par les participants d'un autre journal. C'est ainsi, écrivit Keynes, que «chaque compétiteur ne choisissait pas les visages qu'il trouvait les plus jolis, mais ceux qui, selon lui, plairaient davantage aux autres compétiteurs».

De manière similaire, les investisseurs ne doivent pas simplement choisir les actions qui leur font envie, mais plutôt les actions qui obtiendront la faveur des autres investisseurs. Le jeu consiste à prévoir le comportement des autres. Comme l'expliqua un adminis-trateur de Wall Street, «Vous pouvez être ou non d'accord avec le point de vue de Granville – mais là n'est habituellement pas la question.» Si vous pensez que son conseil poussera les autres à vendre, vous voudrez alors vendre rapidement, avant que les prix ne baissent encore plus. Si vous pensez que les autres achèteront, vous achetez immédiatement, avant la ruée.

Les croyances créant leur propre réalité se sont manifestées à l'extrême le lundi 19 octobre 1987, alors que le Dow Jones s'effondra de 508 points, faisant perdre aux gens – sur papier – environ 20 % de la valeur de leurs investissements. Ce qui se produit en partie au moment de ces chutes, c'est que les médias et la rumeur mettent l'accent sur n'importe quelle mauvaise nouvelle afin de trouver une explication. Les histoires ainsi racontées diminuent encore plus les attentes des gens, amenant ainsi les prix à la baisse à tomber encore plus bas – et inversement, on se tourne vers les bonnes nouvelles quand les valeurs sont à la hausse.

Note: Adapté de Steve Lohr. «The puzzling stock market», *The New York Times*, 13 janvier 1981, p. D1, D9; et de Berkley Rice. «Boom & doom on Wall Street», *Psychology Today*, avril 1988, p. 50-54.

Snyder et William Swann (1987a) ont découvert au cours d'une autre expérience que, lorsque les gens avaient affaire à quelqu'un qui les croyait hostiles, ils réagissaient en utilisant de façon plus agressive le bruit comme arme. Quand on leur faisait voir leur agression comme le reflet d'eux-mêmes – en leur disant, par exemple, «L'usage que font les gens du bruit comme arme reflète le genre de personnes qu'ils sont» –, ils étaient par la suite tout aussi hostiles vis-à-vis d'une personne non prévenue et qui ne les connaissait pas. Ces expériences nous aident à comprendre comment peuvent créer leur propre réalité les croyances sociales telles que les stéréotypes touchant les personnes handicapées ou les personnes d'un sexe ou d'une race en particulier. Nous participons à l'élaboration de nos propres réalités sociales. La façon dont les autres nous traitent est le reflet de la façon dont nous ou d'autres les ont traités.

Comme c'est le cas pour pratiquement n'importe quel phénomène propre au comportement social, la tendance à confirmer les attentes des autres possède ses limites. Pour commencer, les gens fortement motivés à se faire des idées précises plutôt que rapides au sujet des autres découvriront en effet des informations plus exactes (Neuberg, 1989). De plus, les gens informés de l'attente de quelqu'un d'autre essaieront probablement de la surmonter (Darley *et al.*, 1988; Swann, 1987). Si Olivier sait que France pense qu'il est une tête folle, il essaiera probablement de prouver le contraire.

William Swann et Robin Ely (1984) rapportent une troisième possibilité où le comportement des gens a tendance à ne pas répondre à nos attentes: lorsque nos attentes se heurtent à des idées très claires qu'ont les gens à propos d'eux-mêmes. Swann et Ely, par exemple, ont trouvé que, lorsqu'une personne très ouverte était interrogée par quelqu'un la pensant introvertie, c'étaient les perceptions de l'interrogateur qui changeaient plutôt que le comportement de la personne interrogée. Les personnes interrogées qui étaient peu sûres d'elles-mêmes avaient plus tendance à se comporter selon les attentes de l'interrogateur.

Comme l'indique cette dernière expérience, nos croyances à propos des autres peuvent créer leur propre réalité tout comme peuvent le faire nos croyances sur nous-mêmes. Steven Sherman (1980) a trouvé, au cours de nombreuses expériences, que les gens avaient tendance à actualiser les comportements qu'ils prévoyaient avoir. Lorsqu'on sollicita, par exemple, les résidants de Bloomington, en Indiana, à consacrer trois heures de bénévolat à une campagne de la Société américaine du cancer, 4% seulement acceptèrent. Lorsqu'on demanda à un groupe comparable d'autres résidants de *prédire* comment ils réagiraient devant une requête de ce genre, presque la moitié dirent qu'ils accepteraient de donner un coup de main – et la plupart d'entre eux acceptèrent effectivement lorsque la Société du cancer les contacta un peu plus tard. Cela n'illustre pas seulement un biais auto-avantageux (les gens surestimèrent leur façon désirable de réagir à supposer qu'ils n'aient pas eu de préavis), mais aussi les conséquences créant leur propre réalité du fait de prédire son propre comportement. Formuler un plan de ce que l'on voudrait faire dans une situation donnée augmente nos chances de le faire réellement. Voilà qui indique plusieurs applications positives. Si l'on demandait, par exemple, à des adolescents «Que feriez-vous si vos amis vous poussaient à fumer?» ne se montreraient-ils pas plus fermes lorsque la situation se présenterait réellement?

COMMENTAIRES SUR LA GRAVITÉ DE NOTRE ÉTAT

Nous pourrions certes en rajouter à cette liste de principes de pensée. Cela suffira cependant – surtout lorsqu'on y ajoute ce que l'on a déjà vu du biais de la rétrospective, de l'erreur d'attribution fondamentale et du biais auto-avantageux – pour bien voir la facilité et la manière avec lesquelles les gens finissent par croire ce qui n'est pas nécessairement vrai. La menace à notre vanité que pose la recherche sur les limites et les faussetés de la pensée humaine est amplifiée par le fait que la plupart des participants à ces expériences étaient des gens très intelligents, en général des étudiants des meilleures universités. Ces distorsions et ces biais prévisibles se manifestèrent même lorsque les gens étaient motivés par l'argent à penser du mieux qu'ils pouvaient. Comme le concluait un chercheur, les illusions «ont une force de persistance qui se compare à celle des illusions perceptives» (Slovic, 1972).

La recherche en psychologie sociale cognitive reflète par conséquent un mélange d'idées déjà fournies à l'humanité par la littérature, la philosophie et la religion. Plusieurs chercheurs en psychologie ont consacré leur vie à explorer les capacités impressionnantes du cerveau humain (voir Manis, 1977). Nous sommes capables de grandes choses et faisons preuve d'une impressionnante perspicacité vis-à-vis de la nature. Nous avons eu l'intelligence de percer le mystère de notre propre code génétique, d'inventer des ordinateurs parlants et d'envoyer des gens sur la lune. Cela n'empêche que notre intuition est plus vulnérable à l'erreur que nous ne le supposons intuitivement. C'est avec une facilité assez étonnante que nous pouvons nous faire de fausses idées et les entretenir.

Peut-être ces expériences n'étaient-elles, après tout, que des tours intellectuels joués à d'infortunés participants pour les faire paraître pires qu'ils ne sont sur le plan des intuitions. Richard Nisbett et Lee Ross (1980) prétendent que, au contraire, les méthodes expérimentales *surestiment* nos capacités intuitives. Les expériences sont habituellement très claires et les gens sont avertis à l'avance qu'on mettra à l'essai leur habileté de raisonnement. Rares sont les occasions dans la vie où l'on se fasse dire : «Voici ce qu'il y a. Maintenant, mets-toi intellectuellement sur ton trente et un et réponds aux questions suivantes.»

Nos faiblesses quotidiennes sont souvent sans conséquence, mais ce n'est pas toujours le cas. Les fausses impressions, les fausses interprétations et les fausses croyances peuvent avoir de graves conséquences. Lorsqu'on porte des jugements sociaux importants – pourquoi y a-t-il tant de chômeurs? Les Québécois tiennent-ils plus à leur culture qu'à leur bien-être? (n'est-ce pas souvent ainsi que la question de l'avenir constitutionnel du Québec est posée?) Est-ce moi ou mon argent qu'aime mon ami? – même les plus petits biais peuvent avoir de profondes conséquences sociales. Puisque nous savons que les erreurs peuvent s'insinuer jusque dans la pensée scientifique sophistiquée, il semble prudent de conclure que personne n'en est à l'abri. Apparemment, la nature humaine n'a pas changé depuis 3000 ans, alors que le Psalmiste faisait remarquer que «personne ne voit ses propres erreurs». Comme le disait ironiquement Winston Churchill, «L'homme trébuche parfois sur la vérité, mais il se reprend vite en main et poursuit son chemin.»

Pour éviter de succomber à la conclusion cynique que *toutes* les croyances sont absurdes, nous nous dépêchons d'équilibrer les perspectives. Les excellentes analyses de nos défauts de pensée témoignent d'elles-mêmes de la sagesse humaine. (Même si l'on voulait démontrer que *toute* pensée humaine est illusoire, cet énoncé se réfuterait de lui-même puisque lui aussi serait une illusion. Un équivalent logique serait de dire que «toutes les généralisations sont fausses, y compris celle-ci».)

Tout comme la science médicale a jugé utile et profitable la supposition que tout organe du corps existe pour une fonction particulière, de même les scientifiques behavioristes ont jugé utile de supposer que *nos modes de pensée et nos comportements sont fonctionnels* (Funder, 1987; Kruglanski et Ajzen, 1983; Swann, 1984). Les règles de pensée donnant naissance à tant de fausses convictions et à des faiblesses si remarquables dans notre intuition statistique nous sont très utiles. Les erreurs sont souvent le sous-produit des stratégies qu'emploie notre esprit pour simplifier les informations complexes qu'il reçoit. Nous ne faisons que mal appliquer des stratégies en général raisonnables ou à en abuser.

Herbert Simon (1957) fut l'un des premiers chercheurs modernes à décrire les limites de la raison humaine. Simon prétend que pour affronter la réalité nous la simplifions. Prenons, par exemple, l'impressionnante complexité d'une partie d'échecs. Une partie peut prendre une infinité de tournures; le nombre de parties d'échecs possibles dépasse celui des particules dans l'univers. Quelle est notre attitude devant une telle complexité? Nous adoptons des approximations simplificatrices - des méthodes heuristiques. Ces méthodes heuristiques sont imparfaites – elles nous entraînent parfois à la défaite –, mais elles nous aident effectivement à faire des jugements efficaces et nets. L'heuristique de la disponibilité – juger de la probabilité des choses en fonction de leur disponibilité à la mémoire – nous permet, par exemple, d'évaluer rapidement la fréquence d'un événement quoiqu'elle puisse parfois nous pousser à surestimer l'aspect habituel d'exemples frappants dont nous nous souvenons facilement.

La pensée illusoire peut aussi provenir de méthodes heuristiques qui sont généralement utiles et peuvent même favoriser notre survie. Le fait de croire à notre pouvoir de domination sur les événements nous aide à garder espoir et à faire des efforts quand le désespoir risque de l'emporter. S'il est parfois possible et parfois impossible de maîtriser les choses, nous maximiserons nos chances grâce à «la pensée positive». La pensée positive est avantageuse.

On pourrait même dire que nos croyances sont comme les théories scientifiques – quelquefois dans l'erreur, mais très utiles en tant que généralisations. Dire d'une théorie (ou d'une façon de penser) qu'elle est imparfaite ne veut pas dire qu'il faille la rejeter. Tout comme nous cherchons constamment à améliorer nos théories, ne pourrions-nous pas également chercher à réduire la marge d'erreur dans notre pensée sociale? À l'école, le professeur de mathématiques enseigne sans répit jusqu'à ce que l'esprit soit capable de traiter correctement et automatiquement l'information numérique. Nous supposons que cette habileté n'est pas naturelle, car, sinon, à quoi serviraient toutes ces années d'apprentissage? Le psychologue chercheur Robyn Dawes (1980) – qui se dit consterné que «toutes les recherches ont démontré que les gens ont des capacités très limitées de traiter l'information à un niveau conscient, surtout l'information sociale» – propose que l'on enseigne aussi sans répit la meilleure façon de traiter l'information sociale.

Richard Nisbett et Lee Ross (1980) sont d'avis que ce genre d'éducation pourrait réellement diminuer notre vulnérabilité à certains types d'erreur. Ils proposent d'abord que les gens apprennent à reconnaître les sources possibles d'erreur dans leurs propres intuitions sociales, ce à quoi visait justement ce chapitre. Ils préconisent ensuite des cours de statistiques touchant les problèmes quotidiens de logique et de jugement social. Lorsqu'ils possèdent cette formation, les gens raisonnent effectivement mieux à propos des événements quotidiens (Nisbett *et al.*, 1987; Lehman *et al.*, 1988). Puis, ils estiment qu'une telle formation sera d'autant plus efficace qu'elle sera riche d'anecdotes et d'exemples frappants et concrets tirés de la vie quotidienne. Pour finir, ils suggèrent d'enseigner des slogans utiles et mémorables tels que:

«C'est une question empirique.» En d'autres termes, il faut confronter les pressentiments à l'information pertinente.

«D'où sortez-vous cet exemple?» En d'autres termes, les exemples frappants mais non représentatifs sont suspects. Ou bien «On peut faire mentir les statistiques, mais un exemple bien choisi fait mieux l'affaire.»

«Attention à l'erreur d'attribution fondamentale.» En d'autres termes, avant de sauter aux conclusions quant aux dispositions intérieures de quelqu'un, voyez d'abord sa situation. Ou bien, «Qu'auriez-vous fait à sa place?»

La recherche sur l'amour-propre et l'erreur est-elle *trop* humiliante? Les chercheurs dévoilant notre susceptibilité à l'erreur sont-ils la contrepartie moderne de Gregers Werle dans le livre de Henrik Ibsen intitulé *Le Canard sauvage* (Werle brisait les illusions des gens qui perdaient ainsi tout espoir ou tout sens à la vie)? Certes, nous pouvons admettre la dure vérité des limites humaines tout en continuant de sympathiser avec le message plus profond que les gens ne sont pas des machines. Nos expériences subjectives constituent notre étoffe humaine dans une large mesure – notre art et notre musique, notre plaisir à l'amitié et à l'amour, nos expériences mystiques et religieuses.

Les psychologues sociaux et cognitifs ne sont pas là pour nous transformer en machines insensibles et logiques. Ils seraient les premiers à dire, et même à souligner, que le sentiment et l'intuition, en plus d'enrichir l'expérience humaine, sont une importante source de créativité. Ils ajoutent cependant que le rappel humiliant de notre susceptibilité à l'erreur démontre clairement la nécessité d'une formation disciplinée de l'esprit. Norman Cousins (1978) en parle comme de «la plus grande vérité quant à tout ce qui concerne l'apprentissage: que son but est d'ouvrir l'esprit pour qu'il devienne un organe capable de pensée – de pensée conceptuelle, analytique et séquentielle».

Avant de terminer ce chapitre, nous allons traiter d'un autre type de représentation, celle que nous nous faisons des grandes villes. Contrairement aux croyances sociales dont nous avons parlé jusqu'ici, les représentations de la ville ont une forte **composante imagérielle**, mais, comme ces premières, elles sont sujettes à toutes sortes d'erreurs dont les conséquences peuvent ici aussi être insignifiantes ou, au contraire, coûteuses.

«Enlevez à l'homme ordinaire sa vie illusoire et vous lui enlèverez du même coup son bonheur.»
Henrik Ibsen, *Le Canard sauvage*

Composante imagérielle: Représentation de l'information sous forme d'image (par opposition à la représentation sous forme verbale).

NOTRE REPRÉSENTATION DE L'ESPACE URBAIN

La représentation de la ville que se font les citadins s'appelle une carte mentale (Lynch, 1960); c'est la ville telle qu'ils la connaissent. Par rapport à une carte géographique du même endroit, ces cartes sont incomplètes et comportent des déformations. En fait, le terme *carte* doit être interprété métaphoriquement. Il n'y a aucune raison de penser que nous nous promenons avec, en tête, des cartes en format réduit de notre environnement (Downs, 1961).

Ces cartes ne sont pas que le résultat de l'expérience directe avec l'environnement spatial. Elles comportent aussi des éléments empruntés aux cartes géographiques. Sinon, une carte mentale représentant Montréal, par exemple, serait encore plus incomplète et déformée parce qu'il n'est pas facile de faire l'intégration, dans une seule carte, d'éléments géographiques perçus séparément. Les dessins de cartes mentales peuvent être interprétés comme des tests projectifs où s'expriment les habitudes de vie et l'investissement affectif des divers éléments contenus dans l'espace.

Ces dessins ne doivent pas être confondus avec ces cartes mentales elles-mêmes. Ils n'en sont qu'un indice, un pâle reflet. Une personne, en effet, peut avoir de la difficulté à bien dessiner ou ne pas être capable de traduire sous forme de dessin certaines impressions, certains concepts. Le dessin peut être complété par les réponses à différents questionnaires où la personne, par exemple, doit reconnaître certains endroits de sa ville. On peut aussi lui demander des associations verbales à partir des différents éléments de son dessin. Afin de faire ressortir l'organisation des éléments d'une ville, un élément peut être présenté à la personne qui doit, partant de là, indiquer les autres éléments de l'espace environnant qu'il évoque dans son esprit (Milgram, 1976).

Cartographie mentale:
Étude de l'acquisition, de l'emmagasinage et du décodage de l'information spatiale se rapportant à l'environnement physique habituel.

La **cartographie mentale** est le processus cognitif par lequel on acquiert et utilise l'information se rapportant à l'environnement spatial. Cette information comporte différents aspects. Pour sa part, Kevin Lynch (1960) distingue cinq éléments dans la carte mentale: (1) les *sentiers*, c'est-à-dire les rues, les trottoirs, les canaux, etc.; (2) les *bornes*, telles que les cours d'eau et les voies ferrées qui délimitent une région spatiale; (3) les *districts*, qui sont les secteurs de la ville ayant quelque chose en commun tels que le quartier des affaires; (4) les *nœuds*, qui sont des points de jonction ou d'intersection stratégiques; et (5) les *points de repère*, qui sont des objets en relief, comme les monuments, les édifices, les tours. Mais la carte mentale comporte aussi une dimension affective (Harrison et Sarre, 1975), comme le plaisir éprouvé à se retrouver dans tel parc ou, au contraire, la peur de déambuler dans certaines rues.

Les cartes mentales remplissent trois fonctions principales. La plus évidente est l'orientation dans l'espace. Sans carte mentale, nous gaspillerions beaucoup d'énergie pour nous déplacer d'un point à un autre. C'est d'ailleurs ce qui arrive lorsque nous sommes en terrain étranger. Je me souviendrai longtemps de la frustration que j'ai éprouvé à Avignon en essayant de me rendre à mon hôtel en auto. Le dédale des sens uniques a eu raison de ma patience. Mais, même dans les grandes villes que nous connaissons bien, il est impossible de connaître toutes les rues. Pour trouver le meilleur chemin d'un point à un autre, nous devons alors nous baser sur nos connaissances incomplètes et deviner tant bien que mal le reste, sacrifiant parfois le plus court chemin à l'effort qu'il faudrait déployer pour le trouver. Cela est vrai même pour les «professionnels» des cartes mentales que sont les chauffeurs de taxi. Jean Pailhous (1970) a observé que les chauffeurs de taxi parisiens ont une carte mentale qui comporte deux éléments: un réseau de base et un réseau complémentaire. Le premier contient environ 10 % des rues de Paris. Il est bien connu et il constitue la charpente de la carte. Lorsqu'ils l'empruntent, les chauffeurs choisissent habituellement la route optimale. Pour ce qui est du réseau complémentaire, il est atteint à partir de certains points du réseau de base. Le chauffeur de taxi choisit une route à partir du point de départ jusqu'à l'endroit le plus près du point d'arrivée qu'il peut atteindre par le réseau de base, puis il s'en remet ensuite à l'information locale dans le réseau complémentaire pour arriver à destination.

L'orientation dans l'espace: l'une des trois fonctions principales des cartes mentales.

La navigation dans l'environnement physique sera d'autant meilleure que cet environnement sera facile à «lire». Pour cela, il faut que les éléments de l'environnement physique soient rapidement reconnaissables et organisés en un tout cohérent. C'est le cas lorsque la configuration des rues d'une ville est simple et qu'il y a une rue dominante (De Jonge, 1962). Pour sa part, Douglas Porteus (1977) souligne l'importance pour la formation de cartes mentales adéquates d'endroits élevés qui donnent une vue d'ensemble de la ville. L'intérieur des édifices peut, lui aussi, être l'objet d'une lecture plus ou moins facile. Pour certaines catégories de la population, les enfants et les personnes âgées, entre autres, il est important de maximiser cette lisibilité étant donné leur prédisposition plus grande à la désorientation. Les recherches récentes se sont penchées sur cette question de l'orientation dans les édifices complexes (Canter, 1983).

Une deuxième fonction des cartes mentales consiste à pouvoir communiquer avec autrui. Comme pour toute représentation partagée, les cartes mentales offrent aux personnes la possibilité de se comprendre lorsqu'elles parlent d'un environnement spatial qu'elles fréquentent ou ont fréquenté. Les cartes mentales peuvent aussi être transmises d'un individu à un autre. C'est le cas lorsqu'on donne des informations à des étrangers.

Enfin, les cartes mentales, comme on l'a vu, comportent une dimension affective. Les lieux qui y sont représentés évoquent des souvenirs et, comme tels, font partie intégrante de notre identité sociale. Le retour sur les lieux où nous avons vécu notre enfance peut devenir une expérience pénible si nos principaux points de repère de l'époque ont été défigurés ou carrément démolis (Porteus, 1971). Il peut aussi arriver que les lieux aient été conservés intacts, mais que les yeux de l'adulte ne les reconnaissent pas, leur souvenir ayant été stocké avec les yeux de l'enfant.

Différents chercheurs se sont penchés sur la question de l'ordre d'apprentissage des éléments des cartes mentales. Leurs résultats ne concordent pas toujours, mais, selon une des hypothèses les plus plausibles, ce sont les points de repère qui seraient d'abord appris. Suivrait l'apprentissage des voies ou sentiers réunissant ces points de repère. Ces voies apporteraient l'information nécessaire pour apprendre la localisation relative des points de repère. Puis, il y aurait un effet de rayonnement à partir des points de repère et des voies, ce qui produirait la connaissance du voisinage et de la ville (Golledge, 1987).

Selon Gary Evans *et al.* (1981), l'exactitude des cartes mentales s'accroîtrait avec l'âge. De plus, ce serait à l'adolescence que l'on apprendrait vraiment à connaître une ville. Toutefois, des éléments de l'environnement qui présentent un intérêt particulier à un moment du cycle de vie peuvent perdre cet intérêt par suite de la maturation.

Les différences observées entre les cartes mentales des personnes s'expliquent en grande partie par la familiarité que ces dernières ont avec les lieux considérés. On a constaté que le nombre de détails que comporte une carte mentale est proportionnel à la durée de résidence dans un lieu. Il en va de même de l'exactitude des noms et de la localisation des éléments. Cependant, pour éviter toute surcharge cognitive (Milgram, 1970), tout n'est pas retenu.

D'autres facteurs que la durée de résidence peuvent influencer la familiarité. C'est ainsi que le degré de connaissance de la ville est directement proportionnel au niveau du statut socio-économique. Cela s'explique par le fait que les personnes au statut socio-économique bas se déplacent moins dans la ville (Lamarche *et al.*, 1973). À Paris, Stanley Milgram (1976) a observé que certains lieux, indépendamment de leur localisation par rapport au lieu de résidence dans Paris, étaient mieux connus par les professionnels que par les ouvriers. C'est le cas, notamment, de la place Furstenberg (59 % par rapport à 17 %).

Le mode de transport habituel a aussi une influence sur la carte mentale. À Montréal, Robert Beck et Denis Wood (1976) constatent que les cartes des automobilistes sont meilleures que celles des piétons. Les automobilistes se déplaçant plus rapidement doivent avoir une meilleure représentation d'ensemble. De plus, le système de signalisation est conçu en fonction du champ de vision de l'automobiliste. Les piétons retiennent les façades des édifices plus que les caractéristiques du réseau routier. Quant aux usagers du transport en commun, leurs résultats se situent entre ceux du piéton et de l'automobiliste. Certaines différences dans les cartes mentales selon le statut socio-économique peuvent d'ailleurs s'expliquer par l'utilisation de modes de transport différents en fonction du groupe d'appartenance.

Les cartes mentales sont des représentations et, comme telles, elles sont sujettes à des inexactitudes par rapport à la réalité dont elles sont le modèle. Les types d'inexactitudes ne sont pas différents dans ce cas de ceux que l'on rencontre avec les autres sortes de représentations. Ici aussi, par exemple, la schématisation, c'est-à-dire la simplification de la réalité, est à l'œuvre. La carte mentale n'est donc pas la mémoire photographique d'un environnement physique. Certains éléments de l'environnement y sont nécessairement absents. Trois raisons principales expliquent cette absence : (1) nous sommes limités quant à la quantité d'informations que nous pouvons retenir; (2) certains éléments d'information ne représentent aucun intérêt particulier, n'ont aucune signification par rapport à nos projets, nos activités habituelles; et (3) certains endroits évoquent un affect négatif, et nous préférons donc ne pas les explorer et les mieux connaître (Gale et Costanzo, 1982).

Il y aussi dans les cartes mentales des déformations par rapport à la réalité. Ces déformations ont souvent trait à l'estimation de la distance entre deux points de repère ou, encore, à leur localisation relative. Mais, malgré leurs défauts, les cartes mentales sont essentielles pour la bonne conduite de nos activités quotidiennes. Comme nous l'avons vu, elles changent avec le temps, devenant plus précises et plus complètes. En dépit des différences selon les individus et le groupe d'appartenance, les cartes mentales des grandes villes comportent habituellement une bonne part d'éléments communs. C'est ce qui explique que certaines soient associées à des «ambiances» particulières. Comparant Londres, Paris et New York, Stanley Milgram (1970) a trouvé que New York se distingue par ses qualités physiques (son architecture, par exemple) et son activité débridée, alors que ce qui est retenu de Londres, ce sont les caractéristiques des Londoniens et les rapports sociaux plutôt que l'environnement physique comme tel, et Paris, à son tour, impressionne autant pour ses caractéristiques physiques que sociales.

RÉSUMÉ

Les psychologues en recherche explorent depuis longtemps l'impressionnante capacité intellectuelle de traiter l'information. Les chercheurs en «psychologie sociale cognitive» se sont récemment tournés vers les erreurs habituellement commises dans le traitement de l'information. Étant donné qu'en général nous n'avons pas conscience de la façon dont les erreurs se glissent dans notre pensée, une analyse de la «pensée illusoire» peut se révéler fort instructive et bénéfique dans la mesure où elle améliore notre pensée. Le présent chapitre décrit six manières de créer et d'entretenir de fausses croyances – ce que l'on pourrait appeler des «raisons de déraison».

NOUS IGNORONS SOUVENT POURQUOI NOUS FAISONS CE QUE NOUS FAISONS

Premièrement, il n'est pas rare que nous ne sachions pas pourquoi nous nous comportons comme nous le faisons. Durant les expériences, les gens dont les attitudes ont été modifiées nient souvent avoir été influencés; ils insistent pour dire qu'ils ont toujours pensé comme ils pensent maintenant. Lorsque de fortes influences pèsent sur notre comportement sans être suffisamment manifestes pour que nous puissions les pointer du doigt, nous risquons nous aussi d'être inconscients de ce qui nous a influencés.

NOS IDÉES PRÉCONÇUES DICTENT NOS INTERPRÉTATIONS ET NOS SOUVENIRS

Deuxièmement, nos idées préconçues influencent fortement notre manière d'interpréter les événements et de nous en souvenir. Au cours des expériences, les préjugés des gens influencent remarquablement leur façon de percevoir et d'interpréter l'information. D'autres expériences consistaient à implanter des jugements et des idées fausses dans l'esprit des gens *après* qu'ils eurent reçu de l'information. Elles révèlent que, tout comme les préjugés biaisent nos perceptions et nos interprétations, de même les jugements portés après coup biaisent notre souvenir.

NOUS SURESTIMONS L'EXACTITUDE DE NOS JUGEMENTS

Troisièmement, nous nous fions trop à nos jugements. Ce «phénomène de surconfiance» semble dû en partie à la facilité plus grande que nous avons d'imaginer en quoi nous pourrions avoir raison plutôt que d'imaginer en quoi nous pourrions avoir tort. De plus, les gens cherchent habituellement davantage l'information susceptible de confirmer leurs croyances que celle susceptible de les réfuter.

SOUVENT NOUS NE TENONS PAS COMPTE D'INFORMATIONS UTILES

Quatrièmement, devant des anecdotes irrésistibles ou de l'information inutile, nous ne prenons pas souvent en considération l'information de la ligne de base. La plus grande facilité avec laquelle nous pouvons nous souvenir plus tard («disponibilité») de l'information frappante semble en être partiellement responsable.

ILLUSIONS DE CAUSALITÉ, DE CORRÉLATION ET DE CONTRÔLE PERSONNEL

Cinquièmement, nous sommes souvent en proie à des illusions de corrélation et de contrôle personnel. Il est tentant de percevoir des corrélations là où il n'y en a pas («corrélation illusoire») et de penser pouvoir contrôler des événements échappant à notre contrôle («illusion du contrôle»).

NOS CROYANCES ERRONÉES PEUVENT CRÉER LEUR PROPRE RÉALITÉ

Sixièmement, les croyances erronées ont leur propre vie. Des études sur le biais de l'expérimentateur et sur les attentes des professeurs indiquent que, à l'occasion, la fausse croyance que certaines personnes sont exceptionnellement capables (ou incapables) peut inciter quelqu'un à accorder un traitement de faveur à ces personnes. Cela peut provoquer un rendement supérieur (ou inférieur) et semble confirmer par conséquent une hypothèse bel et bien fausse. De même en est-il dans nos affaires sociales quotidiennes où nous obtenons souvent la «confirmation par le comportement» de ce à quoi nous nous attendions.

Ces six sources de pensées illusoires, en plus des trois autres que nous avons déjà examinées (le phénomène du «je-le-savais!», l'erreur d'attribution fondamentale et le biais auto-avantageux) indiquent notre capacité de créer et d'entretenir de fausses croyances. Ces illusions de la pensée humaine sont souvent les sous-produits de stratégies intellectuelles (heuristiques) qui nous sont habituellement fort utiles, tout comme les illusions visuelles sont un sous-produit de mécanismes perceptifs nous permettant d'organiser les informations sensorielles. Mais elles n'en restent pas moins des erreurs, des erreurs pouvant voiler nos perceptions de la réalité et truffer de préjugés nos jugements portés sur autrui.

NOTRE REPRÉSENTATION DE L'ESPACE URBAIN

Comme les croyances sociales, les cartes mentales des villes sont des représentations qui sont sujettes à toutes sortes d'inexactitudes, mais, elles aussi, elles nous permettent de fonctionner relativement bien et de réaliser nos objectifs. Leur principale fonction consiste à nous orienter dans l'espace en localisant des points de repère les uns par rapport aux autres et en nous fournissant une évaluation des distances qui les séparent. Les cartes mentales peuvent varier beaucoup d'un individu à un autre ou des membres d'un groupe à un autre, mais elles comportent aussi une bonne part de recouvrement, de sorte que certaines villes sont associées, par la plupart, à certaines «ambiances».

LECTURES SUGGÉRÉES

Ouvrages en français

BEAUVOIS, J.-L. (1984). *La psychologie quotidienne.* Paris, Presses Universitaires de France.

BOUDON, R. (1990). *L'art de se persuader des idées douteuses, fragiles ou fausses.* Paris, Fayard.

CROIZET, J.-C. (1991). Les effets d'amorçage dans la formation des impressions. *Psychologie française, 36,* 79-98.

Ouvrages en anglais

GOLEMAN, D. (1985). *Vital lies, simple truths: The psychology of self-deception and shared illusions.* New York, Simon & Schuster.

KAHNEMAN, D., SLOVIC, P. et TVERSKY, A. (dir.). (1982). *Judgment under uncertainty: Heuristics and biases.* New York, Cambridge.

MAITAL, S. (1982). *Minds, markets, and money: Psychological foundations of economic behavior.* New York, Basic Books.

NISBETT, R. et ROSS, L. (1980). *Human inference: Strategies and shortcomings of social judgment.* Englewood Cliffs, N.J., Prentice-Hall.

DEUXIÈME PARTIE

INFLUENCE SOCIALE

En tant que science, la psychologie sociale n'étudie pas seulement notre façon de nous *percevoir* mutuellement – ce qui était le sujet des chapitres précédents –, mais aussi la façon dont nous nous *influençons* et *entrons en relation* les uns avec les autres. Nous explorerons donc, au cours des chapitres 5 à 8, le problème central en psychologie sociale : les pouvoirs de l'influence sociale.

Quelles sont ces forces sociales invisibles qui nous poussent et nous bousculent ? Et quelle est leur puissance ? Les recherches sur l'influence sociale font ressortir les ficelles invisibles grâce auxquelles notre environnement social nous fait faire ceci ou cela. La deuxième partie de ce livre nous révèle ces forces subtiles, en particulier les sources culturelles de nos attitudes et de nos comportements (chapitre 5), les forces de la conformité sociale (chapitre 6), les principes de persuasion (chapitre 7) et les conséquences de notre participation à des groupes (chapitre 8). Nous verrons également comment toutes ces influences opèrent simultanément dans les situations quotidiennes.

En percevant ces influences, peut-être comprendrons-nous mieux ce que ressentent les gens et pourquoi ils agissent comme ils le font. Peut-être deviendrons-nous plus libres, c'est-à-dire moins vulnérables à la manipulation sociale indésirable et plus motivés à tirer nous-mêmes nos propres ficelles.

155

CHAPITRE

5

INFLUENCES CULTURELLES

—

Ce que nous mangeons et buvons, ce que nous croyons, la musique que nous goûtons, tout dépend en majeure partie de notre culture. Cela, nous le savons tous. En dépit de la facilité avec laquelle nous acceptons notre mode de vie comme *le* mode de vie, la diversité des cultures humaines est remarquable. Le sociologue Ian Robertson note que :

> Les Américains mangent des huîtres, mais pas d'escargots. Les Français mangent des escargots, mais pas de sauterelles. Les Juifs mangent du poisson, mais pas de porc. Les Hindous mangent du porc, mais pas de bœuf. Les Russes mangent du bœuf, mais pas de serpent. Les Chinois mangent des serpents, mais pas les êtres humains. Les Jalés de la Nouvelle-Guinée trouvent l'être humain délicieux. (p. 67)

L'éventail des habitudes vestimentaires est tout aussi large. Si vous étiez une femme musulmane traditionnelle, vous couvririez complètement votre corps et même votre visage, et l'on vous trouverait anormale de ne pas le faire. Si vous étiez une femme nord-américaine, vous montreriez votre visage, vos bras et vos jambes, mais vous couvririez votre poitrine et votre pubis, et l'on vous trouverait anormale de ne pas le faire. Si vous étiez une femme de la tribu des Tagals, dans les Philippines, vous vaqueriez nue à vos occupations quotidiennes, et l'on vous trouverait anormale de ne pas le faire.

La culture a une influence similaire sur notre comportement social. Nous verrons d'abord, dans le présent chapitre, les différences culturelles et la façon dont les normes et les rôles aident à perpétuer ces différences. Nous examinerons ensuite le rôle le plus envahissant – le rôle sexuel. L'analyse de ce rôle en particulier nous permettra d'explorer une fascinante recherche, de constater la complexité de la tâche consistant à démêler les influences biologiques des influences culturelles sur le comportement humain et de réfléchir aux problèmes auxquels nous devons faire face dans nos vies d'hommes et de femmes.

NORMES

Les Canadiens se sentent probablement mal à l'aise lorsque les dirigeants du Moyen-Orient accueillent le premier ministre du Canada avec leur baiser familier sur la joue. Un étudiant de l'Allemagne de l'Ouest fréquentant une université où l'on s'adresse rarement au *Herr Professor* en dehors de l'amphithéâtre trouvera étrange que, à l'intérieur de notre établissement, la plupart des portes des bureaux des professeurs soient ouvertes et que les étudiants s'y arrêtent librement en passant. Alors qu'au Québec siffler à la fin du spectacle d'un artiste signifie que l'on a apprécié sa performance, en Europe, il s'agit, au contraire, d'un signe de désapprobation. En bien des endroits du globe, *vos* meilleures manières constitueront un grave bris d'étiquette. Le psychologue social Michael Argyle (1988), de Oxford, note que les étrangers en visite au Japon se débattent anxieusement pour maîtriser les règles de la vie sociale – à quel moment enlever ses chaussures, comment verser le thé, quand donner ou déballer les cadeaux, comment se comporter envers un supérieur ou un inférieur.

Normes:
Règles touchant le comportement accepté et désirable. Les normes prescrivent le comportement «approprié».

Comme le démontrent ces exemples, toutes les cultures – qu'il s'agisse de bandes de jeunes, de tribus ou de pays lointains – ont leurs propres idées admises quant au comportement approprié. Il n'est pas rare que nous percevions négativement les attentes sociales ou **normes**, les considérant comme une force qui nous emprisonne tous dans son effort aveugle de perpétuer la tradition. Les normes réussissent si bien à nous réprimer et à nous dominer qu'il nous est difficile de percevoir leur existence. À l'exemple du poisson dans l'océan, nous sommes si totalement immergés dans les idées et les comportements de notre culture qu'il nous faut pratiquement en sortir pour pouvoir la comprendre. Il n'y a pas de meilleur moyen d'apprendre les normes de notre culture que de visiter une autre culture et de voir les gens y faire les choses *différemment* de nous. Je dis à mes enfants que, alors que les Européens mangent leur viande en tenant leur fourchette de la main gauche, nous, Nord-Américains, considérons que les bonnes manières consistent à couper la viande et à faire passer ensuite la fourchette dans la main droite: «J'admets que c'est inefficace; mais c'est *notre* façon de faire.»

Toutes les cultures – qu'il s'agisse de bandes de jeunes, de tribus ou de pays lointains – possèdent leurs propres idées communément admises concernant le comportement désirable. Par exemple, les femmes d'Amérique du Nord possèdent un éventail d'habitudes vestimentaires acceptables, alors que les femmes du Moyen-Orient doivent se plier à des règles beaucoup plus strictes.

LES NORMES LUBRIFIENT LES ROUAGES SOCIAUX

Les normes culturelles semblent peut-être arbitraires et contraignantes. Cependant, tout comme la pièce de théâtre se déroule sans problème lorsque les acteurs connaissent bien leur texte, de même notre comportement social quotidien nous vient-il plus facilement quand les gens ont les comportements désirés. Voyons la description que fait Michael Argyle des cinq étapes franchies par une famille anglaise venant à peine d'emménager et dont l'épouse reçoit la visite de la voisine (D. Cohen, 1980). Il y a d'abord les mots de bienvenue suivis par l'entrée de la visiteuse. Ensuite, la visiteuse admire la maison. Au cours de la troisième étape, la nouvelle résidante sert le café et les biscuits, moment où les femmes s'échangent de l'information – concernant surtout leurs maris. La quatrième étape sert à adoucir les sentiments froissés lors de la troisième étape (si l'une des femmes a dit, par exemple, que son mari était un dirigeant syndical alors que le mari de l'autre est un administrateur). La cinquième étape est celle des adieux.

Argyle note que le bon déroulement de l'interaction sociale exige que les deux personnes reconnaissent chacune des cinq étapes. L'étrange visiteuse qui dirait étourdiment, à peine le pas de la porte franchi, «Mon mari travaille pour IBM» ou la ménagère qui imposerait immédiatement le café et les biscuits à sa visiteuse feraient preuve de manque de savoir-vivre. Les moments de gêne ou d'embarras sont, en réalité, souvent dus au fait que nous violons involontairement des normes sociales: se tromper de salle de toilette, arriver à une soirée en cravate et veston pour s'apercevoir que tout le monde porte un jean, applaudir au moment d'une pause durant une symphonie.

En plus de lubrifier les rouages sociaux, les règles nous libèrent de la préoccupation d'avoir à penser à ce que nous faisons et disons. Devant des situations inconnues où les normes sont peut-être moins claires, il nous faudra surveiller attentivement le comportement des autres afin de nous y ajuster. Dans les situations habituelles, par contre, nos gestes et nos paroles nous viennent aisément. Des modes d'interaction sous forme de rites nous donnent toute liberté de nous concentrer sur autre chose.

LES NORMES VARIENT SELON LES CULTURES

Les normes culturelles varient considérablement. C'est ainsi qu'une personne appartenant à une culture méditerranéenne expressive sera probablement perçue comme «chaleureuse, charmante, inefficace et perdant son temps» par le membre d'une culture plus formelle du nord de l'Europe, alors que l'on dira de l'Européen du Nord qu'il est «efficace, froid et trop préoccupé par le temps» (Triandis, 1981). Les dirigeants d'entreprise d'Amérique latine, arrivant en retard à un dîner d'affaires, seront probablement perplexes devant la susceptibilité de leurs homologues nord-américains en matière de ponctualité.

Qu'arrive-t-il lorsqu'une personne ne se comporte pas selon nos attentes en ce qui concerne les normes? Francis Aboud *et al.* (1974) font entendre des enregistrements de voix tout en montrant des photographies de personnes qui ont différents statuts sociaux. Lorsque le registre de la langue est plus élevé que ce qui est attendu, étant donné le statut social, la réaction est beaucoup plus positive.

Les cultures diffèrent également dans leurs normes touchant l'espace personnel, une sorte de zone ou de bulle tampon portative que l'on aime maintenir entre soi et les autres. Nous ne pouvons voir cette bulle et nous ne sommes habituellement pas conscients de sa présence. Il n'en reste pas moins que nous considérons l'espace immédiat qui nous entoure comme faisant partie de nous.

L'espace personnel sert d'écran pour bloquer la surabondance de stimulations que provoqueraient les détails faciaux ou les odeurs des autres. Il est aussi très utile pour nous retrancher et conserver un niveau d'intimité acceptable par rapport aux autres (Altman, 1975). La personne qui sent de fortes pressions venant de son environnement en général «gonflera sa bulle» pour mieux s'isoler (Karabenick et Meisels, 1972). La première fonction

Distance intime:
Distance interpersonnelle appropriée aux interactions affectueuses ou à l'agression.

Distance personnelle:
Distance interpersonnelle appropriée aux interactions habituelles entre les amis et les connaissances.

Distance sociale:
Distance interpersonnelle appropriée aux interactions impersonnelles telles que celles des transactions d'affaires.

Distance publique:
Distance interpersonnelle appropriée aux interactions officielles telles que celles qui existent entre un conférencier et son auditoire.

de l'espace personnel est donc de nous protéger. Mais il sert aussi à faire comprendre aux autres la nature plus ou moins intime de la relation que nous sommes prêts à avoir avec eux. Sa deuxième fonction en est donc une de communication (Fisher *et al.*, 1984).

L'espace personnel a un peu la même utilité que les épines des porcs-épics. Elles laissent les autres approcher pour sentir un peu de chaleur, mais elles leur signalent qu'ils ne doivent pas s'aventurer trop près. Mais, contrairement aux épines des porcs-épics, l'espace personnel peut s'étendre ou se contracter selon la situation (Sommer, 1969). En fait, Edward Hall (1966) distingue quatre zones spatiales chez les Nord-Américains. La **distance intime** (0 cm à 45 cm) procure une conscience intense de l'autre. À cette distance, non seulement nous le voyons, mais nous pouvons aussi le sentir et même être conscients de la chaleur que dégage son corps. Le toucher est alors le mode de communication qui l'emporte sur les échanges verbaux. C'est la distance des contacts intimes: faire l'amour, consoler, se battre. Les interactions à cette distance sont intenses et réservées à quelques-uns. La **distance personnelle** (45 cm à 1,25 m) est celle que nous utilisons dans nos échanges avec nos amis ou celle qu'un couple marié observe dans ses conversations. Plus les amis sont «proches», plus la distance est courte. C'est la distance habituelle pour les interactions sociales où les personnes veulent discuter de questions personnelles, mais ne veulent pas entrer en contact physiquement. Les détails visuels et les sons restent nombreux, mais le toucher devient moins important même s'il est encore possible. La **distance sociale** (1,25 m à 3,50 m) convient aux échanges plus impersonnels comme ceux qui impliquent des rapports professionnels. L'information visuelle y est moins détaillée et le ton normal de la voix doit être maintenu pour que les personnes s'entendent. Dans un bureau, les meubles sont souvent disposés de manière à maintenir cette distance propice au type de rapport qui s'y déroule. La **distance publique** (3,50 m et plus) convient entre des personnes de statuts inégaux ou, encore, dans une situation où il y a un acteur ou un politicien qui s'adresse à un public. À cette distance, les observations visuelles ne renseignent que sur la posture; les nuances subtiles de l'expression se perdent.

La grandeur de l'espace personnel dépend aussi de différents contextes. Ainsi, la distance interpersonnelle respectée est plus importante dans une petite pièce que dans une grande (White, 1975), de même que dans des pièces rectangulaires plutôt que carrées (Worchel, 1986). Les interactions à l'intérieur s'accompagnent d'une plus grande distance interpersonnelle que celles qui se tiennent à l'extérieur (Cochran *et al.*, 1984). Auriez-vous pensé que même la hauteur du plafond peut faire une différence? Les hommes, en effet, se tiennent à une plus grande distance quand les plafonds sont bas (Savinar, 1975). La nature des conversations peut aussi déterminer l'étendue de l'espace personnel. Si deux étrangers discutent d'une question intime ou embarassante, ils se tiendront plus loin l'un de l'autre que s'ils discutent d'une question plus neutre (Baker et Shaw, 1980).

Il y aussi certaines personnes qui préfèrent jouir d'un espace personnel plus étendu que d'autres. La comparaison de prisonniers violents et non violents montre que les premiers ont besoin, en moyenne, d'un espace personnel quatre fois plus grand (Kinzel, 1970). Ils cherchent aussi à maintenir une distance interpersonnelle relativement plus grande dans leur dos que devant eux. La fonction protectrice de l'espace personnel ne fait pas de doute dans ce cas.

Les enfants ne commencent à faire preuve de l'utilisation d'un espace personnel consistant que vers l'âge de quatre ans ou cinq ans. Par la suite, l'étendue de cet espace s'accroît pour se stabiliser vers l'âge de 12 ans ou 13 ans (Aiello et Aiello, 1974).

Les chercheurs ont aussi trouvé des différences en fonction du sexe. Les hommes gardent une distance interpersonnelle plus grande entre eux que les femmes entre elles. Dans les couples mixtes, la grandeur de cette distance se situe entre les deux précédentes (Brady et Walker, 1978). On peut donc conclure que les hommes, en général, ont besoin d'un espace personnel plus grand (Gifford, 1982). Certains expliquent cela par le tabou de l'homosexualité dans la culture occidentale. Mais il se peut aussi que les femmes soient plus aptes à interpréter la communication non verbale (Jourard et Rubin, 1968).

En tant qu'anthropologue, Edward Hall (1966) s'est tout particulièrement intéressé aux différences culturelles touchant l'espace personnel. Les Européens du Nord tels que les Allemands et les Anglais préfèrent maintenir une distance interpersonnelle plus grande dans leurs interactions que les Américains. Ils sont aussi plus incommodés lorsqu'ils n'obtiennent pas l'espace dont ils ont besoin. En revanche, les Arabes maintiennent autour d'eux un espace personnel plus réduit. Il en va de même de ceux qui habitent le sud de la France (H. W. Smith, 1981; Sommer, 1969; Stockdale, 1978). Kenneth Little (1968) a demandé à des personnes de cinq pays de placer des poupées dans une position d'interaction qu'ils jugeaient confortable. Il a observé que les Américains, les Suédois et les Écossais plaçaient les poupées plus loin l'une de l'autre que les Italiens et les Grecs. Hall attribue ces différences aux diverses normes culturelles concernant les modalités sensorielles appropriées pour communiquer.

Ces différences peuvent donner lieu à de mauvaises interprétations lorsque deux individus ne provenant pas de la même culture se rencontrent. Hall décrit un scénario qui pourrait donner lieu à ce qu'il appelle la «valse des Nations Unies». Un diplomate arabe rencontre un diplomate anglais dans un corridor; ce dernier s'arrête à 1,25 m ou 1,50 m de l'autre, la distance qu'il considère appropriée pour tenir une conversation. Le diplomate arabe, lui, continue à avancer jusqu'à 30 cm ou 60 cm. L'Anglais, ne comprenant pas pourquoi l'Arabe est si «collant» et ne pouvant tenir une conversation sensée tout en humant l'haleine de son interlocuteur, recule d'un pas ou deux. À son tour, le diplomate arabe, se demandant comment il est possible de tenir une conversation malgré ce vide qui les sépare et pourquoi son collègue semble si distant, avance lentement pour rétablir la distance «normale». Il s'ensuit que les deux personnes en viennent à accomplir une espèce de valse tout en se livrant à des attributions négatives sur les intentions de l'autre. Dans les grandes villes cosmopolites comme Montréal, où les cultures s'entrecroisent, les occasions de mauvaises interprétations semblables sont multiples.

À l'intérieur d'une même culture peuvent exister des sous-cultures. Mais certaines différences observées quant à l'espace personnel semblent plutôt liées au statut socio-économique qu'à la sous-culture. Ainsi, Shawn Scherer (1974) observe que les enfants noirs et blancs, aux États-Unis, ont un espace personnel de même dimension s'ils proviennent de la même classe sociale.

Pour voir ce que cela fait d'empiéter sur l'espace personnel de quelqu'un, vous pouvez toujours faire ce qu'ont fait les chercheurs et jouer à l'envahisseur. Tenez-vous debout ou assis à moins de 20 cm d'un ami et entamez une conversation. Votre ami remue-t-il sans cesse, regarde-t-il ailleurs, reste-t-il silencieux ou montre-t-il d'autres signes de malaise? Ce sont là quelques-uns des signaux d'alerte notés par les chercheurs (Altman et Vinsel, 1978). Une expérience controversée a même fait ressortir que les hommes ont besoin de plus de temps pour commencer à uriner et de moins de temps pour terminer (symptômes connus d'une faible stimulation émotionnelle) lorsqu'un autre homme occupe l'urinoir adjacent (Middlemist *et al.*, 1976, 1977).

Toutefois, il existe des façons de compenser l'invasion de l'espace personnel. De nombreuses études ont montré que plus les personnes sont attirées les unes vers les autres, plus elles interagissent à une distance réduite (Gifford et O'Connor, 1986). Mais il y a d'autres moyens que la distance physique maintenue pour exprimer l'intimité avec une autre personne. Les comportements non verbaux sont à cet égard très significatifs: regarder l'autre dans les yeux, sourire, adopter certaines postures, etc. Ces comportements, de même que la distance interpersonnelle, servent à maintenir un certain équilibre pour exprimer l'intimité (Argyle et Dean, 1965). Si la distance entre deux personnes engagées dans une conversation décroît, il en est de même de la durée du contact des yeux. Ce mécanisme de compensation a été observé dans de nombreuses situations. Des sujets qui doivent passer entre deux personnes dans un corridor étroit baissent les yeux (Efran et Cheyne, 1974). Pensez aussi à ce qui arrive lorsque vous devez faire un trajet dans une rame de métro bondée. Normalement, dans cette situation, nous évitons le contact des yeux des autres passagers pressés contre nous.

UNE NORME UNIVERSELLE

Malgré l'énorme variation culturelle des normes touchant la nourriture, la ponctualité, l'espace personnel et plusieurs autres comportements, nous, les humains, avons certaines normes en commun. La plus connue est le tabou de l'inceste: les parents ne doivent pas avoir de relations sexuelles avec leurs enfants, pas plus que les frères et sœurs entre eux (même si le tabou est apparemment violé plus souvent que ne le pensent d'habitude les psychologues, la norme n'en est pas moins universelle). Le psychologue social Roger Brown (1965), de l'Université Harvard, a décrit une norme moins bien connue mais tout aussi universelle.

La norme universelle de Brown concerne la façon dont se comportent entre eux des gens de statuts inégaux. Chaque société possède sa propre hiérarchie: selon la lignée, la richesse, le métier ou quelque chose d'autre, on considérera des gens comme étant plus élevés que les autres dans l'échelle des statuts. On peut détecter cette hiérarchie de statuts dans les manières qu'ont les gens de s'adresser aux autres et de nouer des relations. Avez-vous déjà remarqué que le ton distant et respectueux adopté pour parler à un supérieur (en mentionnant, par exemple, le titre et le nom de famille) est le même que celui qui est adopté pour parler à un étranger? Et que le ton familier (l'utilisation, par exemple, du prénom) souvent adopté pour parler à des subordonnés est le même que celui qui est adopté pour parler à des amis intimes? «Steve», le concierge de notre édifice, s'adresse aux professeurs en leur disant «Dr Untel ou Untel». Un étudiant et un professeur adopteront également un ton respectueux, tout comme le feront les médecins et les patients et les autres **dyades** où les rôles sont clairement inégaux.

Dyade:
Groupe de deux.

«Écoutez, chacun ici aime la vanille, d'accord? Alors, partons de là.»

En dépit d'énormes variations culturelles en matière de normes, nous, les humains, avons certaines normes en commun.

Dans La Femme eunuque, *Germaine Greer indique comment le langage de l'affection réduit les femmes à des rôles d'aliments ou de bébés animaux – chou, biche, petit lapin en sucre, chaton, poussin.*

La plupart des langues parlées possèdent deux formes pour le pronom anglais *you*: une forme respectueuse et une forme familière (par exemple *Sie* et *du* en allemand, «vous» et «tu» en français, *usted* et *tu* en espagnol). Les normes régissant l'emploi de ces pronoms expriment souvent l'inégalité de statuts. On emploie généralement la forme familière avec ses intimes et les gens que l'on perçoit comme inférieurs (pas seulement avec ses proches amis et les membres de sa famille, mais aussi en parlant, par exemple, avec les enfants et les chiens). C'est ainsi que l'estime de soi d'un enfant allemand se voit gonflé quand des étrangers s'adressent à lui en lui disant *Sie* plutôt que *du*. Les noms peuvent également exprimer de supposées inégalités sociales. Les Américains, par exemple, sont reconnus pour étiqueter les gens selon qu'il s'agit de «garçons» noirs, d'«hommes» blancs, de «filles» du bureau des dactylos ou de «femmes» du corps professoral. À l'intérieur même de la faculté étudiée par Rebecca Rubin (1981), les jeunes professeures risquaient beaucoup plus que les jeunes professeurs de se faire appeler par leur prénom.

Le premier aspect de la norme universelle de Brown – que *les manières de s'adresser aux autres n'indiquent pas seulement la distance sociale, mais aussi le statut social* – est relié de près à un second aspect. En Europe, où la plupart des dyades amorcent une relation avec le «vous» poli et officiel pour devenir éventuellement plus intimes grâce au «tu», l'une des deux personnes doit évidemment prendre l'initiative d'établir l'intimité. Selon vous, laquelle s'en chargera? *C'est généralement la personne de statut plus élevé.* Au moment de sympathiser, ce sera le plus âgé, le plus riche ou le plus distingué des deux qui dira «Pourquoi ne pas se dire tu?» Au-delà de la langue, cette norme s'étend à chaque type d'avance dans le domaine de l'intimité. Il est plus acceptable d'emprunter un stylo ou de mettre la main sur l'épaule d'un intime ou d'un subordonné que de poser ces gestes avec des étrangers ou des supérieurs. C'est ainsi que le recteur de l'université invitera chez lui les professeurs avant que ceux-ci ne l'invitent chez eux. La personne de statut plus élevé sera donc généralement la meneuse de jeu en matière d'intimité.

La fascination des normes universelles serait apparemment due au fait qu'elles reflètent un aspect universel de la nature humaine ou une obligation universelle à toute forme de vie sociale humaine. En effet, il est universellement vrai que ce sont les gens de statut supérieur qui prennent les initiatives en matière d'intimité, le statut social relatif sera alors indiqué par qui prend l'initiative et avec qui. À votre collège, par exemple, qui fixe les rendez-vous? Lorsque j'étais étudiant, au début des années 1960, les femmes ne le faisaient jamais, sauf durant les semaines spécialement désignées à cet effet ou à l'occasion de soirées organisées par les clubs d'étudiantes. Depuis ce temps, le mouvement féministe a modifié la perception de millions de femmes quant à leur statut, et plusieurs d'entre elles ne se considèrent pas elles-mêmes comme des féministes. Bien que le rendez-vous fixé par l'homme soit encore beaucoup plus fréquent, les femmes se sentent maintenant plus libres de prendre l'initiative d'une rencontre avec quelqu'un qu'elles connaissent à peine.

RÔLES

«Le monde entier est une vaste scène
Et tous les hommes et les femmes, de simples acteurs:
Ils entrent en scène et font leur sortie;
Et quand c'est son tour, un homme joue plusieurs rôles...»
William Shakespeare

Les théoriciens des rôles supposent, à l'instar de William Shakespeare, que la vie sociale est semblable au théâtre, avec toutes ses scènes, ses masques et ses scénarios au programme. Tout comme le rôle de Jacques exprimant le texte en exergue tiré de la pièce *As You Like It*, les rôles sociaux de parent, d'étudiant ou d'ami survivent à ceux qui les jouent. Et, comme le dit Jacques, ces rôles permettent une certaine liberté d'interprétation; les grandes performances dépendent de la façon particulière de jouer le rôle. Certains aspects de n'importe quel rôle *doivent* cependant être représentés. Jacques doit prononcer les paroles ci-dessus. L'étudiant doit, à tout le moins, se présenter aux examens, faire des exposés et maintenir une moyenne acceptable.

Rôle:
Ensemble de normes prescrivant la façon de se comporter selon la position sociale occupée.

Lorsque très peu de normes sont associées à une catégorie sociale (les piétons, par exemple, doivent marcher à droite et ne pas se promener dans la rue), il est rare qu'on en parle en termes de rôle social. Un **rôle** est défini par un ensemble substantiel de normes. Je pourrais facilement, par exemple, produire une longue liste de normes prescrivant mes activités en tant que professeur ou en tant que père de famille. Bien que je puisse me fabriquer une image de marque en violant les normes les moins importantes (je vais à l'université à bicyclette même quand il y a de la neige), je ne peux violer les normes les plus importantes de mon rôle (ne pas me présenter à mes cours, maltraiter mes enfants) sans risquer de le perdre. À partir de leurs recherches effectuées en Angleterre, en Italie, à Hong Kong et au Japon, Michael Argyle et Monica Henderson (1985) ont remarqué plusieurs variations culturelles relatives aux normes s'appliquant à l'amitié (au Japon, il est particulièrement important de ne pas mettre un ami dans l'embarras par des critiques publiques). Il y a cependant des normes apparemment universelles: respecter l'intimité d'un ami, établir un contact visuel en parlant, ne pas divulguer des confidences. Voilà certaines des règles du jeu en amitié. Briser ces règles, c'est mettre un terme au jeu.

Dans certaines cultures, les paramètres définissant l'espace personnel entre des amis vont en diminuant à mesure que grandissent les amitiés.

EFFETS DU JEU DE RÔLE

Au chapitre 2, nous avons vu brièvement la preuve que nous avons tendance à incorporer nos rôles. Lors d'un premier rendez-vous ou au début d'un nouvel emploi, c'est probablement timidement que nous jouerons le rôle. La timidité s'évanouit cependant à mesure que nous intériorisons le rôle: ce qui était irréel devient réel.

«Là où la psychologie sociale est le plus éloignée de la conscience populaire, faisait remarquer Philip Brickman (1978), c'est dans sa compréhension de la façon dont les choses deviennent réelles pour les gens.» Prenons le cas de l'enlèvement de l'héritière Patricia Hearst. Au cours de sa détention aux mains de jeunes révolutionnaires qui se disaient l'Armée de libération «symbionese», elle renonça à son ancienne vie, à ses parents fortunés et à son fiancé. Lorsqu'elle annonça avoir rejoint les rangs de ses ravisseurs, elle demanda aux gens «Essayez de comprendre les changements qui sont survenus en moi.» Douze jours plus tard, une caméra de banque enregistrait sa participation à un vol à main armée. Hearst fut éventuellement appréhendée et, après avoir subi une «déprogrammation», reprit son rôle d'héritière. Elle est aujourd'hui mère et femme au foyer dans une banlieue du Connecticut, consacrant la plupart de son temps à des œuvres de charité (Johnson, 1988). Les gens auraient plus facilement compris les agissements de Patricia Hearst si elle avait toujours été réellement une révolutionnaire convaincue ou si elle n'avait que prétendu collaborer avec ses ravisseurs. Ce qu'ils ne pouvaient pas comprendre (et qui en fit par conséquent l'une des plus grosses histoires à sensation des années 1970) c'est, comme l'écrivit Brickman, «qu'elle puisse réellement être une héritière, une révolutionnaire et ensuite, peut-être, une héritière à nouveau». C'est hallucinant. Cela ne pourrait certainement pas arriver à n'importe qui, n'est-ce pas?

La dernière partie du présent chapitre nous rassurera. Nos actes ne dépendent pas seulement de la situation sociale, mais aussi de nos dispositions intérieures. Nous ne réagissons pas tous identiquement aux intenses pressions sociales. Vous et moi nous serions peut-être comportés différemment de Patricia Hearst dans la situation difficile qu'elle a connue. Quoi qu'il en soit, certaines situations sociales peuvent inciter la majorité des gens «normaux» à se comporter «anormalement». C'est ce qui ressort clairement de certaines expériences où l'on avait placé des gens bien intentionnés dans une mauvaise situation afin de voir si le bien ou le mal prévaudrait. Le mal prévalut de façon consternante. Les «bons gars» ne finissent pas toujours bons.

À titre d'illustration, considérons les conséquences propres au fait d'avoir à tenir un rôle exigeant un comportement destructeur. Le «jeu» de rôle cesse souvent d'être un jeu à partir du moment où on l'associe à ses propres traits de caractère et à ses propres attitudes. Les soldats de combat se forment habituellement des images dégradantes de leur ennemi. Ou imaginez-vous des prisonniers et des gardiens de prison. Peut-être pouvez-vous vous souvenir d'images d'émeutes de prison telles que le déchaînement survenu au pénitencier d'État du Nouveau-Mexique, près de Santa Fe. Trente-trois prisonniers moururent, plusieurs furent battus à coups de matraque, sauvagement brûlés avec des chalumeaux, inondés d'huile et mis en feu, ou démembrés à l'aide de couteaux artisanaux.

Rôles déshumanisants

«Si seulement c'était si simple! Si seulement il n'y avait que des gens méchants se livrant traîtreusement à des atrocités et qu'il nous suffirait d'isoler et de détruire. Mais la ligne de partage du bien et du mal se trouve au cœur même de chaque être humain.»

Aleksandr Soljenitsyne, *L'Archipel de Goulag*

La brutalité carcérale est-elle due à des dispositions cruelles chez les personnes impliquées? (On avait demandé à l'ex-gouverneur de Géorgie Lester Maddox s'il y avait moyen d'améliorer les prisons. «Ce dont nous avons besoin, rétorqua-t-il, c'est d'une meilleure classe de prisonniers.») Pourrait-on réformer les prisons en engageant comme gardiens des gens meilleurs et en isolant les prisonniers sadiques? Ou les prisons déshumanisent-elles les gens parce que les rôles d'établissement de gardiens et de prisonniers ont tendance à aigrir et à endurcir jusqu'aux personnes les plus compatissantes – ce qui revient à dire: Est-ce la personne qui rend l'endroit violent ou est-ce l'endroit qui rend la personne violente?

Le débat fait toujours rage entre ceux qui disent que le mal réside uniquement dans les individus (qu'il faut réformer les gardiens et réhabiliter les prisonniers) et ceux qui voient le mal dans la dynamique inhérente à la vie carcérale. Si un débat de ce genre dure longtemps, c'est habituellement parce que nous commençons par attaquer un problème déjà existant et travaillons à contre-courant, en spéculant sur ses causes. Étant donné que les facteurs de personnalité et de circonstances sont entremêlés, il est possible de présenter des arguments en faveur de chacun de ces deux types de facteurs. Reconnaissant ce dilemme, Philip Zimbardo a attribué des rôles différents à des groupes similaires de personnes. Dans une prison simulée, construite au sous-sol du département de psychologie de l'Université Stanford, il soumit quelques-uns de ses collègues, des personnes honnêtes et intelligentes, à certaines des principales caractéristiques du milieu carcéral. Tirant à pile ou face, on attribua à la moitié de ce groupe de volontaires le rôle de gardiens. On leur donna des uniformes, des matraques et des sifflets, et on leur dit de faire respecter certaines règles. Les prisonniers, quant à eux, furent enfermés dans des cellules dénudées, puis forcés de revêtir une tenue humiliante.

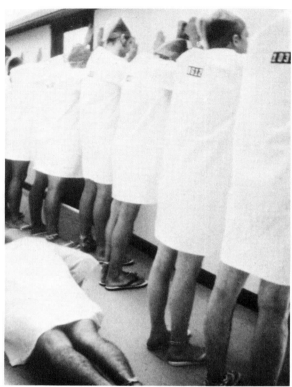

Au cours de la simulation d'une prison à Stanford, gardiens et prisonniers assimilèrent rapidement les rôles qu'ils jouaient.

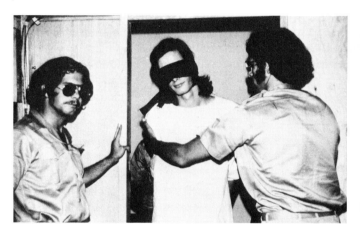

Après un peu plus d'une journée de «jeu» de rôle, les gardiens, les prisonniers et même les expérimentateurs tombèrent dans le panneau de la situation. Les gardiens inventèrent des occupations quotidiennes cruellement humiliantes; les prisonniers s'effondrèrent, se révoltèrent ou devinrent apathiques; quant aux expérimentateurs, ils travaillèrent au-delà des heures normales afin de maintenir la sécurité dans la prison. Il se développa, nota Zimbardo (1972b), une «confusion grandissante entre la réalité et l'illusion, entre le jeu de rôle et l'identité personnelle... Cette prison de notre création [...] nous absorbait comme des créatures de sa propre réalité». La simulation devait durer deux semaines, mais:

> Après seulement six jours, nous avons dû fermer notre fausse prison parce que nous étions terrifiés de ce que nous y voyions. Nous ne savions plus où se situait notre identité et où commençaient nos rôles. Nous étions, en fait, presque tous devenus des «prisonniers» ou des «gardiens», désormais incapables de faire la différence entre soi et le jeu de rôle. Chacun des aspects de notre comportement, de notre pensée et de nos sentiments présentait des changements spectaculaires. En moins d'une semaine, l'expérience de l'emprisonnement annula (temporairement) les apprentissages de toute une vie: les valeurs humaines furent temporairement exclues, les conceptions de soi furent mises en doute et le côté le plus bas, le plus laid et le plus pathologique de la nature humaine fit surface. Nous étions horrifiés de voir des gars («gardiens») traiter d'autres gars comme des animaux méprisables, prenant plaisir à la cruauté alors que ces autres gars («prisonniers») devenaient des robots déshumanisés et serviles, ne pensant qu'à l'évasion, qu'à leur propre survie et qu'à leur haine croissante des gardiens. (Zimbardo, 1971, p. 3)

La plus importante démonstration de cette simulation controversée n'a rien à voir avec les prisons réelles qui diffèrent assurément de la prison simulée. Elle n'a rien à voir, non plus, avec les nombreuses situations de la vie réelle susceptibles de comporter des relations de rôle aussi destructives. Cette simulation démontre plutôt comment ce qui était irréel (un rôle artificiel) peut devenir quelque chose de réel. À titre d'exemple concret, considérons les rôles de maître et d'esclave. Imaginez-vous dans le rôle de l'esclave – non seulement pour six jours, mais pour plusieurs dizaines d'années. Si quelques jours ont modifié le comportement des habitants de la «prison» de Zimbardo, des décennies d'un comportement servile auront sûrement d'importants effets corrosifs sur les traits de caractère et l'image de soi de l'esclave. Le maître sera probablement encore plus touché, parce que le rôle du maître émane d'un choix.

«Burnout»

«Burnout»:
Hostilité, apathie ou perte d'idéal résultant d'un stress prolongé ou d'un conflit entre personnes jouant des rôles antagonistes.

Les professionnels du service à la personne expérimentent souvent le pouvoir de transformation d'un nouveau rôle sous la forme du **«burnout»** de leur idéalisme du début. Un officier de police de New York décrit ainsi l'expérience: «Quand on devient policier, on change – on devient coriace, dur et cynique. On doit se conditionner à être comme cela si l'on veut survivre dans ce métier. Et parfois, sans s'en rendre compte, on agit ainsi tout le temps, même avec son épouse et ses enfants» (Maslach et Jackson, 1979). De même en est-il pour les préposés travaillant dans les établissements pour déficients intellectuels et qui finissent souvent par parler des bénéficiaires en utilisant des étiquettes dénigrantes telles que «rat», «cochon» et «monstre». C'est la même chose pour l'idéalisme initial des assistants sociaux qui se transforme souvent en une attitude froide et avilissante (Wills, 1978).

Qu'en est-il des clients? Ils perçoivent souvent les employés comme des êtres distants et sans cœur. Un jeune homme, à la suite de l'amputation d'une jambe, alla en compagnie de sa mère au centre de services sociaux afin d'obtenir de l'information sur l'aide aux handicapés. S'étant fait accusés, par l'assistant social, de vouloir exploiter le gouvernement, ils retournèrent à la maison et pleurèrent durant trois heures. Certes, tous les officiers de police, les préposés aux malades et les assistants sociaux ne deviennent pas si insensibles. Le nombre imposant d'individus vivant un «burnout» laisse toutefois à penser qu'il vaudrait mieux ne pas voir la cause du «burnout» dans les mauvaises dispositions intérieures des gens, mais plutôt dans l'aspect difficile des situations.

Rappelons-nous l'erreur d'attribution fondamentale étudiée au chapitre 3. Quand les intervenants professionnels sont à tout moment exposés aux problèmes et aux comportements négatifs des clients, attribuent-ils ces problèmes aux dispositions intérieures des clients plutôt qu'à leurs situations?

Christina Maslach (1978, 1982) a trouvé comment les relations de rôle entre les employés et les clients créent le «burnout». Les normes du rôle d'assistant social (dont certaines se traduisent en règles et en règlements) exigent qu'il pose au client des questions très personnelles, sans avoir pleine liberté d'offrir de l'aide. Il en résulte une situation tendue où l'assistant social cherche à maintenir ses distances. Les normes officieuses stipulent que l'assistant social doit faire preuve d'assurance et que le client doit être dépendant et passif, si bien que, sans s'en rendre compte, l'assistant social peut en venir à considérer ses clients comme des objets. De plus, la situation exige des clients qu'ils fassent part de leurs réactions quand ça va mal, mais pas quand ça va bien. Lorsque le travail social n'apporte pas de résultats agréables, à quoi pensez-vous que le professionnel aura tendance à attribuer les plaintes et les échecs du client? Ce sera, bien sûr, aux dispositions intérieures du client: «S'ils ne peuvent pas changer après tout ce que j'ai fait pour eux, il faut alors regarder la vérité en face – quelque chose ne tourne vraiment pas rond chez eux.»

«Grand Manitou, fais que je ne critique pas mon voisin avant d'avoir marché toute une lune dans ses mocassins.»

Vieille prière amérindienne

INVERSION DES RÔLES

Jusqu'ici, c'est surtout aux effets négatifs du jeu de rôle que nous nous sommes attardés. Néanmoins, le jeu de rôle peut parfois être utilisé à bon escient. En adoptant volontairement un nouveau rôle, les gens peuvent quelquefois se changer eux-mêmes ou mieux comprendre les gens dont les rôles diffèrent des leurs. C'est justement dans ce but que le «psychodrame», une forme de psychothérapie, utilise le jeu de rôle. Dans la pièce de George Bernard Shaw intitulée *Pygmalion*, Eliza Doolittle, la frustre vendeuse de fleurs, découvre que si elle joue le rôle d'une «dame» et que les autres la perçoivent comme telle, elle est alors réellement une dame. Ce qui n'était pas réel l'est maintenant devenu.

Les rôles se présentent souvent sous forme de paires – parent et enfant, mari et femme, professeur et élève, policier et citoyen. L'inversion des rôles peut aider à mieux comprendre l'autre. Le problème propre à la plupart des conversations et des discussions humaines, comme le faisait remarquer La Rochefoucauld, «c'est qu'un homme attache beaucoup plus d'importance à ses propos qu'au fait de répondre de façon adéquate aux questions qu'on lui pose. Même les plus charmants et les plus intelligents se contentent d'avoir l'air attentifs alors qu'on peut leur voir un air ahuri lorsque quelqu'un d'autre parle, impatients qu'ils sont de retourner à leurs propres idées» (1665, n° 139). Pour créer une meilleure communication, un négociateur ou un chef de groupe peut, par conséquent, faire une inversion des rôles des deux parties, chacune discutant de la position adoptée par l'autre. Il peut demander à chaque partie, l'une après l'autre, d'exposer de nouveau la position de son opposant (à la satisfaction de ce dernier) avant de répondre. La prochaine fois que vous vous trouverez dans une discussion difficile, avec un ami ou un parent, essayez de l'arrêter en plein milieu et de faire en sorte que chacun formule les perceptions et les sentiments de l'autre, avant de poursuivre selon les vôtres. Votre compréhension mutuelle en sera probablement meilleure.

CONFLIT DE RÔLES

Les rôles sont constitués d'ensembles de normes qui sont les attentes quant à la façon dont on devrait se comporter. Les attentes des gens sont parfois conflictuelles, comme dans l'exemple des nouvelles mères et des nouveaux pères qui divergent d'opinion sur l'engagement de chacun pour ce qui est des tâches ménagères et des soins à donner aux enfants (Ruble *et al.*, 1988). Il y a trois sortes de conflit de rôles, chacune nécessitant sa propre méthode de résolution.

Conflit entre la personne et son rôle

Conflit entre la personne et son rôle :
Tension entre la personnalité ou les attitudes d'une personne et les attentes reliées au rôle qu'elle joue.

Sans doute vous est-il déjà arrivé de trouver que votre personnalité ou vos attitudes étaient incompatibles avec les attentes d'un rôle qu'on vous avait attribué. Peut-être avez-vous été élu président d'un groupe, fonction que vous avez trouvée très fatigante compte tenu de votre nature habituellement effacée. Ou alors, vous avez peut-être accepté un travail vous obligeant à agir selon des règles avec lesquelles vous étiez en désaccord. Il y a, dans des cas de ce genre, une différence désagréable entre le rôle et ce que nous sommes vraiment.

Des conflits de cette nature sont monnaie courante chez les gens commençant à exercer un rôle professionnel. Voulant devenir titulaires d'un poste, les jeunes professeurs rongent souvent leur frein devant les attentes inhérentes au rôle de professeur. Une enquête effectuée par Mary Ellen Reilly (1978) auprès de jeunes prêtres catholiques démontra que plusieurs désapprouvaient les positions de l'Église en matière de planification des naissances, de divorce et de célibat des prêtres – positions auxquelles on s'attend que les prêtres se rallient. Avec le temps, leurs attitudes se modifieront-elles pour devenir plus semblables à celles des prêtres âgés de 55 ans et plus, dont 90 % se montrèrent d'accord avec les positions de l'Église sur ces sujets? Si tel était le cas, nous aurions alors l'illustration de l'une des manières de résoudre le conflit entre la personne et son rôle : ajuster ses traits de caractère et ses attitudes au rôle.

Conflit intrarôle

Vous êtes-vous déjà senti tiraillé par des attentes contradictoires quant à la façon de vous comporter à l'intérieur d'un rôle donné? Bien des professeurs vivent l'angoisse d'avoir à satisfaire aux exigences de leurs élèves désireux de s'en tenir aux textes en même temps qu'aux exigences des élèves se plaignant des cours trop centrés sur les textes. Parmi les jeunes prêtres catholiques interrogés par Reilly, les deux tiers avaient perçu d'énormes différences entre les attentes exprimées par les prêtres plus âgés et les attentes exprimées par leurs pairs plus jeunes.

Conflit intrarôle :
Tension créée par des attentes contradictoires quant à la façon de jouer un rôle.

Les **conflits intrarôle** sont parfois difficiles à résoudre. On réussit quelquefois à amener les deux camps à rechercher un plus grand consensus. On peut également s'attaquer au conflit en privilégiant certaines attentes. C'est ainsi que les jeunes prêtres ont affirmé s'intéresser davantage aux attentes de leurs jeunes pairs.

Conflit interrôle

Vous avez probablement déjà affronté des conflits dus aux attentes spécifiques de deux rôles différents. Selon que vous êtes avec vos parents, jouant le rôle du fils obéissant ou de la fille obéissante, ou que vous êtes au collège, peut-être montrez-vous deux «moi» différents. Pourvu qu'on joue les deux rôles sur des scènes différentes, les manières, le langage et les attitudes adoptés à la maison et au collège peuvent être commodément différenciés. Mais quand il y a chevauchement des rôles — à l'occasion, par exemple, d'une fin de semaine à la maison où vous invitez des amis – vous affrontez alors un conflit de rôles. Lorsque deux ensembles d'attentes s'opposent nettement, nous réglons habituellement le **conflit interrôle** en les maintenant à distance l'un de l'autre. De là vient le soupir de soulagement poussé par les élèves quand leurs parents retournent à la maison après avoir fait leur visite d'inspection du collège. Lorsqu'un médecin s'adresse à ses patients, il doit choisir entre l'utilisation d'un langage savant et celle d'un langage de tous les jours. Le poids qu'il accordera à de nombreux facteurs le fera opter pour l'un ou l'autre. Par exemple, il aura à choisir entre appliquer la norme de l'efficacité de la communication et faire valoir son statut supérieur auprès du patient. Quoi qu'il en soit, il semble que les patients préfèrent un langage simple (Bourhis *et al.*, 1989).

Conflit interrôle :
Tension engendrée par les exigences de deux rôles qu'il faut jouer simultanément.

Malgré les tensions associées au conflit de rôles, le fait de jouer plusieurs rôles comporte ses bénéfices. Patricia Linville (1987) rapporte que les gens occupant plusieurs rôles – en tant que parent, travailleur, athlète amateur, président d'association ou autre – se sentent habituellement moins menacés dans leur intégrité par les problèmes surgissant dans l'un ou l'autre secteur. Faisant face à un divorce, la personne pouvant se dire «Malgré mes problèmes conjugaux, je suis un bon parent (ou un travailleur compétent et apprécié)» sera probablement moins anéantie.

Gardant à l'esprit cette introduction aux normes et aux rôles culturels, passons maintenant, à titre d'exemple plus élaboré, à un rôle culturel sur lequel on s'est récemment beaucoup penché.

RÔLES SEXUELS

Le pouvoir qu'ont les rôles socialement prescrits de façonner nos attitudes, notre comportement et jusqu'à notre perception de nous-mêmes n'est nulle part ailleurs plus évident que dans les idées inculquées par la société en ce qui a trait à la masculinité et à la féminité, et à la façon dont les hommes et les femmes devraient se comporter. Avant de plonger dans l'endoctrinement des rôles hommes-femmes, voyons d'abord brièvement ce qu'il y a à comprendre: jusqu'à quel point les hommes et les femmes sont-ils différents?

DIFFÉRENCE ENTRE LES HOMMES ET LES FEMMES

«En 1970, on n'avait pas encore défini de champ d'études pour la psychologie des femmes. Aujourd'hui... l'étude des femmes et de l'appartenance à un sexe a intégré le courant dominant en psychologie sociale.»
Barbara Strudler Wallston, 1987

Au cours des 20 dernières années, le *Psychological Abstracts* a indexé plus de 20 000 articles traitant des «différences entre les sexes chez les humains». Qu'avons-nous donc appris de toutes ces études comparant entre eux des centaines de milliers d'hommes et de femmes?

En premier lieu, qu'ils partagent un nombre considérable de similitudes. À l'époque de la dentition et de l'apprentissage de la marche, les filles et les garçons ne diffèrent sensiblement pas, qu'il s'agisse en général de générosité, de gentillesse, d'intelligence et de bien d'autres choses (E. Maccoby, 1980). Le chevauchement entre les deux sexes est considérable, même sur le plan des capacités physiques où l'écart entre les sexes est le plus marqué. Lors du marathon annuel de Montréal, l'homme termine en moyenne une demi-heure avant la femme, mais il y a des femmes qui terminent avant la majorité des hommes très bien entraînés. Le record mondial de 4 min 12,2 s au 400 m nage de Don Schollander, lors des Jeux olympiques de 1964, lui aurait valu le dernier rang s'il était entré en compétion contre les huit femmes en lice au cours des Jeux olympiques de 1988, avec un retard de 8,35 s derrière la gagnante, Janet Evans.

Quant aux traits psychologiques, les similitudes entre les sexes sont encore plus marquées. Le savant britannique Samuel Johnson admettait une plus grande variété à l'*intérieur* d'un sexe qu'entre les sexes, et lorsqu'on lui demanda qui de l'homme ou de la femme était le plus intelligent, il répondit: «Quel homme? Quelle femme?»

Les similitudes entre les sexes suscitent cependant beaucoup moins d'intérêt et de publicité que les différences liées au sexe. La différence, par exemple, entre la moyenne des résultats chez les hommes et les femmes au test mathématique SAT attire beaucoup plus l'attention que leurs résultats similaires au test verbal SAT. Michèle Robert (1990), de l'Université de Montréal, fait des recherches pour tenter d'expliquer pourquoi les hommes sont supérieurs aux femmes quand il s'agit de prédire l'orientation que prendra la surface d'un plan d'eau à la suite de l'inclinaison du récipient dans lequel il est contenu. Les différences excitent la curiosité scientifique et attirent l'attention des médias, ce qui peut entraîner l'exagération de nos perceptions des différences entre hommes et femmes qui, comme le note Lauren Harris (1979) ne sont certainement pas de sexes *opposés*: «Que ce soit au point de vue psychologique ou physique, les hommes et les femmes ne sont pas de nature ou de tendances contraires ou antithétiques...» De plus, et comme nous aurons l'occasion de le voir, la *croyance* à l'existence de certaines différences peut inciter autant les hommes que les femmes à percevoir et à vivre les différences escomptées, réalisant ainsi la prédiction.

Quelles sont donc, en matière de comportement social, ces petites différences entre les sexes? Entre autres choses, il y a des différences par rapport à l'agressivité, à l'empathie et à la sensibilité aux messages non verbaux, à l'initiative sexuelle et au pouvoir social.

Agression

Agression:
Comportement physique ou verbal visant à blesser intentionnellement quelqu'un. Au cours des expériences en laboratoire, cela pourrait vouloir dire administrer des chocs électriques ou dire quelque chose pouvant heurter les sentiments de quelqu'un. Selon cette définition donnée par la psychologie sociale, il est possible de s'affirmer socialement sans être agressif.

Par **agression**, les psychologues n'entendent pas l'affirmation de soi, mais le comportement visant à blesser. Partout à travers le monde, la chasse, le combat et la guerre sont avant tout des activités masculines. Au cours des enquêtes, les hommes se reconnaissent plus d'agressivité que ne le font les femmes. Dans les expériences en laboratoire, les hommes manifestent effectivement plus d'agressivité physique en administrant, par exemple, ce qu'ils pensent être des chocs électriques douloureux (Eagly et Steffen, 1986; Hyde, 1986). Aux États-Unis, les hommes sont appréhendés huit fois plus souvent que les femmes pour des crimes violents – une tendance que l'on rencontre dans toutes les sociétés ayant répertorié les crimes (Kenrick, 1987).

La violence criminelle est un comportement inhabituel et extrême; cette année, plus de 99 % des gens *ne* seront *pas* appréhendés pour meurtre ou assaut. C'est là une étrange caractéristique des répartitions statistiques que même une toute petite différence entre les moyennes de deux groupes – par exemple, entre les distributions de l'agressivité qui se chevauchent chez les hommes et chez les femmes – puisse créer des différences appréciables aux extrêmes. Seulement 5 % de la variation des niveaux d'activité chez un individu sont attribuables au sexe (Eaton et Enns, 1986), mais il n'en faut pas plus pour que l'activité extrême – diagnostiquée comme hyperactivité – soit trois fois plus fréquente chez les garçons que chez les filles. En d'autres termes, en considérant les extrêmes – la prépondérance, par exemple, des mâles parmi les personnes criminellement violentes, les hyperactifs et les petits prodiges en mathématiques – on peut se tromper et percevoir de façon exagérée les différences entre les groupes.

Empathie et sensibilité

Empathie:
Expérience indirecte des sentiments de quelqu'un d'autre: se mettre à la place de quelqu'un.

Il ne fait aucun doute que la femme moyenne *se déclare* plus empathique, plus capable de ressentir ce que ressent l'autre – «se réjouir avec ceux qui se réjouissent, pleurer avec ceux qui pleurent». Cela apparaît surtout lors des enquêtes où les femmes et les hommes décrivent leurs réponses émotionnelles. Jusqu'à un certain point, c'est également vrai dans les recherches en laboratoire où les femmes ont plus tendance à pleurer et à se dire malheureuses de la détresse de quelqu'un d'autre (Eisenberg et Lennon, 1983).

«Dans le discours différent des femmes se trouve une éthique de l'art de prendre soin des autres.»
Carol Gilligan, 1982, p. 173

Beaucoup de chercheurs rapportent d'ailleurs que les femmes sont moins compétitives et plus coopératives que les hommes, tout en se préoccupant davantage des relations sociales (Gilligan, 1982; Knight et Dubro, 1984). En comparant leurs amitiés avec des hommes, les hommes autant que les femmes estiment que leurs amitiés avec les femmes leur procurent plus d'intimité, de plaisir et d'enrichissement (Sapadin, 1988). Judith Hall (1984) a découvert que, dans 94 % des études publiées portant sur le sourire adulte, les femmes souriaient plus que les hommes. À l'extérieur du laboratoire, des recherches plus récentes confirment que la cordialité habituellement plus grande des femmes s'exprime souvent sous forme de sourires. Lorsque Marianne LaFrance (1985) analysa 9000 photos de diplômés d'université, et lorsque Amy Halberstadt et Martha Saitta (1987) étudièrent 1100 photos de revues et de journaux, de même que 1300 personnes dans les centres commerciaux, les parcs et les rues, elles ont immanquablement trouvé que les femmes avaient plus tendance à sourire. À l'intérieur des groupes, les hommes contribuent par des comportements davantage reliés au travail, tels que donner de l'information, alors que les femmes contribuent par des comportements sociaux et émotionnels plus positifs, comme aider ou encourager (Eagly, 1987).

Une explication de cette différence entre les hommes et les femmes dans l'expression de l'empathie est que les femmes ont tendance à être meilleures que les hommes pour lire les émotions d'autrui. Dans son analyse de 125 études sur la sensibilité des hommes et des femmes aux messages non verbaux, Hall (1984) s'est aperçue que les femmes sont généralement supérieures dans l'art de décoder les messages émotionnels d'autrui. Lorsque, par exemple, on leur montre un court extrait de film muet où apparaît le visage d'une femme à la mine bouleversée, les femmes ont tendance à évaluer avec plus de précision si elle est en colère ou en train de parler d'un divorce. Hall rapporte également que les femmes sont plus habiles à exprimer non verbalement leurs émotions.

Attitudes et comportement sexuels

Susan Hendrick et ses collègues (1985) rapportent que plusieurs recherches, incluant les leurs, révèlent un écart entre les sexes relativement aux attitudes sexuelles : les femmes sont «plus ou moins conservatrices» par rapport aux aventures sexuelles et les hommes sont «plus ou moins permissifs». La récente enquête du Conseil américain de l'éducation portant sur un quart de million d'étudiants de première année à l'université sert de bon exemple. «Si deux personnes se plaisent réellement, c'est très bien qu'elles aient des rapports sexuels même si elles ne se connaissent que depuis peu» ont convenu 66 % des hommes contre seulement 39 % des femmes (Astin *et al.*, 1987).

La différence d'attitudes sexuelles entre les deux sexes transparaît dans le comportement. À travers le monde, les hommes ont plus tendance à prendre l'initiative des relations sexuelles et à être moins sélectifs quant au choix de leurs partenaires, un modèle de comportement caractérisant la plupart des espèces animales (Hinde, 1984 ; Kenrick et Trost, 1987). Les hommes ont tendance à prendre l'initiative non seulement des relations sexuelles, mais aussi des fréquentations, de la révélation de soi et du toucher (Hendrick, 1988 ; Kenrick, 1987).

Pouvoir social

Dans toutes les sociétés du globe, qu'elles soient traditionnelles ou modernes, les gens perçoivent les hommes comme étant plus dominateurs, dynamiques et agressifs et les femmes comme étant plus soumises, éducatrices et liantes (Williams et Best, 1986). Et les hommes *sont* dominateurs dans toutes les sociétés connues. Iftikhar Hassan (1980) de l'Institut national de psychologie du Pakistan explique le statut de la femme pakistanaise moyenne :

> Elle sait que les parents ne sont pas heureux d'avoir donné naissance à une fille et qu'elle n'a pas à se plaindre de ce que ses parents ne l'envoient pas à l'école, puisqu'elle n'est pas censée travailler. On lui enseigne à être patiente et obéissante, et à se sacrifier... Si son mariage bat de

l'aile, c'est elle qui portera le blâme. Si l'un ou l'autre de ses enfants ne réussit pas dans la vie, elle en est la cause principale. Et dans les rares cas où elle demande le divorce ou l'obtient, ses chances d'un second mariage sont très minces parce que la culture pakistanaise est très sévère envers les femmes divorcées.

La domination des hommes s'exprime de toutes sortes de façon. Par exemple, Marie-Claude Hurtig *et al.* (1991) observent dans les comparaisons intersexes un effet d'asymétrie dû au sexe du référent. Plus concrètement, cela veut dire que deux personnes de sexe opposé sont jugées se ressembler plus quand la femme est comparée à l'homme que quand l'homme est comparé à la femme. Cela viendrait du fait que la catégorie homme est plus positive, qu'elle sert de norme universelle, de prototype dans la comparaison. Il y a assimilation de la femme à l'homme de la même façon que, lorsqu'il y a comparaison de soi à autrui, il y a une assimilation autocentrée, le soi servant de prototype.

Au Canada, qui se vante d'être plus égalitaire que la plupart des cultures, les femmes constituent environ 51 % de la population, mais seulement 12 % de la Chambre des communes (17 % de l'Assemblée nationale) en 1991. Les métiers traditionnellement masculins sont les mieux rémunérés; en 1985, au Québec, le revenu moyen des femmes équivaut à 56 % de celui des hommes (recensement du Canada, 1986). Lorsqu'on leur demande quel salaire elles méritent, les femmes s'attendent souvent à un salaire moindre que celui auquel s'attendent les hommes dont les compétences et les qualifications sont similaires (Major, 1987). Lorsque des jurys sont constitués, 90 % des présidents de ces jurys sont des hommes, bien qu'ils ne constituent que la moitié de tous les jurés (Kerr *et al.*, 1982).

Les recherches sur les relations entre le sexe et la communication révèlent que les hommes ont tendance à s'exprimer avec plus d'assurance, interrompent davantage et regardent les gens plus directement dans les yeux (Hall, 1987; Henley, 1977). Il s'agit là des comportements propres à la personne la plus experte ou la plus dominante, comme lorsqu'un professeur s'adresse à un élève (Dovidio *et al.*, 1988a, b; Ellyson et Dovidio, 1985). Énonçant le même résultat à partir d'un point de vue féminin, on pourrait dire que le discours des femmes tend à être perçu comme celui de personnes moins puissantes et plus chaleureuses – qui coupent la parole moins souvent, sont plus sensibles et moins sûres d'elles.

Devant ces résultats, Nancy Henley (1977) a affirmé que les femmes devraient cesser de feindre des sourires, de détourner les yeux et de tolérer les interruptions, et qu'elles devraient plutôt regarder les gens dans les yeux et s'exprimer avec assurance. Judith Hall (1984) valorise toutefois le style de communication moins autocratique des femmes et s'oppose par conséquent à l'idée que

> les femmes devraient modifier leur style non verbal de façon à avoir l'air plus distantes et insensibles... Ce qui serait sacrifié, c'est la valeur plus profonde, pour soi et pour la société, d'un style de comportement qui est fonctionnel, socialement judicieux et pouvant faciliter l'interaction positive, la compréhension et la confiance... Dès que l'on suppose que le comportement non verbal des femmes est indésirable, un autre mythe se voit encore une fois perpétué: que le comportement mâle est «normal» et que c'est le comportement des femmes qui est déviant et qu'il faut expliquer. (p. 152-153)

POURQUOI LES HOMMES ET LES FEMMES DIFFÈRENT-ILS ?

«La question relativement simple de savoir s'il existe des différences entre les sexes s'est transformée pour devenir la question théoriquement intéressante de savoir pourquoi apparaissent des différences entre les sexes.»
Alice H. Eagly et Wendy Wood, 1988

Bien que ces différences de comportement social entre les hommes et les femmes soient modestes, elles n'en suscitent pas moins beaucoup d'intérêt. À l'exemple des détectives s'intéressant davantage aux crimes qu'aux comportements respectueux des lois, les détectives de la psychologie sont intrigués par les différences plutôt que par les similitudes. En ce qui concerne les différences entre hommes et femmes quant à l'agression, à l'empathie, à l'initiative sexuelle et au pouvoir, on cherche toujours les mobiles des «crimes». L'enquête préliminaire a identifié deux suspectes : la biologie et la culture.

Biologie

Les hommes ont des pénis, et les femmes, des vagins. Les hommes produisent le sperme, les femmes, les ovules. Les hommes ont la masse musculaire pour projeter une lance au loin, les femmes peuvent allaiter. Les différences biologiques entre les sexes se limitent-elles à ces distinctions évidentes sur le plan de la reproduction et sur le plan physique ? Ou les gènes, les hormones et les cerveaux des hommes et des femmes diffèrent-ils au point de contribuer à leurs différences de comportement ? Les scientifiques du domaine social ont accordé de plus en plus d'attention aux influences biologiques s'exerçant sur le comportement social. Prenons, par exemple, l'explication «biosociale» des différences entre les sexes.

Évolution des sexes

À partir de Darwin, la plupart des biologistes ont supposé que, depuis des millions d'années, les organismes durent se faire concurrence pour survivre et laisser une descendance. Les gènes augmentant les chances qu'un organisme laisse des descendants seront naturellement plus abondants. Si ceux qui ne possèdent pas ces gènes laissent peu de descendants, leurs gènes disparaîtront de l'espèce. Par exemple, dans l'environnement enneigé de l'Arctique, les gènes de l'ours polaire programmant un épais manteau de fourrure lui permettant de se camoufler ont gagné la compétition génétique et sont maintenant dominants.

En termes simplifiés, Darwin supposait que l'évolution des organismes était fonctionnelle, sinon ils ne seraient pas là. Les organismes bien adaptés à leur environnement ont plus de chances de transmettre leurs gènes à la postérité. La nouvelle science controversée de la **sociobiologie** étudie comment ce processus évolutif peut prédisposer, non seulement à de simples traits physiques tels que les manteaux des ours polaires, mais aussi à des comportements sociaux.

Sociobiologie :
Étude de l'émergence du comportement social à partir des principes de la biologie évolutionniste.

La théorie offre une explication toute prête au fait que les mâles de la plupart des espèces mammifères déploient plus d'initiative sexuelle. Le sociobiologiste Edward O. Wilson explique :

> Durant toute la période nécessaire pour amener un fœtus à terme, depuis la fécondation de l'ovule jusqu'au nouveau-né, un homme peut féconder plusieurs femmes, alors qu'une femme ne peut être fécondée que par un seul homme. Si les hommes, par conséquent, sont capables de courtiser bien des femmes, certains seront de grands gagnants et d'autres de véritables perdants, tandis que presque toutes les femmes en bonne santé réussiront à être fécondées. C'est payant pour les hommes d'être agressifs, hâtifs, volages et de manquer de discernement. En théorie, il est plus profitable pour les femmes d'être saintes nitouches et de se contenir jusqu'à ce qu'elles puissent identifier les hommes ayant les meilleurs gènes. (p. 125)

«C'est un fait apparemment incontournable que les hommes et les femmes diffèrent génétiquement, physiologiquement et, sur beaucoup de points importants, psychologiquement. Voilà qui ne devrait pas nous surprendre, puisque notre espèce possède une longue histoire biologique mettant en scène deux formes sexuelles de même qu'une division du travail fondée sur le sexe et datant probablement de plusieurs millions d'années.»

Doreen Kimura, 1985

En d'autres termes, les succès obtenus dans le domaine de la reproduction devraient, au bout d'un certain temps, propager les gènes des hommes ayant de l'assurance sur le plan sexuel, prédisposant ainsi les hommes à prendre plus d'initiatives que les femmes.

Wilson et d'autres sociobiologistes (Barash, 1979) ont également soutenu que les hommes et les femmes d'aujourd'hui portent la marque de la division ancestrale du travail. Les hommes étaient chasseurs et guerriers; les femmes faisaient la cueillette, portaient les enfants et s'en occupaient. La sélection naturelle a par conséquent favorisé l'émergence de caractéristiques physiques différentes chez les hommes et les femmes de même que de caractéristiques psychologiques différentes – l'agressivité chez les hommes, l'empathie, la sensibilité et la générosité chez les femmes.

Comme vous pouvez bien l'imaginer, ces idées ont provoqué une certaine controverse. Certains pensent que les sociobiologistes laissent entendre que les femmes sont biologiquement faites pour les tâches domestiques, et les hommes pour travailler à l'extérieur de la maison. En fait, Wilson lui-même croit que les hommes et les femmes ne sont que faiblement orientés par des prédispositions génétiques. Il pense que la culture prédispose davantage.

Sans mettre en doute le principe de la sélection naturelle – que la nature a tendance à choisir les traits physiques et comportementaux contribuant à la survie des gènes d'un individu –, les critiques voient deux problèmes soulevés par les explications de la sociobiologie. Pour commencer, ils sont gênés du fait que l'explication sociobiologique prenne si souvent comme point de départ un effet (comme la différence, en ce qui a trait à l'agression et à l'initiative sexuelle, entre les hommes et les femmes) pour ensuite reculer dans le passé afin d'en tirer une explication. Cette méthode rappelle le «fonctionnalisme», théorie psychologique dominante durant les années 1920. «Pourquoi ce comportement survient-il? C'est qu'il a telle ou telle fonction.» À ce jeu, le théoricien est presque sûr de ne jamais se tromper. Attribuer le comportement à des normes sociales – quand on sait à l'avance quel comportement a eu lieu – est une autre façon sûre de ne pas se tromper. Quand on part avec la connaissance de ce qu'il y a à prédire, la rétrospective garantit presque immanquablement une «explication» réussie.

Souvenez-vous que la façon de se prémunir contre le biais de la rétrospective consiste à s'imaginer une tournure différente des événements. Faisons un essai. Si les *femmes* étaient le sexe le plus fort et le plus agressif, pourrions-nous conjecturer pourquoi la sélection naturelle a donné ce résultat? Nous avons le pressentiment que nous le pourrions. Après tout, étant les principales responsables du soin des enfants, les femmes fortes et agressives auraient beaucoup mieux protégé leurs enfants. La sélection naturelle aurait par conséquent fait en sorte de maximiser la force et l'agressivité des femmes. Sauf, bien sûr, qu'elle ne l'a pas fait.

Ou si l'on ne connaissait pas d'hommes ayant des aventures extraconjugales, ne verrions-nous pas alors la sagesse sociobiologique à l'œuvre dans cette fidélité? Après tout, les hommes fidèles à leur compagne n'assureraient-ils pas mieux la survie de leurs enfants et la perpétuation de leurs gènes? (Il s'agit là, en fait, de l'explication sociobiologique du fait que les êtres humains et d'autres espèces dont les petits réclament énormément de soins ont tendance à créer des couples.)

Dans toutes les cultures, les rôles des mères incluent toujours un attachement profond à leurs nourrissons. Les rôles des pères varient de l'indifférence, dans certaines cultures, à de tendres soins affectueux, dans d'autres.

« Les différences de comportement entre les sexes convenaient peut-être à nos ancêtres pour la cueillette des racines et la chasse aux écureuils sur les plaines de l'Afrique du Nord, mais leurs manifestations dans la société moderne sont moins clairement "fonctionnelles". La société moderne est plus orientée vers l'information – les gros biceps et les exhibitions de testostérone ont moins de pertinence directe pour le président d'une compagnie d'ordinateurs. »

Douglas Kenrick, 1987

Un pressentiment n'est qu'un pressentiment et il se peut que le nôtre soit faux. Il se peut que les différences existant entre les hommes et les femmes soient explicables de façon plus convaincante que ne le seraient leurs contraires imaginés. Cependant, comme nous le rappellerait le sociobiologiste, la sagesse évolutive est une sagesse du *passé*. Elle nous dit quels comportements furent fonctionnels dans les temps passés. C'est une toute autre question de savoir si ces tendances sont toujours fonctionnelles ou louables.

Les critiques soulignent également que même si la sociobiologie explique certaines des choses que nous avons en commun et même certaines de nos différences (un certain degré de diversité peut favoriser la survie), notre héritage évolutif commun ne prédit pas, par exemple, l'énorme variation culturelle dans les styles de mariages humains (allant de la monogamie à la polygamie, à une succession d'épouses, à plusieurs époux jusqu'à l'échange de partenaires). Il ne prédit pas davantage les changements culturels dans les types de comportements qui se produisent sur quelques décennies seulement. Apparemment, le trait le plus important dont la nature nous ait dotés est notre capacité humaine de nous adapter – d'apprendre et de changer.

Les défenseurs de la sociobiologie rétorquent à ces critiques que leurs idées ne sont pas de simples spéculations faites rétrospectivement. Ils évaluent plutôt leurs hypothèses à l'aide d'informations tirées du comportement des animaux, de gens issus de différentes cultures et des recherches sur les gènes et les hormones. De plus, à mesure que s'accroît l'influence de la sociobiologie en psychologie, on y présente des prévisions permettant de confirmer ou de réfuter ces hypothèses. Pendant que persiste le débat, il y a un point sur lequel tout le monde s'entend, c'est que la sociobiologie constitue, à l'heure actuelle, l'une des théories les plus provocantes en psychologie.

Hormones

On peut voir les résultats des plans architecturaux dans les structures physiques. Les effets des schémas génétiques sont perceptibles dans les structures du corps humain, comme les hormones sexuelles différenciant les hommes des femmes. Jusqu'à quel point les différences hormonales contribuent-elles aux différences psychologiques ?

Les nouveau-nés ont des capacités innées de téter, d'agripper et de pleurer. Les mères ont-elles une prédisposition correspondante et innée à y répondre ? Les tenants du point de vue biosocial, comme la sociologue Alice Rossi (1978), soutiennent que oui. Les comportements essentiels à la survie, comme l'attachement des mères qui allaitent pour leurs nourrissons dépendants, ont tendance à être innés et universels d'un point de vue culturel. Par exemple, les cris d'un nourrisson et l'allaitement stimulent, chez la mère, la sécrétion d'ocytocine, la même hormone sexuelle qui provoque l'érection des mamelons lors des relations sexuelles. Pour presque toute l'histoire des humains, le plaisir physique de l'allaitement a probablement favorisé le développement du lien mère-enfant. Par conséquent, Rossi ne trouve pas surprenant de constater que, alors que plusieurs cultures demandent aux hommes d'être des pères affectueux, *toutes* les cultures demandent aux femmes d'être très attachées à leurs jeunes enfants. Peut-être ne serait-elle pas surprise d'apprendre que, au cours d'une étude auprès de plus de 7000 passants dans un centre commercial de Seattle, les adolescentes et les jeunes femmes avaient deux fois plus tendance que les hommes de leur âge à s'arrêter pour regarder un bébé (Robinson *et al.*, 1979).

Un type de comportement universel – que l'on retrouve dans toutes les sociétés connues – repose probablement sur une prédisposition biologique. Dans un livre qui a aidé à ranimer l'intérêt pour *La psychologie des différences sexuelles*, Eleanor Maccoby et Carol Jacklin (1974) ont dressé la liste des raisons de supposer que la différence culturelle et universelle d'agression entre les hommes et les femmes est en partie biologique : on la perçoit chez les primates non humains (dès leur plus jeune âge, les singes mâles sont plus agressifs que les femelles); elle apparaît très tôt dans la vie (avant que les pressions culturelles aient beaucoup d'influence); et elle peut être influencée par les hormones sexuelles. Au cours d'expériences sur des singes, les femelles à qui l'on avait administré des hormones mâles sont devenues aussi agressives et dominatrices que les mâles. De plus, les femelles humaines soumises à trop d'hormones mâles au cours du développement fœtal ont tendance, à l'âge de la prépuberté, à être agressives et «garçons manqués» (Money, 1987). Aucune de ces preuves n'est en elle-même concluante (les filles que l'on appelle garçons manqués ont peut-être été traitées différemment). Prises ensemble, ces preuves réussissent toutefois à convaincre la plupart des savants que les hormones sexuelles créent effectivement une différence.

Culture

Rôle sexuel :
Ensemble d'attentes reliées au comportement (normes) pour les hommes et les femmes.

Personne ne conteste l'énorme impact de la culture sur les **rôles sexuels**. Notre compréhension de ce que signifie le fait d'être un homme ou une femme est totalement formée par la société. La première question des gens – «Est-ce un garçon ou une fille ?» – a pour but de les aider à catégoriser le nouveau-né pour savoir comment se comporter avec lui. Les bébés sont habillés en garçons ou en filles, les enfants d'âge préscolaire reçoivent des jouets de garçons ou de filles et les élèves sont assis, mis en rangs ou occupés à jouer en tant que garçons ou filles. Ces pratiques culturelles créent-elles les différences entre les sexes ou ne font-elles que les refléter? Les variations culturelles quant aux rôles sexuels, complétées par des expériences portant sur ces rôles, ne laissent planer aucun doute sur le fait que la culture nous aide à établir nos catégories selon le sexe.

Différences culturelles quant aux rôles sexuels

Nous avons déjà signalé quelques universaux culturels: presque toutes les sociétés sont patriarcales – dirigées par des hommes. Les hommes font les guerres et chassent le gros gibier; les femmes trouvent la nourriture et s'occupent des enfants (une division du travail qui, pour un sociobiologiste, a un sens évolutif). Dans leur livre intitulé *The Longest War*, Carol Tavris et Carole Wade (1984) présentent une autre caractéristique universelle. Pouvez-vous la détecter et l'énoncer?

> Chez les Todas de l'Inde, les hommes se chargent des tâches domestiques; ce travail est trop sacré pour une simple femme. Si une femme de cette tribu cultive des patates et qu'un homme cultive des ignames, les ignames deviendront le plat prestigieux de la tribu, ce que l'on mangera lors des festins... Et si les femmes prennent le relais dans une occupation réservée auparavant aux hommes, cette occupation perdra son statut comme ce fut le cas pour les professions de l'enseignement et de la dactylographie aux États-Unis, de la médecine en Union soviétique et de la culture du manioc au Nigeria. (p. 21)

Au dire de Tavris et de Wade, la règle est la suivante: de quelque nature qu'il soit, le travail masculin est plus prestigieux.

Par delà les différences culturelles, on trouve par conséquent certaines similitudes. Dans les sociétés agricoles non occidentalisées, on cantonne les femmes dans les activités reliées aux soins des enfants, et les hommes ont tendance à mépriser ces activités. Dans les sociétés plus nomades et reposant sur la chasse et la cueillette, les femmes jouissent d'une plus grande liberté et les distinctions de rôles sexuels ne sont pas si nettes (Van Leeuwen, 1978). De plus, bien que chaque culture fasse la distinction entre féminité et masculinité, les caractéristiques et les tâches attribuées aux hommes dans une culture sont parfois, dans une autre culture, celles qui sont attribuées aux femmes. Dans certaines tribus, les hommes font le tissage, alors que dans d'autres, c'est un travail de femme.

Au Canada, la plupart des médecins et des dentistes sont des hommes. Au Danemark, la dentisterie est surtout une activité de femme comme l'est la médecine en Russie. Une explication biologique de la prédominance des hommes dans ces métiers au Canada nécessiterait que la biologie humaine soit différente au Danemark et en Russie. Manifestement, ce n'est pas le cas. D'autant plus qu'au Québec, par exemple, le taux de femmes, en 1987, pour l'inscription dans des disciplines traditionnellement masculines était équilibré [48,2 % en sciences comptables, 46,9 % en médecine] (Motard et Tardieu, 1990). L'adéquation biologique des hommes pour ce genre de métiers aurait-elle diminué sans qu'on sache trop comment?

Les cultures ne varient pas seulement sur le plan des tâches et des métiers considérés comme adéquats pour les hommes et les femmes, mais également sur le plan du comportement social des deux sexes. Les hommes, aux États-Unis, ont moins d'amitiés profondes avec les autres hommes que n'en ont les femmes avec les autres femmes, surtout après le mariage (Tschann, 1988). En Inde, les hommes n'ont pas à se montrer farouchement individualistes, de sorte qu'hommes et femmes jouissent de la même liberté de partager leurs sentiments et leurs soucis intimes avec leurs meilleurs amis (Berman *et al.*, 1988). À d'autres égards, il n'en reste pas moins que l'immigration d'une Indienne dans notre pays ne se fait pas sans détresse lorsqu'elle doit opter entre les comportements de notre culture et ceux de la sienne, comme l'ont montré Fathali Moghaddam *et al.* (1990) avec des immigrantes indiennes de Montréal, ou Christina Lee et Larry Cochran (1988) dans le cas d'immigrantes chinoises à Vancouver. Dans le cas de ces dernières, la corrélation entre leur identité chinoise et leur identité occidentale était de -0,86. Les valeurs de deux cultures ne sont pas perçues seulement comme non pertinentes les unes par rapport aux autres, mais comme carrément opposées, ce qui amène ces personnes à vivre des expériences quasi schizophréniques.

Expériences sur les rôles sexuels

Notre analyse des variations culturelles soulève une question très simple: Si nous maintenions la biologie constante tout en modifiant les attentes culturelles, qu'en résulterait-il? Réponse: Une influence considérable de la part de la culture. C'est cette même question que se posent les psychologues sociaux lorsqu'ils explorent expérimentalement les origines sociales des différences entre les sexes. Les facteurs sociaux influencent considérablement le comportement des hommes et des femmes, et ce, jusque dans le laboratoire.

Souvenons-nous du chapitre 4 où il était dit que nos conceptions sociales se confirment souvent d'elles-mêmes. Les gens dont on attend qu'ils soient hostiles, extravertis ou doués manifesteront peut-être vraiment de l'hostilité, de l'extraversion ou une haute performance. Mark Zanna et ses collègues se demandaient si le fait d'adopter un rôle stéréotypé ne pousserait pas pareillement l'individu à réaliser le stéréotype. Au cours d'une expérience, Zanna et Susan Pack (1975) ont demandé à des étudiantes de l'Université Princeton de remplir un questionnaire où on leur demandait de se décrire à un diplômé physiquement grand et libre qu'elles espéraient rencontrer. Celles à qui l'on avait fait croire que la femme idéale pour cet homme était «traditionnelle» (pleines d'égards pour son mari, émotive et femme d'intérieur) se sont présentées comme étant plus traditionnellement féminines que celles qui s'attendaient à rencontrer un homme censé apprécier les femmes indépendantes, compétitives et ambitieuses. De plus, soumises à un test de problèmes à résoudre, celles qui s'attendaient à rencontrer l'homme non sexiste se sont montrées plus intelligentes que celles qui s'attendaient à rencontrer l'homme aux idées traditionnelles. Cette présentation d'elles-mêmes en vue de se conformer à l'image de l'homme fut moins prononcée lorsque l'homme était moins désirable – un étudiant de première année, physiquement petit et déjà engagé sur le plan affectif.

Vous arrive-t-il de vous présenter sous un jour différent selon que vous êtes en présence de gens de même sexe que vous ou de gens de l'autre sexe?

Sachant que les trois-quarts des rôles à la télévision sont tenus par des hommes (Gerbner *et al.*, 1986) et que les femmes y jouent des rôles stéréotypés, tant dans les annonces publicitaires que dans les émissions, les psychologues sociaux se sont interrogés à propos de ces portraits. Florence Geis et ses collègues (1984), par exemple, ont montré à leurs étudiants de l'Université du Delaware de nouvelles créations de quatre annonces publicitaires typiquement stéréotypées ou de ces mêmes réclames avec une inversion des rôles féminins et masculins (par exemple, où un petit homme sert avec fierté un délicieux souper prêt-à-servir à sa femme affamée qui rentre du travail). Parmi les spectatrices qui rédigèrent par la suite des textes sur leur vision de leur avenir «dans 10 ans d'ici», celles qui avaient vu les annonces publicitaires non traditionnelles avaient plus tendance que les autres à exprimer des aspirations professionnelles. Une expérience complémentaire révéla que les femmes qui avaient regardé les réclames non traditionnelles se montraient également moins conformistes lors d'un test en laboratoire et démontraient plus d'assurance au moment de prononcer un discours (Jennings *et al.*, 1980).

Si le fait de ne voir que quatre annonces publicitaires impressionnantes a un effet à tout le moins temporaire sur les aspirations et le comportement des femmes, on peut se demander quel est l'effet cumulatif des 350 000 annonces publicitaires visualisées au cours de la croissance et des exemples stéréotypés encore plus nombreux présentés dans les émissions télévisées. Des expériences récentes effectuées par Christine Hansen (1988; Hansen et Hansen, 1988) démontrent que le fait de regarder des bandes vidéo de musique rock peut fausser les impressions suscitées par d'autres interactions sociales. Après avoir vu des images d'un homme macho et d'une femme sexuellement consentante, les participants avaient tendance à percevoir comme plus soumise et plus sexuelle une femme qu'ils observaient.

Biologie et culture

Les variations culturelles des rôles sexuels, de même que les expériences portant sur ces rôles, illustrent le principal message du présent chapitre: les normes culturelles influencent subtilement mais puissamment nos attitudes et notre comportement. Pour ce faire, il n'est cependant pas nécessaire qu'elles soient indépendantes de la biologie. Ce qui est amorcé par la biologie peut être accentué par la culture. Si les gènes et les hormones des hommes les prédisposent à être physiquement plus agressifs que les femmes, la culture peut amplifier cette différence par la socialisation où l'on demandera aux hommes d'être endurcis et aux femmes d'être douces et gentilles.

Interaction:
L'effet d'un facteur (comme la biologie) dépend d'un autre facteur (comme l'environnement).

Biologie et culture peuvent aussi être en **interaction**. Chez les humains, les traits biologiques influencent les réactions de l'environnement. Les gens réagissent différemment à Sylvester Stallone et à Woody Allen. Les hommes, plus grands que les femmes dans une proportion de 8 % et ayant en moyenne une masse musculaire deux fois plus importante, peuvent aussi ne pas avoir les mêmes expériences que les femmes (Kenrick, 1987). Ou alors, considérons ceci: il y a une norme culturelle très forte imposant aux hommes d'être plus grands que leur conjointe. Lors d'une enquête récente, il n'y avait qu'un couple marié sur 720 qui avait enfreint cette norme (Gillis et Avis, 1980). Rétrospectivement, on peut toujours spéculer sur une explication psychologique: le fait d'être plus grands (et plus âgés) aide peut-être les hommes à perpétuer leur pouvoir social sur les femmes. On peut aussi spéculer sur une certaine sagesse biologique pouvant être à la base de la norme culturelle: si les gens préféraient des partenaires de même grandeur, les hommes grands et les femmes petites se retrouveraient souvent sans partenaire. Les choses étant ce qu'elles sont, la biologie fait que les hommes ont tendance à être plus grands que les femmes et c'est ce que dicte la culture en matière de couples. Il se pourrait bien, par conséquent, que la norme de la grandeur soit une affaire de biologie *et* de culture, les deux allant de pair.

Alice Eagly (1987), dans son livre intitulé *Sex Differences in Social Behavior*, élabore une théorie du processus d'interaction de la biologie et de la culture (voir la figure 5.1). Elle pense que divers facteurs, incluant les influences biologiques et les expériences de socialisation au cours de l'enfance, ont traditionnellement prédisposé à une division sexuelle du travail. Dans la vie adulte, les causes immédiates des différences de comportement social entre les sexes sont les *rôles* reflétant cette division sexuelle du travail. Étant donné que les hommes ont tendance à tenir des rôles exigeant un pouvoir social et physique alors que les femmes tiennent des rôles plus éducatifs, les deux sexes ont tendance à adopter les comportements que l'on souhaite chez ceux qui tiennent ces rôles. Agissant de la sorte, leurs habiletés et leurs croyances se modèlent en conséquence. C'est ainsi que les effets de la biologie et de la socialisation peuvent avoir une certaine importance, dans la mesure où ils influencent les rôles sociaux joués par les gens ici et maintenant. Marie-Claude Hurtig et Marie-France Pichevin (1985) parlent de variables biosociales, c'est-à-dire des variables qui produisent des effets sur le comportement, parce que les facteurs biologiques universels sont interprétés par des jugements sociaux, des attentes sociales, en d'autres termes par des facteurs cognitifs qui relèvent de chaque culture.

Figure 5.1

Une théorie des rôles sociaux pour expliquer les différences de comportement social entre les deux sexes. Diverses influences, incluant les expériences de l'enfance et les facteurs biologiques, entraînent les hommes et les femmes vers des rôles différents. Ce sont les attentes, les habiletés et les croyances associées à ces rôles différents qui influencent le comportement des hommes et des femmes. (Adapté du livre de Eagly, 1987.)

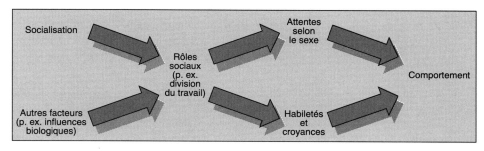

CHANGEMENT DES RÔLES SEXUELS

Du point de vue de l'évolution, le premier acte de la comédie humaine tire peut-être à sa fin. Les rôles sexuels, qui étaient biologiquement fonctionnels à l'époque où les femmes se retrouvaient souvent enceintes et de façon imprévisible, sont peut-être moins fonctionnels maintenant que les femmes passent beaucoup plus de temps à travailler à l'extérieur qu'à materner. Voyons comment les rôles sexuels ont changé au cours des dernières années et réfléchissons ensuite aux changements pouvant éventuellement survenir.

Les rôles sexuels sont en train de converger. Un tiers seulement des femmes du Détroit métropolitain n'était pas d'accord, en 1962, avec l'énoncé voulant que «la plupart des décisions les plus importantes concernant la famille devraient revenir à l'homme de la maison». Quinze ans plus tard, plus des deux tiers n'étaient pas d'accord et les trois-quarts s'opposaient à l'idée que certains métiers soient destinés aux hommes et d'autres aux femmes (Thornton et Freedman, 1979).

D'ailleurs, lorsqu'ils ont à évaluer 21 domaines d'activité, les hommes et les femmes partagent en commun les neuf domaines les plus importants pour eux et les femmes évaluent comme également importants des domaines traditionnellement masculins (Blais *et al.*, 1990). Le changement des rôles apparaît même dans les rêves différents des femmes selon qu'elles sont ménagères ou sur le marché du travail. Ces dernières ont plus d'émotions déplaisantes dans leurs rêves, qui contiennent, par ailleurs, plus de personnages masculins. En revanche, les ménagères font des rêves qui démontrent une plus grande hostilité ouverte (Lortie-Lussier *et al.*, 1985).

Les étudiantes d'une étude de Lise Dubé et Louise Auger (1984) se définissent comme étant des femmes de carrière plutôt que des femmes traditionnelles, ce qui risque, bien sûr, de créer un conflit non seulement avec le type d'hommes qui valorise la femme traditionnelle, mais aussi avec les femmes qui s'identifient à la femme traditionnelle.

Le «phénomène des Yvettes» a montré la possibilité d'un tel conflit entre les deux groupes de femmes. Rappelons que le 9 mars 1980, lors du lancement officiel de la campagne référendaire sur l'indépendance du Québec, madame Lise Payette, ministre d'État à la Condition féminine, établit le lien entre la peur de se libérer qui pousse les femmes à voter NON et le rôle de femme d'intérieur qu'endosse la petite Yvette, personnage féminin stéréotypé d'un manuel scolaire [...]

Le 31 mars, «Le brunch des Yvettes» rassemble 1700 femmes en faveur du NON, fières de s'identifier à l'image stéréotypée d'Yvette [...] Le 7 avril 1980, ce sont 15 000 Yvettes qui remplissent le Forum de Montréal [...] (Dubé et Auger, 1984)

Comme nous l'avons vu dans l'analyse du chapitre 2 sur les attitudes et les actions, les gens n'agissent pas toujours conformément aux attitudes qu'ils expriment. Pour un homme, c'est une chose de dire qu'il «approuve les changements dans les rôles des femmes» (ce qui, d'après un sondage de Louis Harris, est le cas pour la plupart des hommes) et c'en est une autre de préparer le souper. Cela n'est pas différent en France (Herla, 1987). Il ne faut cependant pas se hâter de conclure trop rapidement, car :

> Cette absence de véritable partage et le report sur les femmes de la responsabilité de l'essentiel des tâches domestiques n'est [...] pas un comportement aberrant, qu'on pourrait espérer modifier par une quelconque campagne de sensiblisation. Au contraire, tant et aussi longtemps que les femmes seront moins bien payées que les hommes pour un même travail, tant et aussi longtemps que leur sécurité d'emploi et que leurs possibilités d'avancement seront moindres, il sera, en un certain sens, rationnel que les couples adoptent une stratégie de maximisation des gains qui privilégie celle des deux carrières qui est la plus payante et la plus prometteuse. (Le Bourdais *et al.*, cités par Langlois *et al.*, 1990)

Il y a quand même certains changements dans les comportements. De 1965 à 1985, les femmes américaines ont progressivement consacré moins de temps aux tâches domestiques, et les hommes, progressivement plus de temps – de sorte que la proportion totale de travail domestique assumé par les hommes est passée de 15 % à 33 % (Robinson, 1988). De 1947 à 1989, la proportion de femmes américaines sur le marché du travail est passée de 32 % à 57 %. De 1982 à 1987, au Québec, même si le pourcentage de femmes étudiant à l'université diminue avec l'élévation du cycle universitaire, la représentation des femmes parmi les diplômés d'université s'est nettement améliorée (Motard et Tardieu, 1990). Comme le montre la figure 5.2, le rêve d'obtenir un doctorat est devenu réalité pour un nombre croissant de femmes.

«L'homme peut-il être libre si la femme est esclave ?»
Percy Bysshe Shelley, *The Revolt of Islam*

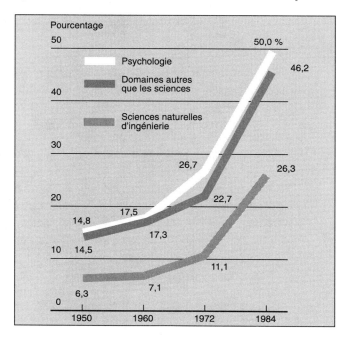

Figure 5.2
Pourcentage de doctorats obtenus par des femmes nord-américaines. (Tiré de Howard et autres, 1986.)

En supposant que ces tendances persistent, imaginons que l'on atteigne éventuellement un point où presque tous les hommes et toutes les femmes travaillent à plein temps. Si cela se produit, les rôles sexuels disparaîtront-ils – pour le meilleur ou pour le pire? Carol Tavris et Carole Wade (1984) ont analysé des sociétés où presque toutes les femmes sont présentement employées. Les gouvernements communistes de l'Union soviétique (avant le démantellement) et de la Chine, fondés sur l'idéologie marxiste de l'égalité des sexes ont, par exemple, révolutionné les rôles des femmes. De même en Israël, les kibboutz, communautés collectives, ont délibérément libéré les femmes du travail domestique. Jusqu'ici, chacune de ces expériences sociales n'a pas réussi à atteindre ses objectifs égalitaires. Dans ces sociétés, les femmes ont moins de pouvoir social et politique que les hommes. En Union soviétique, par exemple, les femmes constituaient presque la moitié de la force de travail, mais seulement 5% du Comité central du Parti communiste. Comme l'a déjà admis Nikita Krushchev, «Ce sont finalement les hommes qui administrent et les femmes qui travaillent» (1980, p. 65). Et quand on leur demande «Qui travaille dans les garderies communautaires?» et «Qui prépare le souper?», on peut habituellement s'attendre aux mêmes réponses qu'aux États-Unis. Les femmes font peut-être de plus en plus leur part pour gagner le pain, mais ce sont elles, en majorité, qui le font cuire. Tavris et Wade concluent par conséquent que

> de plus en plus de femmes prennent leur place aux côtés des hommes sur le marché du travail, alors que les hommes ne prennent pas leur place aux côtés des femmes à la garderie et dans la cuisine. Aucun pays n'a accordé de priorité à cette question. Avant qu'ils ne le fassent, la main qui balance le berceau sera toujours trop fatiguée pour gouverner le monde. (p. 366)

Pourquoi est-il plus facile de prescrire que de pratiquer l'élimination des rôles sexuels? Une première réponse se trouve, encore une fois, dans la controverse opposant la biologie à la culture. «Ah, ah! dira-t-on, cette tentative féministe d'abolir les rôles sexuels va à l'encontre de notre nature. Certes, avec suffisamment d'efforts, il y en a qui peuvent temporairement surmonter les dispositions biologiques, mais dès qu'ils se relâchent un peu ils retournent directement à leur masculinité et à leur féminité biologiquement prescrites.» D'autres soulignent l'existence d'une énorme variation culturelle en disant qu'«il est impossible de renverser la vapeur après une si longue histoire de suprématie mâle».

«J'aime le travail domestique. Me "libérer" de ce dernier veut dire "devenir esclave" d'une tâche qu'on m'assignera et que j'appellerai emploi.»
Une bachelière sur le point de se marier

«Où qu'il aille et quoi qu'il entreprenne, l'homme finira toujours par retourner dans le sentier tracé pour lui par la nature.»
Goethe, *Autobiographie*, 1811

«M. Richard, ici Mélanie, votre secrétaire. Lorsque vous aurez un moment, iriez-vous au rez-de-chaussée me chercher un café noir et une brioche aux ananas?»

Une deuxième explication vient du fait que, si les femmes peuvent éprouver un sentiment négatif par suite de la perception d'une disparité entre le sort réservé à leur groupe et à celui des hommes (c'est-à-dire une *privation relative collective*), elles ne sont pas pour autant prêtes à appuyer des programmes d'action positive qui viseraient à compenser les injustices passées dans l'embauche du personnel («Si deux candidats, un homme et une femme, ont des niveaux de qualification semblables, on offrira le poste à la candidate plutôt qu'au candidat»). Elles préfèrent «être traitées sur un pied d'égalité à partir de maintenant» (Tougas *et al.*, 1987; Tougas et Veilleux, 1988). Les hommes sont aussi défavorables aux programmes compensatoires (Veilleux et Tougas, 1989).

En un sens, les hommes sont peut-être, en fait, le sexe le *moins* libéré: les rôles dévolus aux hommes, d'après certains chercheurs, sont le plus rigidement définis. Prenons quelques cas: les parents comme les enfants sont plus tolérants envers les filles jouant «comme les garçons» qu'envers les garçons jouant «comme les filles» (Carter et McCloskey, 1983-1984; O'Leary et Donoghue, 1978). Mieux vaut un garçon manqué qu'un «fifi». De plus, les femmes se sentent plus libres de devenir médecins que les hommes de devenir infirmiers. Et les normes sociales donnent actuellement aux femmes mariées plus de liberté de choisir d'exercer ou non un métier, tandis que les hommes qui fuient un travail pour assumer le rôle domestique sont «fainéants» et «paresseux». Dans ces domaines, du moins, ce sont les hommes qui sont les plus prévisibles, les plus enfermés dans leur rôle.

LES RÔLES SEXUELS DEVRAIENT-ILS EXISTER?

Le fait de décrire les rôles sexuels traditionnels ne les rend pas mauvais, pas plus que cela ne rend correct un autre ensemble de normes. Une description de ce qui *est* n'a pas à fournir une prescription de ce qui *devrait* être. Il n'en reste pas moins que la plupart des scientifiques sociaux qui étudient les normes humaines possèdent de profondes convictions personnelles par rapport à ce qui devrait être. La plupart favorisent l'élimination ou la modification des rôles sexuels de façon que tous les individus puissent développer leur propre potentiel sans avoir à se soucier de leur sexe.

Il existe au moins trois façons de minimiser les rôles sexuels: (1) en socialisant les femmes à se comporter davantage comme des hommes (en leur apprenant, par exemple, à s'affirmer); (2) en socialisant les hommes à manifester des qualités traditionnellement féminines (la sensibilité, prendre soin des autres et la collaboration); ou (3) en socialisant toute personne à devenir **androgyne** – à développer les traits féminins et masculins, de sorte qu'elle puisse choisir lequel convient mieux à une situation donnée.

Dans les recherches, les participants androgynes sont ceux qui se décrivent eux-mêmes comme possédant autant les qualités masculines de l'affirmation de soi, de l'indépendance, et ainsi de suite, que les qualités féminines de chaleur humaine, de compassion, etc. Certains des premiers rapports de recherche indiquaient que les gens androgynes se sentaient mieux dans leur peau que les hommes typiquement masculins et que les femmes typiquement féminines. Des douzaines d'études complémentaires, des États-Unis à l'Inde, ont toutefois révélé que les hommes et les femmes considéraient que les qualités masculines étaient associées à un niveau élevé d'estime de soi (Orlofsky et O'Heron, 1987; Sethi et Bala, 1983; Whitley, 1985).

Androgynie
(*andros*, homme + *gyne*, femme): Fait de posséder les traits psychologiques «masculins» et «féminins». On dit de la personne androgyne qu'elle possède de façon marquée autant les qualités traditionnellement masculines (comme l'indépendance, l'affirmation de soi et la tendance à la compétition) que les qualités traditionnellement féminines (comme la chaleur humaine, la tendresse et la compassion).

Les qualités traditionnellement féminines procurent cependant plus de satisfaction dans les relations interpersonelles (Ickes, 1985; Kurdek et Schmitt, 1986). C'est ce qu'ont découvert William Ickes et Richard Barnes (1978) lorsqu'ils ont organisé, en laboratoire, de brefs rendez-vous surprises pour quarante couples. Dix de ces couples étaient composés d'un homme viril et d'une femme très féminine, alors que les autres couples comportaient au moins une personne androgyne. Croyez-vous que les «contraires s'attiraient» chez les dix couples exhibant les qualités complémentaires féminines et masculines? Presque pas. Durant les cinq minutes qu'ont duré les rencontres, les couples composés de l'homme macho qui rencontre la charmante femme ont moins parlé, se sont moins regardés, ont moins souri et moins ri que les autres couples. Ils se sont déclarés par la suite moins attirés l'un envers l'autre, comme le montre la figure 5.3.

Figure 5.3
Les hommes virils et les femmes féminines font-ils les couples les mieux assortis? À la suite d'une rencontre de cinq minutes en tête-à-tête avec une personne de l'autre sexe, les étudiants de l'Université du Wisconsin ont donné leur degré d'appréciation de la personne rencontrée. Les couples composés d'un homme viril et d'une femme féminine indiquèrent moins d'attirance l'un envers l'autre que ne le firent les autres genres de couples. (Données provenant de Ickes et Barnes, 1978.)

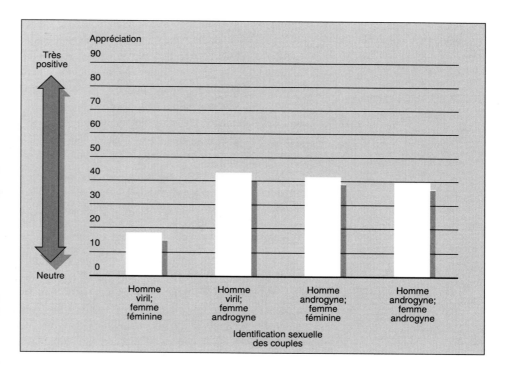

Les qualités masculines très prononcées semblent empêcher l'intimité. Dans une étude auprès de 108 couples mariés à Sydney, en Australie, John Antill (1983) a découvert que lorsque l'homme ou la femme – ou encore mieux, les *deux* – avaient les qualités traditionnellement féminines telles que la douceur, la sensibilité et la tendresse, la satisfaction conjugale s'en trouvait accrue. Posséder les attributs personnels de Rambo est peut-être une bonne chose pour l'estime de soi, mais les maris et les femmes ont déclaré qu'il est beaucoup plus satisfaisant d'être marié à quelqu'un qui est disponible, sensible et capable de fournir un support affectif.

Une relation de ce genre ne contribue pas seulement à un mariage heureux, mais aussi à une vie satisfaisante. Grace Baruch et Rosaline Barnett (1986) du Wellesley College Center for Research on Women rapportent que, pour les femmes, ce qui influence le bonheur en général n'est pas tant le genre de rôles qu'elles jouent – comme travailleuse salariée, épouse ou mère, ou les deux – que la qualité de leur expérience en jouant ces rôles. Le bonheur c'est de faire un travail convenant à ses intérêts et procurant un sentiment de compétence et d'accomplissement; c'est d'avoir un partenaire capable d'intimité, un compagnon qui soit un soutien; c'est d'avoir des enfants affectueux et dont on se sente fier.

Devrait-on, par conséquent, éliminer les rôles sexuels? Il y en a pour dire que les différences biologiques entre les sexes rendent les différences sociales inévitables. La sociologue Alice Rossi (1978) nous a avertis que «Nous ne pouvons tout simplement pas nous débarrasser de l'appareil physiologique que des siècles d'adaptation ont créé. [Notre conception de l'égalité devrait] respecter les processus biologiques naturels et les différences entre les individus...» Ériger l'androgynie – un individu devant posséder toutes les qualités – en idéal fait redouter une exacerbation de l'individualisme occidental (Sampson, 1977; Wallston, 1981). Vaudrait-il mieux, alors, accepter et valoriser nos différences? Tout comme les deux côtés d'une médaille, deux personnes peuvent être différentes et égales.

D'autres, comme Sandra Bem (1987), concèdent qu'il puisse y avoir «dans le comportement des différences sexuelles biologiquement fondées», mais croient que la version culturelle exagère les petites différences existant naturellement entre les deux sexes. Si, dans des conditions sociales ne posant pas de limites aux gens à cause de leur sexe,

> plus d'hommes que de femmes deviennent ingénieurs et plus de femmes que d'hommes décident de rester à la maison avec leurs enfants, ces différences sexuelles et toutes les autres susceptibles de se manifester ne me dérangeront pas. Mais je suis prête à parier que les différences sexuelles découlant de telles conditions ne seront pas aussi importantes ni aussi diversifiées que celles qui existent actuellement dans notre société.

S'il faut en croire une recherche de Annick Durand-Delvigne (1989), l'androgynie psychologique n'existe peut-être pas parce qu'il n'est sans doute pas possible d'avoir à la fois des traits masculins et des traits féminins, ces traits étant les pôles opposés des mêmes dimensions, c'est-à-dire qu'une personne se situerait sur un point d'un même continuum regroupant les traits selon l'axe masculin-féminin. C'est du moins ainsi que les sujets de cette recherche se perçoivent et perçoivent autrui. De plus, les jeunes s'en rapporteraient moins au sexe dans la représentation de soi. Une approche qui permette d'analyser plus en détail la dynamique individuelle afin de situer la place du sexe dans la construction de l'identité permettrait de faire plus de lumière sur cette question.

«Les hommes et les femmes sont différents. Ce qu'il faut égaliser, c'est la valeur attribuée à ces différences.»

Diane McGuinness et Karl Pribram, 1978

LA GRANDE LEÇON DE LA PSYCHOLOGIE SOCIALE: PERSONNES ET SITUATIONS

Matière à réflexion: si l'énoncé de Bohr est une grande vérité, quel est son contraire?

«Il y a de grandes vérités et il y a des vérités sans importance», a déclaré le physicien Niels Bohr. «Le contraire d'une vérité sans importance est carrément faux. Le contraire d'une grande vérité est également vrai.» Chacun des chapitres de cette section portant sur l'influence sociale nous enseigne une grande vérité: le pouvoir des situations sociales. Si nous étions des êtres passifs comme certaines plantes (les amarantes, en particulier), cette grande vérité du pouvoir des pressions extérieures suffirait à expliquer notre comportement. Mais à la différence des amarantes, nous ne sommes pas simplement dispersés ici et là par l'environnement. Nous agissons et réagissons; nous répondons et nous suscitons des réponses; nous pouvons résister à la situation sociale et pouvons même parfois la changer. C'est pourquoi chacun de ces chapitres portant sur l'«influence sociale» conclut en attirant l'attention sur le contraire de la grande vérité: le pouvoir de l'individu.

Pourtant, même en reconnaissant notre propre pouvoir, il se peut que l'accent mis dans ce chapitre sur le pouvoir de la culture vous mette plus ou moins mal à l'aise. Nous n'apprécions guère la moindre allusion au fait que des forces extérieures déterminent notre comportement. Nous aimons nous percevoir comme des êtres libres, comme les auteurs de nos actions (du moins de nos bonnes actions). Nous avons l'impression que la croyance au déterminisme social risque de nous faire tomber dans ce que Jean-Paul Sartre a appelé «la mauvaise foi» – se soustraire à sa responsabilité en blâmant quelqu'un ou quelque chose de son sort.

«Les mots de la vérité sont toujours paradoxaux.»
Lao-Tseu, *Le Livre de la Voie et de la Vertu*

En fait, la maîtrise sociale (le pouvoir de la situation) et la maîtrise personnelle (le pouvoir de l'individu) ne rivalisent pas plus l'un avec l'autre que ne le font les explications biologiques et culturelles. Les explications sociales et personnelles de notre comportement social sont également valables parce qu'à tout moment nous sommes autant créatures que créateurs de nos vies sociales. Peut-être sommes-nous les produits de nos gènes et de notre environnement. Il n'en reste pas moins que l'avenir est à nos portes et que c'est à nous de décider de quoi il aura l'air. Nos choix d'aujourd'hui déterminent notre environnement de demain.

Les situations sociales ont effectivement une profonde influence sur les individus. Mais les individus influencent aussi la situation sociale. Les deux sont en *interaction*. Se demander si le comportement des gens est déterminé par leurs situations extérieures ou par leurs dispositions intérieures revient par conséquent à se demander si la superficie d'un champ est déterminée par sa longueur ou par sa largeur.

Il y a au moins trois niveaux d'interaction (Snyder et Ickes, 1985). Pour commencer, une situation sociale n'influence pas tout le monde de la même façon. Comme nos esprits n'ont pas tous la même perception de la réalité, nous réagissons chacun à une situation selon la perception que nous en avons. Il y a des gens plus sensibles et qui réagissent plus que d'autres (M. Snyder, 1983). On a découvert, par exemple, que les Japonais réagissent plus que les Britanniques à une situation (Argyle *et al.*, 1978).

L'interaction entre les individus et les situations se produit également parce que les gens décident de participer ou non à une situation particulière. Les gens sociables, quand ils en ont le choix, choisissent des situations suscitant l'interaction sociale (Gormly, 1983). Serge Guimond, Guy Bégin et Douglas Palmer (1989) constatent, pour leur part, une différence chez les étudiants en fonction de la «socialisation culturelle». C'est-à-dire que, lorsqu'il s'agit de porter un jugement sur la cause des problèmes sociaux que vivent des individus, les étudiants en sciences sociales, plus que les étudiants d'autres disciplines, attribuent davantage cette cause à la situation qu'aux dispositions des individus. Une étude longitudinale montre que cette différence se manifeste déjà après un intervalle de seulement six mois de formation (Guimond et Palmer, 1990). Ces travaux montrent bien qu'il y a une évolution dans l'idéologie des étudiants en fonction de la discipline à laquelle ils s'inscrivent. Mais lorsque ces étudiants ont choisi leur discipline, ils ont également choisi de s'exposer à un ensemble spécifique d'influences sociales qui étaient susceptibles de renforcer leurs penchants.

Pour finir, les gens créent souvent leurs situations. Rappelons-nous encore une fois que nos idées préconçues peuvent créer leur propre réalité. Si nous nous attendons qu'une personne soit extravertie, hostile, féminine ou aguichante, nos actions envers cette personne peuvent susciter précisément le comportement auquel nous nous attendons. Car, après tout, de quoi est faite une situation sociale sinon des gens qui s'y trouvent ? L'environnement politique libéral est celui créé par les libéraux politiques. Ce qui se passe au bar dépend des patrons du bar. L'environnement social n'est pas comme la température – quelque chose échappant à notre volonté. Il ressemble plutôt à nos maisons – quelque chose que nous avons construit pour nous-mêmes.

Cette relation réciproque de cause à effet (entre les situations sociales et les individus) nous permet de percevoir les gens comme *réagissant* à leur environnement ou *agissant* sur lui. Les deux points de vue sont valables, puisque nous sommes autant les produits que les architectes de nos vies sociales. En termes pratiques, cependant, pourrait-on dire que l'un des deux points de vue est plus judicieux que l'autre ? Même cette question est complexe, car, dans un sens, nous sommes censés nous percevoir comme créature de notre environnement – à moins de devenir trop fiers de nos réussites et de nous en prendre trop à nous-mêmes pour nos problèmes – et nous sommes censés percevoir les autres comme des sujets libres – à moins de devenir paternalistes et manipulateurs.

"Si nous expliquons la pauvreté, les désordres émotionnels, le crime, la délinquance, l'alcoolisme ou même le chômage comme étant attribuables à des défauts individuels, personnels et intérieurs... il ne nous reste alors plus grand chose à faire au sujet de la prévention."
George Albee, 1979

Peut-être ferions-nous mieux d'assumer plus souvent le point de vue inverse – nous percevoir comme des sujets libres et percevoir les autres comme étant influencés par leur environnement. Quand il s'agirait de nous-mêmes, nous assumerions ainsi notre efficacité personnelle, et quand il s'agirait de nos relations avec les autres, nous chercherions la compréhension et la réforme sociale. En percevant les autres comme étant influencés par leurs situations, nous aurions plus de chances de les comprendre et d'éprouver envers eux de l'empathie qu'à décréter d'un ton suffisant que le comportement déplaisant est celui que choisissent des gens «immoraux», «sadiques» ou «paresseux». Il est intéressant de remarquer que la plupart des religions nous encouragent de façon semblable à devenir responsables de nous-mêmes tout en nous abstenant de juger les autres. Serait-ce parce que nous sommes naturellement portés à excuser nos propres faiblesses tout en blâmant les autres des leurs ?

RÉSUMÉ

NORMES

La très grande diversité d'attitudes et de comportements d'une culture à l'autre indique jusqu'à quel point nous sommes les produits de normes culturelles. Les normes nous limitent et nous dirigent, mais elles assurent également le bon fonctionnement des rouages sociaux; nous savons mieux comment nous comporter socialement quand tout le monde sait à quoi il faut s'attendre et ce qui est accepté.

Malgré leurs différences marquées, les cultures ont des normes en commun. Il y a, par exemple, la norme apparemment universelle s'appliquant aux relations entre des gens de statuts inégaux. Notre façon plus officielle de communiquer avec les étrangers est justement celle que nous adoptons pour communiquer avec des supérieurs. De plus, c'est habituellement la personne de statut supérieur qui prend l'initiative des rapprochements sociaux (qui fait, par exemple, une invitation sociale).

RÔLES

Un rôle est un ensemble de normes associées à une position sociale particulière. Nous avons tendance à intérioriser les rôles que nous jouons. C'est pourquoi le fait de jouer un rôle destructeur risque de nous corrompre, comme le démontrent les observations d'étudiants jouant le rôle de gardien de prison. Ces résultats obtenus en laboratoire sont parallèles à ceux de la vie quotidienne, tel le «burnout» souvent vécu par les officiers de police, les préposés aux malades et les assistants sociaux. Mais on peut aussi utiliser le jeu de rôle d'une manière constructive. En inversant délibérément les rôles pendant un certain temps, nous pouvons devenir empathiques les uns envers les autres.

RÔLES SEXUELS

La meilleure illustration de ces principes de base de la théorie des rôles nous est probablement fournie par les rôles sociaux les plus envahissants et les plus à l'étude: les rôles des hommes et des femmes. Comme pour les autres ensembles de normes, les rôles sexuels varient considérablement d'une culture à l'autre. Certaines normes culturelles sont quand même universelles (par exemple, que les hommes sont guerriers et que les femmes s'occupent des jeunes enfants). Les rôles sexuels favorisent les différences entre les sexes: les hommes se comportent souvent plus agressivement, prennent plus d'initiatives sexuelles, manifestent moins d'empathie et de sensibilité aux messages non verbaux et exercent plus de pouvoir social. Ce sont là de petites différences, certainement surpassées en nombre par les ressemblances existant entre les hommes et les femmes. Mais ce sont les différences plutôt que les similitudes qui attirent l'attention et excitent l'esprit.

Les différences biologiques entre les sexes contribuent probablement aux différences de comportement. Les sociobiologistes cherchent à savoir comment l'évolution aurait pu créer une division sexuelle du travail. Il est cependant plus clairement établi que des différences hormonales favorisent une plus grande agressivité chez les hommes et un attachement mère-enfant chez les femmes.

L'influence de la culture sur les rôles sexuels est très claire. La biologie ne peut expliquer les variations frappantes observées d'une culture à l'autre quant aux rôles sexuels. Les expériences de laboratoire confirment de plus que les stéréotypes sexuels, que ce soit dans les interactions sociales quotidiennes ou dans les médias, ont tendance à créer leur propre réalité. Toutes ces recherches expérimentales et culturelles indiquent qu'en maintenant la biologie constante et en modifiant les attentes les effets culturels sont marqués.

Les explications biologiques et culturelles n'ont cependant pas à être contradictoires. Elles sont en fait en interaction, les facteurs biologiques opérant à l'intérieur d'un contexte culturel et la culture s'érigeant à partir d'un fondement biologique.

Dans les pays industrialisés comme les États-Unis et le Canada, les rôles sexuels sont en train de converger. Les gens commencent à accepter des rôles plus semblables pour les hommes et les femmes, et les taux d'embauche chez les femmes ont grimpé de façon spectaculaire. Il n'en reste pas moins qu'aucune culture n'a éliminé les rôles sexuels.

Devraient-ils disparaître ? C'est là une question idéologique plutôt que scientifique. Plusieurs psychologues sociaux étudiant les rôles sexuels prônent leur élimination ou du moins leur modification. Certains prônent l'androgynie, combinaison des traits féminins et masculins. Ils pensent que, libéré des rôles sexuels rigides, l'individu androgyne pourra être tantôt «masculin» et tantôt «féminin». D'autres psychologues sociaux ne sont pas d'accord avec cet idéal. Ils soutiennent qu'il ne tient pas compte des différences biologiques ou ils contestent l'individualisme exigeant de chacun qu'il possède toutes les qualités.

PERSONNES ET SITUATIONS

La grande vérité touchant le pouvoir des influences sociales n'est plus qu'une demi-vérité si on la sépare de sa vérité complémentaire : le pouvoir de l'individu. Les personnes et les situations sont en interaction et ce, d'au moins trois façons. Premièrement, les situations sociales influencent les individus qui varient, quant à eux, dans leur façon d'interpréter une situation donnée et d'y réagir. Deuxièmement, les gens choisissent plusieurs des situations qui les influencent. Et troisièmement, ce sont les gens qui créent les situations sociales. Le pouvoir réside par conséquent autant dans les personnes que dans les situations. Nous façonnons nos vies sociales et nous sommes façonnés par elles.

LECTURES SUGGÉRÉES

Ouvrages en français

HURTIG, M.-C. et PICHEVIN, M.-F. (1986). *La différence des sexes.* Paris, Tierce.

ROCHEBLAVE-SPENLÉ, A. M. (1964). *Les rôles masculins et féminins.* Paris, Presses Universitaires de France.

TAP, P. et ZAZZO, R. (1990). *Masculin et féminin chez l'enfant.* Québec: Edisem.

Ouvrages en anglais

BASOW, S. A. (1986). *Gender stereotypes: Traditions and alternatives,* 2e éd. Pacific Grove, Ca, Brooks/Cole.

BOND, M. (dir.). (1989). *The cross-cultural challenge to social psychology.* Newbury Park, Ca, Sage.

EAGLY, A. H. (1987). *Sex differences in social behavior: A social-role explanation.* Hillsdale, N.J., Erlbaum.

TAVRIS, C. et WADE, C. (1984). *The longest war: Sex differences in perspective,* 2e éd. San Diego, Ca, Harcourt-Brace-Johanovich.

CHAPITRE

6

CONFORMITÉ

Cétait un après-midi de mai longtemps attendu. Trois mille parents et amis s'étaient réunis pour la célébration. Au signal, les 400 sortants du collège Hope se levèrent pour écouter le président déclarer: «Par la présente, je confère à chacun d'entre vous le titre de bachelier ès arts, de même que les droits et privilèges s'y rattachant.» La déclaration terminée, les 25 nouveaux diplômés de la première rangée commencèrent à défiler pour recevoir leur diplôme. Pendant ce temps, les 375 autres se regardaient nerveusement, pensant chacun pour soi: «Ne nous a-t-on pas dit qu'il nous fallait maintenant nous asseoir pour attendre que ce soit au tour de notre rangée?» Mais personne ne s'assit. Les secondes s'écoulèrent. La moitié des étudiants de la première rangée avaient maintenant leur diplôme en main. Extérieurement, tous ces étudiants debout semblaient garder leur sang-froid. Mais, dans chaque tête, les pensées allaient bon train: «Nous serons peut-être debout pendant une demi-heure avant que ce soit notre tour... Nous bloquons la vue aux spectateurs derrière nous... Pourquoi personne ne s'assied-il?» Cependant, personne ne fit mine de s'asseoir. Deux minutes s'étaient maintenant écoulées. La personne en charge de la collation des grades, et dont les directives au moment de la répétition étaient maintenant ignorées, se dirigea à grandes enjambées vers la première rangée debout et leur signala subtilement de s'asseoir. Personne ne s'assit. Elle passa alors à la deuxième rangée et leur ordonna distinctement «Asseyez-vous!». Après deux secondes, 375 personnes très soulagées se détendaient tranquillement sur leurs chaises.

Pendant que j'assistais à cette scène, trois sortes de questions me traversèrent l'esprit. Premièrement, pourquoi leur comportement était-il si uniforme, compte tenu de la grande diversité d'individus à l'intérieur de ce grand groupe? La pression sociale est-elle parfois assez puissante pour abolir les différences individuelles? Qu'étaient devenus les farouches individualistes?

Deuxièmement, 25% de ces sortants furent mes étudiants en psychologie sociale. Même si c'était à ce moment-là le dernier de leurs soucis, tous étaient au courant de la conformité. Quand ils avaient étudié ce sujet, plusieurs s'étaient juré de n'être jamais aussi dociles que les participants aux fameuses expériences de conformité. Mais tels que je les voyais là, ils participaient à l'une des expériences de vie semblables à celles du laboratoire. Dans la vie quotidienne, est-il plus facile de fantasmer que de poser un acte héroïque individualiste? Sommes-nous plus vulnérables à l'influence sociale que nous ne l'imaginons? Le fait d'étudier l'influence sociale ne nous en libère-t-il pas?

Troisièmement, la conformité est-elle aussi mauvaise que ne l'implique ma description de ce «troupeau» docile? Aurait-il fallu me désoler de leur «conformité» aveugle ou me réjouir plutôt de leur «solidarité de groupe» et de leur «sensibilité sociale»?

Voyons d'abord la dernière question. La conformité est-elle bonne ou mauvaise? C'est là une autre des questions auxquelles ne peuvent répondre les scientifiques. Mais en admettant les valeurs que la plupart d'entre nous partagent, nous pouvons dire deux choses. Premièrement, la conformité est parfois mauvaise (comme lorsqu'elle pousse quelqu'un à boire dans une soirée avant de conduire pour retourner chez lui), parfois bonne (lorsqu'elle empêche les gens de passer devant nous lorsque nous faisons la file au cinéma) et parfois sans réelle conséquence (lorsqu'elle nous prédispose à porter du blanc pour jouer au tennis).

Deuxièmement, le terme même de « conformité » sous-entend toutefois un jugement de valeur négatif. Comment vous sentiriez-vous si vous surpreniez quelqu'un en train de vous décrire comme un « vrai conformiste » ? Je pense que vous seriez blessé parce que, dans les cultures occidentales, la caractéristique consistant à obtempérer aux pressions des pairs n'est pas très prisée. C'est ce qui explique pourquoi les psychologues sociaux européens et nord-américains lui accolent plus souvent des étiquettes négatives (conformiste, soumis, complaisant) que des étiquettes positives (sensible à la collectivité, affectueux, coopératif dans les jeux d'équipe). Nous choisissons des étiquettes compatibles avec nos jugements. En rétrospective, il se peut que vous considériez les députés canadiens qui s'attirèrent l'impopularité de l'électorat par leur opposition à la peine de mort comme étant « indépendants » et « autodéterminés », et comme des « excentriques » et des « égocentriques » ceux qui s'attirent l'impopularité par leur opposition à l'avortement.

Les étiquettes décrivent en même temps qu'elles évaluent. Elles sont cependant impossibles à éviter. Nous ne pouvons discuter des phénomènes relatifs au présent chapitre sans nous servir d'étiquettes. Soyons donc clairs sur le sens des étiquettes suivantes : conformité, acquiescement et acceptation.

Faites-vous preuve de conformité lorsque, en tant qu'individu dans une foule, vous applaudissez le « Vive le Québec libre ! » du général de Gaulle ? Faites-vous preuve de conformité lorsque, comme des millions d'autres, vous buvez du lait ? Faites-vous preuve de conformité lorsque vous êtes d'accord avec tout le monde pour dire que les hommes paraissent mieux avec des cheveux plus longs que coupés en brosse ? Peut-être que oui, peut-être que non. La question est de savoir si votre comportement et vos croyances seraient les mêmes en dehors du groupe. Vous lèveriez-vous pour acclamer le point compté si vous étiez le seul partisan dans les gradins ? La conformité ne se limite pas à se comporter comme les autres ; elle consiste à être affecté par leur façon d'agir. C'est faire autre chose que ce que l'on ferait si l'on était seul. C'est ainsi que Charles Kiesler et Sara Kiesler (1969) définissent la **conformité** comme « un changement de comportement ou de croyance [...] provenant d'une pression de groupe réelle ou imaginée » (p. 2).

Il nous arrive parfois de nous conformer sans trop y croire. Nous portons la cravate obligatoire même si nous n'aimons pas cela. On appelle **acquiescement** cette apparente conformité hypocrite. C'est principalement pour obtenir une récompense ou pour éviter une punition que nous nous soumettons de la sorte. Si notre servilité est la réponse à un commandement explicite, l'acquiescement devient alors de l'obéissance.

Il nous arrive aussi de croire sincèrement à ce que le groupe nous a persuadés de faire. Nous pouvons ainsi nous joindre aux millions de buveurs de lait parce qu'on nous a persuadés que le lait était nutritif. On appelle **acceptation** cette conformité sincère et intérieure.

L'acquiescement et l'acceptation sont souvent reliés. Comme nous l'avons souligné au chapitre 2, les attitudes dérivent du comportement, de sorte que l'acquiescement peut engendrer l'acceptation. À moins de nous sentir irresponsables de notre comportement, nous éprouvons habituellement de la sympathie pour les causes que nous avons défendues.

Conformité :
Changement de croyance ou de comportement provenant d'une pression de groupe réelle ou imaginée.

Acquiescement :
Agir publiquement conformément à la pression sociale tout en se sentant intérieurement en désaccord.

Acceptation :
Agir et penser conformément à la pression sociale.

Les chercheurs qui s'intéressent à la conformité ont construit de fascinantes sociétés miniatures, des microcultures de laboratoire simplifiant et simulant d'importantes caractéristiques de l'influence sociale quotidienne. Commençons donc notre étude de la conformité en examinant trois comptes rendus de ces expériences, chacun ayant fourni une méthode pouvant servir à étudier la conformité et chacun faisant état de surprenantes découvertes.

RECHERCHES CLASSIQUES

RECHERCHES DE SHERIF SUR LA CRÉATION DES NORMES

La première des trois expériences «classiques» établit un pont entre l'analyse, faite au précédent chapitre, du pouvoir de la culture de créer et de perpétuer des normes arbitraires, et le présent chapitre portant sur la conformité. Muzafer Sherif (1937) se demandait s'il était possible d'observer en laboratoire l'apparition d'une norme sociale. Tout comme le biologiste cherchant à isoler un virus en laboratoire, là où il est possible de l'expérimenter, Sherif voulait isoler et expérimenter le phénomène social de la création d'une norme.

Si vous aviez participé à l'une des expériences de Sherif, vous vous seriez vu assis dans une pièce noire. À 4,5 m devant vous, une minuscule lumière apparaît. La lumière se maintient quelques secondes, après quoi vous devez deviner la distance qu'elle franchit. Au début, il ne se passe rien. Ensuite, la lumière se déplace irrégulièrement et finit par disparaître. Étant donné que la pièce noire ne fournit aucun repère de distance, vous vous tortillez avant de proposer un «15 cm» incertain. On répète l'opération. Cette fois-ci, vous dites «25 cm». Au fur et à mesure qu'on la répète, vos évaluations continuent de tourner autour d'une moyenne de 20 cm.

Le lendemain, vous y retournez en compagnie de deux autres personnes qui ont vécu la même expérience que vous la veille. Lorsque la lumière s'éteint la première fois, les deux autres personnes présentent leurs meilleures suppositions de la veille. «Deux centimètres», dit l'une. L'autre dit «5 cm». Un peu décontenancé, vous dites quand même «20 cm». Pensez-vous que vos réponses changeront durant la journée et les deux jours suivants où cette expérience de groupe sera répétée à plusieurs reprises? Les hommes de l'Université de Columbia qui ont participé à l'expérience de Sherif ont modifié leurs évaluations de façon marquée. Comme l'illustre la figure 6.1, une norme de groupe fait habituellement son apparition. (La norme était fausse. Pourquoi? La lumière ne s'est jamais déplacée! Sherif avait profité d'une illusion perceptive que l'on appelle le **mouvement autocinétique**.)

Sherif et d'autres après lui se sont servis de cette technique pour répondre à des questions touchant la suggestibilité des gens. Par exemple, en testant à nouveau les gens un an plus tard, leurs évaluations divergeraient-elles encore ou persisteraient-ils à énoncer la norme du groupe? C'est de façon remarquable qu'ils continuèrent à endosser la norme du groupe (Rohrer *et al.*, 1954). (Pouvons-nous parler ici d'acquiescement ou d'acceptation?)

Mouvement autocinétique: Soi-même (*auto*) mouvement (*kinêsis*). Apparente mobilité d'un point lumineux stationnaire dans l'obscurité. Peut-être en avez-vous déjà fait l'expérience en pensant avoir identifié un satellite en mouvement pour vous rendre compte plus tard qu'il ne s'agissait que d'une étoile isolée.

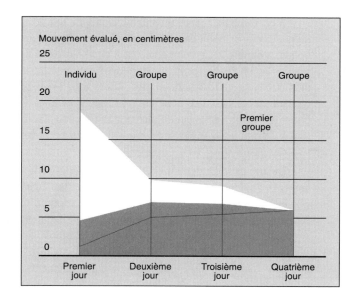

Figure 6.1
Groupe échantillon tiré de l'expérience de Sherif sur la formation d'une norme. Trois personnes convergent à mesure qu'elles répètent leurs estimations du mouvement apparent d'un point lumineux. (Données tirées de Sherif et Sherif, 1969, p. 209.)

Compère:
Personne travaillant avec l'expérimentateur et pour le compte de ce dernier.

«Pourquoi le bâillement de l'un fait-il bâiller l'autre?»
Robert Burton, *Anatomy of Melancholy*

Frappés par ce qui semble être le pouvoir de la culture de perpétuer de fausses idées, Robert Jacobs et Donald Campbell (1961) se demandèrent s'ils pourraient étudier et démontrer ce pouvoir dans leur laboratoire de l'Université Northwestern. Se servant du mouvement autocinétique, ils s'adjoignirent un **compère** chargé de donner une évaluation exagérée de la distance franchie par la lumière. Le compère quittait ensuite les lieux et était remplacé par un véritable participant, remplacé à son tour par un tout nouveau participant. L'illusion exagérée n'en persista pas moins pendant cinq générations. Ces gens devinrent des «conspirateurs involontaires pour perpétuer une fraude culturelle». La leçon à tirer de ces expériences: Nos perceptions de la réalité ne nous appartiennent pas exclusivement, puisque nous sommes influencés par notre entourage.

Si l'influence est aussi forte dans la situation imaginée par Sherif, on peut penser que c'est à cause de l'ambiguïté du stimulus, mais Claude Flament (1959) a montré qu'il fallait aussi tenir compte de l'incertitude de la réponse dans le processus d'influence. Un stimulus n'est pas ambigu lorsque toutes les réponses à ce stimulus sont identiques; il est ambigu si toutes les réponses possibles apparaissent aussi probables les unes que les autres. On mesure l'incertitude en demandant à la personne d'indiquer le pourcentage de chances qu'elle a de bien répondre. En faisant varier l'incertitude d'une réponse pour une même ambiguïté du stimulus (nombre de points lumineux présentés), Flament a observé une relation directe entre l'incertitude et l'influence sociale.

Dans la vie quotidienne, les conséquences de la suggestibilité sont parfois amusantes. À la fin de mars 1954, les journaux de la ville de Seattle firent état de dommages causés à des pare-brise dans une ville située à 129 km au nord. Le 14 avril au matin, les mêmes dommages aux pare-brise étaient survenus à 105 km de là, et plus tard dans la journée, à seulement 72 km. À la tombée de la nuit, l'agent destructeur de pare-brise avait atteint Seattle. Avant la fin de la journée du 15 avril, la police de Seattle avait reçu des plaintes pour des dommages à plus de 3000 pare-brise (Medalia et Larsen, 1958). Ce soir-là, le maire de Seattle demanda de l'aide au président Eisenhower.

À cette époque, j'étais un jeune habitant de Seattle âgé de 11 ans. Je me vois encore en train d'examiner notre pare-brise, sous le coup de la peur provoquée par l'explication qu'une bombe atomique, que l'on venait juste de tester dans le Pacifique, avait des retombées sur Seattle. Le 16 avril, cependant, les journaux firent allusion au fait que la coupable pourrait bien être la suggestibilité de masse. Après le 17 avril, il n'y eut plus de plaintes. Une analyse ultérieure des pare-brise endommagés concluait à une usure normale causée par la route. Qu'avions-nous fait de plus que ce que nous faisions avant le rapport? À cause de la suggestion, nous avons regardé beaucoup plus attentivement nos pare-brise plutôt que de regarder *à travers*.

La suggestibilité dans la vie quotidienne n'est pas toujours aussi amusante. Les détournements d'avions, les visions d'OVNI et même les suicides ont tendance à se produire par vagues. Le sociologue David Phillips (1985) rapporte que les accidents fatals d'autos, les écrasements d'avions privés et les suicides non déguisés augmentent à la suite de suicides annoncés à grand renfort de publicité. Par exemple, après le suicide de Marilyn Monroe, survenu le 6 août 1962, il y eut, pour le mois d'août, 200 suicides de plus que la normale aux États-Unis. De plus, le nombre de morts augmente seulement dans les régions où l'on publie l'histoire du suicide. Plus les journaux consacrent d'espace à l'histoire, plus le nombre de morts augmente. Phillips croit que cela indique le pouvoir de la suggestion de même que le fait que plusieurs «accidents» d'autos et d'avions sont, en fait, probablement des suicides. Pour la même raison, les suicides qui surviennent dans le métro de Montréal ne sont plus rendus publics depuis un certain nombre d'années.

RECHERCHES DE ASCH SUR LA PRESSION EXERCÉE PAR LE GROUPE

Les participants aux expériences sur le mouvement autocinétique faisaient face à une réalité ambiguë, c'est-à-dire une réalité ne comportant pas de bonne réponse évidente. Le psychologue social Solomon Asch (1956) soupçonnait que les gens intelligents ne feraient pas preuve de conformité dans des situations où ils pourraient facilement discerner leurs propres vérités. Pour vérifier son intuition et pour étudier des facteurs qui, selon lui, influencent la conformité, Asch mit sur pied une astucieuse situation expérimentale.

Imaginez-vous en tant que participant volontaire aux expériences de Asch. Vous êtes assis au sixième rang d'une rangée de sept personnes. Après vous avoir expliqué que vous prendrez part à une recherche les jugements perceptifs, l'expérimentateur vous demande d'indiquer laquelle des trois lignes apparaissant à la figure 6.2 est identique à la ligne standard. Vous pouvez facilement voir que c'est la ligne 2. C'est pourquoi vous n'êtes pas surpris d'entendre les cinq personnes répondant avant vous déclarer «ligne 2».

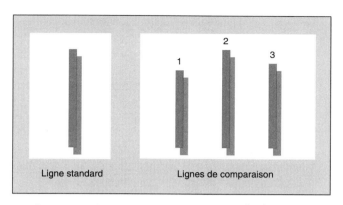

Figure 6.2
Échantillon de comparaison utilisé par Solomon Asch dans sa méthode expérimentale touchant la conformité. On demandait aux participants de déterminer laquelle des trois lignes de comparaison était égale au modèle.

La comparaison suivante est tout aussi facile pour tout le monde. Vous vous dites «hum! hum!» et vous vous disposez à endurer poliment une expérience ennuyeuse. Mais au troisième essai, vous êtes surpris. Bien que la bonne réponse semble tout aussi claire, la première personne donne ce qui vous semble être une mauvaise réponse. Lorsque la deuxième personne donne la même réponse, vous vous redressez sur votre chaise et fixez les cartes. La troisième personne est du même avis que les deux autres. Vous êtes estomaqué; vous commencez à transpirer. «Qu'est-ce que c'est ça?» vous demandez-vous. «Sont-ils aveugles? ou est-ce moi qui suis aveugle?» Les quatrième et cinquième personnes sont d'accord avec les autres. Et c'est maintenant vous que l'expérimentateur regarde. Vous vivez maintenant un «cauchemar épistémologique». «Comment faire pour savoir ce qui est vrai? Est-ce que c'est ce que me disent mes pairs ou ce que me disent mes yeux?»

Dans l'une des expériences de Asch portant sur la conformité, le participant n° 6 vécut un conflit et un malaise après avoir entendu les réponses incorrectes des cinq personnes ayant répondu avant lui.

«Celui qui découvre la vérité se permet de la proclamer sans demander qui est pour et qui est contre.»

Harry George, *The Land Question*

Des douzaines d'étudiants vécurent ce conflit lorsqu'ils participèrent aux expériences de Asch. Ceux qui répondirent seuls avaient raison dans plus de 99 % des cas. Asch se demanda: Si plusieurs autres (des compères ayant reçu des directives de la part de l'expérimentateur) donnaient de fausses réponses identiques, cela pousserait-il les gens à déclarer vraies des choses qu'autrement ils auraient jugées fausses? Même si certaines personnes ne se sont jamais conformées, la plupart l'ont fait au moins une fois et, tout compte fait, 37 % des réponses faisaient preuve de conformité. Certes, cela signifie que, dans 63 % des cas, les gens ne se sont pas conformés. En dépit de l'indépendance manifestée par plusieurs de ses participants, les idées de Asch (1955) à propos de la conformité étaient aussi claires que les bonnes réponses à ses questions: «Le fait que des jeunes gens passablement intelligents et bien intentionnés soient disposés à appeler blanc ce qui est noir est un sujet d'inquiétude. Cela soulève des questions quant à nos façons d'éduquer et quant aux valeurs guidant notre conduite.»

La mise en situation de Asch allait être utilisée dans des centaines d'expériences. Ces expériences ne permettent pas de reproduire le réalisme de la conformité telle qu'elle est observée habituellement, mais elles ont ce que nous avons appelé le «réalisme expérimental» au chapitre 1. La preuve en est que les sujets de ces expériences s'engagent émotivement. Pour certains, c'est même stressant. Toutefois, cette mise en situation est coûteuse et difficile à contrôler parce qu'elle a recours à de nombreux compères qui doivent être d'une grande consistance d'un sujet à l'autre. Richard Crutchfield (1955) a trouvé une solution à ce problème en automatisant l'expérience de Asch. Cinq participants – chacun étant un véritable sujet – s'asseyent dans des cabines contiguës où on leur projette des questions sur le mur en face d'eux. Chaque cabine renferme un panneau de lumières et d'interrupteurs qui permettent aux sujets d'indiquer leurs jugements et de voir la réponse des autres. Après une série d'essais de réchauffement, tous les sujets se trouvent à répondre en dernier après avoir vu les prétendues réponses des quatre autres.

Note éthique: L'éthique professionnelle exige habituellement une explication après coup de l'expérience (voir le chapitre 1). Supposons que vous soyez un expérimentateur venant juste de terminer une session avec un participant totalement obéissant. Seriez-vous capable d'expliquer la tromperie de façon que le participant ne se sente pas crédule et sans caractère?

La technique permet également de poser diverses questions. Crutchfield a, par exemple, testé des officiers militaires en leur présentant un cercle et une étoile, l'un à côté de l'autre. La surface du cercle était d'un tiers plus grande. Mais lorsque chaque officier pensa que les autres avaient jugé l'étoile plus grande, 46 % d'entre eux nièrent leurs propres sens et se rallièrent à l'avis du groupe. Lorsqu'on testa en privé un échantillon d'officiers, chacun rejeta l'énoncé «Je ne sais pas si je ferais un bon chef». Bien sûr – ils étaient des chefs. Cependant, croyant que tous les autres officiers avaient accepté l'énoncé, près de 40 % le firent également.

Lequel est plus gros ?

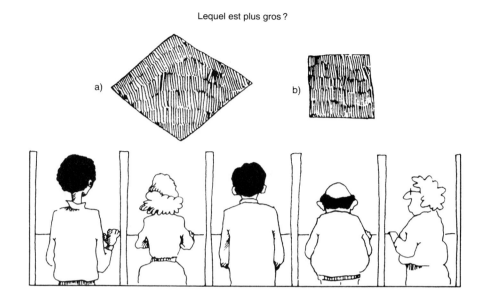

a)   b)

Figure 6.3

Méthode d'évaluation de la conformité utilisée par Richard Crutchfield. Les gens prennent place dans des cabines adjacentes et répondent à des questions posées sur le mur en face d'eux, après avoir entendu les prétendues réponses des autres. (Dessin de Anne Canevari Green.)

«Est-il trop facile de passer du côté de la majorité ?»

Sénèque, *Epistulae ad Lucilium*

Même des points de vue idéologiquement contestables (pour des gens questionnés individuellement) furent approuvés lorsque le groupe approuvait. Peu avant l'apparition du mouvement en faveur de la liberté de parole à l'Université de Californie, à Berkeley, Crutchfield et ses collègues trouvèrent 58 % des étudiants disposés à s'affilier au groupe pour dire que «La liberté de parole étant un privilège plutôt qu'un droit, il est correct qu'une société suspende la liberté de parole lorsqu'elle se sent menacée» (Krech *et al.*, 1962).

Les résultats obtenus par Sherif, Asch et Crutchfield sont d'autant plus surprenants qu'il n'y a pas trace, dans leurs expériences, de pression explicite à se conformer – pas de récompenses promises pour l'«esprit d'équipe» et pas de punitions menaçantes pour l'individualisme. Si les gens démontrent tant de servilité devant si peu de pression sociale, on se demande jusqu'où irait leur acquiescement s'ils étaient directement contraints à l'obéissance. Les Nord-Américains moyens pourraient-ils être contraints à se livrer aux mêmes genres de cruautés que celles qui ont eu cours sous le régime nazi en Allemagne ? Nous aurions dit que non : les valeurs individualistes et démocratiques des Nord-Américains les feraient résister à une pression de ce genre. Sans compter que les déclarations verbales faciles exigées par ces expériences sont fort éloignées de l'acquiescement devant la pression de blesser quelqu'un. Vous et nous ne céderions jamais à la contrainte pour blesser quelqu'un. Ou peut-être le ferions-nous ? C'est ce que se demandait Stanley Milgram.

EXPÉRIENCES DE MILGRAM SUR L'OBÉISSANCE

Les expériences de Milgram (1965, 1974) concernant ce qui se passe lorsque les demandes de l'autorité s'opposent aux demandes de la conscience sont devenues les expériences les plus controversées et les plus célèbres de toute la psychologie sociale. «Peut-être plus que n'importe quelle autre contribution empirique de l'histoire des sciences sociales, note Lee Ross (1988), elles font désormais partie du patrimoine intellectuel de notre société – ce petit ensemble d'incidents historiques, de paraboles bibliques et de littérature classique auquel les penseurs sérieux se sentent libres de faire appel lorsqu'ils discutent de la nature humaine ou qu'ils considèrent l'histoire humaine.»

Imaginez-vous la scène : deux hommes arrivent au laboratoire de psychologie de l'Université Yale pour participer à une recherche sur l'apprentissage et la mémoire. Ils sont accueillis par un expérimentateur à l'air sévère et vêtu d'un uniforme gris de technicien qui leur explique qu'il s'agit là d'une toute nouvelle recherche sur l'effet de la punition sur l'apprentissage. L'expérience exige que l'un des deux enseigne à l'autre une liste de paires de mots et qu'il le punisse de ses erreurs en lui administrant des électrochocs d'intensité croissante. Pour désigner les rôles, ils pigent des bouts de papier dans un chapeau. L'un des hommes, un comptable de 47 ans aux manières effacées et qui est le compère de l'expérimentateur, prétend que son papier porte le mot «élève», et on le conduit à une pièce adjacente. Le «professeur» (qui est venu en réponse à une annonce parue dans le journal) subit un faible choc à titre de démonstration et regarde ensuite l'élève pendant qu'on l'attache à une chaise et qu'on lui place un électrode au poignet.

Le professeur et l'expérimentateur retournent alors dans la pièce principale et le professeur prend place devant une «génératrice de chocs» avec des boutons de commande, chacun représentant une augmentation de 15 volts par rapport au précédent, le tout s'échelonnant de 15 volts à 450 volts. Les boutons portent des étiquettes telles que «choc léger» «choc très fort» «danger, choc très puissant», et ainsi de suite. Sous les boutons des 435 volts et 450 volts, il n'y a que l'inscription «XXX». On dit au professeur d'«actionner un degré d'intensité supérieure au précédent sur la génératrice de chocs» chaque fois que l'élève donne une mauvaise réponse. Chaque fois qu'un bouton de commande est actionné, des lumières clignotent, les commandes de relais cliquettent et l'on entend un bruit électrique semblable à un bourdonnement.

Si le professeur se plie aux directives de l'expérimentateur, il entend l'élève grommeler à 75 volts, à 90 volts et à 105 volts. À 120 volts, l'élève crie que les chocs sont douloureux. Et à 150 volts, il réclame à grands cris qu'on le sorte de là et dit qu'il ne veut plus poursuivre l'expérience, qu'il refuse d'aller plus loin. À 270 volts, ses protestations sont devenues des cris d'agonie et il continue d'insister pour qu'on le sorte de là. À 300 volts et à 315 volts, il hurle son refus de répondre. Après 330 volts, il ne dit plus rien. En réponse aux demandes et aux supplications du professeur de mettre fin à l'expérience, l'expérimentateur dit qu'il faut considérer les silences de l'élève comme des mauvaises réponses. Il n'utilise que quatre incitations verbales pour s'assurer que le professeur continue :

INCITATION 1 : Veuillez continuer (*ou* veuillez poursuivre).

INCITATION 2 : L'expérience exige que vous poursuiviez.

INCITATION 3 : Il est absolument essentiel que vous continuiez.

INCITATION 4 : Vous n'avez pas d'autre choix, vous *devez* continuer.

Si vous aviez été le professeur dans cette expérience, jusqu'où seriez-vous allé ? Milgram a décrit l'expérience à 110 psychiatres, étudiants et adultes de classe moyenne. Les gens des trois groupes disaient qu'ils auraient désobéi autour de 135 volts; personne ne croyait pouvoir aller plus loin que 300 volts. Reconnaissant que les auto-évaluations sont parfois auto-avantageusement biaisées, Milgram leur demanda jusqu'où ils croyaient que les *autres* pourraient aller. Pratiquement personne ne pensait que quelqu'un puisse se rendre à la fin des boutons de commande. (Les psychiatres estimèrent qu'il y en aurait un sur mille.)

Mais lorsque Milgram a effectué l'expérience avec 40 hommes – des gens de professions différentes et dont l'âge variait de 20 ans à 55 ans –, 25 d'entre eux (63 %) allèrent clairement jusqu'à 450 volts. En fait, tous ceux qui se rendirent à 450 volts obéirent à l'ordre de *continuer* la méthode jusqu'à ce que l'expérimentateur annonce un arrêt, après deux autres essais. Devant ces résultats troublants, Milgram s'arrangea pour rendre les protestations de l'élève encore plus convaincantes. Au moment où l'élève était attaché sur la chaise, le professeur l'entendait mentionner qu'il avait de «légers problèmes cardiaques» et entendait ensuite l'expérimentateur le rassurer en lui disant que «même si les chocs peuvent être douloureux, ils ne causent pas de dommage permanent aux tissus». Les protestations angoissées émises subséquemment par l'élève (voir l'encadré) furent sans grand effet : sur 40 nouveaux participants pour cette expérience, 36 (65 %) se plièrent complètement aux demandes de l'expérimentateur (voir la figure 6.4).

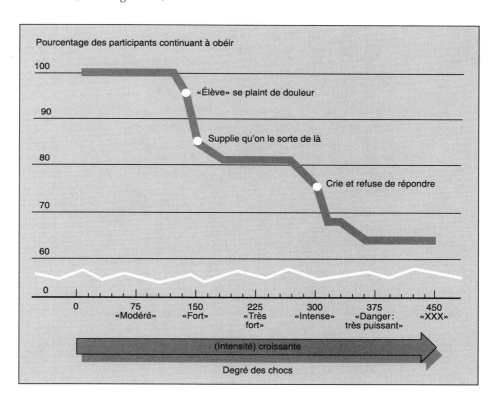

Figure 6.4
Expérience de Milgram sur l'obéissance. Pourcentage de participants obéissants malgré les cris de protestation et les refus de répondre de l'élève. (Tiré de Milgram, 1965.)

Milgram fut troublé de l'obéissance de ses participants. Les méthodes qu'il employait ont également dérangé plusieurs psychologues sociaux (Miller, 1986). Même si l'«élève», aux cours de ces expériences, ne recevait en fait aucun choc (il se libérait de sa chaise et faisait ensuite jouer un enregistrement de ses protestations), certains critiques ont néanmoins dit que, ironiquement, Milgram faisait subir à ses participants ce qu'eux-mêmes faisaient à leurs victimes : les pousser à agir contre leur volonté. Plusieurs des professeurs ont effectivement vécu un supplice. Ils ont transpiré, tremblé, bégayé, se sont mordu les lèvres, ont grogné des protestations ou ont même éclaté d'un rire irrépressible. Un critique du *New York Times* s'est insurgé contre le fait que «la cruauté infligée aux participants non prévenus n'a d'égal que la cruauté que ces expériences ont tirée d'eux» (Marcus, 1974). Les critiques ont également soutenu que les perceptions de soi des participants ont peut-être changé. L'épouse de l'un des participants lui a dit, «Tu ne peux te traiter d'Eichmann» (se référant à Adolf Eichmann, l'administrateur nazi d'un camp de la mort).

PROGRAMME DE PROTESTATIONS DE L'«ÉLÈVE» POUR LES EXPÉRIENCES DE MILGRAM COMPORTANT UN «MALAISE CARDIAQUE»

75 volts	Aie !
90 volts	Aie !
105 volts	Aie ! (*plus fort*)
120 volts	Aie ! Hé ! ça fait vraiment mal !
135 volts	Aie !
150 volts	Aie ! Expérimentateur ! C'est fini. Faites-moi sortir d'ici. Je vous ai dit que je souffrais de troubles cardiaques. Mon cœur commence maintenant à faire des siennes. S'il vous plaît, faites-moi sortir d'ici ! Mon cœur me fait souffrir. Je refuse de continuer. Faites-moi sortir !
165 volts	Aie ! Faites-moi sortir ! (*criant*)
180 volts	Aie ! Je ne peux pas endurer la douleur. Faites-moi sortir d'ici ! (*criant*)
195 volts	Aie ! Faites-moi sortir d'ici ! Faites-moi sortir d'ici ! Mon cœur me fait mal ! Faites-moi sortir d'ici ! Vous n'avez pas le droit de me garder ici ! Laissez-moi sortir ! Laissez-moi sortir d'ici ! Laissez-moi sortir ! Laissez-moi sortir d'ici ! Mon cœur me fait mal. Laissez-moi sortir ! Laissez-moi sortir !
210 volts	Aie ! Expérimentateur ! Faites-moi sortir d'ici ! J'en ai eu assez. Je ne veux plus participer à l'expérience.
225 volts	Aie !
240 volts	Aie !
255 volts	Aie ! Faites-moi sortir d'ici !
270 volts	(*Hurlement de douleur*) Faites-moi sortir d'ici ! Faites-moi sortir d'ici ! Faites-moi sortir d'ici ! Faites-moi sortir ! Entendez-vous ? Faites-moi sortir d'ici !
285 volts	(*Hurlement de douleur*)
300 volts	(*Hurlement de douleur*) Je refuse totalement de continuer à répondre. Faites-moi sortir d'ici. Vous ne pouvez pas me garder ici. Qu'on me sorte ! Qu'on me sorte d'ici !
315 volts	(*Hurlement d'intense douleur*) Je vous l'ai dit, je refuse de répondre. Je ne prends plus part à cette expérience.
330 volts	(*Hurlement prolongé et intense de douleur*) Sortez-moi d'ici ! Sortez-moi d'ici. Mon cœur me fait mal. Sortez-moi d'ici, vous dis-je. (*Hystériquement*) Sortez-moi d'ici. Sortez-moi d'ici. Vous n'avez pas le droit de me garder. Sortez-moi ! Sortez-moi ! Sortez-moi ! Sortez-moi d'ici ! Sortez-moi. Sortez-moi !

Note: Tiré de Stanley Milgram. *From Obedience to Authority.* New York, Harper & Row, 1974, p. 56-57.

Pour sa défense personnelle, Milgram ne fit pas seulement remarquer les leçons tirées de ses deux douzaines d'expériences, mais il souligna également l'appui offert par ses participants à la suite de la révélation du leurre et de l'explication de l'expérience. Au cours d'une enquête postérieure, 84 % se déclarèrent heureux d'y avoir participé; 1 % seulement des participants regrettaient de s'être portés volontaires. L'année suivante, un psychiatre interrogea 40 de ceux qui avaient le plus souffert et en conclut qu'en dépit du stress temporaire personne n'était profondément blessé. Ironiquement, les gens à qui l'on parla des expériences de Milgram ne semblaient pas très dérangés si on leur disait que seulement 10 % des participants obéirent et en éprouvèrent temporairement du dégoût; d'une certaine manière, un résultat plus faible semble rendre la méthode utilisée plus morale (Schlenker et Forsyth, 1977).

Milgram fit plus que de mettre en lumière le degré d'obéissance des gens à l'autorité; il se pencha également sur les conditions engendrant l'obéissance. Au cours d'expériences subséquentes, il modifia les conditions sociales et obtint un acquiescement allant de 0 % de complète obéissance à 93 %. Les facteurs déterminants sont les quatre suivants.

Distance émotionnelle de la victime

Les professeurs de Milgram manifestèrent moins de compassion lorsqu'ils ne pouvaient voir les élèves (et qu'ils ne pouvaient être vus). Lorsque la victime était éloignée et qu'on ne pouvait entendre ses plaintes, presque tous les participants obéirent calmement jusqu'à la fin. Lorsqu'on amena l'élève dans la même pièce, «seulement» 40 % obéirent jusqu'aux 450 volts. Et l'obéissance complète chuta à 30 % lorsqu'on demanda aux professeurs de mettre de force la main de l'élève en contact avec une plaque électrifiée.

PERSONNALISER LES VICTIMES

Les victimes innocentes provoquent plus de compassion lorsqu'elles sont personnalisées. Au cours d'une semaine où l'on s'empressa d'oublier qu'un tremblement de terre en Iran venait de faire périr 3000 personnes, un seul garçon meurt en Italie, coincé dans un puits, et le monde entier est en deuil. Les statistiques de décès prévus en cas de guerre nucléaire sont impersonnelles au point d'en être incompréhensibles. C'est pourquoi le professeur de droit international Roger Fisher a proposé une façon de personnaliser les victimes:

C'est ainsi qu'un jeune homme, habituellement un officier de la marine, accompagne le président partout où il va. Ce jeune homme a un attaché-case noir où se trouvent les codes nécessaires pour déclencher des armes nucléaires.

J'imagine le président, lors d'une réunion du conseil, considérer la guerre nucléaire comme une question abstraite. Il peut conclure, «Avec le plan SIOP numéro un, la décision est affirmative. Communiquez la ligne Alpha XYZ.» Un tel jargon maintient à distance ce qui est impliqué.

Ma suggestion est alors très simple. Placez ce numéro de code nécessaire dans une petite capsule que vous implanterez tout près du cœur d'un volontaire. Le volontaire portera sur lui un gros et lourd couteau de boucherie lorsqu'il accompagnera le président. Si jamais le président veut déclencher des armes nucléaires, la seule façon pour lui de le faire sera d'abord de tuer, de ses propres mains, un être humain.

«Georges, devrait dire le président, je regrette, mais des dizaines de millions doivent mourir.» Le président devrait alors le regarder et comprendre ce qu'est la mort – ce qu'est la mort d'un innocent. Du sang sur le tapis de la Maison-Blanche; c'est la réalité rendue présente.

Lorsque j'ai suggéré cela à des amis du Pentagone, ils s'écrièrent: «Mon Dieu! c'est horrible. Le fait d'avoir à tuer quelqu'un modifierait le jugement du président. Il n'appuierait peut-être jamais sur le bouton.»

Note: Adapté de Roger Fisher. «Preventing Nuclear War». *Bulletin of the Atomic Scientists*, mars 1981, p 11-17.

Dans la vie quotidienne, aussi, il est plus facile d'abuser de quelqu'un qui est éloigné ou dépersonnalisé. Les bourreaux dépersonnalisent ceux qu'ils exécutent en leur mettant des capuchons. L'éthique de la guerre permet de bombarder un village désarmé à 12 192 mètres d'altitude, mais défend de faire feu sur un villageois tout aussi désarmé. Lorsqu'ils combattent des ennemis qu'ils peuvent voir, plusieurs soldats s'abstiennent même de faire feu ou ratent leur cible. Ce genre de désobéissance est rare chez les soldats à qui l'on ordonne de tuer avec une artillerie de plus longue portée ou avec des armes aériennes (Padgett, 1986).

Du côté positif, les gens manifestent plus de compassion envers ceux qui sont personnalisés. C'est la raison pour laquelle ceux qui défendent l'enfant à naître, l'affamé ou le démuni vont presque toujours personnaliser leur groupe cible grâce à une photo ou à une description éloquente. En l'absence de tels arguments, les gens ne sont pas très touchés par les grandes tragédies. Dans son livre datant de 1790 et intitulé *Theory of Moral Sentiments*, l'économiste écossais Adam Smith imaginait que «le grand empire de Chine, avec sa multitude d'habitants, était tout d'un coup anéanti par un tremblement de terre». Il supposa que l'Européen moyen, en écoutant cette nouvelle, «se dirait très désolé du malheur de ces pauvres gens, se livrerait à de mélancoliques réflexions sur la précarité de la vie humaine [...] et, après avoir fait preuve de tant de subtile philosophie, reprendrait ses affaires ou son plaisir [...] comme si rien de tout cela n'avait eu lieu».

S'il était en votre pouvoir de prévenir un raz-de-marée pouvant tuer 25 000 personnes au Pakistan, ou un accident d'avion tuant 250 personnes à votre aéroport local, ou un accident d'automobile pouvant tuer un de vos grands amis, lequel choisiriez-vous de prévenir ?

Proximité et légitimité de l'autorité

Milgram a découvert que l'obéissance dépendait de la présence physique de l'expérimentateur. Quand les ordres étaient donnés par téléphone, l'obéissance totale chutait à 21 % (même si plusieurs mentaient en disant qu'ils obéissaient). D'autres recherches sur l'acquiescement ont également démontré que l'obéissance augmente lorsque la personne donnant les ordres est physiquement proche. Lorsque, par exemple, on touche légèrement les gens au bras, ils ont plus tendance à donner 10 ¢, à signer une pétition ou à goûter à une nouvelle pizza (Kleinke, 1977 ; Willis et Hamm, 1980 ; Smith *et al.*, 1982).

De plus, l'autorité doit être perçue comme légitime. Au cours d'une autre variante de la première expérience d'obéissance, l'expérimentateur recevait un coup de téléphone (il s'agissait là d'un coup monté) l'obligeant à quitter le laboratoire. Il disait que le professeur pouvait continuer tout seul puisque l'équipement enregistrait automatiquement les données. Après le départ de l'expérimentateur, un autre participant ne jouant qu'un rôle de commis (en fait, un autre compère) assumait la direction de l'expérience. Il «décidait» qu'il fallait augmenter d'un degré l'amplitude des chocs pour chacune des mauvaises réponses, ce qu'il ordonnait ensuite au professeur de faire.

Devant cette autorité de rang inférieur, 80 % des professeurs refusèrent d'obéir complètement. Le compère, feignant le dégoût devant ce refus, s'asseyait alors devant la génératrice de chocs et tentait de prendre la place du professeur. À ce moment-là, la plupart des participants rebelles protestaient. Certains essayaient de débrancher la génératrice. Un homme de grande stature leva le compère zélé de son siège et le projeta à travers la pièce. Cette rébellion contre une autorité illégitime contrastait fortement avec la politesse déférente habituellement manifestée envers l'expérimentateur.

Elle contraste également avec l'attitude du personnel infirmier d'un hôpital qui, au cours d'une expérience, se voyait appelé par un médecin inconnu qui ordonnait d'administrer une surdose manifeste d'un médicament (Hoffing *et al.*, 1966). À l'un des groupes d'infirmières et d'étudiantes en soins infirmiers, on expliqua la méthode expérimentale et on leur demanda comment elles réagiraient; presque toutes dirent qu'elles ne donneraient pas le médicament tel qu'il était ordonné. L'une expliqua qu'elle répondrait «Je regrette, monsieur, mais je n'ai pas l'autorisation de donner un médicament sans une prescription écrite, surtout pour une dose dépassant tellement la normale et pour un médicament que je ne connais pas tellement. Si c'était possible, je le ferais avec plaisir, mais c'est contre les règlements de l'hôpital et contre mes principes moraux.» Néanmoins, lorsque 22 autres infirmières reçurent effectivement l'ordre de surdose par téléphone, toutes, sauf une, obéirent immédiatement (jusqu'au moment d'être interceptées en se rendant à la chambre du patient). Même si toutes les infirmières ne sont pas aussi serviles (Rank et Jacobson, 1977), celles-ci obéissaient à un rôle bien appris : le médecin (une autorité légitime) commande et l'infirmière obéit.

Autorité institutionnelle

Si le prestige de l'autorité est si important, on peut alors supposer que le prestige institutionnel de l'Université Yale a contribué à légitimer les ordres de l'expérimentateur. Lors d'entrevues post-expérimentales, plusieurs participants dirent spontanément qu'ils n'auraient pas administré de chocs à l'élève s'il ne s'était pas agi de la réputation de Yale concernant l'intégrité et l'excellence. Pour vérifier ces dires, Milgram a déménagé l'expérience à Bridgeport, au Connecticut, en la dissociant de Yale. Il s'installa dans un édifice commercial plus ou moins désaffecté, sous la raison sociale «Les chercheurs associés de Bridgeport», un organisme de nature inconnue. Lorsqu'on se livra à l'expérience habituelle du «malaise cardiaque» avec le même personnel, combien d'hommes ont, à votre avis, complètement obéi ? Quoique réduite, la proportion demeura remarquablement élevée – 48 %.

Effets libérateurs de l'influence du groupe

Ces expériences classiques nous donnent une idée négative de la conformité. La conformité peut-elle être constructive ? Peut-être pouvez-vous vous souvenir d'une fois où vous avez éprouvé un dégoût justifié à l'égard d'un professeur injuste ou devant la conduite incorrecte de vos pairs, mais vous hésitiez à vous objecter. C'est alors qu'une ou deux personnes se sont objectées et que vous avez suivi leur exemple. Milgram a reproduit cet effet libérateur de la conformité en plaçant le professeur en compagnie de deux professeurs compères qui devaient l'aider à appliquer la méthode. Au cours de l'expérience, les deux s'opposèrent à l'expérimentateur qui ordonna alors au vrai participant de poursuivre seul. Ces professeurs ont-ils obéi ? Non. Quatre-vingt-dix pour cent se libérèrent en se conformant aux compères rebelles.

RÉFLEXIONS SUR LES RECHERCHES CLASSIQUES

La réaction la plus courante aux résultats de Milgram consiste à en faire remarquer les équivalents dans l'histoire récente : dans les justifications du genre «Je ne faisais qu'obéir aux ordres» – d'Adolf Eichmann; du lieutenant William Calley qui dirigea, sans y avoir été provoqué, le massacre de centaines de villageois vietnamiens à My Lai; et des participants à différents scandales gouvernementaux. On entraîne les soldats à obéir aux supérieurs. Aux

États-Unis, l'armée reconnaît que même les Marines devraient désobéir à des ordres incorrects, mais on n'entraîne pas les soldats à reconnaître un ordre illégal ou immoral (Staub, 1989). C'est ainsi qu'un des participants au massacre de My Lai se souvenait,

> (Lieutenant Calley) me dit de commencer à tirer. J'ai donc commencé à tiré. J'ai tiré à peu près quatre fois dans le groupe [...] Ils suppliaient et disaient, «Non, non». Et les mères serreraient leurs enfants dans leurs bras et [...] Bien, nous avons continué à tirer. Ils agitaient les bras et suppliaient... (Wallace, 1969)

Les expériences sur l'obéissance diffèrent des autres expériences sur la conformité en ce qui a trait à la pression sociale : l'acquiescement est explicitement ordonné et non pas simplement le résultat d'une imitation non forcée. Sans contraintes de la part de l'expérimentateur, les gens n'étaient pas disposés à agir cruellement. Toutes ces expériences, allant de Sherif à Milgram, ont toutefois certaines choses en commun. Elles démontrent toutes comment l'acquiescement peut avoir préséance sur le sens moral de quelqu'un. Elles ont toutes poussé les gens à abdiquer leur éthique personnelle en réponse à la pression du groupe. Toutes, elles font plus que nous enseigner une leçon scolaire; elles nous sensibilisent à des conflits analogues dans nos propres vies. Et elles illustrent et affirment toutes certains principes psychologiques étudiés au cours de précédents chapitres. Rappelons-nous quelques-uns d'entre eux.

Comportement et attitudes

Nous avons vu, au chapitre 2, que l'une des raisons pour lesquelles nos attitudes échouent souvent à déterminer notre comportement est que les influences extérieures, comme le démontrent clairement ces expériences classiques, l'emportent souvent sur nos convictions profondes. Lorsqu'ils répondaient en l'absence des autres, les participants de Asch pouvaient presque toujours donner la bonne réponse. Mais les choses se passaient fort différemment lorsqu'ils étaient seuls devant un groupe. Dans les expériences sur l'obéissance, une pression sociale puissante (les ordres de l'expérimentateur) l'emportait sur la pression plus faible (les supplications lointaines de la victime). Tiraillés entre les supplications de la victime et les ordres de l'expérimentateur, entre le désir d'éviter de blesser et le désir d'être un bon participant, un nombre surprenant de participants choisirent d'obéir. Comme l'expliqua Milgram,

> Certains participants savaient parfaitement que ce qu'ils faisaient était mal [...] et pensaient – du moins pour eux-mêmes – qu'ils étaient des anges. Ils ne se rendaient pas compte que les sentiments subjectifs n'ont pas grand rapport avec le problème moral affronté tant qu'ils ne se transforment pas en actions. C'est par l'action que s'effectue le contrôle politique [...] Les tyrannies sont perpétuées par les hommes qui n'ont pas le courage d'agir selon ce qu'ils croient. Souvent, au cours de l'expérience, les gens dénigraient ce qu'ils faisaient sans toutefois réussir à faire appel à leurs ressources intérieures pour agir selon leurs valeurs. (Milgram, 1974, p. 10)

Pourquoi les participants ne parvenaient-ils pas à se libérer? Comment se sont-ils pris au piège? Imaginez-vous en tant que professeur dans une autre version de l'expérience de Milgram que lui-même n'a jamais conduite. Supposons que, au moment où l'élève donne sa première mauvaise réponse, l'expérimentateur vous demande de commencer à 330 volts. Après avoir tourné le bouton de commande, vous entendez l'élève crier de façon déchirante, se plaindre de problèmes cardiaques et demander grâce sans cesse. Est-ce que vous continueriez?

Nous pensons que non. Souvenez-vous de la prise au piège graduelle du phénomène du premier pas (chapitre 2) à mesure que nous comparons cette expérience hypothétique à ce que vécurent les professeurs de Milgram. Le premier engagement des professeurs était faible – 15 volts – et ne provoqua aucune protestation. Sans doute accepteriez-vous de faire cela. Avant d'en être rendu à administrer un choc de 75 volts et d'entendre la première plainte de l'élève, le professeur avait déjà obéi cinq fois. À l'essai suivant, on lui demandait d'aller juste un peu plus loin que ce qu'il avait déjà fait plusieurs fois. Avant d'en arriver à administrer un choc de 330 volts, le professeur, après 22 actes d'obéissance, avait certainement réussi à réduire un peu de la dissonance. Il devait par conséquent se trouver dans un état psychologique fort différent de celui de la personne qui commencerait l'expérience à ce stade. Comme on l'a souligné au chapitre 2, le comportement extérieur de quelqu'un et ses dispositions intérieures peuvent s'alimenter réciproquement, quelquefois dans une escalade en spirale.

Au début des années 1970, la junte militaire détenant le pouvoir en Grèce utilisait ce processus de pas à pas pour l'entraînement des tortionnaires (Haritos-Fatouros, 1988; Staub, 1989). En Grèce, comme pour l'entraînement des officiers SS en Allemagne nazie, les futurs tortionnaires étaient d'abord sélectionnés en fonction de leur respect et de leur soumission à l'autorité. Mais ces tendances ne réussissent pas, à elles seules, à faire de quelqu'un un tortionnaire. C'est pourquoi la recrue devait d'abord garder des prisonniers, ensuite se joindre à des escouades d'arrestation; par la suite on lui ordonnait de frapper occasionnellement des prisonniers, puis d'observer des tortures, et ce n'est qu'après tout cela qu'elle s'y livrait. Pas à pas, une personne obéissante quoique convenable se transformait en agent de cruauté. L'obéissance engendrait l'acceptation.

Le mode d'autojustification appelé «blâmer la victime», que l'on a vu au chapitre 2, constituait une acceptation de ce genre. Milgram rapporte que:

> Bien des participants dévalorisèrent durement la victime *comme conséquence* des actes portés contre elle. Des commentaires du genre «Il était tellement stupide et têtu qu'il méritait qu'on lui donne des chocs» étaient chose courante. Après avoir maltraité leur victime, ces participants se voyaient obligés de la percevoir comme une personne sans valeur, dont la punition était due inévitablement à ses propres déficiences intellectuelles ou à son caractère. (Milgram, 1974, p. 10)

Pouvoir de la situation

La leçon la plus importante du chapitre 5 – que les cultures modèlent puissamment nos vies – et la plus importante leçon du présent chapitre – que les forces sociales actuelles sont de puissance similaire – font ressortir l'impressionnant pouvoir des situations sociales. Pour le comprendre par vous-même, imaginez-vous en train de violer des normes sans grande importance: se lever au milieu d'un cours; chanter à tue-tête dans un restaurant; saluer par leur prénom de vieux professeurs émérites; porter des shorts à l'église; jouer au golf en habit; croquer des bonbons à un récital de piano. C'est en essayant de briser des contraintes sociales que l'on comprend tout à coup leur force.

Certains des étudiants de Milgram apprirent cette leçon lorsque, avec la collaboration de John Sabini (1983), Milgram fit appel à leur aide pour étudier les effets de la transgression d'une simple norme sociale, en demandant à des passagers du métro de la ville de New York de leur céder leur place. À la grande surprise des étudiants, 56% cédèrent leur place même quand on ne leur offrait aucune justification. Les réactions des étudiants au fait de faire cette demande étaient tout aussi intéressantes: la plupart trouvèrent cela extrêmement pénible. Il leur arriva souvent d'être incapables de parler et d'avoir à reculer. Après avoir fait leur demande et obtenu le siège, ils prétendirent quelquefois être malades pour pouvoir ainsi justifier leur transgression de la norme. Voilà le pouvoir des règles tacites gouvernant notre comportement en public.

Il y a là aussi une leçon à propos du mal. Le mal ne vient pas seulement de quelques pommes pourries qu'il faut remplacer par des pommes saines. Il provient également des forces sociales – de la chaleur, de l'humidité et de la maladie qui aident à faire pourrir tout un panier de pommes. Comme le démontrent ces expériences, des circonstances puissantes peuvent pousser les gens à se conformer à des faussetés ou à s'abandonner à la cruauté. Par conséquent, à l'exemple du séduisant pouvoir de l'anneau dans le roman de J. R. R. Tolkien intitulé *Le Seigneur des anneaux*, les situations néfastes ont un énorme pouvoir de corruption. Cela est d'autant plus vrai lorsque, comme cela arrive souvent dans les sociétés complexes, les pires maux viennent d'une suite de petits maux. Les dirigeants nazis étaient surpris de la facilité avec laquelle ils obtenaient d'employés civils allemands qu'ils s'occupent des paperasseries de l'holocauste. Certes, ils ne tuaient pas de Juifs. Ils ne faisaient que s'occuper de papiers (Silver et Geller, 1978). Le mal devient plus facile à faire lorsqu'il est fragmenté. Milgram s'est penché sur ce compartimentage du mal en engageant de façon plus indirecte 40 participants supplémentaires. Plutôt que de déclencher les chocs, ils n'avaient qu'à faire passer le test d'apprentissage. Sur 40 participants, 37 obéirent complètement.

La même chose se passe dans nos vies quotidiennes: l'évolution vers le mal se fait habituellement par petites augmentations sans aucun désir conscient de faire le mal. Le fait de remettre constamment les choses au lendemain implique un mouvement involontaire semblable vers l'autodestruction (Sabini et Silver, 1982). L'étudiant connaît des semaines à l'avance la date de remise d'un travail écrit. Chaque diversion du travail écrit – un jeu vidéo ici, un programme de télévision ailleurs – semble plutôt inoffensive. Toutefois, l'étudiant va graduellement dans le sens de ne pas faire le travail sans l'avoir consciemment décidé.

Erreur d'attribution fondamentale

Pourquoi certains d'entre nous furent-ils si surpris des résultats de ces expériences classiques? N'est-ce pas parce que nous nous attendions que les gens agiraient conformément à leurs dispositions? Nous ne sommes pas surpris lorsqu'un individu maussade pose un geste odieux, mais nous nous attendons que les individus possédant de bonnes dispositions seront bons. Les mauvaises gens font de mauvaises choses; les bonnes gens font de bonnes choses.

En lisant les comptes rendus des expériences de Milgram, quelles impressions avez-vous eues des professeurs? La plupart des gens leur attribuèrent des dispositions négatives. Lorsqu'on leur parla d'un ou deux participants obéissants, les gens les jugèrent agressifs, froids et peu attirants – même après avoir été informés que leur comportement était typique des autres participants (A. G. Miller *et al.*, 1973). La cruauté n'est-elle pas l'affaire de gens cruels?

Günter Bierbrauer (1979) a essayé de faire disparaître cette sous-estimation des forces sociales (appelée, au chapitre 3, l'erreur d'attribution fondamentale). Il s'est arrangé pour que des étudiants observent une reconstitution vivante de l'expérience ou qu'ils jouent eux-mêmes le rôle du professeur obéissant. Ils persistèrent malgré tout à prédire que leurs amis,

« En étudiant la longue et triste histoire de l'humanité, vous découvrirez que plus de crimes atroces furent perpétrés au nom de l'obéissance qu'au nom de la révolte. »
C. P. Snow

« Eichmann ne détestait pas les Juifs, et c'est ce qui est pire, n'avoir aucun sentiment. Faire d'Eichmann un monstre c'est le rendre moins dangereux qu'il n'était. Si vous tuez un monstre, vous pouvez dormir tranquille, car il n'y en a pas beaucoup. Mais la situation est beaucoup plus dangereuse si Eichmann constitue la normalité. »
Hannah Arendt, *Eichmann in Jerusalem*

à l'occasion d'une répétition de l'expérience de Milgram, ne seraient que très peu complaisants. Bierbrauer en conclut que, même si les scientifiques sociaux accumulent des preuves selon lesquelles notre comportement est le produit de notre histoire sociale et de notre environnement actuel, la plupart des gens «ne s'émeuvent pas de ces faits». Ils persistent à croire que les qualités intérieures des gens se révèlent dans leurs actes – «que seuls les hommes bons font le bien et méritent des compliments et que seuls les hommes mauvais font le mal et méritent d'être punis».

Il est tentant de supposer que Eichmann et les dirigeants des camps à Auschwitz étaient des monstres barbares. Mais après une dure journée de travail, les dirigeants d'Auschwitz devaient se détendre en écoutant Beethoven et Schubert. Eichmann lui-même fut décrit comme un être affable, extérieurement semblable au commun des mortels faisant un travail ordinaire (Arendt, 1963). Et c'était la même chose pour la recherche sur l'obéissance. La conclusion de Milgram fait qu'il est plus difficile d'attribuer l'holocauste aux seuls traits de caractère des Allemands: «La leçon la plus importante de nos recherches, dit-il, est que des gens ordinaires, faisant simplement leur travail et sans hostilité particulière, peuvent devenir des agents d'un terrible processus de destruction» (Milgram, 1974, p. 6).

Les expériences classiques sur la conformité ont fourni des réponses à certaines questions, tout en en soulevant d'autres, comme cela se produit souvent: (1) Les gens se conforment parfois et parfois ils ne le font pas. Quand se conforment-ils? (2) Pourquoi les gens se conforment-ils? Pourquoi les gens ne décident-ils pas d'ignorer le groupe pour «être fidèles à eux-mêmes»? (3) Y a-t-il un genre de personnes plus conformistes que d'autres? Examinons ces questions séparément.

«Le côté agressant de l'expérience de Milgram constitue vraiment une attaque importante du déni et de l'indifférence de chacun d'entre nous. Quel que soit le dégoût que nous éprouvons à affronter la vérité, il nous faut tôt ou tard nous rendre à l'évidence que tant d'entre nous pourraient en fait se livrer à des génocides ou y participer.»
Israël W. Charny, 1981. Directeur général, Conférence internationale sur l'holocauste et le génocide.

QUAND LES GENS SE CONFORMENT-ILS?

Les psychologues sociaux se demandèrent: Si la mise en situation non coercitive et non ambiguë de Asch pouvait provoquer un taux de conformité de 37%, d'autres mises en situation pourraient-elles provoquer un taux encore plus élevé? Les chercheurs ont tôt fait de découvrir que la conformité s'élevait effectivement lorsque les jugements devenaient difficiles où lorsqu'on amenait les participants à se sentir incompétents. Moins nous sommes sûrs de nos jugements, plus nous sommes influencés par les autres. Les chercheurs ont également trouvé que la nature du groupe avait une influence importante. La conformité est plus élevée...

LORSQUE LE GROUPE EST:

Composé de trois personnes ou plus

Les expériences de laboratoire ont démontré qu'un groupe n'a pas besoin d'être grand pour avoir beaucoup d'influence. Asch et d'autres chercheurs ont découvert que de trois à cinq personnes provoqueront beaucoup plus de conformité que ne le feront une ou deux personnes seulement. En augmentant toutefois le nombre de personnes à plus de cinq, on obtient des statistiques à la baisse (Rosenberg, 1961; Gerard et al., 1968). Au cours d'une expérience sur le terrain, Milgram, Leonard Bickman et Lawrence Berkowitz (1969) s'arrangèrent pour que 1, 2, 3, 5, 10 ou 15 personnes s'arrêtent sur un trottoir mouvementé de la ville de New York pour regarder en l'air. Comme le montre la figure 6.5, le pourcentage de passants qui regardèrent en l'air s'accrut au fur et à mesure que le nombre de participants à l'expérience passa de une à cinq personnes.

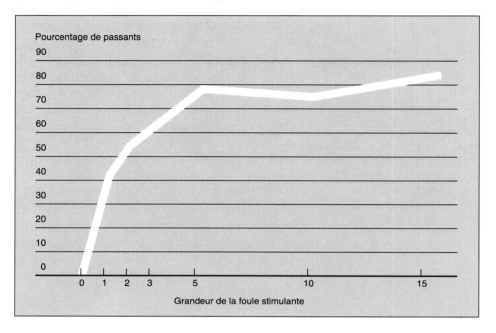

Figure 6.5
Conformité et grandeur du groupe. Le pourcentage de passants qui imitèrent un groupe de personnes regardant en l'air augmenta à mesure que le groupe passa à cinq personnes. (Données tirées de Milgram, Bickman et Berkowitz, 1969.)

Bibb Latané (1981) explique ces baisses de l'influence à mesure qu'augmente le groupe par sa «théorie de l'impact social». La théorie propose que l'influence sociale augmente selon l'immédiateté et la grandeur du groupe. Mais à mesure qu'augmente le nombre de personnes exerçant l'influence, les augmentations en fonction de l'impact social diminuent; la seconde personne a moins d'influence que la première, et la nième personne a moins d'influence que $(n-1)^e$.

La composition du groupe a également de l'importance. Le chercheur David Wilder (1977) a donné à des étudiants de l'Université du Wisconsin un cas judiciaire. Avant d'émettre leurs jugements, les étudiants regardèrent un enregistrement vidéo où quatre compères émettaient leurs jugements sur le cas. Lorsque les compères étaient présentés en deux groupes indépendants de deux personnes, les participants se conformèrent davantage que lorsque les quatre compères présentaient leurs jugements en tant qu'un seul groupe. De même, deux groupes de trois personnes provoquèrent plus de conformité qu'un groupe de six personnes et trois groupes de deux personnes en provoquèrent encore davantage. De toute évidence, l'accord de plusieurs petits groupes rend un point de vue plus crédible que ne le fait celui d'un seul grand groupe.

Unanime

Imaginez-vous dans une expérience sur la conformité où toutes les personnes vous précédant, sauf une, donnent une mauvaise réponse. L'exemple de ce compère ne se conformant pas serait-il aussi libérateur qu'il le fut pour les participants à l'expérience de Milgram sur l'obéissance ? Plusieurs expériences ont démontré que, lorsque l'unanimité d'un groupe est brisée, son pouvoir social l'est tout autant (Asch, 1955 ; Allen et Levine, 1969 ; Morris et Miller, 1975). Comme l'illustre la figure 6.6, les participants exprimeront presque toujours leurs convictions si une seule personne l'a fait. Il est intéressant de noter que les participants à ces expériences déclarent souvent après coup avoir éprouvé de la sympathie pour leur allié non conformiste et s'être sentis près de lui tout en niant qu'il les ait influencés : « J'aurais répondu exactement la même chose s'il n'avait pas été là. »

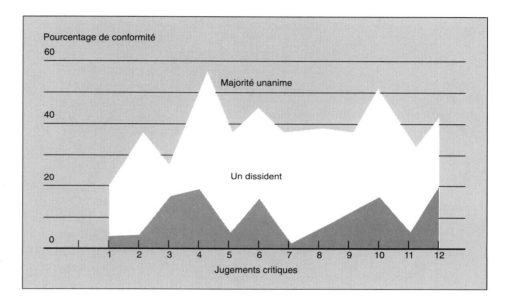

Figure 6.6
Effet de l'unanimité sur la conformité. Lorsque l'unanimité d'un groupe se voyait brisée par la présence d'un compère qui répondait correctement, les participants manifestaient quatre fois moins de conformité. (Tiré de Asch, 1955.)

« Mon opinion, ma conviction, gagne infiniment en force et en succès du moment qu'un autre esprit l'a adoptée. »
Novalis, *Fragments*

Il est difficile d'être une minorité de un et d'affronter seul un groupe. Peu de jurys ne parviennent pas à la majorité à cause de la persistance de la dissidence d'un seul juré. Voilà pourquoi ces expériences enseignent qu'il est plus facile de défendre un point de vue quand on peut trouver quelqu'un pour le faire avec soi. Plusieurs groupes religieux admettent ce fait. Suivant l'exemple de Jésus qui envoya ses disciples par groupes de deux, les Mormons, par exemple, envoient toujours deux missionnaires ensemble dans un quartier. L'appui, ne serait-ce que d'un seul camarade, augmente considérablement le courage social de quelqu'un.

Le fait d'observer la dissidence d'un autre – même lorsqu'il a tort – peut augmenter notre propre indépendance lors de situations similaires. C'est ce qu'ont découvert Charlan Nemeth et Cynthia Chiles (1988) après qu'elles eurent demandé à des gens d'observer un seul individu, sur un groupe de quatre, se méprendre au sujet de stimuli bleus qu'il voyait verts. Même si le dissident se trompait, le fait de l'observer aida plus tard les observateurs à affirmer leur propre indépendance. Au cours d'une expérience subséquente, ils étiquetèrent correctement, dans une proportion de 76 %, des diapositives rouges que tous les autres déclaraient « oranges ». En l'absence du modèle de courage, les observateurs se rangèrent, dans une proportion de 70 %, à l'avis du groupe pour appeler le rouge « orange ».

Cohésif

Une opinion minoritaire émise par une personne étrangère au groupe auquel nous nous identifions – par exemple, par quelqu'un d'un autre collège ou d'une religion différente – nous ébranle moins que si la même opinion minoritaire provenait de quelqu'un faisant partie de notre groupe (Clark et Maass, 1988, 1989). Gérard Lemaine *et al.* (1971-1972) ont observé qu'en manipulant l'image de l'autre (compère fictif) pour le rendre semblable ou différent du sujet et en présentant ses réponses (fictives) comme étant identiques, différentes ou très différentes, le compère semblable attire plus le sujet vers sa réponse lorsqu'il donne une réponse différente que le compère différent; ce dernier, en revanche, «chasse» le sujet de sa norme antérieure lorsqu'il donne une réponse semblable, alors que le compère identique n'a pas d'effet sur la réponse. C'est pourquoi on peut s'attendre qu'un hétérosexuel défendant les droits des gais aura effectivement plus d'emprise sur les hétérosexuels que n'en aurait un homosexuel. Plus un groupe a une bonne **cohésion**, plus il semble avoir de pouvoir sur ses membres. Dans les clubs d'étudiantes, c'est surtout lorsqu'elles sont devenues très unies que les amies ont tendance à échanger sur leurs penchants boulimiques (Crandall, 1988).

Les expériences ont démontré, elles aussi, que lorsque les membres d'un groupe se sentent ou sont incités à se sentir attirés par le groupe, ils sont davantage influencés par le groupe (Berkowitz, 1954; Lott et Lott, 1961; Sakurai, 1975). Il se peut que les gens qui nous attirent nous semblent plus crédibles. Le fait d'être en désaccord avec ces personnes nous trouble probablement. Ne voulant pas être rejetés par les gens que nous aimons, nous leur permettrons probablement d'exercer sur nous un certain pouvoir. Dans son livre intitulé *Essay Concerning Human Understanding*, le philosophe du XVIIe siècle John Locke admettait le facteur de cohésion: «Il n'y a pas une personne sur 10 000 qui est assez insensible et froide pour endurer l'aversion et la condamnation constantes de son propre club.»

De statut élevé

Comme vous l'avez probablement supposé, les gens ayant un statut supérieur ont tendance à avoir un peu plus d'influence (Mullen, 1985). Des études sur l'indiscipline des piétons, conduites grâce à la participation involontaire de près de 24 000 piétons, révèlent que le taux de base d'indiscipline de 25 % diminue à 17 % en présence d'un compère discipliné et augmente à 44 % en présence d'un indiscipliné (Mullen *et al.*, 1988). C'est lorsqu'il est bien habillé que le compère discipliné décourage le plus l'indiscipline (bien que, curieusement, les compères indisciplinés ne provoquent pas plus d'indiscipline lorsqu'ils sont bien habillés). En Australie également, «l'habit fait le moine». Michael Walker, Susan Harriman et Stuart Costello (1980) ont découvert que les piétons de Sydney démontraient plus d'empressement envers un enquêteur bien habillé qu'envers un enquêteur mal habillé.

Milgram (1974) rapporte que, dans ses expériences sur l'obéissance, les gens ayant un statut inférieur avaient tendance à accepter plus volontiers les ordres de l'expérimentateur que les gens possédant un statut supérieur. À titre d'exemple, après avoir administré un choc de 450 volts, l'un des participants, un soudeur de 37 ans, se tourna vers l'expérimentateur et lui demanda poliment, «Et que faisons-nous ensuite, Professeur?» (p. 46). Un autre participant, professeur de théologie, désobéit à 150 volts et, après s'être récrié: «Je ne comprends pas pourquoi on place l'expérience au-dessus de la vie de cette personne», traita l'expérimentateur de technicien sans cervelle, le pressant de questions au sujet de «la morale de ce genre de chose» (p. 48).

Cohésion:
Sentiment du «nous» – degré d'union entre les membres d'un groupe, reposant, par exemple, sur l'attirance qu'ils éprouvent les uns envers les autres.

LORSQUE LA RÉPONSE EST:

Publique

L'une des premières questions soulevées par les chercheurs était celle-ci : Les gens se conformeraient-ils davantage sur le plan de leurs réponses publiques que sur le plan de leurs opinions personnelles ? Ou accepteraient-ils davantage de modifier leurs opinions personnelles plutôt que de se conformer publiquement, à moins de passer pour des gens sans consistance ? La réponse est maintenant claire : Dans les expériences, les gens se conforment davantage lorsqu'ils doivent répondre en présence des autres que lorsqu'ils ont la permission d'écrire en privé leurs réponses. Les participants de Asch, par exemple, après avoir entendu les autres répondre, étaient moins soumis à l'influence de la pression du groupe s'ils pouvaient écrire une réponse qui ne serait lue que par l'expérimentateur. Il est beaucoup plus facile de défendre ses opinions dans l'intimité de l'isoloir que devant un groupe de dissidents.

«Si vous craignez de manquer le bateau – pensez au Titanic.»
Anonyme

Exprimée sans engagement préalable

En 1980, Genuine Risk devint la deuxième pouliche seulement à gagner le derby du Kentucky. Dans sa course suivante, le *Preakness*, elle se détacha du peloton au dernier tour, rejoignant le cheval en tête, Codex, un poulain. Comme ils terminaient le tour, ils étaient à égalité. Codex s'est alors tassé du côté de Genuine Risk, ce qui la fit hésiter, de sorte qu'il remporta de peu la victoire. Codex avait-il frôlé Genuine Risk ? Son jockey n'avait-il pas même fouetté Genuine Risk à la tête ? Les arbitres de la course se réunirent. Après une brève délibération, ils jugèrent qu'aucune irrégularité n'avait été commise, confirmant la victoire de Codex. La décision déclencha une tempête de protestations. Sur les reprises télévisées, il apparut que Genuine Risk, la favorite sur le plan sentimental, avait effectivement été frôlée. On déposa une protestation. Au cours des jours qui suivirent, la décision fut révisée. Elle ne fut pas modifiée.

L'engagement des officiels, tout de suite après la course, eut-il un effet sur leur ouverture d'esprit à l'égard d'un changement ultérieur de décision ? Nous ne le saurons jamais. Nous pouvons toutefois placer des gens dans une situation de laboratoire représentant une version de cet événement – avec et sans l'engagement immédiat – pour observer si l'engagement change quelque chose. Imaginez-vous, encore une fois, comme participant d'une expérience du genre de celle qu'a effectué Asch. L'expérimentateur distribue les rôles et vous demande de répondre en premier. Après que vous avez exprimé votre avis et que vous avez ensuite entendu tous les autres se dire en désaccord, l'expérimentateur vous offre l'occasion de changer d'avis. Allez-vous vous dégonfler devant une telle pression de groupe ? Durant les expériences, les gens ne le font presque jamais (Deutsch et Gerard, 1955). Une fois qu'ils se sont publiquement engagés, ils ne démordent pas de leurs idées. Le plus qu'ils feront sera d'ajuster leurs jugements lors de situations ultérieures (Saltzstein et Sandberg, 1979). Cela est d'autant plus vrai que les gens ont exprimé un haut degré de certitude quant à la validité de leur réponse personnelle (Montmollin, 1967).

Les engagements préalables restreignent également la persuasion. Dans des expériences sur la prise de décision par des jurys simulés, les verdicts sans majorité étaient plus probables dans les cas serrés lorsqu'on sondait les jurés par un vote à main levée plutôt que par un scrutin secret (Kerr et MacCoun, 1985). Le fait de s'engager publiquement pousse les gens à s'attribuer la responsabilité de leurs actes, ce qui, en retour, les fait hésiter à changer d'avis (Mayer *et al.*, 1980). Les gens habiles à persuader le savent. Ils posent des questions nous incitant à émettre des jugements en faveur plutôt qu'en défaveur de ce qu'ils veulent vendre. Les vendeurs de manuels scolaires demandent probablement aux professeurs ce qu'ils *n'aiment pas* à propos des livres des concurrents plutôt que ce qu'ils aiment dans ces livres. Les évangélistes religieux invitent les gens «à se lever de leur siège», sachant que les gens se raccrocheront davantage à leur nouvelle foi s'ils s'y sont publiquement engagés.

L'engagement public peut diminuer la conformité non seulement parce que les gens sont davantage d'accord avec ce envers quoi ils se sont engagés, mais aussi parce qu'ils détestent avoir l'air d'être sans colonne vertébrale. A. R. Allgeier et ses collaborateurs (1979) ont découvert que, comparativement aux gens dont les attitudes étaient stables, ceux qui changeaient d'attitudes étaient perçus comme moins fiables et moins décidés.

> Par contre: «Ceux qui ne se rétractent jamais ont plus d'amour pour eux-mêmes que pour la vérité.»
>
> Joubert, *Pensées*

POURQUOI SE CONFORMER?

Me voici donc, Québécois d'origine, donnant ma première conférence lors d'un congrès scientifique à Paris. À la fin de ma conférence, plutôt que d'applaudir, les auditeurs commencèrent à taper sur les tables. Qu'est-ce que cela signifiait? J'ai été pleinement rassuré quand j'ai vu qu'ils réservaient le même traitement au conférencier suivant qui avait eu des propos fort intéressants. Je me suis dit que cela devait être l'ovation française. Par la suite, lorsque j'appréciais un conférencier, je tapais sur la table, moi aussi.

Qu'est-ce qui provoqua cette conformité? Pourquoi ne suis-je pas resté fidèle à moi-même en applaudissant, même si les autres tapaient sur les tables? Il y a deux possibilités: ou bien on se soumet au groupe pour être accepté et éviter le rejet, ou bien c'est parce que le groupe fournit d'importantes informations. Morton Deutsch et Harold Gerard (1955) ont appelé ces deux possibilités l'influence sociale **normative** et l'influence sociale **informative**.

Influence normative:
Conformité fondée sur le désir de l'individu d'être accepté du groupe.

Influence informative:
Conformité engendrée par l'acceptation des idées émises par les autres au sujet de la réalité.

La conformité normative consiste à «faire comme les autres» pour éviter le rejet et demeurer dans les bonnes grâces des gens, ou pour s'attirer leur approbation. En laboratoire et dans la vie quotidienne, les groupes rejettent souvent ceux qui ne cessent de s'écarter de leurs normes (Schachter, 1951; Miller et Anderson, 1979). Pouvez-vous vous souvenir d'une expérience de ce genre? Comme nous le savons presque tous, le rejet social est douloureux. Voilà pourquoi, lorsque nous nous écartons des normes du groupe, nous en payons souvent le prix sous forme d'anxiété quand ce n'est pas sous forme de rejet. Darrin Lehman et Alan Reifman (1987) croient que c'est ce qui explique leur découverte que lors des matches des Lakers de Los Angeles pour l'année 1984-1985, les arbitres de l'Association nationale de basket-ball dénonçaient moins d'irrégularités de la part des joueurs étoiles lorsqu'ils jouaient chez eux (2,4 irrégularités par partie) que lorsqu'ils jouaient à l'extérieur (3,1 irrégularités par partie). (Les joueurs non vedettes se voyaient attribuer le même nombre d'irrégularités chez eux et à l'extérieur).

Le prix élevé à payer pour la déviation pousse parfois les gens à supporter ce à quoi ils n'adhèrent pas. Certains des soldats, lors du massacre de My Lai, se livrèrent à des actes odieux par peur de passer en cour martiale pour désobéissance. Voilà pourquoi l'influence normative entraîne généralement l'acquiescement. Cela est particulièrement vrai des gens

«Fais comme la plupart des gens et on dira du bien de toi.»
Thomas Fuller, *Gnomologia*

cherchant à s'élever sur l'échelle des statuts d'un groupe (Hollander, 1958). Comme se le rappelait John F. Kennedy, «La façon de réussir, me dit-on lorsque j'entrai au Congrès, c'est de faire comme les autres» (p. 4).

L'influence informative, quant à elle, pousse les gens à accepter les idées des autres. Devant une réalité ambiguë, comme c'était le cas pour les participants dans la situation du mouvement autocinétique, les autres peuvent être une source précieuse d'information. L'individu peut se faire cette réflexion: «Je ne peux dire dans quelle mesure cette lumière se déplace, mais ce type a l'air de le savoir.» Les réponses des autres peuvent également modifier notre façon d'interpréter des stimuli ambigus. En entendant les autres se dire d'avis que «l'on devrait limiter la liberté d'expression», les gens vont peut-être déduire une signification différente à cet énoncé que ceux qui les entendent se dire en désaccord (Allen et Wilder, 1980). En résumé, l'influence normative repose sur l'inquiétude quant à son image sociale et à ses conséquences, alors que l'influence informative repose sur le désir d'être correct.

Dans la vie de tous les jours, l'influence normative et l'influence informative vont souvent de pair. Je ne voulais pas être la seule personne dans la salle à applaudir (influence normative) et pourtant le comportement des autres m'indiquait également comment manifester mon appréciation (influence informative).

Certaines des expériences sur «quand les gens se conforment-ils?» ont isolé l'influence normative ou l'influence informative. Par exemple: la conformité est plus marquée lorsque les réponses se font en présence du groupe; cela reflète assurément une influence normative (parce que les participants reçoivent la même information, qu'ils répondent publiquement ou en privé). En outre, plus le groupe est grand, plus grande est la différence entre les réponses publiques et privées (Insko *et al.*, 1985). Par contre, la conformité est plus marquée lorsque les participants se sentent incompétents, lorsque la tâche est difficile ou lorsque les participants se préoccupent d'avoir raison. Pourquoi alors se conformer? Soit que nous voulions être aimés et approuvés, soit que nous voulions avoir raison.

Dans une expérience sur les processus d'influence normative, les sujets de Germaine de Montmollin (1966) devaient estimer le nombre de pastilles collées sur un carton après que cinq autres participants eurent communiquer leur réponse. Les jugements se rapprochaient de la moyenne des cinq autres jugements. Toutefois, lorsque la dispersion des réponses des autres était forte, les sujets ne tenaient compte que d'une partie de ces réponses, celles qui leur semblaient les plus vraisemblables. Les sujets n'auraient alors basé leur réponse que sur la moyenne de quatre ou même de trois réponses des autres.

La modalité d'interaction dans un groupe peut avoir un effet sur les processus d'influence. Montmollin (1966), à l'aide de la tâche précédente, utilisa trois modalités d'interaction: connaissance des réponses des autres (comme dans l'expérience de Sherif), discussion en commun et prise de décision en commun. Cette manipulation expérimentale ne donna pas de différences entre les trois modalités quant à la quantité de changements, mais il y eut des différences entre les deux dernières modalités: dans le cas de la discussion, il y eut confrontation des points de vue centrée sur l'exactitude des jugements; dans le cas de la prise de décision collective, il y eut plutôt ajustement des réponses par une série de tâtonnements pour arriver à une réponse commune.

QUI SE CONFORME ?

Certaines personnes sont-elles plus sensibles (ou devrions-nous dire plus *ouvertes*) à l'influence sociale ? Pouvez-vous, parmi vos amis, en identifier qui sont «conformistes» et d'autres qui sont «indépendants» ? Nous pensons qu'à peu près tout le monde peut le faire. Les chercheurs explorent bien des domaines dans leur quête du conformiste. Jetons un coup d'œil rapide sur trois d'entre eux.

LES HOMMES PAR OPPOSITION AUX FEMMES

Même si la plupart des participants de Milgram (1974) étaient des hommes – 1000 en tout – 40 femmes firent l'expérience de la méthode comportant le «malaise cardiaque». Milgram supposait que les femmes étaient en général plus obéissantes, quoiqu'elles fussent également plus empathiques et moins agressives. Il ne découvrit aucune différence : 65 % obéirent totalement.

Parmi les Nord-Américains testés en situations de pression sociale au cours des 30 dernières années, les femmes avaient légèrement tendance à se conformer davantage que les hommes. C'est ce qu'ont remarqué Alice Eagly et Linda Carli (1981 ; Becker, 1986) en combinant statistiquement les résultats de douzaines d'études disponibles. Elles en parlent en disant que ce phénomène est «à peine visible à l'œil nu». Les recherches où se manifeste une tendance chez les femmes à se conformer davantage sont en général celles où les réponses des participants sont entendues par les autres membres du groupe (comme dans l'expérience de Asch) et semblent avoir été dirigées par des hommes il y a déjà quelques années (Eagly *et al.*, 1981 ; Cooper, 1979 ; Sohn, 1980). Des expériences plus récentes de conformité, de même que celles qui étaient dirigées par des femmes, ont moins souvent démontré que les femmes se conformaient davantage. [Eagly (1987) note que la plupart des autres différences sexuelles en matière de comportement social ne semblent pas influencées par le sexe de l'expérimentateur.]

En appelant ce léger effet une «différence de conformité», n'y a-t-il pas là un jugement négatif porté sur les femmes «conformistes» ? N'oublions pas que notre façon de nommer un phénomène est quelque peu arbitraire. Il conviendrait peut-être mieux de parler de cette différence comme d'une «orientation plus marquée vers les gens». Souvenons-nous du chapitre 5 où l'on disait que les femmes étaient légèrement plus empathiques et sensibles socialement. Mieux vaudrait alors dire que les femmes sont légèrement plus flexibles, plus ouvertes, qu'elles réagissent mieux à leur environnement social et se préoccupent davantage des relations interpersonnelles. Voilà qui signifie tout autre chose que de dire que les femmes sont plus conformistes.

En disant que les femmes sont légèrement plus influençables du fait de leur plus grande préoccupation à l'égard des relations interpersonnelles, on attribue la différence à la personnalité. Eagly et Wendy Wood (1985) croient que les différences de conformité entre les sexes sont plutôt le produit des rôles sociaux tenus typiquement par les hommes et les femmes. Souvenons-nous que les différences entre hommes et femmes, comme nous l'avons vu au chapitre 5, ne sont pas seulement des différences sexuelles, mais également (ou plutôt) des différences de statuts. Dans la vie quotidienne, les hommes occupent généralement des positions conférant un statut et un pouvoir supérieurs à celles qu'occupent les femmes, de sorte qu'il n'est pas rare de voir les hommes exercer l'influence et les femmes l'accepter. C'est ce qui explique que les gens *perçoivent*, entre les sexes, une différence de conformité beaucoup plus marquée que celle qui apparaissaît dans les expériences (où l'on attribue des rôles identiques aux hommes et aux femmes). Cela pourrait également expliquer pourquoi une certaine différence de pouvoir social entre les sexes se retrouve au laboratoire. En ne connaissant que le sexe d'un homme et d'une femme, les gens ont tendance à supposer que l'homme possède un statut plus élevé (Eagly et Wood, 1982). Cette supposition peut donner naissance à une prédiction autodéterminante à l'effet que l'homme est plus puissant.

PERSONNALITÉ

L'histoire de la pensée psychosociologique sur la relation entre les traits de personnalité et le comportement social est équivalente à la pensée sur les attitudes et le comportement (Sherman et Fazio, 1983). Au cours des années 1950 et au début des années 1960, on croyait généralement que les actes des gens exprimaient leurs motivations et leurs dispositions intérieures. Ainsi, plusieurs recherches indiquèrent que les gens qui se décrivaient comme ressentant un fort besoin d'approbation sociale manifestaient davantage de conformité (Snyder et Ickes, 1985).

«Attendez ! Attendez ! Écoutez-moi !...
On n'est pas obligés d'être seulement des moutons !»

L'unanimité d'un groupe, par opposition à l'absence d'unanimité, a plus d'impact sur le comportement que n'en a chacune des personnalités individuelles.

Vers la fin des années 1960 et durant les années 1970, d'autres tentatives d'associer des caractéristiques personnelles à des comportements sociaux tels que la conformité n'ont alors abouti qu'à de faibles relations (W. Mischel, 1968). Par opposition au pouvoir démontrable des facteurs de la situation comme l'unanimité ou l'absence d'unanimité d'un groupe, les résultats des tests de personnalité ne prédisaient que fort peu le comportement des gens. Apparemment, si vous vouliez savoir le degré de conformité, d'agressivité ou de serviabilité des gens, il valait mieux connaître les détails de la situation que leurs résultats à une batterie de tests psychologiques. Comme le concluait Milgram (1974), «Je suis certain que l'obéissance et la désobéissance reposent sur une base complexe de personnalité. Mais je sais que nous ne l'avons pas encore trouvée» (p. 205). Réfléchissant à sa prison simulée (p. 194) et à d'autres expériences, Philip Zimbardo soutint que le message ultime

> est de dire ce qu'il nous faut faire pour surmonter votre égocentrisme, de dire que vous n'êtes pas différents, que vous n'êtes pas étrangers à tout ce que n'importe quel être humain a déjà fait et que vous ne pouvez vous en séparer! Nous devons abandonner l'idée du «nous-eux» mise de l'avant par l'orientation de nos dispositions et comprendre que les forces de la situation agissant sur quelqu'un à n'importe quel moment peuvent être assez puissantes pour neutraliser tous les éléments préalables – valeurs, histoire, biologie, famille, religion. (Bruck, 1976)

Plus récemment, au cours des années 1980, l'idée que nos dispositions personnelles n'ont pas grand effet a poussé les chercheurs en psychologie à identifier les circonstances où nos traits de caractère prédisent effectivement notre comportement. Leurs recherches ont fait ressortir un principe, que nous avons vu au chapitre 2, selon lequel les facteurs intérieurs (attitudes et traits de caractère) ne réussissent que rarement à prédire avec exactitude un acte spécifique, ils réussissent mieux à prédire le comportement général d'une personne devant plusieurs situations (Epstein, 1980; Rushton *et al.*, 1983). Une analogie pourra peut-être ici nous être utile. Tout comme il est difficile de prédire votre réponse à un seul des éléments d'un test, de même en est-il pour votre comportement dans une situation particulière. Et tout comme votre résultat final pour tous les éléments d'un test est plus facile à prédire, de même votre conformité globale (ou votre sociabilité ou votre agressivité) est, elle aussi, plus facile à prédire par rapport à plusieurs situations.

De plus, la personnalité prédit mieux le comportement lorsque les personnes étudiées sont différentes, lorsque le trait de caractère est spécifique à une situation (par exemple, «l'anxiété d'avoir à parler en public» plutôt que l'anxiété en général) et lorsque les influences sociales sont faibles. À l'instar de plusieurs autres recherches en laboratoire, les expériences de Milgram sur l'obéissance mettaient en scène des situations «fortes»; elles imposaient aux gens des demandes très précises, de sorte que leurs différences de personnalité ne se manifestaient que très difficilement. William Ickes (1982) ainsi que Thomas Monson et ses collègues (1982) rapportent que dans les situations «faibles» – dans le cas, par exemple, où on laisse simplement deux étrangers seuls dans une salle d'attente sans indications pour guider leur comportement – leurs personnalités individuelles se manifestent plus librement. En comparant deux personnalités similaires dans des situations extrêmement différentes, l'effet de la situation submergera la différence de personnalité. Mais si nous comparons un groupe de gens du type de Charles Manson avec un groupe de gens du type de mère Teresa dans un nombre restreint de situations quotidiennes, l'effet de la personnalité semblera beaucoup plus marqué.

Il est intéressant de remarquer le mouvement de pendule des opinions professionnelles. Sans mettre de côté le pouvoir indéniable des forces sociales, le pendule revient maintenant vers la reconnaissance des conséquences de la personnalité individuelle. Au même titre que les chercheurs s'intéressant aux attitudes et que nous avons étudiés précédemment, les chercheurs s'intéressant à la personnalité sont maintenant en train d'éclaircir et de réaffirmer la relation entre ce que nous sommes et ce que nous faisons. Leurs efforts ont donné le résultat que, aujourd'hui, la plupart des psychologues sociaux seraient d'accord avec l'affirmation du théoricien Kurt Lewin (1936) à l'effet que «tout événement psychologique dépend de l'état de l'individu et en même temps de son environnement, bien que, dans certains cas, leur importance relative soit différente» (p. 12).

DIFFÉRENCES CULTURELLES

Le fait de connaître l'environnement culturel des gens nous aide-t-il à prédire leur degré de conformité? Effectivement, James Whittaker et Robert Meade (1967) ont répété l'expérience de Asch sur la conformité dans plusieurs pays et ont découvert, dans la plupart, des taux de conformité similaires – 31 % au Liban, 32 % à Hong Kong, 34 % au Brésil – mais 51 % chez les Bantous du Zimbabwe, une tribu punissant sévèrement la non-conformité. Lorsque Milgram (1961) s'est servi d'une méthode différente pour comparer la conformité des étudiants français et des étudiants norvégiens, il a découvert que les étudiants norvégiens se montraient constamment plus conformistes. Les cultures peuvent cependant changer. Des répliques ultérieures de l'expérience de Asch conduites avec des étudiants de Grande-Bretagne et des États-Unis provoquèrent moins de conformité que n'en observa Asch deux décennies auparavant (Larsen, 1974; Nicholson *et al.*, 1985; Perrin et Spencer, 1981). Même en rendant les stimuli plus ambigus que dans l'expérience de Asch, l'effet ne s'est pas manifesté auprès d'étudiants québécois (Lalancette et Standing, 1990).

Lorsqu'on répéta les expériences sur l'obéissance en Allemagne de l'Ouest, en Italie, en Afrique du Sud, en Australie, en Espagne et en Jordanie, quels en furent, d'après vous, les résultats comparativement à ceux qui furent obtenus avec les Américains? Les taux d'obéissance étaient en général semblables ou même plus élevés – 85 % à Munich (Mantell, 1971; Meeus et Raaijmakers, 1986; Milgram, 1974).

Dans une étude sur l'«obéissance administrative», Wim Meeus et Quinten Raaijmakers (1986) ordonnèrent à des adultes hollandais qui s'étaient portés volontaires de déranger un postulant à un emploi, qui se trouvait en train de subir une épreuve de sélection d'emploi, le faisant ainsi échouer à son examen et le maintenant selon toute vraisemblance en chômage. Sous l'apparence d'une expérience portant sur les effets du stress, les participants devaient déclencher 15 messages insultants sur l'ordinateur de façon à rendre le postulant de plus en plus vexé. À mesure que la tension du postulant tournait à l'irritation et, finalement, au désespoir, les participants trouvaient que la méthode était injuste, et leur tâche, désagréable. Néanmoins, en déplaçant la responsabilité sur l'expérimentateur, 90 % obéirent totalement.

La conformité et l'obéissance sont donc des phénomènes universels, mais elles varient selon la culture (Bond, 1989; Triandis *et al.*, 1988). Ceux d'entre nous qui ont grandi dans des cultures euro-américaines ont en général appris l'individualisme: Vous êtes responsables de vous-mêmes. Écoutez votre conscience. Soyez fidèles à vous-mêmes. Développez vos talents particuliers. Comblez vos propres besoins. Respectez l'intimité des autres – tout comme on respecta la vôtre en vous donnant probablement une chambre particulière et en frappant à votre porte avant d'entrer.

Les enfants élevés dans d'autres cultures apprendront probablement des valeurs différentes. En Asie, par exemple, l'objectif personnel le plus important est de se conduire de façon à perpétuer l'honneur de son groupe ou de sa famille plutôt que son honneur personnel.

Ceux d'entre nous qui ont grandi dans des cultures asiatiques ont plus probablement appris le sens de la collectivité : Votre famille ou votre clan est responsable de chacun de ses membres et leurs actes rejaillissent sur elle sous forme de honte ou d'honneur. Par conséquent, tâchez de faire honneur à votre groupe. Respectez vos traditions. Soyez respectueux envers vos aînés et vos supérieurs. Cultivez l'harmonie et abstenez-vous de critiquer quelqu'un en public. Soyez loyaux envers votre famille, votre compagnie et votre pays. Vivez collectivement sans penser que vous possédez une identité séparée de votre contexte social.

L'effet de ce genre d'idées culturelles ressortit clairement lors d'une comparaison transculturelle de l'individualisme chez les enfants de 12 ans (Garbarino et Bronfenbrenner, 1976 ; Shouval *et al.*, 1975). L'équipe internationale de chercheurs évaluèrent la conformité à des normes conventionnelles en demandant aux enfants de prédire leur comportement dans une variété de situations. Comme l'illustre la figure 6.7, les enfants issus de pays occidentaux plus individualistes avaient énormément plus tendance à avouer des penchants à la désobéissance et à la méchanceté que les enfants issus de pays plus collectivistes tels que l'URSS où l'école et la maison mettent l'accent sur «l'obéissance et la bienséance». Les enfants des pays collectivistes se décrivirent comme plus complaisants à l'égard des attentes des adultes et moins susceptibles de se joindre à leurs pairs pour défier les attentes des adultes.

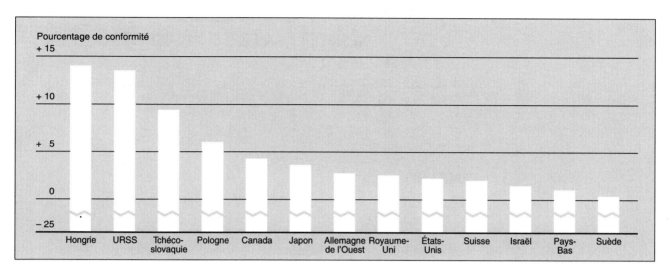

Figure 6.7
Conformité des enfants de 12 ans aux normes morales des autorités adultes. (Données tirées de Garbarino et Bronfenbrenner, 1976.)

John Berry (1967) a étudié la conformité dans deux cultures: les Timnés de la Sierra Leone et les Inuit de la terre de Baffin. Les premiers se sont conformés beaucoup plus que les derniers lorsqu'ils firent face à de fausses normes de groupe dans une tâche de perception visuelle. Berry explique cela par la différence de leurs économies. Chez les Timnés, le fait d'accumuler la nourriture les amènent à développer la conformité chez les enfants, alors que, chez les Inuit, l'économie fondée sur la chasse et la pêche favorise l'individualisme.

L'individualisme euro-américain s'est intensifié au cours du présent siècle. En Italie, en Angleterre, en Allemagne et aux États-Unis, les parents attachent beaucoup de prix à l'indépendance et au fait de ne compter que sur soi-même, alors qu'il y a 40 ans et plus ils avaient plus tendance à valoriser l'obéissance (voir la figure 6.8). Le côté noir de cet individualisme est qu'il s'accompagne d'une augmentation rapide de la dépression. Devant une perte ou un échec, celui qui ne compte que sur lui-même n'a personne vers qui se tourner. Si la «Bonne Nouvelle» répandue par les motivateurs proclamant que vous pouvez «réussir seul» grâce à «votre propre détermination, votre propre courage, votre propre énergie, votre propre ambition» est vraie, à qui la faute alors si vous ne réussissez pas tout seul?

Figure 6.8
Des enquêtes auprès de mères de Muncie, en Indiana, à 54 ans d'intervalle, et d'adultes de l'Allemagne de l'Ouest illustrent une croissance des valeurs individualistes au cours du présent siècle. (Données tirées de Alwin, 1989, et Remley, 1988.)

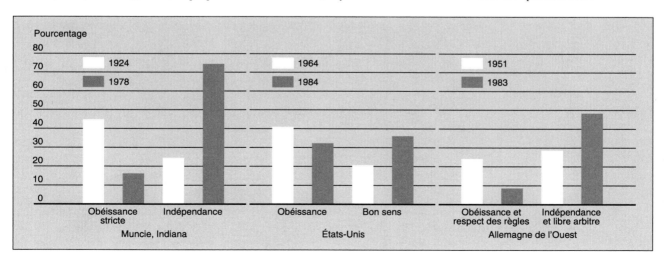

RÉSISTER À LA PRESSION SOCIALE

Dans ce chapitre et dans le précédent, nous avons mis l'accent sur le pouvoir des forces sociales. Il est toutefois approprié de conclure en se souvenant du pouvoir de l'individu. Contrairement à des balles de billard passives, nous agissons en fonction des forces s'exerçant sur nous. Le fait de savoir que quelqu'un essaie de nous forcer à faire quelque chose peut nous pousser à réagir en sens *contraire*.

«Faire exactement le contraire
est aussi une forme d'imitation.»
Lichtenberg, *Aphorisma*, 1764-1799

RÉACTANCE

Les gens attachent beaucoup d'importance à leur sentiment de liberté et aiment maintenir une image d'auto-efficacité (Baer *et al.*, 1980). C'est par conséquent ce qui les pousse à se révolter lorsque la pression sociale devient tellement flagrante qu'elle menace leur sentiment de liberté. Pensons, par exemple, à Roméo et Juliette dont l'amour réciproque s'intensifia du fait de l'opposition de leurs parents. Ou prenons le cas des enfants qui affirment leur liberté et leur indépendance en faisant le contraire de ce que demandent leurs parents. Les parents avisés seront alors ceux qui donnent à leurs enfants des choix plutôt que des ordres. Les choses ainsi formulées permettent à l'enfant de conserver un sentiment de liberté : «C'est le temps de se laver : préfères-tu prendre un bain ou une douche?»

Réactance :
Impulsion à protéger ou à rétablir son sentiment de liberté. La réactance s'éveille lorsque la liberté d'action est menacée.

La théorie de la **réactance** psychologique – voulant qu'effectivement les gens agissent de manière à protéger leur sentiment de liberté – repose sur des expériences démontrant que les efforts en vue de restreindre la liberté de quelqu'un engendrent souvent un «effet boomerang» réactif (Brehm et Brehm, 1981). Supposons que quelqu'un vous arrête dans la rue pour vous demander de signer une pétition en faveur d'une cause qui vous tient plus ou moins à cœur. Pendant que vous examinez la pétition, on vous dit que quelqu'un croit que «l'on ne devrait absolument pas permettre aux gens de distribuer ou de signer des pétitions de ce genre». La théorie de la réactance prédit que des tentatives aussi évidentes de limiter la liberté des gens devraient en fait augmenter la probabilité qu'ils signent. C'est exactement ce qu'a trouvé Madeline Heilman (1976) quand elle a fait cette expérience dans les rues de New York. Les psychologues cliniciens font quelquefois appel, eux aussi, au principe de la réactance en ordonnant aux patients rebelles de se livrer au comportement qu'il s'agit d'éliminer (Seltzer, 1983; Brehm, 1986). C'est en s'opposant au thérapeute que ces patients font des progrès.

William Swann et ses collègues (1988) rapportent que les gens aux idées très assurées sont difficiles à persuader, mais qu'ils peuvent se persuader eux-mêmes si on les met au défi de défendre une idée encore plus extrême que la leur. Ils ont trouvé cela en demandant à des femmes conservatrices de l'Université du Texas (qui se dirent, par exemple, d'accord avec l'énoncé «Je m'attendrais à ce que ce soit mon mari qui mène à la maison») de défendre des énoncés extrêmement conservateurs. Aux questions : «Pourquoi pensez-vous que les hommes font de meilleurs patrons que les femmes?» ou «Pourquoi éprouvez-vous de la sympathie envers les hommes pensant qu'il faut garder les femmes pieds nus et enceintes?», les femmes réagirent en prenant leurs distances par rapport à ce genre d'idées.

La réactance peut s'intensifier jusqu'à devenir de la révolte sociale. Tout comme pour l'obéissance, on peut provoquer et observer la révolte au moyen d'expériences. William Gamson, Bruce Fireman et Steven Rytina (1982) se firent passer pour des représentants d'une entreprise de recherche commerciale. Ils recrutèrent des gens des villes proches de l'Université du Michigan en les invitant à participer à une «discussion de groupe sur des standards communautaires», dans la salle de conférence d'un hôtel. À leur arrivée, les gens apprirent que les discussions seraient enregistrées sur bande vidéo pour le compte d'une grosse compagnie pétrolière cherchant à gagner un procès intenté par le gérant d'une station-service locale qui s'était insurgé contre les prix élevés de l'essence. Au cours de la première discussion, presque tout le monde se rangea du côté du gérant de la station-service. Pour convaincre la cour que les gens de la communauté locale l'appuyait, le supposé représentant de l'entreprise se mit alors à demander à un nombre croissant de membres du groupe de prendre la défense de la compagnie. À la fin, on demanda à chacun d'attaquer le gérant de la station et de signer une déclaration sous serment donnant à la compagnie la permission de publier les enregistrements et de les utiliser en cour.

En quittant la pièce de temps en temps, l'expérimentateur donnait aux membres du groupe plusieurs occasions d'interpréter l'injustice qu'on leur demandait de commettre et d'y réagir. La plupart des groupes se révoltèrent, s'objectant et s'opposant à la demande d'aller à l'encontre de leurs opinions au bénéfice de la compagnie pétrolière. Certains groupes se sont même mobilisés pour mettre un terme à toute cette histoire. Ils projetèrent de contacter un journal, le Better Business Bureau, un avocat ou la cour.

La création et l'observation du développement de petites rébellions sociales ont permis aux chercheurs d'entrevoir comment survient une révolte. Ils ont découvert qu'une opposition qui réussit se manifeste très tôt. Plus un groupe se soumet aveuglément aux ordres injustes, plus il a ensuite de la difficulté à s'en sortir. Et il faut que quelqu'un soit disposé à enclencher le processus en exprimant les réserves ressenties par les autres.

Ces démonstrations de la réactance nous rassurent sur le fait que les gens ne sont pas des pantins. Le sociologue Peter Berger (1963) l'a exprimé de façon mémorable en disant:

> Nous voyons les marionnettes danser sur leur scène miniature, bondissant ici et là selon les coups de ficelle et suivant le cours prescrit de leurs divers petits rôles. Nous apprenons à comprendre la logique de ce théâtre et nous nous y retrouvons. Nous prenons place dans la société et reconnaissons ainsi notre propre position par les ficelles subtiles qui nous tirent. Pendant un certain temps, nous nous voyons effectivement comme des pantins. Mais c'est alors que nous comprenons la différence décisive qu'il y a entre le théâtre de marionnettes et notre propre drame. Contrairement aux pantins, nous avons la possibilité de nous immobiliser, de regarder en l'air et de percevoir le mécanisme qui nous faisait bouger. C'est en posant ce geste que nous franchissons le premier pas vers la liberté. (p. 176)

AFFIRMATION DE NOTRE UNICITÉ

Imaginez un monde de total conformité où il n'y aurait pas de différences entre les humains. La joie serait-elle possible dans un monde semblable? Si la non-conformité peut provoquer de l'inconfort, l'uniformité engendre-t-elle le confort?

Les gens se sentent mal à l'aise lorsqu'ils semblent trop différents des autres, mais ils sont décontenancés s'ils ont exactement la même apparence que tout le monde. Comme l'ont montré les expériences de C. R. Snyder et Howard Fromkin (1980; voir également Duval, 1976), les gens se sentent mieux lorsqu'ils se voient comme des êtres uniques et ils chercheront à se comporter de manière à se distinguer et à maintenir leur sentiment d'individualité. Au cours d'une expérience (Snyder, 1980), on fit croire à des étudiants de l'Université Purdue que leurs «10 attitudes les plus importantes» étaient soit distinctes, soit presque identiques aux attitudes de 10 000 autres étudiants. Par la suite, lorsqu'ils participèrent à une expérience portant sur la conformité, les individus dépossédés de leur sentiment d'unicité avaient de très fortes chances d'affirmer leur individualité en ne se conformant pas. Lors d'une autre expérience, les gens qui avaient entendu les autres exprimer des attitudes identiques aux leurs modifièrent leurs points de vue afin de maintenir leur sentiment d'unicité.

Il semble donc que, tout en n'aimant pas être trop différents des autres, nous avons tous le même désir de nous sentir différents. Mais comme le démontre clairement la recherche sur le biais auto-avantageux (chapitre 3), ce n'est pas n'importe quelle différence qui nous intéresse, mais plutôt celle qui va dans la «bonne direction». Nous ne cherchons pas seulement à être différents de la moyenne des gens, mais à être meilleurs qu'eux.

La tendance à se percevoir comme un être unique transparaît également dans les «représentations spontanées de soi». William McGuire et ses collègues de l'Université Yale (McGuire et Padawer-Singer, 1978; McGuire *et al.*, 1979) rapportent que si l'on demande à des enfants «Parle-nous de toi», ils mentionneront fort probablement leurs qualités particulières. Les enfants nés à l'étranger auront plus tendance que les autres à mentionner leur lieu de naissance; les roux auront plus tendance que les enfants aux cheveux bruns et noirs à parler de la couleur de leurs cheveux; les enfants de faible masse et ceux dont la masse est élevée auront plus tendance à mentionner leur masse; les enfants appartenant aux minorités culturelles auront plus tendance à faire mention de leur race. De même avons-nous un sens plus aigu de notre sexe d'appartenance en présence de personnes de l'autre sexe (Cota et Dion, 1986). Selon McGuire, il en résulte un principe selon lequel «nous sommes d'autant plus conscients de nous-mêmes que nous sommes différents». Ainsi, «Si je suis une femme noire parmi un groupe de femmes blanches, j'ai tendance à me penser en tant que Noire; si je vais vers un groupe d'hommes noirs, ma négritude perd de l'importance et je deviens plus consciente d'être une femme» (McGuire *et al.*, 1978). Voilà qui peut nous aider à comprendre pourquoi n'importe quel type de groupe minoritaire a tendance à être conscient de ce qui le distingue et du rapport qu'a établi avec lui la culture. On peut aussi comprendre pourquoi le groupe majoritaire est parfois perplexe devant ce qu'il perçoit comme l'«hypersensibilité» du groupe minoritaire.

RÉSUMÉ

La conformité, qui consiste à changer d'idée ou de comportement par suite d'une pression exercée par le groupe, se présente sous deux aspects. L'*acquiescement* est le fait de se rallier extérieurement au groupe tout en étant intérieurement en désaccord. L'*acceptation* est le fait de croire et de se comporter conformément aux exigences de la pression sociale. Ces deux formes de conformité furent expérimentées en laboratoire où l'on se demandait : (1) Dans quelle mesure les gens se conforment-ils ? (2) Quand les gens se conforment-ils ? (3) Pourquoi se conforment-ils ? (4) Qui se conforme davantage ?

RECHERCHES CLASSIQUES

Trois séries classiques d'expériences illustrent comment on étudie la conformité et à quoi peuvent ressembler les gens conformistes. Muzafer Sherif s'est aperçu que les évaluations des gens portant sur le mouvement illusoire d'un point lumineux étaient facilement influencées par les jugements des autres. Des normes quant aux réponses «adéquates» apparurent et se perpétuèrent sur une longue période en même temps qu'à travers plusieurs générations successives de participants.

Solomon Asch détermina une tâche aussi précise que celle de Sherif était ambiguë. Asch demanda à des gens d'écouter les autres déterminer laquelle de trois lignes de comparaison était égale à la ligne standard pour ensuite leur demander leur avis personnel. Lorsque les autres donnaient unanimement une fausse réponse, les participants se conformaient dans une proportion de 37 %.

La méthode utilisée par Sherif provoquait l'acceptation, tandis que les expériences de Stanley Milgram sur l'obéissance provoquaient une forme extrême d'acquiescement. Dans des conditions optimales – une personne qui donne légitimement des ordres et qui est à portée de la main, une victime éloignée et personne d'autre pour donner l'exemple de la désobéissance – 65 % de ses participants masculins adultes obéirent totalement aux directives d'administrer des électrochocs en apparence susceptibles de causer un traumatisme à une innocente victime hurlant de douleur dans une pièce adjacente.

Ces expériences classiques démontrent le pouvoir des forces sociales et la facilité avec laquelle l'acquiescement peut en venir à engendrer l'acceptation. Le mal n'est pas seulement le fait de gens mauvais dans un monde bon, mais aussi le produit de situations très fortes poussant les gens à se conformer à des faussetés ou à se livrer à la cruauté.

QUAND LES GENS SE CONFORMENT-ILS ?

Utilisant des méthodes semblables d'expérimentation en matière de conformité, de nombreuses expériences subséquentes cherchèrent à déterminer les circonstances provoquant la conformité. La conformité dépend des caractéristiques propres au groupe : c'est lorsqu'ils font face à des énoncés unanimes émis par plus de trois personnes attrayantes et de statut élevé que les gens manifestent le plus de conformité. De plus, les gens se conforment davantage lorsqu'ils répondent en public (en présence du groupe) et sans s'être préalablement engagés.

POURQUOI SE CONFORMER ?

Les expériences font ressortir deux raisons à toute forme de conformité. L'*influence normative* est le produit du désir de l'individu d'être accepté par le groupe. L'*influence informative* provient des témoignages des autres touchant la réalité. Par exemple, la tendance à se conformer davantage lorsqu'on répond publiquement reflète l'influence normative et la tendance à se conformer davantage lorsqu'il s'agit de tâches difficiles impliquant des décisions reflète l'influence informative.

QUI SE CONFORME ?

Il y a moins de réponses décisives à cette question. Les femmes se montrèrent légèrement plus conformistes que les hommes durant les expériences. (Si cela semble négatif c'est parce que des étiquettes du genre «conformiste» décrivent un comportement tout en le jugeant. En qualifiant ce trait de caractère d'«ouverture d'esprit» ou de «sensibilité aux autres», il revêt un sens beaucoup plus positif.) Bien que les résultats globaux de tests de personnalité ne prédisent que fort mal des actes spécifiques de conformité, ils prédisent par ailleurs assez bien les tendances générales à la conformité (de même que d'autres comportements sociaux), surtout dans les situations «faibles» où les forces sociales n'engloutissent pas les différences individuelles. Si la conformité et l'obéissance sont universelles, les différences culturelles témoignent du fait que l'on peut éduquer les gens à plus ou moins réagir aux pressions sociales.

RÉSISTER À LA PRESSION SOCIALE

L'accent mis sur le pouvoir de la pression sociale, au cours de ce chapitre, devrait être accompagné d'une insistance complémentaire sur le pouvoir de l'individu. Nous ne sommes pas des marionnettes. Quand les tentatives de coercition sont trop flagrantes, les gens vivent souvent de la *réactance* – l'impulsion à défier la coercition afin de conserver leur sentiment de liberté. Lorsque les membres d'un groupe vivent la réactance simultanément, on peut aboutir à une rébellion. Les gens ne se sentent pas très à l'aise d'être trop différents d'un groupe, mais ils ne veulent pas non plus ressembler à tout le monde. C'est ce qui les poussera à agir de façon à préserver leur unicité et leur individualité. À l'intérieur d'un groupe, ils ont tendance à être plus conscients de ce qui les différencie des autres.

Pour finir, un commentaire touchant la méthode expérimentale utilisée dans la recherche sur la conformité. Les situations de conformité en laboratoire sont différentes de celles de la vie quotidienne; quand nous arrive-t-il d'avoir à juger des lignes ou d'administrer des électrochocs? Tout comme la combustion est semblable dans la flamme de l'allumette et le feu de forêt, on suppose que les processus psychologiques à l'œuvre dans le laboratoire et la vie quotidienne sont semblables (Milgram, 1974). La prudence s'impose toutefois lorsqu'il s'agit de généraliser à partir de la simplicité d'une allumette qui brûle à la complexité d'un feu de forêt. Pourtant, tout comme les expériences contrôlées sur des allumettes en flammes peuvent nous donner des idées de la combustion qu'il est impossible de tirer de l'observation de feux de forêt, de même l'expérience sociopsychologique fournit-elle des idées touchant un comportement difficilement observable dans la vie de tous les jours. En expérimentant sur diverses tâches isolées et en répétant les expériences à différents moments et à différents endroits, les chercheurs sondent les principes communs reposant sous la diversité de surface.

LECTURES SUGGÉRÉES

Ouvrages en français

LIPOVETSKY, G. (1987). *L'empire de l'éphémère: la mode et son destin dans les sociétés modernes.* Paris, Gallimard.

MONTMOLLIN, G. de (1977). *L'influence sociale: phénomènes, facteurs et théories.* Paris, Presses Universitaires de France.

PAICHELER, G. (1985). *Psychologie des influences sociales. Contraindre, convaincre, persuader.* Neuchâtel, Delachaux & Niestlé.

Ouvrages en anglais

KELMAN, H. C. et HAMILTON, V. L. (1988). *Crimes of obedience: Toward a social psychology of authority and responsability.* New Haven, Ct, Yale University Press.

MILGRAM, S. (1974). *Obedience to authority.* New York, Harper & Row.

MILLER, A. G. (1986). *The obedience experiments: A case study of controversy in social science.* New York, Praeger.

STAUB, E. (1989). *Roots of evil: The psychological and cultural sources of genocide.* New York, Cambridge University Press.

CHAPITRE

7

PERSUASION

———

Notre comportement social ne dépend pas seulement de la situation immédiate (comme nous l'avons vu au chapitre 6), mais également de nos attitudes. C'est pourquoi les gens désireux d'influencer notre comportement vont chercher à modifier ces attitudes.

Prenons, par exemple, Joseph Goebbels, le ministre de l'«éducation populaire» et de la propagande en Allemagne nazie. Dirigeant les publications allemandes, les émissions radiophoniques, le cinéma et les arts, il entreprit de persuader les Allemands d'accepter l'idéologie nazie. Son comparse nazi, Julius Streicher, publia le *Der Stürmer*, un journal hebdomadaire antisémite (anti-Juifs) publié à 500 000 exemplaires, le seul, disait-on, à avoir été lu d'un couvert à l'autre par l'ami intime de Streicher, Adolf Hitler. Streicher publia également des livres antisémites pour les enfants et prit la parole lors de rassemblements comptant des centaines de milliers de personnes. Quelle fut l'efficacité de Goebbels, de Streicher et des autres propagandistes nazis? Est-il vrai qu'ils «injectèrent du poison dans les esprits de millions et de millions de personnes» comme le prétendirent les Alliés lors du procès de Nuremberg? (Bytwerk, 1976). La plupart des Allemands ne furent pas persuadés de ressentir une haine féroce envers les Juifs. Mais certains le furent, d'autres devinrent sympathiques aux mesures antisémites et les autres devinrent suffisamment incertains ou intimidés pour permettre l'holocauste.

De puissantes forces de persuasion sont également à l'œuvre aux États-Unis. La publication de recherches sur les conséquences physiques et sociales de l'usage de la marijuana a entraîné un rapide changement d'attitudes chez les adolescents. La proportion des 16 000 sortants du secondaire sondés annuellement par l'Université du Michigan et croyant qu'il y a «grand risque» à consommer de la marijuana a doublé en 10 ans, passant de 36 %, en 1977, à 74 %, en 1987 (Johnston *et al.*, 1988). Au cours de cette même période, l'appui à la légalisation de la marijuana a nettement diminué parmi le quart de million de nouveaux étudiants à l'université, sondés annuellement par le Conseil américain de l'Éducation – passant de 53 % à 19 % (Astin *et al.*, 1987a,b). Le comportement s'est modifié, lui aussi – la consommation de marijuana au cours du mois précédant l'enquête avait baissé, passant de 36 % des sortants du secondaire à 21 %. Au Québec, il y a eu un accroissement et un rajeunissement du nombre de consommateurs moyens de drogues illicites, mais s'accompagnant d'un déplacement vers des substances moins nocives (Langlois *et al.*, 1990). Alors qu'aux États-Unis 45 % des Américains, en 1958, étaient des fumeurs, contre 31 %, en 1986, au Québec, de 1978 à 1987, la proportion de fumeurs est passée de 40 % à 30 %, la majorité des non-fumeurs se composant de personnes n'ayant jamais fumé (Émond et Guyon, 1988). L'effet précis des lois canadiennes interdisant la publicité relative aux produits du tabac sur ce déclin de la consommation est sans doute difficile à établir, mais il n'est certainement pas nul et il explique la lutte menée par les producteurs de cigarettes qui ont obtenu, à l'été 1991, un jugement qui leur est favorable en vertu du droit à la liberté d'expression. Comme nous l'avons vu au chapitre 5, les attitudes des Canadiens à l'égard des rôles des femmes se sont radicalement modifiées, avec, aujourd'hui, une majorité écrasante favorisant des rôles féminins auxquels s'opposait, il y a trois décennies, une écrasante majorité.

Mais la persuasion a aussi des effets à des niveaux plus modestes grâce, par exemple, aux multiples groupes de pression qui harcèlent les élus à tous les niveaux de gouvernement. Ainsi, les psychologues canadiens ont réussi à convaincre le gouvernement conservateur d'exempter leurs services de la fameuse TPS. Michel Sabourin qui a été au centre de cette expérience de «lobbying» en a tiré certaines leçons (Sabourin, 1991). Il a constaté, par

«Souviens-toi qu'en changeant ton esprit et en suivant celui qui te dit ce qui est vrai, tu n'en demeures pas moins un être libre.»
Marc Aurèle, *Méditations*

exemple, qu'un argument faisant valoir certaines inconsistances entre différentes lois, bien que logiquement irréprochable, avait un pouvoir de persuasion bien limité. En revanche, lui et ses conseillers ont tenté de prévoir toutes les objections qui seraient soulevées pour refuser leur demande, ce qui s'est révélé une stratégie fort importante pour la suite des choses. Ils ont aussi constaté que l'appui des électeurs est un élément majeur, mais que ce qui compte, c'est la quantité plus que la qualité («le nombre de pieds de lettres reçus par les élus»). Leur action a été d'autant plus efficace qu'ils ont réussi à obtenir l'appui de personnes et d'organismes normalement en concurrence (les médecins, par exemple), ce qui permettait d'établir une distinction entre les intérêts des demandeurs et ceux de la population.

Mais, là encore, les efforts de persuasion n'ont pas tous réussi. Peu après son entrée en fonction, le président Carter déclara que la réponse américaine à la crise de l'énergie devrait être «l'équivalent moral d'une guerre» et exhorta les gens à économiser l'énergie. L'été suivant, les Américains consommaient plus d'essence que jamais auparavant. Les efforts déployés par le gouvernement en vue de convaincre les gens d'utiliser les ceintures de sécurité n'obtinrent pas plus de succès.

Comme le montrent ces exemples, les efforts de persuasion sont parfois diaboliques, parfois salutaires, parfois efficaces et parfois futiles. La persuasion, comme telle, n'est ni bonne ni mauvaise. C'est habituellement le contenu du message persuasif qui suscite nos jugements de bon ou de mauvais. Nous appelons la mauvaise persuasion «propagande» et la bonne se voit qualifiée d'«éducation». Certes, certains messages sont effectivement vrais alors que d'autres sont faux. La véritable éducation repose davantage sur les faits et est moins coercitive que la simple propagande. Cependant, lorsque nous y croyons, nous l'appelons «éducation» et lorsque nous n'y croyons pas, nous l'appelons «propagande» (Lumsden *et al.*, 1980).

Nos croyances doivent venir de quelque part. Du moment que nous avons des croyances, la persuasion est donc inévitable – qu'il s'agisse d'éducation ou de propagande. C'est pourquoi les psychologues sociaux cherchent à comprendre ce qui fait l'efficacité d'un message. Quels sont les facteurs qui nous influencent réellement? Et comment, en tant qu'agents de persuasion, pouvons-nous le plus efficacement «éduquer» les autres?

Les psychologues sociaux étudient habituellement la persuasion à la manière de certains géologues étudiant l'érosion, en observant les influences de divers facteurs au cours de brèves expériences contrôlées. Les effets ainsi produits sont de peu d'étendue et leur puissance maximale est atteinte lorsqu'ils ne sont pas fortement liés aux valeurs de l'individu (Johnson et Eagly, 1989). Ils nous permettent toutefois de mieux comprendre comment ces facteurs peuvent produire de gros effets à condition de pouvoir s'exercer sur une période suffisamment longue.

Les facteurs ayant reçu le plus d'attention jusqu'à maintenant sont: (1) la source, (2) le message, (3) la manière dont on transmet le message et (4) l'auditoire. En d'autres termes, *qui* dit *quoi*, *de quelle manière* et *à qui*?

PERSUASION EFFICACE

QUI PARLE ? INFLUENCE DE LA SOURCE

Les psychologues sociaux ont découvert que la personne qui parle (la source ou le communicateur) fait toute la différence. Au cours d'une expérience, lorsque les chefs socialiste et libéral du Parlement hollandais défendirent des points de vue identiques avec les mêmes mots, c'est auprès des membres de leur propre parti que chacun fut le plus efficace (Wiegman, 1985). Mais, justement, qu'est-ce qui fait qu'une source est plus persuasive qu'une autre ? C'est à cette question qu'ont voulu répondre les chercheurs.

La persuasion efficace consiste à savoir comment transmettre efficacement un message.

«Si je parais aussi excité, M. Boileau, c'est simplement parce que je sais que je peux faire de vous un homme riche.»

Crédibilité

Je pense que nous accorderions tous davantage de crédit à une déclaration touchant les avantages de l'exercice si elle provenait de Santé et Bien-être social Canada plutôt que d'un témoignage dans *Écho Vedettes*. Ces effets de la crédibilité de la source peuvent diminuer après une période d'environ un mois. Si le message est convaincant, mais qu'avec le temps on en oublie la source ou qu'on le dissocie de cette dernière, l'impact d'une source de haute crédibilité peut alors diminuer à mesure que le temps passe. Quant à l'impact de la source de faible crédibilité, il peut proportionnellement *augmenter* avec le temps (si l'on se souvient davantage du message que des raisons de le contester) – un phénomène appelé l'**effet d'assoupissement** (Cook et Flay, 1978; Gruder *et al.*, 1978; Pratkanis *et al.*, 1988). Alain Jacquard nous en donne un exemple:

Effet d'assoupissement :
Effet à retardement d'un message; survient lorsqu'on se souvient d'un message après avoir oublié la raison de le rejeter.

> Un certain matin, ayant, sans cause apparente, formulé intérieurement une idée, à vrai dire assez fine et qui m'a semblé particulièrement originale, je me suis senti «très intelligent». Dans l'après-midi, je n'ai pas résisté au plaisir, à la fin d'une réunion de travail, d'énoncer cette nouvelle vérité première devant quelques camarades; au lieu des compliments attendus, l'un d'eux a répliqué par un sourire moqueur: «Tu ne trouves pas cette idée intéressante? – Si, bien sûr, mais elle figure intégralement dans ma thèse.» J'avais, dix-huit mois plus tôt, fait partie de son

jury; je sors aussitôt de ma bibliothèque mon exemplaire de sa thèse : rapidement, nous retrouvons le passage exprimant presque mot pour mot «mon» idée; dans la marge, j'avais noté «non, faux». (Paicheler et Moscovici, 1984)

Les communicateurs crédibles sont aussi *experts* que *dignes de confiance*. Comment devient-on «expert»? Un des moyens consiste évidemment à être perçu comme étant *bien informé* sur le sujet. Un message à propos du brossage des dents et émis par le «docteur James Rundle de l'Association dentaire canadienne» est beaucoup plus convaincant que le même message émis par «Jim Rundle, un élève de l'école secondaire locale qui a fait un travail avec d'autres élèves sur l'hygiène dentaire» (Olson et Cal, 1984). Après plus d'une décennie consacrée à l'étude de la consommation de marijuana à l'école secondaire, les chercheurs de l'Université du Michigan (Bachman *et al.*, 1988) admettent que de rares messages de source peu fiable n'ont pas réussi, au cours des années 1960 et 1970, à dissuader les consommateurs de marijuana. Mais «lorsqu'ils proviennent de source crédible», les rapports scientifiques touchant les conséquences physiques et psychologiques de l'usage à longue échéance de la marijuana «peuvent jouer un rôle important dans la diminution [...] de la consommation de drogue».

«Croyez-en un expert.»
Virgile, *L'Énéide*

Une autre façon d'avoir l'air crédible consiste à *parler avec assurance*. Bonnie Erickson et ses collaborateurs (1978; également Lee et Ofshe, 1981) ont demandé à des étudiants de l'Université de la Caroline du Nord d'évaluer une déposition faite à la manière directe que l'on dit typique du «discours des hommes» (voir le chapitre 5) ou à la manière plus hésitante, caractéristique du «discours des femmes». Par exemple :

QUESTION : «Pendant combien de temps, environ, êtes-vous resté là avant l'arrivée de l'ambulance ?»

RÉPONSE : *(discours direct)* «Vingt minutes. Assez longtemps pour aider Mme David à se redresser.»

(discours hésitant) «Oh! je dirais que c'était à peu près euh!...vingt minutes! Juste assez longtemps pour aider mon amie, Mme David, vous savez, à se redresser.»

Les témoins qui s'exprimaient de façon directe furent évalués comme étant considérablement plus compétents et crédibles que ceux dont le discours était hésitant.

Norman Miller et ses collègues (1976) de l'Université du sud de la Californie ont trouvé que la crédibilité ainsi que la véracité augmentent si l'on parle avec un débit rapide. Des gens de Los Angeles qui écoutèrent des messages enregistrés portant sur des sujets comme «le danger de la consommation de café» évaluèrent les conférenciers rapides (environ 190 mots à la minute) comme étant plus objectifs, plus intelligents et mieux informés que les conférenciers au débit plus lent (environ 110 mots à la minute). Pas surprenant alors qu'ils aient également trouvé les conférenciers rapides plus convaincants.

Est-ce seulement la vitesse qui rend les conférenciers rapides plus convaincants? Ou est-ce quelque chose qui accompagne le discours rapide, comme l'intensité ou le ton plus élevés? James MacLachlan, chercheur en commercialisation (1979; MacLachlan et Siegel, 1980), a comprimé, à l'aide d'un équipement électronique, des annonces publicitaires de télévision et de radio sans modifier le ton, l'inflexion et l'intensité de l'orateur. (Cela se fait en supprimant du temps/minute d'environ 1/50 de seconde à toutes les parties du discours.) Il a découvert que la vitesse comme telle ne changeait rien. Quand on accélérait les annonces publicitaires de 25 %, l'auditoire comprenait tout aussi bien, évaluait les orateurs comme mieux informés, plus intelligents et sincères et trouvaient les annonces publicitaires plus intéressantes. En fait, on peut pratiquement doubler la vitesse normale de 140 à 150 mots/minute avant que la compréhension ne commence à diminuer abruptement (Foulke et Sticht, 1969). John F. Kennedy, que l'on considérait comme un orateur public exceptionnellement efficace, s'exprimait parfois à des pointes de vitesse s'approchant de 300 mots à la minute.

La véracité est également plus élevée si l'auditoire croit que la source n'essaie pas de les convaincre. Lors d'une version expérimentale de ce qu'on appela par la suite la méthode de la «caméra cachée» pour les annonces télévisées, Elaine Hatfield et Leon Festinger (Walster et Festinger, 1962) demandèrent à des étudiants de premier cycle de l'Université Stanford d'écouter indiscrètement les propos échangés par des étudiants des cycles supérieurs. (En fait, ce furent des enregistrements qu'ils écoutèrent.) Lorsque le sujet de la conversation touchait les auditeurs indiscrets (par exemple, les règlements du campus), les étudiants étaient davantage influencés lorsque les interlocuteurs ne se doutaient apparemment de rien que lorsqu'on leur disait que les interlocuteurs savaient que quelqu'un écoutait. Après tout, si les gens ne savent pas qu'on les entend, pourquoi ne seraient-ils pas honnêtes ?

De même, les gens qui défendent des points de vue contraires à leurs intérêts personnels ou susceptibles de diminuer leur popularité sont perçus comme étant plus sincères que ceux qui offrent des arguments à leur propre avantage. Alice Eagly, Wendy Wood et Shelly Chaiken (1978) présentèrent à des étudiants de l'Université du Massachusett un discours dénonçant la pollution d'un fleuve par une compagnie. Lorsqu'on disait que le discours avait été prononcé par un candidat politique jouissant d'une expérience dans les affaires ou devant un auditoire composé de partisans de l'entreprise, il semblait refléter moins de partis pris que si on disait que le même discours opposé à l'entreprise avait été prononcé par un politicien soucieux de l'environnement, devant un groupe d'écologistes. Dans ce dernier cas, on pouvait attribuer les arguments du politicien à ses partis pris personnels ou à l'influence de l'auditoire. C'est pourquoi, on l'a vu au début du présent chapitre, le groupe de pression de psychologues a eu recours à une association médicale pour faire valoir qu'il en allait du bien-être de la population en général pour obtenir gain de cause auprès du gouvernement fédéral à propos de la TPS.

Toutes ces expériences indiquent l'importance de l'attribution: À quoi attribue-t-on le point de vue de l'orateur – à ses partis pris et à ses intérêts égoïstes ou à des preuves factuelles ? Wood et Eagly (1981) rapportent que lorsqu'un orateur défend un point de vue *inattendu* nous tendons davantage à attribuer son message à des preuves évidentes et à en être ainsi plus persuadés. Joel Wachtler et Elizabeth Counselman (1981) ont de même découvert que les étudiants des universités Hobart et William Smith étaient davantage persuadés par des arguments en faveur d'une compensation généreuse dans un cas de blessures corporelles quand ces arguments étaient émis par une personne à l'allure avare, du genre Harpagon. Les arguments en faveur d'une maigre compensation étaient plus convaincants lorsqu'ils étaient émis par une personne normalement chaleureuse et généreuse. On pourrait donc supposer que les Américains feraient davantage confiance à un traité de limitation des armes entre les États-Unis et l'Union soviétique s'il était négocié par un président conservateur et pro-militaire.

Crédibilité :
Confiance. La source crédible est perçue comme experte en même temps que digne de foi.

Certaines annonces publicitaires télévisées sont manifestement conçues de façon à donner à l'orateur un air d'expert et digne de confiance. La compagnie Ford, par exemple, s'est assuré les services du chroniqueur automobile bien connu Jacques Duval pour vanter les mérites de ses produits. Il y a cependant des réclames qui ne semblent pas reposer sur le principe de la crédibilité. Céline Dion est-elle vraiment un experte digne de foi en matière de boissons gazeuses ?

Attrait

La plupart des gens nient être influencés par les déclarations des champions sportifs et des entraîneurs. Chacun sait que ces champions ne sont à peu près jamais dignes de foi quant aux produits qu'ils annoncent. Sans compter que nous savons qu'on cherche à nous persuader. Ce genre de réclames repose sur une autre des caractéristiques d'une source efficace : l'attrait. Nous pensons peut-être ne pas être influencés par l'attrait ou la beauté de la personne, mais ce n'est pas ce qu'ont découvert les chercheurs.

L'attirance peut revêtir bien des aspects. L'*attrait physique* en est un. Les expérimentateurs ont parfois trouvé que les arguments, surtout les arguments émotifs, ont plus de poids lorsqu'ils sont émis par de belles personnes (Chaiken, 1979 ; Dion et Stein, 1978 ; Pallak *et al.*, 1983). La *ressemblance* en est un autre. Comme on le verra au chapitre 11, nous avons tendance à aimer les gens qui nous ressemblent ; contrairement aux dires du vieux proverbe, les contraires *ne* s'attirent habituellement *pas*. Non seulement aimons-nous les gens qui nous ressemblent, mais nous sommes aussi influencés par eux. Theodore Dembroski, Thomas Lasater et Albert Ramirez (1978), par exemple, ont fait écouter à des élèves de race noire du secondaire de St.Petersburg, en Floride, et de Birmingham, en Alabama, un message enregistré portant sur l'hygiène dentaire adéquate. Le jour suivant, lorsqu'un dentiste évalua la propreté de leurs dents, les élèves qui avaient entendu un message prononcé par un dentiste de race noire avaient des dents plus propres que ceux qui avaient entendu le même message prononcé par un dentiste de race blanche.

La ressemblance est-elle plus importante que la crédibilité ? Parfois oui, parfois non. Timothy Brock (1965) s'est aperçu que les clients d'un magasin de matériel d'artiste étaient plus influencés par le témoignage d'une personne inexpérimentée ayant récemment acheté la même quantité de peinture que celle qu'ils projetaient d'acheter que par celui d'un expert en ayant récemment acheté 20 fois plus. N'oublions pas cependant qu'un dentiste émérite (une source dissemblable, mais digne de foi) eut plus de pouvoir persuasif en matière d'hygiène dentaire que n'en eut un étudiant (une source semblable mais inexpérimentée).

Ce genre de découvertes contradictoires réveille le détective en tous les scientifiques. Ils supposent qu'un facteur encore inconnu est à l'œuvre – que, en présence de ce facteur X, la similitude est plus importante et que, en son absence, c'est la crédibilité qui l'emporte. Quel est donc ce facteur X ? George Goethals et Eric Nelson (1973) pensent qu'il concerne le sujet, selon qu'il s'agisse d'une *préférence subjective* ou d'une *réalité objective*. Lorsque le choix concerne des choses relevant d'une valeur personnelle, des goûts, des modes de vie, les communicateurs nous ressemblant auront le maximum d'influence. Mais quand il s'agit de jugements de fait – Vancouver est-elle plus pluvieuse que Londres ? –, la confirmation de nos croyances par une personne *ne nous ressemblant pas* augmente davantage notre confiance.

Après tout, une personne différente émet un jugement plus indépendant. Goethals et Nelson, après un test effectué en laboratoire, ont confirmé l'idée que les communicateurs ressemblant à leurs auditeurs sont beaucoup plus efficaces pour des questions de valeurs et de préférences que pour des jugements de fait.

Il y a cependant une circonstance connue où les communicateurs attrayants sont *moins* efficaces, même pour des questions de préférence. Lorsque c'est quelqu'un d'attirant qui nous fait *faire* quelque chose de plutôt désagréable, nous pouvons justifier notre comportement en faisant appel à notre amour de la personne. Quand c'est une personne déplaisante et désagréable qui nous fait faire la même chose, il n'est pas aussi facile d'attribuer notre acquiescement à notre amour de la personne. (Cela vaut autant pour la théorie de la perception de soi que pour celle de la dissonance que nous avons étudiées au chapitre 2.) Des réservistes militaires qui mangèrent des sauterelles frites à la demande d'un expérimentateur sévère et distant finirent par *davantage* aimer les sauterelles que ceux qui le firent à la demande d'un expérimentateur poli et chaleureux (Smith, 1977). C'est comme s'ils s'étaient dit, «Je ne les mange pas par amour de l'expérimentateur, ce doit donc être que je les aime.»

QU'EST-CE QUE L'ON DIT ? CONTENU DU MESSAGE

La persuasion ne dépend pas seulement de la personne qui parle, mais aussi de *ce qu'*elle dit. Si vous deviez aider à organiser le lancement d'une campagne en faveur de taxes scolaires, ou visant à cesser de fumer, ou à contribuer au soulagement de la faim dans le monde, il vous faudrait probablement résoudre plusieurs problèmes pratiques touchant le contenu de votre demande. On peut faire appel au bon sens pour développer des arguments en faveur de l'une ou l'autre des possibilités soulevées par les questions suivantes : (1) Un message est-il plus convaincant s'il est très rationnel ou s'il suscite une émotion ? (2) Jusqu'à quel point un message devrait-il diverger (différer) des opinions actuelles de l'auditoire : obtient-on un plus grand changement d'opinion en ne soutenant qu'un point de vue légèrement différent de celui des auditeurs, ou en soutenant un point de vue plus extrême ? (3) Le message ne devrait-il comporter que votre point de vue ou devrait-il admettre et tenter de réfuter les points de vue opposés ? (4) Si l'on se propose de présenter le pour et le contre, disons lors d'allocutions successives au cours d'une assemblée, y a-t-il un avantage à parler en premier ou en dernier ?

Appel à la raison ou appel à l'émotion

Supposons que vous militiez en faveur de l'élimination de la faim dans le monde. Vaudrait-il mieux spécifier vos arguments et citer un tableau d'impressionnantes statistiques ? Ou seriez-vous plus efficace grâce à une approche émotive, en relatant, par exemple, l'histoire émouvante d'un enfant mourant de faim ? Certes, un argument n'a pas besoin d'être irrationnel pour susciter une émotion. Mais entre raison et émotion, laquelle a le plus d'influence ? Le Lysandre de Shakespeare avait-il raison de dire «La volonté de l'homme est déterminée par sa raison» ? Ou le conseil de Lord Chesterfield était-il plus sage : «Adressez-vous généralement aux sens, au cœur et aux faiblesses des hommes, mais rarement à leur raison» ?

La recherche sur la publicité, comme dans une étude sur le degré de persuasion de 168 annonces télévisées (Agres, 1987), révèle que les annonces les plus efficaces font autant appel à la raison («Les blancs deviennent plus blancs avec le détergent X») qu'aux émotions («la marque à acheter si votre famille vous tient à cœur»).

Apparemment, la réponse dépend des gens à qui vous vous adressez. Les gens très instruits et analytiques réagissent davantage à des appels à la raison que ne le font les gens moins instruits et peu analytiques (Cacioppo *et al.*, 1983; Hovland *et al.*, 1949). De même, les auditoires très engagés réagissent davantage à des arguments rationnels; les auditoires peu concernés consacrent fort peu de temps à réfléchir aux arguments, de sorte qu'ils sont tout simplement plus influencés par leur sympathie envers la source (Chaiken, 1980; Petty *et al.*, 1981). À en juger d'après leurs réponses à des entrevues précédant les élections présidentielles américaines de 1980, bien des électeurs n'étaient pas très engagés puisque leurs préférences électorales étaient plus prévisibles à partir de leurs réactions émotives envers les candidats (si Ronald Reagan, par exemple, les avait déjà fait rire) qu'à partir de leur connaissance des traits de caractère des candidats et de leurs comportements possibles (Abelson *et al.*, 1982). Et, encore en 1988, bien des gens qui pensaient davantage comme Michael Dukakis *aimaient* toutefois davantage George Bush et votèrent par conséquent pour Bush.

Peter Suedfeld *et al.* (1990) ont analysé les discours que des chefs de partis politiques fédéraux avaient prononcés approximativement deux mois avant les 10 élections fédérales ayant eu lieu entre 1945 et 1974. Leur analyse a porté sur l'imagerie motivationnelle (besoins d'accomplissement, de pouvoir et d'affiliation) et sur la complexité cognitive (penser de manière rigide par opposition à flexible, voir le monde en blanc et noir par opposition à utiliser des catégories plus subtiles). Leurs résultats montrent que le succès des candidats est relié à la congruence qui existe entre leurs discours et l'imagerie motivationnelle totale qui est véhiculée dans les publications populaires. Par ailleurs, les candidats libéraux manifestent une plus grande complexité cognitive. Dans ce dernier cas, cela reflète la différence que l'on obtient lorsque l'on compare des électeurs libéraux à des électeurs conservateurs. Ces données soulignent que ce qui importe au moins tout autant que l'opposition entre les messages affectifs et cognitifs, c'est la congruence entre ces messages et le public visé.

Les messages gagnent également en persuasion lorsqu'ils sont associés à des sentiments agréables. Irving Janis et ses collègues (1965; Dabbs et Janis, 1965) ont découvert que des étudiants de l'Université Yale étaient plus convaincus par des messages persuasifs lorsqu'on leur permettait de consommer des cacahuètes et du Pepsi pendant la lecture (voir la figure 7.1). De même, Mark Galizio et Clyde Hendrick (1972) ont trouvé que les étudiants de l'Université d'État Kent étaient davantage persuadés par des chansons accompagnées de l'agréable musique d'une guitare que par les poèmes chantés ou lus sans accompagnement. Ceux qui aiment faire des affaires dans de somptueux restaurants avec musique de fond vont se réjouir de ces résultats.

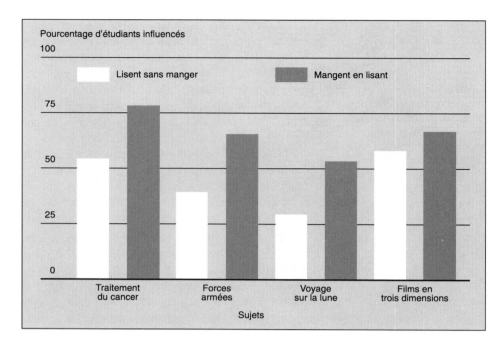

Figure 7.1
Les gens qui mangeaient
en lisant étaient davantage
persuadés que ceux qui ne
mangeaient pas en lisant.
(Données tirées de Janis, Kaye
et Kirschner, 1965.)

Les messages peuvent aussi être efficaces en suscitant des émotions négatives. En essayant de convaincre les gens de diminuer leur consommation de tabac, de se brosser les dents plus souvent, de se faire vacciner contre le tétanos ou de conduire prudemment, le message suscitant la peur peut être puissant. Le fait de montrer aux fumeurs les choses horribles qui arrivent parfois aux gens qui fument trop augmente la persuasion d'un message. Mais jusqu'où peut-on aller dans la voie de la peur ? Faut-il susciter juste un peu de peur pour éviter que les gens soient tellement effrayés qu'ils refusent d'entendre votre pénible message ? Ou faut-il leur faire une peur bleue ? Plusieurs expériences conduites par Howard Leventhal (1970) et ses collaborateurs à l'Université du Wisconsin et par Ronald Rogers et ses collaborateurs à l'Université de l'Alabama (Robberson et Rogers, 1988) révèlent que, en général, plus une communication est négative ou vise à faire peur, plus elle est convaincante.

On se sert de l'efficacité des communications suscitant la peur dans les annonces dénonçant l'usage du tabac, de l'alcool et d'autres drogues. Dawn Wilson et ses collègues (1987, 1988), par exemple, ont demandé à des médecins d'envoyer une lettre à leurs patients fumeurs. Huit pour cent de ceux qui avaient reçu un message conçu positivement (leur expliquant qu'ils vivraient plus longtemps s'ils cessaient de fumer) essayèrent de renoncer au tabac, tandis que ceux qui avaient reçu un message fondé sur la peur (expliquant qu'ils mourraient prématurément s'ils persistaient à fumer) essayèrent de cesser de fumer dans une proportion de 30 %. La chercheuse Claude Lévy-Leboyer (1988) a de même trouvé que les images suscitant la peur modifiaient plus efficacement les attitudes de la jeunesse française envers la consommation d'alcool, ce qui amena le gouvernement français à incorporer de l'information suscitant la peur dans ses messages télédiffusés.

Faire peur aux auditeurs ne réussira toutefois pas toujours à rendre un message plus efficace. Si l'on n'explique pas aux gens comment éviter le danger – comme le fait habituellement le prêcheur des tourments de l'enfer – , ils se sentiront dépassés par les messages suscitant la peur (Leventhal, 1970; Rogers et Mewborn, 1976). Ce genre de messages aura probablement plus d'efficacité si, en plus d'amener les auditeurs à craindre le danger et la possibilité d'un événement menaçant (par exemple, la mort par le cancer causé par le tabagisme), on leur fait croire qu'il existe une stratégie efficace de protection qu'ils sont capables d'adopter (Maddux et Rogers, 1983). Des scrutins, au milieu des années 1980, révélèrent que 40 % des Américains croyaient qu'une guerre nucléaire était «assez» ou «très» possible, qu'elle les anéantirait probablement ainsi qu'une bonne partie de la population (Fiske, 1987; Fox et Schofield, 1989; Fuld et Nevin, 1988). Se sentant incapables de faire quoi que ce soit pour y remédier, la plupart de ces gens ne faisaient rien pour prévenir activement un holocauste nucléaire. La peur non accompagnée d'un sentiment d'efficacité personnelle n'engendre qu'une préoccupation inactive.

La propagande politique exploite souvent la peur; l'élection provinciale de 1970

> [...] la très grande majorité des Québécois francophones voteraient pour l'indépendance à condition qu'elle ne leur coûte pas trop cher, c'est sur ce terrain-là qu'on décidera de leur faire peur. Le terrorisme économique entre en scène [...] Pierre Laporte [...] fait imprimer des dollars fictifs qui ne valent que 65 sous (*sic*) [...] le standard (*sic*) de vie baissera de 35 % si le P. Q. est élu; l'*establishment* anglais fait circuler des rumeurs voulant que les capitaux fuient le Québec; on s'arrange pour faire photographier huit gros camions de la compagnie Brinks [...] qui quitteraient le Québec pour l'Ontario. (Rioux, 1987, p. 205-206)

où le Parti québécois menaçait de prendre le pouvoir en est un exemple célèbre. L'idée d'un Québec appauvri par suite de la réalisation de la souveraineté-association a aussi été évoquée par l'image de la «piastre à Lévesque» qui ne valait que 65 ¢.

Les recherches récentes font également état du pouvoir de l'information suscitant la peur. Les maladies clairement imaginables semblent plus probables que les maladies difficiles à imaginer (Sherman *et al.*, 1985). Les films terrifiants peuvent aussi avoir une influence. Lorsque de nombreuses équipes de chercheurs sondèrent les 100 millions d'Américains avant qu'ils aient vu le film télévisé portant sur la guerre nucléaire et intitulé *The Day After* (1983), et plusieurs semaines après, ils découvrirent que la préoccupation au sujet de la guerre nucléaire s'était amplifiée (Oskamp *et al.*, 1985; Schofield et Pavelchak, 1985). Une autre recherche révéla que la série télévisée *AMERIKA*, qui dépeignait les conséquences désastreuses d'une occupation russe des États-Unis, augmenta l'hostilité à l'égard de l'Union soviétique (Olguin *et al.*, 1988). Quand il s'agit de persuasion, une image émotive peut valoir mille mots.

Une image vaut mille mots.

C'est ainsi qu'en général les appels à l'émotion semblent plus efficaces qu'on ne serait porté à le croire si l'on suppose que les êtres humains sont des animaux avant tout rationnels. Les communicateurs qui suscitent de bons sentiments ou qui y sont associés ont tendance à être convaincants. Il en est de même pour les appels vigoureux à la peur, surtout lorsqu'on donne à l'auditeur des moyens efficaces de diminuer la peur.

On peut se demander si la peur est reliée à la connaissance que l'on a d'un objet d'attitude. À l'occasion d'une recherche sur le sida, Serban Ionescu et Colette Jourdan-Ionescu (1989) se sont justement posé cette question. La peur du sida a-t-elle un lien avec les informations que l'on a sur cette maladie? Ils n'ont pas trouvé une telle relation avec un échantillon d'étudiants de Trois-Rivières, mais ils en ont trouvé une (modeste) avec un échantillon d'étudiants français et africains. Des résultats contradictoires ont aussi été trouvés dans différentes études américaines.

Désaccord

Le 20 mai 1980, la question suivante était posée aux Québécois :

> Le gouvernement du Québec a fait connaître sa proposition d'en arriver, avec le reste du Canada, à une nouvelle entente fondée sur le principe de l'égalité des peuples ;
>
> Cette entente permettrait au Québec d'acquérir le pouvoir exclusif de faire ses lois, de percevoir ses impôts et d'établir ses relations extérieures, ce qui est la souveraineté – et, en même temps, de maintenir avec le Canada une association économique comportant l'utilisation de la même monnaie ;
>
> Tout changement de statut politique résultant de ces négociations sera soumis à la population par référendum.
>
> EN CONSÉQUENCE, ACCORDEZ-VOUS AU GOUVERNEMENT DU QUÉBEC LE MANDAT DE NÉGOCIER L'ENTENTE PROPOSÉE ENTRE LE QUÉBEC ET LE CANADA ?
> __ OUI __ NON.

La formulation de cette question avait donné lieu à de nombreuses discussions. Le Parti québécois avait même fait un sondage pour voir qu'elle était la formulation susceptible de recueillir le plus grand nombre de OUI. Le but visé était évidemment de ne pas effaroucher certains électeurs indécis avec une question trop directe.

Lorsque les psychologues sociaux se demandent si le changement d'opinions dans la direction désirée est plus plausible lorsqu'un message présente une position extrême plutôt qu'une position plus modérée, ils se posent une question semblable à celle que se sont posée les dirigeants du Parti québécois. Le désaccord avec un message produit de l'inconfort et l'inconfort pousse les gens à changer d'avis (qu'on se souvienne des effets de la dissonance au chapitre 2). Peut-être un plus grand désaccord va-t-il produire un plus grand changement. Mais, là encore, une source émettant un message déconcertant peut se voir discréditer. Une recherche révéla que plus les gens contestaient les conclusions tirées par un présentateur de nouvelles, plus ils pensaient que le présentateur avait un parti pris, se trompait et était peu digne de foi (Zanna *et al.*, 1976). C'est ainsi qu'un désaccord plus marqué peut produire *moins* de changement.

En partant de ces considérations, Elliot Aronson, Judith Turner et Merrill Carlsmith (1963) conclurent qu'une source très crédible susciterait davantage de changement des opinions en défendant un point de vue très divergent de celui de l'auditeur, tandis que la source ayant peu de crédibilité se verrait plutôt rejetée d'agir ainsi. Il ne fait aucun doute que lorsque T. S. Eliot fit, à ce qu'on dit, grand cas d'un poème à prime abord peu apprécié des gens, ces derniers changèrent davantage d'avis que lorsqu'il ne fit que peu de cas du même poème. Mais lorsque «Agnes Stearns», une étudiante au Mississippi State Teachers College, évalua un poème peu apprécié, les faibles éloges étaient aussi convaincants que les éloges appuyés. C'est ainsi que le désaccord et la crédibilité sont en *interaction*, comme le montre la figure 7.2: l'effet d'un désaccord prononcé par opposition à un faible désaccord dépend de la crédibilité de la source.

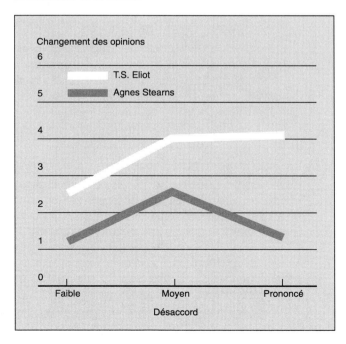

Figure 7.2

La divergence et la crédibilité de la source sont en interaction. Seule la source très crédible demeure efficace en soutenant un point de vue extrême. (Données tirées de Aronson, Turner et Carlsmith, 1963.)

La réponse à la question – «Doit-on défendre un point de vue extrême dans un message ?» – est, par conséquent, «Cela dépend». Si la source est très prestigieuse et autorisée, oui. Dans le cas contraire, il est préférable d'y aller plus modérément.

La réponse dépend également du degré d'engagement de la cible par rapport à l'objet d'attitude. Les gens très préoccupés par une question ont tendance à n'accepter que peu de points de vue. C'est ainsi qu'un message modérément divergent peut sembler follement radical à quelqu'un qui est très préoccupé, surtout si le message diffère de l'opinion de cette personne plutôt que d'être la même opinion poussée à l'extrême (Rhine et Severance, 1970; Pallak *et al.*, 1972; Petty et Cacioppo, 1979).

Appels unilatéraux ou bilatéraux

Un autre des problèmes typiques auxquels font face les professionnels de la persuasion est de reconnaître ou de réfuter les arguments contraires. Encore une fois, le bon sens ne fournit pas de réponse claire. Le fait de souligner les arguments contraires risque d'embrouiller l'auditoire, affaiblissant ainsi la cause. D'un autre côté, un message peut sembler plus juste et d'autant plus désarmant qu'il anticipe les arguments contraires.

Après la défaite de l'Allemagne lors de la Seconde Guerre mondiale, l'armée américaine ne voulait pas que les soldats soient trop certains de pouvoir alors facilement vaincre les Japonais. Carl Hovland et ses collègues (1949) de l'Army's Information and Education Division ont donc conçu deux émissions radiophoniques soutenant que la guerre dans le Pacifique durerait au moins deux autres années. L'une des émissions était unilatérale; elle n'admettait pas l'existence d'arguments contraires tels que l'avantage de n'avoir à combattre qu'un seul ennemi plutôt que deux. L'autre émission était bilatérale; elle mentionnait et discutait les arguments contraires. La plus grande efficacité de l'un ou l'autre message dépendait de l'auditeur. Ceux qui étaient déjà d'accord se voyaient confirmés par un appel unilatéral; ceux qui n'étaient pas d'accord avaient de meilleures chances d'être persuadés par un appel reconnaissant les arguments contraires.

Des expériences ultérieures ont révélé que si les gens connaissent les arguments contraires (comme c'est probablement le cas des gens bien informés) ou risquent d'en prendre connaissance, une présentation bilatérale est alors plus convaincante et plus durable (Lumsdaine et Janis, 1953; Jones et Brehm, 1970). Il semble qu'un message unilatéral incite l'auditoire informé à penser aux contre-arguments et à voir la source comme un individu partial. Le candidat politique s'adressant à un groupe politiquement informé serait par conséquent avisé de répondre à l'opposition.

Juan Antonio Pérez et Gabriel Mugny (1990) demandent à leurs sujets de comparer les raisons, présentées dans un texte, pouvant justifier le comportement des fumeurs et les raisons soutenant les non-fumeurs, donc les deux côtés de la médaille. Cependant, ils introduisent une manipulation qui consiste à demander à une partie des sujets d'exprimer sur une échelle jusqu'à quel point ils sont d'accord ou non avec six aspects (le plaisir de fumer, la protection de l'environnement, etc.) considérés indépendamment (réponse à chacun des six thèmes séparément) ou en interdépendance (réponse en tenant compte des deux aspects opposés; par exemple, la liberté du fumeur par rapport au respect du non-fumeur). Les chercheurs trouvent que, lorsque le texte est attribué à un groupe minoritaire, l'influence est plus grande dans la condition où il y a indépendance des jugements, alors que c'est l'inverse dans le cas où le texte est attribué à une source experte. Ils expliquent cela par la possibilité

«Les adversaires s'imaginent nous réfuter en répétant leur propre opinion sans tenir compte de la nôtre.»

Goethe, *Maxims and Reflections*, début du XIXᵉ siècle

que les jugements indépendants donnent plusieurs positions antagonistes et non seulement la seule position dominante («Il est mauvais de fumer»).

Primauté ou récence

Imaginez-vous dans la peau d'un consultant au service d'un homme politique important devant affronter un autre politicien important lors d'un débat sur la proposition d'un traité de limitation des armes nucléaires. Trois semaines avant le vote portant sur le traité, chacun des politiciens doit présenter, lors des nouvelles télévisées du soir, une brève déclaration (préparée d'avance pour éviter que le second présentateur ne réfute le premier). En tirant à pile ou face, vous avez gagné le choix de parler en premier ou en dernier. Vous êtes sollicité de toutes parts, car on a appris que vous aviez déjà suivi des cours de psychologie sociale.

Mentalement, vous passez rapidement en revue vos anciens manuels et vos notes de cours. Est-il plus avantageux de parler en premier? Les croyances préconçues des gens dictent leurs interprétations et il est difficile de discréditer une opinion déjà formée (chapitre 4). Parler en premier pourrait ainsi donner aux gens des croyances à votre avantage au moment où ils entendront et interpréteront la seconde déclaration. Sans compter que les gens peuvent être plus attentifs au début. Mais, là encore, puisque les gens se souviennent davantage des choses récentes, ne serait-il pas plus efficace de parler en dernier?

Effet de primauté:
Toutes choses étant égales, l'information présentée en premier est habituellement celle qui a le plus d'influence.

Votre première piste de raisonnement prédit ce qui se passe le plus souvent, un **effet de primauté**: l'information présentée en premier est plus convaincante. Les premières impressions *sont* importantes. Pouvez-vous, par exemple, percevoir une différence entre les deux descriptions suivantes:

- Mathieu est intelligent, travailleur, impulsif, porté à la critique, entêté et envieux.
- Mathieu est envieux, entêté, porté à la critique, impulsif, travailleur et intelligent.

Quand Solomon Asch (1946) soumit ces phrases à des étudiants de la ville de New York, ceux qui lurent les adjectifs dans l'ordre intelligent → envieux évaluèrent plus favorablement la personne (la trouvant, par exemple, plus sociable, plus drôle et plus heureuse) que ne le firent ceux qui lurent ces adjectifs dans l'ordre envieux → intelligent. Manifestement, la première information rencontrée gouverna leur interprétation de la dernière information, provoquant ainsi l'effet de primauté. De même, dans les expériences comportant une tâche où les gens doivent deviner et où les gens réussissent 50% du temps et échouent 50% du temps, ceux qui commencent par réussir sont ultérieurement perçus comme étant plus doués que ceux dont les succès ne viennent qu'après les échecs (Jones *et al.*, 1968; Langer et Roth, 1975; McAndrew, 1981).

Est-ce là l'indication que la primauté est également la règle en matière de persuasion? Norman Miller et Donald Campbell (1959) donnèrent à des étudiants de l'Université Northwestern une transcription condensée d'un procès réel en cour civile. Le témoignage du plaignant ainsi que ses arguments furent disposés en un dossier et ceux de la défense en un autre. Les étudiants lurent les deux dossiers. Lorsqu'ils revinrent une semaine plus tard pour indiquer leurs opinions, la plupart se rangèrent du côté de l'information qu'ils reçurent en premier. Gary Wells, Lawrence Wrightsman et Peter Miene (1985) trouvèrent un effet semblable de primauté lorsqu'ils changèrent, dans la transcription, le moment où l'avocat de la défense faisait sa présentation d'ouverture lors d'un procès réel au criminel. Sa déclaration était plus efficace si elle était présentée avant la présentation de la preuve par le plaignant plutôt qu'après (comme le conseillent certains experts).

Effet de récence:
C'est parfois l'information présentée en dernier qui a le plus d'influence. Les effets de récence sont moins habituels que les effets de primauté.

Qu'en est-il de la possibilité contraire? Notre meilleure mémorisation de l'information récente créera-t-elle un **effet de récence**? Nous savons par expérience (de même que par des expériences sur la mémoire) que les événements du jour peuvent temporairement l'emporter sur des événements passés plus significatifs. Pour le vérifier, Miller et Campbell ont donné à un autre groupe d'étudiants l'un des dossiers de témoignage à lire. Ils leur firent lire le second dossier une semaine plus tard, à la suite de quoi ils devaient faire part de leurs opinions sur-le-champ. Les résultats furent alors exactement l'inverse de ceux précédemment obtenus – un effet de récence. Il semble que le premier ensemble d'arguments se soit largement estompé de la mémoire à cause du délai d'une semaine. C'est ainsi que, en général, l'oubli crée apparemment l'effet de récence (1) lorsqu'il y a suffisamment de temps entre les deux messages; *et* (2) lorsque l'auditoire n'a pas à se prononcer après le premier message, mais doit prendre une décision peu après le second message. Quand les deux messages sont consécutifs et suivis d'un laps de temps, c'est l'effet de primauté qui surviendra probablement (voir la figure 7.3). Quel conseil donneriez-vous par conséquent au politicien?

Figure 7.3
Effet de primauté et effet de récence. Quand deux messages persuasifs sont entendus l'un à la suite de l'autre et que l'auditoire répond un peu plus tard, le premier message a tendance à l'emporter (effet de primauté). Quand un laps de temps sépare les deux messages et que l'auditoire répond peu de temps après le second message, c'est ce dernier qui a tendance à l'emporter (effet de récence).

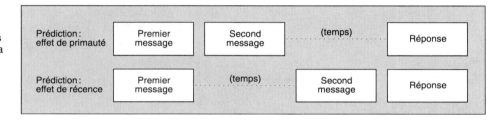

COMMENT LE DIT-ON? CANAL DE COMMUNICATION

Expérience active ou réception passive?

Nous avons vu, au chapitre 2, que nos actes nous façonnent très fortement. En agissant, nous amplifions l'idée sous-jacente à l'acte posé, surtout lorsque nous nous sentons responsables de ce que nous avons fait. Nous avons également vu que les attitudes enracinées dans notre propre expérience directe – plutôt qu'apprises par personne interposée – ont plus de chances de durer et d'influencer notre comportement subséquent. Comparées aux attitudes fondées sur l'expérience, celles qui sont acquises passivement sont moins certaines, plus instables et vulnérables à l'attaque.

Canal de communication:
Comment est transmis le message – face à face, par écrit, sur film ou autrement.

Toutefois, la psychologie du bon sens fait énormément confiance au pouvoir des mots écrits. Comment nous y prenons-nous pour inviter des gens à un événement ayant lieu sur le campus? En postant des avis. Comment nous y prenons-nous pour amener les conducteurs à ralentir et à demeurer vigilants? Par des messages «Conduisez prudemment» sur les panneaux d'affichage. Comment nous y prenons-nous pour empêcher les gens de jeter leurs ordures sur le campus? En couvrant les tableaux d'affichage et les boîtes aux lettres du campus de messages prônant la propreté.

Les gens sont-ils si faciles à convaincre? Voyons deux exemples d'efforts bien intentionnés semblant indiquer que non. Au collège Scripps, en Californie, une campagne de propreté d'une durée d'une semaine exhortait les étudiants à «Préserver la beauté du campus Scripps», «Ramassons nos ordures», et ainsi de suite. Ces slogans étaient déposés dans les boîtes aux lettres des étudiants tous les matins et on pouvait les voir sur de grandes affiches partout à travers le campus. Un jour, avant le début de la campagne, le psychologue social Raymond Paloutzian (1979) mit des déchets à côté d'une poubelle, le long d'un trottoir très mouvementé, et se recula ensuite pour noter le comportement de 180 passants. Personne ne ramassa les déchets. La dernière journée de la campagne, on répéta le test avec 180 autres passants. Les piétons se sont-ils précipités, dans leur zèle pour obéir aux exhortations écrites? À peine. Seulement deux des 180 passants ont ramassé les déchets.

Les exhortations verbales sont-elles plus convaincantes? Pas nécessairement. Ceux d'entre nous qui parlent en public, comme les professeurs et les vendeurs, deviennent si facilement entichés de leurs paroles qu'ils sont tentés d'en surestimer le pouvoir. Demandez à des étudiants quel aspect de leur expérience universitaire fut pour eux le plus important ou ce dont ils se souviennent de leur première année à l'université et peu, nous sommes peinés de le dire, se souviendront des brillants cours que nous, professeurs, nous souvenons d'avoir donnés. Thomas Crawford (1974) et ses associés évaluèrent l'impact du discours en allant visiter des gens affiliés à 12 confessions religieuses peu avant qu'ils aient entendu des sermons s'insurgeant contre la bigoterie raciale et l'injustice, et peu après. Quand, au cours de la deuxième entrevue, on leur demanda s'ils avaient entendu ou lu quelque chose concernant les préjugés raciaux ou la discrimination depuis la première entrevue, seulement 10% se souvinrent spontanément des sermons. Lorsqu'on demanda directement aux autres 90% si leur prêtre «avait parlé des préjugés ou de la discrimination au cours des deux dernières semaines», plus de 30% nièrent avoir entendu un sermon de ce genre. Il n'est alors pas surprenant que les sermons n'aient eu aucun effet sur les attitudes raciales.

À bien y penser, le prédicateur fait face à tellement d'obstacles qu'on se demande comment il se fait que la prédication atteigne tellement de gens. Comme l'indique la figure 7.4, les conférenciers convaincants doivent émettre un message capable non seulement d'attirer l'attention, mais encore d'être compréhensible, convaincant, mémorable et irrésistible. Pour bien préparer un message, il faut tenir compte de chacun de ces aspects du processus de persuasion.

Figure 7.4
Pour pousser à l'action, un message persuasif doit franchir plusieurs obstacles. Comme nous le verrons, l'important n'est pas tant de se souvenir du message en soi que de se souvenir de ce qu'on en a pensé. (Adapté de McGuire, 1978.)

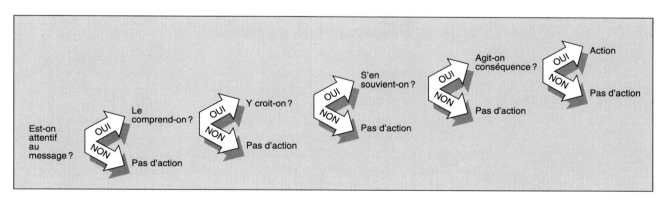

Les messages perçus passivement ne sont cependant pas toujours futiles. Lorsque la pâte dentifrice Ultra-brite apparut sur le marché avec une campagne publicitaire disant «Augmentez votre sex-appeal», elle prit rapidement le troisième rang des ventes. À ma pharmacie, on vend deux marques d'aspirine, l'une fortement commercialisée et l'autre pas du tout. Tout pharmacien vous dira que, à l'exception de légères différences quant à la rapidité avec laquelle elles fondent dans la bouche, les deux marques sont identiques. De l'aspirine, c'est de l'aspirine. La marque commercialisée se vend trois fois plus cher que l'autre. Et des millions de gens l'achètent. Voilà le pouvoir des médias.

Avec un tel pouvoir, les médias peuvent-ils aider un riche candidat politique à acheter une élection ? Joseph Grush (1980) a analysé les dépenses des candidats à toutes les élections primaires présidentielles démocratiques de l'année 1976 et a découvert que ceux qui dépensaient le plus lors d'une élection obtenaient habituellement le plus de votes. Comme le dit Grush, le fait, pour le candidat, de se montrer amenait souvent les gens à se familiariser avec quelqu'un qu'ils ne connaissaient pas. Rappelons que lors de la campagne référendaire de 1980, les membres du Centre d'information sur l'unité canadienne avaient pour «but officiel [...] de renseigner la population sur les programmes fédéraux, mais, en réalité, ils étaient destinés à promouvoir le fédéralisme» (Clarkson et McCall, 1990). Cela permit à ce centre de contourner les règles établies pour les dépenses de chacun des camps et, selon certains, d'avoir un impact décisif sur le résultat final. Les médias auraient-ils le même pouvoir s'il s'agissait de candidats et de problèmes familiers ? Probablement que non. Les chercheurs ont trouvé à plusieurs reprises que la publicité politique avait peu d'effet sur les attitudes des électeurs lors de l'élection présidentielle générale [bien qu'une faible influence puisse assurément être décisive lors d'une élection serrée] (Kinder et Sears, 1985 ; McGuire, 1986).

Puisque les messages passivement perçus sont parfois efficaces et parfois inefficaces, pouvons-nous spécifier à l'avance les types de thèmes les plus susceptibles d'assurer le succès d'un appel persuasif ? Une règle générale semble être que la persuasion diminue à mesure qu'augmentent l'importance et la familiarité des problèmes. Par rapport à des problèmes de faible importance tels que la marque d'aspirine à acheter, il est facile de démontrer le pouvoir des médias. Quant aux problèmes plus importants et plus familiers tels que les attitudes raciales dans les villes où existent de grandes tensions raciales, il est aussi difficile de convaincre les gens que d'essayer de monter un piano au sommet d'une colline. Ce n'est pas impossible, mais une seule «poussée» ne suffira pas.

Influence personnelle ou influence des médias

Les recherches sur la persuasion ont démontré que la principale influence sur nos croyances et nos attitudes les plus importantes n'est pas les médias, mais notre contact direct avec les gens. Deux expériences sur le terrain illustrent le pouvoir de l'influence personnelle. Il y a quelques années, Samuel Eldersveld et Richard Dodge (1954) étudièrent la persuasion politique dans la ville d'Ann Arbor, au Michigan. Les citoyens n'ayant pas l'intention de voter pour la révision de la charte de la ville furent divisés en trois groupes. Dix-neuf pour cent de ceux qui ne furent exposés qu'à ce qu'ils voyaient et entendaient dans les mass media votèrent en faveur de la révision le jour du scrutin. Un deuxième groupe reçut quatre publipostages favorisant la révision. Quarante-cinq pour cent d'entre eux votèrent pour la révision. Les gens du troisième groupe reçurent des visites personnelles où on leur transmit le message face à face. Soixante-quinze pour cent de ces derniers votèrent en sa faveur.

Au cours d'une expérience sur le terrain plus récente, une équipe de chercheurs dirigée par John Farquhar et Nathan Maccoby (1977 ; Maccoby et Alexander, 1980 ; Maccoby, 1980) essaya de diminuer la fréquence des maladies cardiaques chez les adultes quinquagénaires de trois petites villes californiennes. Pour s'assurer de la relative efficacité des influences personnelle et médiatique, ils interrogèrent et examinèrent médicalement quelque 1200 personnes avant et après le début du projet, de même qu'à la fin de chacune des trois années suivantes. Les résidants de Tracy, en Californie, ne reçurent pas de messages persuasifs autres que ceux qui apparaissaient habituellement dans leurs médias. À Gilroy, en Californie, une campagne faisant appel à différents médias et s'échelonnant sur deux ans utilisa la télévision, la radio, les journaux et le courrier direct pour informer les gens des risques coronariens et des moyens de les diminuer. À Watsonville, en Californie, cette campagne médiatique était complétée par des contacts personnels avec les deux tiers des gens dont la pression sanguine, la masse, l'âge, et ainsi de suite, les plaçaient dans la catégorie à risque élevé. Utilisant les principes de modification du comportement, les chercheurs aidaient les gens à se poser des objectifs précis et renforçaient leurs succès. Après un an, deux ans et trois ans, les gens à risque élevé de la ville de Tracy (la ville témoin) couraient à peu près les mêmes risques qu'avant. Les gens à risque élevé de la ville de Gilroy, qui furent inondés de messages publicitaires, améliorèrent leurs habitudes et couraient maintenant un peu moins de risques. Ceux de Watsonville, qui reçurent en plus les visites personnelles, furent ceux qui changèrent le plus.

Nous pensons que les étudiants n'auront pas de difficulté à reconnaître le pouvoir de l'influence personnelle dans leur propre vie. Rétrospectivement, la plupart disent avoir davantage appris de leurs amis et de leurs camarades que de leurs «livres» ou de leurs «professeurs». Les chercheurs en éducation ont confirmé l'intuition des étudiants : les relations personnelles en dehors de la classe déterminent fortement la manière dont changeront les étudiants au cours de leur fréquentation de l'université (Astin, 1972 ; Wilson *et al.*, 1975).

Bien que l'influence du face à face soit habituellement plus marquée que celle des médias, il ne faut pas sous-estimer le pouvoir de ces derniers. Les personnes qui nous influencent le plus ont pris leurs croyances quelque part, et souvent, c'est aux médias qu'elles s'abreuvent. Elihu Katz (1957) a remarqué que la plupart des influences des médias opèrent dans un **flux d'information en deux étapes** – allant du média aux chefs de file et de ceux-ci aux gens du peuple. Si je veux évaluer un ensemble stéréophonique, je m'en remets à l'avis de mon fils aîné qui trouve certaines de ses croyances dans les revues.

Pris comme tel, le modèle du flux en deux étapes constitue une simplification excessive. Les médias communiquent aussi directement avec les masses. En Angleterre, c'est dans les journaux que les gens trouvent la plupart de leurs informations en matière de santé. Connie Kristiansen et Christian Harding (1988) pensent que c'est plus qu'une simple coïncidence si, comparés aux lecteurs des bons journaux, les lecteurs de tabloïds reçoivent beaucoup moins d'informations touchant la santé – et sont plus susceptibles de mourir prématurément. Le modèle du flux en deux étapes nous rappelle toutefois que les influences des médias peuvent subtilement pénétrer la culture. Même si les médias ont peu d'effet direct sur les attitudes des gens, ils peuvent quand même avoir un énorme effet indirect. Les rares enfants qui ne grandissent pas en écoutant la télévision ne grandissent pas à l'abri de l'influence de la télévision. À moins de vivre en ermites, ils se joindront probablement aux jeux d'imitation d'émissions télévisées dans la cour d'école et demanderont à leurs parents les jouets ayant un rapport avec la télévision et que leurs amis possèdent.

C'est aussi simplifier à l'excès que de mettre tous les médias, des publipostages à la télévision, dans le même panier. Des études comparant différents médias démontrent que plus le média semble vivant, plus son message est convaincant. C'est ainsi que la progression de la force de persuasion d'un message va en décroissant selon qu'il est : en direct, enregistré sur

Flux d'information en deux étapes :
L'influence des médias se fait souvent sentir par l'intermédiaire des leaders d'opinion qui influencent ensuite les autres.

bande vidéo, enregistré sur cassette et écrit. Mais pour ajouter à la complexité, Sheily Chaiken et Alice Eagly (1978) ainsi que Barrie Gunter et autres (1986) remarquent que les chercheurs ont découvert que les gens *comprennent* mieux les messages lorsqu'ils sont écrits et *s'en souviennent* davantage. La compréhension est l'un des premiers pas dans le processus de persuasion (voir la figure 7.4). Chaiken et Eagly se disaient donc que si un message est difficile à comprendre, la persuasion, elle aussi, serait réellement maximale lorsque le message est écrit. Elles donnèrent à des étudiants de l'Université du Massachusetts des messages faciles ou difficiles sous les formes écrite, enregistrée sur cassette ou enregistrée sur bande vidéo. La figure 7.5 présente leurs résultats : les messages difficiles furent effectivement plus convaincants sous forme écrite et les messages faciles, sous forme enregistrée sur bande vidéo. En attirant l'attention sur la source plutôt que sur le message, la télévision rend aussi les caractéristiques de la source plus importantes qu'elles ne le seraient autrement (Chaiken et Eagly, 1983).

Figure 7.5
C'est sur bande vidéo que les messages faciles à comprendre étaient le plus persuasifs. C'est sous la forme écrite que les messages difficiles étaient davantage persuasifs. C'est ainsi que la difficulté du message et le médium sont en interaction pour déterminer le degré de persuasion. (Données tirées de Chaiken et Eagly, 1978.)

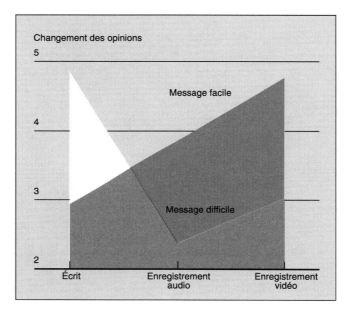

À QUI LE DIT-ON ? AUDITOIRE

Comme nous l'avons vu au chapitre 6, il y a plusieurs raisons au fait que les particularités mesurables des gens ne semblent pas entretenir de relation forte et directe avec leur réceptivité à l'influence sociale. Quant à la sensibilité de quelqu'un à la persuasion, cela est vrai pour une autre raison : un trait de caractère particulier peut faciliter la persuasion à une étape du processus (figure 7.4) et l'empêcher à une autre étape. Par exemple, si les gens intelligents comprennent rapidement, mais n'obéissent que lentement à un message, nous ne pouvons pas alors parler d'une relation simple entre l'intelligence et la facilité à être persuadé. Nous devrions plutôt nous attendre à une interaction entre la personnalité et différents aspects de la communication. Un message difficile convainc davantage les gens intelligents (qui, apparemment, le comprennent mieux). On convainc davantage les gens moins intelligents avec un message simple : dès qu'ils comprennent le message, ils s'y plient plus volontiers et sans chercher des contre-arguments (McGuire, 1968).

Ce que pense l'auditoire

Lorsqu'on réfléchit aux messages convaincants, il est facile d'oublier ce qui est crucial, qui ne fait pas partie du message comme tel et qui concerne les réponses suscitées dans l'esprit de quelqu'un. Nos esprits ne sont pas de simples éponges absorbant tous les messages qu'on y déverse. Si le message provoque des pensées favorables, nous serons probablement persuadés. S'il nous pousse à contre-argumenter – à penser aux arguments contraires – nous ne serons pas persuadés.

Un homme averti en vaut deux. Si vous y tenez suffisamment pour contre-argumenter

Quelles circonstances engendrent la recherche de contre-arguments? L'une d'elles est la source de peu de crédibilité transmettant un message désagréable (Perloff et Brock, 1980). Une autre est l'avertissement que quelqu'un tentera de vous persuader. Si vous deviez faire part à vos parents de votre désir d'abandonner vos études, vous anticiperiez probablement leur tentative de vous persuader de les poursuivre, de sorte que vous devriez préparer une liste d'arguments afin de combattre chacun des arguments concevables qu'ils pourraient vous proposer. Jonathan Freedman et David Sears (1965) ont démontré la difficulté qu'il y a à essayer de persuader quelqu'un dans de telles circonstances. Ils avertirent l'un de deux grands groupes de sortants du secondaire, en Californie, qu'ils assisteraient à une conférence intitulée «Pourquoi on ne devrait pas permettre aux adolescents de conduire une automobile». Les élèves prévenus ne se laissèrent pas du tout convaincre, alors que le groupe d'élèves non prévenus furent convaincus.

La recherche complémentaire confirma que les attaques-surprises contre les attitudes des gens étaient particulièrement utiles avec les gens que le problème concernait. Si on leur donne plusieurs minutes de préparation, ces gens élaboreront leurs défenses (Petty et Cacioppo, 1977, 1979). Mais lorsque les gens considèrent le sujet banal, même la propagande flagrante (comme pour l'aspirine et la pâte dentifrice) peut être efficace. Peu de gens se donnent la peine d'élaborer des contre-arguments. De même, lorsqu'on glisse subtilement une prémisse dans la conversation – «Pourquoi Michelle est-elle hostile à Pierre-Luc?» – les gens ont tendance à l'accepter facilement [dans ce cas-ci, que Michelle est effectivement hostile] (Swann, Giuliano et Wegner, 1982).

La distraction désarme la contre-argumentation

On peut aussi augmenter le degré de persuasion verbale en distrayant les gens avec quelque chose attirant suffisamment leur attention pour inhiber leur contre-argumentation, quoiqu'on ne puisse, par ce moyen, faire complètement oublier le message (Festinger et Maccoby, 1964; Osterhouse et Brock, 1970; Keating et Brock, 1974). La publicité politique utilise souvent cette technique. Pendant que le discours présente le candidat, les images visuelles montrant le candidat en action nous distraient de l'analyse de ce qui est dit. La distraction est particulièrement efficace lorsque le message est simple et aisément réfutable; dans le cas de messages complexes, la distraction contrecarre le processus de réflexion (Regan et Cheng, 1973; Harkins et Petty, 1981a).

Cette recherche sur la façon dont la persuasion augmente à mesure que diminue la contre-argumentation nous laisse songeur. Les locuteurs rapides sont-ils plus convaincants du fait qu'ils nous laissent moins de temps pour trouver des contre-arguments? Les messages simples sont-ils moins convaincants sous forme écrite parce que les lecteurs vont à leur propre rythme et peuvent par conséquent prendre le temps de contre-argumenter? Et la télévision ne modèle-t-elle pas des attitudes importantes plus par ses messages subtils et cachés (concernant, par exemple, les rôles masculin et féminin) que par ses messages explicites ? Car, après tout, il est impossible de présenter des contre-arguments à un message qui nous a échappé.

Les auditoires non engagés tiennent compte d'indices périphériques

Cette recherche sur les réactions de l'auditoire a donné naissance à une théorie de la persuasion fort utile. Nous avons dit à plusieurs reprises, au cours de ce chapitre, que l'influence d'un facteur en particulier, comme la crédibilité de la source, dépend d'un autre facteur particulier (ou est en interaction avec lui). Ce serait agréable si toutes les influences étaient simples, mais la réalité est que les êtres humains ne sont pas simples et la description d'une réalité en forme de bretzel nécessite des principes en forme de bretzel. Néanmoins, à mesure que s'allonge la liste des généralisations pseudo-générales et qu'augmente l'effort de mémorisation, nous voudrions une théorie de la persuasion pouvant remplir le rôle de toute bonne théorie – organiser et donner un sens au nombre ahurissant de faits et fournir des prévisions et des applications pratiques.

Richard Petty et John Cacioppo (1986) proposent une théorie de ce genre qu'ils appellent le « modèle de la probabilité d'élaboration ». En termes simples, elle prétend que, lorsque les gens sont très préoccupés par un problème ou portés à l'analyse, ils tendront davantage à *penser* au message (à élaborer intellectuellement) et à être par conséquent influencés par la nature de leurs propres pensées (positives ou négatives à l'égard du message). Lorsque les gens ne sont pas intéressés ou sont incapables de réfléchir au message, ils s'intéresseront à des informations périphériques telles que l'élégance de la source, le nombre d'arguments fournis et le côté agréable de l'environnement (voir la figure 7.6).

« On se persuade mieux, pour l'ordinaire, par les raisons qu'on a soi-même trouvées que par celles qui sont venues dans l'esprit des autres. »

Blaise Pascal, *Pensées*

Figure 7.6
Voies centrales par opposition aux voies périphériques du changement d'attitudes. Quand on donna aux étudiants un message persuasif *les concernant* (préconisant un examen obligatoire et portant sur la matière principale avant de pouvoir obtenir leur diplôme), ils ne furent pas convaincus par les arguments faibles, mais trouvèrent convaincants les arguments forts (tableau du haut). Il importait peu que la source soit un expert (un professeur d'éducation de Princeton) ou non (un étudiant du secondaire). Cependant, lorsque le même message *ne les concernait pas* (préconisant que la politique de l'examen ne s'applique que dans 10 ans), la qualité des arguments avait peu d'importance, tandis que l'expertise de la source devenait un élément déterminant de leur adhésion (tableau du bas). (Tiré de Petty, Cacioppo et Goldman, 1981.)

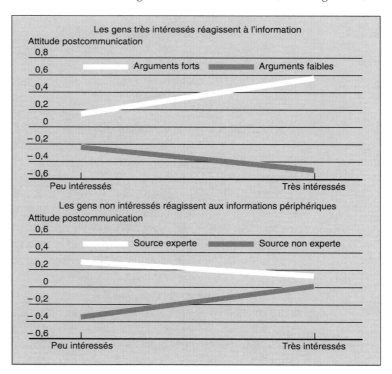

Shelly Chaiken (1987) en a déduit et confirmé une idée semblable à partir de la recherche heuristique. Comme nous n'avons pas le temps de réfléchir soigneusement à tous les problèmes, nous gagnons du temps en utilisant des règles simples de décision devant les problèmes qui nous concernent peu. Les résidants de mon quartier devaient récemment voter sur une question complexe touchant le droit de propriété légale de notre hôpital local. Ayant peu d'intérêt et de temps à consacrer à l'étude de ce problème – j'avais ce livre à rédiger – j'ai remarqué que les partisans de ce référendum étaient des gens que j'aimais ou que je considérais comme des experts. J'ai donc utilisé une approximation heuristique très simple – on peut se fier aux amis et aux experts – pour voter comme eux.

Cette théorie fondamentalement simple – que ce que vous pensez en réponse à un message est crucial si vous êtes motivé et capable d'y réfléchir – nous aide à comprendre certaines des découvertes étudiées jusqu'ici. Par exemple, les communicateurs experts emportent plus facilement l'adhésion parce que les auditeurs confiants pencheront davantage du côté des pensées favorables que du côté de la recherche de contre-arguments. Quand c'est la méfiance qu'inspire une source, les gens chercheront plutôt à défendre leurs croyances préconçues en réfutant le message désagréable.

La théorie a aussi fourni plusieurs prévisions qui furent en grande partie confirmées par des expériences dirigées par Petty, Cacioppo et autres (Axsom *et al.*, 1987 ; Leippe et Elkin, 1987 ; Harkins et Petty, 1987). Plusieurs de ces expériences cherchaient des moyens de stimuler la réflexion des gens – en posant des questions rhétoriques lorsque les gens ne s'intéressaient pas aux problèmes, en présentant plusieurs orateurs (en faisant parler, par exemple, trois orateurs développant chacun un argument plutôt qu'un seul développant les trois), en donnant aux gens la responsabilité d'évaluer le message, en adoptant des positions détendues plutôt que la station debout, en répétant le message et en exigeant des gens une attention soutenue. Voici ce qui en ressortit constamment : Chacune de ces techniques de stimulation de la réflexion tend à augmenter la force de persuasion des messages bien étoffés et à diminuer (par contre-argumentation) celle des messages pauvrement argumentés.

La théorie a également des implications pratiques dans chacun des secteurs de la vie quotidienne où se fait sentir l'influence humaine, comme en publicité (Petty *et al.*, 1983 ; Haugtvedt *et al.*, 1988) et en psychothérapie (Petty *et al.*, 1984 ; Heesacker, 1986a,b). Les communicateurs efficaces ne se préoccuperont pas seulement de leur image et de leurs messages, mais aussi de la réaction probable de leurs auditeurs. Leur réaction ne dépendra pas seulement de leur intérêt à l'égard du problème, mais également de leurs dispositions intérieures – leur penchant analytique, leur tolérance à l'incertitude, leur besoin d'authenticité (Cacioppo *et al.*, 1986 ; Sorrentino *et al.*, 1988 ; Snyder et DeBono, 1987). Leila Worth et Diane Mackie (1987 ; Mackie et Worth, 1988) rapportent que l'humeur a également son importance. La bonne humeur plutôt qu'un état d'esprit neutre augmente la sensibilité des gens aux informations périphériques, les rendant ainsi plus susceptibles d'adhérer tant aux bons qu'aux pauvres arguments d'un expert.

Les consommateurs et les clients ont-ils tendance à réfléchir aux pensées favorisant le point de vue proposé et à s'en souvenir ? Si oui, les arguments sérieux seront probablement convaincants. Dans les derniers jours de sa campagne présidentielle de 1980, Ronald Reagan se servit efficacement de questions rhétoriques pour stimuler les pensées désirées dans l'esprit des électeurs. Sa présentation sommaire, lors du débat présidentiel, commençait par deux questions rhétoriques qui furent souvent répétés durant la dernière semaine de la campagne : «Êtes-vous mieux que vous l'étiez il y a quatre ans ? Vous est-il plus facile qu'il y a quatre ans d'aller acheter des choses?» La plupart des gens répondirent non et votèrent pour Reagan.

Encore une fois, si les gens n'ont pas envie d'investir de l'énergie intellectuelle dans l'analyse d'un problème, ce seront alors les informations périphériques telles que la compétence de la source et son élégance qui détermineront leur opinion. Mais si la pertinence du message ou leur propre penchant analytique les poussent à la réflexion, ce seront alors les croyances suscitées par les arguments – plutôt que les informations périphériques – qui détermineront l'opinion.

Âge

C'est un fait bien connu que les gens âgés d'aujourd'hui ont des attitudes sociales et politiques différentes de celles des gens plus jeunes. Il existe au moins deux explications plausibles à ce conflit des générations. L'une est l'*explication du cycle de vie*: les attitudes changent (deviennent, par exemple, plus conservatrices) à mesure que les gens vieillissent. L'autre est l'*explication des générations*: les attitudes adoptées par les jeunes gens des générations passées n'ont pratiquement pas changé; étant donné que ces attitudes diffèrent de celles qu'ont adoptées les jeunes d'aujourd'hui, un conflit s'est développé entre les générations. Laquelle de ces deux explications vous semble la plus correcte?

David Sears (1979, 1986) rapporte que les faits militent en faveur de l'explication des générations. Des sondages multiples auprès de groupes de jeunes et d'aînés sur une période couvrant plusieurs années, de même que l'étude de l'ampleur des changements survenus chez des gens jeunes et âgés faisant face à des situations nouvelles ont presque toujours abouti à la conclusion que les attitudes des gens âgés changent moins que celles des gens plus jeunes. Comme le dit Sears, les chercheurs ont «presque toujours trouvé des effets de générations plutôt que des effets du cycle de la vie...»

Cela ne veut pas dire que les adultes âgés sont inflexibles; les gens âgés actuellement de 50 ans et 60 ans ont généralement des attitudes sexuelles et raciales plus libérales qu'à l'époque où ils avaient 30 ans et 40 ans (Glenn, 1980, 1981). L'idée est plutôt que les années de l'adolescence et du début de la vingtaine sont des années importantes de formation. Les attitudes adoptées à cette époque ont tendance à se maintenir par la suite. (Si vous avez entre 18 ans et 25 ans, il se peut que vous vouliez par conséquent choisir volontairement vos propres influences sociales – les groupes auxquels vous vous joignez, les livres que vous lisez et les rôles que vous adoptez.)

ÉTUDES DE CAS DE PERSUASION: ENDOCTRINEMENT PAR LES SECTES

Lors d'un sondage auprès de plus de 1000 élèves du secondaire de la région de San Francisco, 54 % déclarèrent avoir été au moins une fois en contact avec un recruteur d'adeptes à une secte.

Philip G. Zimbardo et Cynthia F. Hartley, 1985

Les façons dont les principes de persuasion décrits dans ce chapitre sont appliqués, que ce soit consciemment ou non, sont la preuve de leur puissance. Pensons aux influences sociales qui ont poussé des centaines de milliers d'Américains à se joindre à l'une ou l'autre des 2500 sectes religieuses (Singer, 1979a; West et Singer, 1980). Les chantres de Hare Krishna, les moonistes, les victimes du suicide de Jonestown – comment sont-ils persuadés d'adopter des croyances radicalement différentes de celles qu'ils avaient auparavant? Leurs expériences sont-elles des exemples de la persuasion humaine?

Gardons deux choses à l'esprit: en premier lieu, qu'il s'agit là d'une analyse rétrospective qui utilise les principes de persuasion en tant que catégories pour expliquer un phénomène social fascinant. Si les principes semblent applicables, cette analyse en constituera une illustration sans toutefois prouver leur influence. Presque toute analyse rétrospective peut sembler vraie.

En second lieu, l'explication des *raisons* ayant poussé les gens à croire quelque chose ne dit rien de la *véracité* de leurs croyances. C'est là une question logiquement séparée. Une psychologie de la religion pouvant nous dire *pourquoi* le théiste croit en Dieu et *pourquoi* l'athée n'y croit pas ne répondrait pas à la question de savoir qui a raison. L'explication de l'une ou l'autre croyance n'en constitue pas une justification. C'est ainsi que si quelqu'un essaie d'invalider vos croyances en disant «Tu ne crois cela que parce que...», vous pourriez vous souvenir de la réponse de l'archevêque William Temple. Après qu'il eut prononcé un discours à Oxford, quelqu'un ouvrit la discussion par un défi: «Sans doute peut-on dire, archevêque, que vous croyez ce que vous croyez à cause de l'éducation que vous avez reçue étant jeune.» À quoi l'archevêque répliqua: «Peut-être. Mais il n'en demeure pas moins que vous croyez que je crois ce que je crois en raison de mon éducation, à cause de l'éducation que vous avez reçue étant jeune.»

Secte:
Groupe habituellement caractérisé par (1) le rituel particulier de sa dévotion à un dieu ou à un être humain, (2) l'isolement de la culture environnante «diabolique» et (3) un chef charismatique vivant.

Aux yeux du public, deux **sectes** troublantes et inquiétantes furent la Unification Church de Sun Myung Moon et le Peoples Temple de Jim Jones. La doctrine du révérend Moon, un curieux mélange de christianisme, d'anticommunisme et de glorification de Moon lui-même en tant que nouveau messie s'est attiré des fidèles partout dans le monde. En réponse à la déclaration de Moon: «Vous devez désirez ce que je désire», plusieurs se sont donnés (eux-mêmes et leurs revenus) à l'Église de la réunification. Comment les a-t-on persuadés?

En 1978, 911 disciples du révérend Jones horrifièrent le monde entier en obéissant à son ordre de boire des coupes pleines d'une boisson aux fraises remplie de tranquillisants, d'analgésiques et d'une dose mortelle de cyanure. Comment cela a-t-il pu se produire? Qu'est-ce qui a convaincu ces gens de donner à Jones cette totale allégeance? Rétrospectivement, on dirait que les principes de changement d'attitudes furent à l'œuvre.

LES ATTITUDES DÉRIVENT DU COMPORTEMENT

L'acquiescement engendre l'acceptation

Comme nous l'avons vu à plusieurs reprises au chapitre 2, un engagement volontairement choisi, important, fait publiquement et réitéré a de bonnes chances d'être intériorisé. Les chefs religieux semblent le savoir. Leurs nouveaux convertis apprennent vite que leur adhésion n'est pas une chose sans importance. On en fait rapidement des membres actifs de l'équipe plutôt que de simples spectateurs. De stricts rituels à l'intérieur de la communauté religieuse, des sollicitations et des campagnes de levée de fonds auprès du public fortifient l'identification des novices en tant que membres de la secte. Tout comme les participants aux expériences de psychologie sociale en viennent à croire aux choses qu'ils ont vues et pour lesquelles ils ont souffert (Aronson et Mills, 1959; Gerard et Mathewson, 1966), de même en est-il pour les novices des sectes: plus l'engagement personnel est important, plus il est nécessaire de le justifier.

Phénomène du premier pas

Comment sommes-nous incités à prendre d'importants engagements? C'est rarement par une décision abrupte et consciente. On ne décide pas tout d'un coup et un beau jour «J'en ai assez des religions traditionnelles. Je vais me joindre à une secte.» Pas plus que les démarcheurs des sectes n'approchent les gens dans la rue en leur disant : «Bonjour. Je suis un mooniste. Voulez-vous être des nôtres?»

En fait, la stratégie de recrutement applique consciencieusement le principe du premier pas. Les démarcheurs de l'Église de la réunification vont d'abord inviter les gens à un souper et ensuite à une fin semaine de chaleureuse fraternité et de discussions portant sur les philosophies de la vie. Au moment de la retraite de fin de semaine, ils encouragent les participants à se joindre aux chants, aux activités et à la discussion. Après avoir repéré les convertis potentiels, on les presse de s'engager pour de plus longues retraites. Les activités deviennent alors plus ardues – solliciter des contributions et tenter d'en convertir d'autres.

Jim Jones utilisait la technique du premier pas (voir le chapitre 2) avec ses membres du Peoples Temple. Les offrandes monétaires étaient tout d'abord volontaires. Il inaugura ensuite la contribution obligatoire de 10 % du revenu, laquelle passa rapidement à 25 %. Pour finir, il ordonna aux membres de lui donner tous leurs biens. Le travail qu'ils devaient accomplir devint lui aussi progressivement plus exigeant. Voici le souvenir qu'en garde l'ancienne adepte Grace Stoen:

> Rien n'était jamais fait tout d'un coup. C'est d'ailleurs ce qui explique pourquoi Jim Jones partit avec tant d'argent. C'est lentement que l'on renonçait aux choses et lentement que l'on en donnait davantage, mais tout se faisait très graduellement. C'était renversant au point que parfois on se disait: c'est terrible d'avoir déjà tant donné. J'ai déjà investi beaucoup. Mais il le faisait tellement lentement que l'on se disait: j'ai réussi jusqu'à maintenant, alors qu'est-ce que ça peut bien faire? (Conway et Siegelman, 1979, p. 236)

ÉLÉMENTS DE PERSUASION

Source

Figure 7.7
Résumé des variables ayant une influence sur l'impact des communications persuasives. Dans la vie courante, ces variables sont probablement en interaction; l'influence d'une variable peut dépendre du niveau d'une autre variable.

Chaque secte qui se taille une place au soleil possède son chef charismatique – une personne pouvant attirer et orienter l'appui des membres. Comme dans les expériences sur la persuasion, la source crédible est celle que l'auditoire perçoit comme étant un expert et comme digne de leur confiance – comme le «père» Moon.

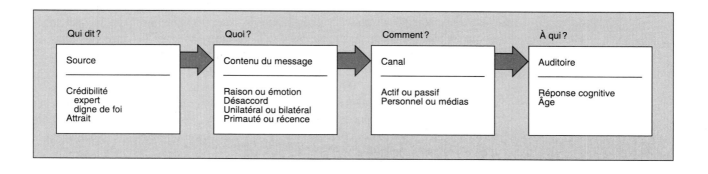

Il paraît que Jim Jones se servait de «connaissances parapsychologiques» obscures pour établir sa puissante crédibilité. On demandait aux nouveaux venus de s'identifier lorsqu'ils pénétraient dans l'église avant les services officiés par Jones. L'un de ses assistants appelait alors à la maison du nouveau venu pour dire : «Bonjour. Nous faisons une enquête et voudrions vous poser quelques questions.» D'après les souvenirs d'un ancien adepte, Jones, muni de ces informations, interpellait alors la personne et lui disait :

> M'avez-vous déjà vu? Eh bien! vous vivez à tel endroit, votre numéro de téléphone est ceci et cela, il y a telle et telle chose dans votre salon et il y a tel genre de coussin sur votre canapé! [...] Dites-moi maintenant, vous souvenez-vous de m'avoir déjà vu dans votre maison? (Conway et Siegelman, 1979, p. 234)

La confiance constitue un autre aspect de la crédibilité. Margaret Singer (1979b), qui a étudié les sectes, notait que les jeunes Caucasiens de classe moyenne étaient plus vulnérables parce qu'ils étaient plus confiants. Ils ne sont pas «enfants de la rue» comme le sont les classes plus pauvres (qui savent comment résister aux «arnaqueurs») et n'ont pas la prudence des jeunes des classes plus riches (qui se méfient depuis l'enfance des ravisseurs). De plus, bien des membres des sectes furent recrutés par leurs propres amis ou les membres de leur famille, c'est-à-dire des gens à qui ils faisaient confiance (Stark et Bainbridge, 1980).

Message

Pour les gens seuls et déprimés, les messages émotifs et impressionnants, de même que la chaleur et l'acceptation dont le groupe les inonde, peuvent être extrêmement attirants. Faites confiance au maître, devenez membre de notre famille; nous avons la réponse, la «bonne voie». Le message retentit dans des canaux aussi diversifiés que des conférences, des discussions en groupe restreint et de la pression sociale directe.

Auditoire

Qui est davantage réceptif au message? De façon disproportionnée, les nouvelles recrues sont jeunes – des gens de moins de 25 ans, encore à cet âge comparativement plus ouvert où les attitudes et les valeurs ne sont pas stabilisées. Certains, comme les disciples de Jim Jones, sont des gens peu instruits qui sont attirés par la simplicité du message et qui ont du mal à contre-argumenter. Il y en a davantage qui proviennent de la classe moyenne et qui sont instruits, mais ils sont tellement épris d'idéaux qu'ils en oublient les contradictions de ceux qui prêchent l'altruisme tout en étant cupides, qui prétendent se préoccuper d'autrui tout en affichant de l'indifférence.

Les éventuels convertis ont également tendance à être ceux qui sont à un point tournant de leur vie ou qui vivent une crise personnelle. Ils sont en état de besoin; la secte leur offre une solution (Singer, 1979b; Lofland et Stark, 1965). C'est ainsi que les périodes de perturbations sociales et économiques sont particulièrement propices à un Ayatollah ou à un «Père» qui peut réussir à donner un semblant de sens à la confusion (O'Dea, 1968; Sales, 1972).

ISOLEMENT DU GROUPE

Les sectes illustrent l'un des principaux sujets du prochain chapitre : le pouvoir du groupe de modeler les croyances de ses membres. Les adeptes sont habituellement séparés de leurs anciens systèmes de support social et isolés dans un groupe de compagnons de foi. Il peut alors se produire ce que Rodney Stark et William Bainbridge (1980) appellent une «implosion sociale» : les liens externes s'affaiblissent au point que le groupe s'effondre intérieurement, chaque personne ne s'engageant qu'envers les autres membres du groupe. Coupés de leurs familles et de leurs anciens amis, ils commencent à perdre accès aux contre-arguments. C'est maintenant le groupe qui définit la réalité. Et comme on désapprouve les désaccords – ou même qu'on les punit comme dans le cas du Peoples Temple – l'apparent consensus aide à éliminer les doutes qui subsistent.

Ces techniques – des engagements obligatoires à l'action, la persuasion et l'isolement du groupe – n'ont pas un pouvoir illimité. Plus Jim Jones faisait des demandes extrêmes, plus il devait utiliser l'intimidation pour diriger ses gens. Il employa la menace envers quiconque s'enfuyait de la communauté, le châtiment corporel pour le refus d'obéissance et des drogues pour neutraliser les membres désagréables. Vers la fin, il tordait autant les bras que les esprits.

Il n'en demeure pas moins que les techniques d'influence sociale utilisées par les sectes sont déconcertantes à cause de leur pouvoir et de leur similitude avec des techniques utilisées par des groupes qui nous sont plus familiers. Les membres de clubs féminins et masculins ont rapporté, par exemple, que le «bombardement d'amour» initial des recrues des sectes n'est pas différent de leur période de «pointe» où les futurs candidats font l'objet d'une chaleureuse bienveillance au point de se sentir spéciaux. Au cours de la période d'essai qui s'ensuit, les nouveaux membres sont quelque peu isolés, coupés des anciens amis qui ne se sont pas engagés. Ils consacrent du temps à l'étude de l'histoire et des règles de leur nouveau groupe. Ils lui consacrent du temps et on s'attend à l'obéissance totale de leur part. Il n'est pas surprenant que le résultat final soit un nouveau membre convaincu. Les organisations terroristes exploitent aussi certaines de ces techniques dans le recrutement et l'endoctrinement de leurs membres (McCauley et Segal, 1987).

Nous avons choisi l'exemple des confréries et des clubs féminins non pas pour les déprécier, mais pour illustrer deux observations finales. En premier lieu, si nous attribuons l'endoctrinement des sectes à la force mystique du chef ou aux faiblesses particulières des disciples, nous risquons de nous leurrer et de nous croire à l'abri de ces forces de contrôle social. En vérité, et l'exemple des fraternités et des clubs féminins le suggère, nos propres groupes – et d'innombrables vendeurs, chefs politiques et autres orateurs – utilisent avec succès les mêmes stratégies à nos dépens. En second lieu, le fait que Jim Jones abusa du pouvoir de la persuasion n'en fait pas un pouvoir intrinsèquement mauvais. On peut se servir de l'énergie nucléaire pour éclairer les foyers ou pour jeter les villes dans l'obscurité. On peut se servir de l'énergie sexuelle pour exprimer et célébrer l'engagement amoureux ou pour utiliser et abuser les gens en vue de gratification égoïste. On peut se servir du pouvoir de la persuasion pour éclairer ou pour tromper les gens. Le fait que ces pouvoirs puissent être exploités à mauvais escient devrait nous mettre en garde contre leur usage immoral. En eux-mêmes, ces pouvoirs ne sont intrinsèquement ni bons ni mauvais. C'est l'usage que nous en faisons qui détermine leur aspect constructif ou destructif.

Les travaux de Jean-Pierre Deconchy (1980) sur l'orthodoxie montrent bien que la fragilité rationnelle du système de croyances n'est pas que l'apanage des cultes à la Jim Jones, qu'on la retrouve même dans les grandes religions, ses manifestations y étant alors plus subtiles. Il qualifie quelqu'un d'orthodoxe lorsqu'il accepte que le groupe auquel il appartient dicte sa pensée. En fait, dans un groupe orthodoxe, la fragilité rationnelle de l'information est compensée par la force du contrôle. Ainsi, après avoir fait face à l'écart qui existe entre certaines de leurs croyances et les normes de la raison, les sujets croient plus qu'avant que ces croyances sont nécessaires pour appartenir à l'Église, ce qui leur permet de maintenir leurs croyances attaquées. Par contre, si certaines croyances en viennent à être perçues comme étant moins importantes pour appartenir à l'Église, leur fragilité rationnelle devient plus évidente. Lorsque Deconchy a présenté les résultats de ses recherches à des sujets orthodoxes, ceux-ci ont eu recours à d'autres types de défense. Ils ont, par exemple, fondé leurs espoirs d'une meilleur compréhension de leurs croyances dans «les temps à venir», grâce, entre autres groupes, aux mystiques. Évidemment, ils ont aussi souligné que, pour eux, ces croyances relevaient plus de l'affectivité que de la raison.

POUR RÉSISTER À LA PERSUASION: INOCULATION D'ATTITUDE

Nous espérons que le fait de voir comment on peut manipuler vos attitudes vous a incité à réfléchir aux moyens de *résister* à la pression indésirable. Si, en raison d'une aura de crédibilité, l'uniforme d'un réparateur ou le titre de médecin nous ont intimidés au point de leur accorder inconditionnellement notre accord, nous pouvons repenser nos réponses habituelles en présence de l'autorité. Nous pouvons chercher à obtenir davantage de renseignements avant d'investir temps et argent. Nous pouvons poser des questions sur ce que nous ne comprenons pas.

CONSOLIDER LES ENGAGEMENTS PERSONNELS

Nous avons vu, au chapitre 6, un autre moyen de résister: avant d'affronter les jugements des autres, donnez publiquement votre point de vue. Les convictions qu'on a soutenues sont moins vulnérables (ou pourrions-nous dire moins «ouvertes») aux discours des autres.

Mettre en question les croyances

Comment peut-on stimuler les gens à s'engager dans les situations quotidiennes? Se fondant sur ses expériences, Charles Kiesler (1971) offre un moyen possible: attaquer légèrement leur point de vue. Kiesler a découvert que les gens défendent davantage un point de vue établi que l'on attaque assez fortement pour les pousser à réagir sans toutefois aller jusqu'à les submerger. Voici comment Kiesler l'explique:

> Lorsque vous attaquez une personne engagée et que votre attaque n'est pas suffisamment forte, vous la poussez à défendre de façon encore plus extrême son engagement antérieur. Son engagement augmente en raison du nombre d'actes posés au nom de l'idée. (p.88)

Peut-être pouvez-vous vous rappeler une discussion où cela se produisit, c'est-à-dire où les personnes engagées intensifièrent leur rhétorique jusqu'à défendre des points de vue de plus en plus extrêmes.

Développer des contre-arguments

Il y a une autre raison au fait qu'une attaque légère puisse susciter la résistance. Étant donné que c'est en cherchant des contre-arguments que les gens résistent à la persuasion, une faible attaque peut faire naître des contre-arguments dont on pourra ensuite se servir en cas d'une attaque plus forte. William McGuire (1964) prouva ce fait par une série d'expériences sur **l'inoculation des attitudes**. McGuire se demandait si l'on pouvait inoculer les gens contre la persuasion au même titre qu'on les inocule contre un virus. Voyons ce qui se passe quand vous recevez un vaccin contre la polio. Vous vous soumettez à un faible poliovirus, stimulant ainsi les défenses de votre organisme au cas où il devrait affronter un poliovirus très fort. Pourrait-on se servir d'une technique similaire pour parer à la persuasion indésirable? Pourrait-on prendre des gens issus d'un «environnement idéologiquement stérilisé» – des gens ayant des croyances incontestées – et stimuler leurs défenses intellectuelles en les soumettant à une faible «dose» de substance nocive pour les croyances?

C'est ce que fit McGuire. Il trouva d'abord quelques truismes culturels – des énoncés avec lesquels les gens se trouvaient tout à fait d'accord, par exemple, «C'est une bonne idée de se brosser les dents après chaque repas, si cela est possible». McGuire s'aperçut alors que les gens étaient vulnérables à une attaque massive et crédible contre ces truismes (qu'on avait, par exemple, entendu de prestigieuses autorités dire que les gencives pouvaient être endommagées par de trop fréquents brossages des dents). Cependant, si, avant de voir leur idée attaquée, les gens étaient «immunisés» par un léger défi à leur croyance et s'ils lisaient ou écrivaient un essai réfutant cette faible attaque, ils étaient alors mieux en mesure de résister par la suite à la puissante attaque.

ÉTUDES DE CAS: PROGRAMMES D'INOCULATION SUR UNE GRANDE ÉCHELLE

Inoculer les enfants contre la pression des pairs à fumer

Dans une éloquente démonstration de la manière dont les résultats de recherches en laboratoire peuvent avoir des applications pratiques, une équipe de chercheurs dirigée par Alfred McAlister (1980) demandèrent à des élèves du secondaire d'«inoculer» des sortants du primaire contre les pressions des pairs à fumer. Par exemple, on montra aux sortants du primaire à répondre aux messages publicitaires sous-entendant que les femmes libérées fument, en disant: «Elle n'est pas vraiment libérée si elle est accrochée au tabac.» Ils participèrent également à des jeux de rôle où, par exemple, après avoir été traités de «poule mouillée» pour n'avoir pas accepté une cigarette, ils donnaient des réponses telles que «Je serais une vraie poule mouillée si je fumais uniquement pour vous impressionner.» Après plusieurs sessions semblables au cours de leur dernière année du primaire et de leur première année du secondaire, les élèves inoculés risquaient moitié moins de fumer que les élèves non inoculés d'une autre école secondaire et dont les parents avaient une consommation identique de tabac (voir la figure 7.8).

Inoculation:
Consiste à exposer les gens à de faibles attaques de leurs attitudes pour qu'ils puissent ainsi disposer de réfutations devant des attaques plus fortes.

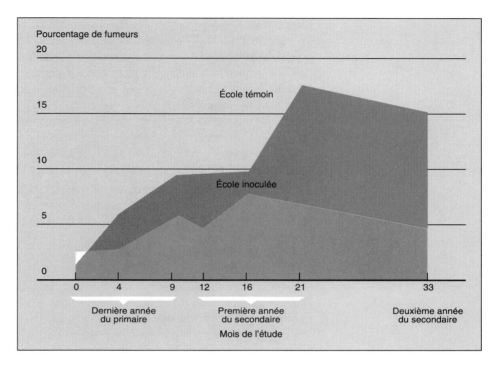

Figure 7.8
Le pourcentage de fumeurs de cigarettes dans une école secondaire «inoculée» était de beaucoup inférieur à celui de l'école témoin utilisant un programme plus ordinaire de prévention du tabagisme. (Données tirées de McAlister *et al.*, 1980; Telch *et al.*, 1981.)

D'autres équipes de chercheurs ont confirmé que des méthodes d'éducation-inoculation peuvent effectivement réduire l'usage du tabac chez les adolescents (Evans *et al.*, 1984; Flay *et al.*, 1985). Non seulement leurs programmes inoculent-ils les jeunes de 11 ans et 12 ans contre les «défis» et les autres pressions exercées par les pairs à fumer, mais ils comprennent également plusieurs autres techniques telles que l'utilisation d'un pair séduisant pour donner de l'information, la stimulation des processus cognitifs de l'élève («Voici quelque chose à laquelle vous aimeriez sûrement réfléchir») et l'incitation à s'engager publiquement (en prenant une décision rationnelle vis-à-vis du tabac et en l'annonçant par la suite à leurs camarades de classe en même temps que leur raisonnement). Ces programmes préventifs contre l'usage du tabac n'exigent que de deux à six sessions d'une heure de classe et utilisent du matériel scolaire préparé à l'avance ou des enregistrements vidéo. C'est ainsi que tout quartier ou professeur désireux d'implanter l'approche sociopsychologique en matière de prévention du tabac peut facilement le faire à peu de frais et avec l'espoir d'une diminution importante de la future consommation de tabac et des frais de santé afférents.

Inoculer les enfants contre l'influence des réclames publicitaires

À l'heure actuelle, les chercheurs étudient également les moyens d'inoculer les jeunes enfants de sorte qu'ils puissent analyser et évaluer plus efficacement les réclames télévisées. Cette recherche est due partiellement aux études indiquant que les enfants, surtout ceux qui sont âgés de moins de huit ans, (1) ont de la difficulté à distinguer les réclames des émissions et ne s'aperçoivent pas de leur intention persuasive, (2) font plutôt aveuglément confiance à la publicité télévisée et (3) désirent et harcèlent leurs parents pour obtenir tout ce qui est annoncé (Adler *et al.*, 1980; S. Feshbach, 1980; Palmer et Dorr, 1980). Il semble que les enfants soient la clientèle rêvée du publicitaire : une vente facile auprès du crédule et du

Une question actuellement très débattue : quel est l'effet cumulatif sur le matérialisme des enfants du fait de voir quelque 350 000 réclames publicitaires durant leurs années de croissance ?

vulnérable. De plus, près de la moitié des 20 000 annonces que voit annuellement l'enfant typique concernent des aliments peu nutritifs, souvent très sucrés. Munis de ces informations, des groupes de citoyens ont reproché aux annonceurs de ce genre de produits (Moody, 1980): «Quand un annonceur subtil dépense des millions pour vendre de la camelote et amener les enfants à faire confiance à un produit malsain, ce n'est là que pure et simple exploitation. Pas étonnant que la consommation de produits laitiers ait diminué depuis l'avènement de la télévision et que la consommation de boissons gazeuses ait presque doublé.» Il y a par ailleurs les intérêts des annonceurs qui prétendent que ce genre de réclames fournit aux parents l'occasion d'enseigner à leurs enfants l'art de consommer et, plus important encore, finance les émissions télévisées pour enfants.

Pendant ce temps, les chercheurs se sont demandé s'il était possible d'enseigner aux enfants comment résister aux annonces trompeuses. Au cours d'une tentative de ce genre, un groupe de chercheurs dirigés par Norma Feshbach (1980; S. Cohen, 1980) ont donné trois leçons d'une demi-heure à de petits groupes d'élèves du primaire de la région de Los Angeles dans le but de stimuler leurs capacités d'analyser les réclames publicitaires. On inocula les enfants en leur faisant voir des annonces qu'ils discutaient ensuite. Par exemple, on leur donnait immédiatement le jouet annoncé dans une annonce qu'ils venaient de voir et on leur demandait de faire ce qu'ils venaient tout juste de voir à la télévision. Ce genre d'expériences favorisent une compréhension plus réaliste de la crédibilité de certaines réclames publicitaires.

INOCULATION ET SES IMPLICATIONS

Cette recherche sur l'inoculation comporte également certaines implications donnant à réfléchir. Elle suggère que la meilleure façon d'ériger des défenses au lavage de cerveau pourrait ne pas être, comme le pensaient certains sénateurs après la guerre de Corée, de donner davantage de cours sur le patriotisme et l'américanisme. Les professeurs feraient mieux, selon McGuire, d'inoculer – de mettre en question les concepts et les principes de la démocratie, pour aider leurs élèves à acquérir des défenses.

C'est pour cette même raison que les éducateurs religieux devraient se méfier de la création d'un «environnement idéologique stérilisé» au sein de leurs écoles et de leurs paroisses. Daniel Batson (1975) nota que les adolescents pratiquants qui rejetèrent un message menaçant leur foi *intensifièrent* de la sorte leur engagement religieux. Une attaque réfutée a apparemment de meilleures chances de solidifier un point de vue que de l'ébranler, surtout lorsqu'il est possible d'analyser le matériel menaçant en compagnie de personnes partageant les mêmes croyances. Les sectes mettent ce principe en application lorsqu'ils avertissent les adeptes de la manière dont leur famille et leurs amis contesteront les croyances de la secte. Au moment de l'attaque, le membre est armé de contre-arguments.

Une autre de ses implications est que le message inefficace est la pire chose pouvant arriver à la personne désireuse de persuader. Pourquoi? Parce qu'un message rejeté est la marque d'une inoculation contre les éventuels messages du même genre. C'est ce qui ressortit d'une expérience où Susan Darley et Joel Cooper (1972) avaient invité des étudiants à écrire des essais prônant de strictes règles vestimentaires. Comme ce sujet allait à l'encontre des croyances personnelles des étudiants et que l'on voulait publier les essais, tous choisirent de ne pas rédiger l'essai – même ceux à qui l'on avait offert de l'argent pour le faire. La découverte intéressante fut que les étudiants qui refusèrent l'argent devinrent alors encore plus extrémistes et sûrs d'eux dans leurs opinions vestimentaires anticonformistes. S'étant ouvertement déclarés contre toute règle vestimentaire, ils y devinrent encore plus réfractaires. De même, les personnes ayant rejeté les premiers messages antitabagisme peuvent être devenues inoculées contre les messages ultérieurs. Il semble donc que la persuasion inefficace peut produire le but contraire à celui qui est visé en stimulant les défenses de l'interlocuteur – «durcissant le cœur» aux messages subséquents.

La recherche sur l'inoculation comporte peut-être également un engagement personnel. Désirez-vous affirmer votre résistance à la persuasion sans devenir imperméable aux messages valables? Pratiquez l'écoute active. Obligez-vous à contre-argumenter. Après un discours politique, discutez-en avec d'autres. En d'autres termes, ne vous contentez pas d'écouter; réagissez. Si le message ne résiste pas à une analyse sérieuse, tant pis pour lui. S'il y survit, son effet sur vous en sera d'autant plus durable.

Plusieurs enfants, surtout ceux qui sont âgés de moins de huit ans, ont de la difficulté à faire la différence entre les émissions et les annonces télévisées.

PROTÉGER NOTRE ENVIRONNEMENT PAR LA PERSUASION

Il vous est peut-être déjà arrivé d'entrer dans un cinéma et de constater que si vous vous asseyiez à l'endroit prévu, vos pieds baigneraient dans une mare de boisson gazeuse. Cette mare gluante était-elle le résultat d'un accident ou d'un comportement insouciant ? Difficile à dire. Dans d'autres occasions, toutefois, l'interprétation ne fait pas de doute. Les contenants en plastique de lave-glaces abandonnés le long des routes, les cendriers d'automobiles vidés dans les stationnements, les crottes de chiens non ramassées sont autant de signes de l'étourderie de certains, de leur non-respect de l'environnement. Mais, même les gens de bonne volonté peuvent être coupables de comportements aux effets nocifs. Après tout, ce n'est que récemment que nous avons appris qu'il pouvait y avoir un lien entre l'utilisation de récipients en polystyrène et l'amincissement de la couche d'ozone. Cet exemple illustre bien le problème que peut constituer la tentative de persuader le commun des mortels d'adopter un comportement de protection de l'environnement.

DILEMME SOCIAL

Dilemme social :
Situation où, si l'option la mieux récompensée pour chacun est choisie par tout le monde, il en résultera une perte pour tout le monde.

Non seulement la relation entre les tasses en polystyrène et la couche d'ozone n'apparaît pas évidente *a priori*, mais, même lorsqu'un individu est convaincu de l'existence de cette relation, il peut demeurer sceptique quant à l'effet nocif de son seul comportement. Et, même s'il est convaincu de l'effet nocif de son comportement, cet effet ne se manifestera qu'à longue échéance; entre temps, le comportement en question peut n'avoir que des conséquences bénéfiques pour l'individu. Ce conflit entre les intérêts d'un individu à brève échéance et ceux d'un groupe à longue échéance s'appelle un **dilemme social** (Dawes, 1980). En somme, il nous arrive de raisonner ainsi : «Il m'en coûterait d'adopter tel ou tel comportement alors que la pollution causée par mon comportement actuel n'a qu'un impact minime.»

À la base du dilemme social se trouvent deux motifs. D'une part, il y a la *peur* de perdre quelque chose si l'on est la seule personne à adopter un comportement de coopération (Rappaport, 1967). D'autre part, il y a l'*avidité* qui peut pousser quelqu'un à vouloir profiter du fait que les autres coopèrent pour s'approprier seul un bénéfice. Il peut être très difficile d'amener quelqu'un à résoudre un dilemme social dans le sens de la coopération (Bruins *et al.*, 1989). Par exemple, la plupart des parents doivent faire face à un dilemme social quand ils ont à choisir entre des couches de plastique jetables et des couches de coton. Les couches jetables sont très pratiques et adaptées aux besoins de différents bébés. Mais, si tout le monde les utilise, cela contribue à raccourcir la survie des sites d'enfouissement des déchets.

LES DÉCHETS : UN DÉFI D'AVENIR

En 1989, la Ville de Montréal devait disposer de 1 149 100 tonnes métriques de déchets, dont environ la moitié étaient des déchets domestiques. Environ les trois quarts de ces déchets sont enfouis, alors qu'environ un quart sont incinérés. La récupération représente une infime partie des déchets (0,3 %). Il en est de même du compostage (0,1 %). Le coût net des diverses opérations reliées au traitement des déchets s'élève à 32 900 000 $.

Les déchets ont été longtemps considérés comme des rebuts qu'il fallait éliminer au moindre coût. Aujourd'hui, avec une nouvelle prise de conscience de la problématique environnementale, les déchets sont considérés comme des ressources secondaires qu'on peut valoriser au niveau (sic) de la matière ou de l'énergie. [...] L'administration municipale a donc mandaté le Service des travaux publics pour élaborer un Plan directeur de la gestion intégrée des déchets. Ce plan devra répondre aux (objectifs suivants) : 1) favoriser la réduction, le réemploi, la récupération, le recyclage et la valorisation des déchets; 2) accorder la priorité aux solutions qui ont le moins d'impacts sur l'environnement; 3) faire participer les intervenants et la population, tout au long de l'élaboration du plan directeur. (Service de la planification et de la concertation, Ville de Montréal, 1991)

Un peu partout en Amérique du Nord, les citoyens sont appelés à jouer un rôle de plus en plus important dans la gestion des déchets. Ils devront, en particulier, intervenir sur deux plans, celui de la réduction à la source et celui de la récupération. Par réduction à la source, il faut entendre le changement d'habitudes de consommation. L'exemple des couches, donné précédemment, en est une illustration. Il s'agit, dans ce cas, d'opter plutôt pour un bien durable que pour un bien dont l'utilisation est éphémère. Les campagnes nous incitant à réutiliser nos sacs d'emplettes visent une telle réduction des déchets à la source par le réemploi. Il nous arrive, à mon épouse et moi, au moins une fois sur deux d'oublier les beaux sacs de toile que nous nous sommes procurés pour transporter notre commande de fruits et de légumes. Avec le temps, nous avons confiance que la bonne habitude s'établira solidement.

La récupération consiste à trier de façon discriminante des matières en fonction de catégories désignées en vue de leur réemploi ou de leur recyclage. On encourage la récupération des bouteilles et des canettes par le remboursement d'un petit dépôt. Cette «récompense», si minime soit-elle, s'est révélée très efficace tant aux États-Unis qu'ici. Dans une étude longitudinale, Kahle et Beatty (1987) ont observé un effet positif de la loi sur la récupération des bouteilles et des canettes qui se manifeste d'abord par un changement de comportement qui entraîne éventuellement un changement de l'attitude qui se généralise même à une préoccupation plus grande pour l'environnement dans son ensemble.

Par ailleurs, la collecte sélective des matières recyclables, mise sur pied par la Ville de Montréal en 1989 et qui atteint 18 000 foyers pour l'instant, sera étendue sous peu à toutes les résidences (Service de la planification et de la concertation, Ville de Montréal, 1991). Selon Stuart Oskamp (1991), ceux qui participent volontairement à la récupération dans des bacs sont plus susceptibles de vivre dans une maison unifamiliale, de trouver une certaine satisfaction à aider à résoudre un problème national et à sauvegarder les ressources naturelles, d'être entourés de voisins et d'avoir des amis qui, eux-mêmes, sont adeptes de la récupération. En général, aussi, ceux qui acceptent de jouer le jeu de la récupération connaissent mieux ce qui est recyclable et les moyens de le recycler. Ceux, par contre, qui ne se livrent pas à la récupération auraient souvent des motivations extrinsèques, c'est-à-dire qu'il leur faudrait une récompense financière pour les motiver à accepter de subir les inconvénients que la récupération leur causerait (Vining et Ebreo, 1990).

AGIR EN FONCTION DE NOS ATTITUDES

Comme nous l'avons vu au chapitre 2, la relation entre l'attitude et le comportement n'est souvent pas parfaite. C'est bien le cas aussi en ce qui concerne les attitudes à l'égard des problèmes de l'environnement. La grande majorité des gens expriment une attitude positive pour ce qui est de la protection de l'environnement et de la conservation des ressources naturelles. Cependant, il y en a très peu, comparativement, qui s'engagent activement dans la défense de l'environnement en participant à des mouvements écologiques. À l'égard de ces questions, nous sommes nos propres ennemis. C'est pourquoi la solution ne peut reposer que sur le changement de nos comportements (Geller, 1989). Comment y arriver?

Il semble que les campagnes d'information incitant les gens à conserver l'énergie n'aient abouti qu'à des succès mitigés. Toutefois, il est possible qu'elles aient un effet cumulatif et qu'elles rapportent des dividendes à plus long terme (Oskamp, 1984).

Quant aux suggestions sous forme d'affiches, par exemple, elles peuvent nous rappeler que certains comportements sont souhaitables et attendus de notre part. Plus ces suggestions sont spécifiques («Éteignez la lumière en sortant d'une pièce vide» par opposition à «Conservez l'énergie»), plus elles sont efficaces. Il en va de même pour les suggestions qui proposent des comportements faciles à exécuter [par exemple, utiliser un bac de récupération chez soi] par opposition à des comportements plus compliqués [par exemple, trier les objets et les apporter à un centre de récupération loin de sa demeure] (Durdan *et al.*, 1985).

L'utilisation de modèles qui enseignent comment se comporter pour sauvegarder les ressources naturelles peut être très efficace. Dans une étude où une bande vidéo de 20 minutes illustrait des comportements aptes à réduire la consommation d'électricité, les résultats obtenus montrent une réduction qui va jusqu'à 25 % (Winett *et al.*, 1982).

Une autre façon efficace de décourager le gaspillage d'énergie consiste à donner une rétroaction sur le résultat du comportement du consommateur. La rétroaction permet d'obtenir des modifications importantes du comportement parce qu'elle fournit de l'information, comme les suggestions dont nous avons parlé précédemment, et qu'elle mesure le chemin parcouru dans la direction de l'objectif visé, ce qui ajoute un élément de motivation à la rétroaction (Ellis et Gaskell, 1978).

L'adoption de comportements responsables à l'égard de l'environnement ne peut dépendre que de la persuasion. L'influence sociale des pairs et l'imposition de sanctions par des lois sont aussi des moyens efficaces, entre autres, pour entraîner un changement de comportement. Une fois ces moyens mis en branle, il faut toutefois laisser au temps la possibilité d'achever son œuvre de conversion des mentalités.

RÉSUMÉ

PERSUASION EFFICACE

De quoi est composée la persuasion efficace? On a abondamment étudié quatre éléments: la source, le message, le canal de communication et l'auditoire.

Source

Les communicateurs crédibles sont perçus comme des experts dignes de foi. Les gens qui parlent avec assurance, rapidement et en regardant les auditeurs droit dans les yeux sont plus crédibles. Une source attrayante – quelqu'un qui soit, par exemple, attirant ou semblable à l'auditoire – a tendance également à être plus efficace. Il y a toutefois une exception et c'est lorsqu'une source peu attrayante réussit à faire faire aux gens une chose désagréable; les gens vont probablement embellir leur idée de cet acte pour expliquer leur obéissance.

Message

Les facteurs émotionnels peuvent jouer un rôle. Le fait d'associer un message aux impressions agréables suscitées par l'écoute de musique, le boire ou le manger peut le rendre plus convaincant. Certains types de messages suscitant la peur peuvent également être efficaces, probablement parce qu'ils sont impressionnants et mémorables.

Jusqu'à quel point un message devrait-il diverger des opinions actuelles de l'auditoire? Cela dépend de la crédibilité de la source. Les gens très crédibles peuvent provoquer les plus gros changements d'opinions lorsqu'ils défendent un point de vue extrême; les gens moins crédibles auront plus de succès à défendre des points de vue moins divergents de ceux de l'auditoire.

Un message est-il plus persuasif lorsqu'il ne présente que son point de vue ou lorsqu'il présente également le point de vue contraire? Cela dépend de l'auditoire. Lorsque l'auditoire est d'avance gagnée au message, ne connaît pas les arguments contraires et court peu de risques d'être confronté à l'opposition, un message unilatéral est alors préférable quoique moralement contestable. Devant un auditoire plus sophistiqué ou moins convaincu à l'avance, les messages bilatéraux auront plus de succès.

Si l'on doit présenter les deux côtés d'une médaille, les arguments présentés en premier lieu auront-ils un avantage sur les suivants ou vice versa? Ce qu'on a le plus souvent remarqué est ce qu'on appelle l'effet de primauté: l'information présentée en premier est la plus efficace, surtout lorsqu'elle influence l'interprétation de l'information ultérieure. Le pouvoir de l'information première diminue cependant si on laisse s'écouler du temps entre les informations; si l'on prend une décision immédiatement après avoir entendu le deuxième côté, plus frais à la mémoire, on obtiendra probablement l'effet de récence.

Canal

Un autre aspect important est la *manière* dont on communique le message. Les attitudes dérivant de l'expérience réelle sont habituellement plus fortes que celles qui sont modelées par des messages passivement captés. Bien que n'ayant pas la puissance de l'influence des face à face, les mass media peuvent néanmoins être efficaces pour des questions sans importance (comme la marque d'aspirine à acheter) ou mal connues (comme de choisir entre deux candidats politiques par ailleurs inconnus). Une partie de l'influence des médias peut cependant s'exercer en deux temps: directement aux chefs de file et ensuite aux autres par l'intermédiaire de leur influence personnelle.

Auditoire

Pour finir, il importe de savoir *qui* reçoit le message. Des caractéristiques comme l'intelligence ne sont pas nécessairement liées à une possibilité plus grande d'être persuadé, parce qu'il semble que ce qui contribue à la perception et à la compréhension d'un message empêchera souvent qu'on s'y soumette. Ont-ils des croyances favorables? Argumentent-ils? Avertir un auditoire de la venue d'un message désagréable diminue la persuasion en stimulant les contre-arguments. Par contre, si l'on distrait les gens au moment où ils entendent un message désagréable, on peut augmenter la persuasion, car la distraction contrecarre leurs arguments. Les gens très engagés ou portés à l'analyse seront probablement plus sensibles à la qualité des arguments qu'aux informations périphériques telles que la belle personnalité de la source.

L'âge de l'auditoire a également son importance. Les chercheurs ayant sondé à nouveau des gens après un certain temps ont découvert que les attitudes des gens plus âgés sont plus stables. Il semble que nous adoptions la plupart de nos attitudes et de nos valeurs de base durant la jeunesse et que nous les conservions à l'âge adulte. Comme les générations successives adoptent de nouvelles attitudes, il en résulte des conflits entre les générations.

ÉTUDES DE CAS DE PERSUASION: ENDOCTRINEMENT PAR LES SECTES

La popularité des sectes religieuses telles que l'Église de la réunification et le Peoples Temple fournissent une occasion de voir à l'œuvre de puissants mécanismes de persuasion. Il semble que leur succès soit partiellement dû au fait qu'elles obligent à des comportements engagés (tels qu'ils sont décrits au chapitre 2), qu'elles appliquent les principes de la persuasion efficace (le présent chapitre) et qu'elles isolent les membres dans des groupes aux croyances homogènes (à voir au chapitre 8).

POUR RÉSISTER À LA PERSUASION: INOCULATION D'ATTITUDE

Comment faire pour résister à la persuasion? Une déclaration publique de son point de vue personnel, qui a pu être provoquée par une faible attaque à son endroit, crée une résistance à l'égard de la persuasion ultérieure. Une faible attaque peut également constituer une inoculation, car elle incite à contre-argumenter pour défendre les attitudes personnelles. Ces contre-arguments seront alors fort utiles quand et si une forte attaque survient. Cela implique paradoxalement que l'un des moyens pour solidifier les attitudes actuelles consiste à les mettre un peu en question, en évitant toutefois d'y aller trop fort, pour éviter de les écraser.

PROTÉGER NOTRE ENVIRONNEMENT PAR LA PERSUASION

La protection de l'environnement est devenue une préoccupation majeure dans notre société. Elle repose sur la résolution des dilemmes sociaux dans le sens de la coopération de chacun, car l'action individuelle de chacun peut s'additionner aux actions des autres pour mener à la catastrophe. Cela peut se manifester jusque dans notre gestion inconsidérée des déchets. La persuasion, l'exemple donné par des modèles, l'influence sociale des pairs sont autant de moyens qui contribuent, à la longue, à modifier les comportements.

LECTURES SUGGÉRÉES

Ouvrages en français

DECONCHY, J.-P. (1980). *Orthodoxie religieuse et sciences humaines.* Paris, Mouton.

MONTMOLLIN, G. de (1984). Le changement d'attitude. *In* S. Moscovici (dir.). *Psychologie sociale* (p. 91-138). Paris, Presses Universitaires de France.

SCHREIDEN, L. (1987). L'inoculation psychosociale. Un re-writing de McGuire. *Cahiers de psychologie sociale*, 33, 1-26.

Ouvrages en anglais

CIALDINI, R. B. (1988). *Influence: Science and practice.* Glenview, Il, Scott, Foresman.

PETTY, R. E. et CACIOPPO, J. T. (1986). *Communication and persuasion: Central and peripheral routes to attitude change.* New York, Springer-Verlag.

CHAPITRE

8

INFLUENCE DU GROUPE

———

Notre planète ne compte pas seulement 5 milliards d'individus, mais aussi 200 États-nations, 4 millions de communautés locales, 20 millions d'organismes économiques et des centaines de milliers d'autres groupes officiels et officieux – des couples qui se fréquentent, des familles, des paroisses et des réunions entre amis. Quelle est l'influence de ces groupes sur leurs membres? Voyons certains exemples concrets des influences de groupes étudiées par les psychologues sociaux:

- *La facilitation sociale:* Justine termine péniblement son jogging quotidien. Sa tête lui enjoint de persister tandis que son corps la supplie de terminer en marchant. Elle fait un compromis et marche lourdement jusqu'à la maison. Le lendemain, les conditions sont identiques, sauf qu'une amie l'accompagne. Justine termine son parcours plus rapidement, gagnant deux minutes. Elle se dit: «Formidable! Est-ce la simple présence d'Émilie qui a fait que j'ai mieux couru?»

- *La paresse sociale:* Dans une équipe de souque-à-la-corde, les huit personnes de l'un des côtés déploieront-elles autant de force que la somme de leurs plus grands efforts à la souque-à-la-corde individuelle? Il y a un siècle, l'ingénieur français Max Ringelmann (cité par Kravitz et Martin, 1986) découvrit que l'effort collectif fourni par des équipes de ce genre ne valait pas plus de la moitié de la somme des efforts individuels. Se peut-il que les participants se fient trop à l'effort du groupe? Si oui, y a-t-il une paresse de ce genre dans les groupes de travail ou dans les projets d'équipe évalués en tant que groupe?

- *La désindividuation:* Dans les préparatifs de combat, les guerriers de certaines cultures tribales sont dépersonnalisés par des maquillages du corps et du visage ou par des masques particuliers. Après le combat, les guerriers de certaines cultures tuent, torturent ou mutilent tous les ennemis qu'ils trouvent; dans d'autres cultures, ils les font prisonniers. Robert Watson (1973) a étudié des dossiers anthropologiques et s'est aperçu que c'est aussi dans les cultures dont les guerriers étaient dépersonnalisés qu'on se montrait brutal envers l'ennemi. Se peut-il que les gens des cultures modernes soient parfois dépersonnalisés par leurs propres groupes? Si oui, de quelle façon et avec quels résultats?

- *La polarisation de groupe:* Les chercheurs en éducation ont détecté un étrange «phénomène d'accentuation». Les différences initiales d'attitudes chez des élèves de différents collèges ont tendance à s'accentuer à mesure qu'ils poursuivent leurs études collégiales. De même, les différences d'attitudes entre les membres et les non-membres de fraternités ou d'associations féminines sont modestes à la première année et plus prononcées en dernière année. Ce phénomène serait-il imputable au fait que les interactions à l'intérieur de groupes de gens partageant les mêmes idées accentuent leurs penchants initiaux?

- *La pensée de groupe:* Les dirigeants d'une compagnie de boissons gazeuses discutent avec enthousiasme de projets publicitaires pour leur nouveau soda à saveur d'asperge. Le groupe ne sollicite pas les avis contraires et, comme les membres ayant des doutes hésitent à briser l'enthousiasme du groupe, ce dernier s'illusionne en pensant que tous endossent le produit et surestime sa probabilité de succès. Dans les situations sociales réelles, les influences du groupe contrecarrent-elles la possibilité de prendre les meilleures décisions? Si oui, quelles sont les forces qui entravent la prise de décision et comment peut-on y remédier?

• *L'influence de la minorité :* Le film *Douze hommes en colère* débute sur un procès pour meurtre, au moment où douze jurés méfiants pénètrent dans la salle de délibération. C'est une journée chaude; ils sont fatigués, sont presque unanimes et sont impatients de rendre un verdict de culpabilité contre un adolescent qui a tué son père à l'aide d'un couteau. Mais il y a un dissident, dont le rôle est tenu par Henry Fonda, qui refuse de voter coupable. Au cours d'une délibération enflammée, tous les jurés, un à un, changent leur verdict pour aboutir au consensus : «non coupable». Dans les jurys réels, il est rare qu'un seul individu influence un groupe entier. Cependant, l'histoire est faite de minorités influençant des majorités. Qu'est-ce qui rend une minorité – ou un leader – convaincante ?

Nous verrons un à un ces sept phénomènes relevant des influences du groupe. Mais commençons par le commencement : qu'est-ce qu'un groupe et pourquoi y a-t-il des groupes ?

QU'EST-CE QU'UN GROUPE ?

La réponse semble aller de soi – jusqu'à ce que l'on compare les définitions fournies par plusieurs personnes. Justine et sa partenaire de course constituent-elles un groupe ? Les passagers d'un vol aérien constituent-ils un groupe ? Un groupe est-il un ensemble de personnes s'identifiant les unes aux autres et sentant qu'elles s'appartiennent l'une l'autre ? Un groupe se forme-t-il à partir du moment où un certain nombre de personnes s'organisent ? Voilà quelques-unes des caractéristiques qu'utilisent différents psychologues sociaux pour définir un groupe (McGrath, 1984).

Marvin Shaw (1981), le spécialiste en dynamique de groupe, soutient que tous les groupes ont une chose en commun : leurs membres interagissent. C'est ainsi qu'il définit un **groupe** comme étant deux ou plusieurs personnes interagissant et s'influençant mutuellement. Et comme le souligne le psychologue social australien John Turner (1987), les groupes se perçoivent en termes de «nous» par opposition à «eux». On peut donc dire que Justine et sa camarade de jogging forment un groupe. Et il ne fait aucun doute que les membres des fraternités et des associations féminines de même que ceux des équipes administratives sont membres de groupes. Bien des raisons peuvent justifier l'existence de ces groupes – répondre au besoin d'appartenance, fournir de l'information, donner des récompenses, atteindre des objectifs.

Groupe :
Deux personnes ou plus qui, pour plus de quelques instants, interagissent, s'influencent mutuellement et se perçoivent comme un «nous».

Selon la définition de Shaw, les passagers d'un vol courant *ne* constitueraient apparemment *pas* un groupe. Quoique physiquement réunis, ils forment plus un ensemble d'individus qu'un véritable groupe d'individus interagissant. Mais il est parfois très difficile de faire la différence entre le simple comportement collectif d'étrangers à bord d'un avion et le comportement de groupe plus influent d'individus interagissant. Par exemple, des gens simplement assis en présence les uns des autres s'influencent parfois les uns les autres et peuvent en fait se percevoir comme «nous», comme les partisans d'une équipe, par opposition à «eux» qui prennent pour l'autre équipe. Nous verrons d'abord dans ce chapitre trois exemples d'une semblable influence collective : la facilitation sociale, la paresse sociale et la désindividuation. Ces phénomènes se passent dans les situations où ne se produit qu'une interaction minimale et ne s'apparentant par conséquent que très peu au comportement de groupe. Nous verrons ensuite trois exemples de l'influence sociale propre aux groupes où il y a interactions des membres : la polarisation de groupe, la pensée de groupe et l'influence de la minorité. Ces phénomènes relèvent indiscutablement du comportement de groupe.

FACILITATION SOCIALE

Commençons par la plus élémentaire des questions en psychologie sociale : Jusqu'à quel point sommes-nous influencés par la simple présence d'autres personnes ? « Simple présence » signifie que ces personnes ne rivalisent pas, ne récompensent pas ou ne punissent pas et ne font en fait rien d'autre que d'être présentes en tant qu'auditoire passif ou en tant que **coparticipants**. La simple présence des autres aurait-elle une influence sur votre jogging, sur votre façon de manger et de taper à la machine ou sur votre rendement à un examen ? La recherche de la réponse constitue l'histoire d'un merveilleux mystère scientifique.

Coparticipants :
Groupe de personnes travaillant simultanément et individuellement à une tâche non compétitive.

LA PRÉSENCE DES AUTRES PEUT AMÉLIORER LE RENDEMENT

Il y a presque un siècle, Norman Triplett (1898), un psychologue qui s'intéressait à la course cycliste, remarqua que les temps des cyclistes étaient meilleurs lorsqu'ils couraient ensemble que lorsqu'ils luttaient seuls contre la montre. Avant de propager son idée (que la présence des autres améliore la performance), Triplett fit l'une des premières expériences en laboratoire de la psychologie sociale. Les enfants à qui l'on avait demandé d'enrouler la corde sur un moulinet de pêche aussi vite que possible l'enroulèrent plus rapidement lorsqu'ils s'exécutaient en présence de coparticipants que lorsqu'ils étaient seuls.

La présence des autres peut stimuler le rendement.

«Le simple contact social provoque... une stimulation des esprits animaux qui augmente l'efficacité de chaque travailleur individuel.»

Karl Marx, *Le Capital*

Facilitation sociale:
(1) Signification originelle – tendance des gens à mieux accomplir des tâches simples ou bien apprises en présence des autres. (2) Signification actuelle – renforcement des réponses prédominantes (les plus fréquentes ou les plus probables) du fait de la présence des autres.

D'autres expériences conduites au cours des premières décennies de ce siècle démontrèrent que la présence des autres augmentait la vitesse de résolution de problèmes simples de multiplication et de biffage de lettres prédéterminées, de même qu'elle augmentait la précision avec laquelle les gens accomplissaient des tâches motrices simples telles que de maintenir un bâtonnet de métal en contact avec un disque gros comme une pièce de 10 ¢ sur la platine d'un tourne-disque en marche (F. M. Allport, 1920; Dashiell, 1930; Travis, 1925). Cet effet de **facilitation sociale**, comme on l'a appelé, se manifeste également chez les animaux. En présence d'autres membres de leur espèce, les fourmis creusent davantage le sable et les poulets avalent plus de grains (Bayer, 1929; Chen, 1937).

LA PRÉSENCE DES AUTRES PEUT NUIRE AU RENDEMENT

Par contre, certaines recherches effectuées à la même époque démontrèrent que la présence des autres pouvait gêner l'accomplissement de certaines tâches. En présence des autres, les coquerelles, les perruches et les pinsons s'orientent plus lentement dans les labyrinthes que lorsqu'ils sont seuls (Allee et Masure, 1936; Gates et Allee, 1933; Klopfer, 1958). Cet effet perturbateur se produit aussi chez les humains. La présence des autres diminue la capacité des gens de mémoriser des syllabes dénuées de sens, de s'orienter dans un labyrinthe et de résoudre des problèmes complexes de multiplication (Dashiell, 1930; Pessin, 1933; Pessin et Husband, 1933).

Dire que la présence des autres facilite parfois le rendement et qu'elle lui est parfois nuisible est à peu près aussi satisfaisant qu'une prévision météorologique indiquant qu'il va faire beau, mais que, là encore, il va peut-être pleuvoir. C'est pourquoi la recherche dans ce domaine s'est plus ou moins éteinte à partir des années 1940, jusqu'à l'apparition d'une nouvelle idée, 25 ans plus tard.

RÈGLE GÉNÉRALE

Pourrait-on concilier ces découvertes apparemment contradictoires grâce à une règle générale? C'est la question que s'est posée le psychologue social Robert Zajonc. Comme pour la plupart des moments créatifs en recherche scientifique, Zajonc (1965) s'est servi d'un secteur de recherche pour faire la lumière sur un autre. Dans le présent cas, la lumière vint d'un principe bien établi en psychologie expérimentale: la stimulation renforce la tendance prédominante des réponses, de quelque nature qu'elle soit. Ce qui signifie que devant des tâches faciles (où la réponse la plus probable [«prédominante»] est celle qui est correcte), une stimulation accrue améliore le rendement. Les gens décodent plus rapidement les anagrammes faciles tels que *juronbo* lorsqu'ils sont tendus. Quant aux tâches complexes (pour lesquelles la réponse correcte n'est pas celle qui prédomine), une stimulation accrue favorise l'*inexactitude* dans les réponses, de sorte que, devant des anagrammes complexes, les gens sont moins compétents lorsqu'ils sont tendus.

Ce principe pourrait-il résoudre l'énigme de la facilitation sociale? Il semblait raisonnable de supposer que les gens sont plus stimulés ou ont plus d'énergie en présence des autres. (La plupart d'entre nous peuvent se souvenir de s'être sentis plus tendus ou excités en présence d'un auditoire.) Si la stimulation sociale favorise les réponses prédominantes, elle devrait améliorer le rendement dans des tâches simples et nuire au rendement dans des tâches complexes. On trouvait ainsi une explication à ces résultats déroutants du passé. Tourner des moulinets de pêche, résoudre des problèmes simples de multiplication et manger constituaient des tâches simples devant lesquelles les réponses observées étaient bien apprises ou naturellement prédominantes. Et il ne fait aucun doute que la présence des autres améliorait le rendement. Par contre, faire de nouveaux apprentissages, s'orienter dans un labyrinthe ou résoudre des problèmes mathématiques complexes étaient des tâches plus ardues devant lesquelles les réponses correctes étaient initialement moins probables. Et il ne fait pas de doute que la présence des autres augmentait le nombre de réponses *incorrectes* devant ces tâches. Une seule règle générale – la stimulation favorise les réponses prédominantes – semblait s'appliquer dans les deux cas. Les résultats que l'on avait crus contradictoires n'apparaissaient plus du tout comme tels à ce moment-là.

La solution de Zajonc, si simple et si élégante, provoqua chez les autres psychologues sociaux la même réaction que celle qu'exprima Thomas H. Huxley après sa lecture de *L'Origine des Espèces* de Darwin : «Faut-il être stupide pour n'y avoir pas pensé !» Elle semblait si évidente – depuis que Zajonc l'avait fait remarquer. Toutefois, peut-être que les pièces du casse-tête semblaient si bien s'emboîter uniquement parce qu'on les considérait rétrospectivement. La solution résisterait-elle à des tests expérimentaux directs ?

Elle a effectivement survécu à près de 300 expériences menées grâce à la participation de plus de 25 000 volontaires (Bond et Titus, 1983 ; Guerin, 1986). Pour commencer, plusieurs expériences où Zajonc et ses associés fabriquèrent une réponse arbitraire prédominante confirmèrent qu'un auditoire stimulait cette réponse. Au cours de l'une d'entre elles, Zajonc et Stephen Sales (1966) demandèrent aux gens de prononcer différents mots dénués de sens de 1 à 16 fois. On leur dit ensuite que ces mêmes mots seraient projetés un à un sur un écran. Ils devaient deviner chaque fois de quel mot il s'agissait. Quand ce qu'on leur montra n'était en fait que des lignes noires émises au hasard pendant 1/10 de seconde, la plupart des participants «virent» les mots qu'ils avaient le plus souvent prononcés. Ces mots étaient devenus les réponses prédominantes. C'est ainsi que les personnes qui passèrent le même test en présence de deux autres personnes avaient encore plus tendance à voir les mots prédominants (voir la figure 8.1).

«La découverte consiste à voir ce que tout le monde a vu et à en penser ce que personne n'en a pensé.»

Albert Axent-Gyorgyi, *The Scientist Speculates*

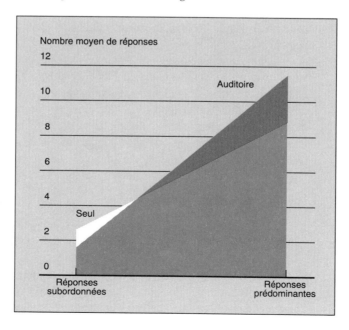

Figure 8.1

Facilitation sociale des réponses prédominantes. Les gens donnaient les mots prédominants (prononcés 16 fois) plus souvent et les mots subordonnés (prononcés pas plus d'une fois) moins souvent lorsqu'il y avait des observateurs. (Données tirées de Zajonc et Sales, 1965.)

Des expériences subséquentes ont confirmé ce phénomène – la facilitation des réponses prédominantes – de bien des manières. Peter Hunt et Joseph Hillery (1973) ont découvert que, en présence des autres, les étudiants de l'Université d'Akron s'orientaient plus rapidement dans un labyrinthe simple et plus lentement dans un labyrinthe complexe (exactement comme le firent les coquerelles dans l'expérience déjà citée). James Michaels et ses collaborateurs (1982) ont aussi trouvé que les bons joueurs de billard de l'association étudiante du Virginia Polytechnic Institute (ceux qui avaient réussi 71 % de leurs coups en étant discrètement observés) firent encore mieux lorsque quatre observateurs se présentèrent pour les regarder jouer. Les joueurs médiocres (qui n'avaient réussi en moyenne que 36 % de leurs coups) firent encore pire (25 %) lorsqu'on les observa de près.

Nous avons vu qu'effectivement les gens réagissent à la présence des autres. Mais les gens sont-ils vraiment stimulés par la présence des autres? Dans les moments difficiles, la présence d'un camarade peut être réconfortante. Les chercheurs ont cependant quelquefois découvert que les gens transpirent davantage, respirent plus rapidement, raidissent davantage leurs muscles et ont une pression sanguine plus élevée et une fréquence cardiaque plus rapide lorsqu'il y a d'autres personnes autour d'eux (Geen et Gange, 1983; Moore et Baron, 1983).

EFFET DE LA PRÉSENCE DE PLUSIEURS PERSONNES

L'effet que produit la présence des autres augmente avec leur nombre (Jackson et Latané, 1981; Knowles, 1983). Il arrive parfois que la stimulation et l'attention centrée sur soi que suscite la présence d'un très grand nombre de personnes entravent des comportements automatiques et bien appris tels que parler. Les bègues ont tendance à bégayer davantage devant de grands auditoires que devant une ou deux personnes seulement (Mullen, 1986). On a remarqué que les joueurs de basket-ball universitaires deviennent légèrement *moins* précis dans leurs coups francs lorsqu'ils sont très stimulés par des gradins remplis (Sokoll et Mynatt, 1984). Lors des Séries mondiales du baseball, les équipes hôtesses ont gagné 60 % des deux premières parties, mais seulement 40 % des parties finales (Baumeister et Steinhilber, 1984). La stimulation associée au fait de jouer devant ses partisans aide jusqu'à un certain point – les deux tiers des parties de basket-ball à l'université sont remportées par l'équipe hôtesse (Hirt et Kimble, 1981) –, mais, lorsqu'on y ajoute la pression d'une partie finale des Séries mondiales, les joueurs de l'équipe hôtesse deviennent parfois trop stressés et c'est pourquoi ils ont fait deux fois plus d'erreurs au champ dans les parties finales qu'au cours des première et deuxième parties.

Le fait d'être *dans* une foule intensifie également les réactions normalement positives ou négatives des gens. Ainsi, lorsqu'ils s'asseyent très près les uns des autres, les gens sympathiques sont encore plus appréciés et les gens *antipathiques* sont encore moins appréciés (Schiffenbauer et Schiavo, 1976; Storms et Thomas, 1977). Au cours d'expériences auprès d'étudiants de l'Université Columbia et de visiteurs du Centre des sciences d'Ontario, Freedman et ses collaborateurs (1979; 1980) avaient un complice qui écoutait un enregistrement humoristique ou regardait un film en compagnie d'autres participants. Quand ils s'asseyaient tous très près les uns des autres, le complice parvenait plus facilement à les faire rire et applaudir. Comme le savent les gérants des salles de cinéma et des clubs sportifs, et comme l'ont confirmé plusieurs chercheurs (Aiello *et al.*, 1983; Worchel et Brown, 1984), une «bonne salle» est une «salle comble». Peut-être avez-vous remarqué qu'une classe de

35 étudiants se sent plus enthousiaste et alerte dans une pièce ne pouvant contenir que 35 personnes que lorsqu'elle se trouve disséminée dans une pièce pouvant en accueillir 100. L'une des raisons de ce phénomène est que, lorsque les autres sont près de nous, nous avons plus tendance à remarquer leurs rires ou leurs applaudissements et à nous joindre à eux. Cependant, la foule aussi augmente la stimulation, comme l'a découvert Gary Evans (1979). Il a testé des groupes de 10 étudiants, à l'Université du Massachusetts, réunis dans une pièce de 6 m sur 9 m ou dans une pièce de 2,50 m sur 3,60 m. Comparés à ceux qui se trouvaient dans la plus grande pièce, les étudiants très entassés avaient une fréquence cardiaque plus rapide et une pression sanguine plus élevée (indiquant la stimulation) et, bien que leur rendement lors des tâches simples n'en fût pas affecté, ils firent plus d'erreurs en accomplissant des tâches complexes. Dans leur recherche auprès d'étudiants de l'Inde, Dinesh Nagar et Janak Pandey (1987) trouvèrent, eux aussi, que l'entassement n'entravait le rendement que lors des tâches complexes telles que résoudre des anagrammes difficiles.

POURQUOI LA PRÉSENCE DES AUTRES NOUS STIMULE-T-ELLE?

Nous avons vu jusqu'ici qu'en présence des autres nous avons tendance à faire encore mieux ce que nous faisons bien (à moins de devenir hyperstimulés ou timides). Ce que l'on trouve difficile à faire peut sembler impossible lorsqu'il y a des spectateurs. Les fabricants de désodorisants ont certainement tiré profit de cette stimulation sociale. Leur publicité en dépeint les conséquences physiques. En quoi les autres provoquent-ils cette stimulation? Est-ce du fait de leur seule présence? Les réponses ne sont pas encore claires. Il y a cependant des preuves à l'appui de trois facteurs possibles, chacun pouvant jouer un rôle.

Appréhension de l'évaluation

Appréhension de l'évaluation:
Se demander comment les autres nous évaluent.

Nickolas Cottrell présuma que les observateurs nous rendent inquiets de l'évaluation qu'ils vont faire de nous. Pour vérifier l'existence de cette **appréhension de l'évaluation**, Cottrell et ses associés (1968) ont répété, à l'Université Kent, l'expérience de Zajonc et Sales portant sur les syllabes dénuées de sens en y adjoignant une troisième situation. Dans cette situation de «simple présence», les observateurs, présentés comme étant en préparation d'une expérience sur la perception, portaient un bandeau sur les yeux afin de les empêcher d'évaluer le rendement des participants. Par opposition à l'effet que produit un auditoire observateur, la seule présence de ces personnes aux yeux bandés n'améliorait pas les réponses prédominantes. D'autres expériences ont confirmé la conclusion de Cottrell: l'amélioration des réponses prédominantes est plus marquée lorsque les gens pensent qu'ils sont évalués. Au cours d'une expérience, des coureurs de l'Université de Californie courant dans le sentier de jogging de Santa Barbara accéléraient lorsqu'ils rencontraient une femme assise sur la pelouse – si elle leur faisait face plutôt que si elle leur tournait le dos – (Worringham et Messick, 1983).

L'appréhension de l'évaluation aide aussi à expliquer d'autres constatations telles que: les gens donnent leur meilleur rendement lorsque leur coparticipant est légèrement supérieur (Seta, 1982), les gens socialement angoissés qui s'inquiètent des évaluations des autres sont ceux qui sont les plus influencés par leur présence (Gastorf et al., 1980; Geen et Gange, 1983) et les effets de la facilitation sont les plus marqués lorsque les autres sont des inconnus et qu'il est difficile de les avoir toujours à l'œil (Guerin et Innes, 1982). La conscience de soi que nous éprouvons lorsque nous sommes évalués par les autres peut aussi gêner les gestes qui sont plus précis lorsque nous les posons automatiquement – sans penser à la manière dont nous les posons (Mullen et Baumeister, 1987). Si des joueurs de basket-ball conscients d'eux-mêmes analysent leurs mouvements corporels au moment d'effectuer les coups francs les plus importants de la partie, ils risqueront davantage de les rater.

La distraction qui fait perdre la tête

Glenn Sanders, Robert Baron et Danny Moore (1978; Baron, 1986) font franchir un pas à l'appréhension de l'évaluation. Ils avancent l'hypothèse que les gens très préoccupés du rendement des coparticipants ou de la réaction des observateurs sont distraits de leur tâche. Leurs expériences semblent indiquer que ce *conflit* entre l'attention accordée aux autres et celle accordée à la tâche les stimule encore plus. La preuve que les gens «perdent effectivement la tête» est fournie par des expériences où la facilitation sociale ne vient pas seulement de la présence d'une autre personne, mais aussi d'une distraction non humaine comme les pannes d'éclairage (Sanders, 1981a; 1981b).

Seule présence

Zajonc croit toutefois que la seule présence des autres stimule vraiment, même en l'absence d'appréhension de l'évaluation ou de conflit. Par exemple, les préférences des gens en matière de couleurs sont plus marquées lorsqu'ils expriment leurs jugements en présence des autres (Goldman, 1967). Pour une tâche de ce genre, il n'y a pas de réponse «bonne» ou «exacte» susceptible d'être évaluée par les autres, si bien qu'il n'est pas nécessaire de se préoccuper de leurs réactions.

Le fait que des effets de facilitation se manifestent également chez les animaux, qui ne se préoccupent probablement pas consciemment de l'évaluation des autres animaux, indique un certain type de mécanisme interne de stimulation sociale à l'œuvre dans presque tout le règne animal. Nous pensons que Justine, notre coureuse, l'admettrait. La plupart des coureurs se sentent stimulés lorsqu'ils courent avec quelqu'un d'autre, même si la personne n'est pas là pour rivaliser ou évaluer.

Le moment est propice de rappeler le but d'une théorie. Comme nous l'avons indiqué au chapitre 1, une bonne théorie est une sténographie scientifique : elle simplifie et résume nombre d'observations. La théorie de la facilitation sociale y parvient remarquablement bien. C'est un résumé simple des résultats de plusieurs études. Une bonne théorie offre aussi des prédictions claires qui peuvent être utilisées pour (1) confirmer ou modifier la théorie, (2) produire de nouvelles questions et (3) suggérer des applications pratiques. La théorie de la facilitation sociale a réussi, sans conteste, à produire les deux premiers types de prédictions : (1) les fondements de la théorie (selon lesquels la présence des autres est stimulante et que cette stimulation sociale augmente l'apparition des réponses dominantes) ont été confirmés et (2) la théorie a permis de relancer les études sur un thème qui avait perdu de son intérêt pour les chercheurs. Suggère-t-elle aussi (3) des applications pratiques ?

L'application constitue la dernière étape de la recherche. Il reste encore beaucoup de travail sur ce point pour les chercheurs de la facilitation sociale. Voilà qui nous fournit l'occasion de spéculer sur ce que pourraient être certaines de ces applications. Comme le montre, par exemple, la figure 8.2, plusieurs édifices à bureaux modernes changent les bureaux privés pour de grands espaces ouverts, séparés par de basses cloisons. La conscience accrue de la présence des autres aiderait-elle à stimuler le rendement dans les tâches routinières tout en gênant la créativité dans les tâches complexes ? Pouvez-vous penser à d'autres applications possibles ?

Figure 8.2
Selon le «plan du bureau à aires ouvertes», les gens travaillent en présence des autres. Quelle pourrait en être la conséquence sur l'efficacité du travailleur ?

PARESSE SOCIALE

L'effet de facilitation sociale que nous venons d'examiner se produit habituellement dans les situations où les gens poursuivent des objectifs individuels et où leurs efforts, qu'il s'agisse d'embobiner des moulinets de pêche ou de résoudre des problèmes mathématiques, peuvent être évalués individuellement. Ces situations sont équivalentes à certaines situations de travail quotidiennes, mais diffèrent de celles qui exigent un effort de coopération, où les gens unissent leurs efforts vers un objectif *commun* et où les individus *n'ont pas* à répondre individuellement de leurs efforts. L'équipe de souque-à-la-corde en est un exemple. Les résultats d'une campagne de levée de fonds pourraient bien en constituer un autre. Ou encore, les membres d'une équipe de travail. Quand il s'agit de ce genre de «tâches additionnelles» – tâches où le rendement du groupe dépend de la somme des efforts individuels – l'esprit d'équipe stimulera-t-il la productivité ? Les briqueteurs travaillent-ils plus vite en équipe ou seuls ?

L'une des façons de s'attaquer à une question de ce genre consiste à faire appel aux simulations en laboratoire. Tout comme le tunnel aérodynamique de l'ingénieur, une réalité miniature dirigée peut aider les chercheurs à isoler et à étudier d'importantes variables.

À PLUSIEURS, ON ACCOMPLIT PEU

Contrairement à l'idée populaire que «l'union fait la force», l'expérience de souque-à-la-corde mentionnée au début du chapitre semble indiquer que les membres d'un groupe sont peut-être, en fait, *moins* motivés lorsqu'ils accomplissent des tâches additionnelles. Ivan Steiner (1972) voyait cependant un problème à l'expérience de souque-à-la-corde. Le faible rendement du groupe était peut-être dû à un défaut de coordination – les gens tirant dans des directions légèrement différentes à des moments légèrement différents. Un groupe de chercheurs du Massachusetts, dirigés par Alan Ingham (1974), éliminèrent ce problème ave brio en faisant penser aux individus que les autres tiraient avec eux, alors qu'en fait ils tiraient seuls. Des participants aux yeux bandés, à qui l'on assigna la première position sur l'appareil que l'on voit à la figure 8.3 et à qui l'on dit de «tirer tant qu'ils pouvaient», tirèrent 18 % plus fort lorsqu'ils savaient qu'ils étaient seuls que lorsqu'ils croyaient que de deux à cinq personnes tiraient également derrière eux.

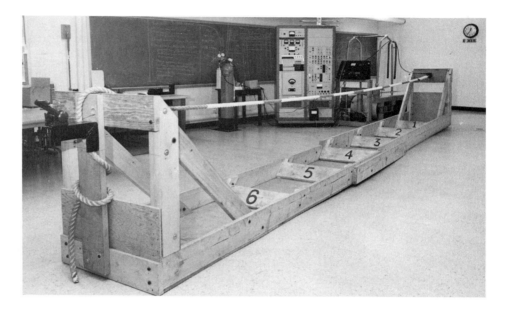

Figure 8.3
Appareil de souque-à-la-corde.
Les personnes en première
position tiraient moins fort
lorsqu'elles pensaient que
d'autres personnes tiraient
derrière elles. (Données tirées
de Ingham, Levinger, Graves et
Peckham, 1974.) [Photographie
de Alan G. Ingham.]

Paresse sociale:
Tendance des gens à fournir moins
d'efforts lorsqu'ils combinent leurs
efforts en vue d'un objectif
commun que lorsqu'ils doivent
répondre individuellement
de leurs actes.

À l'Université d'État de l'Ohio, les chercheurs Bibb Latané, Kipling Williams et Stephen Harkins (1979; Harkins *et al.*, 1980) ouvrirent l'oreille pour découvrir d'autres façons d'étudier ce phénomène qu'ils baptisèrent **paresse sociale**. Ils s'aperçurent que le bruit que faisaient six personnes devant crier et applaudir «aussi fort qu'elles le pouvaient» était moins de trois fois supérieur à celui que produisait une seule personne. Faire du bruit est toutefois une activité qui, à l'instar de la tâche de la souque-à-la-corde, est vulnérable à l'inefficacité du groupe. C'est pourquoi Latané et ses associés ont suivi l'exemple d'Ingham et ont fait croire aux participants que d'autres criaient et applaudissaient avec eux, alors qu'en réalité ils étaient seuls à le faire.

Leur méthode consistait à bander les yeux de six personnes, de les asseoir en demi-cercle avec des casques d'écoute sur la tête de sorte qu'elles étaient assourdies par le bruit de gens criant et applaudissant. Les participants ne pouvaient même pas entendre leurs propres cris et applaudissements, encore moins ceux des autres participants. Au cours de nombreuses séances, on demanda aux gens de crier et d'applaudir seuls ou de concert avec le groupe. Des personnes à qui l'on avait fait part de l'expérience étaient d'avis que les participants crieraient plus fort en étant avec les autres du fait qu'ils se sentiraient moins gênés (Harkins, 1981). Quel fut le résultat? Encore une fois, la paresse sociale: quand ils croyaient que les autres criaient ou applaudissaient également, les participants firent trois fois moins de bruit que lorsqu'ils se croyaient seuls. Un fait intéressant à noter: ceux qui applaudirent seuls et en groupe ne s'aperçurent pas de leur paresse; ils se perçurent comme applaudissant de façon identique dans les deux situations. Ce phénomène d'applaudissement se produit même lorsque les participants sont des meneurs pour les événements sportifs à l'université, qui pensent applaudir seuls ou avec les autres (Hardy et Latané, 1986).

John Sweeney (1973), un politicologue intéressé aux implications politiques de la paresse sociale, a obtenu des résultats semblables au cours d'une expérience à l'Université du Texas. Il s'aperçut que les étudiants pédalaient plus énergiquement sur une bicyclette fixe (selon la mesure établie par un appareil électrique) lorsqu'ils savaient qu'ils étaient surveillés individuellement que lorsqu'ils croyaient que leur rendement était mis en commun avec d'autres cyclistes. Dans la situation de groupe, les gens se laissaient tenter par un **tour gratuit** (*free ride*) aux dépens de l'effort collectif.

Passagers non payants
(*free riders*):
Gens qui profitent du groupe et donnent peu en retour.

Dans cette expérience et quelque quatre douzaines d'autres (voir la figure 8.4), nous observons une distorsion de l'une des forces psychologiques contribuant à l'effet de facilitation sociale: l'appréhension de l'évaluation. Au cours des expériences sur la paresse sociale, les individus croient n'être évalués que lorsqu'ils agissent seuls. La situation de groupe (tirer un câble, crier, etc.) *atténue* l'appréhension de l'évaluation; lorsque les individus n'ont pas à répondre individuellement de leurs actes et sont incapables d'évaluer leurs propres efforts, la responsabilité se disperse parmi tous les membres du groupe (Kerr et Bruun, 1981; Harkins et Jackson, 1985). Par opposition, les expériences sur la facilitation sociale *augmentèrent* la vulnérabilité de l'individu à l'évaluation. Quand ils occupent le centre de l'attention, les gens surveillent de plus près leur comportement (Mullen et Baumeister, 1987). Des phénomènes similaires de monitorage de soi peuvent se produire lorsque les gens s'évaluent en fonction de certaines normes telles que le rendement des autres (Harkins et Szymanski, 1987, 1988). Le principe en est le même: le fait d'être observé *augmente* l'inquiétude de l'évaluation, de sorte qu'il y a facilitation sociale; le fait d'être perdu dans une foule *diminue* l'inquiétude de l'évaluation, de sorte qu'il y a paresse sociale.

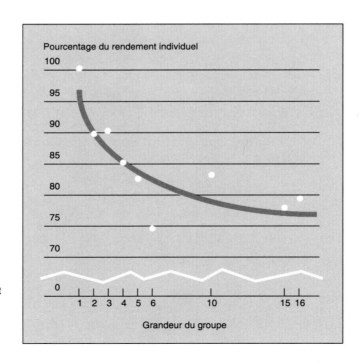

Figure 8.4
Un résumé statistique de 49 expériences touchant plus de 4000 participants révéla que l'effort diminue (la paresse augmente) à mesure que le groupe s'agrandit. Chaque point représente l'ensemble des données fournies par l'une de ces expériences. (Tiré de Jackson et Williams, 1988.)

L'une des stratégies visant à motiver les membres d'un groupe consiste donc à rendre leur rendement individuellement identifiable. Certains entraîneurs de football le font en filmant et en évaluant chaque joueur de ligne. Les chercheurs de l'État d'Ohio ont fait la même chose en faisant porter des microphones aux membres d'un groupe pendant qu'ils participaient à des cris de groupe (Williams *et al.*, 1981). Ils découvrirent que les gens, en groupe ou isolément, fournissaient plus d'efforts lorsque leur rendement était individuellement identifiable.

PARESSE SOCIALE DANS LA VIE QUOTIDIENNE

Quelle est l'ampleur de la paresse sociale? Dans le laboratoire, on a observé ce phénomène non seulement chez les gens qui tirent des câbles, pédalent, crient et applaudissent, mais aussi chez ceux qui pompent de l'eau ou de l'air, évaluent des poèmes ou des articles, émettent des idées, dactylographient et détectent des signaux. Peut-on généraliser les résultats de ces expériences à la productivité du travail dans les situations quotidiennes? Nous ne pouvons, pour le moment, que spéculer et identifier les situations qui sont, du moins superficiellement, équivalentes au phénomène du laboratoire.

Les paysans russes, dans leurs fermes collectives, travaillaient dans un champ une journée et dans un autre le lendemain, sans responsabilité directe pour un champ en particulier. On leur donnait, pour leur usage personnel, de petits terrains privés. Une analyse révéla que les terrains privés n'occupaient que 1% de la terre agricole tout en donnant 27% de la production agricole soviétique (H. Smith, 1976). En Hongrie, les terrains privés ne constituent que 13% de la terre agricole, mais ont fourni un tiers des produits (Spivak, 1979). En Chine, où les cultivateurs n'ont pas le droit de vendre l'excédent des récoltes dues au pays, la production alimentaire a augmenté de 8% par année depuis 1978 – soit deux fois et demie le taux des 26 années précédentes (Church, 1986).

Les travailleurs qui ne paient pas de cotisations ou ne font pas de bénévolat pour leur syndicat ou leur association professionnelle n'en sont pas moins habituellement heureux d'accepter ses bénéfices. Cela suggère une autre explication possible à la paresse sociale. Quand les récompenses sont également réparties, quelle que soit la contribution individuelle au groupe, les individus sont davantage récompensés d'un effort en faisant des tours gratuits aux dépens du groupe. C'est pourquoi les gens se voient tentés de se relâcher lorsque leurs efforts ne sont pas individuellement surveillés et récompensés. Dans une usine de cornichons, le travail clé consiste à prendre, sur un tapis roulant, les moitiés de cornichons ayant la bonne grosseur et de les mettre dans les pots. Malheureusement, les travailleurs sont tentés de prendre n'importe quel cornichon étant donné qu'il est impossible d'identifier leur travail (les pots se retrouvent tous dans une grande trémie avant d'arriver à l'unité de contrôle de la qualité). Williams, Harkins et Latané (1981) disent que la recherche sur la paresse sociale propose de «rendre la production individuelle identifiable et pose la question: "Combien de cornichons pourrait emballer l'emballeur de cornichons si les emballeurs n'étaient payés que pour le travail bien fait?"»

Certes, l'effort collectif n'entraîne pas nécessairement les membres du groupe à se relâcher. L'objectif est parfois si intéressant et le rendement maximal de chacun si essentiel que l'esprit d'équipe parvient au moins à maintenir l'effort quand ce n'est pas à l'intensifier. Dans une course olympique d'équipage, les rameurs individuels d'un équipage de huit rameront-ils moins vigoureusement que les rameurs des équipages à un ou deux rameurs?

À notre avis, non. De même, Latané note que les fermes des kibboutz en Israël ont en fait dépassé la production des fermes non collectives d'Israël (Leon, 1969) et Williams (1981) ainsi que Loren Davis et ses associés (1984) rapportent que les groupes d'amis se relâchent moins (si tant est qu'ils le fassent) que ne le font les groupes composés d'étrangers. Il se pourrait alors que la cohésion propre au fonctionnement des kibboutz intensifie en quelque sorte l'effort. Dans ce cas, la paresse sociale ne serait-elle pas absente des cultures moins individualistes et plus centrées sur le groupe ? Pour le savoir, Latané et ses collaborateurs se sont rendus en Asie où ils refirent leurs expériences de production de bruit au Japon, en Thaïlande, à Taïwan, en Inde et en Malaisie. Leurs résultats ? La paresse sociale était aussi évidente dans tous ces pays.

Paresse sociale : Les gens qui combinent leurs efforts en vue d'un objectif commun sans avoir à rendre compte individuellement de leur rendement ont tendance à fournir moins d'effort que lorsqu'ils accomplissent la même tâche isolément.

D'autres expériences démontrent que les gens en groupe se relâchent moins lorsque la tâche à accomplir est *intéressante, attirante* ou *exigeante* (Brickner *et al.*, 1986; Jackson et Williams, 1985). Devant des tâches représentant un défi, les gens vont probablement percevoir leurs efforts comme étant indispensables – une perception reconnue pour minimiser le relâchement (Harkins et Petty, 1982; Kerr, 1983; Kerr et Bruun, 1983). De plus, les gens donneront presque leur meilleur rendement s'ils croient que leurs compagnons de travail font de même (Zaccaro, 1984).

Certains de ces résultats sont équivalents à ceux d'études portant sur les groupes de travail de la vie courante. Quand on fournit aux groupes des objectifs stimulants, quand ils sont récompensés du succès du groupe et lorsqu'il y a un esprit d'engagement envers l'«équipe», les membres du groupe ont tendance à travailler fort (Hackman, 1986). Alors que la paresse sociale est chose courante lorsque les membres d'un groupe travaillent collectivement sans avoir à répondre individuellement de leur travail, il n'est cependant pas toujours vrai qu'à plusieurs on accomplisse peu.

DÉSINDIVIDUATION

FAIRE ENSEMBLE CE QUE L'ON NE FERAIT PAS SEUL

Les expériences sur la facilitation sociale indiquent que les groupes peuvent stimuler les gens. Les expériences sur la paresse sociale indiquent que les groupes peuvent disperser la responsabilité. Quand on combine de hauts niveaux de stimulation avec une responsabilité dispersée, les inhibitions normales de l'individu peuvent s'abaisser. Il peut en résulter des actes allant d'une faible diminution de la retenue (lancer de la nourriture dans la salle à manger, être hargneux envers un arbitre, hurler pendant un concert rock) à l'autogratification impulsive (vandalisme de groupe, orgies, vols) à des explosions sociales de destruction (émeutes, lynchages, tortures). Lors d'un incident survenu en 1967, 200 étudiants de l'Université d'Oklahoma s'assemblèrent pour regarder un compagnon perturbé menaçant de sauter en bas d'une tour. Ils commencèrent à scander «Saute. Saute...» L'étudiant sauta et se tua (UPI, 1967).

Ce que ces comportements débridés ont en commun est qu'ils sont, d'une manière ou d'une autre, provoqués par la puissance d'un groupe. Il est difficile d'imaginer un mordu du rock en train de crier et de délirer tout seul lors d'un concert privé ou un seul étudiant d'Oklahoma en train d'essayer d'inciter quelqu'un au suicide. Dans les situations de groupes, les gens ont plus tendance à abandonner leur réserve naturelle, à perdre le sens de leur individualité, à devenir ce que Leon Festinger, Albert Pepitone et Theodore Newcomb (1952) ont appelé **désindividués**. Quelles circonstances favorisent cet état psychologique?

Groupe

Un groupe n'a pas seulement le pouvoir de stimuler ses membres, il peut aussi les rendre non identifiables. Le grondement de la foule fait que le partisan de hockey n'a pas à rendre compte de ses hurlements. Les émeutes, comme celle qui a eu lieu au Forum de Montréal à la suite de la suspension de Maurice Richard par Clarence Campbell, permettent aux participants de se croire à l'abri des poursuites judiciaires; l'action est perçue comme étant celle du *groupe*. Leon Mann (1981), en analysant 21 incidents où la foule était présente au moment où quelqu'un menaçait de sauter d'un édifice ou d'un pont, s'est aperçu que les gens n'essayaient habituellement pas de tourmenter l'individu lorsque la foule était réduite et exposée à la lumière du jour. Mais, lorsqu'une grande foule ou le couvert de la nuit procuraient aux gens l'anonymat, la foule raillait et tourmentait l'individu. Brian Mullen (1986) rapporte un effet semblable dans les lynchages de groupe: plus la foule est nombreuse, plus les gens perdent conscience d'eux-mêmes et deviennent disposés à se livrer à des atrocités telles que brûler, lacérer ou démembrer la victime. Dans chacun de ces exemples allant des foules de spectateurs aux groupes de lynchage, l'appréhension de l'évaluation tombe à zéro. Et puisque «tout le monde le fait», chacun peut attribuer son comportement à la situation plutôt qu'à ses propres choix.

Philip Zimbardo (1970) émit l'hypothèse que la seule immensité de la foule contribue à l'anonymat et, par conséquent, à des normes favorisant le vandalisme. Un jour, il acheta deux automobiles vieilles de 10 ans et les laissa sans plaque d'immatriculation et le capot ouvert, l'une dans une rue près du vieux campus Bronx de l'Université de New York et

---

Désindividuation:
Perte de la conscience de soi et de l'appréhension de l'évaluation; se produit dans les situations de groupe entretenant l'anonymat et attirant l'attention de l'individu ailleurs que sur lui-même.

«Une foule est une société de corps se dépouillant volontairement de la raison.»
Ralph Waldo Emerson, *Compensation, Essays, First Series*

l'autre près du campus de l'Université Stanford à Palo Alto, une ville beaucoup plus petite. À New York, les premiers vandales arrivèrent dans les 10 minutes, prenant la batterie et le radiateur. Après 3 jours et 33 incidents de vol et de vandalisme auxquels s'étaient livrés des Blancs bien habillés, l'auto n'était plus qu'une vieille carcasse de métal cabossée. Par opposition, la seule personne à toucher à l'auto de Palo Alto pendant plus d'une semaine fut un passant qui baissa le capot lorsqu'il commença à pleuvoir.

Anonymat physique

Comment pouvons-nous être certains que la différence cruciale entre le Bronx et Palo Alto est l'anonymat plus grand du Bronx? C'est impossible. Mais nous pouvons faire des expériences pour voir si l'anonymat réduit effectivement les inhibitions. Dans une expérience de ce genre, Zimbardo (1970) habilla des femmes de l'Université de New York de manteaux et de capuchons blancs identiques, de sorte qu'elles ressemblaient à des membres du Ku Klux Klan (voir la figure 8.5). Quand on leur demanda d'administrer des électrochocs à une femme, elles appuyèrent deux fois plus longtemps sur le bouton que ne le firent les femmes visibles et portant de grosses étiquettes d'identification.

Figure 8.5
Anonymes, bien que manifestement d'une grande assurance, ces femmes administrèrent davantage d'électrochocs à des victimes sans défense que ne le firent les femmes identifiables. (Photographie offerte gracieusement par Philip Zimbardo.)

Une équipe de chercheurs dirigée par Edward Diener (1976) firent une brillante démonstration des conséquences du fait d'être en groupe *et* du fait d'être physiquement anonyme. À l'Halloween, ils observèrent 1352 enfants de Seattle faire le tour des maisons en disant «Donnez-moi quelque chose ou je vous joue un tour.» Comme les enfants, seuls ou en groupes, approchaient de l'une des 27 maisons disséminées dans la ville, un expérimentateur les accueillait chaleureusement, les invitait à «prendre *l'un* des bonbons» et quittait ensuite la pièce. Des observateurs cachés remarquèrent que les enfants en groupe avaient plus de deux fois plus tendance que les enfants seuls à prendre un autre bonbon. En outre, les enfants laissés dans l'anonymat avaient plus de deux fois plus tendance à transgresser que ceux à qui l'on avait demandé leurs nom et adresse. C'est ainsi que le taux de transgression variait énormément selon la situation, allant de 8 % parmi les enfants seuls et identifiés jusqu'à 80 % parmi les enfants anonymes.

Ces expériences nous incitent à nous questionner sur l'effet des uniformes. Dans l'expérience de la prison simulée de Zimbardo, les gardiens et les prisonniers étaient vêtus d'uniformes grossiers et dépersonnalisants (voir le chapitre 5). Cela contribua-t-il au comportement dépravé qui s'ensuivit? Pensons aussi à la découverte de Robert Watson à l'effet que les guerriers portant des masques dépersonnalisants ou des maquillages traitent leurs victimes plus brutalement. Le fait de devenir physiquement anonymes déchaîne-t-il toujours nos pires impulsions?

Heureusement que non. Pour commencer, les situations entourant certaines de ces expériences étaient porteuses de clairs messages antisociaux. Robert Johnson et Leslie Downing (1979) soulignent que les uniformes d'aspect Ku Klux Klan portés par les participantes de Zimbardo ont peut-être été des encouragements à l'hostilité. Ils décidèrent donc, au cours d'une expérience à l'Université de Géorgie, de faire porter aux femmes des uniformes d'infirmière avant de déterminer la quantité d'électrochocs à administrer. Lorsque les participantes portant les uniformes d'infirmière devinrent anonymes, elles se montrèrent *moins* agressives au moment d'administrer les électrochocs que lorsque leurs noms et leurs identités personnelles étaient soulignés. L'anonymat manifeste rend moins conscient de soi et fait davantage réagir aux messages propres à la situation, qu'ils soient négatifs (comme les uniformes de Ku Klux Klan) ou positifs (comme les uniformes d'infirmière).

Cela permet d'expliquer pourquoi le fait de porter des uniformes noirs – qui sont traditionnellement associés avec la mort et le mal – peut avoir un effet contraire au fait de porter un uniforme d'infirmière. Mark Frank et Thomas Gilovich (1988) rapportent que, après les Raiders de Los Angeles et les Flyers de Philadelphie, les équipes portant des uniformes noirs se rangent presque toujours en tête des Ligues nationales de football et de hockey pour le nombre de punitions calculées entre 1970 et 1986. Leurs recherches complémentaires en laboratoire indiquent que le simple fait de porter un chandail noir peut déclencher un comportement agressif.

Même si l'anonymat déchaîne effectivement nos impulsions et nous rend plus sensibles aux messages sociaux, nous devons nous souvenir que toutes nos impulsions ne sont pas funestes. Prenons l'exemple du résultat réconfortant d'une expérience conduite par les chercheurs Kenneth Gergen, Mary Gergen et William Barton (1973) du collège Swarthmore. Imaginez-vous, en tant que participant de cette expérience, qu'on vous conduit par des doubles portes dans une pièce complètement obscure où vous passerez l'heure suivante (à moins que vous ne choisissiez de sortir) en compagnie de sept étrangers des deux sexes. On vous dit que «Il n'y a pas de règles quant à ce que vous devriez faire ensemble. Quand le temps sera écoulé, vous sortirez seul et sous escorte de la pièce et partirez ensuite seul du lieu expérimental. Il n'y aura pas d'occasion de rencontrer [officiellement] les autres participants.»

Les participants témoins, qui passèrent l'heure dans une pièce éclairée avec des attentes plus conventionnelles, choisirent simplement de s'asseoir et de converser tout le temps. Par opposition, l'expérience de se retrouver anonyme dans la pièce sombre avec des attentes imprécises «déchaîna» l'intimité et l'affection. Les gens dans la pièce sombre parlèrent moins, mais ils parlèrent plus de choses «importantes». Quatre-vingt-dix pour cent touchèrent délibérément quelqu'un d'autre; 50 % s'étreignirent. Peu d'entre eux n'apprécièrent pas l'anonymat; la plupart en jouirent profondément et se portèrent volontaires pour le refaire sans rémunération. L'anonymat avait «libéré» l'intimité et le goût de s'amuser.

Activités stimulantes et distrayantes

Les explosions d'agressivité des grands groupes sont souvent précédées d'actes mineurs qui stimulent et distraient l'attention des gens. Les cris de groupe, les slogans scandés, les applaudissements ou les danses servent autant à exciter les gens qu'à diminuer leur conscience de soi. Un mooniste observateur se souvient comment la mélopée « choo-choo » aidait à désindividuer :

> Tous les frères et sœurs se tenaient par la main et scandaient de plus en plus fort, choo-choo-choo, Choo-choo-choo, CHOO-CHOO-CHOO ! YEA ! YEA ! POWW !!! L'acte faisait de nous un groupe comme si, d'étrange façon, nous avions expérimenté ensemble quelque chose d'important. Le pouvoir du choo-choo me terrifiait, mais je me sentais plus à l'aise et il y avait quelque chose de très relaxant à faire monter l'énergie et à la faire sortir. (Zimbardo *et al.*, 1977, p. 186)

Dans le roman de William Golding intitulé *Le Seigneur des mouches* (1962), un groupe d'enfants naufragés s'abaissèrent graduellement à la sauvagerie. Avant de se livrer à leurs actes sauvages, les garçons avaient parfois des activités de groupe comme danser en cercle et scander *Tue la bête ! Coupe-lui la gorge ! Répand son sang !* Ce faisant, le groupe devenait « un seul organisme » (p. 182).

Les expériences d'Edward Diener (1976 ; 1979) à l'Université de Washington et à l'Université d'Illinois ont démontré que des activités comme lancer des pierres ou chanter en groupe peuvent donner naissance à un comportement moins inhibé. Il y a un plaisir de renforcement de soi à poser un geste impulsif tout en voyant les autres le faire aussi. Tout d'abord, en voyant les autres faire ce que nous sommes en train de faire, nous pouvons penser qu'ils ressentent la même chose que nous et nous voir ainsi renforcés dans nos propres sentiments (Orive, 1984). De plus, l'action impulsive de groupe absorbe notre attention. Lorsque nous crions après l'arbitre, nous ne pensons pas à nos valeurs ; nous réagissons à une situation immédiate. Voilà pourquoi nous nous sentons parfois déçus en pensant à ce que nous avons dit ou fait. Parfois, pas toujours. Car, à d'autres moments, nous recherchons délibérément les expériences de groupe de désindividuation – danses, expériences de culte, ateliers relationnels – où nous pouvons jouir de sentiments positifs intenses et d'une sensation de proximité des autres.

« Lors d'une messe dans une cathédrale gothique, nous avons l'impression d'être inclus et plongés dans un univers intégral et de perdre notre épineuse conscience de soi dans la communauté des fidèles. »
Yi-Fu Twan, 1982, p. 127

Comme dans le cas du *Seigneur des mouches*, les cris, les chants, les applaudissements ou les danses de groupe excitent les gens et réduisent leur conscience de soi, les transformant de la sorte en un « seul organisme ».

DÉSINDIVIDUATION EN TANT QUE CONSCIENCE DE SOI AFFAIBLIE

Les expériences de groupe qui diminuent la conscience de soi des gens ont tendance à séparer leur comportement de leurs attitudes. Des expériences conduites par Steven Prentice-Dunn et Ronald Rogers (1980, 1989) et par Ed Diener révèlent que les gens inconscients d'eux-mêmes et désindividués sont moins maîtres d'eux-mêmes, moins autodisciplinés et ont davantage tendance à agir sans penser à leurs valeurs personnelles de même qu'à réagir plus fortement à la situation immédiate. Ces résultats complètent et renforcent les expériences sur la *conscience de soi* que nous avons vues aux chapitres 2 et 3. La conscience de soi est l'opposé de la désindividuation. Les gens rendus plus conscients d'eux-mêmes à l'aide, par exemple, d'un miroir ou d'une caméra de télévision, font montre d'une *plus grande* maîtrise de soi et leurs actes sont enracinés plus fermement dans leurs attitudes. Les gens rendus conscients d'eux-mêmes ont moins tendance à tricher quand ils ont l'occasion de le faire (Diener et Wallbom, 1976; Beaman *et al.*, 1979) que ceux qui, en général, se perçoivent clairement comme des individus distincts et indépendants (Nadler *et al.*, 1982). Les gens conscients d'eux-mêmes, ou rendus tels, manifestent une plus grande cohérence entre ce qu'ils disent en dehors d'une situation et ce qu'ils font quand ils la vivent.

On peut donc s'attendre que les circonstances affaiblissant la conscience de soi (comme le fait l'ingestion d'alcool – Hull *et al.*, 1983) augmentent la désindividuation. Par ailleurs, la désindividuation devrait être amoindrie par les circonstances augmentant la conscience de soi: miroirs et caméras, petites villes, lumières étincelantes, larges étiquettes d'identification, calme non perturbé, vêtements et maisons individuels (Ickes *et al.*, 1978). Lorsqu'un adolescent part pour une fête, le conseil des parents pourrait bien être «Amuse-toi bien et n'oublie pas qui tu es» – en d'autres termes, profite du groupe, mais reste conscient de toi, ne deviens pas désindividué.

POLARISATION DE GROUPE

Quels sont les effets – bons ou mauvais – qu'ont le plus souvent les interactions de groupe? D'un côté, la violence des émeutes démontre le potentiel destructeur des groupes. Par ailleurs, les thérapeutes de groupe, les consultants en administration et les théoriciens de l'éducation proclament les bénéfices des expériences de groupe et les leaders religieux ou politiques pressent leurs disciples de fortifier leur identité en s'associant avec des gens de même confession ou de même parti politique.

La recherche récente nous aide à mieux comprendre ces effets. Les recherches sur les membres de petits groupes ont fait ressortir un principe nous permettant d'expliquer autant les conséquences destructives que les conséquences constructives: en général, la discussion de groupe renforce les inclinations initiales des membres du groupe – qu'elles soient bonnes ou mauvaises –, un phénomène appelé «polarisation de groupe». Ces documents de recherche constituent une fort belle illustration du processus de recherche comme tel – comment une découverte intéressante conduit souvent les chercheurs à des conclusions hâtives et erronées que l'on finira par remplacer par de meilleures conclusions et de nouvelles pistes de recherche. Cette recherche sur la polarisation de groupe est un mystère scientifique dont je peux discuter de première main puisque je fus l'un des détectives. Commençons donc l'histoire par le début.

AU DÉBUT, LE DÉPLACEMENT VERS LE RISQUE

Les comptes rendus de recherche de plus de 300 études viennent d'une surprenante découverte de James Stoner (1961) qui était alors un diplômé de l'Institut de technologie du Massachusetts (MIT). Pour sa thèse de maîtrise en administration industrielle, Stoner décida de comparer les risques pris par les individus et les groupes. Il voulait vérifier l'idée populaire que les groupes sont plus prudents que les individus. La méthode de Stoner, que l'on appliqua dans une douzaine d'expériences ultérieures, consistait à demander aux gens de résoudre seuls des dilemmes décisionnels. Chaque problème décrivait la décision affrontée par un personnage fictif. La tâche du participant consistait à conseiller le personnage quant aux risques à prendre. Mettez-vous à la place du participant : quel conseil donneriez-vous au personnage pour le problème suivant ?

> Claude est un écrivain possédant, dit-on, un talent créateur considérable, mais qui, jusqu'à maintenant, a gagné sa vie à écrire de minables westerns. Il a eu récemment une idée pour un roman éventuellement important. S'il pouvait l'écrire et le faire accepter, le roman pourrait avoir un impact considérable sur la littérature et sa carrière avancerait énormément. Par contre, s'il n'est pas capable de réaliser son idée ou si le roman est un échec, il aura dépensé énormément de temps et d'énergie sans rémunération.
>
> Supposons que vous conseilliez Claude. Veuillez cocher *la plus faible* probabilité vous semblant acceptable pour que Claude essaie d'écrire le roman.
>
> Claude devrait essayer d'écrire le roman si les chances de succès du roman sont au moins de :
> ___ 1 sur 10
> ___ 2 sur 10
> ___ 3 sur 10
> ___ 4 sur 10
> ___ 5 sur 10
> ___ 6 sur 10
> ___ 7 sur 10
> ___ 8 sur 10
> ___ 9 sur 10
> ___ 10 sur 10 (Cochez celle-ci si vous pensez que Claude ne devrait essayer de l'écrire que si le succès est assuré.)

Une fois votre décision prise, devinez ce que serait le conseil donné par la moyenne des lecteurs de ce livre.

Après avoir indiqué leur réponse pour une douzaine de problèmes similaires, cinq participants environ devaient se réunir en groupe pour discuter et chercher à s'entendre sur chacun des problèmes. Comparativement à la moyenne des décisions prises avant la discussion, quelles étaient, d'après vous, les décisions du groupe ? Les groupes eurent-ils tendance à prendre davantage de risques ? Étaient-ils plus prudents ? Arrivèrent-ils à peu près aux mêmes décisions ?

À l'étonnement général, les décisions prises par le groupe étaient de loin *plus risquées* que celles qui avaient été choisies avant la discussion. Cette découverte se vit immédiatement surnommée le phénomène du «déplacement vers le risque» et elle déclencha une vague de recherches sur les risques pris par les groupes. Ces études révélèrent que ce phénomène ne se produit pas seulement lorsque le groupe prend une décision unanime; après une brève discussion, les individus changeront eux aussi leurs décisions. De plus, le résultat de l'expérience de Stoner se répéta dans une douzaine de pays différents avec des gens d'âge et de métier divers.

Les gens avaient des opinions convergentes durant la discussion. Fait curieux, cependant, leur point de convergence était habituellement un nombre plus bas (plus risqué) que leur moyenne initiale. C'était là un beau problème, car le phénomène du déplacement vers le risque, sans être énorme, n'en était pas moins sûr, imprévu et sans explication immédiate et évidente. Quelles influences, à l'intérieur du groupe, produisent cet effet? Et quelle est l'ampleur du phénomène? Les discussions des jurys, des comités administratifs et des organismes militaires penchent-elles également vers le risque?

Après environ cinq ans de réflexions et de recherches sur la tendance plus marquée des groupes à prendre des risques, des indications apparurent à l'effet que le déplacement vers le risque n'était pas aussi universel qu'on le croyait. On pouvait rédiger des dilemmes décisionnels qui *n'*entraînaient *pas* de déplacement assuré vers le risque ou devant lesquels les gens se montraient encore plus *prudents* après la discussion. Par exemple, le problème de «Jean-Guy», un jeune homme marié, père de deux enfants d'âge scolaire, ayant un emploi assuré quoique peu rémunéré. Jean-Guy peut acheter le nécessaire, mais il ne peut rien se payer de luxueux. Il entend dire que les actions d'une compagnie relativement inconnue vont peut-être bientôt tripler de valeur si son nouveau produit reçoit un accueil favorable ou qu'elles vont baisser considérablement si tel n'est pas le cas. Jean-Guy ne possède pas d'économies. Pour investir dans la compagnie, il envisage par conséquent de vendre sa police d'assurance-vie.

Y a-t-il un principe général pouvant prédire la tendance à donner un conseil plus risqué après avoir discuté de la situation de Claude et à donner un conseil plus prudent après avoir discuté du cas de Jean-Guy? Oui. Si vous êtes comme tout le monde, vous conseilleriez probablement à Claude de prendre davantage de risques qu'à Jean-Guy, avant même d'avoir parlé aux autres. Il s'avère que la discussion a fortement tendance à accentuer ces penchants initiaux.

Les chercheurs ont donc commencé à comprendre que ce phénomène de groupe *n'*était *pas*, comme on le croyait généralement, un déplacement régulier vers le risque, mais plutôt une tendance, dans la discussion de groupe, à *renforcer* les premiers penchants du groupe. Cette idée poussa les chercheurs à émettre l'hypothèse d'un phénomène de **polarisation de groupe**: la discussion de groupe renforce habituellement l'inclination générale des membres du groupe avant la discussion.

LES GROUPES DURCISSENT-ILS LES OPINIONS?

Expériences sur la polarisation de groupe

Cette nouvelle perception des changements provoqués par la discussion incita les chercheurs à demander aux gens de discuter d'énoncés avec lesquels la plupart étaient d'accord ou avec lesquels la plupart étaient en désaccord. Le fait de discuter en groupe renforcera-t-il leurs premières inclinations comme ce fut le cas pour les dilemmes décisionnels? L'hypothèse de la polarisation de groupe prédit que oui, le point de vue initial se verra renforcé (voir la figure 8.6).

Polarisation de groupe: Renforcement, produit par le groupe, des tendances préexistantes des membres. Se rapporte au renforcement de la tendance *générale* des membres et non à une rupture au sein du groupe.

Figure 8.6

L'hypothèse de la polarisation de groupe prédit qu'une attitude partagée par les membres du groupe se verra habituellement renforcée par la discussion. Par exemple, si les gens ont d'abord tendance à approuver le risque pour un dilemme (tel que celui qui concerne l'écrivain Claude), ils ont tendance à l'approuver encore plus après la discussion. S'ils ont d'abord tendance à s'opposer au risque (comme dans le cas de la décision prise par Jean-Guy de vendre sa police d'assurance-vie), ils ont tendance à s'y opposer encore plus après la discussion.

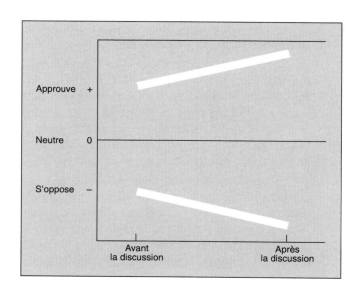

La polarisation de groupe fut confirmée dans des douzaines d'expériences. Serge Moscovici et Marisa Zavalloni (1969), après avoir pris trois mesures: (1) l'opinion des individus avant la discussion (préconsensus), (2) l'opinion du groupe à la fin de la discussion (consensus), (3) l'opinion des individus à la fin de la discussion (postconsensus), ont observé que la discussion renforçait, chez les étudiants français, leur attitude initiale positive à l'égard du président de Gaulle (en exprimant leur degré d'accord avec un énoncé comme «De Gaulle est trop âgé pour mener à bien sa difficile tâche politique») et leur attitude initiale négative envers les Américains (exemple d'énoncé, «L'aide économique américaine est toujours utilisée pour exercer une pression politique»). Patricia Nève et Moscovici (1971) ont utilisé des énoncés portant sur le thème contraception/avortement (par exemple, «Ce n'est pas à la loi de faire la morale. C'est à nous de la faire. La loi doit être la même pour tout le monde») pour vérifier l'effet du degré d'engagement sur la polarisation de groupe. Leurs sujets féminins ont montré une plus grande polarisation, ce qui confirme leur hypothèse d'un effet direct de l'engagement sur la polarisation. Moscovici et ses collaborateurs ont aussi démontré que les facteurs qui entravent la discussion dans un groupe produisent une réduction de la polarisation: être assis côte à côte plutôt que face à face (Moscovici et Lécuyer, 1972), savoir que le temps de discussion sera limité ou centrer l'attention sur le processus de la discussion plutôt que sur le contenu (Moscovici *et al.*, 1972).

Une autre stratégie de recherche consista à choisir des problèmes sur lesquels les gens divergeaient d'opinion et d'isoler ensuite les personnes partageant les mêmes opinions. La discussion avec des gens du même avis renforce-t-elle leurs idées communes? Augmente-t-elle l'écart les séparant des gens étant d'avis contraire?

George Bishop et moi avons décidé d'explorer cette question. Nous avons créé des groupes d'élèves du secondaire ayant beaucoup ou peu de préjugés et leur avons demandé de répondre – tant avant qu'après la discussion – à des questions portant sur les attitudes raciales telles que celles qui opposent les droits du propriétaire au logement accessible à tous (Myers et Bishop, 1970). Nous avons découvert qu'effectivement les discussions entre personnes du même avis augmentaient l'écart initial entre les deux groupes (voir la figure 8.7).

Pour sa part, Maryla Zaleska (1980) annonçait à des personnes, assemblées au hasard, qu'elles avaient été réunies en fonction des «affinités entre les tendances profondes de leur personnalité» révélées par un questionnaire d'opinion qu'elles avaient rempli au début de l'expérience. Alors que la polarisation s'est manifestée dans cette condition, elle a été absente dans les groupes de personnes dont la réunion était, de toute évidence, due au hasard.

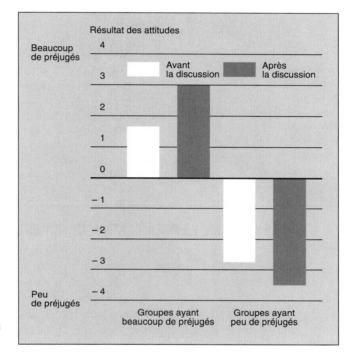

Figure 8.7
La discussion accentua la polarisation entre des groupes homogènes d'élèves du secondaire ayant beaucoup et peu de préjugés. (Données tirées de Myers et Bishop, 1970.)

Apparition naturelle de la polarisation de groupe

Il ne manque pas de preuves à l'effet que les gens, dans la vie quotidienne, s'associent surtout aux personnes ayant des attitudes semblables aux leurs (voir le chapitre 11). Pour illustrer ce point, la plupart d'entre nous n'ont qu'à considérer leur cercle d'amis. Les interactions de groupe dans la vie quotidienne renforcent-elles, elles aussi, les attitudes communes? Dans le cours naturel des événements, il est difficile de séparer la cause de l'effet, mais ce qui se passe dans le laboratoire semble avoir des ressemblances avec la vie courante.

L'une de ces ressemblances est ce que les chercheurs appellent le «phénomène d'accentuation»: les différences initiales chez des élèves du collégial sont accentuées par le temps passé au collège. Par exemple, si les élèves du collège X sont, au départ, plus intellectuels que ceux du collège Y, cette différence va probablement prendre de l'ampleur avec leur fréquentation du collège. Les chercheurs croient que cela est partiellement dû au fait que les membres du groupe renforcent leurs inclinations communes (Feldman et Newcomb, 1969; Chickering et McCormick, 1973; Wilson *et al.*, 1975).

Une autre ressemblance ressort des observations de la polarisation collective. Lorsqu'il y a conflits sociaux, les personnes partageant les mêmes idées s'associent de plus en plus, amplifiant de la sorte leurs tendances communes. De même, en étudiant des bandes de délinquants, on a observé un processus de renforcement mutuel à l'intérieur de bandes de quartier dont les membres partagent les mêmes antécédents socio-économiques et ethniques (Cartwright, 1975). À partir de leur analyse des organisations terroristes du monde entier, Clark McCauley et Mary Segal (1987) notent que le terrorisme n'apparaît pas subitement. Il se développe plutôt chez des gens réunis par leurs doléances communes. Leurs interactions, sans contact avec des influences modératrices, les rendent progressivement plus extrémistes.

POLARISATION DE GROUPE

Dans ce dialogue entre disciples de Jules César, Shakespeare a dépeint le pouvoir polarisant d'un groupe de gens aux idées semblables.

ANTOINE: Bonnes gens, pourquoi pleurez-vous alors que vous ne faites qu'apercevoir les vêtements de notre César blessé? Regardez par ici. Le voici en personne, souillé, comme vous voyez, par des traîtres.

PREMIER CITOYEN: Ô quel spectacle pitoyable!

DEUXIÈME CITOYEN: Ô noble César!

TROISIÈME CITOYEN: Ô quel jour triste!

QUATRIÈME CITOYEN: Ô traîtres, vilains!

PREMIER CITOYEN: Ô quelle horrible vision!

DEUXIÈME CITOYEN: Nous serons vengés!

TOUS: Vengeance! Demi-tour! Cherchons! Brûlons! Tirons! Tuons! Assassinons! Ne laissons pas la vie sauve au traître!

Note: Extrait de William Shakespeare. *Jules César*, Acte III, scène III, II, 199-209.

POUR EXPLIQUER LA POLARISATION DE GROUPE

Chercher pourquoi la polarisation se produit est devenu un problème terriblement tentant pour bon nombre de psychologues sociaux: pourquoi des groupes de gens semblent-ils adopter des positions encore plus exagérées que la moyenne des opinions de leurs membres individuels? Les chercheurs espéraient que la solution du mystère de la polarisation de groupe leur fournirait de nouvelles perspectives touchant les influences sociales. La solution des petits problèmes fournit parfois des indices de solution pour les plus gros.

Parmi plusieurs théories de la polarisation de groupe, deux ont survécu à l'analyse scientifique. L'une concerne les arguments présentés lors d'une discussion et l'autre touche la façon dont les membres d'un groupe se perçoivent vis-à-vis des autres membres. Faisant appel à deux concepts importants présentés au chapitre 6, la première idée constitue un exemple d'influence informative (l'influence résultant du fait d'accepter des preuves concernant la réalité) et la seconde, un exemple d'influence normative (l'influence basée sur le désir d'être accepté et admiré par un groupe).

Influence informative

Selon l'explication qui remporte les faveurs, la discussion de groupe provoque une mise en commun des idées dont la plupart favorisent le point de vue prédominant. Ces idées peuvent inclure des arguments persuasifs auxquels certains membres du groupe n'avaient pas pensé. En discutant, par exemple, du cas de l'écrivain Claude, quelqu'un peut faire observer avec à-propos que «Claude devrait tenter sa chance parce qu'il n'a pas grand chose à perdre – si son roman est un échec, il peut toujours se remettre à écrire de minables westerns.» Mais ce genre d'énoncé combine des informations sur les *arguments* de quelqu'un concernant le problème avec des indices sur la *position* de la personne par rapport au problème. En démêlant ces deux facteurs, on s'est aperçu que, lorsque les gens entendent des arguments pertinents sans connaître les points de vue particuliers qu'assument les autres, ils n'en changent pas moins leur point de vue (Burnstein et Vinokur, 1977; Hinsz et Davis, 1984). Les *arguments*, comme tels et d'eux-mêmes, constituent apparemment le principal facteur dans la polarisation des attitudes.

Les chercheurs ont également découvert que la *participation verbale active* provoque plus de changements d'attitudes que ne le fait l'écoute passive. Les participants et les observateurs entendent tous les mêmes idées, mais, lorsque les participants les expriment dans leurs propres mots, l'engagement verbal qui en résulte semble amplifier l'impact de la discussion. Cette découverte va dans le même sens que celle qui est issue de la recherche sur les attitudes et qui démontre que les gens se souviennent mieux d'un message qu'ils ont activement reformulé dans leurs propres mots et qu'ils sont davantage influencés par ce message (Greenwald, 1978; Tesser, 1978). Elle illustre également un point expliqué au chapitre 7: les esprits des gens ne sont pas simplement des tableaux noirs où les personnes persuasives peuvent écrire; ce que *pensent* les gens à propos d'un message est crucial. En effet, le simple fait de réfléchir quelques minutes à un problème peut suffire à durcir les opinions des gens (Millar et Tesser, 1986). Et le simple fait de *s'attendre* à discuter d'un problème avec une personne de compétence égale et du point de vue opposé peut même motiver les gens à rassembler leurs arguments et à adopter une position encore plus extrême (Fitzpatrick et Eagly, 1981).

Influence normative

Dans la deuxième explication de la polarisation, la comparaison sociale avec les autres joue un rôle important. Selon le raisonnement de Leon Festinger (1954) dans sa théorie influente de la **comparaison sociale**, il est humain de vouloir évaluer nos opinions et nos capacités, ce que nous pouvons faire en comparant nos points de vue avec ceux de nos semblables. De plus, les gens désirent être favorablement perçus, de sorte qu'il est possible qu'ils expriment des opinions plus marquées s'ils se rendent compte que les autres partagent davantage leur avis qu'ils ne l'avaient supposé ou s'ils pensent, avant même de commencer à discuter, que les autres leur ressemblent profondément, comme dans l'expérience de Zaleska (1980) dont il a été question précédemment.

Vous avez peut-être le souvenir d'une occasion où vous et les autres étiez sur vos gardes et renfermés jusqu'au moment où une personne dans le groupe brisa la glace pour dire: «Eh bien! pour être tout à fait honnête, je pense que...» et, à votre grande surprise, vous avez vite fait de découvrir beaucoup d'appui pour des idées que chacun avait supposées être peu partagées. Lorsqu'un professeur demande si quelqu'un a des questions à poser, il arrive parfois que personne ne réponde, ce qui incite chacun des étudiants à en déduire qu'il est la seule personne à ne pas comprendre. Tous croient que la peur de l'embarras explique leur propre silence, mais que le silence des autres signifie qu'ils ont tout compris. Dale Miller et Cathy McFarland (1987) ont fait de ce phénomène courant une expérience de laboratoire en demandant aux gens de lire un article incompréhensible et de demander de l'aide s'ils éprouvaient «des problèmes vraiment sérieux de compréhension de l'article». Même si aucun des participants ne demanda de l'aide, ils présumèrent que les *autres* participants n'étaient pas, comme eux, victimes de la peur de l'embarras. Ainsi, ils en déduisirent faussement que les personnes n'ayant pas demandé de l'aide devaient avoir compris l'article. Pour surmonter ce genre d'**ignorance pluraliste**, quelqu'un doit briser la glace, permettant ainsi aux gens de révéler et de renforcer leurs réactions communes quoique secrètes.

Comparaison sociale:
Évaluer ses idées et ses capacités en se comparant avec les autres.

Ignorance pluraliste:
Fausse impression concernant la façon dont les autres pensent, se sentent ou réagissent.

Cette découverte fait penser au biais auto-avantageux (chapitre 3) : les gens ont tendance à se percevoir comme des personnifications supérieures à la moyenne quant aux traits de caractère et aux attitudes désirables.

Quand on demande aux gens (comme on vous l'a déjà demandé) de prédire la réponse des autres à des problèmes comme le dilemme de l'écrivain Claude, ils font habituellement preuve d'ignorance pluraliste : ils s'imaginent que les opinions des autres favorisent moins la tendance socialement préférée (dans ce cas-ci, écrire le roman) que ne le fait leur propre opinion. Le participant classique conseillera d'écrire le roman même si ses chances de succès ne sont que de 4 sur 10, mais il estimera que la plupart des autres participants exigeraient des chances de l'ordre de 5 ou 6 sur 10. C'est ainsi qu'au début de la discussion plusieurs membres du groupe s'apercevront rapidement qu'ils ne surpassent pas les autres comme ils l'avaient d'abord supposé ; il y a en fait des participants qui les ont déjà dépassés, ayant déjà adopté une position plus forte en faveur de la rédaction du roman. Désormais libérés de la contrainte d'une norme de groupe mal perçue, ils pourront alors exprimer plus ouvertement et plus fermement leurs préférences. Qui plus est, les gens ont tendance à admirer, les trouvant les plus sincères et les plus compétents, les individus partageant leur point de vue tout en étant encore plus extrémistes (Eisenger et Mills, 1968). Cette tendance peut, elle aussi, favoriser la polarisation. (À noter : si le fait de prendre connaissance des opinions des autres modifie le point de vue de quelqu'un, c'est alors l'influence informative plutôt que l'influence normative qui est à l'œuvre.)

Cette théorie de la comparaison sociale a provoqué une série d'expériences où l'on exposait les gens aux points de vue des autres sans les exposer à leurs arguments. C'est à peu près l'expérience que nous faisons en lisant les résultats d'un sondage d'opinion. En apprenant les points de vue des autres – sans pouvoir en discuter – les gens ajusteront-ils leurs réponses de façon à maintenir une position favorable par rapport aux autres ? Quand les gens n'ont pas pris d'engagement antérieur à l'égard d'un point de vue particulier, le fait de voir les réponses des autres stimule effectivement une faible polarisation (Sanders et Baron, 1977 ; Goethals et Zanna, 1979). Nous en donnons un exemple à la figure 8.8. La

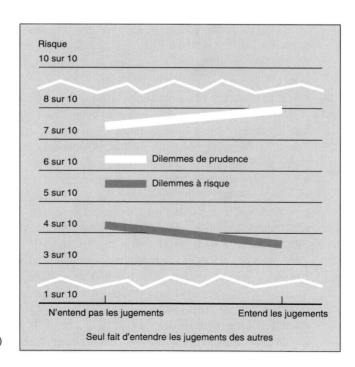

Figure 8.8
Pour les dilemmes «à risque» (comme dans le cas de l'écrivain Claude), le seul fait d'entendre les jugements des autres accentua les tendances individuelles au risque. Pour les dilemmes de prudence (comme dans le cas de Jean-Guy), le fait d'entendre les jugements des autres favorisa leur prudence. (Données tirées de Myers, 1978.)

polarisation n'est habituellement pas aussi prononcée que celle qu'engendre une discussion animée. Toutefois, les chercheurs furent surpris de voir que les gens, plutôt que de simplement se conformer à la moyenne du groupe, allaient le plus souvent un peu plus loin. Les gens chercheraient-ils à «marquer un point» sur la norme observée pour pouvoir se différencier du groupe ? Est-ce là une autre manifestation de ce que certains chercheurs (voir le chapitre 6) pensent être notre besoin de nous sentir uniques ? C'est ce que croit Roger Brown (1974) : «La vertu consiste, quelle que soit la situation, à être différent de la [moyenne] – dans le bon sens et dans la bonne mesure.»

La recherche sur la polarisation de groupe illustre l'une des caractéristiques de la méthode de travail en psychologie sociale. Autant nous aimons que nos explications soient simples, plus souvent qu'autrement, une explication d'un phénomène ne peut réussir à elle seule à rendre compte de toutes les informations. Étant donné que les gens sont complexes, il y a souvent plus d'un facteur qui influence un phénomène. Dans les discussions de groupe, les arguments persuasifs prédominent dans le cas des questions comprenant un élément factuel [est-elle coupable du crime ?] et la comparaison sociale influence les réponses se rapportant à une échelle de jugements de valeur [quelle devrait être la durée de sa sentence ?] (Kaplan et Miller, 1987). Les deux facteurs interviennent dans les nombreuses questions combinant ces deux aspects. Le fait de découvrir que les autres partagent nos impressions (comparaison sociale) peut faire surgir des arguments (influence informative) à l'appui de ce que chacun approuve secrètement.

PENSÉE DE GROUPE

Les phénomènes sociopsychologiques que nous avons étudiés dans ces huit premiers chapitres se manifestent-ils dans les groupes hautement sophistiqués de prise de décision ? Y a-t-il probabilité d'autojustification dans un conseil d'administration ou dans le cabinet du premier ministre ? Qu'en est-il du biais auto-avantageux ? Et du sentiment cohésif du «nous» provoquant la conformité et le rejet de ceux qui ne se conforment pas ? Et de l'engagement public engendrant une résistance au changement ? Et de la polarisation de groupe ? Le psychologue social Irving Janis (1971 ; 1982a) s'est demandé si des phénomènes de ce genre ne pourraient pas expliquer les bonnes et les mauvaises décisions prises par les derniers présidents américains et leurs conseillers. Pour le savoir, il a analysé les méthodes de prise de décision ayant abouti à plusieurs fiascos majeurs tels que :

- **Pearl Harbor.** Au cours des semaines précédant l'attaque de Pearl Harbor, en 1941, les commandants militaires recevaient régulièrement des informations concernant les préparatifs japonais en vue d'une attaque – quelque part. Le service secret militaire perdit alors tout contact radio avec les transporteurs aériens japonais qui avaient commencé à se diriger à toute vapeur directement sur Hawaii. La patrouille aérienne de reconnaissance aurait pu localiser les transporteurs ou du moins avertir quelques minutes à l'avance de l'attaque imminente. Mais les commandants, imbus de leur suffisance, décidèrent de ne pas prendre ces précautions. Il n'y eut donc aucune alerte jusqu'à ce que les Japonais attaquent directement les navires et les terrains d'aviation pratiquement sans défense.

- **L'invasion de la baie des Cochons.** «Comment avons-nous pu être si stupides?» demanda le président John Kennedy quand il apprit, en compagnie de ses conseillers, le désastreux résultat de leur tentative, en 1961, de renverser Castro en envoyant à Cuba 1400 exilés cubains entraînés par la CIA. Presque tous les envahisseurs furent rapidement tués ou capturés, les États-Unis furent humiliés et Cuba s'allia encore davantage avec l'URSS.
- **La guerre du Viêt-nam.** De 1964 à 1967, le président Lyndon Johnson et ses conseillers politiques, son «groupe des déjeuners du mardi», provoquèrent l'escalade de la guerre du Viêt-nam en se basant sur l'idée que le bombardement aérien américain, la défoliation et les missions de perquisition et de destruction amèneraient probablement le Viêt-nam du Nord à la table de conciliation tout en conservant l'appui positif du peuple sud-vietnamien. Les décisions de poursuivre l'escalade se prirent malgré les mises en garde des experts des services secrets gouvernementaux de même que des dirigeants de presque tous les pays alliés aux États-Unis. Le désastre qui en résulta coûta 56 500 morts chez les Américains et plus d'un million de vies chez les Vietnamiens, fit perdre au président son mandat et entraîna d'énormes déficits budgétaires qui causèrent partiellement l'inflation des années 1970.

Janis croit que ces impairs furent le fruit de la tendance, chez ces groupes de prise de décision, à supprimer la dissension au nom de l'harmonie du groupe, un phénomène qu'il appelle la **pensée de groupe**. La composition du terrain propice à la pensée de groupe comprend la cohésion et l'amabilité entre les membres du groupe, un isolement relatif du groupe quant aux points de vue divergents et un leader directif qui indique la décision qu'il favorise. Au moment, par exemple, de planifier la malheureuse invasion de la baie des Cochons, le président Kennedy et ses conseillers jouissaient d'un fort esprit de corps; les arguments critiquant le plan étaient supprimés ou exclus; et le président indiqua rapidement son adhésion personnelle au projet d'invasion.

Pensée de groupe :
«Façon de penser qu'adoptent les gens lorsque la recherche de l'accord devient si prédominante dans un groupe cohésif qu'elle tend à l'emporter sur une évaluation réaliste des autres possibilités d'action.»
Irving Janis, 1971

SYMPTÔMES DE LA PENSÉE DE GROUPE

À partir des comptes rendus historiques et des mémoires des participants et des observateurs, Janis a identifié huit symptômes de pensée de groupe ayant contribué à ces mauvaises décisions.

Illusion d'invulnérabilité

Les groupes étudiés par Janis ont tous développé un optimisme excessif les rendant aveugles aux avertissements de danger. Lorsqu'on lui dit que le contact avec les transporteurs japonais était perdu, l'amiral Kimmel, l'officier en chef de la marine à Pearl Harbor, plaisanta en disant qu'ils devaient s'apprêter à contourner la tête de diamant d'Honolulu. Que Kimmel ait ri à cette idée était justement une façon d'exclure la possibilité qu'elle soit vraie. Jerome Frank (1984), un observateur des éléments psychologiques jouant dans les relations internationales, croit que les leaders actuels sont victimes d'une semblable illusion de groupe :

> Les milieux dirigeants militaires et politiques dans le domaine nucléaire sont capables de conserver l'étrange illusion que leur pays pourrait l'emporter lors d'un conflit nucléaire parce que leurs membres forment un système clos de communication les confirmant constamment dans cette idée. Les gens ne peuvent se joindre aux cercles fermés de décideurs s'ils n'en partagent pas déjà la même vision du monde.

Rationalisation

Les groupes rejetaient toute remise en question de leurs décisions antérieures en les justifiant collectivement. Le groupe des «déjeuners du mardi» du président Johnson passait beaucoup plus de temps à rationaliser (expliquer et justifier) ses décisions antérieures d'aller vers l'escalade qu'à y réfléchir et à les repenser. Chaque initiative devenait une action à défendre et à justifier.

Croyance incontestée à la moralité du groupe

Les membres du groupe attribuent à leur groupe une moralité intrinsèque, laissant de côté les problèmes moraux et éthiques. Même si le groupe de Kennedy savait que le conseiller Arthur Schlesinger fils et le sénateur J. William Fulbright éprouvaient des restrictions morales à l'idée d'envahir un petit pays voisin, le groupe ne réfléchit pas à ces inquiétudes morales ou n'en discuta jamais.

Perception stéréotypée de l'adversaire

Les participants de ces groupes s'enlisant dans les combats semblaient considérer leurs ennemis comme trop méchants pour négocier ou comme faibles et dépourvus d'intelligence au point d'être incapables de se défendre contre l'initiative planifiée. Le groupe de Kennedy s'est convaincu lui-même que l'armée de Castro était trop faible et son appui populaire si superficiel qu'une simple brigade pourrait facilement renverser son régime.

Pression à la conformité

La dissension n'était pas appréciée. Les membres du groupe qui soulevaient des doutes quant aux projets ou aux suppositions du groupe étaient vite mis en boîte, quelquefois par le sarcasme personnel plutôt que par un argument. Un jour, lorsque Bill Moyers, l'assistant du président Johnson, arriva à une réunion, le président le railla en disant «Eh bien! voici M. Arrêtons-le-bombardement!» Pour éviter la désapprobation, la plupart des gens rejoignent les rangs lorsqu'ils sont ainsi tournés en ridicule.

Autocensure

Comme les désaccords n'étaient pas souvent les bienvenus et que les groupes semblaient unanimes, les membres avaient tendance à taire, sinon à rejeter leurs propres appréhensions. Au cours des mois suivant l'invasion de la baie des Cochons, Arthur Schlesinger (1965) se reprochait:

> d'être demeuré si silencieux lors de ces discussions cruciales dans la salle du cabinet, même si mes sentiments de culpabilité étaient atténués par la certitude que la voie de l'objection ne me donnerait pas grand chose à part une réputation d'emmerdeur. Je peux seulement expliquer mon échec à ne faire davantage qu'à soulever quelques timides questions en disant que l'impulsion à tirer la sonnette d'alarme sur ce non-sens était tout simplement contrecarrée par le contexte de la discussion. (p. 255)

Illusion d'unanimité

L'autocensure et la pression contre le bris de l'apparent consensus du groupe peuvent conduire à une illusion d'unanimité. D'autant plus que l'apparent consensus semble valider la décision du groupe. Cette apparence de consensus était évidente dans les trois fiascos et dans des fiascos antérieurs et postérieurs. Albert Speer (1971), un conseiller d'Adolf Hitler, décrit l'atmosphère entourant Hitler comme étant d'un genre où la pression à la conformité supprimait toute déviation. L'absence de dissension créait une illusion d'unanimité qui semblait justifier les actes les plus atroces.

> En temps normal, les gens qui tournent le dos à la réalité sont vite remis d'aplomb par les moqueries et les critiques de leur entourage qui leur fait comprendre qu'ils ont perdu leur crédibilité. Dans le IIIe Reich, de telles mesures correctrices n'existaient pas, encore moins pour ceux qui occupaient les échelons supérieurs. Au contraire, chaque aveuglement était multiplié comme par un effet de miroirs déformants, devenant l'image sans cesse confirmée d'un fantastique monde de rêve qui n'avait plus rien à voir avec le sinistre monde extérieur. Dans ces miroirs, je ne pouvais voir que mon propre visage reproduit en plusieurs exemplaires. Aucun élément extérieur n'altérait l'uniformité de centaines de visages figés, tous le mien. (p. 379)

Gardes de l'esprit

Certains membres protègent le groupe de l'information susceptible de contester l'efficacité ou la moralité de ses décisions. Avant la baie des Cochons, Robert Kennedy prit Schlesinger à part et lui dit «N'en parle plus» et le secrétaire d'État Dean Rusk ne transmettait pas les mises en garde exprimées par les experts des services secrets et diplomatiques concernant l'invasion. En agissant de la sorte, ils faisaient office, auprès du président, de ce qu'on pourrait appeler des «gardes de l'esprit» par analogie aux gardes du corps, le protégeant des faits désagréables plutôt que des blessures corporelles.

PENSÉE DE GROUPE EN ACTION

Figure 8.9
Analyse théorique de la pensée de groupe. (Données tirées de Janis et Mann, 1977, p. 132.)

Janis croit que ces symptômes de pensée de groupe provoquent bien des erreurs lors de la prise de décision. Comme le résume la figure 8.9, ces symptômes signifient une incapacité de rechercher de l'information contraire et des solutions possibles de rechange et d'en discuter.

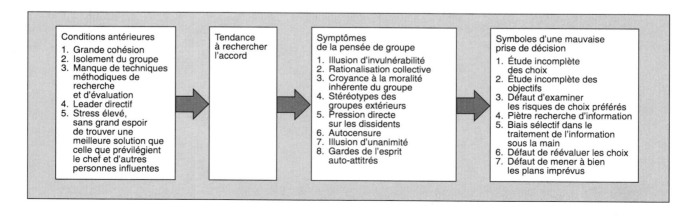

Cette incapacité se manifesta clairement dans le processus décisionnel de la NASA ayant abouti à la décision de procéder au lancement de la navette spatiale *Challenger* pour sa mission fatidique. Les ingénieurs de la compagnie Morton Thiokol, qui fabriquait la fusée de lancement de la navette, et ceux de la compagnie Rockwell International, qui fabriquait la navette, s'étaient opposés au lancement à cause des dangers que posaient les températures sous le point de congélation. Les ingénieurs de Thiokol craignaient que le froid ne rende les joints de caoutchouc entre les quatre principaux segments de la navette trop fragiles pour supporter les gaz extrêmement chauds de la navette. Bien des mois avant la mission de malheur, le plus grand expert de la compagnie avait averti, dans un mémo, que la résistance du joint était un «entre-deux» et qu'en cas de défaillance «il en résulterait une énorme catastrophe» (Magnuson, 1986).

Lors d'une discussion téléphonique de groupe, à la veille du lancement, les ingénieurs défendirent leur point de vue devant leurs patrons incertains et les représentants officiels de la NASA qui avaient hâte de procéder au lancement ayant déjà été différé. Un représentant de Thiokol certifia plus tard: «Nous nous sommes retrouvés pris dans l'idée que nous cherchions un moyen de leur prouver que [la fusée de lancement] ne fonctionnerait pas. Il nous était impossible de le prouver.» C'est donc dire qu'il y avait persistance d'une *illusion d'invulnérabilité*. Des *pressions vers la conformité* étaient également à l'œuvre comme lorsqu'un des représentants officiels de la NASA s'écria: «Bon Dieu! Thiokol, quand voulez-vous que l'on procède au lancement, en avril prochain?» et lorsque le directeur en chef de Thiokol déclara: «Il nous faut prendre une décision administrative» et qu'il demanda ensuite à son vice-président à l'ingénierie «d'enlever son chapeau d'ingénieur et de mettre celui d'administrateur». Afin de créer une *illusion d'unanimité*, ce même directeur en chef convoqua alors une réunion des représentants officiels de l'administration, laissant de côté les ingénieurs. Une fois la décision d'aller de l'avant prise par le groupe, l'un des ingénieurs supplia tardivement un représentant officiel de la NASA de changer d'avis: «Si ce lancement tourne mal, dit-il prophétiquement, je ne voudrais certainement pas être celui qui aura à expliquer à une commission d'enquête pourquoi j'ai procédé au lancement.» Pour couronner le tout, soulignons le travail efficace des *gardes de l'esprit* grâce auxquels le directeur général de la NASA qui prit la décision finale de procéder au lancement ne connut jamais les préoccupations des ingénieurs pas plus que les restrictions des représentants officiels de la Rockwell. À l'abri des informations désagréables, c'est avec confiance qu'il ordonna d'aller de l'avant et de lancer la navette *Challenger* vers sa fin tragique.

Dans son rapport sur le coût (10 fois ce qui était prévu) des installations olympiques de Montréal, le juge Malouf fait allusion à certains aspects du processus de décision qui ressemblent à ce que Janis appelle la pensée de groupe. La forte personnalité du maire Drapeau, par exemple, rendait difficile la remise en question de ses opinions par les membres de son entourage. Le défaut aussi de recourir à des experts de l'extérieur permettait de donner libre cours à des croyances mal fondées.

> «Il y avait un défaut sérieux dans le processus de prise de décision.»
>
> Rapport de la Commission présidentielle sur l'accident de la navette spatiale *Challenger*, 1986

POUR PRÉVENIR LA PENSÉE DE GROUPE

Cette sombre analyse signifie-t-elle que la prise de décision en groupe est intrinsèquement défectueuse? Pour formuler la question avec des proverbes contradictoires, est-il vrai que trop de cuisiniers gâtent la sauce ou que deux avis valent parfois mieux qu'un?

DIX RECOMMANDATIONS POUR PRÉVENIR LA PENSÉE DE GROUPE

1. Parler aux membres du groupe du problème de la pensée de groupe, de ses causes et de ses conséquences.

2. Le leader devrait se montrer impartial, il ne devrait souscrire à aucun point de vue.

3. Le leader devrait dire à chaque individu de faire une évaluation critique et il devrait permettre les doutes et les objections.

4. On devrait assigner à un ou à plusieurs membres du groupe le rôle d'«avocat du diable».

5. Subdiviser le groupe de temps à autre. Prévoir des réunions séparées pour les sous-groupes, suivies de réunions plénières pour faire connaître les différences.

6. Quand il est question des relations avec un groupe rival, prendre le temps de passer en revue tous les signaux d'alarme et d'identifier diverses possibilités d'action de la part du rival.

7. Après une décision préliminaire, il serait bon d'organiser une réunion de «deuxième chance» où l'on demanderait à chacun d'exprimer ses doutes.

8. On devrait inviter des experts de l'extérieur à assister aux réunions sur une base échelonnée afin de mettre en question les idées du groupe.

9. Chaque membre du groupe devrait parler des délibérations du groupe avec des collègues de confiance et faire part au groupe de leurs réactions.

10. Plusieurs groupes indépendants devraient se pencher simultanément sur le même problème.

Note: Adapté de I. L. Janis. «Pour contrer les fâcheuses conséquences de la recherche de l'accord dans les groupes de planification des politiques: perspectives de recherche et de théorie». *In* H. Brandstätter *et al.* (dir.). *Group Decision Making.* New York, Academic Press, 1982, p. 477-501.

Les idées des groupes sont souvent les meilleures. C'est ce qu'a démontré Patrick Laughlin (1980; Laughlin et Adamopoulos, 1980) par diverses tâches «intellectuelles». Voyons, par exemple, ce problème d'analogie: l'*affirmation* est à la *réfutation* ce que l'*action* est à (l'*obstruction*, l'*opposition*, l'*illégalité*, la *précipitation* ou l'*empêchement*). La plupart des étudiants font erreur lorsqu'ils répondent seuls, mais ils trouvent la bonne réponse après la discussion. (La réponse se trouve dans la marge.) Laughlin a également découvert que si au moins deux membres d'un groupe de six personnes sont initialement dans le vrai, ils convainquent les autres deux fois sur trois; quand il n'y a cependant qu'une seule personne à être dans le vrai, cette «minorité d'un seul» ne réussit pas à convaincre le groupe entêté trois fois sur quatre. Dell Warnick et Glenn Sanders (1980) ont confirmé que plusieurs avis valent mieux qu'un lorsqu'ils ont évalué l'exactitude des rapports qu'ont faits les spectateurs d'un crime enregistré sur bande vidéo. Les groupes de spectateurs donnaient des comptes rendus beaucoup plus exacts que ne le faisaient en moyenne les spectateurs individuels.

La réponse à cette question est l'empêchement.

Janis a aussi analysé deux très bonnes décisions de groupe: la formulation du plan Marshall pour rebâtir l'Europe après la Seconde Guerre mondiale par l'équipe administrative du président Truman et la stratégie adoptée par l'administration Kennedy devant les tentatives soviétiques d'installer des bases de missiles à Cuba. Les recommandations de Janis pour prévenir la pensée de groupe (voir l'encadré) contiennent plusieurs des méthodes efficaces utilisées par le groupe du plan Marshall et celui de la crise des missiles. Ces suggestions visent à pallier les dangers de la pensée de groupe en s'assurant que le groupe recherche toutes les informations nécessaires et évalue mieux toutes les solutions possibles.

LA PENSÉE DE GROUPE ILLUSTRE LES PRINCIPES DE L'INFLUENCE DU GROUPE

Grosso modo, les «symptômes de la pensée de groupe» semblent concorder avec les découvertes précédemment étudiées concernant l'autojustification, le biais auto-avantageux et la conformité, et semblent bien les illustrer. Ivan Steiner (1982) croit que les processus censés provoquer la pensée de groupe coïncident également avec la recherche antérieure touchant l'influence du groupe. Par exemple, les chercheurs ont remarqué que les groupes de recherche de solutions de problèmes ont fortement tendance à converger vers une solution unique. Ce phénomène de convergence (que Janis nomme la recherche de l'accord) est également manifeste dans les expériences sur la polarisation de groupe : le groupe peut se polariser sur un point de vue moyen, mais ses membres n'en convergent pas moins.

Les expériences sur les groupes de recherche de solutions de problèmes fournissent des preuves de l'autocensure et de la discussion biaisée. Lorsque se développe une marge d'appui pour une solution particulière, les meilleures solutions ont peu de chances d'être acceptées. De même, note Steiner, les descriptions de lynchages en groupe révèlent que, lorsque la proposition de lynchage était lancée, les doutes qui n'étaient pas immédiatement exprimés étaient étouffés. L'encouragement à l'information biaisée est évident dans les expériences sur la polarisation de groupe. Les arguments apparaissant dans la discussion de groupe ont tendance à être plus partiaux que ceux qui sont exprimés en privé par les individus. Quand on demande aux gens d'écrire tous les arguments leur venant à l'esprit en rapport avec le cas de «l'écrivain Claude», ils présentent habituellement presque deux fois plus de raisons d'écrire le roman que de ne pas l'écrire. Cette tendance est amplifiée dans la discussion: les arguments exprimés favorisent en moyenne à 3 contre 1 la rédaction du roman. C'est ainsi que la discussion de groupe exacerbe habituellement les tendances naturelles à l'excès de confiance, intensifiant par le fait même une illusion de jugements exacts (Dunning et Ross, 1988).

S'appuyant sur la recherche antérieure, Steiner indique toutefois que ce n'est probablement pas la cohésion comme telle qui engendre la pensée de groupe. Des groupes très cohésifs (par exemple, un couple marié et uni) peuvent donner à leurs membres la liberté d'être en désaccord. Steiner soutient que la cause principale de la pensée de groupe est plutôt le *désir de cohésion*. Les membres du groupe auront tendance à supprimer les idées désagréables s'ils cherchent à créer ou à maintenir un bon sentiment de groupe ou s'ils recherchent l'approbation ou l'acceptation du groupe.

INFLUENCE DE LA MINORITÉ

Jusqu'ici, chacun des chapitres de cette partie consacrée à l'influence sociale se terminait par un rappel de notre pouvoir en tant qu'individu. Nous avons vu que, même si les situations culturelles nous modèlent, nous suscitons et choisissons aussi ces mêmes situations; que même si les pressions à se conformer obscurcissent parfois notre jugement, la pression flagrante peut néanmoins nous pousser à affirmer notre individualité et notre liberté; et que, même si les forces de persuasion sont effectivement puissantes, nous pouvons toujours y résister en exprimant publiquement nos opinions et en prévoyant les appels à la persuasion.

Dans ce chapitre, nous avons mis l'accent sur les influences qu'exerce le groupe sur l'individu. Il est donc de bon ton de conclure par un aperçu de la manière dont les individus peuvent influencer leurs groupes.

À l'origine de la plupart des mouvements sociaux, une petite minorité sera parfois dominante et deviendra même par la suite la majorité. «Toute l'histoire, a écrit Ralph Waldo Emerson, est le compte rendu du pouvoir des minorités et des minorités composées d'un seul individu.» Qu'on pense à Copernic, à Galilée, à Martin Luther King, à Thérèse Casgrain et à sa Ligue des droits de la femme qui réussit à obtenir le droit de vote pour les femmes au Québec dans les années 1940. L'histoire de le technologie est également le fait de minorités créatrices. Au moment où Robert Fulton mettait au point son bateau à vapeur – «la folie de Fulton» –, il endura constamment la dérision : «Je n'ai jamais trouvé sur mon chemin une seule remarque encourageante, une marque d'espoir ou un souhait chaleureux de bonne chance» (Cantril et Bumstead, 1960).

Qu'est-ce qui rend une minorité persuasive? Qu'aurait pu faire Arthur Schlesinger pour amener le groupe délibérant sur la baie des Cochons à prendre ses doutes au sérieux? Des expériences entreprises par Serge Moscovici à Paris ont identifié plusieurs facteurs déterminant l'influence de la minorité.

COHÉRENCE

Une minorité dont le point de vue est inébranlable, c'est-à-dire qui affiche une constance synchronique (le consensus des membres de la minorité, leur unanimité) et une constance diachronique (le maintien de la même réponse dans le temps), a beaucoup plus d'influence qu'une minorité hésitante. Moscovici et ses associés (1969, 1985) ont découvert que si une minorité considère toujours que les diapositives bleues sont vertes, les membres de la majorité vont occasionnellement acquiescer; mais si la minorité hésite et dit bleu pour le tiers des diapositives bleues et vert pour le reste, pratiquement personne de la majorité ne sera d'accord avec les jugements «vert». La nature de cette influence n'est pas encore très claire (Maass *et al.*, 1987; Levine et Russo, 1987). Moscovici pense que le ralliement d'une minorité à la majorité reflète simplement l'acquiescement public, alors que l'inverse est probablement plus de l'ordre de la véritable acceptation – réellement se souvenir, par exemple, de la diapositive bleue comme étant verte. Moscovici et Lage (1976) ont montré que l'influence de la minorité est persistante au point de modifier le seuil de discrimination entre le bleu et le vert une fois la phase d'interaction de l'expérience terminée, même chez ceux qui, apparemment, n'ont pas été influencés durant la phase d'interaction. Les auteurs en tirent la conclusion suivante :

> Une minorité, sans obtenir une acceptation substantielle de son point de vue au niveau manifeste, peut cependant influencer les sujets à réviser les bases profondes de leurs jugements, tandis qu'une majorité peut amener la plupart à accepter son point de vue, si elle est unanime, sans affecter le système cognitivo-perceptif sous-jacent. En d'autres termes, l'influence majoritaire opère à la surface tandis que l'influence minoritaire a des effets profonds. (p. 163)

L'effet est tellement profond et bien ancré que Moscovici et Bernard Personnaz (1980) ont pu démontrer qu'il s'exprimait même dans les effets consécutifs. Ces derniers se produisent lorsque, après avoir regardé une couleur pendant quelques secondes, on perçoit la couleur complémentaire en fixant un écran blanc, par exemple du rouge après avoir fixé la couleur verte. Les sujets, donc, qui ont été convaincus par la minorité que la diapositive qu'il voyait était verte plutôt que bleue percevait un effet consécutif du rouge... Moscovici et Personnaz (1991) ont même montré que cet effet consécutif existe dans une situation où un portrait (Lénine) est associé symboliquement à une couleur (rouge). Lorsque la minorité réussit à convaincre des sujets qu'un portrait flou est bien celui de Lénine, la couleur du fond qui est rouge-orange est perçue comme plus rouge et s'accompagne de l'effet consécutif correspondant (vert).

Dans une étude longitudinale sur les rapports hommes-femmes, Geneviève Paicheler et Esther Flath (1988) ont fait la synthèse de deux courants de recherche: l'influence des minorités et la polarisation des attitudes. Elles ont comparé l'évaluation d'énoncés (exemple, «Après cinquante ans, un homme reste séduisant, une femme rarement») aux trois phases de l'expérience (préconsensus, consensus, postconsensus), mais aussi à deux époques (1974 et 1986). Elles ont constaté que lorsque la minorité féministe était en position d'innovation normative (en 1974) elle exerçait une influence importante, mais en période de stabilité normative (en 1986 le féminisme avait fait des gains appréciables), plus que l'influence minoritaire, c'était le phénomène de la polarisation des attitudes qui expliquait les différences observées.

La minorité influence en nous faisant réfléchir davantage; la majorité peut influencer en nous intimidant si l'on désapprouve, en nous donnant une règle approximative pour décider de ce qui est vrai («C'est impossible que tous ces petits malins aient tort») ou encore en nous faisant davantage réfléchir (Burnstein et Kitayama, 1989; Mackie, 1987).

Les expériences démontrent – et la réalité le confirme – que la non-conformité, surtout la non-conformité continuelle, est souvent douloureuse (Levine, 1989). Si vous voulez être la minorité individuelle d'Emerson, préparez-vous au ridicule. Lorsque Charlan Nemeth (1979) plaça une minorité de deux au sein d'un jury simulé et leur demanda de s'opposer à la majorité, le duo était inévitablement détesté. La majorité reconnut néanmoins que la persévérance des deux réussit mieux que tout à leur faire reconsidérer leur prise de position. C'est ainsi qu'une minorité peut aussi stimuler la pensée créatrice pour les tâches de résolution de problèmes (Nemeth, 1986). Il n'est pas nécessaire de se gagner la sympathie des gens pour les influencer.

La minorité tenace a de l'influence, même si elle n'est pas populaire, en partie parce qu'elle devient rapidement le centre de la discussion (Schachter, 1951). Le fait d'être au centre de la conversation donne l'avantage de pouvoir amener un nombre disproportionné d'arguments. Et Nemeth rapporte qu'il ressort des expériences sur l'influence de la minorité et des recherches sur la polarisation de groupe que c'est habituellement le point de vue appuyé du plus grand nombre d'arguments qui l'emporte. Dans un groupe, les membres les plus loquaces sont généralement les plus influents (Stein et Heller, 1979).

CONFIANCE EN SOI

La personne dont les idées sont cohérentes et bien ancrées projette une image de confiance en soi. Nemeth et Joel Wachtler (1974) rapportent de plus que n'importe quel comportement adopté par la minorité et projetant une image de confiance en soi – par exemple, s'asseoir à la place centrale d'une table – va probablement provoquer chez la majorité des doutes sur soi. En se montrant raisonnablement ferme et énergique, l'apparente confiance en soi de la minorité peut pousser la majorité à réviser ses positions et à envisager d'autres possibilités.

DÉFECTIONS AU SEIN DE LA MAJORITÉ

La minorité tenace réussira à tout le moins à détruire toute possibilité d'illusion d'unanimité à l'intérieur du groupe. Lorsqu'une minorité met constamment en doute la sagesse du groupe, les membres de la majorité qui, autrement, auraient censuré leurs doutes personnels, se sentent plus libres de les exprimer et peuvent même adopter la position de la minorité. Charles Kiesler et Michael Pallak, dans une étude auprès d'étudiants de l'Université Kansas (1975), ont découvert que les membres de la majorité détestaient les transfuges, mais que leur propre manque de confiance en soi s'accentuait devant la défection. John Levine et ses collègues (1980) obtinrent des résultats similaires avec les étudiants de l'Université de Pittsburgh; ils ont en fait découvert qu'une personne minoritaire ayant fait défection était encore plus persuasive que la personne qui avait constamment exprimé le point de vue minoritaire. Et, dans ses expériences de simulation d'un jury, Nemeth a découvert que, lorsque commencent les défections, les autres suivent rapidement le mouvement, produisant ainsi un effet «boule de neige». La mise en veilleuse de l'option indépendantiste lors du congrès du P. Q., en janvier 1985, entraîna le départ de plusieurs membres du cabinet de René Lévesque et de sa députation, lui-même démissionnera en juin (en revanche, Brian Mulroney, malgré les défections, les scandales et des résultats désastreux dans les sondages, a connu un appui enthousiaste des militants lors du congrès de 1991). En se basant sur les expériences, on peut présumer que ces défections poussèrent les derniers partisans de René Lévesque à douter d'eux-mêmes.

Ces facteurs augmentant l'influence de la minorité sont-ils spécifiques aux minorités? Sharon Wolf et Bibb Latané (1985; Wolf, 1987) pensent que non. Ils soutiennent que ce sont les mêmes forces sociales qui sont à l'œuvre dans la majorité et dans la minorité. Si la cohérence, la confiance en soi et les défections au sein de la majorité contribuent à renforcer la minorité, ces variables auront probablement le même effet en sens inverse. L'impact social de toute forme d'opposition – qu'elle soit le fait d'une majorité ou d'une minorité – dépend de la force, de la rapidité et du nombre de ses partisans. Les minorités ont par conséquent moins d'influence que les majorités parce qu'elles sont moins nombreuses. Ann Maass et Russell Clark (1984, 1986) sont cependant d'accord avec Moscovici pour dire que les minorités ont, dans certaines circonstances, plus de chances de se gagner des partisans, leur attribuant autant d'influence que les majorités. Nemeth (1986) pense de plus que le stress relié au fait d'appartenir à la minorité contraste avec la réflexion plus détendue de la majorité. À partir de leurs analyses de l'évolution des groupes, John Levine et Richard Moreland (1985) en concluent que les nouveaux venus dans un groupe peuvent exercer un genre d'influence minoritaire différent de celui qu'exercent les anciens membres. Par exemple, alors que les nouveaux venus exercent une influence en raison de l'attention qu'ils reçoivent et de la conscience de groupe qu'ils provoquent chez les anciens, les membres attitrés peuvent se sentir plus libres d'exprimer leur dissension et d'exercer l'autorité.

Il y a une douce ironie dans cette insistance nouvelle sur les influences que les individus peuvent exercer sur le groupe. Jusqu'à tout récemment, l'idée même que la minorité pouvait l'emporter sur la majorité était minoritaire en psychologie sociale. Quoi qu'il en soit, la persistance et la force d'argumentation de Moscovici, de Nemeth et des autres ont convaincu la majorité des chercheurs dans le domaine de l'influence des groupes que l'influence de la minorité vaut effectivement la peine d'être étudiée.

LE LEADERSHIP CONSTITUE-T-IL UNE INFLUENCE DE LA MINORITÉ ?

Leadership:
Façon dont certains membres du groupe motivent et guident le groupe.

Le **leadership** est un exemple du pouvoir des individus et désigne le processus grâce auquel certains individus mobilisent et dirigent leurs groupes. Certains leaders sont officiellement élus ou désignés, d'autres surgissent de façon officieuse, au gré des interactions. La qualité du leadership dépend souvent de la situation – la personne la plus apte à diriger l'équipe d'ingénierie ne fera pas nécessairement le meilleur leader pour l'équipe de vente. Par exemple, certaines personnes excellent en *leadership orienté sur la tâche* – l'organisation du travail, l'établissement des normes et l'accent sur l'atteinte des objectifs. D'autres excellent en *leadership social* – créer des équipes de travail, se faire le médiateur en cas de conflit et prodiguer des encouragements.

Les leaders orientés sur la tâche ont souvent un style directif – très efficace si le leader a l'intelligence de donner les bonnes directives (Fiedler, 1987). S'intéressant aux objectifs, ces leaders maintiennent aussi l'attention du groupe centrée sur sa mission. Plusieurs expériences indiquent qu'une combinaison d'objectifs spécifiques et stimulants doublés de comptes rendus périodiques des progrès accomplis favorisent les plus hautes réalisations (McCaul et al., 1987; Mento et al., 1987; Tubbs, 1986).

Les femmes ont plus tendance que les hommes à avoir un style de leadership démocratique.
Eagly, 1988

Les leaders sociaux ont souvent un style démocratique – qui délègue l'autorité et se réjouit de l'apport des membres de l'équipe. Plusieurs expériences indiquent que ce genre de leadership est bon pour le moral. Les membres du groupe éprouvent habituellement davantage de satisfaction lorsqu'ils participent à la prise de décision (Spector, 1986; Vanderslice et al., 1987). De plus, pouvant eux-mêmes diriger leurs tâches, les travailleurs sont davantage motivés à réussir (Burger, 1987). Voilà pourquoi le leadership démocratique réussit bien aux gens attachant du prix au bon climat du groupe et mettant leur fierté dans la réussite.

La théorie autrefois populaire «des êtres d'exception» – voulant que tous les grands leaders aient en commun certains traits de caractère – est tombée en discrédit. Nous savons maintenant que les styles efficaces de leadership varient selon les situations. Toutefois, les psychologues sociaux ont recommencé depuis peu à se demander s'il n'y aurait pas des qualités indiquant un bon leader dans plusieurs situations (Mumford, 1986). Les psychologues sociaux britanniques Peter Smith et Monir Tayeb (1989) rapportent que des recherches effectuées en Inde, à Taïwan et en Iran font ressortir que les patrons les plus efficaces dans les mines de charbon, les banques et les services gouvernementaux obtiennent des scores élevés *tant* aux tests de leadership orienté sur la tâche *qu'*à ceux de leadership social. Ils sont sensibles aux besoins individuels et collectifs de leurs subordonnés et s'intéressent activement à la bonne marche du travail.

Les recherches indiquent également que plusieurs leaders efficaces de groupes de laboratoire, d'équipes de travail et de grosses corporations manifestent les comportements propres à l'influence de la minorité. Ils inspirent confiance en ne perdant jamais de vue leurs objectifs et il émane de leur personne un «charisme» de confiance en soi qui suscite l'allégeance de leurs admirateurs (Bennis, 1984; House et Singh, 1987). Les leaders charismatiques ont habituellement une *vision* impressionnante de ce que les choses devraient être, une habileté à la *communiquer* aux autres dans un langage clair et simple et suffisamment d'optimisme et de confiance en leur groupe pour *inciter* les autres à suivre.

Certes, les groupes influencent également leurs leaders. Les chefs du troupeau ne sont parfois que ceux qui ont tout simplement compris dans quelle direction il s'en allait. Les candidats politiques savent comment lire les sondages d'opinion. Le leader qui s'écarte trop radicalement des normes du groupe risque d'être rejeté, de sorte que les leaders astucieux demeurent habituellement avec la majorité et usent prudemment de leur influence. Néanmoins, des leaders individuels efficaces peuvent parfois déployer un type d'influence de la minorité – en mobilisant et en guidant les énergies de la majorité du groupe.

Monique Lortie-Lussier (1987) a demandé à des sujets d'en venir à un consensus pour classer par ordre de priorité 10 suggestions visant à résoudre des problèmes urbains. Toutefois, un compère devait tenter d'ajouter une suggestion de nature réformiste («Donner une meilleure formation aux policiers afin d'accroître la sécurité») ou d'avant-garde («Transformer les cimetières en parcs afin d'accroître le nombre d'espaces verts»). Ce compère était un minoritaire ou un leader élu. Les tentatives du leader élu pour introduire de nouvelles normes ont terni son image; à la fin de l'interaction, il n'était pas perçu comme étant plus compétent ou plus coopératif que le compère minoritaire. Ce dernier, en revanche, était perçu comme ayant plus de confiance en soi et de détermination. Les résultats montrent aussi que l'intercession du leader élu peut être déterminante quant à l'acceptation de la position du minoritaire. Il y aurait donc une complémentarité entre l'influence de la minorité et celle du leader. Lortie-Lussier *et al.* (1989) ont aussi étudié l'influence respective de l'appui d'un leader (Golda Meir) et du nombre de participants à une marche (45; 200; 2000) sur l'attitude à l'égard d'une marche ayant pour but de sensibiliser la population à la violence faite aux femmes. Elles ont trouvé que l'utilité que l'on accordait à la marche était reliée au nombre de participants, qu'il y ait ou non un appui prestigieux, mais que la volonté de se joindre à une telle marche ne dépendait plus de l'effet du nombre lorsqu'elle recevait un appui prestigieux.

RÉSUMÉ

Nous passons une bonne partie de nos vies en groupe – avec les parents, les amis, les compagnons de classe, les collègues de travail, etc. Quelles sont les influences de ces groupes sur leurs membres individuels? Dans le présent chapitre, nous avons examiné six phénomènes d'influence de groupe.

FACILITATION SOCIALE

Le problème le plus élémentaire en psychologie sociale est probablement de savoir comment nous sommes influencés par la simple présence des autres. Certaines des premières expériences touchant ce problème ont démontré que le rendement personnel s'améliorait en présence d'observateurs ou de coparticipants (facilitation sociale). D'autres expériences ont prouvé le contraire, c'est-à-dire que la présence des autres peut nuire au rendement. Robert Zajonc a réconcilié ces découvertes apparemment contradictoires en appliquant un principe bien connu de la psychologie expérimentale: la stimulation favorise les réponses prédominantes. Si nous supposons que la présence des autres est stimulante (une hypothèse confirmée par la recherche subséquente), il s'ensuit que la présence d'observateurs ou de coparticipants devrait favoriser le rendement dans des tâches faciles (pour lesquelles la réponse correcte est prédominante) et entraver le rendement dans des tâches difficiles (pour lesquelles les réponses incorrectes sont prédominantes). C'est précisément ce qu'on a constamment trouvé tant dans les premières expériences que Zajonc cherchait à concilier que dans les expériences plus récentes.

Mais pourquoi sommes-nous stimulés par la présence des autres? Les expériences laissent à penser que la stimulation provient en partie de l'«appréhension de l'évaluation» et en partie d'un conflit entre l'attention accordée aux autres et l'attention accordée à la tâche. D'autres expériences, dont certaines avec des animaux, semblent indiquer que la présence des autres peut être stimulante même si l'individu n'est pas évalué ou distrait.

PARESSE SOCIALE

Les chercheurs intéressés à la facilitation sociale étudient le rendement des gens dans des tâches pouvant être individuellement évaluées. Dans bien des situations de travail, les gens mettent cependant leurs efforts en commun et travaillent en vue d'un objectif commun sans avoir à en répondre personnellement. Les expériences indiquent que les membres du groupe travaillent souvent moins fort lorsqu'ils accomplissent de telles tâches «additionnelles». Cette découverte semble aller dans le même sens que celui des situations quotidiennes où la responsabilité est dispersée, si bien qu'il y a une forte tentation chez les membres individuels du groupe de faire un tour gratuit aux dépens du groupe.

DÉSINDIVIDUATION

Lorsque de hauts niveaux de stimulation sociale sont combinés avec une responsabilité dispersée, les gens peuvent abandonner leur réserve naturelle et perdre le sens de leur individualité. Cette «désindividuation» est d'autant plus probable lorsque, après avoir été stimulés et distraits, les gens peuvent jouir de l'anonymat que procurent un grand groupe ou le port d'un vêtement camouflant. Le résultat? Une conscience de soi et une maîtrise de soi affaiblies et, par conséquent, une réaction plus forte à la situation immédiate, qu'elle soit négative ou positive. Par ailleurs, les circonstances qui *augmentent* la conscience de soi diminuent le pouvoir de la situation sur l'individu en augmentant sa maîtrise personnelle.

POLARISATION DE GROUPE

On peut également expliquer les résultats potentiellement positifs ou négatifs des interactions en groupe grâce aux découvertes issues de la recherche sur les effets de la discussion de groupe. En essayant de comprendre l'étrange découverte que la discussion de groupe favorisait la prise de risques, les chercheurs se sont aperçus que la discussion avait effectivement tendance à renforcer le point de vue initialement prédominant, qu'il soit risqué ou prudent, ou qu'il soit pour ou contre une opinion. Les observations de l'apparition naturelle de la polarisation sociale semblent indiquer que les interactions de groupe de la vie quotidienne ont elles aussi tendance à durcir les opinions.

Le phénomène de la polarisation de groupe a permis d'ouvrir de nouvelles perspectives pour étudier l'influence de groupe. Les expériences ont confirmé la présence de deux types d'influence sociale: informative et normative. L'information qui découle d'une discussion favorise l'option préférée au départ, ce qui renforce l'appui à son égard. De plus, les gens peuvent se compromettre encore plus quand, après avoir composé leurs positions respectives, ils découvrent un étonnant appui pour leur tendance première.

PENSÉE DE GROUPE

L'analyse des décisions ayant conduit à plusieurs fiascos d'ordre international indique que le désir d'harmonie d'un groupe peut l'emporter sur l'évaluation réaliste des points de vue contraires. Cela est d'autant plus vrai lorsque les membres du groupe désirent ardemment l'unité, lorsqu'ils sont à l'abri de la contestation et lorsque le leader indique ce qu'il attend du groupe. Les symptômes de cette préoccupation prépondérante d'harmonie, baptisée «pensée de groupe» sont (1) une illusion d'invulnérabilité, (2) la rationalisation, (3) une croyance incontestée à la moralité du groupe, (4) des perceptions stéréotypées de la partie adverse, (5) une pression à la conformité, (6) une autocensure exercée sur les doutes personnels, (7) une illusion d'unanimité et (8) des gardes de l'esprit qui protègent le groupe de l'information désagréable.

Les expériences et l'histoire démontrent cependant que les groupes prennent parfois des décisions intelligentes. Les circonstances ayant entouré ces bonnes décisions semblent indiquer des remèdes à la pensée de groupe. En prenant des dispositions pour s'assurer que le groupe cherche l'information de tous côtés et qu'il fasse une meilleure évaluation des solutions possibles, le groupe peut tirer profit des idées combinées de ses membres.

INFLUENCE DE LA MINORITÉ

Il est également important d'étudier comment les individus peuvent influencer leurs groupes. Si les points de vue de la minorité n'avaient jamais eu de poids, l'histoire serait beaucoup plus statique qu'elle ne l'est. Les expériences indiquent qu'une minorité a le plus d'influence lorsqu'elle fait preuve de cohérence et de persévérance, lorsque ses actes traduisent la confiance en soi et lorsqu'elle commence à susciter des défections au sein de la majorité. De plus, même si ces facteurs ne réussissent pas à persuader la majorité d'adopter les idées de la minorité, ils renforceront probablement les doutes de la majorité et la pousseront à envisager plus sérieusement d'autres solutions.

Par leur leadership social et orienté sur la tâche, les leaders officiels et officieux des groupes exercent une influence disproportionnée. Ceux qui ne perdent jamais de vue leurs objectifs et qui font preuve d'une confiance en soi charismatique inspirent souvent confiance et incitent les autres à les suivre.

LECTURES SUGGÉRÉES

Ouvrages en français

AEBISCHER, V. et OBERLÉ, D. (1990). *Le groupe en psychologie sociale.* Paris, Dunod.

DOISE, W. et MOSCOVICI, S. (1984). Les décisions en groupe. *In* S. Moscovici (dir.). *Psychologie sociale* (p. 213-227). Paris, Presses Universitaires de France.

MOSCOVICI, S. et MUGNY, G. (dir.). (1987). *Psychologie de la conversion.* Delval, Cousset.

Ouvrages en anglais

JANIS, I. L. (1982). *Groupthink : Psychological studies of policy decisions and fiascoes.* Boston, Houghton Mifflin.

JANIS, I. L. (1989). *Crucial decisions : Leadership in policy making and crisis management.* New York, Free Press.

PAULUS, P. B. (dir.). (1989). *The psychology of group influence,* 2e éd. Hillsdale, N.J., Erlbaum.

A yant vu comment nous *nous percevons* (première partie) et *nous influençons* (deuxième partie) mutuellement, nous voici maintenant rendus à la troisième facette de la psychologie sociale – comment nous *nous comportons* les uns envers les autres. Nos sentiments et nos gestes envers les autres sont parfois négatifs et parfois positifs. Les chapitres 9 (Préjugé) et 10 (Agression) seront consacrés aux aspects désagréables des relations humaines. Pourquoi nous détestons-nous et même nous méprisons-nous mutuellement? Par la suite, nous verrons, aux chapitres 11 (Attraction) et 12 (Altruisme), les aspects plus agréables. Pourquoi apprécions-nous ou aimons-nous des gens en particulier? Quand offrirons-nous de l'aide à des amis ou à des étrangers?

CHAPITRE

9

PRÉJUGÉ :
LES AUTRES QUE L'ON N'AIME PAS

l y a plusieurs formes de préjugés – les préjugés contre les victimes du SIDA, contre les immigrants ou les campagnards, contre les gens petits, obèses ou ordinaires. Voyons quelques cas contemporains de préjugé:

Peu après la Seconde Guerre mondiale, un scientifique social canadien posta simultanément deux lettres à une centaine de lieux de séjour, leur demandant de lui réserver des chambres pour des dates identiques. En réponse à l'une des lettres, signée «M. Lockwood», 93 % des endroits offrirent l'hébergement. En réponse à l'autre lettre, signée «M. Greenberg» (un nom habituellement juif), 36 % offrirent l'hébergement. (Wax, 1948)

Il y a plusieurs années, un groupe d'étudiants homosexuels de l'Université d'Illinois annonça que la devise pour une certaine journée de printemps serait: *Si vous êtes «gai», habillez-vous aujourd'hui d'un blue-jean.* À l'aube de cette journée, plusieurs étudiants qui portaient habituellement un blue-jean se réveillèrent avec un besoin pressant de porter une jupe ou un pantalon. Le groupe d'homosexuels avait réussi à démontrer son point de vue – que les attitudes envers les homosexuels sont telles que bien des gens préfèrent renoncer à leurs habitudes vestimentaires plutôt que d'être soupçonnés... (*RC Agenda*, 1979)

Yoshio, faisant partie d'un groupe d'étudiants japonais en visite dans un collège américain, révèle, mine de rien, à ses compagnons japonais qu'il est un «Burakumin», un résidant d'un «ghetto» japonais dont les ancêtres exerçaient des métiers considérés comme corrompus. Leur réaction: les mains se portent à la bouche et les sourcils se froncent, manifestant leur surprise et leur stupéfaction. Bien que n'étant pas physiquement différents des autres Japonais, les Burakumin ont été refoulés depuis des générations dans les quartiers pauvres du Japon, ne pouvant s'adonner qu'aux métiers les plus serviles et n'ayant pas le droit de choisir un conjoint ou une conjointe en dehors du ghetto. Comment se faisait-il alors que cet étudiant manifestement intelligent, séduisant et ambitieux fût un Burakumin?

DÉFINITION DU PRÉJUGÉ

Préjugé, stéréotype, discrimination, racisme, sexisme. Ces termes se chevauchent souvent. Avant de chercher à comprendre ce qu'est le préjugé, commençons donc par mettre au point notre vocabulaire en élucidant ces termes. Chacune des situations décrites précédemment comprenait des gens entretenant de mauvais sentiments envers un groupe ou agissant en fonction de ces mauvais sentiments. C'est là l'essence du **préjugé**: une attitude négative injustifiable envers un groupe et ses membres individuels. Le préjugé implique un préjugement; il nous prévient contre quelqu'un du seul fait de son appartenance à un groupe particulier.

Préjugé:
Attitude négative injustifiable envers un groupe et ses membres individuels.

Le préjugé est une attitude. Comme nous l'avons vu au chapitre 2, une attitude est une combinaison particulière de sentiments, de tendances à agir et de croyances. C'est ainsi que la personne ayant un préjugé contre les Burakumin pourra par conséquent les *détester* et avoir tendance à *se comporter* envers eux de façon discriminatoire, *croyant* qu'ils sont ignorants et dangereux.

Stéréotype:
Généralisation touchant un groupe de personnes et les différenciant des autres. Les stéréotypes peuvent être généralisés à l'excès, être inexacts et résister à l'information nouvelle.

On appelle **stéréotypes** les croyances dont se nourrissent les préjugés. Quand ils essaient de se simplifier l'existence, les gens font souvent appel à des généralisations: les Anglais sont froids; les Italiens sont machos; les Français sont bavards; les professeurs sont distraits, etc. Ce genre de résumés sténographiques du monde est parfois utile. Le problème avec les stéréotypes surgit lorsqu'ils sont inexacts ou généralisés *à l'excès* ou qu'ils résistent au changement. Ainsi, si vous me dites que je vais rencontrer Michel, un adepte du jardinage organique, je vais probablement me représenter l'image de quelqu'un en salopette, arborant sportivement une barbe bien taillée et conduisant une camionnette affichant un autocollant disant «À bas les armes à feu». Je ne m'attendrais certainement pas à quelqu'un descendant d'une Cadillac en complet-veston bleu avec une épingle à cravate disant «Il nous faut des armes nucléaires». Mon stéréotype des jardiniers adeptes de l'organique contient peut-être un brin de vérité. Il n'en ressemble pas moins à une généralisation excessive. Il se peut bien qu'il y ait des adeptes du jardinage organique s'habillant de façon conservatrice et conduisant une Cadillac. S'il m'arrivait d'en rencontrer un, je n'en tiendrais probablement pas compte en me disant: «L'exception qui confirme la règle.»

Discrimination:
Comportement négatif injustifiable à l'égard d'un groupe et de ses membres.

Le *préjugé* est une *attitude* négative; la **discrimination** est un *comportement* négatif. Et le comportement discriminatoire, bien qu'il émane souvent de préjugés, n'en émane pas toujours. Comme nous l'avions souligné au chapitre 2, les attitudes et le comportement ne sont souvent que faiblement reliés, en partie parce que notre comportement n'est pas seulement influencé par nos convictions personnelles, mais aussi par les exigences des situations particulières. Le **racisme** et le **sexisme**, par exemple, ne font pas seulement référence à des attitudes individuelles qui sont des préjugés, mais également à des pratiques institutionnelles discriminatoires, même en l'absence d'intention fondée sur des préjugés.

Racisme:
(1) Attitudes préjudiciables et comportement discriminatoire d'un individu à l'égard des représentants d'une race ou (2) pratiques institutionnelles (même si elles ne se fondent pas sur des préjugés) subordonnant les représentants d'une race.

Sexisme:
(1) Attitudes préjudiciables et comportement discriminatoire d'un individu à l'égard des représentants d'un sexe ou (2) pratiques institutionnelles (même si elles ne se fondent pas sur des préjugés) subordonnant les représentants d'un sexe.

Imaginons que la Sûreté du Québec pose l'exigence d'une grandeur minimale de 1 m 78 pour tous ses agents. Si cette exigence institutionnelle n'avait rien à voir avec la tâche à accomplir tout en ayant tendance à exclure les Espagnols, les Asiatiques et les femmes, on pourrait très bien alors considérer cette exigence comme étant raciste et sexiste. À noter également que l'on peut alléguer le racisme et le sexisme sans qu'il y ait nécessairement eu intention discriminatoire. De même, si les pratiques verbales d'embauche au sein d'une entreprise exclusivement blanche avaient pour conséquence d'exclure les employés n'ayant pas la même couleur de peau, on pourrait qualifier ces pratiques de racistes même si l'employeur a l'esprit ouvert et n'a pas l'intention de faire de discrimination. Dans ce chapitre, nous étudierons les origines et les conséquences des attitudes fondées sur les préjugés, laissant aux sociologues et aux politicologues le soin d'étudier le racisme et le sexisme sous leurs formes institutionnelles.

DISSÉMINATION DES PRÉJUGÉS

Le préjugé est-il inévitable? Peut-on l'enrayer? À titre d'exemple, voyons le préjugé en Amérique du Nord et examinons les tendances des préjugés racial et sexiste.

PRÉJUGÉ RACIAL

Dans un contexte mondial, chaque race est minoritaire. Les Blancs non espagnols, par exemple, ne comptent pas plus d'un individu sur cinq et n'en compteront pas plus de un sur huit dans 50 ans d'ici. Grâce à la mobilité et à la migration des deux derniers siècles, les différentes races sont en train de s'entremêler, ayant parfois entre elles des relations hostiles ou amicales. Voyons un exemple : à en juger d'après ce que disent les Américains aux enquêteurs, le préjugé racial a perdu du terrain depuis le début des années 1940. En 1942, la majorité des Américains s'entendaient pour dire que «il devrait y avoir des sections séparées pour les Noirs dans les autobus et les tramways» (Hyman et Sheatsley, 1956); en 1942, moins d'un tiers de tous les Blancs (seulement 1 sur 50 dans le sud) approuvaient l'intégration scolaire; en 1980, on l'appuyait à 90 %. En considérant la petite tranche d'histoire couverte par les années depuis 1942 ou même depuis l'époque où l'esclavage était pratique courante, les changements sont impressionnants.

Les attitudes des Américains noirs ont également changé depuis les années 1940, alors que Kenneth Clark et Mamie Clark (1947) prouvaient que les Américains noirs avaient des préjugés contre les Noirs. En prenant sa décision historique de déclarer les écoles discriminatoires inconstitutionnelles, en 1954, la Cour suprême mentionna que, lorsque les Clark donnèrent à des enfants afro-américains le choix entre des poupées noires et des poupées blanches, la plupart choisirent les blanches. Dans des recherches couvrant la période allant des années 1950 aux années 1970, les enfants noirs manifestèrent une tendance toujours plus marquée à préférer les poupées noires. Chez les adultes, les Noirs en sont venus à considérer Noirs et Blancs comme essentiellement égaux en matière d'intelligence, de paresse et de sérieux (Jackman et Senter, 1981; Smedley et Bayton, 1978).

Devons-nous donc en conclure que le préjugé racial est mort aux États-Unis? Même si le préjugé n'est plus en vogue, il y a plusieurs indications à l'effet qu'un préjugé racial existe toujours secrètement, faisant surface quand il n'y a pas de risque.

Premièrement, le préjugé est évident chez les Américains blancs qui persistent malgré tout à détester franchement les Noirs. Leurs attitudes se reflètent chez un plus faible pourcentage de Noirs américains qui détestent autant les Blancs et les évitent (Farley *et al.*, 1978).

Deuxièmement, alors que des variations de la question «L'Amérique devrait-elle opprimer les Noirs?» sont désormais incapables de détecter les préjugés, les questions touchant des contacts interraciaux plus intimes y parviennent. «Je me sentirais probablement mal à l'aise de danser en public avec une personne noire» est un détecteur plus sensible des sentiments racistes que «Je me sentirais probablement mal à l'aise de prendre l'autobus avec une personne noire». Au cours d'une récente enquête, seulement 3 % des Blancs dirent qu'ils ne voudraient pas que leur enfant fréquente une école où se pratique l'intégration raciale, mais 57 % reconnurent qu'ils seraient malheureux si leur enfant épousait une personne noire (*Life*, 1988). Au Québec, 19 % des parents disent être réticents à ce qu'un de leurs enfants épouse une personne d'«origine ethnique différente». Toutefois, il n'y a pas plus de 4 % à 9 % de répondants qui éprouveraient un sentiment négatif si une personne d'une autre origine ethnique les soignait, conduisait leur taxi, jouait avec leur enfant ou était leur voisin (figure 9.1). Les élèves du début du secondaire allant dans des classes où se pratique la déségrégation retournent habituellement à des pratiques ségrégationnistes lorsqu'ils bavardent à la cafétéria (Sagar et Schofield, 1980b; Schofield, 1982, 1986). Ce phénomène de *préjugés plus marqués dans les aspects les plus intimes de la vie sociale* semble être une loi universelle du comportement. En Inde, les gens qui acceptent les préjugés du système des castes vont habituellement recevoir chez eux des gens de caste inférieure, mais n'iront pas jusqu'à épouser quelqu'un de caste inférieure (Sharma, 1981).

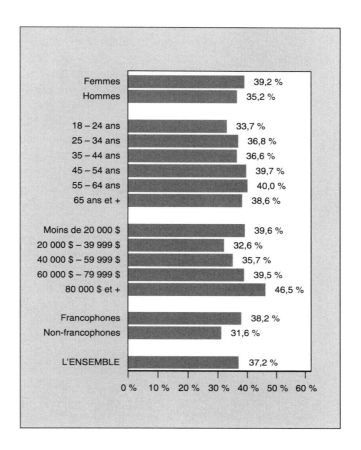

Figure 9.1
Profil sociodémographique des
gens ayant un comportement
raciste.
(*Source:* Léger & Léger, août 1991.)

Troisièmement, lorsqu'on évalue les attitudes raciales à l'aide de techniques minimisant les simples énoncés des gens touchant ce qu'ils croient être socialement désirable, les préjugés refont surface. Au chapitre 2, nous avons vu ce qui se passait lorsque des étudiants blancs indiquaient leurs attitudes raciales lorsqu'ils étaient devant une machine compliquée qui faisait apparemment fonction de détecteur de mensonges; ils admettaient souvent avoir plus de préjugés que ne le faisaient les étudiants répondant dans des conditions normales. D'autres chercheurs ont invité des gens à évaluer le comportement d'une personne de race blanche ou noire. Birt Duncan (1976) a demandé à des étudiants blancs de l'Université de Californie, à Irvine, d'observer sur un écran de télévision ce qu'ils croyaient être une confrontation en direct entre deux hommes. La conversation des hommes vira à la dispute et l'un des deux finit par bousculer légèrement l'autre. Lorsqu'un Blanc bousculait un Noir, seulement 13 % des observateurs évaluèrent son geste comme un «comportement violent». Ils l'interprétèrent plus souvent comme un «jeu» ou un «geste théâtral». Mais ce n'est pas l'interprétation qu'ils faisaient quand c'était le Noir qui bousculait le Blanc: 73 % des observateurs déclarèrent alors que le geste était «violent».

Quatrièmement, plusieurs expériences ont subtilement évalué le comportement véritable des gens envers les Blancs et les Noirs. Comme nous le verrons au chapitre 12, les chercheurs ont découvert que les Américains blancs vont aider autant une personne noire (qui a, par exemple, échappé ses emplettes) qu'une personne blanche – sauf si la personne qui a besoin d'aide est éloignée (quelqu'un, par exemple, qui compose un mauvais numéro et qui a besoin de retransmettre un message téléphonique). De même, lorsqu'on leur demande de se servir d'électrochocs pour «enseigner» une tâche à un Blanc ou à un Noir, les Blancs ne sont pas influencés par la race de l'«élève» – sauf si ce comportement agressif est sans risque, c'est-à-dire lorsque la victime ne peut pas se venger ou ne peut pas savoir qui l'a fait (Crosby *et al.*, 1980). Et lors d'une expérience à l'Université d'Alabama, Ronald Rogers et Steven Prentice-Dunn (1981) ont trouvé que les Blancs qui n'étaient pas en colère administraient moins d'électrochocs à une victime noire qu'à une victime blanche, mais que les Blancs *en colère* se comportaient fort différemment. Quand la victime les avait insultés, ils réagissaient en administrant *plus* d'électrochocs à la victime noire qu'à la victime blanche. La conclusion incontournable : le comportement discriminatoire ne se manifeste pas lorsqu'il risque de *sembler* empreint de préjugés, mais lorsqu'il peut se cacher derrière l'écran d'un autre motif apparent.

Pour finir, les chercheurs intéressés aux attitudes rapportent de même que les attitudes fondées sur les préjugés, bien qu'elles ne soient plus si flagrantes, existent toujours sous des formes subtiles (Dovidio et Gaertner, 1988; Kinder, 1986; Pettigrew, 1985). Il peut s'agir, par exemple, de l'opposition au ramassage scolaire par autobus afin d'atteindre un meilleur équilibre racial. Si le transport scolaire est sereinement accepté lorsqu'il véhicule des élèves entre deux écoles blanches et fortement décrié lorsqu'il inclut une école comprenant une minorité substantielle d'élèves noirs, on peut alors soupçonner qu'il y a autre chose qu'un engagement auprès des écoles du voisinage. John McConahay (1982, 1983), enquêtant auprès de résidants de la région de Louisville, au Kentucky, a découvert que les gens s'opposant fermement à la déségrégation par le transport scolaire manifestaient aussi d'autres signes de préjugés subtils – en se disant d'accord, par exemple, avec l'énoncé que «le gouvernement et les médias d'information ont montré, depuis quelques années, plus de respect à l'égard des Noirs qu'ils n'en méritent». Et Donald Kinder et David Sears (1981) se sont aperçus que les Blancs de la région de Los Angeles manifestant de subtils préjugés (une forte opposition, par exemple, au ramassage scolaire) ne risquaient guère de voter en faveur d'un important candidat de race noire à la mairie.

Peu de gens sont à l'abri des préjugés subtils. Patricia Devine (1989) rapporte que les gens apparemment dénués de préjugés, comme la plupart des gens ayant des préjugés, connaissent les stéréotypes culturels. En fait, les gens ayant peu de préjugés et ceux en ayant beaucoup ont souvent des réactions automatiques semblables, mais la personne ayant peu de préjugés supprimera alors consciemment ces pensées et ces sentiments empreints de préjugés. Patricia Devine dit que c'est comme de briser consciemment une mauvaise habitude. Thomas Pettigrew (1987, p. 20) l'illustre ainsi : «Plusieurs habitants du Sud m'ont avoué [...] que même s'ils n'ont plus de préjugés, dans leur tête, envers les Noirs, ils ressentent encore du dégoût à serrer la main d'un Noir. Ce sentiment leur vient de ce que leur a inculqué leur famille lorsqu'ils étaient jeunes.»

Un chercheur canadien réputé a récemment soulevé un tollé et des accusations de racisme. Philippe Rushton (1991) prétend que les Blancs sont supérieurs aux Noirs quant à la performance cognitive. Il prétend avoir trouvé une relation entre la grandeur du cerveau et l'intelligence, et, bien sûr, que le cerveau des Noirs est plus petit que celui des Blancs. Il y aurait, selon lui, une explication sociobiologique à cet état de fait : les Blancs se reproduiraient moins et prendraient soin de leurs enfants plus longtemps. Les détracteurs de

Rushton s'inquiètent du fait que des revues scientifiques qui ont une bonne réputation acceptent de publier de telles sornettes (Weizmann *et al.*, 1991).

En résumé, les bonnes nouvelles sont que, depuis les quatre dernières décennies, les préjugés flagrants contre les Américains noirs ont perdu du terrain. Les attitudes raciales des Blancs sont beaucoup plus égalitaires que celles de la génération précédente. Les mauvaises nouvelles concernent toutes les personnes de couleur [incluant les Amérindiens et les Espagnols (Trimble, 1988; Ramirez, 1988)]; bien que camouflés sous une apparence extérieure plus agréable, les ressentiments et la partialité subsistent toujours.

PRÉJUGÉ SEXISTE

Quelle est l'ampleur du préjugé sexiste? Nous avons étudié, au chapitre 5, les normes des rôles sexuels – les croyances des gens quant au comportement que *devraient* adopter les hommes et les femmes. Nous verrons maintenant les *stéréotypes* sexuels – les croyances des gens quant à la manière dont se comportent *effectivement* les hommes et les femmes.

Stéréotypes sexuels

Deux conclusions incontournables ressortent de la recherche sur les stéréotypes: de puissants stéréotypes sexuels existent et, comme c'est souvent le cas, les membres du groupe stéréotypé acceptent les stéréotypes. Hommes et femmes conviennent que l'on *peut* juger le livre d'après sa couverture sexuelle. Analysant les réponses à une enquête de l'Université du Michigan auprès d'adultes américains, Mary Jackman et Mary Senter (1981) ont découvert que les stéréotypes sexuels étaient beaucoup plus forts que les stéréotypes raciaux. Par exemple, seulement 22 % des hommes pensaient que les deux sexes étaient identiquement «émotifs». Des 78 % qui ne le pensaient pas, ceux qui croyaient que les femmes étaient plus émotives surpassaient en nombre, dans une proportion de 15 contre 1, ceux qui croyaient que les hommes l'étaient davantage. Que pensaient les femmes? Leurs réponses étaient identiques à celles des hommes, à un point de pourcentage près.

Lorsque Inge Broverman, Paul Rosenkrantz et leurs collègues (Rosenkrantz *et al.*, 1968; Broverman *et al.*, 1972) enquêtèrent auprès des étudiants et des adultes de la Nouvelle-Angleterre, ils s'aperçurent, eux aussi, qu'hommes et femmes partageaient de façon étonnante les mêmes croyances: les hommes étaient généralement perçus comme étant plus compétents (indépendants, dominateurs, décidés et ambitieux) et les femmes comme étant plus chaleureuses et expressives (conscientes des sentiments des autres, diplomates, douces et tendres). Plus récemment, Natalie Porter, Florence Geis et Joyce Jennings [Walstedt] (1983) ont découvert que les femmes avaient peu de chances d'être perçues comme des leaders. Elles montrèrent à des élèves des photographies d'un «groupe de diplômés travaillant en équipe sur un projet de recherche» (voir la figure 9.2). Elles leur firent ensuite passer un test d'«impressions», leur demandant de deviner quelle personne contribuait davantage au groupe. Quand il s'agissait d'un groupe composé uniquement d'hommes ou uniquement de femmes, les élèves choisirent, dans une écrasante majorité, la personne assise au bout de la table. Quand il s'agissait d'un groupe mixte, l'homme occupant le bout de la table était encore choisi dans une écrasante majorité. Mais quand c'était une femme qui était assise au bout de la table, elle passait habituellement inaperçue. Chacun des hommes de la figure 9.2 fut choisi comme leader plus souvent que les trois femmes prises ensemble. Ce

«Toutes les activités des hommes sont aussi les activités des femmes, sauf que la femme y est inférieure à l'homme.»

Platon, *La République*

stéréotype du leader masculin semblait tout à fait inconscient puisqu'il ne se manifesta pas seulement chez les hommes et les femmes, mais aussi chez les féministes et les non-féministes. Quelle est l'ampleur des stéréotypes sexuels? Elle est plutôt grande.

Figure 9.2
À votre avis, laquelle de ces personnes contribuerait davantage au groupe? Devant cette photographie, la plupart des élèves du collégial pensaient habituellement que c'était l'un des deux hommes, en dépit du fait que, dans les groupes de personnes de même sexe, on pense habituellement que c'est la personne occupant le bout de la table.

Il est important de se souvenir que les stéréotypes ne sont que des généralisations touchant un groupe de personnes et peuvent être, comme tels, vrais, faux ou excessifs tout en se fondant sur une parcelle de vérité. Nous avons vu, au chapitre 5, les *véritables* différences entre hommes et femmes. Nous avons alors souligné que les hommes et les femmes différaient quelque peu sur le plan de l'agressivité, de l'empathie, des attitudes sexuelles et du pouvoir social. Devrions-nous donc en conclure que les stéréotypes sexuels sont exacts?

Au mieux, ils sont probablement des généralisations excessives. C'est l'hypothèse émise par Carol Lynn Martin (1987) après qu'elle eut demandé à des visiteurs de l'Université de Colombie-Britannique d'indiquer les traits de caractère les décrivant et d'estimer le pourcentage d'hommes et de femmes nord-américains ayant chacun de ces traits. Les hommes avaient *légèrement* plus tendance que les femmes à se décrire comme sûrs d'eux et dominateurs et avaient légèrement moins tendance à se décrire comme des êtres tendres et compatissants. Mais, en tant que stéréotypes, ces différences étaient très exagérées: l'échantillon canadien perçut les hommes nord-américains comme ayant presque deux fois plus tendance que les femmes à être sûrs d'eux et dominateurs et comme ayant environ deux fois moins tendance à être tendres et compatissants. Les différences que l'on perçoit soi-même entre les sexes sont donc petites, tout comme le sont les différences comportementales, mais les stéréotypes sont forts.

Les stéréotypes (croyances) ne sont pas des préjugés (attitudes). Les stéréotypes peuvent servir d'appui aux préjugés. Mais, là encore, il est possible de penser, sans préjugé aucun, que les hommes et les femmes sont «égaux quoique différents».

Attitudes des deux sexes

À en juger d'après ce que disent les Américains aux enquêteurs, les attitudes envers les femmes ont changé aussi rapidement que les attitudes raciales. En 1937, le tiers des Américains disaient qu'ils voteraient pour une femme qualifiée que leur parti politique proposerait à la présidence; en 1988, 9 sur 10 dirent qu'ils le feraient. En 1967, 56 % des étudiants américains de première année convenaient que «les activités de la femme mariée devaient se limiter à la maison et à la famille»; en 1987, seulement 26 % en convenaient (Astin *et al.*, 1987a, 1987b). En 1970, les Américains étaient divisés à 50-50 quant à leur appui ou à leur opposition aux «efforts en vue d'améliorer le statut des femmes». Avant la fin de cette décennie, ce principe fondamental du mouvement féministe se voyait appuyé dans une proportion supérieure à deux contre un. Et devrait-on donner «un salaire égal aux hommes et aux femmes effectuant le même travail»? (NBC, 1977b). Oui, disent les hommes et les femmes – dans une proportion de 16 contre 1, ce qui est le plus près du consensus absolu jamais atteint par les Américains. Depuis l'époque où elles étaient légalement reléguées à une citoyenneté de deuxième classe et où elles n'avaient pas le droit de vote, les femmes ont effectivement fait bien du chemin.

Au Québec, le Code civil a été modifié afin de reconnaître l'égalité entre les hommes et les femmes. Les revendications syndicales visent de plus en plus à faire valoir le principe selon lequel «à travail égal, salaire égal». L'idée d'égalité est acceptée par un nombre croissant de Québécois, comme le démontrent de nombreux sondages (Langlois *et al.*, 1990). Mais, comme nous l'avons vu au chapitre 5, il reste un long chemin à parcourir pour que cette égalité soit réalisée dans les faits.

Et il y a d'autres bonnes nouvelles pour les personnes qui en ont assez du biais sexiste. Une découverte ayant fait l'objet d'une forte publicité et concernant le préjugé contre les femmes ne semble désormais plus vraie. Au cours d'une étude, Philip Goldberg (1968) avait soumis plusieurs courts articles à des élèves du collège Connecticut et leur avait demandé de les évaluer séparément. Certains des articles étaient parfois attribués à un auteur (John T. McKay, par exemple) et parfois à une auteure (Joan T. McKay, par exemple). En général, les articles furent jugés plus mauvais lorsqu'ils étaient attribués à une femme. La marque historique de l'oppression – l'autodépréciation – faisait une fois de plus son apparition. Les femmes avaient des préjugés contre les femmes.

Désireux de démontrer la réalité subtile des préjugés sexistes, j'ai obtenu le matériel de Goldberg et j'ai repris l'expérience pour le bénéfice de mes propres étudiants. Ils n'ont pas manifesté cette tendance à déprécier le travail des femmes. Travaillant avec Janet Swim et des collègues (1989), j'ai donc fouillé la documentation et contacté les chercheurs pour en savoir le plus possible sur les recherches portant sur le biais sexiste dans l'évaluation du travail masculin et féminin. Mais le résultat le plus courant pour 104 études engageant presque 20 000 personnes était l'*absence de différence*. Pour la plupart des comparaisons, les opinions des gens sur le travail de quelqu'un n'étaient pas particulièrement influencées par le fait que le travail était attribué à une femme ou à un homme.

Le préjugé sexiste peut s'exprimer subtilement de bien des manières.

«Peux-tu me dire exactement pourquoi nous considérons toujours *mon* revenu comme le deuxième revenu?»

L'attention donnée aux études fortement vulgarisées ou au préjugé contre les femmes illustre encore une fois un point souligné au chapitre 1: les valeurs des scientifiques sociaux transparaissent souvent dans leurs conclusions. Cette remarque ne vise pas les chercheurs qui ont dirigé les recherches très vulgarisées; en faisant état de leurs découvertes, ils ont fait ce qu'ils devaient faire. Comme cela se produit souvent, mes collègues et moi avons toutefois plus volontiers accepté, généralisé et proclamé les découvertes appuyant nos croyances préconçues que celles qui les réfutaient.

Les Nord-Américains doivent-ils alors se féliciter que le biais sexiste soit en voie rapide d'extinction? Le mouvement féministe a-t-il presque terminé son travail? Non. En dépit des résultats mentionnés précédemment, une autre recherche indique que la mort du préjugé sexiste manifeste n'empêche pas le biais subtil de survivre. La méthode du faux pipeline, par exemple, a suscité des aveux de préjugé. Comme nous l'avons vu au chapitre 2, les hommes incités à croire qu'un expérimentateur pouvait détecter leurs véritables attitudes grâce à un détecteur de mensonges très sensible exprimèrent beaucoup moins de sympathie qu'en temps normal à l'égard des droits des femmes.

On peut aussi déterminer subtilement l'ampleur du bais en demandant aux gens d'évaluer le comportement de quelqu'un dont le sexe est étranger à ce comportement. Lors d'expériences à l'Université Purdue, Kay Deaux et ses collègues (1984) ont demandé à chacun des participants d'évaluer une seule personne, cachant ainsi l'objectif visé par l'expérience. Au cours de l'une de ces expériences, les étudiants observaient la réussite d'un camarade dans l'accomplissement d'une tâche perceptive et devaient ensuite l'expliquer. Quand la tâche impliquait de reconnaître des objets masculins (un cric, par exemple), la réussite de l'étudiant était habituellement attribuée à son habileté: la réussite équivalente de l'étudiante était moins attribuée à son habileté qu'à la chance. Avec des objets féminins, cependant, les étudiants observateurs ne manifestèrent pas cette tendance à expliquer différemment la réussite de l'étudiante et celle de l'étudiant (voir la figure 9.3). Apparemment, les étudiants croyaient que n'importe qui pouvait réussir à accomplir les tâches féminines, mais que ça prenait l'habileté masculine (ou bien la chance) pour réussir à accomplir les tâches masculines. Dans d'autres expériences, les femmes ayant réussi dans des activités tradition-nellement masculines – en devenant un bon médecin ou en aidant héroïquement la police à appréhender un homme armé – étaient perçues comme moins compétentes qu'un homme obtenant le même succès, mais plus fortement motivées ou méritantes pour ce qui est des récompenses. Toutefois, les hommes ayant réussi à accomplir des tâches féminines n'étaient pas perçus comme aussi méritants (Feldman-Summers et Kiesler, 1974; Taynor et Deaux, 1973, 1975). Bref, les femmes qui réussissent dans un «monde d'hommes» sont souvent perçues comme exceptionnellement chanceuses ou très motivées, compensant de la sorte leurs habiletés perçues comme étant moindres.

Question: *La «misogynie» est la haine des femmes; quel est le mot correspondant pour la haine des hommes?* Réponse: *Dans la plupart des dictionnaires, il n'en existe pas.*

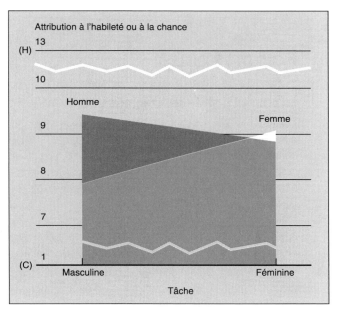

Figure 9.3
Explications des réussites masculines et féminines. Pour des tâches masculines, la tendance était d'attribuer plus souvent la réussite masculine à l'habileté et la réussite féminine à la chance. Pour des tâches féminines, il y avait très peu de partis pris. (Données tirées de Deaux et Emswiller, 1974.)

Ainsi donc, les préjugés non déguisés contre les minorités raciales et les femmes sont beaucoup moins courants qu'il y a quatre décennies à peine. Même si les stéréotypes per-sistent, les préjugés raciaux et sexistes manifestes ont en majorité disparu. Il n'en reste pas moins que les techniques capables de percevoir le préjugé subtil continuent de détecter un biais très répandu.

La plupart des femmes le savent. Elles croient que la discrimination sexuelle touche la plupart des travailleuses comme le prouvent les salaires inférieurs des femmes et les emplois de préposées aux enfants qui sont, pour la plupart, occupés par des femmes. Curieusement, toutefois, Faye Crosby et ses collègues (1989) ont trouvé à plusieurs reprises que la plupart des femmes nient se sentir personnellement victimes de discrimination. La discrimination, pensent-elles, est quelque chose qui frappe les *autres* femmes. *Leur* employeur n'est pas ignoble. Elles s'en tirent mieux que la moyenne des autres femmes. Et, n'entendant aucune plainte, leurs patrons – même dans les entreprises où sévit la discrimination – peuvent se persuader eux-mêmes que la justice prévaut. On a constaté, chez les Noirs, les chômeurs et les lesbiennes déclarées, la même tendance généralisée à nier un désavantage personnel tout en percevant la discrimination frappant le groupe d'appartenance.

Nous avons vu que le préjugé, bien que souvent masqué, existe réellement. Quelles sont donc les origines du préjugé? Voyons-en les origines sociales, cognitives et émotionnelles.

ORIGINES SOCIALES DU PRÉJUGÉ

Le préjugé découle de plusieurs facteurs parce que, à l'exemple d'autres attitudes, le préjugé a de multiples fonctions (Herek, 1986, 1987). Les attitudes fondées sur les préjugés peuvent servir à exprimer ce que nous sommes et à nous attirer l'acceptation sociale; elles peuvent servir à nous défendre contre l'anxiété rattachée à l'insécurité ou à un conflit intérieur; et elles peuvent servir à promouvoir notre bien-être en favorisant les choses nous procurant du plaisir et en nous opposant aux choses que nous croyons néfastes. Voyons d'abord comment le préjugé fait fonction de défenseur de l'estime de soi et du bon droit des personnes élevées ou en voie d'ascension sur l'échelle économique.

INÉGALITÉS SOCIALES

Le préjugé justifie les inégalités

«Le préjugé ne va jamais de soi, à moins qu'il ne se fasse passer pour la raison.»

William Hazlitt, *On Prejudice*, 1778-1830

Un principe à retenir: La différence de statut engendre le préjugé. Les esclaves risquent d'être perçus par leurs maîtres comme paresseux, irresponsables, dépourvus d'ambition – comme ayant précisément les traits de caractère justifiant la structure sociale existante: l'esclavage. Les historiens cherchent encore à connaître les forces engendrant les différences de statut. Mais dès le moment où il y a inégalités, on peut se servir du préjugé pour justifier la supériorité économique et sociale des personnes possédant la richesse et le pouvoir. De sorte que, même si le préjugé et la discrimination ne sont que faiblement associés – l'un apparaît souvent sans l'autre –, ils se renforcent effectivement l'un l'autre: la discrimination engendre le préjugé et le préjugé légitime la discrimination (Pettigrew, 1980).

Les exemples abondent de préjugés justifiant l'inégalité de statut. Jusqu'à tout récemment, les préjugés étaient plus marqués dans les régions américaines où l'on avait pratiqué l'esclavage. Les politiciens et les écrivains européens du XIXe siècle justifiaient leur expansion impérialiste en décrivant les colonisés et les exploités comme des gens «inférieurs», «ayant besoin de protection» et «constituant un fardeau» qu'il fallait porter en tout altruisme (G. W. Allport, 1958, p. 204-205). Il y a 40 ans, la sociologue Helen Mayer Hacker (1951) notait comment les stéréotypes touchant les Noirs et les femmes aidaient à justifier leur statut inférieur: on percevait les deux groupes comme ayant une intelligence inférieure, comme des êtres émotifs et primitifs, «satisfaits» de leur rôle subordonné. Les Noirs étaient «inférieurs» et les femmes «plus faibles». Les Noirs étaient bien là où ils étaient et la place des femmes était à la maison.

Que les attitudes s'ajustent facilement aux relations sociales en cours est un fait que l'on peut également constater en temps de conflit. On perçoit alors son ennemi comme un sous-humain et on le dépersonnalise en l'affublant d'une étiquette. C'est ainsi que durant la Seconde Guerre mondiale, les Japonais devinrent «les Japs sournois», pour devenir, une fois la guerre terminée, les «intelligents» Japonais que les Américains d'aujourd'hui ont davantage tendance à admirer. Les attitudes sont étonnamment flexibles.

Le préjugé racial prend souvent naissance en temps de conflit, comme lorsque les Américains d'origine japonaise furent internés dans des camps lors de la Seconde Guerre mondiale. Le préjugé se maintient encore de nos jours. Au Japon, des poupées de races stéréotypées représentent les croyances que se font probablement certains Japonais des Caucasiens et des Noirs.

«On peut comprendre que les gens victimes de discrimination développent une intense hostilité envers une culture qu'ils soutiennent par leur travail, mais dont ils ne partagent que très peu la prospérité.»

Sigmund Freud, *L'Avenir d'une illusion*, 1927

Impact de la discrimination: encore les prédictions qui créent leur propre réalité

Il se peut que les attitudes coïncident avec l'ordre social non seulement pour le justifier, mais aussi parce que la discrimination blesse les personnes visées. Gordon Allport écrivait «On ne peut ternir la réputation de quelqu'un sans détériorer son caractère» (1958, p. 139). Dans son ouvrage devenu classique et intitulé *The nature of prejudice*, Allport a catalogué 15 conséquences possibles à l'oppression. Allport croyait qu'on pouvait réduire ces réactions à deux types de base – celles qui consistent à se faire des reproches (par exemple, le repli sur soi, la haine de soi, l'agression dirigée vers son propre groupe) et celles qui consistent à attribuer le blâme à des causes extérieures (par exemple, rendre coup sur coup, la méfiance et l'arrogance accrue du groupe). Si les résultats nets sont négatifs – par exemple, plus de naissances illégitimes, de foyers désunis et de délinquance –, on peut s'en servir pour alimenter le préjugé et la discrimination qui en sont justement la cause: «Si nous acceptons ces gens dans nos beaux quartiers, les propriétés vont perdre beaucoup de valeur.»

La discrimination touche-t-elle les victimes autant que le suppose cette analyse? Il nous faut prendre garde de ne pas exagérer sur ce point, à moins de soutenir la croyance que les «victimes» de préjugés sont nécessairement socialement déficientes. L'âme et le style de la culture noire constituent pour plusieurs un héritage dont ils sont fiers et non seulement une réaction à l'oppression (Jones, 1983). Les différences culturelles n'impliquent pas nécessairement des déficits sociaux. Pendant ce temps, la psychologie sociale n'a pas cessé de démontrer (rappelons-nous les chapitres 4 et 5) que les croyances des gens à propos des autres ont tendance à se confirmer d'elles-mêmes. Au cours des expériences de laboratoire, par exemple, les stéréotypes sexuels des gens peuvent les inciter à traiter les autres de façon à créer la réalité imaginée (Skrypnek et Snyder, 1982).

Le fait que même la discrimination subtile peut affecter les victimes ressortait clairement de deux expériences effectuées par Carl Word, Mark Zanna et Joel Cooper (1974). Dans la première expérience, des hommes blancs de l'Université de Princeton interviewaient des postulants blancs et noirs. En présence d'un postulant noir, les interviewers s'asseyaient plus loin, terminaient l'entrevue 25 % plus tôt et commettaient 50 % plus d'erreurs de langage qu'en présence d'un postulant blanc. Imaginez-vous en train d'être interviewé par quelqu'un qui s'assied loin de vous, balbutie et termine assez rapidement l'entrevue. Cela affecterait-il

«Avec nos semblables, si nous nous attendons au mal, nous le provoquons; si nous nous attendons au bien, nous l'obtenons.»

Gordon Allport, *The Nature of Prejudice*, 1958

votre performance ou ce que vous pensez de l'interviewer? Pour le savoir, les chercheurs ont effectué une deuxième expérience où des interviewers chevronnés se comportaient envers les étudiants comme les interviewers de la première expérience s'étaient comportés envers les postulants de race noire ou blanche. Lorsque, par la suite, on évalua les enregistrements vidéo des entrevues avec les étudiants, ceux qui avaient été traités comme les Noirs de la première expérience furent jugés plus nerveux et moins efficaces. De plus, les étudiants interviewés percevaient eux-mêmes une différence; ceux qui avaient été traités de la même façon que les Noirs jugèrent leurs interviewers moins à la hauteur et moins amicaux. Les expérimentateurs en conclurent que «le "problème" de la performance noire ne se situait pas seulement à l'intérieur des Noirs, mais plutôt dans la nature de l'interaction en cours».

La croyance que les victimes n'ont pas à porter le blâme gagne du terrain. Près de trois Américains blancs sur quatre *contestent* actuellement la croyance que la raison pour laquelle «les pauvres Noirs n'ont pas été capables de surmonter la pauvreté [est] en grande partie la faute des Noirs eux-mêmes», croyant plutôt que «des décennies d'esclavage et de discrimination ont engendré des conditions faisant qu'il est difficile pour les Noirs de se sortir de la pauvreté» (Dovidio *et al.*, 1989).

ENDOGROUPE ET EXOGROUPE

La définition sociale de ce que vous êtes – votre race, votre religion, votre sexe, votre spécialité scolaire – peut aussi inclure la définition de ce que vous n'êtes pas. Le cercle du «nous» exclut «les autres». C'est ainsi que la seule expérience humaine de faire partie d'un groupe, en dehors des relations entre les groupes, peut favoriser le biais de l'**endogroupe**. Demandez à des enfants «Lesquels sont les meilleurs, les enfants de ton école ou les enfants de (l'école la plus près)?» Pratiquement tous diront que leur école a les meilleurs enfants.

Endogroupe:
Groupe de personnes partageant un sentiment d'appartenance, une impression d'identité commune.

Exogroupe:
Toute personne ou tout groupe de personnes considérées comme particulièrement différentes ou exclues du groupe d'appartenance.

Lors d'une série d'expériences, les psychologues sociaux britanniques Henri Tajfel et Michael Billig (1974; Tajfel, 1970, 1981, 1982) se sont aperçus que même lorsque la distinction nous-eux est sans conséquence aucune, les gens n'en continuent pas moins de favoriser immédiatement leur propre groupe. Au cours d'une étude, des adolescents britanniques évaluaient des toiles modernes abstraites et on leur disait ensuite qu'ils avaient, comme d'autres, préféré l'art de Paul Klee à celui de Wassily Kandinsky. Sans même avoir rencontré les autres membres de leur groupe, ils devaient ensuite répartir des récompenses monétaires entre les membres des deux groupes. Expérience après expérience, même quand les groupes étaient définis d'une façon aussi banale, il en résultait toujours un favoritisme à l'endroit de son propre groupe. Le chercheur David Wilder (1981) résume ainsi le résultat habituel: «Quand on leur donne l'occasion de répartir 15 points (valant de l'argent), les participants donnent habituellement 9 ou 10 points à leur groupe et 5 ou 6 points à l'autre groupe.» Ce biais se manifeste chez les deux sexes et chez des gens de tout âge et de toute nationalité, bien qu'il soit surtout le fait des gens issus des cultures individualistes (Gudykunst, 1989). (Les gens issus des cultures collectivistes semblent un peu plus enclins à s'identifier à tous leurs pairs et à traiter chacun de la même manière.)

D'autres chercheurs rapportent que les membres d'un groupe artificiel sont également évalués plus positivement par un des leurs (Brewer, 1979). En fait, certains chercheurs rapportent que le seul fait de former des groupes *en l'absence manifeste* de critère logique – en composant, par exemple, des groupes X et Y en tirant à pile ou face – suffit à provoquer le biais de l'endogroupe (Brewer et Silver, 1978; Billig et Tajfel, 1973; Locksley *et al.*, 1980).

Dans le roman de Kurt Vonnegut intitulé *Slapstick*, les ordinateurs donnaient un deuxième nom à tout le monde : tous les «Jonquilles-11» se sentaient alors solidaires et se distançaient des «Framboises-13». Le biais auto-avantageux (chapitre 3) se manifeste là encore, permettant aux gens de se forger une identité sociale plus positive : «Nous» sommes meilleurs qu'«eux», même s'il n'y a pas de différence entre «eux» et «nous». Comme nous nous évaluons en partie selon nos appartenances à des groupes, le fait de considérer nos groupes supérieurs nous aide à avoir une bonne opinion de nous-mêmes.

Itesh Sachdev et Richard Bourhis (1984) ont trouvé que si les groupes formés étaient numériquement égaux et que cela était souligné aux personnes formant ces groupes, les évaluations étaient plus justes que discriminatoires. Quand les groupes étaient inégaux, les individus appartenant à la minorité étaient moins justes dans leurs évaluations et démontraient un fort degré de favoritisme à l'accord de leur groupe si leur situation de minoritaire n'était pas soulignée par le chercheur.

Lorsque notre groupe connaît effectivement un certain succès, nous pouvons aussi tirer avantage à nous y identifier encore plus fortement. Aux questions posées à la suite d'une victoire de leur équipe collégiale de football, les élèves rapportent souvent «*nous* avons gagné». Aux questions posées à la suite d'une défaite de leur équipe, ils ont une tendance un peu plus marquée à dire «*ils* ont perdu». Cette tendance à jouir de la gloire de son groupe est particulièrement marquée chez les gens à peine remis d'une blessure d'amour-propre, qui viennent d'apprendre, par exemple, qu'ils ont obtenu une faible note à un «test de créativité» (Cialdini *et al.*, 1976). Nous pouvons aussi tirer gloire du succès d'un ami, sauf si l'ami est meilleur que nous dans un domaine touchant notre identité (Tesser *et al.*, 1988). Si vous vous considérez comme un exceptionnel étudiant en psychologie, vous vous réjouirez probablement davantage de l'excellence d'un ami en mathématique que de son excellence en psychologie.

Le **biais de l'endogroupe** consiste à favoriser son propre groupe. Ce relatif favoritisme peut refléter (1) l'amour pour son groupe ou (2) l'antipathie pour ce qui est extérieur au groupe, ou une combinaison quelconque des deux. Dans les deux cas, l'implication en serait que la fidélité à son groupe s'accompagne habituellement d'une dévalorisation des autres groupes. Est-ce vrai ? La fierté d'une race conduirait-elle au préjugé ? La solidarité des femmes entre elles les inciterait-elle à détester les hommes ? La loyauté enthousiaste à quelque association pousse-t-elle ses membres à déprécier les indépendants et les membres des autres associations ? Les résultats des expériences confirment les deux explications et en particulier la première : apparemment, le biais de l'endogroupe serait principalement dû au fait de percevoir son propre groupe comme étant bon (Brewer, 1979) et, dans une moindre mesure, au sentiment que les autres groupes sont mauvais (Rosenbaum et Holtz, 1985). Même s'il faut éviter, comme toujours, de généraliser à partir d'expériences en laboratoire, il semble que les sentiments positifs que nous éprouvons pour notre propre groupe ne doivent pas nécessairement se refléter par des sentiments négatifs de force identique envers les autres groupes. Certes, il semble que le dévouement à sa race, à sa religion et à ses groupes sociaux ait quelque tendance à s'accompagner d'une dévalorisation des autres races, des autres religions et des autres groupes sociaux, mais cette combinaison n'est pas un fait acquis.

Le biais de l'endogroupe, dans la vie quotidienne, est amplifié par la tendance des gens à avoir des interactions principalement avec les membres de leurs propres groupes. Lorsque les membres d'un groupe ont des interactions presque exclusivement les uns avec les autres, leur esprit de groupe s'intensifie souvent. Par exemple, la ségrégation avait pour but de

---

«On a tendance à définir positivement son propre groupe de manière à pouvoir s'auto-évaluer positivement.»
John C. Turner, 1984, p. 528

Biais de l'endogroupe : Tendance à favoriser son propre groupe.

confiner les sentiments de sympathie et d'égalité à l'intérieur du groupe (G. W. Allport, 1958, p. 205). De plus, les interactions limitées aux groupes conduisent souvent à des stéréotypes exagérés en ce qui a trait aux personnes extérieures aux groupes; à des droits acquis du fait de maintenir la séparation du groupe; et à des façons de penser, de sentir et d'agir propres au groupe. C'est ainsi que le biais de l'endogroupe est souvent amplifié par des types d'interaction augmentant l'écart entre les groupes.

CONFORMITÉ

Une fois établi, le préjugé se maintient principalement du fait de sa propre inertie sociale. Si le préjugé est une norme sociale – si l'on s'y attend –, bien des gens emprunteront alors la voie de la moindre résistance sociale. Ils suivront la mode. Leur façon d'agir ne relèvera pas tant d'un besoin de haïr que d'un besoin d'être aimés et acceptés (Pettigrew, 1980).

Des recherches effectuées par Thomas Pettigrew (1958) auprès de Blancs d'Afrique du Sud et du sud des États-Unis révélèrent qu'au cours des années 1950 les gens se conformant le plus aux autres normes sociales étaient également les personnes ayant le plus de préjugés; les personnes généralement moins conformistes reflétaient moins les préjugés environnants. Que la non-conformité puisse coûter cher fut douloureusement évident pour les ministres de Little Rock, en Arkansas, où la décision de 1954 de la Cour suprême concernant la déségrégation scolaire fut d'abord mise à exécution. La plupart des ministres étaient d'accord avec la déségrégation, mais, habituellement, en privé seulement; ils savaient que, s'ils s'en faisaient les défenseurs publics, ils risqueraient de perdre des membres et des contributions (Campbell et Pettigrew, 1959). Ou prenons les ouvriers métallurgistes de l'Indiana et les mineurs de charbon de West Virginia de la même époque. Dans les usines et les mines, on acceptait l'intégration. Cependant, la norme était une ségrégation rigide dans les quartiers (Reitzes, 1953; Minard, 1952). Le préjugé *n'était* absolument *pas* le fait de personnalités «malades», mais plus simplement le fait de normes s'appliquant dans certaines situations et ne s'appliquant pas dans d'autres.

La conformité maintient aussi d'autres préjugés. «Si nous en sommes venus à considérer la chambre d'enfants et la cuisine comme le milieu naturel de la femme», écrivait George Bernard Shaw dans un essai daté de 1891, «c'est exactement à la manière des enfants britanniques qui finissent par croire que la cage est le milieu naturel de la perruche – parce qu'ils n'ont jamais vu de perruche ailleurs que dans une cage.» Les enfants qui *ont* vu des femmes ailleurs – les enfants des travailleuses, par exemple – ont tendance à avoir des perceptions moins stéréotypées des hommes et des femmes (Broverman *et al.*, 1972; Hoffman, 1977). En résumé, il semble que les attitudes des gens soient en partie le reflet des attitudes environnantes, qu'il s'agisse de la «fierté des Blancs», de la «fierté des Noirs», de la «supériorité masculine» ou de la «conscience féministe».

Il y a, dans tout cela, un message d'espoir. Si la plupart des préjugés ne sont pas profondément ancrés dans les personnalités, ils peuvent s'atténuer à mesure que changent les modes et qu'évoluent les nouvelles normes. Et c'est justement ce qui s'est passé.

APPUIS INSTITUTIONNELS

La ségrégation n'est qu'un des moyens employés par les institutions sociales (écoles, gouvernements, médias) pour alimenter les préjugés collectifs. Les préjugés peuvent aussi être alimentés par les dirigeants politiques, des dirigeants qui n'ont pas seulement tendance à refléter les attitudes qui prévalent, mais aussi à les légitimer et à les renforcer.

Bien des préjugés ne proviennent pas de personnalités «malades», mais plutôt du fait de se conformer aux normes que nous recevons par notre éducation.

Les écoles renforcent, elles aussi, les attitudes culturelles dominantes. Une analyse de 134 histoires destinées aux enfants et écrites avant 1970 révéla que les histoires centrées sur des garçons étaient deux fois plus nombreuses que les histoires centrées sur des filles et que les personnages masculins étaient trois fois plus nombreux que les personnages féminins (*Women on Words and Images*, 1972). À qui attribuait-on l'initiative, la bravoure et la compétence? Dans une histoire pour enfants plus âgés, Jane, affalée sur le trottoir, ses patins à roulettes à côté d'elle, écoutait Mark expliquer à sa mère;

«Elle n'y arrive pas», disait Mark.
«Je peux l'aider.
Je veux l'aider.
Regarde-la, maman.
Regarde-la un peu.
C'est bien d'une fille.
Elle abandonne.»

Lise Dunnigan (1976) a fait des constations semblables pour le Québec à la suite d'une analyse de contenu de manuels scolaires, commanditée par le Conseil du statut de la femme.

Ce n'est pas avant les années 1970, pas avant qu'un changement dans nos croyances au sujet des hommes et des femmes n'engendre de nouvelles perceptions par rapport à ce genre de descriptions que l'on se rendit compte collectivement d'un stéréotype aussi flagrant. Les appuis institutionnels aux préjugés passent souvent inaperçus. Ce ne sont habituellement pas des tentatives haineuses visant délibérément à opprimer un groupe; elles ne reflètent le plus souvent que la manière dont une culture considère les choses à une époque donnée.

Y a-t-il des exemples contemporains de biais institutionnels passant aussi inaperçus que le sexisme de Mark et Jane d'il y a une génération? En voici un que la plupart d'entre nous n'ont jamais remarqué, même si nous l'avons directement sous les yeux; en examinant 1750 photographies de gens dans les revues et les journaux, Dane Archer et ses associés (1983) ont découvert qu'à peu près les deux tiers des photographies d'hommes, et moins de la moitié des photographies de femmes, mettent l'accent sur le visage. Des recherches plus poussées leur ont révélé que ce «face-isme» était très répandu. Ils le constatèrent dans les publications périodiques de 11 pays, dans 920 portraits tirés des œuvres d'art couvrant six siècles et dans les dessins amateurs de leurs étudiants de l'Université de Californie, à Santa Cruz. Les chercheurs soupçonnent que l'importance visuelle accordée aux visages des hommes et aux corps des femmes reflète autant le biais sexiste qu'elle le perpétue, parce que les personnes dont c'est le visage qui prédomine dans les photos sont en général perçues comme étant plus intelligentes, plus ambitieuses et plus séduisantes.

De plus, un grand nombre de films et d'émissions télévisées incarnent et renforcent les attitudes culturelles prédominantes. Les maîtres d'hôtel et les femmes de chambre stupides et noirs aux yeux écarquillés dans les vieux films mettant en vedette Shirley Temple contribuèrent à perpétuer les stéréotypes qu'ils reflétaient. À la radio et au début de la télévision, l'émission populaire *Amos'n'Andy* incitait les Américains à rire des Noirs que l'on représentait comme des gens irresponsables et aimant s'amuser. Presque tout le monde, de nos jours, trouverait ces images choquantes, sans remarquer les descriptions stéréotypées des Amérindiens «sauvages» (Trimble, 1988) ou le stéréotype de la sous-représentation des femmes aux heures d'écoute maximale de la télévision où l'on voit trois fois plus d'hommes que de femmes, sans compter les annonces publicitaires où il y a neuf narrateurs pour une narratrice (Bretl et Cantor, 1988; Gernber *et al.*, 1986).

«Si les gens pensent que les hommes et les femmes diffèrent sur le plan de leurs qualités personnelles, c'est surtout parce qu'ils les observent probablement à partir de rôles sociaux différents.»
Alice Eagly, 1984

ORIGINES ÉMOTIONNELLES DU PRÉJUGÉ

Même si les préjugés sont souvent le fruit des circonstances sociales, des facteurs émotifs jettent souvent de l'huile sur le feu.

FRUSTRATION ET AGRESSION: THÉORIE DU BOUC ÉMISSAIRE

Comme nous le verrons au chapitre 10, la douleur et la frustration peuvent provoquer l'hostilité. Lorsque la cause de notre frustration est trop menaçante ou trop vague, nous dirigeons souvent notre hostilité ailleurs. Ce phénomène du «déplacement de l'agression» a probablement contribué aux lynchages de Noirs dans le sud des États-Unis. Entre 1882 et

1930, il y avait une tendance plus marquée aux lynchages durant les années où le prix du coton était bas et la frustration économique apparemment plus accentuée (Hovland et Sears, 1940; Hepworth et West, 1988).

Les boucs émissaires servent de cibles à nos hostilités – même si c'est une agression injustifiée ou déplacée.

«À ce moment-ci de la réunion, j'aimerais bien rejeter le blâme sur quelqu'un d'autre.»

«Celui qui est mécontent de lui-même est toujours prêt à se venger.»
Nietzsche, *Le Gai Savoir*, 1882-1887

Les cibles de nos déplacements d'agression varient. Après leur défaite à la Première Guerre mondiale et le chaos économique qui s'ensuivit pour leur pays, beaucoup d'Allemands s'en prirent aux Juifs. Bien avant l'arrivée au pouvoir d'Hitler, un dirigeant allemand expliquait, «Les Juifs tombent juste à point... S'il n'y avait pas de Juifs, les antisémites auraient eu à les inventer» (cité par G. W. Allport, 1958, p. 325). Au cours des siècles précédents, les hostilités se déchargeaient sur les sorcières. Dans notre contexte plus récent, les gens qui voyaient l'inflation ou les augmentations d'impôt dévorer leurs augmentations de salaire pouvaient difficilement s'en prendre à l'ensemble complexe du système économique. Des cibles simplistes, comme «les vauriens paresseux de l'assistance sociale» ou «les compagnies rapaces» portaient plus souvent le blâme.

Une célèbre expérience de Neal Miller et Richard Bugelski (1948) auprès de jeunes hommes d'âge collégial et travaillant dans une colonie de vacances confirma la théorie du bouc émissaire. On demanda aux jeunes hommes d'exprimer leurs attitudes envers les Japonais et les Mexicains, avant et après les avoir forcés à demeurer au camp, leur soir de congé si longtemps attendu, pour subir des tests plutôt que d'aller, comme d'habitude, au théâtre local. Comparé au groupe témoin n'ayant pas subi cette frustration, le groupe victime de privation manifesta davantage de préjugés après la frustration.

Une source de frustration est la compétition. Lorsque deux groupes rivalisent pour les emplois, le logement ou le prestige social, le groupe qui atteint ses objectifs représente, pour l'autre, son propre échec à atteindre ses objectifs. Un principe écologique, la loi de Gause, stipule qu'il existe une compétition maximale entre les espèces ayant les mêmes besoins. De même, les chercheurs ont constamment observé les plus forts préjugés contre les Noirs chez les Blancs se trouvant le plus près des Noirs sur l'échelle socio-économique (Greeley et

Sheatsley, 1971; Tumin, 1958; Pettigrew, 1978; Vanneman et Pettigrew, 1972). Quand il y a conflit d'intérêts, certaines personnes y gagnent à avoir des préjugés. Les préjugés ont certainement été fort utiles aux hommes blancs qui s'arrangèrent pour protéger leurs propres intérêts en excluant les femmes et les minorités de leurs affaires durant la majeure partie du siècle actuel. Vers la fin des années 1980, des voix similaires s'élevèrent pour demander qu'on limite le nombre d'admissions et de bourses au mérite accordées par des universités rivales aux Américains asiatiques ayant obtenu de hauts résultats universitaires. Certains Blancs offusqués des quotas ou des objectifs d'admissions pour les étudiants noirs sont moins offusqués par l'idée de se garantir des places pour eux-mêmes.

DYNAMIQUE DE LA PERSONNALITÉ

Deux personnes ayant les mêmes raisons de se sentir frustrées ou menacées n'auront pas nécessairement autant de préjugés l'une que l'autre. Cela laisse à penser que le préjugé a d'autres fonctions que celle de promouvoir notre bien-être compétitif. Freud supposait que les gens s'accrochaient parfois à des croyances et à des attitudes satisfaisant leurs besoins inconscients.

Besoins de statut et d'identification à un groupe

Le statut est relatif: pour nous percevoir comme ayant un certain statut, nous avons besoin de gens ayant un statut inférieur au nôtre. C'est ainsi que l'un des avantages psychologiques du préjugé, ou de tout système de classes, se trouve dans le sentiment de supériorité qu'il nous procure. Nous pouvons presque tous nous souvenir d'une occasion où nous avons tiré une satisfaction secrète de l'échec de quelqu'un d'autre – peut-être en voyant un frère ou une sœur se faire réprimander, ou en entendant parler des difficultés que rencontrait un camarade de classe à un examen. Des comparaisons de ce genre gonflent notre estime de soi. Est-ce la raison pour laquelle les gens au bas de l'échelle socio-économique, ceux qui ont baissé d'échelon et ceux qui se sentent menacés dans leur image de soi positive ont tendance à avoir plus de préjugés (Lemyre et Smith, 1985; Thompson et Crocker, 1985)? Une recherche à l'Université Northwestern révéla que les membres des clubs féminins de statut inférieur dénigraient davantage les autres clubs féminins que ne le faisaient les membres des clubs féminins jouissant d'un statut supérieur (Crocker *et al.*, 1987). Il se peut que les gens dont le statut est bien assis ressentent moins le besoin de se sentir supérieurs aux autres.

D'autres facteurs reliés au statut inférieur peuvent également expliquer la présence de préjugés. Imaginez-vous dans la peau de l'un des participants à une expérience effectuée par Robert Cialdini et Kenneth Richardson (1980) auprès des étudiants de l'Université d'État d'Arizona. Vous marchez seul à travers le campus. Quelqu'un vous aborde et vous demande de consacrer cinq minutes à un sondage. Vous acceptez. Le chercheur vous fait subir un court «test de créativité» et vous rabat ensuite le caquet en vous disant que «vous avez un résultat passablement faible». Il complète ensuite son enquête en vous posant quelques questions d'évaluation touchant votre établissement universitaire ou son rival de toujours, l'Université d'Arizona. Vos sentiments d'échec influenceront-ils vos évaluations de chacune des universités? Cialdini et Richardson ont constaté que, en comparaison des étudiants d'un groupe témoin n'ayant pas été menacés dans leur amour-propre, les étudiants ayant vécu un échec donnaient des évaluations supérieures de leur propre université et des évaluations inférieures de la rivale. Le fait de vanter son propre groupe et de dénigrer les autres semble gonfler l'ego. De même, James Meindl et Melvin Lerner (1984) ont découvert qu'une expérience humiliante – renverser accidentellement la précieuse pile de cartes informatisées de quelqu'un – poussait les étudiants canadiens de langue anglaise à se montrer plus hostiles envers les étudiants canadiens de langue française. Et Teresa Amabile et Ann Glazebrook (1982) se sont aperçues que, en provoquant un sentiment d'insécurité chez les étudiants du collège Dartmouth, ces derniers réagissaient en jugeant plus sévèrement le travail des autres.

Tout cela semble indiquer qu'un homme doutant de sa force ou de son indépendance pourrait dorer son image d'homme en déclarant que les femmes sont pitoyablement faibles et dépendantes. Effectivement, lorsque Joel Grube, Randy Kleinhesselink et Kathleen Kearney (1982) montrèrent aux hommes de l'Université d'État de Washington des enregistrements vidéo d'entrevues d'emploi que passaient de jeunes femmes, les hommes ayant peu d'estime de soi détestèrent les femmes fortes et non traditionnelles. Quant aux hommes ayant beaucoup d'estime de soi, ils étaient plus attirés par les femmes *non* traditionnelles que par les femmes traditionnelles.

L'exogroupe détesté comble un autre besoin: celui de faire partie d'un endogroupe. La perception d'un ennemi commun peut puissamment contribuer à cimenter un groupe. C'est souvent lorsqu'il faut se mesurer au principal rival que l'esprit de clocher est à son meilleur. Le sentiment de camaraderie entre travailleurs est souvent à son maximum d'intensité lorsqu'ils ressentent tous la même hostilité envers l'administration. Pour assurer la poigne nazie sur l'Allemagne, Hitler utilisa la «menace juive». La haine des autres groupes peut fortifier un groupe.

Personnalité autoritaire

On suppose que les besoins émotionnels contribuant à l'existence des préjugés sont prépondérants dans la «personnalité autoritaire». Au cours des années 1940, un groupe de chercheurs de l'Université de Californie, à Berkeley, au nombre desquels figuraient deux personnes ayant fui l'Allemagne nazie, entreprirent une mission de recherche urgente – découvrir les racines psychologiques d'un antisémitisme assez virulent pour avoir massacré des millions de Juifs sous l'indifférent regard de millions d'autres personnes. Des études auprès d'adultes américains révélèrent aux chercheurs que l'hostilité envers les Juifs coexiste souvent avec des hostilités envers d'autres minorités (Adorno *et al.*, 1950). De plus, ces personnes **ethnocentriques** semblaient présenter les tendances autoritaires: une intolérance à la faiblesse, une attitude punitive et un respect soumis aux autorités de leur groupe comme le manifestait leur accord à des énoncés tels que «L'obéissance et le respect de l'autorité sont les vertus les plus importantes à enseigner aux enfants.»

Les chercheurs de Berkeley ont également découvert que les personnes autoritaires avaient été, plus souvent qu'autrement, élevées de façon très stricte. Cela les aurait apparemment incitées à réprimer leurs propres hostilités et leurs propres impulsions et à les «projeter» sur les autres groupes. On pensait aussi que l'insécurité de l'enfant autoritaire le prédisposait à une préoccupation excessive au sujet du pouvoir et du statut social et à une façon de penser bien-mal le rendant pratiquement incapable de supporter l'ambiguïté; voilà pourquoi les individus de ce genre auraient tendance à faire preuve de soumission devant leurs supérieurs et d'agressivité envers leurs subalternes.

Ethnocentrisme:
Conviction de la supériorité de son propre groupe ethnique et culturel, accompagnée d'un mépris correspondant pour tous les autres groupes.

La recherche portant sur la personnalité autoritaire se heurta à bien des critiques: (1) ce n'était peut-être qu'un simple manque d'éducation qui était à la base des préjugés simplistes des individus autoritaires. (2) Les chercheurs de Berkeley, en se concentrant sur l'autoritarisme de la droite semblaient avoir négligé l'autoritarisme dogmatique de la gauche. (3) Les valeurs démocratiques de ces chercheurs étaient à peine voilées: le méprisable caractère autoritaire «rigide» décrit par ces chercheurs était remarquablement semblable au caractère «stable» défini par les psychologues de l'Allemagne avant le nazisme. C'était donc leurs valeurs personnelles qui les poussaient à condamner ces personnalités pour leur «ethnocentrisme» [une étiquette donnée par les psychologues américains] ou à les féliciter de leur «loyauté envers leur groupe» [une étiquette donnée par les psychologues allemands] (Brown, 1965).

Néanmoins, la principale conclusion de cette ambitieuse recherche a survécu: il y a des individus dont les hostilités pharisaïques se manifestent sous forme de préjugés (Altemeyer, 1988). Fathali Moghaddam et Vuk Vuksanovic (1990) ont aussi montré que ces personnes s'opposent à la promotion des droits humains, quel que soit le contexte politique. Des sentiments de supériorité morale peuvent aller de pair avec la brutalité envers les personnes jugées inférieures. Même si les préjugés alimentant l'apartheid proviennent des inégalités sociales, de la socialisation et de la conformité (Louw-Potgieter, 1988), les Sud-Africains les plus partisans de la ségrégation ont tendance à manifester des attitudes autoritaires (Van Staden, 1987). Au sein des régimes répressifs sévissant à travers le monde, les gens qui deviennent tortionnaires éprouvent habituellement un penchant autoritaire pour les chaînes-de-commandement hiérarchiques et un mépris envers les faibles et les rebelles (Staub, 1989). De plus, différents préjugés – envers les Noirs, les homosexuels, les femmes, les personnes âgées – ont *effectivement* tendance à coexister chez les mêmes individus (Bierly, 1985; Snyder et Ickes, 1985).

ORIGINES COGNITIVES DU PRÉJUGÉ

On aurait pu écrire une bonne part de ce qu'on vient d'énoncer au sujet du préjugé au début des années 1960. Mais on n'aurait pas pu écrire ce qui va suivre. Cette nouvelle approche du préjugé complète les croyances établies en appliquant les leçons tirées d'une explosion de la recherche dans le domaine de la pensée sociale. La croyance de base est la suivante: les croyances stéréotypées et les attitudes fondées sur les préjugés n'existent pas seulement à cause du conditionnement social; elles n'existent pas seulement pour remplir une fonction émotionnelle en permettant aux gens de déplacer et de projeter leur hostilité; mais elles sont également le sous-produit de nos processus habituels de pensée. Il ne faudrait pas supposer que les stéréotypes sont toujours le fruit de la malice. Les stéréotypes constituent plutôt le prix à payer pour simplifier notre univers complexe. Les stéréotypes, considérés de cette façon, sont grosso modo analogues aux illusions perceptives, prix que nous payons souvent pour les bénéfices que nous retirons de notre don perceptif pour la simplification.

CATÉGORISATION

L'un des moyens dont nous disposons pour simplifier nos mondes consiste à «catégoriser» – à organiser le monde en groupes d'objets. Le biologiste organise le monde en classant les plantes et les animaux. Après avoir regroupé les gens en catégories, il nous est plus facile de penser à l'information les concernant et de nous en souvenir. Dans la mesure où les personnes composant un groupe sont semblables, le fait d'identifier leur groupe nous permet de mieux prédire leur comportement individuel. C'est ainsi que l'on enseigne les «profils» des individus louches aux inspecteurs des douanes et au personnel aérien devant se charger du terrorisme (Kraut et Poe, 1980). Tels sont les bénéfices de la catégorisation – l'obtention d'informations utiles avec un minimum d'efforts. Il y a cependant un prix à payer pour ces bénéfices.

Nous avons déjà étudié l'un des coûts sociaux: le biais de l'endogroupe. Le seul fait de diviser les gens en groupes peut susciter la discrimination. Il y a aussi d'autres coûts. Quand il faut prendre rapidement des décisions, l'utilisation de stéréotypes efficaces mais simplifiés à l'excès augmente (Kruglanski et Freund, 1983). De plus, dans notre monde contemporain, l'ethnie et le sexe constituent de puissants moyens de catégorisation des gens. Imaginez Tom, un Noir de quarante ans, agent d'immeubles à Westmount. J'ai tendance à penser que votre image «homme noir» prédomine sur les catégories «homme d'âge moyen», «homme d'affaires» et «personne habitant l'ouest de Montréal». Cette catégorisation n'est pas, en tant que telle, un préjugé. Mais la catégorisation, comme nous le verrons, sert de fondement au préjugé.

Similitudes perçues à l'intérieur des groupes, différences entre les groupes

Représentez-vous les objets suivants: des pommes, des chaises, des crayons. Nous avons une tendance marquée à considérer les objets à l'intérieur d'un groupe comme étant plus uniformes qu'ils ne le sont en réalité. Vos pommes étaient-elles toutes rouges, vos chaises étaient-elles toutes à dos droit, vos crayons tous jaunes? De même, nous avons tendance, après avoir regroupé les gens – en athlètes, en étudiants en théâtre, en professeurs de mathématiques –, à exagérer les similitudes à l'intérieur des groupes et les différences entre les groupes (S. E. Taylor, 1981; Wilder, 1978). En conséquence, le seul fait de diviser les gens en groupes peut créer l'impression que les membres d'un autre groupe sont «tous pareils», mais qu'ils sont différents de soi et de son propre groupe (Allen et Wilder, 1979). Étant donné qu'en général nous aimons les gens que nous pensons semblables à nous et n'aimons pas les gens qui nous semblent différents, nous aurions là le fondement du biais de l'endogroupe (Byrne et Wong, 1962; Rokeach et Mezei, 1966; Stein *et al.*, 1965; Taylor et Guimond, 1978).

De plus, une simple décision de groupe peut inciter les gens extérieurs au groupe à surestimer l'unanimité des membres du groupe. Si un conservateur remporte une élection nationale par une faible majorité, les observateurs en déduisent que «les gens sont devenus conservateurs». Si un libéral avait gagné par la même faible majorité, il n'y aurait pas eu grand différence au point de vue des attitudes des électeurs, mais cela n'aurait pas empêché les observateurs de leur attribuer une «humeur libérale». Que la décision soit prise en vertu de la règle de la majorité ou par un directeur choisi par le groupe, les gens ont tendance à supposer qu'elle reflète les attitudes des membres du groupe (Allison et Messick, 1985, 1987; Mackie et Allison, 1987; Worth *et al.*, 1987).

La tendance à percevoir les membres d'un groupe comme plus semblables qu'ils ne le sont en réalité est moins vraie des perceptions concernant son propre groupe. La plupart des non-Européens considèrent les Suisses comme des gens relativement homogènes. Mais pour les habitants de la Suisse, les Suisses forment divers groupes comprenant les gens de langues française, allemande et italienne. Les Américains blancs parlent volontiers des «leaders noirs» qui prennent apparemment la parole au nom des Américains noirs et les journalistes blancs voient parfois une nouvelle dans le fait que la «communauté noire soit divisée» sur une question. Les Blancs semblent supposer que leur propre groupe racial est plus diversifié puisqu'ils ne prétendent pas qu'il y ait des «leaders blancs» pouvant parler au nom de l'Amérique blanche ou que le fait que tous les Blancs ne soient pas du même avis puisse constituer une nouvelle. De même, aux yeux des étudiants de l'Université d'Oregon, les personnes de l'autre sexe semblent avoir plus d'attributs propres à leur sexe que les personnes appartenant à leur propre sexe; et les membres des associations féminines perçoivent les membres des autres associations féminines comme étant plus homogènes que la diversité de femmes appartenant à leur propre association (Park et Rothbart, 1982).

Ce phénomène du «ils sont pareils, nous sommes différents» est particulièrement marqué chez les groupes rivaux (Judd et Park, 1988). La taille du groupe a également son importance; plus le groupe semble restreint, plus les gens le croiront unifié (Mullen et Hu, 1988). Qu'elles soient ou non semblables, les femmes d'un petit club féminin auront probablement l'air plus ressemblantes.

Peut-être avez-vous remarqué qu'«ils» – les membres de n'importe quel groupe racial autre que le vôtre – se ressemblaient même tous. Beaucoup d'entre nous peuvent se souvenir de l'embarras ressenti après avoir confondu deux personnes d'un autre groupe racial, amenant la personne que nous avions confondue à dire «tu penses que nous sommes tous pareils». Plusieurs expériences récentes, effectuées aux États-Unis par John Brigham, June Chance, Alvin Goldstein et Roy Malpass, et en Écosse par Hayden Ellis, révèlent que les gens des autres races semblent effectivement se ressembler davantage que les gens appartenant à notre propre race (Brigham et Williamson, 1979; Chance et Goldstein, 1981; Ellis, 1981). Par exemple, quand on montre à des étudiants blancs quelques visages de Blancs et quelques visages de Noirs et qu'on leur demande ensuite de trouver ces visages à travers une série de photographies, ils reconnaissent les visages blancs avec plus de précision qu'ils ne le font pour les visages noirs.

Je suis un Blanc. Quand j'ai lu ce compte rendu de recherche pour la première fois, j'ai, bien sûr, pensé: les Blancs sont physiquement plus différents que les Noirs. Mais ma réaction n'était apparemment qu'une illustration de ce phénomène. Car si j'avais raison, les Noirs, eux aussi, reconnaîtraient mieux un visage blanc parmi une série de photographies de visages blancs qu'un visage noir parmi une série de photographies de visages noirs. Mais c'est le contraire qui semble vrai: comme le montre la figure 9.4, les Noirs reconnaissent plus facilement l'un des leurs qu'un Blanc (Bothwell et al., 1989). Et les Espagnols reconnaissent plus rapidement un autre Espagnol qu'ils ont rencontré deux heures auparavant qu'ils ne le font pour un Américain blanc (Platz et Hosch, 1988).

«Les femmes se ressemblent plus que les hommes.»
Lord (et non Lady) Chesterfield

L'expression «biais de la race» n'est pas approprié dans le cas des Anglo/Espagnols. Les deux groupes ethniques sont classés dans la race blanche.

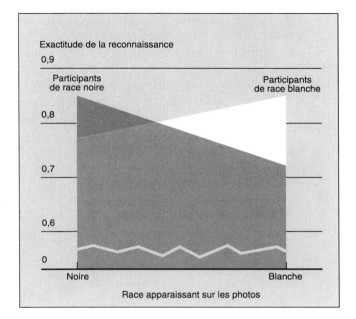

Figure 9.4

Biais de la race. Les participants de race blanche reconnaissent davantage les visages des Blancs que ceux des Noirs. Les participants de race noire reconnaissent davantage les visages des Noirs que ceux des Blancs. (Tiré de Devine et Malpass, 1985.)

Ce fascinant «biais de la race» semble être un phénomène cognitif automatique, car il n'a habituellement rien à voir avec les attitudes raciales du sujet (Brigham et Malpass, 1985). Mais l'expérience peut jouer un rôle. June Chance (1985) rapporte que les étudiants blancs ont énormément de difficulté à reconnaître des visages individuels de Japonais (même si les traits des visages japonais sont en fait aussi variés que ceux des visages blancs); mais ces étudiants blancs font des progrès remarquables si on leur montre, sur plusieurs sessions de formation, des paires de visages japonais qu'ils doivent apprendre à différencier. Chance pense que l'expérience permet aux gens de s'habituer aux différents types de visages qu'ils rencontrent souvent. Et c'est peut-être ce qui explique qu'à mes yeux toutes les poupées Bout de Chou sont pareilles, ce qui n'est pas le cas aux yeux de ma fille de neuf ans et de ses amies.

POUVOIR PERSUASIF DES STIMULI DISTINCTIFS

Les gens différents attirent l'attention

D'autres formes de perception de la réalité engendrent, elles aussi, des stéréotypes. Les gens différents et les événements frappants ou extraordinaires attirent souvent notre attention et faussent nos jugements.

Vous êtes-vous déjà retrouvé en train de travailler ou de socialiser dans un environnement où vous étiez la seule personne de votre sexe, de votre race ou de votre nationalité ? Si oui, il y a de fortes chances qu'à cause de votre différence par rapport aux autres on vous ait remarqué davantage et qu'on vous ait accordé plus d'attention. Un Noir parmi un groupe de Blancs, un homme dans un groupe de femmes ou une femme dans un groupe d'hommes vont, en général, être perçus comme étant plus importants et comme ayant davantage d'influence, sans compter que leurs qualités et leurs défauts seront exagérés par les autres (Crocker, 1984; S. E. Taylor *et al.*, 1979). La raison en est que, lorsque quelqu'un tranche sur les autres membres d'un groupe (que cette personne est voyante), nous avons tendance à considérer cette personne comme la cause de tout ce qui arrive (Taylor et Fiske, 1978). Si nous nous arrangeons pour fixer notre attention sur Pierre, un membre ordinaire du groupe, Pierre aura l'air d'avoir plus d'influence que les autres sur le groupe.

Au cours d'une expérience menée à Harvard, Ellen Langer et Lois Imber (1980) ont trouvé que les étudiants regardant un enregistrement vidéo d'un homme en train de lire se montraient plus attentifs lorsqu'on leur faisait croire que l'homme sortait de l'ordinaire – une victime du cancer, un homosexuel ou un millionnaire. Ils trouvaient à l'homme des particularités que les autres spectateurs n'avaient pas vues et ils le jugeaient avec plus d'extrémisme. Ceux qui pensaient, par exemple, avoir affaire à un cancéreux remarquèrent plus que les autres spectateurs les particularités de son visage et les mouvements de son corps, et le perçurent conséquemment comme étant beaucoup plus «différent de la plupart des gens». Le surplus d'attention accordée aux gens différents peut ainsi créer l'illusion que ces gens diffèrent davantage des autres qu'ils n'en diffèrent en réalité. Si les gens vous prennent pour un génie à cause de votre QI, ils remarqueront probablement des choses qui, autrement, passeraient inaperçues.

Il se peut toutefois que les gens perçoivent chez les autres des réactions à leur différence alors qu'il n'en est rien. C'est ce qu'ont découvert les chercheurs Robert Kleck et Angelo Strenta (1980), du collège Dartmouth, quand ils ont fait croire à des collégiennes qu'elles étaient défigurées. Ces participantes pensaient que l'expérience avait pour but d'évaluer la réaction d'une autre femme devant une cicatrice faciale créée à l'aide de maquillage de théâtre et s'étalant sur la joue droite, de l'oreille à la bouche. L'expérience visait en fait à voir comment les femmes, amochées suffisamment pour se sentir déviantes de la norme, percevraient le comportement des autres à leur égard. Après l'application du maquillage, l'expérimentateur donnait à chacune un petit miroir de poche pour qu'elles puissent voir l'apparence authentique de la cicatrice. Quand elles baissèrent le miroir, il appliqua alors une crème «hydratante» pour «empêcher le maquillage de se craqueler». En fait, cette crème «hydratante» enlevait complètement la cicatrice.

La scène qui s'ensuivait était poignante. Une jeune femme, se sentant extrêmement gênée de son visage apparemment défiguré, est en train de parler à une autre femme qui ne voit pas cette défiguration et ne sait rien de ce qui s'est passé avant. Si vous avez déjà senti une gêne semblable – à cause d'un handicap physique, de l'acné juvénile ou simplement à cause de vos «épouvantables» cheveux –, vous pourrez peut-être sympathiser avec la femme gênée. En comparaison des collégiennes du groupe témoin à qui l'on avait fait croire que leur interlocutrice s'imaginait simplement qu'elles avaient une allergie, les femmes «défigurées» devinrent extrêmement sensibles à la manière dont leur interlocutrice les regardait et elles l'estimèrent plus tendue, distante et condescendante. Mais, en fait, les observateurs qui analysèrent plus tard les enregistrements vidéo de la manière dont furent traitées les personnes «défigurées» ne purent constater aucune de ces différences de comportement. Spéculant à partir de ces résultats, il semblerait que la gêne d'être différents nous pousserait à mal interpréter des manies et des commentaires que nous ne remarquerions pas autrement.

La timidité engendrée par le fait d'être minoritaire – d'être, par exemple, un homme dans un groupe de femmes ou une femme dans un groupe d'hommes – peut aussi semer la confusion dans les croyances et les souvenirs, si bien que la personne minoritaire semble stupide.
Lord et Saenz, 1985

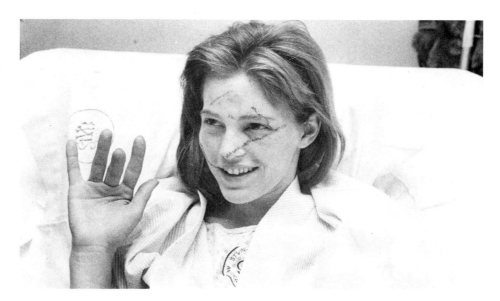

Lorsque nous souffrons d'un handicap physique, nous percevons souvent chez les autres des réactions condescendantes qui n'existent peut-être pas. Cela peut avoir des conséquences paralysantes. Une exception, le mannequin Marla Hanson qui a fait preuve de grand courage après sa tragique et violente défiguration quand elle a montré à la presse un visage optimiste pendant sa convalescence à l'hôpital.

On n'oublie pas les cas frappants et particuliers

Nos cerveaux utilisent aussi les cas particuliers pour juger rapidement des groupes. Les Canadiens français sont-ils doués pour les affaires? Quelle conclusion tirera celui qui ne pourra faire mieux que d'évoquer les noms bien connus de Canadiens français qui ont tous subi des déboires financiers importants ces derniers temps: Campeau, Malenfant, Lamarre... On commence par se souvenir d'exemples d'une catégorie particulière et, à partir de ces souvenirs, on fait une généralisation qui peut être ou ne pas être correcte. Ainsi en est-il du touriste qui conclut: «Tous les Amérindiens marchent à la queue leu leu. Du moins ceux que j'ai vus.» Le problème, comme nous l'avons vu au chapitre 4, c'est que les exemples frappants, bien que persuasifs à cause de leur impact plus grand sur la mémoire, sont rarement représentatifs d'un groupe pris dans son ensemble. Les athlètes exceptionnels, même s'ils sont extraordinaires et mémorables, ne constituent pas la meilleure base pour juger de la répartition du talent athlétique dans une race entière.

Deux expériences démontrent comment les cas particuliers alimentent les stéréotypes. Dans l'une d'elles, Myron Rothbart et ses collègues (1978) ont demandé à des étudiants de l'Université d'Oregon de regarder 50 diapositives donnant toutes la grandeur de l'homme y apparaissant. À un groupe d'étudiants, on dit que 10 hommes mesuraient un peu plus de 1,82 m (jusqu'à 1,93 m). On dit aux autres étudiants que ces 10 hommes mesuraient beaucoup plus que 1,82 m (jusqu'à 2,11 m). Quand on leur demanda plus tard combien d'hommes mesuraient plus de 1,82 m, ceux à qui l'on avait donné les exemples d'hommes modérément grands se souvenaient d'un nombre excédant la réalité de 5%, tandis que ceux à qui l'on avait donné les exemples extrêmes avaient des souvenirs excédant de 50% la réalité. Au cours d'une expérience complémentaire, on donna aux étudiants des descriptions d'actes posés par 50 hommes dont 10 avaient commis des crimes non violents comme possession et usage de faux ou des crimes violents comme le viol. Presque tous les étudiants à qui l'on avait donné la liste incluant les crimes violents surestimèrent le nombre d'actes criminels.

Étant donné que les cas particuliers et extrêmes sont plus facilement mémorisés – et étant donné aussi qu'ils font les manchettes –, ils dominent nos représentations touchant divers groupes. Demandez à des gens de faire le portrait de la personne s'opposant à l'apartheid de l'Afrique du Sud: ils évoqueront probablement les images télévisées de manifestants portant des pancartes plutôt que des images des nombreuses personnes ordinaires qui s'opposent à l'apartheid de façon moins spectaculaire. Le pouvoir qu'ont les exemples particuliers et extrêmes d'attirer l'attention aide à comprendre pourquoi les gens de classe moyenne exagèrent tant les différences entre eux et la classe plus pauvre. Contrairement aux stéréotypes des «reines de l'assistance sociale» conduisant des Cadillac, les gens vivant dans la pauvreté partagent en général les aspirations de la classe moyenne et préféreraient subvenir à leurs besoins plutôt que d'accepter l'aide sociale (Cook et Curtin, 1987).

C'est un fait incontestable que nous avons tendance à généraliser à l'excès des cas frappants. La question est maintenant de savoir quand nous avons le plus tendance à le faire. George Quattrone et Edward Jones (1980) rapportent que la tendance à se forger des stéréotypes à partir du comportement d'une seule personne est particulièrement marquée lorsque les attentes d'un individu sont faibles ou lorsqu'il s'agit d'un membre d'un groupe peu connu. Ils ont montré à des étudiants de Princeton et de Rutgers un enregistrement vidéo d'un étudiant apparemment de Princeton ou de Rutgers et qui décidait, dans l'une des versions de l'enregistrement, d'attendre seul pour une expérience ou, dans une autre version de l'enregistrement, d'attendre avec les autres. Quand on demanda aux étudiants de deviner ce que décideraient la plupart des autres étudiants, ils dirent que la plupart des étudiants choisiraient la même chose que l'étudiant de l'enregistrement. Mais l'observation d'un seul étudiant devant décider s'il écoutera de la musique rock ou classique – un domaine où les étudiants ont des attentes plus marquées quant aux préférences des autres étudiants – eut moins d'effet sur leurs suppositions quant au choix des autres étudiants. De plus, la tendance à généraliser à partir d'un cas particulier était beaucoup plus prononcée lorsqu'on disait que l'étudiant fréquentait l'autre université plutôt que celle des spectateurs. Les étudiants de Rutgers qui virent un supposé étudiant de Princeton choisir d'attendre seul finirent par avoir l'impression que les étudiants de Princeton étaient plutôt des solitaires; ceux qui virent l'étudiant de Princeton choisir d'être avec les autres eurent l'impression que les étudiants de Princeton étaient plus sociables. En d'autres termes, moins nous en savons à propos d'un groupe et de son comportement, plus nous sommes portés à être influencés par un ou deux exemples frappants. Voir c'est croire.

Les événements particuliers engendrent des corrélations illusoires

Les stéréotypes supposent une corrélation entre l'appartenance des gens à un groupe et leurs traits de caractère («les Italiens sont émotifs», «les Juifs sont astucieux», «les comptables sont perfectionnistes»). Même dans les meilleures conditions, l'attention que nous portons aux circonstances inhabituelles peut engendrer des **corrélations illusoires**. Comme nous sommes sensibles aux événements particuliers, le fait que deux événements de ce genre se produisent en même temps est particulièrement frappant – plus frappant que chacune des occasions où les événements inhabituels ne se produisent pas simultanément.

C'est ce qu'ont démontré David Hamilton et Robert Gifford (1976) lors d'une brillante expérience avec des élèves du collège Southern Connecticut State. On montra aux élèves des diapositives représentant différentes personnes du «groupe A» ou du «groupe B» ayant

Corrélation illusoire:
Fausse impression que deux variables, comme l'intelligence et le sexe, sont associées. Voir le chapitre 4, p. 135.

apparemment posé des actes désirables ou indésirables. Par exemple, «Martin, un membre du groupe A, a rendu visite à un ami hospitalisé». Il y avait deux fois plus d'énoncés décrivant des membres du groupe A que du groupe B, mais les deux groupes furent associés à neuf comportements désirables pour chaque ensemble de quatre comportements indésirables. Étant donné que le groupe B et les actes indésirables étaient tous deux moins fréquents, le fait qu'ils apparaissent simultanément – par exemple, «Alain, un membre du groupe B, a cabossé l'aile d'une automobile stationnée, sans laisser son nom» – constituait une combinaison rare qui attirait l'attention. Les élèves surestimèrent ainsi la fréquence avec laquelle le groupe (B) «minoritaire» se comportait de façon indésirable; ils jugèrent donc plus sévèrement le groupe B.

N'oubliez pas que les membres du groupe B ont commis des actes indésirables dans la même proportion que les membres du groupe A. De plus, les élèves n'avaient pas de parti pris préalable pour ou contre le groupe B et ils reçurent l'information plus systématiquement qu'en n'importe quelle expérience de la vie quotidienne. Des études complémentaires ont confirmé ce phénomène de même que son explication – c'est-à-dire que l'apparition simultanée de deux événements particuliers accapare l'attention (Hamilton et Sherman, 1989; Mullen et Johnson, 1988). L'impression négative peut d'ailleurs se généraliser à d'autres domaines (Acorn *et al.*, 1988). La corrélation illusoire nous fournit par conséquent une autre explication à la formation des stéréotypes raciaux.

Les médias de masse reflètent et alimentent ce phénomène. Par exemple, lorsqu'un homosexuel déclaré tue quelqu'un, on mentionne souvent l'homosexualité. Quand c'est un hétérosexuel qui tue quelqu'un, c'est un événement moins particulier, de sorte que l'on mentionne rarement l'orientation sexuelle du meurtrier. De même, lorsqu'un ex-patient psychiatrique tire sur quelqu'un comme John Lennon ou le président Reagan, le passé psychiatrique de l'individu éveille l'attention. Les assassins et l'hospitalisation psychiatrique sont tous deux relativement rares, de sorte que leur combinaison ne manque pas de faire les manchettes. Ce recours à ce qui est sensationnel peut nourrir l'illusion d'une forte corrélation entre (1) l'homosexualité ou l'hospitalisation psychiatrique et (2) les penchants à la violence.

À la différence des élèves ayant jugé les groupes A et B, nous avons souvent des partis pris. Une recherche ultérieure de David Hamilton et Terrence Rose (1980) révèle que nos partis pris peuvent nous amener à «voir» des corrélations qui n'existent pas. Ils ont demandé à des étudiants de l'Université de Californie, à Santa Barbara, de lire des phrases où l'on décrivait par divers adjectifs des personnes exerçant différents métiers (par exemple, «Jean-Claude, un comptable, est timide et sérieux»). En réalité, les mêmes adjectifs décrivaient chacun des métiers dans une proportion équitable: les comptables, les médecins et les vendeurs étaient décrits souvent et dans la même proportion comme étant timides, prospères et volubles. Les étudiants n'en pensèrent pas moins avoir plus souvent lu des descriptions de comptables timides, de médecins prospères et de vendeurs volubles. Leurs stéréotypes les avaient amenés à percevoir des corrélations là où il n'y en avait pas, perpétuant ainsi ces mêmes stéréotypes (McArthur et Friedman, 1980). Croire c'est voir.

CONSÉQUENCES COGNITIVES DES STÉRÉOTYPES

Les stéréotypes se perpétuent d'eux-mêmes

Le préjugé est un jugement trop hâtif. Les jugements trop hâtifs sont inévitables. Personne ne consigne froidement les événements sociaux en faisant le compte des preuves pour et contre. La réalité est plutôt que nos jugements trop hâtifs influencent notre façon d'interpréter et de traiter l'information (Bodenhausen, 1988).

Lorsqu'un membre d'un groupe se comporte comme prévu, nous en prenons dûment note; la croyance première est confirmée. Lorsqu'un membre d'un groupe se comporte contrairement aux attentes de l'observateur, nous justifions le comportement en invoquant des circonstances spéciales (Crocker et al., 1983); ou nous l'interprétons faussement de manière à pouvoir conserver la croyance première.

Peut-être avez-vous, vous aussi, vécu l'expérience de ne pouvoir venir à bout de la croyance que quelqu'un se faisait de vous: quoi que vous fassiez, la personne l'interprétait faussement. Ce genre de fausse interprétation est plus probable lorsqu'on anticipe anxieusement une rencontre désagréable (Wilder et Shapiro, 1989). C'est ce qu'ont démontré William Ickes et ses collègues (1982) par une expérience avec des élèves du collégial groupés deux par deux. À son arrivée, l'un des deux se faisait faussement mettre en garde contre son vis-à-vis par les expérimentateurs qui prétendaient «n'avoir pas parlé à une personne aussi froide depuis longtemps». On présentait alors les deux jeunes hommes l'un à l'autre et on les laissait seuls pendant cinq minutes. À l'instar des élèves placés dans une situation différente, ceux qui s'attendaient à rencontrer une personne froide firent des pieds et des mains pour se montrer gentils, leurs sourires et autres comportements amicaux finissant par provoquer chez leur vis-à-vis une réaction chaleureuse. Mais, contrairement aux élèves chez qui l'on avait fait naître des attentes positives, les élèves s'attendant à rencontrer une personne froide attribuèrent, semble-t-il, la gentillesse de leur interlocuteur aux efforts qu'eux-mêmes avaient déployés pour le traiter «avec tous les égards». Ils en vinrent par conséquent à exprimer par la suite davantage de méfiance et d'antipathie pour lui, évaluant son comportement comme étant moins amical. On aurait dit que le biais négatif incitait ces élèves, en dépit de la gentillesse réelle du partenaire, à «voir» de l'hostilité derrière ses «sourires forcés». Comme l'a ironiquement dit David Hamilton (1981): «Je ne l'aurais pas vu si je ne l'avais pas cru!».

Il serait exagéré de dire que nous sommes complètement aveugles aux faits infirmatifs. Lorsque Hamilton et George Bishop (1976) interrogèrent des propriétaires résidant dans une banlieue du Connecticut à plusieurs reprises au cours de l'année suivant l'arrivée d'un premier voisin de race noire, ils s'aperçurent que leur résistance du début s'atténuait. Les peurs que les nouveaux voisins de race noire n'entretiennent pas leur maison ou que la valeur des propriétés diminue se révélèrent dénuées de fondement, infirmant de la sorte les stéréotypes négatifs. Les chercheurs, en comparant plus tard ces quartiers avec des quartiers non intégrés, ne trouvèrent aucune preuve que la présence de Noirs dans le voisinage ait un effet sur la fréquence des changements de propriétaires, sur la valeur des propriétés ou sur la race des futurs acheteurs du voisinage (Hamilton et al., 1984). Les peurs du début se virent infirmées.

Il faut quand même dire que les croyances négatives des gens envers une personne ou un groupe sont difficiles à infirmer (Rothbart et John, 1985). Pour commencer, quelques gestes peuvent suffire à changer une image positive – qu'une personne est gentille, sincère et fiable – en son contraire. L'image défavorable – qu'une personne est fourbe, hostile ou immorale – ne se change pas aussi facilement (Rothbart et Park, 1986). Il n'est pas rare que l'on prenne à tort la pure gentillesse pour de la douceur superficielle. La résistance des stéréotypes négatifs aux faits infirmatifs est évidente dans la déclaration faite au Congrès par le gouverneur de la Californie, qui était alors Earl Warren, concernant la subversion potentielle des Japonais au cours de la Seconde Guerre mondiale : «Je suis d'avis que cette absence [d'activité subversive] est de fort mauvais augure dans notre contexte actuel. Cela me convainc plus peut-être que tout autre chose que le moment du sabotage qui nous attend est prévu tout comme l'était l'attaque de Pearl Harbor...» (Daniels, 1975).

Même si l'information remarquablement contraire à un stéréotype est difficile à mal interpréter et à oublier, on peut toujours maintenir le stéréotype en créant une nouvelle catégorie regroupant les exemples infirmatifs (Brewer, 1988; Weber et Crocker, 1983). Les propriétaires ayant d'agréables voisins de race noire peuvent se forger un nouveau stéréotype des Noirs «professionnels de classe moyenne». Ce stéréotype appliqué à un sous-groupe peut les aider à conserver le stéréotype plus global voulant que *la plupart* des Noirs soient des voisins irresponsables. De même, l'individu croyant que les femmes sont fondamentalement passives et dépendantes peut créer une nouvelle catégorie de «féministes agressives» pour classer les femmes ne cadrant pas avec le stéréotype de base concernant les femmes (S. E. Taylor, 1981). Et les images que les gens se font des personnes âgées semblent également se subdiviser en trois catégories : le type «grand-maman», le type «vieux diplomate» et le type «retraité inactif» (Brewer et Lui, 1984).

«Aucune femme alpiniste n'est une bonne alpiniste. Ou bien les femmes alpinistes ne sont pas de bonnes alpinistes ou bien elles ne sont pas de vraies femmes.»

Un alpiniste anonyme, cité par Rothbart et Lewis, 1988

Les stéréotypes biaisent-ils nos jugements portés sur autrui ?

Nous pouvons conclure ce chapitre sur une note optimiste. Anne Locksley, Eugene Borgida et Nancy Brekke ont trouvé que lorsque l'on connaît quelqu'un, «les stéréotypes ne peuvent avoir que très peu d'influence, ou pas du tout, sur nos jugements à son égard» (Locksley *et al.*, 1980, 1982; Borgida *et al.*, 1981). Ils en sont arrivés à cette conclusion après avoir donné à quelques étudiants de l'Université du Minnesota de l'information anecdotique touchant quelques incidents récents de la vie de «Nancy». Dans la supposée transcription d'une conversation téléphonique, Nancy expliquait à un ami comment elle avait réagi à trois situations différentes (au fait, par exemple, d'avoir été harcelée par un personnage minable en faisant ses courses). Certains des étudiants lurent des transcriptions montrant une Nancy réagissant avec assurance (en disant au personnage de s'en aller); d'autres lurent un rapport décrivant des réactions passives (ignorer simplement le personnage jusqu'à ce qu'il finisse par s'en aller). Un autre groupe d'étudiants reçurent les mêmes informations à l'exception près qu'il s'agissait de «Paul» plutôt que de «Nancy». Le lendemain, les étudiants devaient prédire comment Nancy (ou Paul) réagirait à d'autres situations. Le fait de connaître le sexe de la personne eut-il une certaine influence sur les prédictions ? Pas du tout. Leurs prévisions quant à la façon de réagir de la personne se fondaient uniquement sur ce qu'ils avaient appris la veille au sujet de cette personne. Même leurs jugements touchant la féminité ou la masculinité de la personne n'étaient pas influencés par le fait de savoir de quel sexe elle était. Les stéréotypes sexuels avaient été mis de côté; Nancy et Paul furent évalués en tant qu'individus.

Ce résultat s'explique par un important principe que nous avons vu au chapitre 4. Devant (1) de l'information générale (de base) touchant un groupe dont provient quelqu'un et (2) de l'information anecdotique, plutôt secondaire bien que frappante, au sujet d'une personne particulière de ce groupe, c'est habituellement cette dernière information qui l'emporte lorsque nous jugeons cette personne. Par exemple, après lui avoir dit comment la plupart des participants s'étaient comportés au cours d'une expérience et après lui avoir fait voir une brève entrevue avec l'un des supposés participants, le spectateur typique devinera le comportement de la personne en se fondant sur l'entrevue, laissant de côté l'information concernant la façon dont la plupart des participants ont effectivement réagi.

Les stéréotypes sont des croyances générales quant à la répartition des traits de caractère à l'intérieur d'un groupe de personnes. Par exemple, «On trouve davantage l'affirmation de soi chez les hommes, la passivité chez les femmes.» On est souvent porté à croire ces stéréotypes, même si on les écarte quelquefois (comme on le fait pour d'autres connaissances générales) lorsqu'ils rivalisent avec de l'information anecdotique et frappante. Ainsi, bien des gens croient que «les politiciens sont malhonnêtes», mais que «notre député Tremblay est intègre». De même, le fanatique peut avoir des stéréotypes extrêmes tout en disant «L'un de mes meilleurs amis est...». Borgida, Locksley et Brekke expliquent ce phénomène en disant que : «Les gens peuvent entretenir des préjugés tout en ne traitant pas de façon empreinte de préjugés les individus qu'ils fréquentent.» En fait, les stéréotypes peuvent parfois produire un effet contraire. Une femme réprimandant quelqu'un qui ne respecte pas la file d'attente au cinéma et qui vient se placer devant elle («Vous devriez aller à la fin de la file d'attente») sera probablement considérée comme démontrant plus d'affirmation de soi que l'homme ayant la même réaction (Manis *et al.*, 1988).

Ces résultats peuvent peut-être expliquer un ensemble déconcertant de découvertes que l'on a pu voir au début du présent chapitre. Rappelez-vous les preuves indiquant que les stéréotypes sexuels (1) sont puissants quoiqu'ils (2) semblent avoir très peu d'influence sur les jugements que portent les gens sur des textes particuliers attribués à un homme ou à une femme ou sur des clients ou des clientes des services de santé mentale. Nous voyons maintenant pourquoi. Les travailleurs en santé mentale ont peut-être de forts stéréotypes sexuels, mais ils n'en tiennent pas compte lorsqu'ils font face à un individu en particulier.

Le fait que les stéréotypes ne soient peut-être pas aussi envahissants qu'on le craignait ne devrait pas diminuer notre inquiétude. Les stéréotypes sont quelquefois assez puissants pour teinter nos jugements sur les individus. En partant de l'information catégorisant une personne (quand on leur dit, par exemple, que la personne qu'ils rencontreront est schizophrène), les gens ont tendance à s'en servir pour se forger de rapides impressions sur la sympathie qu'ils éprouveront envers cette personne. En l'absence d'une information de ce genre, ils prennent plus de temps pour examiner les caractéristiques individuelles de la personne (Fiske et Pavelchak, 1986). De plus, il n'est pas rare que nous portions des jugements sur quelqu'un ou que nous commencions à avoir des relations avec cette personne sans avoir rien d'autre qu'un stéréotype sur lequel nous appuyer. C'est dans des occasions comme celles-là que les stéréotypes influencent le plus nos interprétations et nos souvenirs des gens (Crocker et Park, 1985; Krueger et Rothbart, 1988).

On a pu voir cette influence dans une expérience de John Darley et Paget Gross (1983). Des étudiants de l'Université Princeton regardèrent un enregistrement vidéo mettant en scène une fillette de quatrième année, Hannah, la montrant soit dans un environnement urbain déprimant, étant censée être la fille de parents pauvres, soit dans un environnement banlieusard cossu où elle était censée être la fille de parents professionnels. Lorsqu'on leur demanda de deviner le niveau de compétence de Hannah touchant différentes matières, les deux groupes de spectateurs refusèrent de se servir du contexte socio-économique de Hannah pour préjuger de ses compétences; chacun des groupes évalua ses compétences en fonction de son échelon scolaire. On montra également à d'autres étudiants un second enregistrement vidéo où Hannah, passant un test de capacité verbale, répondait correctement à certaines questions et se trompait pour d'autres. Il en résulta que ceux qui avaient vu une Hannah de «classe supérieure» trouvèrent que ses réponses manifestaient beaucoup de compétence et se souvinrent plus tard qu'elle avait correctement répondu à presque toutes les questions; ceux qui avaient vu une Hannah de «classe pauvre» trouvèrent ses compétences au-dessous de son échelon scolaire et se souvinrent qu'elle avait faussement répondu à presque la moitié des questions. N'oubliez pas que ce second enregistrement vidéo était *le même* pour les deux groupes. Nous voyons donc que, lorsque les stéréotypes sont forts et que l'information touchant un individu est ambiguë (contrairement à l'exemple de Nancy et Paul), les stéréotypes peuvent *subtilement* biaiser nos jugements sur cet individu.

Les stéréotypes biaisent de façon plus certaine nos jugements sur les groupes. Nous émettons parfois des jugements sur les groupes pris dans leur ensemble, comme lorsque nous votons, par exemple. À ces moments-là, le fait que «l'un de mes meilleurs amis soit...» devient secondaire; ce qui importe, ce qui détermine les politiques touchant un grand groupe de personnes, ce sont nos impressions du groupe pris dans son ensemble. De sorte que même si nous sommes capables de nous défaire de nos stéréotypes et de nos préjugés après avoir connu une personne en particulier, les deux n'en demeurent pas moins de puissantes forces sociales.

Les psychologues sociaux ont mieux réussi à expliquer les préjugés qu'à les diminuer. Il n'y a pas de remède simple aux préjugés, car ils résultent de plusieurs facteurs reliés. Il n'en reste pas moins que nous pouvons maintenant envisager quelques techniques susceptibles de réduire les préjugés (nous les verrons en détail au chapitre 11); si l'inégalité de statut engendre les préjugés, nous pouvons alors chercher à établir des relations de coopération et de statut égal; si les préjugés justifient souvent le comportement discriminatoire, il nous faut alors rendre la non-discrimination obligatoire; si les institutions sociales servent d'appui aux préjugés, nous pouvons alors nous défaire de ces appuis (en demandant, par exemple, aux médias de présenter un modèle d'harmonie interraciale); si les membres des groupes extérieurs aux nôtres semblent plus différents de nos membres, nous pouvons alors faire des efforts pour personnaliser ces membres. Voilà quelques-uns des antidotes prescrits contre le poison des préjugés.

Depuis la Seconde Guerre mondiale, on a commencé à utiliser certains de ces antidotes, et les préjugés raciaux et sexistes ont effectivement diminué. Reste maintenant à savoir si ce progrès se maintiendra au cours des dernières années de ce siècle ou si, comme cela pourrait facilement se produire en période de raréfaction des ressources, les antagonismes referont surface.

RELATIONS INTERGROUPES AU QUÉBEC

La situation particulière du Québec, où les relations entre les Canadiens anglais et les Québécois français ont toujours été problématiques, a suscité l'intérêt de nombreux psychologues sociaux. Plus récemment, cette préoccupation a évolué pour englober la question de l'immigration.

CONTEXTE

Afin de mieux situer les relations intergroupes au Québec, il est bon d'avoir en tête quelques statistiques démographiques. Le pourcentage de la population dont la langue maternelle est le français était, en 1941, de 81,6 % et, en 1986, de 82,9 %; pour la langue maternelle anglaise, ces chiffres étaient, en 1941, de 14,1 % et, en 1986, de 8,2 %. Alors que, en 1950, 90 % de la population était née au Québec, en 1986, c'était vrai pour 88 % de la population. En 1941, 80,9 % de la population était d'origine ethnique française, contre 77,7 % en 1986. Les citoyens d'origine ethnique britannique passaient de 13,6 % de la population en 1941 à 5,9 % en 1986.

REPRÉSENTATIONS

Les psychologues sociaux canadiens se sont intéressés à différents types de représentations autant chez les francophones que chez les anglophones : identification subjective de l'endogroupe, stéréotypes attribués à l'exogroupe, perception de la vitalité relative des deux groupes en présence.

L'identification comme Québécois plutôt que comme Canadien français de la part des Québécois d'origine ethnique française est en progression depuis 30 ans, alors que les anglophones du Québec se perçoivent surtout comme Canadiens, mais ils se définissent de plus en plus comme Québécois minoritaires. Cela dit, les questions économiques sont perçues comme étant un problème plus important que la question nationale (Caldwell et Waddell, 1982).

Les quelques études faites sur les stéréotypes au Québec montrent que les anglophones perçoivent les francophones comme bavards, émotionnels et orgueilleux (Gardner *et al.*, 1968); les francophones, pour leur part, perçoivent les anglophones comme étant instruits, dominants et ambitieux (Aboud et Taylor, 1971).

À en juger par une étude de Donald Taylor et Bob Gardner (1969), le filtrage cognitif de l'information par les stéréotypes est efficace puisqu'il fait que des anglophones continuent à percevoir des Canadiens français à la lumière de leurs stéréotypes, même quand ceux-ci se décrivent de façon inconsistante avec ces stéréotypes.

Taylor *et al.* (1982) ont mis à jour des réactions défensives de la part d'anglophones depuis l'affirmation institutionnelle du nationalisme québécois. Ainsi, les administrateurs anglophones, qui perçoivent des différences dans l'exécution de leur travail et celle des administrateurs francophones, évaluent les caractéristiques de leur groupe comme étant plus positives. Selon les auteurs, cet ethnocentrisme serait une réaction prévisible aux changements menaçants que vivent les anglophones au Québec.

Vitalité ethnolinguistique:
Ensemble des facteurs (statut, démographie, appui institutionnel) qui favorisent la survie d'un groupe.

Vitalité ethnolinguistique subjective:
Vitalité ethnolinguistique perçue.

Afin de mieux comprendre les relations intergroupes, Howard Giles, Richard Bourhis et Donald Taylor (1977) ont proposé le concept de vitalité ethnolinguistique. La **vitalité ethnolinguistique** découle de la combinaison de trois aspects: (1) les variables démographiques (le nombre de membres du groupe, son taux de migration, etc.), (2) l'appui institutionnel (par exemple, la possibilité de pouvoir utiliser sa langue dans divers établissements), (3) le statut social (par exemple, le statut de la langue reconnu localement et internationalement). La possibilité de survie d'un groupe serait directement reliée à la vitalité ethnolinguistique puisque c'est ce qui ferait qu'un groupe est susceptible de se comporter comme une entité collective active et distincte dans des situations d'intergroupes.

Bourhis, Giles et Rosenthal (1981), quant à eux, parlent de **vitalité ethnolinguistique subjective**, c'est-à-dire la vitalité ethnolinguistique telle qu'elle est perçue par un groupe. La vitalité ethnolinguistique subjective pourrait jouer un rôle important dans la dynamique des comportements intergroupes. Par exemple, quand un groupe se sent relativement fort du point de vue démographique, mais plus faible sur le plan institutionnel, il peut, comme cela a été le cas au Québec, renforcer son poids institutionnel par la promotion de sa langue. La vitalité ethnolinguistique et la vitalité ethnolinguistique subjective peuvent, dans certains cas, ne pas être en adéquation. Cela peut dépendre, entre autres choses, de l'environnement social immédiat dans lequel les évaluations de la vitalité ethnolinguistique subjective sont faites. Ainsi, des élèves anglophones du secondaire ont une attitude moins positive à l'égard de l'utilisation de la langue italienne quand les proportions démographiques d'Anglais et d'Italiens dans l'environnement immédiat de l'école sont égales par opposition à la situation où les Anglais sont nettement majoritaires (Bourhis et Sachdev, 1984).

COMPORTEMENTS LANGAGIERS

De nombreux travaux effectués au Québec ont eu comme thème soit l'effet de l'apprentissage d'une langue seconde sur le rapprochement entre les membres des deux grands groupes linguistiques, soit l'utilisation de la langue seconde dans les rapports quotidiens intergroupes.

Bob Gardner et Wallace Lambert (1959) croient que l'apprentissage d'une langue seconde peut créer un effet positif sur l'attitude à l'égard de l'autre groupe dans la mesure où l'apprentissage en question ne vise pas un objectif instrumental («Ça va m'être utile»), mais un objectif intégrateur («La langue en question m'intéresse parce que cette culture m'intéresse»). Pour leur part, Donald Taylor et Lise Simard (Simard et Taylor, 1972; Taylor et Simard, 1973) constatent que la quasi non-existence d'interactions entre les membres des deux groupes ethniques ne serait pas due à la compétence linguistique, mais à des variables motivationnelles telles que la préservation de l'identité ethnique. En effet, la langue étant l'élément le plus important de l'identité ethnique, devenir bilingue peut alors menacer la survie du groupe ethnique dans la mesure où cela soustrait quelque chose à ceux dont l'importance numérique relative est faible ou en diminution. D'où la distinction entre le bilinguisme *additif* et le bilinguisme *soustractif* (Lambert, 1978; Lambert et Taylor, 1984). Le bilinguisme est additif quand il ne met pas en péril l'existence du groupe sociolinguistique, il ne s'apparente pas alors à une migration vers l'autre groupe.

Taylor et Simard (1975) suggèrent de promouvoir les échanges interethniques en mettant l'accent, non pas sur les aspects «techniques» de l'apprentissage d'une langue seconde, mais sur la compétence à communiquer par une meilleure connaissance de la culture de l'autre groupe, sur l'établissement de rapports plus égalitaires entre les deux groupes, sur la création de rôles officiels interdépendants et sur un changement de comportements qui entraînerait spontanément un changement d'attitudes.

Par ailleurs, Richard Clément et Bastian Kruidener (Clément, 1986 ; Clément et Kruidener, 1985) ont confirmé par leurs études la pertinence d'un modèle selon lequel il y aurait deux processus qui déterminent l'utilisation d'une langue seconde. Le premier consisterait en une évaluation de la vitalité ethnolinguistique subjective relative des deux langues qui pourrait déboucher sur la peur d'être assimilé. Le deuxième processus dépendrait de la qualité et de la fréquence des contacts avec l'autre groupe ethnique, qui détermineraient la confiance en soi quant à l'utilisation de l'autre langue. Il s'ensuivrait que les membres de la majorité ayant moins de contacts avec l'autre groupe auraient une moins grande confiance quant à l'utilisation de l'autre langue. Pour leur part, Itesh Sachdev et al. (1987) constatent que la vitalité ethnolinguistique subjective n'est pas suffisante pour rendre compte de l'utilisation d'une langue, d'autres facteurs comme l'identification ethnolinguistique et l'attrait de la culture majoritaire sont importants pour rendre compte de ce comportement.

L'**accommodation langagière** est un autre aspect du comportement langagier auquel les chercheurs ont accordé une attention particulière. Elle se rapporte à l'alternative qu'a un locuteur d'employer (*convergence*) ou non (*divergence*) la même langue que son interlocuteur. L'option retenue par le locuteur peut dépendre de multiples variables : (1) sociolinguistiques (les normes et les règles régissant l'utilisation d'une langue), (2) psychosociologiques (par exemple, l'effet de l'identification à son groupe) ou (3) psychologiques (les déterminants individuels comme la confiance en soi à l'égard de l'utilisation d'une langue seconde). Ainsi, afin d'être aimé et approuvé par autrui, un locuteur modifiera sa façon de parler (convergence). Toutefois, si l'identité de son groupe est menacée, il pourra plutôt accentuer la différence dans la façon de parler (divergence) en présence d'un individu de l'autre groupe représentant la menace (Giles et Coupland, 1991).

Selon une étude de Simard, Taylor et Giles (1977), les Canadiens français réagissent positivement à un anglophone qui converge en français quand ils pensent qu'il le fait pour briser les barrières culturelles, mais ils sont moins positifs quand ils pensent qu'il le fait parce qu'il n'a pas le choix. Par ailleurs, les membres d'un groupe qui perçoivent leur statut inférieur comme étant juste convergeront vers la langue du groupe ayant un statut supérieur, mais s'ils perçoivent leur statut comme injuste, ils accentueront la spécificité de leur groupe en divergeant (Giles *et al.*, 1977).

Les gens peuvent être conscients du phénomène de l'accommodation langagière et des raisons probables de son existence. Ainsi, dans une étude de Richard Bourhis (1983), les Canadiens anglais du Québec rapportent converger vers le français plus souvent maintenant qu'avant à Montréal. Ils trouvent aussi que les Canadiens français convergent moins souvent qu'avant vers l'anglais lorsqu'ils s'adressent à eux. Les réponses des Canadiens français, dans la même étude, sont consistantes avec celles des Canadiens anglais. Toutefois, lorsque Bourhis (1984) vérifie si le comportement des uns et des autres est conforme à cette perception, il constate que ce n'est pas le cas : les Canadiens français continuent à converger plus que les Canadiens anglais. Les vieilles habitudes, indépendamment des changements politiques profonds, semblent ne pas vouloir disparaître facilement. Trente pour cent des Canadiens anglais, par exemple, répondent en anglais à un Canadien français qui leur demande une information, même s'ils connaissent suffisamment le français pour pouvoir répondre dans cette langue. L'auteur de la recherche interprète ce comportement comme étant une façon de se distancer d'un interlocuteur d'un autre groupe.

Accommodation langagière :
Ajustement (convergence ou divergence) de la communication verbale en fonction de l'interlocuteur auquel quelqu'un s'adresse.

Fred Genesee et Richard Bourhis (1988) mesurent les réactions de francophones et d'anglophones à la divergence ou à la convergence d'un vendeur et d'un client. Ils concluent que ces réactions dépendent de nombreux facteurs, qu'elles ne sont pas universelles puisqu'elles varient même entre Montréal et Québec, et que l'échantillon de Canadiens anglais est celui qui montre le plus d'ethnocentrisme, ce qui pourrait s'expliquer par la menace qu'ils perçoivent à l'égard de leur culture depuis la mise en vigueur de la Charte de la langue française.

Dans une situation d'interaction ethnique, Richard Clément et Yves Beauregard (1986) observent que la confiance en soi est en relation avec le mixage des langues, mais non avec le changement de langue. En effet, le mixage, qui est l'utilisation de mots français intercalés dans un discours anglais, est plus fréquent chez ceux qui ont une faible estime d'eux-mêmes.

INTÉGRATION DES MINORITÉS

Le Québec, ces dernières années, a connu une émigration importante vers les autres provinces, mais qui a été compensée par une immigration internationale plus grande, de sorte que le solde migratoire net durant ces années est d'environ 10 000 nouveaux venus. Les francophones émigrent peu comparativement aux anglophones. Par ailleurs, la provenance des immigrants est de plus en plus variée et leur visibilité plus grande. En 1987, 90 % d'entre eux étaient établis dans la région de Montréal (Rogel, 1989).

Ces mouvements de population ont créé une nouvelle dynamique dans les relations intergroupes où la problématique de l'intégration des minorités ethniques retient de plus en plus l'attention des chercheurs québécois et canadiens. Ceux-ci pourront sans doute s'inspirer des travaux faits dans le cadre du bilinguisme et du biculturalisme, mais la nouvelle réalité québécoise de plus en plus multi-ethnique demandera plutôt une réflexion comme celle qui a été faite sur le multiculturalisme canadien par John Berry, Rudy Kalin et Donald Taylor (1977) ou celle qui a été amorcée au Québec par Michel Pagé (sous presse). Ainsi, John Berry *et al.* (1977) constatent que les Canadiens français évaluent très positivement leur groupe et que ce sont eux qui ont les attitudes les plus négatives à l'égard des autres groupes ethniques. En d'autres termes, ils sont ethnocentriques. Les auteurs attribuent cela à la réaction normale d'un groupe qui se perçoit comme étant en état de siège culturellement parlant. Depuis cette étude, bien des choses se sont passées au Québec, de sorte qu'aujourd'hui ce sont plutôt les anglophones du Québec qui se sentiraient ainsi menacés.

Les grandes villes comme Montréal sont souvent composées d'une population multi-ethnique. Or, les personnes de chacune de ces ethnies, il faut bien le constater, se regroupent dans certains quartiers en fonction de leur groupe d'appartenance et ont des interactions privilégiées entre elles. En d'autres termes, la distribution des individus sur le territoire ne se fait pas au hasard, mais en fonction de l'ethnie: les Québécois francophones avec les Québécois francophones, les Québécois anglophones avec les Québécois anglophones, les Noirs avec les Noirs, les Juifs avec les Juifs, etc.

Hypothèse du contact: Prédiction selon laquelle, dans certaines conditions, le contact direct entre des groupes peut aider à diminuer les préjugés.

Une telle répartition de la population ne peut que favoriser le maintien des préjugés entre les groupes hostiles. La réduction et, même, l'élimination des préjugés reposeraient donc sur un contact direct entre les membres de groupes hostiles, c'est du moins ce que prétend l'**hypothèse du contact** de Gordon Allport (1954). Cette hypothèse, toutefois, s'accompagne de conditions qui favorisent sa confirmation.

Premièrement, il faut que les deux groupes aient un statut égal autant d'un point de vue social qu'économique. Il ne faut pas, par exemple, que les membres d'un groupe soient les employeurs des membres de l'autre groupe. Deuxièmement, il doit y avoir des relations personnelles entre les membres des deux groupes. Ces relations doivent permettre de cesser de conceptualiser les membres de l'autre groupe comme formant une catégorie d'individus uniforme, comme étant tous semblables. Troisièmement, ces relations doivent inclure, entre autres choses, des projets communs, des projets où l'on vise les mêmes buts comme dans l'étude de Sherif. Quatrièmement, les normes sociales doivent favoriser les contacts intergroupes. Pour cela, les personnes jouissant d'autorité dans un groupe doivent promouvoir de telles normes ou, à tout le moins, ne pas s'y opposer.

Les premières études de l'influence du contact sur les préjugés n'ont pas montré un effet significatif dans le sens visé. Au contraire, une revue de la documentation effectuée par Walter Stephan (1978, 1986) permet de constater que les préjugés des Blancs à l'égard des Noirs ont diminué dans 13 % des études recensées à la suite de la déségrégation des écoles, mais qu'ils se sont maintenus dans 34 % des études et qu'ils ont même augmenté dans 53 % des études. Ces résultats s'expliqueraient par le fait que les conditions énumérées précédemment n'ont justement pas été remplies.

Richard Clément, Bob Gardner et Padric Smythe (1977) ont comparé un groupe d'étudiants anglophones ontariens qui fait une excursion à Québec avec un groupe témoin resté pendant la même période en Ontario. Ceux qui ont eu beaucoup de contacts durant l'excursion ont une attitude plus favorable à l'égard des Canadiens français que ceux qui ont eu peu de contacts ou qui sont restés en Ontario. En fait, ceux qui ont eu peu de contacts se révèlent moins favorables qu'avant le voyage. Les contacts, donc, pourraient être favorables dans la mesure où l'attitude est déjà favorable avant le départ. Par ailleurs, Lise Simard (1981), en étudiant les premiers stades de la formation d'amis d'ethnies différentes, montre qu'une des raisons qui font que ce genre de relations s'établissent difficilement serait que le membre d'un autre groupe devrait démontrer une plus grande similitude pour être accepté comme ami.

Pour ce qui est des contacts entre voisins, une étude de Morton Deustch et Mary Collins (1951) portant sur les contacts interraciaux à New York, dans le cadre d'un projet d'habitations regroupant des Noirs et des Blancs de même statut, est souvent citée comme appui à l'hypothèse du contact. Cependant, un examen plus minutieux des résultats obtenus indique que cette conclusion est mal fondée puisqu'il en est résulté très peu de relations personnelles entre les membres des deux groupes (Eagle, 1973).

En revanche, les études plus récentes soulignent l'importance des contacts passifs dans le changement des attitudes et des croyances. Il n'est pas nécessaire, en effet, que des personnes d'ethnies ou de races différentes se parlent pour qu'il y ait une réduction des préjugés à la suite de l'aménagement de personnes d'un exogroupe dans le voisinage (Hamilton et Bishop, 1976). Le simple fait que les membres d'une minorité soient plus faciles à observer parce qu'ils habitent dans le voisinage est suffisant pour que les stéréotypes soient mis en échec. Dans certaines circonstances, donc, l'intégration résidentielle peut mener à la réduction des préjugés. Ici encore, il faut souligner l'importance de laisser au temps faire son œuvre. Des croyances profondément ancrées ne peuvent changer du jour au lendemain.

Dans ce contexte, il est toutefois intéressant de rappeler le phénomène dont nous avons parlé précédemment, à savoir que les individus perçoivent leur groupe comme étant plus l'objet de discrimination qu'ils ne le sont eux-mêmes. Taylor *et al.* (1990) observent à nouveau cela chez des immigrantes au Canada. Une des interprétations possibles qu'ils donnent de ce phénomène est qu'il s'agirait d'un biais cognitif qui porterait les individus à *additionner* les conduites de discrimination dont ils ont été l'objet à celles dont ont été l'objet leurs connaissances pour évaluer l'importance de la discrimination dont est victime leur groupe.

Comment les relations entre les Québécois de souche et les membres des groupes ethniques, dont l'importance numérique grandit rapidement, évolueront-elles? Donald Taylor et David McKirnon (1984) ont proposé un modèle qui décrit les comportements possibles, autant sur le plan individuel que sur le plan collectif, lorsque des groupes ont un statut inégal. Ce modèle repose sur deux postulats: (1) toutes les relations intergroupes passent par les cinq mêmes stades de développement, (2) la mobilité sociale vers le haut va d'abord être le fait d'individus avant qu'un comportement collectif ne soit entrepris. Au stade 1, la stratification entre les groupes est rigide et basée sur des catégories telles que l'ethnie; au stade 2, la représentation de la possibilité de changer de groupe en fonction de ses talents et de ses efforts apparaît; au stade 3, certains individus talentueux essaient de s'intégrer au groupe avantagé; au stade 4, les individus ne réussissant pas à s'intégrer attribuent leur échec non plus à leur manque de talent, mais à une injustice de la société; au stade 5, les deux groupes entrent en compétition pour le pouvoir et les privilèges de toutes sortes.

RÉSUMÉ

DISSÉMINATION DES PRÉJUGÉS

Les croyances stéréotypées, les préjugés et le comportement discriminatoire empoisonnent depuis longtemps notre vie sociale. À en juger d'après ce qu'ont dit les Américains aux enquêteurs durant les quatre dernières décennies, les préjugés contre les Noirs et contre les femmes ont beaucoup diminué. Il n'en reste pas moins que des questions subtiles et des méthodes indirectes d'évaluation des attitudes et du comportement des gens révèlent encore de forts stéréotypes sexuels et un assez grand nombre de partis pris sexistes et racistes. Les préjugés font toujours rage, quoique de façon moins évidente.

Les préjugés proviennent d'une complexe interaction de facteurs sociaux, émotionnels et cognitifs.

ORIGINES SOCIALES DU PRÉJUGÉ

La situation sociale engendre et maintient les préjugés de bien des manières. Le groupe jouissant d'une supériorité sociale et économique justifiera souvent son statut par des préjugés. Les préjugés peuvent aussi pousser les gens à traiter les autres de manière à susciter le comportement prévu, confirmant ainsi la croyance préconçue. Les expériences révèlent de plus qu'un préjugé, ou plus précisément un parti pris pour son propre groupe, peut voir le jour du simple fait que les gens sont divisés en groupes. Une fois établi, le préjugé se maintient grâce à la conformité, d'une part, et aux institutions sociales telles que les médias de masse, d'autre part.

ORIGINES ÉMOTIONNELLES DU PRÉJUGÉ

On a longtemps pensé que les préjugés avaient aussi des origines émotionnelles. La frustration engendre l'hostilité qui se décharge parfois sur les boucs émissaires et s'exprime parfois directement contre des groupes rivaux perçus comme responsables de la frustration ressentie. Le préjugé, en procurant un sentiment de supériorité, peut aussi servir à masquer nos propres sentiments d'infériorité. La recherche a révélé que l'on trouve souvent différents types de préjugés chez les individus ayant une attitude «autoritaire».

ORIGINES COGNITIVES DU PRÉJUGÉ

Une nouvelle perception du préjugé a vu le jour durant la dernière décennie. Cette nouvelle recherche montre comment les stéréotypes à la base des préjugés peuvent être en réalité des sous-produits de nos façons de simplifier le monde. Pour commencer, le fait de regrouper les gens en catégories a tendance à nous faire trouver les membres d'un groupe plus uniformes qu'ils le ne sont en réalité et à nous faire exagérer les apparentes différences entre les groupes. Dès que nous faisons partie d'un groupe, nous avons aussi tendance, en considérant un autre groupe, à trouver que ses membres «font tous la même chose et se ressemblent tous, mais pas nous». En second lieu, toute personne différente, par exemple, la personne minoritaire dans un groupe, devient très remarquée. Les gens différents attirent notre attention, de telle sorte que nous remarquons des différences qu'autrement nous n'aurions même pas vues. C'est ce qui explique que nous puissions nous forger un stéréotype à partir d'un ou deux cas frappants, en ignorant presque tout de l'autre groupe. La simultanéité de deux événements particuliers – par exemple, une personne minoritaire commettant un crime inhabituel – peut aussi favoriser l'illusion d'une corrélation entre tel type de personne et tel type de comportement

Les stéréotypes ont des conséquences cognitives tout comme ils ont des origines cognitives. Ils orientent nos interprétations et nos souvenirs, nous poussant à «trouver» des preuves à leur appui, même lorsqu'il n'y en a pas. C'est la raison pour laquelle les stéréotypes résistent à l'infirmation. Toutefois, lorsque nous en venons à connaître un individu, nous sommes très capables de nous départir de nos stéréotypes touchant son groupe et de le juger sur une base individuelle. Les stéréotypes sont plus puissants lorsque nous jugeons des inconnus, et lorsque nous jugeons des groupes entiers et que nous prenons des décisions à leur sujet.

RELATIONS INTERGROUPES AU QUÉBEC

Jusqu'à tout récemment, la plupart des travaux portant sur les relations intergroupes au Québec concernaient les rapports entre les francophones et les anglophones. L'évolution du Québec a amené un renversement dans les représentations, les Québécois francophones se percevant de plus en plus comme majoritaires et les Québécois anglophones, comme minoritaires. Cela se manifeste, par exemple, dans la vitalité ethnolinguistique subjective. En revanche, la situation est moins nette dans le cas des comportements langagiers où il semble exister un écart entre la représentation des comportements d'accommodation langagière et ces comportements eux-mêmes. Par ailleurs, l'arrivée importante d'immigrants, en particulier à Montréal, a créé une nouvelle dynamique dans les relations intergroupes. Leur ségrégation de fait dans certains quartiers n'est pas de nature à favoriser leur intégration. La multiplication des contacts, même passifs, pourrait, au contraire, mener à la remise en question des stéréotypes et des préjugés.

LECTURES SUGGÉRÉES

Ouvrages en français

CALDWELL, G. et WADDELL, É. (1982). *Les anglophones du Québec de majoritaires à minoritaires.* Québec, Institut québécois de recherche sur la culture.

DOUTRELOUX, A. (1989). La communication interculturelle? Pour communiquer quoi? *Les Cahiers internationaux de psychologie sociale, 2-3.*

NOËL, L. (1989). *L'intolérance.* Montréal, Boréal.

Ouvrages en anglais

ALTEMEYER, B. (1988). *Enemies of freedom: Understanding right-wing authoritarianism.* San Francisco, Jossey-Bass.

DOVIDIO, J. F. et GAERTNER, S. L. (dir.). (1986). *Prejudice, discrimination, and racism.* Orlando, Fl., Academic Press.

KATZ, P. A. et TAYLOR, D. A. (1988). *Eliminating racism: Profiles in controversy.* New York, Plenum.

TAYLOR, D. M. et MOGHADDAM, F. M. (1987). *Theories of intergroup relations: International social psychological perspectives.* New York, Praeger.

CHAPITRE

10

AGRESSION:
LES AUTRES QUE L'ON BLESSE

———

La capacité de l'humanité de se livrer à l'inhumanité est terrifiante. Le *Bulletin of the Atomic Scientists* (1988) rapporte qu'il y a 55 000 armes nucléaires dans le monde, chacune étant en moyenne 15 fois plus destructrice que la bombe qui a détruit Hiroshima. Grâce au traité de 1988 sur la réduction des armes, les États-Unis ont démentelé 520 ogives nucléaires entre 1989 et 1991, mais en ont construit 4800 nouvelles au cours de la même période. Les dépenses militaires se situent autour de 3 milliards de dollars par *jour*, soit environ 200 $ pour chacun des habitants de la terre – dont des centaines de millions n'ont jamais touché 200 $ au cours d'une année (voir la figure 10.1).

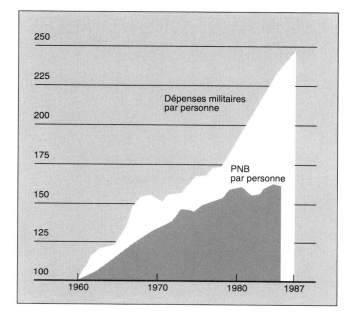

Figure 10.1

Les dépenses militaires mondiales et le produit national brut, en dollars constants (ajustés en fonction de l'inflation, avec les dépenses de l'année 1960 fixées à 100). Notez que les dépenses militaires atteignent 2,5 fois le niveau de 1960, surpassant de loin les gains économiques. (Tiré de Sivard, 1987.)

S'il est difficile de comprendre la menace d'anéantissement, il est plus facile de comprendre la menace de la violence criminelle. Après plusieurs décennies de croissance rapide des taux de meurtres, de viols, de vols avec violence et de voies de fait, le taux de criminalité aux États-Unis a fini par se stabiliser grâce à un taux de natalité moins élevé qui a fait diminuer la proportion d'adolescents et de jeunes adultes masculins. Au Québec, la criminalité des adultes a augmenté de 3,5 par 100 000 habitants de 1962 à 1988, pour passer de 2056 à 7228 (Statistique Canada, 1988). Même si la prophétie de Woody Allen, à l'effet que, «d'ici l'an 1990, l'enlèvement sera le principal mode d'interaction sociale», ne s'est pas encore réalisée, la violence sociale se maintient à un niveau historiquement élevé.

Cela signifie-t-il que la barbarie est un phénomène unique à la fin du XXᵉ siècle? Le *Livre des Records Guiness* prétend que non. Voyons les exemples suivants:

- La guerre la plus meurtrière: La Seconde Guerre mondiale qui, au cours des années 1940, fit 55 millions de morts (en comptant les morts civiles et les morts sur les champs de bataille).

- La bataille la plus meurtrière: La première bataille de la Somme au cours de la Première Guerre mondiale, du 24 juin au 13 novembre 1916, qui fit plus d'un million de victimes.

- La guerre civile la plus meurtrière: La révolte de T'ai-p'ing en Chine, qui eut lieu à peu près à la même époque que la Guerre civile des États-Unis et au cours de laquelle de 20 à 30 millions de personnes furent tuées.
- Les plus grands meurtres collectifs: Selon les rapports, 26 millions de Chinois furent liquidés au cours des 16 premières années du régime de Mao Tsé-toung. La purge de Staline, entre 1936 et 1938, fit de 8 à 10 millions de morts en Russie.

Ou pensons à ce qui est arrivé aux Amérindiens ayant accueilli Christophe Colomb qui les décrivit comme les «êtres les plus gentils et les plus aimables qui soient». Ou encore aux Amérindiens qui sauvèrent généreusement les Anglais de la famine après leur arrivée à Plymouth, en 1620. À part ceux qui furent vendus en esclavage, ces deux groupes d'Amérindiens furent presque complètement exterminés par les envahisseurs Blancs – un sort qui s'abattit par la suite sur les trois quarts de la population autochtone (Brown, 1971).

Le raffinement culturel n'empêche pas la barbarie. Les commandants des camps à Auschwitz – où l'on exterminait jusqu'à 6000 personnes par jour – pouvaient se détendre en soirée en écoutant la musique de Beethoven et de Schubert. Le potentiel de cruauté semble présent chez tous les individus, qu'ils soient «cultivés» ou non, qu'ils soient rouges ou jaunes, blancs ou noirs.

Pourquoi cette propension à l'agression? C'est qu'à l'exemple du Minotaure mythique, nous sommes moitié humains, moitié bêtes. Quelles circonstances provoquent des explosions d'agression? Peut-on maîtriser l'agression? Si oui, comment? Voilà les questions que nous aborderons au cours du présent chapitre. Commençons toutefois par élucider le terme «agression».

«Notre comportement envers les autres est l'un des phénomènes les plus étranges, les plus imprévisibles et les plus inexplicables avec lesquels nous sommes obligés de vivre. Dans toute la nature, rien n'est plus menaçant pour l'humanité que l'humanité elle-même.»
Lewis Thomas, 1981

QU'EST-CE QUE L'AGRESSION?

Le terme est nébuleux. Nous l'utilisons à bien des sauces. Il ne fait pas de doute que les «voyous» d'une ancienne fraternité meurtrière dans le nord de l'Inde agressaient lorsqu'ils étranglèrent, entre 1550 et 1850, plus de deux millions de personnes. Mais, lorsqu'on utilise le terme «agressif» pour décrire un vendeur dynamique ou une femme s'exprimant avec assurance, le terme revêt une signification différente. Les psychologues sociaux débattent encore de la meilleure définition de l'agression. Ils conviennent cependant ensemble d'une chose: nous devrions préciser notre vocabulaire et faire une distinction entre le comportement énergique, assuré, fonceur et le comportement qui blesse, nuit ou détruit. Le premier relève de l'affirmation de soi. Le deuxième relève clairement et manifestement de l'**agression**.

Agression:
Comportement physique ou verbal visant à blesser quelqu'un.

Au chapitre 5, nous avons défini l'agression comme un comportement verbal ou physique visant à blesser quelqu'un. Cela exclut les blessures causées par les accidents de la route, les traitements dentaires et les collisions de piétons. Mais cette définition inclut une grande diversité d'actions visant à blesser quelqu'un, que ces actions atteignent ou non le but escompté. C'est ainsi que les commérages «dénigrants» à propos d'une personne sont habituellement considérés comme agressifs. Les chercheurs ont tout fait pour trouver des manières appropriées d'étudier l'agression au moyen d'expériences en laboratoire. Comme nous le verrons, ils évaluent habituellement l'agression en demandant à des gens de décider jusqu'à quel point ils blesseront quelqu'un, en leur faisant choisir, par exemple, l'intensité des électrochocs à administrer.

Agression hostile:
Agression issue de la colère et constituant une fin en soi.

Agression instrumentale:
Agression constituant un moyen vers une autre fin.

Notre définition comprend deux types différents d'agression. L'**agression hostile** est issue de la colère et vise à blesser. L'**agression instrumentale** vise aussi à blesser, mais seulement en tant que moyen vers une autre fin (Feshback, 1970; Buss, 1971). Bien des guerres, par exemple, ne furent pas entreprises en raison d'un désir cruel de nuire à l'ennemi, mais parce que le pays voyait dans la guerre un instrument (une utilité) pour obtenir de nouveaux territoires ou d'autres ressources. L'agression hostile est «passionnée»; l'agression instrumentale est «froide». La distinction entre l'agression hostile et l'agression instrumentale est parfois difficile à faire. Ce qui commence par un acte froid et calculé peut déclencher l'hostilité. Mais cela n'empêche pas les psychologues sociaux de trouver une utilité à la distinction. La plupart des meurtres sont hostiles. Ils sont impulsifs et le fruit de crises émotionnelles – ce qui explique pourquoi les statistiques de 110 pays démontrent qu'un renforcement de la peine capitale n'a pas amené une diminution du nombre d'homicides (Wilkes, 1987). Mais certains meurtres sont instrumentaux. Plus de 1000 des meurtres commis à Chicago depuis 1919 par des gangsters furent très probablement commis pour atteindre des objectifs spécifiques. À Montréal, les meurtres récents de deux avocats célèbres ont été ainsi imputés à des «professionnels». Mais ce type d'homicide compose, ici aussi, une faible partie seulement des quelque 200 homicides que connaît annuellement le Québec depuis environ une vingtaine d'années.

La distinction entre l'agression hostile et l'agression instrumentale, chez les humains, est équivalente à la distinction, chez les animaux, entre l'«agression sociale» caractérisée par des manifestions de rage et l'«agression silencieuse» du prédateur traquant sa proie. Comme autre preuve à l'appui de cette distinction, Peter Marler (1974) rapporte que ces deux types d'agression animale font appel à deux régions séparées du cerveau.

NATURE DE L'AGRESSION

Les psychologues sociaux ont analysé trois idées fondamentales touchant la cause de l'agression: (1) il y a une pulsion agressive *innée*; (2) l'agression est la réaction naturelle aux expériences *frustrantes*; et (3) le comportement agressif, comme tous les autres comportements sociaux, est *acquis*. Comme l'agression hostile et l'agression instrumentale ont probablement des causes différentes, il se pourrait bien qu'une combinaison de ces trois idées fondamentales concernant la nature de l'agression soit valable.

L'AGRESSION EST-ELLE INNÉE?

Il y a longtemps que les philosophes se demandent si les êtres humains sont fondamentalement de «nobles sauvages» bienveillants et contents ou s'ils sont fondamentalement des brutes prêtes à exploser. La première conception, populairement associée au philosophe du XVIIIe siècle Jean-Jacques Rousseau, blâme la société plutôt que l'être humain pour les maux de l'existence humaine. La deuxième, souvent associée au philosophe Thomas Hobbes

(1588-1679), voit dans les restrictions sociales une nécessité servant à contenir et à maîtriser la brute humaine. Au cours de ce siècle, la conception de «brute» – voulant que la pulsion agressive soit innée et, par conséquent, inévitable – fut principalement soutenue par Sigmund Freud et Konrad Lorenz.

Comportement instinctif:
Type de comportement inné et non appris, propre à tous les membres d'une espèce.

Théorie des instincts

Freud, le premier psychanalyste, pensait que l'agression humaine venait de ce que nous réorientons vers les autres l'énergie d'un besoin primitif de mort (qu'il appela, pour parler librement, l'«instinct de mort»). Lorenz, un observateur du comportement animal, percevait l'agression comme une motivation fonctionnelle plutôt qu'autodestructrice. Mais ils admettaient tous deux que l'énergie agressive est instinctive et qu'elle s'accumule, lorsqu'elle n'est pas déchargée, jusqu'à ce qu'elle explose ou soit "libérée" par un stimulus qui n'est pas approprié, un peu comme la souris libère l'énergie contenue dans la souricière. Même si Lorenz (1967) soutenait aussi que nous possédons des mécanismes innés pour inhiber l'agression (comme la personne qui se montre sans défense), il craignait les conséquences du fait que nous ayons armé notre «instinct guerrier» sans en avoir fait autant pour nos inhibitions.

L'humanité a armé sa capacité de destruction sans en faire autant pour sa capacité d'inhibition de l'agression.

«C'est évident que nous ne l'utiliserons jamais vraiment contre un ennemi potentiel, mais elle nous assurera une position ferme pour négocier.»

Les psychologues sociaux ont sévèrement critiqué cette idée que l'énergie agressive monte instinctivement de l'intérieur quel que soit le genre d'environnement. Chez les animaux, l'agression est plus modifiable que ne le laisse supposer la théorie des instincts. Chez les humains, l'agressivité varie considérablement entre les habitants relativement doux de certaines îles de la Mer du Sud et les belliqueux Indiens Yanamamo d'Amérique du Sud dont près de la moitié des adultes survivants masculins ont été impliqués dans un meurtre (Chagnon, 1988); entre les Iroquois pacifiques d'avant l'invasion des Blancs et les Iroquois guerriers d'après l'invasion des Blancs (Hornstein, 1976); entre la non-violence de la Norvège où le meurtre est rare et les tueries d'Irlande du Nord (voir la figure 10.2). En outre, l'emploi du mot «instincts» pour expliquer des comportements sociaux est tombé dans le discrédit après que le sociologue Luther Bernard eut scruté des livres écrits par des scientifiques sociaux et eut compilé, en 1924, une liste de 5759 supposés instincts humains (Barash, 1979, p. 4). Ce que ces scientifiques sociaux avaient essayé de faire c'était d'*expliquer* le comportement social en le *nommant*. Il est extrêmement tentant de se livrer à ce jeu d'explication par le nom : «Pourquoi les moutons se tiennent-ils ensemble ?» «C'est à cause de leur instinct grégaire.» «Comment savez-vous qu'ils ont un instinct grégaire ?» «Vous n'avez qu'à les regarder : ils sont toujours ensemble !» Naturellement, ce genre d'explication circulaire n'est pas du tout une explication.

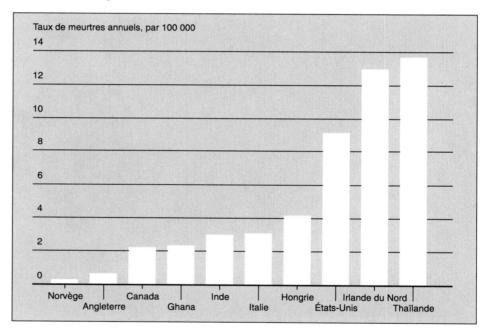

Figure 10.2
L'agression varie selon la culture, comme l'indiquent les différences marquées d'un pays à l'autre sur le plan des taux d'homicides au début des années 1970. (Données tirées de Archer et Gartner, 1984.)

Agression et influences biologiques

Influences nerveuses

Même si la propension des humains à agresser ne peut probablement pas être qualifiée d'instinct, l'agression dépend d'influences biologiques. Étant donné que l'agression est un comportement complexe, on ne peut espérer qu'elle soit dirigée par un point précis et particulier du cerveau. Mais les chercheurs ont trouvé, tant chez les animaux que chez les humains, des systèmes nerveux complexes facilitant l'agression (Karli, 1987). Lorsqu'on stimule ces régions à la partie interne du cerveau, l'hostilité augmente; lorsqu'on bloque l'activité de ces régions, l'hostilité diminue. C'est ainsi qu'on peut pousser des animaux dociles à la rage et des animaux enragés à la soumission. On a observé des effets semblables chez des patients humains. Après avoir reçu une stimulation électrique de son noyau amygdalien (une partie du centre du cerveau), une femme fracassa sa guitare contre le mur, manquant de peu la tête de son psychiatre (Moyer, 1976).

Influences génétiques

Les membres individuels de toutes les espèces diffèrent quant à la sensibilité de leurs systèmes nerveux maîtrisant l'agression. L'hérédité constitue l'une des causes de cette différence de sensibilité. On a fait l'élevage de plusieurs espèces d'animaux pour leur agressivité. C'est parfois dans un but pratique qu'on le fait (par exemple, l'élevage de coqs de combat). L'élevage peut aussi viser des objectifs de recherche. Kirsti Lagerspetz (1979), une psychologue finlandaise, a pris des souris albinos et a accouplé les plus agressives entre elles et les moins agressives entre elles. Après avoir répété cette opération sur 26 générations, elle a obtenu une espèce de souris féroces et une autre de souris placides.

L'agressivité varie également chez les primates et les humains (Asher, 1987; Olweus, 1979). La réactivité particulière de nos tempéraments – jusqu'à quel point, par exemple, nous sommes intenses et réagissons – est partiellement innée et influencée par la réactivité de notre système nerveux sympathique (Kagan, 1988). Le tempérament d'une personne, observé au cours de la petite enfance, a tendance à durer (Larsen et Diener, 1987; Wilson et Matheny, 1986). Voilà pourquoi les dires des jumeaux identiques, qui naissent avec des constitutions physiques semblables, concordent davantage que ceux des jumeaux non identiques lorsqu'on leur demande séparément s'ils ont ou non un «tempérament violent» (Rushton *et al.*, 1986).

Le pit-bull, comme bien d'autres animaux, est génétiquement prédisposé à l'agressivité.

Influences biochimiques

La chimie sanguine influence également la sensibilité du système nerveux à la stimulation agressive. Les expériences en laboratoire et les données fournies par la police indiquent que, lorsque les gens sont provoqués, l'alcool peut diminuer toute contrainte de l'agression (Taylor et Leonard, 1983). Le ministère de la Justice des États-Unis estime qu'environ le tiers des 523 000 détenus avaient beaucoup bu avant de commettre des viols, des cambriolages et des voies de fait (Desmond, 1987). L'alcool augmente l'agressivité en diminuant la conscience de soi des individus de même que leur capacité de réfléchir aux conséquences négatives potentielles de leurs actes (Hull et Bond, 1986; Steele et Southwick, 1985). Il en résulte un état de désindividuation et de désinhibition.

Il y a aussi d'autres influences biochimiques. Un faible taux de sucre dans le sang peut stimuler l'agressivité. Et chez les hommes, on peut influencer l'agressivité par l'injection de l'hormone sexuelle mâle, la testostérone (Moyer, 1983). Même si les influences hormonales semblent beaucoup plus prononcées chez les animaux inférieurs, les médicaments diminuant les taux de testostérone chez les hommes violents réussiront parfois à maîtriser leurs tendances agressives. Il est intéressant de remarquer, quoiqu'il s'agisse peut-être d'une coïncidence, qu'après l'âge de 25 ans les taux de testostérone et de violence criminelle diminuent tous les deux. Chez les détenus des deux sexes reconnus coupables de crimes violents sans provocation, les taux de testostérone ont tendance à être plus élevés que chez les détenus emprisonnés pour des crimes non violents (Dabbs *et al.*, 1988).

Une émeute à Bruxelles lors d'un match de soccer, en 1985, a fait 38 morts après que des supporters anglais, stimulés par l'intense compétition, désindividués par leur anonymat dans la foule et bourrés d'alcool, eurent attaqué des supporters italiens qui furent écrasés contre un mur lorsqu'ils voulurent battre en retraite.

Il y a donc, en matière d'agression, d'importantes influences nerveuses, génétiques et biochimiques. Mais l'agression fait-elle partie de la nature humaine au point de rendre la paix impossible? Afin de contrer un tel pessimisme, le Conseil des représentants de l'American Psychological Association et les directeurs du Conseil international des psychologues se sont joints à d'autres organismes pour endosser unanimement, en 1986, une «déclaration sur la violence» élaborée par les scientifiques d'une douzaine de pays (Adams *et al.*, 1987). «Il est scientifiquement incorrect», selon les termes de cette déclaration, de dire que «la guerre ou toute forme de comportement violent est génétiquement programmée à l'intérieur de notre nature humaine», ou que «la guerre est causée par l'"instinct" ou tout autre motivation unique.» C'est qu'il existe, comme nous aurons l'occasion de le voir, des moyens de réduire l'agression humaine.

L'AGRESSION EST-ELLE UNE RÉACTION À LA FRUSTRATION ?

C'est une soirée chaude. Fatigué et assoiffé après deux heures d'étude, vous empruntez un peu d'argent à un ami et vous dirigez vers la distributrice de boissons gazeuses la plus proche. Pendant que la machine avale votre monnaie, vous pouvez presque goûter le cola froid et rafraîchissant. Mais quand vous pesez sur le bouton, rien ne se passe. Vous le pressez une autre fois. Vous poussez alors le bouton de retour de monnaie. La machine ne vous rend même pas votre monnaie. Vous avez maintenant la gorge desséchée. Vous essayez encore une fois de presser les boutons. Vous les pressez très fort. Pour finir, vous brassez la machine et lui donnez de grands coups. Vous retournez d'un pas lourd à vos études, les mains vides et à court de monnaie. Votre camarade de chambre devrait-il se méfier ? Êtes-vous maintenant plus enclin à dire ou à faire quelque chose de blessant ?

L'une des premières théories de l'agression, la populaire théorie de la frustration-agression, répond oui, bien sûr que oui. En fait, John Dollard et plusieurs de ses collègues de l'Université Yale (1939) allèrent jusqu'à dire que «l'agression est toujours une conséquence de la frustration» et que «la frustration conduit toujours à une forme ou une autre d'agression» (p.1). L'une ne va pas sans l'autre.

La **frustration**, disaient Dollard et ses collègues, c'est n'importe quoi (comme la machine défectueuse) qui empêche d'atteindre un objectif. La frustration est particulièrement prononcée lorsque la motivation d'un individu à atteindre un objectif est très forte, lorsque l'individu s'attend à une gratification et lorsque le blocage est total.

Comme le montre la figure 10.3, il n'est pas nécessaire que l'énergie agressive se décharge directement sur sa source. On nous enseigne à ne pas nous venger directement, surtout lorsqu'il y a risque de désapprobation ou de punition; nous apprenons plutôt à *déplacer* nos hostilités vers des cibles moins dangereuses. Pour illustrer le **déplacement**, il y a l'anecdote de l'homme venant d'être humilié par son patron et qui réprimande son épouse, laquelle crie après son fils qui donne un coup de pied au chien qui mord le facteur.

Frustration :
Blocage d'un comportement visant un objectif.

Déplacement :
Réorientation de l'agression vers une source autre que celle de la frustration. En général, la nouvelle cible est moins dangereuse, c'est-à-dire qu'elle risque moins de se venger ou que l'agression contre elle est mieux acceptée socialement.

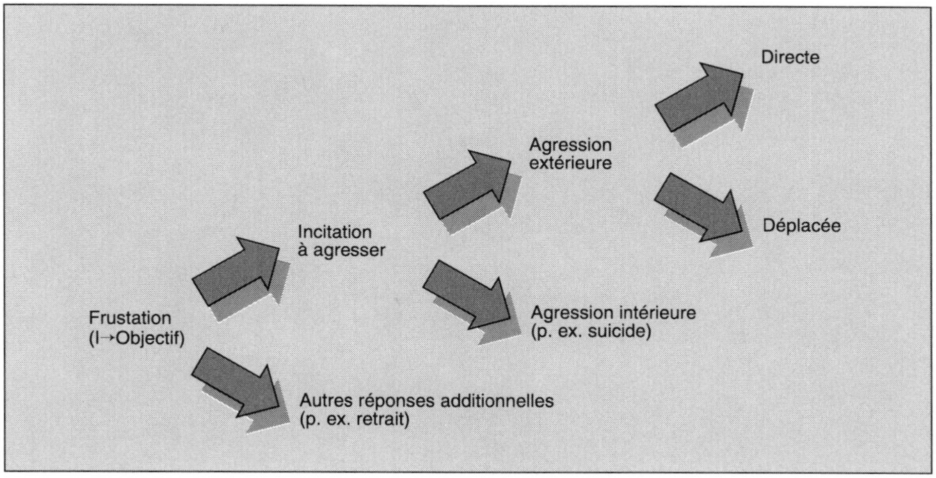

Figure 10.3
Résumé de la théorie classique de la frustration-agression. La frustration fournit un motif pour agresser. La peur de la punition ou de la désapprobation pour avoir agressé la source de la frustration peut provoquer un déplacement de la poussée agressive vers une autre cible ou même sa réorientation contre soi-même. (D'après Dollard *et al.*, 1939, et Miller, 1941.)

Révision de la théorie de la frustration-agression

Notez que la théorie de la frustration-agression est conçue pour expliquer l'agression hostile et non pas l'agression instrumentale.

Les tests en laboratoire de la théorie de la frustration-agression ont donné des résultats contradictoires : la frustration augmente parfois l'agressivité et parfois elle ne l'augmente pas. Par exemple, si la frustration est compréhensible – comme dans le cas d'une expérience effectuée par Eugene Burnstein et Philip Worchel (1962) où un compère dérange un groupe de résolution de problèmes à cause d'une défectuosité de son appareil auditif (plutôt qu'à cause de son manque d'attention) – l'agression n'augmente pas.

Sachant que la théorie initiale avait exagéré le lien entre la frustration et l'agression, Leonard Berkowitz (1978, 1988) a corrigé la théorie. Berkowitz a émis l'hypothèse que la frustration engendre la colère, une disposition émotionnelle à agresser. La colère est particulièrement probable lorsque la personne qui nous frustre aurait pu choisir d'agir différemment (Weiner, 1981; Averill, 1983). Et l'on suppose que la personne frustrée explosera d'autant plus que des signes d'agressivité débouchent, pour ainsi dire, la bouteille de la colère. La colère peut parfois exploser en l'absence de signes de ce genre, mais la présence de stimuli associés à l'agression amplifie l'agression.

Les vêtements noirs, souvent associés à l'agression et à la mort, peuvent constituer un signe d'agressivité. Mark Frank et Thomas Gilovich (1988) rapportent que derrière les Raiders de Los Angeles et les Flyers de Philadelphie, les équipes aux uniformes noirs se placent toujours en tête des Ligues nationales de football et de hockey pour le nombre de punitions récoltées entre 1970 et 1986. En laboratoire, le simple fait de revêtir un chandail noir peut pousser la personne qui le porte à se comporter plus agressivement.

Dans bien des expériences, la simple vue d'un pistolet augmentait les impulsions agressives.

Berkowitz (1968, 1981b) et d'autres chercheurs ont découvert que la vue d'une arme – un signe manifeste d'agressivité – peut également augmenter l'agression. Au cours d'une expérience, les enfants venant à peine de jouer avec des fusils jouets devinrent plus enclins à renverser les cubes d'un autre enfant. Dans une autre expérience, des hommes fâchés de l'Université du Wisconsin administrèrent plus d'électrochocs à leur persécuteur lorsqu'une carabine et un revolver se trouvaient près d'eux (qui étaient censés avoir été oubliés là lors d'une expérience précédente) que lorsque c'étaient des raquettes de badminton qu'on avait laissées là (Berkowitz et LePage, 1967). Quelques expériences n'ont pas réussi à reproduire cet «effet des armes». Mais il y en a eu suffisamment qui ont réussi pour faire dire à Berkowitz qu'il n'était pas surpris de ce que plus de la moitié des meurtres commis aux États-Unis le sont avec des pistolets et que les pistolets que l'on garde à la maison risquent beaucoup plus de tuer les habitants de la maison que les intrus : «Les pistolets ne permettent pas seulement la violence, ils peuvent tout aussi bien la stimuler. Le doigt appuie sur la détente, mais la détente peut aussi appuyer sur le doigt.»

Il y a certes d'autres raisons pour lesquelles les pays prohibant les armes à feu ont un taux beaucoup plus bas de meurtres que les États-Unis [l'Angleterre, par exemple, compte quatre fois moins d'habitants et 16 fois moins de meurtriers. Il y a beaucoup de similitudes entre Vancouver, en Colombie-Britannique, et Seattle, à Washington, en ce qui concerne la population, le climat, l'économie et le taux d'activités criminelles et de voies de fait – sauf que Vancouver, qui limite sévèrement la possession de pistolets, a cinq fois moins de meurtres par pistolets que Seattle et, par conséquent, un taux général plus bas de 40 % en ce qui concerne les meurtres (Sloan *et al.*, 1988). Les attitudes des Canadiens sont d'ailleurs moins positives que celle des Américains à l'égard des armes à feu (Mauser, 1990)]. De plus, la distance psychologique que procure le pistolet est une autre raison du lien meurtres-pistolets. Comme nous l'ont enseigné les recherches de Milgram sur l'obéissance, la cruauté est favorisée par l'éloignement de la victime. Une attaque au couteau peut tuer quelqu'un tout aussi efficacement, mais elle est plus brutale et, par conséquent, plus difficile à accomplir que de simplement appuyer sur une détente en se tenant à distance.

Différence entre frustration et privation

«Je dirais que quelqu'un est *privé* lorsqu'il n'a pas une chose que les gens considèrent généralement comme étant désirable ou attirante et qu'il est *frustré* quand il a anticipé le plaisir qu'il tirerait de cet objet et qu'il ne peut réaliser cette attente.»

Leonard Berkowitz, 1972

Imaginez-vous une personne extrêmement frustrée – financièrement, ou sexuellement, ou politiquement. Nous avons l'impression que la plupart d'entre vous imagineront une personne *privée* financièrement, ou sexuellement, ou politiquement. Les gens les plus frustrés sexuellement ne sont probablement pas les célibataires. Les personnes les plus frustrées financièrement ne sont probablement pas les résidants appauvris des bidonvilles jamaïcains. En fait, la Commission nationale de 1969 sur les causes et la prévention de la violence a conclu que les progrès économiques peuvent même exacerber la frustration et faire monter la violence. Arrêtons-nous un peu pour examiner cette conclusion paradoxale.

Avant l'émeute de Détroit de 1967 qui fit 43 morts et détruisit par le feu 683 édifices, j'écoutais le gouverneur du Michigan George Romney se vanter, à l'émission de télévision *Meet the Press*, du leadership de son État en matière de législation des droits civils et des 367 millions de dollars d'aide gouvernementale accordés à Détroit au cours des cinq dernières années. Ses paroles étaient à peine diffusées sur les ondes qu'un grand quartier noir de Détroit explosait en l'un des pires désordres civils de ce siècle aux États-Unis. Les gens étaient stupéfaits. Pourquoi Détroit ? Même si les choses allaient encore mal là-bas par rapport à la richesse générale de la population blanche, les injustices étaient encore plus grandes dans d'autres villes américaines. La Commission consultative nationale sur les désordres civils, créée pour répondre à cette question, conclut que l'une des causes psychologiques immédiates était la frustration des attentes alimentées par les victoires des années 1960 en matière de droits civils sur les plans législatif et juridique. Quand survient une «révolution porteuse d'espoirs élevés», comme ce fut le cas à Détroit et ailleurs, la frustration monte en flèche même si les conditions s'améliorent.

Le principe est le même partout dans le monde. Les psychologues sociopolitiques Ivo et Rosaline Feierabend (1968, 1972) appliquèrent la théorie de la frustration-agression lors d'une étude sur l'instabilité politique dans 84 pays. Ils s'aperçurent que, lorsque les gens des pays se modernisant rapidement deviennent urbanisés et que leur alphabétisation s'améliore, ils deviennent plus conscients des progrès matériels. Mais comme l'accroissement de la richesse se diffuse lentement dans un pays, l'écart croissant entre les aspirations et les réalisations tend à intensifier la frustration. L'espoir dépasse la réalité. Même si la privation des individus diminue, leur frustration et leur agression politique peuvent néanmoins monter en flèche.

Cela ne veut pas dire que la privation réelle et l'injustice sociale soient étrangères à l'agitation sociale. (L'injustice peut en être une cause fondamentale même si elle n'en est pas la cause psychologique immédiate.) L'idée est simplement celle-ci: La frustration vient de l'*écart* entre nos aspirations et nos réalisations.

L'argent fait-il le bonheur?

«Les maux patiemment endurés lorsqu'ils semblaient inévitables deviennent intolérables quand surgit l'idée d'y échapper.»
Alexis de Tocqueville, 1856

Le principe voulant que «la frustration soit égale à nos aspirations moins nos réalisations» peut aussi nous aider à comprendre pourquoi nos propres sentiments de satisfaction économique et de frustration fluctuent. Considérons les faits suivants et plutôt étonnants. Fait 1: Les Nord-Américains de tous les échelons de revenu, sauf de l'échelon supérieur, affirment qu'une simple augmentation de salaire de 10% ou de 20% les rendrait plus heureux (Strumpel, 1976). Ils croient que plus d'argent les libérerait de leurs soucis financiers et leur procurerait plus de bonheur. Fait 2: Vers la fin des années 1980, le Nord-Américain moyen jouissait d'un revenu net (en tenant compte de l'inflation et des impôts) s'élevant au double de celui du milieu des années 1950. Puisque la plupart des Nord-Américains croient que l'argent augmente le bonheur et que les Nord-Américains ont aujourd'hui effectivement plus d'argent qu'au cours des décennies antérieures, ils doivent être plus heureux, n'est-ce pas?

Faux. Les Nord-Américains des dernières années ne se sont pas déclarés plus heureux et satisfaits de leur vie que ceux des années 1950. En 1957, par exemple, 35% se déclarèrent «très heureux». En 1987, après deux décennies de prospérité croissante, combien se déclarèrent «très heureux»? – 32% (voir la figure 10.4).

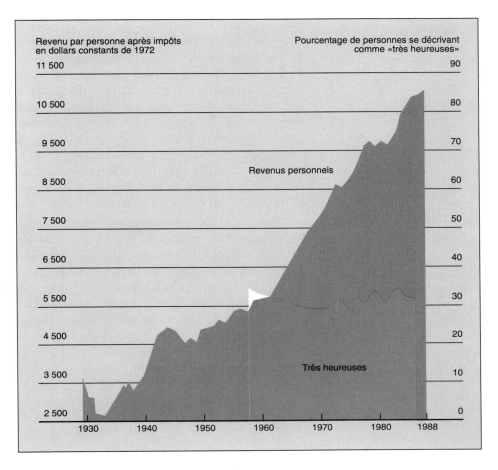

Figure 10.4
L'argent fait-il le bonheur ? Il peut assurément nous permettre d'éviter ou de surmonter certains types de douleur. Toutefois, même si le pouvoir d'achat a doublé depuis les années 1950, le contentement exprimé par les gens n'a pas augmenté. [Statistiques des revenus tirées de *Historical Statistics of the U.S.* (données pour les années 1929-1970) et de *Economic Indicators*, mai 1988. Données concernant le bonheur citées par Smith (1979) et Myers.]

Dans un pays, il y a une légère tendance chez le fortuné à être plus heureux que le pauvre; la pauvreté abjecte peut signifier la misère. Les habitants des pays riches n'en sont pas pour autant remarquablement plus heureux que ceux des pays plus pauvres. Des enquêtes auprès de plus de 160 000 Européens depuis le milieu des années 1970 révèlent que les Danois, les Suisses, les Irlandais et les Hollandais se sont déclarés plus heureux et plus satisfaits de la vie que les Français, les Grecs, les Italiens et les Allemands de l'Ouest (Inglehart et Rabier, 1986). Ces étonnantes différences nationales ne peuvent s'expliquer par des niveaux de vie différents, car celui des Allemands de l'Ouest (avant la restructuration de l'Allemagne), par exemple, est beaucoup plus élevé que celui des Irlandais. Au Canada, le degré de satisfaction est élevé dans l'ensemble de la population. Il a crû jusqu'au début des années 1980. Il se situe au-dessus de celui qu'on observe dans différents pays industrialisés. La satisfaction est plus grande chez les personnes plus âgées. Durant les années 1980, l'insatisfaction des jeunes a augmenté. Il en résulte une polarisation en fonction de l'âge à l'égard de la satisfaction (Langlois *et al.*, 1990).

Les travaux de Lise Dubé sur le bonheur (Dubé, 1989, 1991; Dubé et DesRoches, 1991) l'ont amenée à faire la distinction entre le bonheur et la satisfaction. Les personnes heureuses ne sont pas nécessairement satisfaites. Il ressort aussi de ces études que, même si de jeunes adultes et leurs parents se perçoivent comme heureux, les parents le sont relativement plus. Autant chez les uns que chez les autres, les points de référence pour l'évaluation du bonheur sont plutôt la comparaison temporelle entre l'état actuel et l'état passé ou futur d'une part, et, d'autre part, la comparaison entre l'état actuel et l'état idéal tels qu'ils sont perçus. Les gens utilisent peu la comparaison avec les autres. Il semble que l'engagement, défini comme étant le processus par lequel un individu intègre les aspects positifs et négatifs de ses projets et les assume pleinement, soit directement relié au bonheur. Cela pourrait expliquer, du moins en partie, la différence selon l'âge puisque les gens âgés sont justement plus engagés. Ils ont donné un sens à leur vie que semblent encore chercher les plus jeunes. Sylvia Kayrouz et Lise Dubé (1991) ont trouvé qu'il en était ainsi aussi de certains immigrants qui ne semblent pas avoir pleinement assumé leur situation, ce qui influence, entre autres choses, leur sentiment d'appartenance à leur nouvelle patrie.

Pourquoi ne sommes-nous pas plus heureux de notre situation économique ? Pourquoi tout cet apitoiement sur les soucis financiers de la part de gens dont la richesse a doublé ? Et pourquoi les luxes d'hier – téléviseurs couleur, fours micro-ondes, systèmes stéréophoniques – deviennent-ils aujourd'hui des nécessités, poussant ainsi les gens à toujours penser que leurs besoins excèdent les capacités de leur revenu ? (Une enquête nationale a révélé que les deux tiers des Américains considéraient le téléviseur, la sécheuse automatique et le papier d'aluminium comme des «nécessités» plutôt que comme «des luxes dont on pourrait se passer» *Public Opinion*, 1984.)

Phénomène du niveau d'adaptation

Phénomène du niveau d'adaptation :
Tendance à s'adapter à un certain niveau de stimulation et, par conséquent, à remarquer les changements en fonction de ce niveau et à y réagir.

Deux principes élaborés par des psychologues aident à expliquer l'élévation des attentes des gens et, en conséquence, leurs continuelles frustrations. Le **phénomène du niveau d'adaptation** implique que nos sentiments de succès et d'échec, de satisfaction et d'insatisfaction sont fonction de nos réalisations antérieures. Ainsi, nous nous sentons insatisfaits et frustrés lorsque nos réalisations actuelles sont moindres que ce que nous avons auparavant accompli ; dans le cas contraire, nous avons l'impression de réussir et nous sommes satisfaits.

Si nos succès se maintiennent, nous nous adaptons cependant rapidement à la réussite. Ce que l'on considérait auparavant comme positif devient neutre et ce que l'on considérait comme neutre devient négatif. Voilà pourquoi, en dépit d'une augmentation rapide des revenus nets au cours des dernières décennies, le Nord-Américain moyen n'est pas plus heureux. Donald Campbell (1975b) suppose que nous, les humains, ne créerons jamais un paradis social sur terre. Si nous y parvenions, nous ne tarderions pas à redéfinir l'«utopie» et nous ressentirions à nouveau parfois le contentement, parfois la privation et parfois une sorte de neutralité.

Nous avons, pour la plupart, fait l'expérience du phénomène du niveau d'adaptation. Une augmentation des biens matériels, du succès scolaire ou du prestige social procure une montée initiale de plaisir. Mais le plaisir finit, toujours trop tôt, par diminuer. Il nous en faut alors encore plus pour obtenir une autre vague de plaisir. Comme l'ont fait remarquer Philip Brickman et Donald Campbell (1971) «Même la satisfaction éprouvée après un accomplissement s'estompe pour être ensuite remplacée par une nouvelle indifférence et un nouveau niveau d'objectifs à atteindre.» Nous aurions là l'explication du vieux proverbe chinois disant que «L'homme n'est jamais heureux pendant un millier de jours.»

Une recherche auprès des gagnants de loterie illustre le principe du niveau d'adaptation. Brickman et ses collègues Dan Coates et Ronnie Janoff-Bulman (1978) se sont aperçus qu'au début les gagnants se sentaient habituellement euphoriques: «Gagner à la loterie fut l'une des meilleures choses qui me soient arrivées.» Leur bonheur général n'a cependant pas augmenté. En fait, les activités ordinaires qu'ils appréciaient auparavant, des activités comme lire ou prendre un bon déjeuner, devinrent moins agréables. Le fait de gagner à la loterie fut une émotion tellement forte que, en comparaison, leurs plaisirs ordinaires pâlirent.

Privation relative

Les insatisfactions reliées à l'adaptation à de nouveaux objectifs se compliquent souvent lorsque nous nous comparons aux autres. Ephraim Yuchtman (1976) a observé que les sentiments de bien-être, surtout chez les cols blancs, sont intimement reliés au fait que leur rémunération soit équitable en comparaison des autres travailleurs dans la même ligne d'emploi. Par exemple, une augmentation salariale pour les officiers de police, tout en leur remontant temporairement le moral, peut faire baisser celui des pompiers.

«Une maison peut bien être grande ou petite; du moment que les maisons avoisinantes sont également petites, toutes les exigences sociales en matière d'habitation sont respectées. Mais qu'un palais s'élève près de la petite maison et cette dernière se réduit en une baraque.»
Karl Marx

Privation relative:
Perception qu'on est moins bien nanti que les gens avec qui l'on se compare.

Dans la vie quotidienne, une hausse de prospérité, de statut ou de réussite va pousser les gens à hausser les normes en fonction desquelles ils évaluent leurs propres réalisations. En grimpant l'échelle de la réussite, les gens regardent en haut, non en bas (Gruder, 1977; Suls et Tesch, 1978; Wheeler *et al.*, 1982). Ils s'occupent de ce à quoi ils aspirent, négligeant souvent d'où ils viennent. Cette «comparaison ascendante» est génératrice de sentiments de **privation relative** (Crosby, 1982; Williams, 1975). On a découvert que ces sentiments pouvaient présager des réactions aux injustices perçues par les groupes minoritaires aux États-Unis et au Canada (Dion, 1985) et qu'ils expliquaient pourquoi les femmes recevant un salaire moindre que les hommes pour un travail égal se sentaient sous-payées seulement lorsqu'elles se comparaient aux hommes plutôt qu'à leurs collègues féminines (Zanna *et al.*, 1987). Il y a plusieurs versions au principe de privation relative, et l'une d'entre elles souligne que la protestation sociale ne vient pas de sentiments de privation *personnelle*, mais du sentiment que son *groupe* est relativement privé (Walker et Mann, 1987). Cette distinction entre privation relative personnelle et privation relative fraternelle a été proposée par David Runciman (1966) et reprise au Québec par Serge Guimond et Lise Dubé (1983) dans le cadre de l'étude des attributions nationalistes. Ils ont montré qu'un accroissement dans la perception de la différence entre le revenu des francophones et celui des anglophones ne produit pas une insatisfaction plus grande liée à cette perception quant à sa situation personnelle ou quant à la situation du groupe. En revanche, la privation relative fraternelle est fortement reliée au nationalisme québécois, contrairement à la privation relative personnelle. On peut penser que cette dernière aboutirait plutôt à des revendications individuelles. Toutes les versions admettent cependant que les sentiments de privation ne sont pas seulement fonction de notre situation objective, mais aussi de certaines normes de comparaison. Les chercheurs étudient comment nous faisons ces comparaisons – les personnes avec lesquelles nous décidons de nous comparer et la façon dont ces comparaisons nous touchent (Levine et Moreland, 1987; Olson *et al.*, 1986).

Le terme de privation relative fut inventé par les chercheurs étudiant la satisfaction que ressentirent les soldats américains lors de la Seconde Guerre mondiale (Merton et Kitt, 1950; Stouffer *et al.*, 1949). Les soldats de l'armée de l'air, où les promotions étaient nombreuses et généralisées, étaient ironiquement plus frustrés de leur propre taux de promotions que ne l'étaient ceux de la police militaire, où les promotions étaient lentes et imprévisibles.

Rétrospectivement, nous pouvons voir que, étant donné la rapidité des promotions dans l'armée de l'air et le fait que la plupart de ses membres se percevaient comme supérieurs à la moyenne des membres de l'armée de l'air (le biais auto-avantageux), leurs aspirations montèrent probablement plus rapidement que leurs réalisations. Le résultat? La frustration. Et là où il y a frustration, les tendances agressives ne sont souvent pas loin.

Faye Crosby (1976) a proposé un modèle de la privation relative qui repose sur cinq conditions préalables: (1) vouloir une chose, (2) constater que d'autres la possèdent, (3) juger qu'on a le droit de l'avoir, (4) croire qu'il est possible de l'avoir et, finalement (5) sentir que l'on n'est pas responsable du fait de ne pas l'avoir. Michel Alain (1985, 1989) a confirmé la validité de ce modèle auprès de travailleurs québécois dans différentes catégories d'emploi. Il a aussi observé que les résultats étaient identiques chez les hommes et chez les femmes.

Une source probable de cette frustration est la prospérité étalée dans les émissions de télévision. Karen Hennigan et ses collègues (1982) se sont penchés sur les taux de criminalité des villes américaines vers l'époque de l'apparition de la télévision. Dans 34 villes où la possession d'un téléviseur devint répandue en 1951, le taux de vols simples (pour des crimes comme le vol à l'étalage et le vol de bicyclettes) augmenta de façon évidente. Dans 34 autres villes où un blocage de crédits gouvernementaux avait retardé jusqu'en 1955 l'apparition de la télévision, une augmentation semblable du taux de vol se produisit – en 1955. Pourquoi? Hennigan et ses collègues croient que

> la télévision poussa les personnes plus jeunes et plus pauvres (les principaux auteurs de vols) à comparer leur niveau de vie et leurs biens matériels (1) à celui des riches personnages de la télévision et (2) à celui des gens apparaissant dans les annonces publicitaires. Plusieurs de ces téléspectateurs ont probablement ressenti de la frustration et de la colère de ne pas pouvoir se procurer certains biens matériels, et quelques-uns se sont peut-être tournés vers le crime comme moyen d'obtenir les biens convoités et de réduire la «privation relative».

Les principes du niveau d'adaptation et de la privation relative ont une implication qui porte à réfléchir: chercher la satisfaction dans la réussite matérielle exige d'augmenter continuellement la richesse pour maintenir simplement le même niveau de satisfaction. «La pauvreté, disait Platon, ne consiste pas dans une diminution de ses biens, mais dans l'augmentation de l'avidité.»

«Tous nos désirs, au-delà de ceux que peut procurer un revenu très modéré, sont purement imaginaires.»

Henry St. John, *Letter to Swift*, 1719

«Quelle que soit l'ampleur des différences entre le destin des hommes, il y a toujours un certain équilibre entre joies et peines qui les met tous sur le même pied d'égalité.»

La Rochefoucauld, *Maximes*, 1665

Heureusement, le phénomène du niveau d'adaptation peut aussi nous permettre de nous ajuster à la baisse si nous choisissons ou sommes forcés d'adopter un mode de vie plus austère. Si notre pouvoir d'achat diminue, nous commençons par en souffrir. La plupart d'entre nous s'adapteront néanmoins à la nouvelle réalité. L'une des conséquences des hausses du prix du pétrole des années 1970 fut que les Nord-Américains s'arrangèrent pour diminuer considérablement leur «besoin» de grosses automobiles à forte consommation d'essence. Même les paraplégiques, les aveugles et les autres personnes souffrant de graves handicaps s'adaptent en général à leur tragique situation et finissent éventuellement par trouver un niveau normal ou presque normal de satisfaction dans la vie (Brickman *et al.*, 1978; Schulz et Decker, 1985). Les victimes d'accidents traumatiques doivent sûrement envier les gens qui ne sont pas paralysés, comme beaucoup d'entre nous envient les gagnants à la loterie. Toutefois, après une période d'ajustement, aucun de ces trois groupes ne diffère beaucoup des autres pour ce qui est du bonheur au jour le jour. Les êtres humains ont une énorme capacité d'adaptation.

CHAPITRE 10: AGRESSION **375**

Finalement, les expériences abaissant nos normes de comparaison peuvent renouveler notre contentement. Une équipe de chercheurs dirigée par Marshall Dermer (1979) fit faire des exercices imaginatifs de privation à des femmes de l'Université du Wisconsin. Après avoir vu des représentations de la misérable vie que l'on vivait à Milwaukee en 1900, ou après avoir imaginé diverses tragédies personnelles comme d'être brûlée et défigurée, après avoir écrit à ce sujet, les femmes se montrèrent plus satisfaites de la qualité de leur vie. Dans une autre expérience, Jennifer Crocker et Lisa Gallo (1985) s'aperçurent que les gens ayant complété cinq fois la phrase «Je suis content de ne pas être...» se sentirent par la suite moins déprimés et plus satisfaits de la vie que les personnes ayant complété des phrases commençant par «J'aimerais être...» Voilà pourquoi les gens aux prises avec un grave problème personnel essaient souvent de s'encourager en se comparant à pire qu'eux (Taylor, 1983; Gibbons, 1986). Comme le faisait remarquer Abraham Maslow (1972):

> Vous n'avez qu'à vous rendre à un hôpital et écouter tous les simples bienfaits que les gens n'avaient jamais considérés comme tels auparavant – pouvoir uriner, dormir dans la position que l'on veut, être capable d'avaler, de se gratter, etc. Les *exercices* de privation pourraient-ils nous apprendre plus vite tous les avantages dont nous disposons? (p. 108)

L'AGRESSION EST-ELLE UN COMPORTEMENT ACQUIS?

Les théories de l'agression se fondant sur l'instinct et la frustration supposent que le désir d'agression provient d'émotions internes et qu'il est naturel (non appris) dans certaines circonstances. Contrairement à cette supposition voulant que l'agression soit une «poussée» de l'intérieur, les psychologues sociaux soutiennent que, par l'apprentissage, l'agression est aussi «extirpée» de nous.

Apprentissage des récompenses de l'agression

L'expérience et l'observation des autres nous apprend que *l'agression paie souvent*. Les expériences en dressage d'animaux révèlent que l'on peut transformer les animaux, les faisant passer de créatures dociles à de féroces combattants, grâce à une série de combats victorieux. Les grandes défaites, par contre, engendrent la soumission (Ginsburg et Allee, 1942; Kahn, 1951; Scott et Marston, 1953).

Les êtres humains aussi peuvent apprendre les récompenses de l'agression. L'enfant qui réussit à intimider les autres enfants par des gestes agressifs deviendra probablement encore plus agressif (Patterson *et al.*, 1967). Les joueurs de hockey agressifs – ceux qui vont le plus souvent sur le banc des punitions pour avoir joué avec rudesse – marquent plus de buts que les joueurs non agressifs (McCarthy et Kelly, 1978a, 1978b). Dans ces deux exemples, l'agression semble un moyen d'obtenir certaines récompenses.

La violence collective est aussi quelquefois payante. Après l'émeute de Détroit, en 1967, la compagnie Ford Motor fit de plus grands efforts pour embaucher des travailleurs issus des minorités. Après l'aggravation des émeutes de 1985 en Afrique du Sud, le gouvernement abrogea les lois interdisant les mariages mixtes, offrit de rétablir les «droits des citoyens noirs» (en excluant le droit de vote, de se réunir et de vivre librement) et élimina les horribles lois de laissez-passer contrôlant les allées et venues des Noirs. Ce n'est pas que les émeutes soient consciemment planifiées en fonction de leur valeur instrumentale, mais plutôt que l'agression se voit parfois récompensée, ne serait-ce que par le fait d'obtenir de l'attention. Ce ne seront sûrement pas les citoyens de Châteauguay ou d'Oka qui contesteront cette affirmation.

Il en va de même des actes terroristes qui permettent aux gens sans pouvoir de gagner l'attention générale. «Tuez une personne pour en terroriser dix mille», affirme un ancien proverbe chinois. À notre époque de communications globales, le fait de ne tuer que quelques personnes peut en terroriser des dizaines de millions – comme c'est arrivé lorsque la mort de 25 Américains causée par des terroristes, en 1985, fit plus peur aux voyageurs que les 46 000 morts dues aux accidents de la route. Privé de ce que l'ancienne première ministre de Grande-Bretagne Margaret Thatcher appelle «l'oxygène de la publicité», le terrorisme diminuerait certainement, aux dires de Jeffrey Rubin (1986). C'est comme les incidents de 1970 où des spectateurs faisaient du «nudisme» sur les terrains de football pour quelques secondes d'apparition à la télévision. Ces incidents prirent fin à partir du moment où les réseaux de télévision décidèrent de les ignorer.

Apprentissage par l'observation

Théorie de l'apprentissage social:
Théorie à l'effet que nous apprenons le comportement social par l'observation et l'imitation, ainsi que par les récompenses et les punitions.

Albert Bandura, le principal partisan de la **théorie de l'apprentissage social** de l'agression, croit que nous ne faisons pas seulement l'apprentissage de l'agression par l'expérience de ses bénéfices, mais aussi par l'*observation des autres*. Comme beaucoup de comportements sociaux, l'agression peut s'acquérir en regardant les autres agir et en prenant note des conséquences de leurs actes.

Imaginez-vous la scène suivante tirée des expériences de Bandura (Bandura *et al.*, 1961). On fait faire à un enfant de la Stanford Nursery School une intéressante activité artistique. Un adulte se trouve ailleurs dans la pièce où il y a des jouets, un maillet et une poupée gonflée. Après une minute passée à jouer avec les jouets, l'adulte se lève et attaque la poupée gonflée pendant une bonne dizaine de minutes – la frappant avec le maillet, lui donnant des coups de pied et la poussant, tout en faisant des remarques du genre «Casse-lui la figure... Jette-le par terre... Bats-le.»

Après avoir observé cette explosion de colère, l'enfant est ensuite conduit à un autre édifice, dans une pièce pleine de jouets intéressants. Mais, deux minutes plus tard, l'expérimentatrice l'interrompt pour lui dire que ce sont là ses meilleurs jouets et qu'elle veut «les garder pour les autres enfants». L'enfant frustré se retrouve alors dans une pièce adjacente contenant divers jouets agressifs et non agressifs parmi lesquels se trouvent une poupée gonflée et un maillet.

Les enfants non exposés au modèle adulte agressif manifestaient rarement un comportement verbal ou moteur agressif. Même s'ils étaient probablement très frustrés d'avoir été privés des jouets intéressants, ils n'en continuaient pas moins de jouer calmement. Ceux qui avaient auparavant observé l'adulte agressif avaient cependant beaucoup plus tendance à s'emparer du maillet et à frapper la poupée. L'observation du comportement agressif de l'adulte avait apparemment diminué leurs inhibitions. Mais les observations des enfants faisaient plus qu'abolir leurs inhibitions, car ils n'adoptèrent pas n'importe quel comportement. Ils reproduisirent plutôt exactement les paroles et les gestes qu'ils venaient d'observer chez les modèles adultes. En résumé, le fait d'observer un comportement agressif peut diminuer les inhibitions tout en enseignant des manières d'être agressif.

Bandura (1979) croit que, dans la vie quotidienne, les modèles agressifs se trouvent le plus souvent (1) dans la famille, (2) dans la sous-culture et (3) dans les médias. Les enfants dont les parents utilisent l'agression physique comme moyen de discipline ont tendance à se servir de tactiques similaires dans leurs rapports avec les autres enfants. Par exemple, les parents d'adolescents violents et d'enfants battus ont souvent eu des parents qui les ont disciplinés à grand renfort de punitions physiques (Bandura et Walters, 1959; Silver, Dublin et Lourie, 1969; Straus et Gelles, 1980). Même si ces découvertes peuvent aussi avoir des fondements génétiques, il n'en reste pas moins qu'à l'intérieur des familles la violence engendre la violence.

À l'extérieur de la maison, l'environnement social peut fournir des modèles agressifs. Dans les communautés où les images de «macho» non seulement abondent, mais sont admirées, l'agression est rapidement transmise aux nouvelles générations (Cartwright, 1975; Short, 1969; Wolfgang et Ferracuti, 1967). La sous-culture violente des bandes d'adolescents, par exemple, fournit à ses nouveaux membres un grand nombre de modèles agressifs.

Même si la famille ou la sous-culture peuvent parfois faire preuve d'agression brutale, la télévision fournit maintenant d'autres occasions d'observer un vaste éventail de gestes violents. Comme nous le verrons un peu plus loin dans ce chapitre, la recherche démontre que l'observation de la violence télévisée a tendance (1) à augmenter l'agressivité, (2) à désensibiliser les téléspectateurs à la violence et (3) à structurer les idées qu'ils se font de la réalité sociale.

Dire que les réponses agressives sont apprises par l'expérience et par l'observation de modèles agressifs ne peut pas, par contre, prédire à quel moment ces réponses se produiront effectivement. Bandura (1979) soutient (voir la figure 10.5) que les gestes agressifs sont motivés par diverses expériences désagréables – la frustration, la douleur, les insultes. Des expériences de ce genre provoquent nos émotions. Mais notre réaction agressive ou non dépend des conséquences que nous anticipons. L'agression est plus que probable lorsque nous sommes provoqués *et* que l'agression semble sans danger et payante.

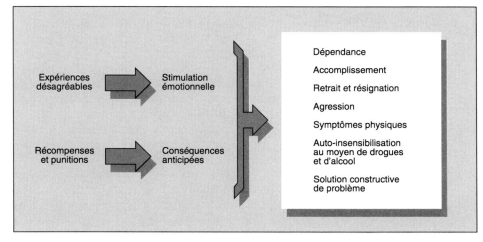

Figure 10.5
Interprétation de l'agression selon la théorie de l'apprentissage social. L'agression est motivée par la stimulation émotionnelle que provoque une expérience désagréable. Que nous réagissions par l'agression ou de toute autre façon dépend des conséquences que nous avons appris à anticiper. (D'après Bandura, 1979.)

La théorie de l'apprentissage social décrivant comment on acquiert et provoque le comportement agressif fournit une perspective à partir de laquelle nous pouvons percevoir certains facteurs spécifiques influençant l'agression. Allons un peu plus en profondeur et voyons maintenant quelques-unes de ces influences.

FACTEURS INFLUENÇANT L'AGRESSION

Nous avons tous plus ou moins appris des réponses agressives. Chacun d'entre nous est un agresseur potentiel. Quelles sont donc les conditions provoquant nos actes d'agression ?

CIRCONSTANCES DÉSAGRÉABLES

Douleur

Le chercheur Nathan Azrin voulait savoir s'il pouvait se servir de l'interruption d'électro-chocs au pied pour renforcer les rapports mutuels positifs de deux rats. Azrin projetait de leur administrer des chocs et de faire cesser la douleur dès qu'ils se rapprocheraient l'un de l'autre. À peine les rats ressentirent-ils de la douleur qu'ils s'attaquèrent l'un l'autre avant même que l'expérimentateur puisse faire cesser les chocs. Azrin laissa alors tomber ses projets initiaux de recherche et entreprit avec ses collègues Ronald Hutchinson (1983), Roger Ulrich et Don Hake une série d'études sur cette réaction douleur-attaque.

Ils s'aperçurent d'abord que plus le choc était intense, plus l'attaque était violente. Ils notèrent également que les rats ne s'adaptaient pas au choc. Même si on leur administrait jusqu'à plusieurs milliers de chocs par jour, la réaction était toujours la même. Qui plus est, les rats élevés dans l'isolement eurent sensiblement la même réaction, laissant supposer une réaction douleur-attaque innée s'apparentant beaucoup à la réaction naturelle de frustration-agression théorisée par John Dollard des décennies plus tôt.

Les règles contemporaines d'éthique touchant l'utilisation des animaux pour la recherche restreignent l'usage de stimuli douloureux par les chercheurs.

Les rats étaient-ils les seuls à réagir ainsi ? Les chercheurs voulurent le savoir. Ils découvrirent alors que chez une grande variété d'espèces, la cruauté que les animaux s'imposaient les uns les autres était tout à fait identique à celle qu'on leur faisait subir. Comme l'expliqua Azrin, la réponse douleur-attaque survenait

> chez plusieurs lignées différentes de rats. C'est ainsi que nous avons découvert que les chocs provoquaient une attaque lorsque des paires des espèces suivantes se trouvaient encagées ensemble : certaines sortes de souris, de hamsters, d'opossums, de ratons laveurs, de ouistitis, de renards, de loutres, de chats, de tortues d'Amérique du Nord, de singes d'Amérique, de furets, d'écureuils roux, de coqs nains, d'alligators, d'écrevisses, de grenouilles et plusieurs espèces de serpents, incluant le boa constricteur, le serpent à sonnettes, le serpent brun non venimeux, le crotale, la vipère cuivrée et le serpent noir. La réaction choc-attaque était claire chez plusieurs espèces de créatures très différentes. Chez toutes les espèces où le choc produisait une attaque, cette dernière était rapide et régulière, à la manière automatique des rats.

Les animaux ne se montraient pas difficiles dans le choix de leurs cibles. Non seulement pouvaient-ils s'attaquer à des animaux de leur espèce, mais aussi à ceux d'autres espèces, à des poupées de chiffon ou même à des balles de tennis. Pour finir, les chercheurs varièrent la source de la douleur. Ils découvrirent qu'il n'y avait pas que les chocs qui provoquaient une attaque, mais aussi la chaleur intense et la «douleur psychologique» – par exemple, ne pas récompenser des pigeons affamés qui avaient été dressés à obtenir un grain après avoir donné un coup de bec sur un disque. Ce genre de «douleur psychologique» est évidemment ce que l'on appelle la frustration.

Réaction douleur-attaque: En subissant un choc ou un autre stimulus douloureux, beaucoup d'animaux attaqueront automatiquement tout animal se trouvant à leur portée.

Conformément à la formulation de l'apprentissage social que l'on peut voir à la figure 10.5, ces expériences ont démontré que, chez plusieurs espèces (mais non pas chez toutes), la stimulation désagréable peut alimenter l'agression. Et toujours conformément à la figure 10.5, la stimulation désagréable augmente aussi la probabilité de certains autres comportements, surtout la fuite. Quand ils en ont le choix, beaucoup d'animaux préfèrent s'enfuir plutôt que de se battre. Azrin et ses collègues ont empêché ces possibilités de réaction en restreignant les animaux dans un petit enclos. La fuite était impossible. Les animaux ont donc fait la deuxième meilleure chose – attaquer. On peut voir rétrospectivement la valeur de survie du combat ou de la fuite provoqués par la douleur. Ces deux réactions peuvent mettre un terme à la stimulation désagréable.

La douleur augmente l'agressivité chez les humains aussi. Plusieurs d'entre nous peuvent se souvenir d'une réaction de ce genre après s'être cogné un orteil ou pendant un mal de tête. C'est ce qu'ont démontré Leonard Berkowitz et ses associés en demandant à des étudiants de l'Université du Wisconsin de se mettre une main dans de l'eau tiède ou dans de l'eau douloureusement froide. Ceux qui se mirent la main dans l'eau froide déclarèrent se sentir plus irritables et plus ennuyés et ils se montrèrent plus enclins à embêter quelqu'un en faisant des bruits désagréables. Devant de tels résultats, Berkowitz (1983, 1988) croit maintenant que c'est la stimulation désagréable plutôt que la frustration qui est le déclencheur principal de l'agression hostile. La frustration est certes un genre de désagrément. Mais, de dire Berkowitz, n'importe quel événement résolument désagréable, qu'il s'agisse d'une attente déçue, d'une insulte personnelle ou de la douleur physique, peut provoquer une explosion émotive. Même le supplice de l'état dépressif peut augmenter la probabilité d'un comportement agressif hostile.

Chaleur

Il y a des siècles que les gens élaborent des théories au sujet de l'influence du climat sur l'activité humaine. Hippocrate, comparant la Grèce civilisée de son époque à la sauvagerie (les sacrifices humains, par exemple) de ce que l'on appelle aujourd'hui l'Allemagne et la Suisse, croyait que la cause en était le climat plus rude de l'Europe du Nord. Plus tard, les Britanniques attribuèrent leur culture «supérieure» au climat idéal de l'*Angleterre*. Les penseurs français en dirent autant de la France. Étant donné que le climat reste le même alors que les caractéristiques culturelles se modifient, la théorie de l'influence climatique sur la culture n'est évidemment pas très valable.

Des variations climatiques temporaires peuvent toutefois modifier le comportement. Les odeurs nauséabondes, la fumée de cigarette et la pollution de l'air ont toutes été reliées à des comportements agressifs (Rotton et Frey, 1985). Mais l'irritant environnemental le plus étudié est la chaleur. William Griffitt (1970; Griffitt et Veitch, 1971), par exemple, a trouvé que, en comparaison des étudiants ayant rempli des questionnaires dans une pièce où la température était normale, ceux qui l'avaient fait dans une pièce où la chaleur était étouffante (plus de 32 °C) se dirent plus fatigués et agressifs et se montrèrent plus hostiles envers un étranger qu'on leur avait demandé d'évaluer. Les expériences complémentaires de Paul Bell (1980), à l'Université d'État du Colorado, et de Brendan Gail Rule et autres (1987), à l'Université d'Alberta, démontrent que la chaleur provoque également des pensées agressives et des actes de vengeance.

La chaleur incommodante augmente-t-elle l'agression dans la vraie vie autant qu'au laboratoire ? Voyons les faits suivants :

- Merrill Carlsmith et Craig Anderson (1979) rapportent que les émeutes survenues dans 79 villes américaines entre 1967 et 1971 éclatèrent davantage durant les journées chaudes que durant les journées froides (voir la figure 10.6).
- Lorsqu'il fait très chaud à Houston, au Texas, les crimes violents sont plus probables (voir la figure 10.7). Il en va de même pour Des Moines, en Iowa (Cotton, 1981); Dayton, en Ohio (Rotton et Frey, 1985); Indianapolis, en Indiana (Cotton, 1986); et Dallas, au Texas (Harries et Stadler, 1988).
- Non seulement y a-t-il plus de crimes violents lors des journées chaudes, mais aussi durant les saisons chaudes de l'année et au cours des étés plus chauds (Anderson, 1989).

- Durant la canicule à Phoenix, en Arizona, les conducteurs d'automobiles dépourvues d'air climatisé risquent davantage de klaxonner devant une automobile en panne (Kenrick et MacFarlane, 1986).

- Au cours de la saison de la ligue majeure de baseball, le nombre de frappeurs atteints par un lancer, par partie, était deux fois plus élevé au cours des parties jouées à une température de plus de 32°C qu'au cours des parties jouées à une température plus fraîche (Reifman *et al.*, 1988).

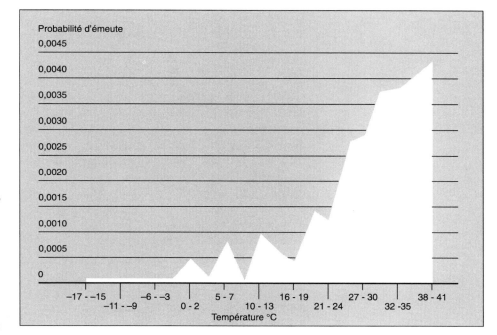

Figure 10.6

Entre 1967 et 1971, la probabilité d'émeute augmentait avec la température. [Cela ne veut pas dire que la plupart des émeutes se produisirent à des températures dépassant 32°C. C'est plutôt qu'une émeute était plus probable à n'importe quelle journée chaude (plus de 32°C) qu'à n'importe quelle journée moins chaude.] (Données tirées de Carlsmith et Anderson, 1979.)

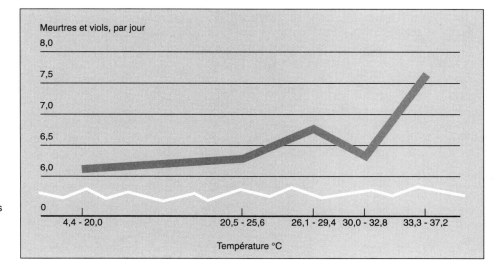

Figure 10.7

Chaleur accablante et crimes violents. Entre 1980 et 1982, le nombre de viols et de meurtres à Houston, au Texas, était plus élevé lorsque la température se situait autour de 32°C. (Tiré de Anderson et Anderson, 1984.)

Tout cela indique-t-il que l'inconfort des journées chaudes alimente l'agressivité ? Même si cette conclusion semble plausible, nous ferions mieux de ne pas l'assumer trop rapidement. Les figures 10.6 et 10.7 ne présentent que de simples *corrélations* entre la température et les émeutes. Il se pourrait certes que les gens soient plus irritables lorsqu'ils doivent supporter une température chaude et humide. Il peut cependant y avoir d'autres facteurs en cause. Il se peut que les chaudes soirées d'été fassent sortir les gens dans la rue où d'autres facteurs d'influence de groupe prennent la relève. À en juger d'après les expériences en laboratoire sur la stimulation désagréable et d'autres sur l'agression collective (voir l'énoncé plus loin), nous avons l'impression que ce genre de comportement est stimulé autant par la chaleur que par le groupe.

Bruit

Les habitants des grandes villes sont soumis à des niveaux de bruit souvent très élevés. Pour remédier en partie à cette situation, on a vu apparaître au Québec, depuis quelques années, des barrières acoustiques qui protègent les habitations limitrophes des autoroutes. Mais qu'est-ce que le bruit ? Les chercheurs en psychologie de l'environnement distinguent le son du bruit. Le son est défini comme étant un changement dans la pression de l'air détectable par l'oreille, il est mesuré en décibels. Le bruit, lui, est un son qui n'est pas voulu et qui est déplaisant. Trois caractéristiques déterminent si un son sera perçu comme un bruit ou non : son volume, la possibilité de le prévoir et la possibilité de le maîtriser (Fisher *et al.*, 1984). Ainsi, un son dont le volume est élevé, qui est imprévisible et non maîtrisable risque fort d'être perçu comme un bruit désagréable.

Les bruits produisent une activation physiologique qui peut nous empêcher de bien fonctionner. Cependant, si le bruit est fort, mais de courte durée, les personnes s'adaptent rapidement et offrent une performance aussi bonne que dans un environnement plus silencieux dans la plupart des tâches (Glass et Singer, 1972). Dans les tâches complexes comme celle des contrôleurs aériens qui doivent surveiller l'évolution rapide des avions tout en communiquant avec le personnel naviguant pour lui transmettre des directives précises et importantes, le bruit peut alors distraire de la tâche et avoir comme conséquence une performance moins bonne (Finkelman et Glass, 1970).

Un bruit non maîtrisable et non prévisible peut aussi avoir des effets négatifs après coup. Pendant l'audition même du bruit, la performance n'est pas modifiée, mais, par la suite, les erreurs de ceux qui ont entendu un bruit non prévisible sont plus nombreuses que celles de ceux qui ont entendu un bruit prévisible (Glass et Singer, 1972).

Le bruit influence aussi les relations sociales. Il a été démontré clairement, en particulier, qu'il a un effet sur l'agression. Dans la mesure où le bruit augmente l'activation physiologique, il peut aussi accroître l'agression chez les individus déjà prédisposés à l'agression. Des personnes ayant assisté à la représentation d'un film de boxe sont ensuite mises dans une situation où elles peuvent administrer des chocs électriques à un compère. La moitié d'entre elles entendent alors un bruit continu pendant deux minutes, tandis que l'autre moitié des personnes n'entendent que le bruit habituel du laboratoire. Les premières donnent plus de chocs aux victimes que les dernières (Geen et O'Neal, 1969).

Lorsque des personnes ont été mises en colère par un compère, elles donnent plus de chocs si on leur fait entendre, dans une seconde partie de l'expérience, une succession de bruits qui durent une seconde chacun et dont la présentation est imprévisible (Donnerstein et Wilson, 1976). Les mêmes chercheurs ont trouvé, dans une autre expérience, que, lorsque les personnes peuvent maîtriser le bruit (y mettre fin lorsqu'elle le veulent), elles ne sont pas plus agressives que celles qui ne sont pas soumises au bruit, même si elles n'utilisent pas la possibilité qu'elles ont de mettre fin au bruit.

Ces études permettent donc de conclure que le bruit peut accroître l'agression, mais que cela ne se produit que lorsque les personnes n'ont pas de maîtrise sur le bruit en question et qu'elles sont déjà prédisposées à l'agression, sinon, il semble que le bruit n'a pas d'effet sur l'agression.

Attaques

Le fait d'être attaqué par quelqu'un incite particulièrement à l'agression. Des expériences effectuées à l'Université d'État de Kent par Stuart Taylor (Taylor et Pisano, 1971), à l'Université d'État de Washington par Harold Dengerink (Dengerink et Myers, 1977) et à l'Université d'Osaka par Kennichi Ohbuchi et Toshihiro Kambara (1985) confirment que les attaques engendrent des attaques vengeresses surtout lorsque la victime perçoit l'attaque comme intentionnelle. Dans la plupart de ces expériences, deux personnes rivalisent dans un concours de rapidité de réaction. Après chaque essai, le gagnant choisit l'intensité de l'électrochoc à administrer au perdant. En réalité, chaque participant joue l'adversaire programmé, celui qui augmente régulièrement l'intensité de l'électrochoc. Les participants réels répondent-ils charitablement, «présentant l'autre joue»? Presque pas. La réaction est plutôt «œil pour œil». Les participants se vengent habituellement de la même manière qu'ils sont attaqués.

Territorialité et entassement

Nous avons vu, au chapitre 5, que la défense de l'espace personnel peut donner lieu à des comportements agressifs. C'est aussi le cas avec l'espace physique considéré par une personne ou par un groupe comme étant le sien, c'est-à-dire le **territoire**. La territorialité a d'abord été observée chez les animaux, mais, assez tôt, les psychologues sociaux se sont rendu compte que les comportements reliés à la territorialité se retrouvaient aussi chez les humains.

Irving Altman (1975) a même distingué trois sortes de territoire chez l'humain: primaire, secondaire et public. Le **territoire primaire** est un espace utilisé sur une base régulière par un individu ou un groupe. Par exemple, il peut s'agir d'une maison ou d'une pièce dans une maison qui appartient clairement à une famille particulière ou à un individu donné. Le **territoire secondaire** est un espace utilisé sur une base régulière, mais partagé avec d'autres. Par exemple, en classe, il se peut que vous vous asseyiez toujours au même endroit, que vous considériez telle chaise comme étant «votre place». Ce type de territoire est semi-public, il ne s'accompagne pas d'un droit de propriété clairement exclusif. Le **territoire public**, lui, est un espace où tout le monde a un droit d'accès égal. C'est le cas des salles d'attente, des parcs, des plages, etc. Il est possible de s'approprier une portion de l'espace dans ces endroits, mais il est entendu que le droit que cela confère ne saurait être que temporaire.

«Si quelqu'un vous frappe, vous le frappez en retour.»
Caspar Weinberger, secrétaire à la Défense, pour justifier le bombardement américain de la Lybie, cité par Rowe, 1986

Territoire:
Espace qu'une personne, en tant qu'individu ou en tant que membre d'un groupe, revendique comme étant le sien.

Territoire primaire:
Territoire possédé par un individu ou un groupe sur une longue période.

Territoire secondaire:
Territoire utilisé fréquemment, mais partagé avec d'autres.

Territoire public:
Territoire que peut s'approprier temporairement un individu, mais par rapport auquel il n'a pas une prétention de propriété.

Les territoires remplissent des fonctions importantes par rapport aux relations interpersonnelles. Ils servent, par exemple, à maintenir une organisation sociale relativement stable. C'est ainsi que les couples mariés manifestent un comportement territorial plus marqué que les couples qui cohabitent sans être mariés. Le côté du lit réservé à chacun, la garde-robe respective, la place de chacun à la table sont distribués en fonction d'une entente qui a plus d'importance pour les couples mariés (Rosenblatt et Budd, 1975). L'organisation sociale jouerait donc un rôle plus important dans le cas de couples engagés dans une relation à plus long terme.

Les territoires servent aussi à protéger notre intimité. Lorsqu'une personne a besoin de se retirer, d'éviter la communication avec autrui, elle peut alors s'isoler sur son territoire (Ittelson *et al.*, 1974). L'intimité sera encore mieux protégée si la personne porte un casque d'écoute qui, tout en lui permettant d'écouter sa musique préférée, la coupe des conversations qui pourraient se glisser jusqu'à elle.

De la même façon que les animaux marquent leur territoire en urinant, par exemple, aux frontières de ce dernier pour bien signifier aux intrus potentiels que cette portion de l'espace physique leur appartient, les humains ont recours, eux aussi, à des marqueurs pour délimiter leurs propres territoires. Dans une bibliothèque, une personne, par le simple fait de s'asseoir à une table de travail donnée, marque cette dernière comme étant sa propriété et décourage ainsi les autres à s'y asseoir également lorsque d'autres tables sont disponibles. Même en son absence, le simple fait qu'une personne laisse des biens personnels sur une table est suffisant pour la marquer (Becker, 1973). Les marqueurs de territoire peuvent prendre différentes formes : clôtures, haies, affiches. Lorsque la personne est présente, ces marqueurs peuvent être des comportements non verbaux : s'étendre sur une portion de l'espace pour faire comprendre qu'il est sien, lancer un regard courroucé à l'envahisseur potentiel, etc.

Comment réagissons-nous quand quelqu'un envahit notre territoire ? Cela dépend de notre interprétation du comportement de l'autre et de la nature du territoire violé. Dans une étude récente (Ruback *et al.*, 1989), les chercheurs ont pu observer que les personnes utilisant les téléphones publics parlaient plus longtemps si une autre personne attendait son tour pour placer un appel, montrant ainsi une résistance à l'envahissement d'un territoire public par autrui. Toutefois, si une personne qui avait établi un droit de possession dans un endroit public revient à la suite d'une courte absence pour constater que quelqu'un d'autre occupe le territoire en question, elle est plus susceptible de se déplacer que de chercher la confrontation (Becker et Mayo, 1971). Même dans le cas de l'invasion des territoires primaires, l'agression ne sera pas le recours le plus probable chez l'humain, contrairement à ce que l'on peut observer chez les animaux (Brown et Altman, 1981).

La territorialité, comme nous l'avons vu précédemment, a pour fonction, entre autres, la régulation de l'intimité. Cela est possible en limitant la densité dans l'espace disponible. Dans certaines situations, une répartition adéquate de l'espace pour satisfaire ce besoin de régulation des rapports interpersonnels n'est pas possible. Cela peut donner lieu à une expérience d'entassement et à des conséquences malheureuses.

Entassement :
Impression subjective qu'il n'y a pas suffisamment d'espace pour chaque personne.

L'**entassement** – l'impression subjective de ne pas avoir suffisamment d'espace – peut être une source de stress. Le fait d'être entassés à l'arrière d'un autobus, d'être pris dans un bouchon de circulation ou de partager une chambre à trois peut diminuer chez les gens leur impression de maîtrise (Baron *et al.*, 1976 ; McNeal, 1980). Ce genre d'expériences risque-t-il d'augmenter l'agression ?

Le stress que vivent les animaux surpeuplant un espace restreint provoque effectivement une augmentation de l'agressivité de même qu'un comportement sexuel anormal et jusqu'à un taux de mortalité plus élevé (Calhoun, 1962; Christian *et al.*, 1960). Il y a certes une grande marge entre des rats entassés dans un espace restreint ou des chevreuils sur une île et les être humains vivant dans une ville (R. M. Baron et Needel, 1980; Freedman, 1979).

Alors que la densité est un état objectif défini comme le nombre de personnes par unité d'espace, l'entassement est plutôt un état subjectif. Toutefois, l'expérience d'entassement peut être influencée par la nature de la densité. Les chercheurs distinguent, en effet, la densité sociale et la densité spatiale (Paulus, 1980). La **densité sociale** croît en fonction de l'augmentation du nombre de personnes dans un espace donné. C'est le cas lorsque le nombre de personnes dans un wagon de métro augmente d'une station à l'autre. La **densité spatiale**, elle, varie plutôt en fonction de l'espace disponible pour le même nombre de personnes. Quand 50 étudiants d'une classe, par exemple, doivent se déplacer d'un grand local à un autre plus petit pour suivre leur cours.

Il semble que l'augmentation de la densité sociale soit plus pénible à vivre. Non seulement les personnes y étant soumises doivent-elles se contenter d'une contraction de l'espace dont elles peuvent disposer, mais elles doivent aussi s'accommoder de nouvelles personnes qu'elles pourront blâmer éventuellement pour la perte de maîtrise de l'environnement qu'elles risquent de subir ainsi (Loo, 1978).

La perte de maîtrise, d'ailleurs, est une des explications qu'on avance pour rendre compte de l'expérience de l'entassement (Baron et Rodin, 1978). Quand il y a plusieurs personnes dans un espace restreint, chacune est moins en mesure d'éviter les contacts non désirés et de se déplacer librement dans l'espace. Les gens interfèrent les uns avec les autres et cela peut créer une frustration qui s'exprime par de la colère (Schopler et Stockdale, 1977).

Selon une autre interprétation de l'entassement, la densité intensifierait les réactions habituelles manifestées dans une situation sociale (Freedman, 1975). Si l'on aime les personnes avec lesquelles on se retrouve, on les aime encore plus, mais si on les déteste, on les déteste aussi encore plus. Dans une telle situation, l'expression de la colère peut prendre des proportions qui conduisent au drame.

Mais l'entassement est aussi une expérience subjective qui peut être modifiée selon les attributions que la personne fait dans la situation où elle se trouve. Selon des chercheurs (Worchel et Teddie, 1976), pour qu'il y ait entassement, il faut qu'il y ait un état d'activation physiologique dont la cause soit attribuée à la présence d'un trop grand nombre de personnes. Si une personne est distraite, de sorte qu'elle ne peut centrer son attention sur la présence d'autres personnes, elle n'a pas une sensation d'entassement (Webb *et al.*, 1986).

Les chercheurs font une autre distinction entre la **densité intérieure** et la **densité extérieure**. La première concerne la densité sociale dans les territoires primaires: maison, chambre, etc., tandis que la deuxième se rapporte à la densité sociale dans l'environnement communutaire (Zlutnick et Altman, 1972). Généralement, la densité intérieure et la densité extérieure seront faibles en banlieue, alors qu'elles seront toutes les deux fortes dans les quartiers défavorisés urbains. Un individu vivant dans ces derniers peut difficilement éviter l'entassement, qu'il soit chez lui ou à l'extérieur de chez lui et dans son quartier.

Densité sociale:
Densité qui augmente par l'addition de nouvelles personnes dans le même site.

Densité spatiale:
Densité qui augmente par le déplacement d'une quantité donnée de personnes dans un site plus petit.

Densité intérieure:
Densité sociale dans les territoires primaires d'une personne.

Densité extérieure:
Densité mesurée par le nombre d'habitants par mètre carré de terrain construit.

Les études sur l'impact de la densité de la population dans les grandes villes s'intéressent donc à l'effet de la densité extérieure. Il ressort de ces études que, contrairement à ce que l'on pourrait penser, il ne semble pas que les habitants des grandes villes soient plus stressés ou plus malheureux que les habitants des régions rurales (Fischer, 1984). De plus, la faible relation qu'on observe entre la densité extérieure et le crime disparaît lorsque l'on contrôle une troisième variable, le revenu (Freedman *et al.*, 1973).

Pour ce qui est de la densité intérieure, les résultats des études sont contradictoires. Dans certains cas, il semble n'y avoir aucune relation entre le fait d'habiter dans un espace très restreint (10 personnes qui partagent un espace de 37 mètres carrés) et l'anxiété, la nervosité ou tout autre signe de tension (Mitchell, 1971). En revanche, d'autres études ont montré que le fait de vivre à l'étroit peut produire des comportements agressifs à long terme, puisque cette situation s'accompagne d'une perte de contrôle, de frustration et de mécontentement (Baum et Paulus, 1987).

STIMULATION DE L'AGRESSION

Nous avons vu jusqu'à maintenant que diverses stimulations désagréables peuvent provoquer la colère des gens. D'autres espèces de stimulations, comme celles qui accompagnent les exercices physiques ou l'excitation sexuelle, auraient-elles le même effet ? Imaginez Mireille qui rentre à la maison, après une petite course stimulante, pour apprendre que son petit ami ne sortira pas avec elle ce soir comme prévu, car il a fait, dit-il, d'autres projets. Mireille risque-t-elle davantage d'exploser de colère après sa course que si elle avait découvert le même message en se réveillant d'une sieste ? Ou, venant juste de faire de l'exercice, ses tendances agressives auront-elles été exorcisées ? Pour trouver une réponse, voyons de fascinantes recherches sur notre façon d'interpréter et de nommer nos états physiologiques.

Dans une expérience désormais célèbre, Stanley Schachter et Jerome Singer (1982) ont découvert qu'il y a plusieurs manières d'expérimenter un état de stimulation physiologique. On a stimulé un groupe d'étudiants de l'Université du Minnesota au moyen d'une injection d'adrénaline provoquant des sensations de force physique, de palpitations et de respiration plus rapide. Quand on les prévenait que la substance produirait ces effets, ils ressentaient peu d'émotion, même en présence d'une personne euphorique ou hostile. Ils pouvaient, bien sûr, attribuer facilement leurs sensations physiques à la substance. On fit croire à un autre groupe d'étudiants que la substance ne produisait pas ces effets secondaires. Ils étaient alors, eux aussi, mis en présence d'une personne hostile ou euphorique. Comment se sentaient-ils et agissaient-ils ? Avec colère en présence de la personne hostile. Avec amusement en présence de la personne euphorique.

Bien que d'autres expériences indiquent que la stimulation n'est pas aussi neutre du point de vue des émotions que le croyait Schachter, le fait d'être physiquement stimulé semble effectivement intensifier à peu près n'importe quelle émotion (Reisenzein, 1983). Dolf Zillmann, Jennings Bryant et leurs collaborateurs (voir Zillmann, 1988) ont découvert, par exemple, que lorsqu'on provoque des gens physiquement stimulés – qui viennent tout juste de pédaler sur une bicyclette d'exercice ou qui viennent de voir un concert rock sur film – il leur est facile d'attribuer faussement leur stimulation à la provocation. Ils se vengent alors avec un surcroît d'agressivité. Alors que le sens commun veut que la course de

Mireille ait drainé ses tensions agressives, lui permettant d'encaisser calmement la nouvelle insultante, ces recherches semblent indiquer que la stimulation peut en fait alimenter les émotions.

Si vous comprenez ce principe – qu'un certain état de stimulation physique puisse être pris pour l'expérimentation d'une émotion ou d'une autre selon la façon dont on interprète et nomme la stimulation –, vous pourrez alors prédire le résultat de l'expérience suivante. Russell Geen et ses collaborateurs (1972) ont demandé à un compère d'administrer des électrochocs à des hommes de l'Université du Missouri pendant qu'ils lisaient une histoire sexuellement stimulante. Les chocs ou l'histoire auraient chacun suffi à stimuler les hommes. Mais tandis qu'on les branchait à des instruments physiologiques, on montra à certains d'entre eux des cadrans indiquant qu'ils expérimentaient une forte «stimulation par les chocs» et peu de «stimulation sexuelle». On montra à d'autres des cadrans leur faisant croire que leur stimulation provenait surtout de l'histoire. Question: Quand ce fut à leur tour d'administrer des électrochocs, lequel de ces deux groupes administra plus de chocs?

Geen prévoyait et découvrit que les hommes incités à croire qu'ils étaient stimulés par les chocs identifièrent leur stimulation comme étant de la colère (voir la figure 10.8). Ils ripostèrent par conséquent en administrant au compère ce qu'ils pensaient être des chocs plus nombreux et plus intenses. En outre, la stimulation sexuelle et d'autres formes de stimulation comme la colère peuvent s'alimenter réciproquement (Zillman). L'amour n'est jamais aussi passionné qu'après une querelle ou une frayeur. Dans le laboratoire, les gens venant tout juste d'être effrayés sont plus fortement stimulés par des stimuli érotiques. L'excitation se transfère d'un domaine à l'autre.

Figure 10.8
L'émotion que nous vivons dépend de notre manière d'interpréter et de nommer nos états physiologiques. Si nous attribuons, par exemple, la stimulation à des stimuli agressifs, nous vivrons probablement de la colère.

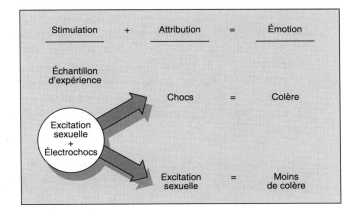

Pornographie

Se pourrait-il alors que la stimulation sexuelle amplifie également les réactions agressives aux insultes et aux agacements? Si oui, quelles seraient les conséquences sociales de la pornographie? En 1986, une conférence du ministère de la Santé réunissant 21 chefs de file scientifiques portait exclusivement sur des représentations de la violence sexuelle. Dans un épisode typique, on voit un violeur qui pénètre de force une femme. Au début, elle résiste, essaie de lutter contre son agresseur. Mais elle devient graduellement stimulée sexuellement, si bien que sa résistance s'affaiblit. Elle finit par connaître l'extase et par en demander encore. Nous avons tous vu ou lu des versions non pornographiques de cette séquence. Un homme impétueux empoigne et embrasse de force une femme qui proteste. Après quelques instants, les bras qui le repoussaient le serrent maintenant très fort, sa résistance étant submergée par le déclenchement de sa passion.

Les scientifiques sociaux s'entendaient à dire que la vue de scènes de ce genre où un homme domine et stimule une femme peuvent (1) fausser la perception des gens quant à la réaction réelle des femmes à la contrainte sexuelle; et (2) augmenter les agressions des hommes envers les femmes, du moins en situation de laboratoire.

Il n'en reste pas moins qu'il est très difficile d'obtenir un consensus dans la société sur ce qui est ou non pornographique. Autant les efforts en ce sens des édiles de Montréal, qui veulent bannir l'étalage de matériel pornographique dans les vitrines des commerçants et les enseignes commerciales trop explicites, que ceux des législateurs à Ottawa, qui, en voulant régir la pornographie violente et la pornographie impliquant des enfants, ont présenté une législation manquant de nuances, illustrent cette difficulté. Schell et Bigelow (1990) souhaitent que les travaux scientifiques arrivent à mieux délimiter ce qui est érotique de ce qui est pornographique. À cet égard, Senn et Radtke (1990) ont montré que les femmes évaluaient positivement certains types de photos sexuellement explicites et qu'elles réservaient leurs évaluations négatives pour les photos sexistes ou qui comportaient un élément de violence.

Fausses perceptions de la réalité sexuelle

Le fait de regarder des scènes de violence sexuelle renforcerait-il le mythe que les femmes apprécient l'agression sexuelle – que «"non" ne veut pas vraiment dire non»? Pour répondre à cette question, Neil Malamuth et James Check (1981) comparèrent deux groupes d'hommes de l'Université du Manitoba à qui l'on montra deux films non sexuels et deux films dans lesquels un homme dominait sexuellement une femme. Une semaine plus tard, lorsqu'ils furent questionnés par un expérimentateur différent, ceux qui avaient vu les films contenant un peu de violence sexuelle se montrèrent moins sévères envers la violence faite aux femmes. Remarquez que le message sexuel des films était subtil: il risquait peu de soulever la contre-argumentation. (Souvenez-vous du chapitre 7 où l'on disait que la persuasion est plus aisée lorsqu'un message désagréable est glissé sans inciter les gens à contre-argumenter.)

Le spectacle de l'agression sexuelle peut encourager le comportement agressif envers les femmes.

Le fait de voir des films plus violents peut aussi donner lieu à une banalisation du viol. Les hommes ayant récemment vu des films comme *The Texas Chainsaw Massacre* deviennent insensibles à la brutalité et ont davantage tendance à n'avoir aucune sympathie pour les victimes de viol (Linz *et al.*, 1988, 1989). En fait, de dire les chercheurs Edward Donnerstein, Daniel Linz et Steven Penrod (1987), on ne peut imaginer meilleur moyen, quand on a l'esprit mal tourné, de permettre aux gens de réagir calmement à la torture et à la mutilation de femmes que de leur montrer une série de films de plus en plus violents.

Agression faite aux femmes

Les preuves ne cessent de s'accumuler à l'effet que la pornographie peut contribuer à l'agression des femmes par les hommes. Certaines recherches corrélationnelles récentes suggèrent cette possibilité. John Court (1984) souligne qu'à travers le monde, avec la plus grande accessibilité de la pornographie depuis les années 1960 et 1970, le nombre de viols enregistrés a sensiblement augmenté – sauf dans les pays et les régions où la pornographie a fait l'objet d'un contrôle. (Les exemples contredisant cette tendance – comme le Japon où la pornographie violente est accessible et le nombre de viols assez faible – nous rappellent que d'autres facteurs, comme la socialisation des gens, sont également importants.) À Hawaii, le nombre de viols enregistrés se multiplia par neuf entre 1960 et 1974, diminua ensuite considérablement lorsqu'on imposa temporairement des limites à la pornographie pour augmenter de nouveau lorsqu'on mit fin aux restrictions.

Dans une autre recherche corrélationnelle, Larry Baron et Murray Straus (1984, 1986) ont découvert que les chiffres de vente de revues légèrement pornographiques (comme *Hustler* et *Playboy*) pour chacun des cinquante États américains étaient en corrélation avec le nombre de viols par État. Même en contrôlant d'autres facteurs tels que le pourcentage de jeunes hommes pour chacun des États, il subsistait une relation positive. L'Alaska était le plus gros vendeur de magazines de sexe et avait le plus grand nombre de viols, suivi par le Nevada qui était deuxième dans les deux mesures.

Cette *corrélation* ne peut certes pas prouver que les représentations sexuellement explicites sont une *cause* contribuant au viol. W. L. Marshall (1988) a trouvé qu'en Ontario, par exemple, les violeurs et les agresseurs d'enfants consomment beaucoup plus de pornographie que les hommes qui n'ont pas commis d'agressions sexuelles. Il se peut toutefois que la consommation de pornographie chez les agresseurs ne soit qu'un symptôme plutôt que la cause de leur déviance fondamentale.

Bien qu'elles soient limitées aux sortes de comportements pouvant être étudiés en laboratoire, les expériences contrôlées indiquent que l'observation de violence sexuelle cause effectivement une augmentation de l'agression des hommes envers les femmes. Edward Donnerstein (1980) a montré à 120 hommes de l'Université du Wisconsin un film neutre, un film érotique ou un film érotico-agressif (viol). Les hommes devaient ensuite, dans le cadre supposé d'une autre expérience, «enseigner» à un compère homme ou femme des syllabes dénuées de sens et choisir l'intensité des chocs à administrer en cas de réponses incorrectes. Les hommes ayant vu le film de viol administrèrent des chocs remarquablement plus forts – mais seulement à des victimes féminines (voir la figure 10.9). Au cours d'expériences subséquentes, Donnerstein et Leonard Berkowitz (1981) obtinrent les mêmes résultats, et le fait que le film de viol dépeignait une femme qui souffrait de la situation ou en retirait du plaisir n'avait aucune importance. Évidemment, tout comme les inhibitions des enfants en matière d'agression s'affaiblissent après avoir observé un modèle agressif, de même en est-il

«La pornographie dépeignant l'agression sexuelle comme une jouissance pour la victime favorise l'acceptation de l'usage de coercition au cours des relations sexuelles.»
Consensus des sciences sociales au Séminaire sur la pornographie et la santé communautaire, ministère américain de la Santé, Koop, 1987

«La pornographie est la théorie, et le viol, la pratique.»
Robin Morgan, 1980, p. 139

Pornographie – cause ou excuse facile ?
«La pornographie la plus dommageable est celle qui [comporte] de la violence sexuelle. À l'exemple d'une dépendance, vous avez sans cesse besoin de sensations toujours plus fortes pour atteindre un certain niveau d'excitation. Jusqu'au moment où la pornographie ne vous satisfait plus et que vous atteigniez ce point où vous commencez à vous demander si le fait de passer à l'acte ne vous procurerait pas ce qui va au-delà de la simple lecture ou du spectacle.»
Ted Bundy, 1989, à la veille de son exécution pour une série de viols meurtriers

pour les hommes, surtout lorsque les hommes sont en colère ou lorsque leur victime potentielle a quelque chose en commun avec la victime qu'ils ont vue dans le film (qu'elle est, par exemple, du même sexe).

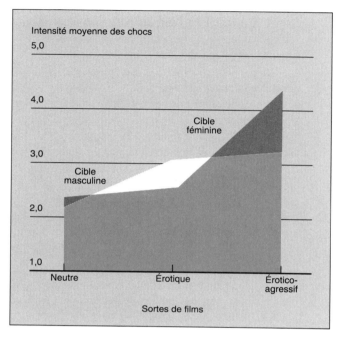

Figure 10.9
Après avoir vu un film érotico-agressif, les hommes administrèrent des électrochocs plus intenses qu'avant, surtout à une femme. (Données tirées de Donnerstein, 1980.)

Si vous avez des scrupules quant à la moralité d'expériences de ce genre, soyez assuré que les chercheurs sont bien conscients du fait qu'ils font vivre aux participants une expérience controversée et marquante. Toutefois, les participants sont avertis de la nature des choses qu'ils risquent de voir. Ils ne participent qu'après y avoir consenti en toute connaissance de cause. De plus, tous les mythes susceptibles d'être transmis par le film sont discrédités après l'expérience. Il faut espérer que ce genre de compte rendu critique contrebalance suffisamment l'image frappante d'une victime de viol supposée en extase. À en juger par des recherches auprès d'étudiants des universités du Manitoba et de Winnipeg et effectuées par Check et Malamuth (1984; Malamuth et Check, 1984), c'est effectivement le cas. Ceux qui avaient lu des histoires de viol et à qui l'on avait par la suite fait des comptes rendus critiques devinrent moins partisans du mythe voulant que «les femmes aiment être violées» que les étudiants qui n'avaient pas vu le film. Parallèlement, Donnerstein et Berkowitz (1981) se sont aperçus que les étudiants qui avaient vu de la pornographie *et* à qui l'on avait fait de minutieux comptes rendus critiques avaient par la suite *moins* tendance que les autres étudiants à être d'accord avec l'idée que «les femmes sont stimulées sexuellement par le fait d'être malmenées».

La justification de cette expérimentation n'est pas seulement scientifique, mais aussi humanitaire. En 1987, quelque 91 000 femmes américaines – une toutes les six minutes – eurent à subir l'horreur du viol, soit plus de deux fois le nombre annuellement enregistré au cours des années 1960 (FBI *Uniform Crime Reports*, 1971 à 1988). Alors qu'il y avait un taux de 36,6 viols par 100 000 habitants aux États-Unis en 1985, ce taux, pour la même année au Canada, était de 10/100 000 habitants. Des sondages semblent indiquer que le nombre de viols non enregistrés dépasse probablement, dans une proportion de 10 contre 1, le nombre de viols déclarés (Russell, 1984; Koss *et al.*, 1988) et que la plupart des viols non déclarés sont commis par une personne connue de la victime, souvent lors de rendez-vous (DiVasto *et al.*, 1984; Rapaport et Burkhart, 1984). Le problème de la violence conjugale au Québec a incité le Gouvernement, en 1986, à instaurer une campagne de sensibilisation. Déjà, depuis 1980, une femme peut accuser son mari de viol (Langlois *et al.*, 1990). Et encore beaucoup plus de femmes – la moitié lors d'un récent sondage auprès de collégiennes (Sandberg *et al.*, 1985) – disent avoir été victimes d'agression sexuelle lors d'un rendez-vous, et un plus grand nombre encore furent victimes de harcèlement sexuel verbal.

Au cours de huit différentes enquêtes, on a demandé à des collégiens s'il y avait une possibilité qu'ils violent une femme «si vous aviez l'assurance que personne ne le saurait et que vous ne seriez aucunement puni» (Stille *et al.*, 1987). Une troublante proportion – à peu près le tiers d'entre eux – indiquèrent à tout le moins une mince possibilité qu'ils le fassent. Ces aveux de l'attrait éprouvé pour l'agression sexuelle sont-ils crédibles? Le chercheur Malamuth (1984, 1989) croit qu'ils le sont. En comparaison des hommes qui n'indiquent aucune possibilité de viol, ceux qui en indiquent une ressemblent davantage aux inculpés de viol sur le plan de leurs croyances aux mythes du viol et de l'excitation sexuelle éprouvée, même devant des représentations de viol mettant en scène une victime qui résiste et qui n'est pas sexuellement excitée. De plus, ceux qui indiquent le plus de possibilités de viol se comportent plus agressivement envers les femmes tant au laboratoire qu'à leurs rendez-vous amoureux, surtout s'ils ont développé le genre d'attitudes favorisant le viol et qu'ils les ont cultivées par la pornographie. Pour être plus précis, les hommes qui ont des comportements sexuels coercitifs et agressifs désirent habituellement dominer, manifestent de l'hostilité envers les femmes et ont vécu des expériences sexuelles (Malamuth, 1986).

Malamuth, Donnerstein et Zillmann sont au nombre de ceux qui s'inquiètent de la vulnérabilité croissante des femmes au viol. Ils préviennent de ne pas simplifier à l'excès les causes complexes du viol – qui, comme le cancer, ne peut être attribuable à une seule cause. Ils n'en concluent pas moins que le fait de voir la violence, surtout la violence sexuelle, peut avoir des conséquences antisociales. Commentant certains de ces résultats, Susan Brownmiller (1980, 1984), auteure du livre *Against Our Will: Women and Rape*, s'en prend à notre tolérance à l'égard de la pornographie agressive qu'elle considère comme «de la propagande contre les femmes». Les personnes libérales ne toléreraient pas des représentations pornographiques de victimes juives abusées par des Gentils ou de Noirs abusés par des Blancs, mais ils ferment les yeux quand les femmes sont victimes des hommes. Brownmiller exige la fin de cette double norme.

Plutôt que de prôner la censure, beaucoup de psychologues favorisent une «éducation de la conscience concernant les médias». N'oublions pas que les chercheurs en pornographie ont réussi à sensibiliser et à éduquer leurs participants aux véritables réactions des femmes à la violence sexuelle. Les éducateurs ne pourraient-ils pas développer les capacités critiques des spectateurs? En sensibilisant les gens à la conception des femmes qui prédomine dans la pornographie et les problèmes de harcèlement sexuel et de violence, on devrait pouvoir neutraliser le mythe voulant que les femmes aiment être forcées. «Notre utopie et peut-être notre naïf espoir», disent Edward Donnerstein, Daniel Linz et Steven Penrod (1987, p. 196), «est que la vérité de la bonne science finisse par l'emporter et que le public soit convaincu que ces images n'avilissent pas seulement les personnes représentées, mais aussi les personnes qui les regardent.»

«Dans les recherches en laboratoire mesurant les effets à court terme, le contact avec la pornographie violente augmente le comportement punitif à l'endroit des femmes.»

Consensus des sciences sociales au Séminaire sur la pornographie et la santé communautaire du ministère américain de la Santé, Koop, 1987

«Ce que nous tentons de faire c'est d'élever le niveau de conscience au sujet de la violence faite aux femmes et de la pornographie pour atteindre au moins le niveau de conscience au sujet du racisme et des publications du Ku Klux Klan.»

Gloria Steinem, 1988

Télévision

Nous avons vu que les observations d'un modèle agressif peuvent déclencher les impulsions agressives des enfants et leur enseigner de nouvelles manières d'agresser. Nous avons également vu que, après avoir vu de la violence sexuelle exercée contre une femme, les collégiens ont tendance à se comporter plus violemment envers une femme qui les a irrités. Ces découvertes éveillent chez bien des gens des inquiétudes quant à l'effet de la télévision sur le comportement et la façon de penser des téléspectateurs.

Prenons ces quelques faits touchant l'écoute de la télévision. En 1945, un sondage Gallup demandait aux Américains: «Savez-vous ce qu'est la télévision?» (Gallup, 1972, p. 551). Aujourd'hui, 98 % des foyers américains possèdent un poste de télévision, soit plus que le nombre de foyers possédant un bain ou un téléphone. Le téléviseur est en marche en moyenne sept heures par jour et regardé en moyenne quatre heures par jour par chacun des membres de la famille. Les femmes regardent la télévision plus que les hommes, les non-Blancs plus que les Blancs, les enfants d'âge préscolaire et les retraités plus que les écoliers et les travailleurs, et les moins instruits plus que les plus instruits. Ces faits touchant les habitudes d'écoute de la télévision chez les Américains valent également en majeure partie pour les Européens, les Australiens et les Japonais (Murray et Kippax, 1979).

Quels sont les modèles de comportements sociaux présentés durant toutes ces heures? Depuis 1987, George Gerbner, Larry Gross et leurs compagnons téléspectateurs de l'Université de Pennsylvanie (1980, 1986) ont examiné les émissions de divertissement présentées sur tous les réseaux aux heures d'écoute maximale et le samedi matin. Leurs conclusions? Huit émissions sur 10 contenaient de la violence. Les émissions des heures

Violence télévisée:
Action physiquement contraignante menaçant de blesser ou de tuer, ou tuant et blessant effectivement.

Les enfants imitent souvent la violence qu'ils voient à la télévision.

d'écoute maximale avaient en moyenne cinq actes violents par heure, et les émissions pour enfants, le samedi matin, en avaient environ 20 par heure. Depuis la fin des années 1960, les proportions annuelles de cruauté présentée à la télévision n'ont pas varié de plus de 10 % par rapport à la moyenne de l'ensemble de la période.

Étant donné ces deux faits – (1) énormément d'heures d'écoute de la télévision – plus de mille heures par personne par année, et (2) une forte dose d'agression dans la programmation habituelle –, il est difficile de ne pas s'inquiéter des effets cumulatifs de ce genre d'écoute. Le crime aux heures d'écoute maximale encourage-t-il le comportement présenté? Ou, étant donné la participation indirecte des téléspectateurs à des actes agressifs, les spectacles drainent-ils l'énergie agressive?

Cette dernière idée, une variante de l'hypothèse de la **catharsis**, postule que le fait de vivre une émotion est un moyen de s'en libérer. Appliquée à la vue de l'agression, l'hypothèse de la catharsis affirmerait que le drame violent permet aux gens de se libérer de leurs hostilités refoulées. Les partisans des médias citent fréquemment cette théorie et nous rappellent que la violence existait bien avant la télévision. Si l'on imagine un débat entre un critique de la télévision et un défenseur des médias, ce dernier pourrait soutenir que «les génocides des Juifs et des Amérindiens n'ont certainement pas été provoqués par la télévision. La télévision ne fait que refléter et satisfaire nos goûts». «Bien sûr, dirait le critique, mais il est aussi vrai que, depuis l'apparition de la télévision, les crimes violents ont augmenté à un rythme beaucoup plus rapide que celui de l'augmentation de la population.» Ce à quoi le défenseur rétorquerait: «Cette tendance nationale résulte de plusieurs facteurs complexes. Il se peut en fait que la télévision diminue l'agression en gardant les gens chez eux et en leur offrant une occasion inoffensive de libérer leur agressivité.»

Et le débat se poursuit, avec plus de 1000 nouveaux articles traitant de l'influence des médias, parus dans les périodiques de psychologie au cours de la dernière décennie seulement (Eron et Huesmann, 1985). Les recherches sur l'écoute de la télévision et l'agression (qui ne constituent qu'une partie des écrits traitant de la télévision et du comportement – Freedman, 1984) ont généralement pour but d'identifier les effets plus subtils et plus répandus que les meurtres copiés et les autres crimes occasionnels qui attirent l'attention du public. On se penche en particulier sur deux questions: (1) Comment la télévision influence le *comportement* des téléspectateurs – est-ce que, par exemple, les gens sont plus ou moins agressifs après avoir vu un comportement agressif? – et (2) Comment la télévision modifie la façon de *penser* des téléspectateurs – est-ce que, par exemple, le fait de voir de fortes doses de violence rend les gens insensibles à la violence?

Effets sur le comportement

Les téléspectateurs ont-ils tendance à imiter le comportement des modèles violents? Les exemples abondent de gens qui reproduisent des crimes vus à la télévision. Dans une enquête officieuse auprès de 208 détenus, 9 sur 10 admirent que les émissions policières leur avaient fait apprendre de nouveaux trucs criminels. Et 4 détenus sur 10 dirent avoir essayé des crimes spécifiques qu'ils avaient vus à la télévision (*TV Guide*, 1977). Marc Lépine avait-il vu à la télévision l'enregistrement du caporal Lortie fait à l'Assemblée nationale?

Catharsis:
Libération émotionnelle. L'interprétation cathartique de l'agression veut que l'impulsion agressive soit affaiblie lorsqu'on peut «libérer» l'énergie agressive en agissant agressivement ou en imaginant l'agression.

«L'un des plus grands mérites de la télévision est d'avoir retourné le meurtre là d'où il venait, c'est-à-dire à la maison. Voir un meurtre à la télévision peut constituer une bonne thérapie. Cela peut aider quelqu'un à défouler ses hostilités.»
Alfred Hitchcock

Corrélation entre l'écoute de la télévision et le comportement   Cela n'est cependant pas une preuve scientifique. Pas plus que cela ne nous renseigne sur les effets de la télévision sur l'agressivité des téléspectateurs n'ayant jamais commis de crimes violents. C'est pourquoi les chercheurs ont utilisé autant les recherches corrélationnelles que les recherches expérimentales pour étudier les effets de l'observation de la violence télévisée. Une technique, habituellement utilisée auprès des enfants d'âge scolaire, consiste simplement à voir si ce que regardent les enfants à la télévision peut prédire leur agressivité. Les résultats indiquent que plus le contenu des émissions est violent, plus l'enfant est agressif (Eron, 1987; Turner *et al.*, 1986). La relation est modeste, mais se retrouve constamment aux États-Unis, en Europe et en Australie.

Devons-nous donc en conclure qu'une programmation violente favorise l'agression? Vous êtes peut-être déjà en train de penser qu'il s'agit là d'une recherche corrélationnelle et que la relation de cause à effet pourrait également fonctionner en sens inverse. Il se peut que les enfants agressifs préfèrent les émissions agressives. Ou peut-être y a-t-il un troisième facteur sous-jacent comme une intelligence plus faible qui prédispose certains enfants à préférer les émissions agressives et à se comporter agressivement.

Les chercheurs ont mis au point trois manières de vérifier ces possibilités d'explication. L'explication par un «troisième facteur caché» peut se vérifier en retranchant statistiquement l'influence de certains de ces facteurs possibles. Par exemple, le chercheur britannique William Belson (1978; Muson, 1978) a étudié 1565 garçons londoniens et a trouvé que, en comparaison de ceux qui regardaient peu d'émissions violentes, ceux qui en regardaient beaucoup (sous forme réaliste plutôt qu'en dessins animés) admirent avoir posé des gestes deux fois plus violents au cours des six mois précédents (par exemple, «J'ai brisé le téléphone d'une cabine téléphonique»). Belson a aussi étudié 22 «troisièmes facteurs» possibles comme la grandeur de la famille. Ceux qui regardaient beaucoup de violence et ceux qui en regardaient peu différaient encore, même après les avoir rendus égaux par rapport à des troisièmes facteurs potentiels, de sorte que Belson en a conclu que ceux qui regardaient beaucoup de violence étaient effectivement plus violents *à cause* de leur contact avec la télévision.

Parallèlement, Leonard Eron et Rowell Huesmann (1980, 1985) ont découvert que l'observation de la violence télévisée chez 875 enfants de huit ans était en corrélation avec l'agressivité, même après avoir retranché statistiquement un grand nombre de troisièmes facteurs possibles et évidents. De plus, lorsqu'ils ont revu ces enfants, 11 ans plus tard, ils se sont aperçus que la violence que ces enfants avaient vue à l'âge de huit ans prédisait un peu leur agressivité à l'âge de 19 ans, mais que l'agressivité à l'âge de huit ans *ne* prédisait *pas* la violence qu'ils verraient à l'âge de 19 ans. L'agressivité découlait donc de la violence qu'ils avaient vue, mais l'inverse ne s'appliquait pas. Ces résultats se virent confirmés par des recherches plus récentes auprès de 758 jeunes de la région de Chicago et de 220 jeunes Finlandais (Huesmann *et al.*, 1984). De plus, lorsque Eron et Huesmann (1984) étudièrent les casiers judiciaires de leur échantillon initial d'enfants de huit ans, ils s'aperçurent qu'à 30 ans les hommes qui avaient regardé beaucoup d'émissions violentes à l'âge de huit ans couraient davantage le risque d'être inculpés d'un crime grave (voir la figure 10-10). Les chercheurs en ont par conséquent conclu que l'observation de la violence télévisée avait effectivement quelque chose à voir avec le comportement violent des années ultérieures.

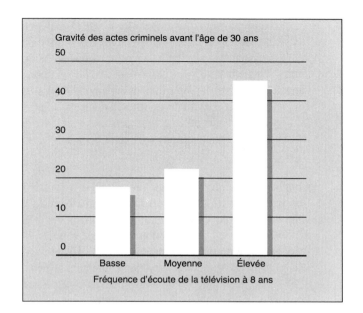

Gravité des actes criminels avant l'âge de 30 ans

Fréquence d'écoute de la télévision à 8 ans

Figure 10.10
Écoute de la télévision chez les enfants et activités criminelles ultérieures. Les enfants de huit ans ayant beaucoup regardé la télévision risquaient davantage d'être inculpés d'une grave offense criminelle avant d'avoir atteint l'âge de 30 ans. (Données tirées de Eron et Huesmann, 1984.)

À noter que ces recherches illustrent la manière dont les chercheurs se servent maintenant des résultats corrélationnels pour *suggérer* un effet de causalité. Néanmoins, un nombre infini de «troisièmes facteurs» possibles pourrait engendrer une simple relation de coïncidence entre l'observation de la violence et l'agression. Il est impossible de les identifier tous et de les relever. Heureusement, la méthode expérimentale peut cependant maîtriser tous ces facteurs sans grande portée. Si l'on montre un film violent à des enfants choisis au hasard et un film non violent à d'autres, toute différence subséquente d'agression entre les deux groupes sera due au seul facteur différenciant les deux groupes : ce qu'ils ont vu. (Rappelez-vous que l'attribution au hasard rend par ailleurs les deux groupes égaux.)

Expériences sur l'écoute de la télévision Les premières expériences furent faites par Albert Bandura et Richard Walters (1963) qui firent parfois observer aux jeunes enfants l'adulte tapant sur la poupée gonflée, sur film plutôt qu'en direct – avec sensiblement les mêmes résultats – et par Leonard Berkowitz et Russell Geen (1966) qui s'aperçurent que des étudiants fâchés ayant vu un film violent se comportaient plus agressivement que ne le faisaient des étudiants aussi fâchés ayant vu des films non agressifs. Ces expériences de laboratoire jumelées à la préoccupation croissante du public américain suffirent à pousser le ministère américain de la Santé à commander 50 nouvelles recherches au début des années 1970. En général, ces recherches confirmèrent que l'observation de la violence amplifie l'agression.

Dans une série d'expériences ultérieures, une équipe de chercheurs dirigée par Ross Parke (1977), aux États-Unis, et par Jacques Leyens (1975), en Belgique, montrèrent à des délinquants américains et belges vivant en établissement une série de films publicitaires agressifs et non agressifs. Leur constante découverte : «L'observation de la violence filmée [...] amenait une augmentation de la violence du spectateur.» Par exemple, en comparaison de la semaine précédant la série de films, les attaques physiques augmentèrent sensiblement dans les pavillons où l'on montrait aux garçons les films violents.

«Alors, permettrons-nous simplement à nos enfants d'écouter n'importe quelle histoire inventée par n'importe qui et d'être ainsi exposés à des idées souvent complètement opposées à celles que nous penserons nécessaires à leur âge adulte ?»

Platon, *La République*

En outre, lorsque David P. Phillips (1983) analysa les taux d'homicides quotidiens aux États-Unis de 1973 à 1978, il découvrit une importante augmentation des homicides au cours de la semaine suivant les combats pour les championnats des poids lourds. Lorsque Tannis MacBeth Williams (1986) et ses collègues observèrent les enfants d'une ville rurale canadienne, ils s'aperçurent que les agressions sur les terrains de jeux avaient doublé après l'apparition de la télévision. Et après que Nicola Schutte et ses collaborateurs (1988) eurent fait jouer des enfants de cinq ans à sept ans à un jeu vidéo violent (karaté), ils s'aperçurent, eux aussi, que l'agression physique était deux fois plus importante au cours d'une période subséquente de jeu libre.

Conclusions La recherche sur l'écoute de la télévision fit appel à différentes méthodes et à une grande variété de participants. Susan Hearold (1986), une chercheuse ambitieuse, compila les résultats de 230 études expérimentales et corrélationnelles intéressant plus de 10 000 personnes. Sa conclusion : le fait de voir des personnages antisociaux est effectivement associé à un comportement antisocial. L'effet n'en est pas extrêmement marqué et, en fait, n'est parfois pas évident [et même rarement évident selon certains critiques (Freedman, 1988; Joshi, 1982; McGuire, 1986)]. De plus, l'agression provoquée par toutes ces observations n'est pas de l'ordre de l'assaut ou des voies de fait; elle est davantage à l'échelle de la poussée dans la file d'attente à la cafétéria, du commentaire cruel ou du geste de menace.

Il n'en reste pas moins que la convergence des preuves tirées de cet ensemble d'études est frappante. Les études expérimentales font davantage ressortir la cause et l'effet tout en étant quelquefois éloignées de la vie courante (comme lorsqu'il s'agit de presser un bouton pour faire mal). De plus, les expériences ne peuvent qu'indirectement indiquer les effets cumulatifs de l'observation de plus de 100 000 épisodes violents et de quelque 25 000 morts, ce qui représente le total des choses que voit une personne moyenne avant la fin des études secondaires. Par contre, les études corrélationnelles perçoivent effectivement les effets cumulatifs, même si elles se compliquent de la présence d'un nombre non identifié d'influences diverses.

Pourquoi l'écoute de la télévision influence-t-elle le comportement ? La conclusion qu'en tirent le ministère américain de la Santé et ces chercheurs n'est *pas* que la télévision est l'une des principales causes de la violence sociale, pas plus que les cyclamates sont la principale cause du cancer. Elle en est cependant *l'une* des causes. Et même si elle n'en est qu'une parmi plusieurs autres, il s'agit d'une cause que l'on peut maîtriser, comme les cyclamates. Étant donné la convergence des preuves corrélationnelles et expérimentales, les chercheurs ont voulu explorer la *raison pour laquelle* l'observation de la violence produit cet effet. Peut-être pouvez-vous anticiper leurs explications en vous basant sur les premières parties de ce chapitre.

On a émis trois hypothèses (Geen et Thomas, 1986). L'une à l'effet que ce ne soit pas le contenu violent en tant que tel qui provoque la violence sociale, mais la *stimulation* produite par l'action excitante (Zillmann; Mueller *et al.*, 1983). Comme nous l'avons déjà vu, la stimulation a tendance à se diffuser; un type de stimulation peut alimenter d'autres comportements.

Une autre recherche indique que la vue de la violence peut également produire une *désinhibition*. Comme dans les situations de désindividuation (voir le chapitre 8), le fait de voir les autres poser un geste antisocial peut diminuer la retenue d'un individu. Dans l'expérience de Bandura, les coups que l'adulte assénait à la poupée gonflée semblaient légitimer ce genre d'explosions, réduisant par conséquent les inhibitions personnelles des enfants. Berkowitz (1964) a de même découvert que, après avoir vu quelqu'un recevoir une raclée bien méritée, les collégiens se montraient moins inhibés pour secouer quelqu'un ressemblant (ne serait-ce qu'en portant le même nom) à la victime du film. Berkowitz (1984) et d'autres (Carver *et al.*, 1983; Josephson, 1987) croient également que la vue de la violence entraîne le spectateur au comportement agressif en activant des pensées reliées à la violence.

Le fait que les personnages médiatiques suscitent l'*imitation* fut particulièrement frappant lorsque les enfants participant aux expériences de Bandura reproduisirent les comportements spécifiques qu'ils avaient observés. L'industrie de la télévision commerciale a beaucoup de mal à contester l'idée que la télévision incite les téléspectateurs à imiter les personnages qu'ils ont vus. Les revenus qu'elle tire de la publicité appuient cette conclusion. Les publicistes proposent donc des modèles en croyant que le fait de les observer modifiera le comportement des téléspectateurs. Les critiques de la télévision admettent le fait que les actes d'assaut dans les émissions de télévision sont quatre fois plus nombreux que les gestes affectueux et que, sous bien d'autres aspects, la télévision propose un monde irréel, et ils en sont troublés (voir le tableau 10.1). Les policiers, à la télévision, ouvrent le feu à chaque épisode, alors que les agents réels de police à Chicago ouvrent le feu en moyenne une fois par 27 ans (Radecki, 1989).

Si les façons de se comporter et de résoudre des problèmes présentées à la télévision ont effectivement tendance à provoquer l'imitation, surtout chez les jeunes téléspectateurs, il serait alors particulièrement bénéfique de présenter des modèles de **comportement prosocial**. Le chapitre 12 comporte de bonnes nouvelles : l'influence subtile de la télévision peut vraiment enseigner aux enfants de bonnes leçons en matière de comportement.

Effets sur la manière de penser

D'autres chercheurs étudient les conséquences cognitives de l'observation de la violence. Une exposition prolongée peut-elle nous rendre insensibles à la cruauté ? Fausse-t-elle nos perceptions de la réalité ?

Prenons, par exemple, un stimulus provoquant une émotion, comme un mot obscène, et répétons-le encore et encore. Que se passe-t-il ? Si vous avez suivi un cours d'introduction à la psychologie, vous vous souviendrez probablement que la réponse émotionnelle a bien des chances de «s'éteindre». Après avoir vu des milliers d'actes cruels, il y a toute raison de s'attendre à un semblable engourdissement émotionnel. La réaction la plus commune pourrait bien devenir «Cela ne me dérange pas du tout». C'est justement cette réaction qu'ont observée Victor Cline et ses collègues lorsqu'ils ont mesuré la stimulation physiologique de 121 garçons de l'Utah assistant à un brutal match de boxe. En les comparant aux garçons qui regardaient peu la télévision, ceux qui la regardaient beaucoup étaient très peu stimulés; leurs réactions aux coups ressemblaient davantage à un haussement d'épaules qu'à une préoccupation.

Comportement prosocial:
Comportement social positif, constructif et utile; le contraire du comportement antisocial.

«Toutes les émissions télévisées sont éducatives. Il s'agit de savoir ce qu'elles enseignent.»
Nicholas Johnson, ancien commissaire à la Commission fédérale des communications, 1978

Une étude effectuée par Louis Harris et Associés (1988) pour le compte de l'association Régulation des naissances a démontré que les émissions télévisées sur les réseaux nord-américains (n'incluant pas le câble et les bandes vidéo rock) présentaient, par heure, 10 insinuations sexuelles, 9 baisers, 5 étreintes, 1,8 allusions à la copulation et 1,7 allusions à des pratiques sexuelles perverses. Ainsi, au cours de l'année étudiée, le téléspectateur a vu en moyenne 14 000 situations sexuelles, soit le triple du nombre pour la décennie antérieure.

Tableau 10.1

Le monde nord-américain de la télévision par opposition au monde réel
Jusqu'à quel point les émissions télévisées aux heures d'écoute maximale reflètent-elles la réalité qui nous entoure ?
Comparaison des pourcentages d'individus et de comportements vus à la télévision avec les pourcentages propres à la réalité.

Sujet vu	Télévision (%)	Réalité (%)
Femmes	25	51
Cols bleus	25	67
Personnages se livrant à la violence	>50/semaine	<1/année
Relations sexuelles entre partenaires non mariés	85	Inconnu, mais <50%
Boissons alcoolisées consommées	45	16

Tiré d'une analyse de plus de 25 000 personnages télévisés depuis 1969 et effectuée par George Gerbner et autres (1986). Les données sur le sexe à la télévision proviennent de Fernandez-Collado et autres (1978), celles sur l'alcool proviennent de NCTV (1988). Nous ne connaissons pas le pourcentage de relations sexuelles entre partenaires non mariés, mais il est certainement moindre que celui des scènes télévisées, compte tenu que la plupart des adultes sont mariés et que les gens mariés ont plus de relations sexuelles que les célibataires.

Il est sans doute possible que ces garçons diffèrent autrement que par le temps qu'ils passent à regarder la télévision. Rappelez-vous toutefois que lors des expériences portant sur les effets de l'observation de la violence sexuelle, une désensibilisation semblable se produisait chez les jeunes hommes qui voyaient des films pornographiques. Ronald Drabman et Margaret Thomas (1974, 1975, 1976; Rule et Ferguson, 1986) ont de plus confirmé que l'observation engendre l'indifférence – une réaction plus blasée en voyant plus tard le film d'une querelle ou en observant deux enfants en train de se battre réellement.

L'observation du monde fictif de la télévision peut-elle aussi modeler nos conceptions du monde réel ? George Gerbner et ses collègues de l'Université de Pennsylvanie (1979; 1986) soupçonnent qu'il s'agit là du plus puissant effet de la télévision. Leurs enquêtes auprès d'adolescents et d'adultes montrent que ceux qui regardent beaucoup la télévision (quatre heures et plus par jour) ont plus tendance que ceux qui la regardent moins (deux heures et moins par jour) à exagérer la fréquence de la violence dans le monde où ils vivent et à avoir peur d'être personnellement attaqués. Parallèlement, une enquête nationale auprès d'enfants américains de 7 ans à 11 ans a prouvé que les gros consommateurs d'émissions télévisées avaient plus tendance que les petits consommateurs à manifester des peurs «qu'un bandit pénètre dans la maison» ou que «quelqu'un peut vous faire mal si vous sortez» (Peterson et Zill, 1981). Et lorsque Jerome et Dorothy Singer et Wanda Rapaczynski (1984) étudièrent de près 63 enfants sur une période de plusieurs années, ils trouvèrent que ceux qui pouvaient regarder la télévision sans restrictions voyaient le monde, incluant leur voisinage, comme plus effrayant que ne le voyaient ceux qui regardaient moins la télévision. Les adultes semblent plus capables de dissocier le crime à la télévision de ce qui se passe dans

«Ceux d'entre nous qui étudient activement [la télévision] depuis plus de 15 ans ne peuvent manquer d'être impressionnés par la portée de ce médium sur la conscience à peine éveillée de l'enfant en pleine croissance.»
Jerome Singer et Dorothy Singer, 1988

leur voisinage. Ceux qui voient beaucoup d'émissions de meurtres ont plus tendance que ceux qui en regardent peu à considérer New York comme un endroit dangereux et même à croire que leur propre ville pourrait être dangereuse, mais ils ne craignent pas davantage leur propre voisinage (Heath et Petraitis, 1987; Tyler et Cook, 1984).

Les chercheurs se penchent également sur d'autres effets négatifs et positifs de la télévision. Nous avons l'impression que le plus gros effet de la télévision se produit indirectement, puisqu'elle remplace chaque année, dans la vie des gens, un millier d'heures destinées à d'autres activités auxquelles ils se seraient autrement consacrés.

AGRESSION COLLECTIVE

Nous avons vu, dans le présent chapitre, les circonstances poussant les *individus* à agresser. Les mêmes circonstances poussant les individus à agresser peuvent inciter les groupes à en faire autant. Si la frustration, les insultes et les modèles agressifs renforcent les tendances agressives d'individus isolés, ces mêmes facteurs pourraient alors provoquer la même réaction chez les gens rassemblés. Au début d'une émeute, par exemple, les actes d'agression se répandent souvent rapidement après avoir été «déclenchés» par l'exemple agressif d'une personne hostile. Les spectateurs normalement respectueux des lois, après avoir vu des pillards s'emparer de téléviseurs ou de steaks, laissent souvent tomber leurs inhibitions morales et les imitent.

Les expériences en laboratoire révèlent deux façons – la dispersion de la responsabilité et la polarisation de groupe – par lesquelles une situation de groupe peut réellement amplifier les réactions agressives des individus. Prenons, par exemple, les décisions prises en temps de guerre. Les décisions d'attaquer sont habituellement prises par des stratèges éloignés des lignes de front. Il y a une barrière protectrice entre les stratèges et la violence qui fait rage: ce sont eux qui donnent les ordres. Les autres les exécutent. Ce genre de distanciation rend-elle la recommandation de l'agression plus facile?

Jacquelin Gaebelein et Anthony Mander (1978) ont créé une version expérimentale de cette situation. Ils ont demandé à leurs étudiants des universités de Caroline du Nord et de Greensboro d'administrer des chocs à quelqu'un ou de conseiller une autre personne sur l'intensité des chocs à administrer. Lorsque les participants devant administrer les chocs étaient provoqués par le destinataire, eux et les conseillers favorisaient individuellement à peu près la même intensité de chocs. Mais lorsque le destinataire était relativement innocent de toute provocation, comme le sont la plupart des victimes d'agressions de masse, la personne du front avait tendance à administrer des chocs d'intensité plus faible que celle que recommandaient les conseillers. Les chercheurs présumèrent que les inhibitions des conseillers contre l'agression étaient affaiblies par le fait qu'ils n'étaient pas directement responsables de la douleur.

La dispersion de la responsabilité n'augmente pas seulement avec la distance, mais aussi avec le nombre. Lorsque Brian Mullen (1986a) analysa les informations touchant 60 lynchages survenus entre 1899 et 1946, il fit une intéressante découverte: plus il y a de gens impliqués dans le lynchage, plus la mutilation et le meurtre sont cruels.

«La pire barbarie de la guerre est qu'elle force les hommes à poser collectivement des actes contre lesquels ils se révolteraient individuellement de tout leur être.»

Ellen Key, *War, Peace, and the Future*, 1916

Des situations de ce genre impliquent également des interactions de groupe. Se pourrait-il que les groupes amplifient les tendances agressives, de la même manière qu'ils polarisent d'autres tendances ? La possibilité est illustrée par ce que les Scandinaves appellent l'«attaque de bande» – des écoliers harcelant ou attaquant sans cesse leur compagnon faible et effrayé. L'attaque de bande constitue une activité de groupe. Une petite brute isolée a moins tendance à railler ou à attaquer la victime que lorsque plusieurs individus de ce genre se rassemblent (Lagerspetz *et al.*, 1982).

Des expériences faites par Yoram Jaffe et Yoel Yinon (1983), deux psychologues sociaux israéliens, confirment que les groupes peuvent polariser les tendances agressives. Dans l'une d'elles, des hommes mis en colère par un supposé participant, se vengèrent par des décisions de donner des chocs beaucoup plus forts lorsqu'ils étaient en groupe que lorsqu'ils étaient seuls. Dans une autre expérience (Jaffe *et al.*, 1981), des ouvriers non spécialisés décidèrent, seuls ou en groupe, de l'intensité des chocs punitifs à administrer à quelqu'un pour ses mauvaises réponses à une tâche d'anglais appliqué. Comme l'indique la figure 10-11, les individus administrèrent progressivement plus de supposés chocs à mesure que se déroulait l'expérience, et la prise de décision en groupe amplifia cette tendance individuelle. Ces expériences semblent indiquer que, lorsque les circonstances provoquent une réaction agressive chez un individu, l'addition des interactions de groupe va souvent l'amplifier.

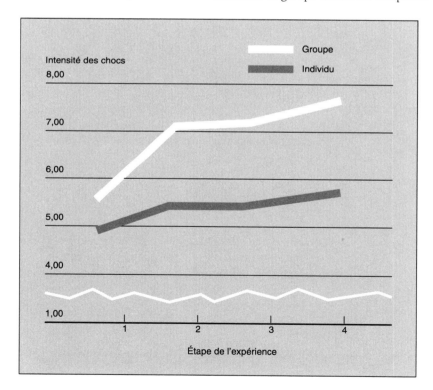

Figure 10.11
Lorsque les individus choisirent l'intensité des chocs à administrer pour les mauvaises réponses, ils gravirent l'échelle des niveaux d'intensité à mesure que l'expérience se déroulait. Les décisions prises en groupe polarisèrent encore plus cette tendance. (Données tirées de Jaffe *et al.*, 1981.)

Mais, avant qu'il n'y ait une agression de groupe comme une émeute ou, même, une protestation collective, il faut que les individus victimes d'injustice entrent en interaction pour former un groupe. Pour cela, il faut qu'ils jugent que c'est la meilleure façon d'obtenir satisfaction. Or, lorsque des personnes, individuellement, croient être victimes d'injustice de la part d'un groupe de statut supérieur qui refuse de les intégrer, ils vont préférer une action individuelle plutôt que collective afin d'être admis, et ce, tant qu'il y aura une lueur d'espoir.

POUR DIMINUER L'AGRESSION

Nous avons examiné trois théories prédominantes touchant les causes de l'agression (l'instinct, la frustration-agression et l'apprentissage social) et nous avons scruté plusieurs facteurs influençant l'agression. On ne peut évidemment éliminer les forces produisant l'agression. Comment faire alors pour minimiser l'agression? La théorie et la recherche proposent-elles des moyens de maîtriser l'agression?

CATHARSIS

«On devrait enseigner aux jeunes à laisser exploser leur colère.» C'est le conseil que donne Ann Landers (1969). Si quelqu'un «contient sa rage, il faut trouver un moyen de la déverser. Il nous faut lui donner un moyen de lâcher la vapeur». C'est ce qu'affirmait l'éminent psychiatre Fritz Perls (1973). Ces deux énoncés supposent ce que l'on a appelé le modèle hydraulique – que l'énergie agressive accumulée, qu'elle provienne de l'élaboration des pulsions instinctives ou de frustrations, doit être relâchée.

C'est habituellement à Aristote que l'on attribue le concept de catharsis. Même si Aristote n'a en fait rien dit à propos de l'agression, il a par contre soutenu que l'on peut se libérer des émotions en les vivant et que le spectacle des tragédies grecques permettait ainsi une catharsis (purgation) de la pitié et de la peur. Il croyait que l'excitation d'une émotion amenait par la suite une libération de cette émotion (Butcher, 1951). On a élargi l'hypothèse de la catharsis pour inclure le soulagement émotionnel qui est censé être obtenu non seulement par les spectacles dramatiques, mais aussi par le fait de se rappeler et de revivre les événements passés, par l'expression des émotions et par des actions variées. Grâce à des moyens de ce genre, on supposait qu'il était possible de «lâcher un peu de vapeur».

Croyant que l'action agressive ou les fantasmes permettaient de défouler l'agression refoulée, diminuant ainsi le désir d'agression, certains thérapeutes et leaders de groupes encourageaient les gens à décharger leur agression refoulée en l'exprimant – que ce soit en se donnant mutuellement une raclée à coups de bâton en caoutchouc mousse ou en donnant des coups de raquette de tennis sur un lit tout en hurlant. On conseillait également aux parents d'encourager leurs enfants à se libérer de leur tension émotionnelle grâce à plusieurs sortes de jeux agressifs. La plupart des Américains furent persuadés, comme le prouve leur accord à 2 contre 1 avec l'énoncé que «le matériel sexuel procure une issue aux envies refoulées» (Smith, 1987). Mais la même enquête nationale n'en révéla pas moins que la plupart des Américains étaient également d'accord avec l'énoncé que «le matériel sexuel pousse les gens au viol». La méthode cathartique est-elle alors valable ou pas? Est-ce qu'elle fonctionne?

L'idée a effectivement une longue et remarquable histoire. Mais une histoire remarquable ne suffit pas à valider une vérité. Contrairement aux suppositions de Freud, de Lorenz et de leurs disciples, les psychologues sociaux s'entendent presque tous pour dire que la vision cathartique de l'agression n'a pas été confirmée (Geen et Quanty, 1977). Robert Arms et ses associés rapportent, par exemple, que les spectateurs américains et canadiens du football, de la lutte et du hockey démontrent *plus* d'hostilité après avoir assisté à un match qu'avant (Arms *et al.*, 1979; Goldstein et Arms, 1971; Russell, 1981, 1983). Même une guerre ne réussit pas à libérer quelqu'un de ses sentiments agressifs. Après une guerre, le taux de criminalité d'une nation a même tendance à augmenter (Archer et Gartner, 1976).

Dans des tests de laboratoire touchant plus directement l'hypothèse de la catharsis, Jack Hokanson et ses collègues (1961, 1962a, 1962b, 1966) ont découvert que, lorsqu'ils permettaient à des étudiants de l'Université de l'État de Floride de contre-attaquer quelqu'un qui les avait provoqués, leur état de stimulation (tel qu'il était mesuré d'après leur pression sanguine) retournait plus rapidement à la normale. Cet effet calmant de la vengeance ne se produit que dans des circonstances spécifiques – quand la cible est le véritable persécuteur, et non un substitut, et lorsque la vengeance est justifiable et que la cible n'est pas intimidante, de sorte qu'on ne se sente pas coupable ou anxieux après coup.

Il reste cependant une question clé: Ce genre d'agression réduit-elle l'agression subséquente? Il nous faut ici faire la différence entre les conséquences à long terme et à court terme. Les expériences touchant les conséquences à court terme de l'agression donnent des résultats mitigés. Les gens qui ont agressé deviennent parfois moins agressifs. Mais ce résultat pourrait être dû au fait que les méthodes utilisées dans ces expériences provoquaient une *inhibition* plutôt qu'une catharsis. L'agresseur a probablement été inhibé en pensant «Si j'y vais trop fort, je pourrais m'attirer des ennuis» ou «Ce pauvre type a assez souffert».

Dans d'autres expériences, le fait d'agresser a effectivement conduit à une augmentation de l'agression. Ebbe Ebbesen et ses collaborateurs (1975) ont interrogé 100 ingénieurs et techniciens qui venaient à peine de recevoir des avis de licenciement. On a posé à certains des questions qui leur donnaient l'occasion d'exprimer leur hostilité envers leur employeur ou leur superviseur – par exemple, «Pouvez-vous penser à des occasions où la compagnie s'est montrée injuste envers vous?» Une secrétaire leur faisait ensuite remplir un questionnaire qui servait à évaluer leurs attitudes à l'égard de la compagnie et de leur superviseur. L'occasion qu'ils avaient eue de «laisser éclater» ou d'«exprimer» leur hostilité l'avait-elle fait diminuer? Au contraire, leur hostilité augmenta substantiellement. L'expression de l'hostilité engendra encore plus d'hostilité.

Cela vous dit quelque chose? Souvenez-vous de l'énoncé, au chapitre 2, concernant les conduites et les attitudes et soutenant que les conduites cruelles engendrent des attitudes cruelles. De plus, comme nous l'avons noté en analysant les expériences de Milgram sur l'obéissance, les petites conduites agressives peuvent engendrer leur propre justification, facilitant par conséquent d'autres conduites agressives. Même si la vengeance peut parfois (à court terme) réduire la tension, elle peut, à long terme, diminuer les inhibitions. On peut penser que cela sera d'autant plus vrai si, comme cela se produit souvent, la force de l'explosion agressive de quelqu'un constitue une réaction disproportionnée à la provocation. Sans compter que lorsque les gens s'aperçoivent que la vengeance diminue la tension, ce renforcement peut augmenter la probabilité de futures vengeances. C'est ainsi qu'à long terme l'agression engendre probablement plus l'agression qu'elle ne la diminue.

«Celui qui se permet des gestes violents verra sa rage augmenter.»

Charles Darwin, *The Expression of Emotion in Man and Animals*, 1872

Est-ce à dire que nous devrions refouler notre colère et nos envies agressives? La bouderie silencieuse n'est guère plus efficace, car elle nous permet de continuer à ressasser mentalement nos griefs. Il y a heureusement d'autres façons non agressives d'exprimer nos sentiments et d'informer les autres de la manière dont leur comportement nous touche. Il se peut qu'en disant «Je suis fâché» ou «Ta façon de parler m'irrite» nous communiquions nos sentiments d'une façon qui incite l'autre à faire des excuses plutôt qu'à s'engager dans une escalade d'agression. Rappelons-nous qu'il est possible de s'affirmer sans être agressif.

APPROCHE DE L'APPRENTISSAGE SOCIAL

Si le comportement agressif est acquis plutôt qu'instinctif, il y a alors espoir de le maîtriser. Ce n'est cependant pas par une simple formule que l'on obtiendra cette maîtrise. À la différence de la simplicité de nos réactions instinctives, l'agression est très complexe; elle est influencée par une multitude de facteurs. Voyons-en rapidement quelques-uns et pensons à des manières de les contrer.

Nous avons vu que les expériences désagréables comme les attentes frustrées et les attaques personnelles stimulaient les gens, les poussant à vouloir agresser. Par conséquent, il est judicieux de s'abstenir de faire miroiter aux gens de faux et irréalisables espoirs comme le fit, de l'avis de certains, le président Lyndon Johnson avec sa vision de la «Grande Société» – une vision qui fut ironiquement suivie par les émeutes des années 1960. (C'est aussi, d'après certains, ce qu'aurait fait Pierre Trudeau en promettant aux Québécois des changements s'ils votaient NON au référendum de 1980.) Pour éviter la vengeance, nous pourrions enseigner aux gens des moyens non agressifs de faire part de leurs sentiments.

Nous avons vu que l'agression instrumentale est dictée par les bénéfices et les coûts anticipés. Cela suppose que nous aurions intérêt à accorder plus d'attention aux façons de récompenser les comportements coopératifs et non agressifs. Les expériences ont démontré que les enfants deviennent moins agressifs lorsqu'on ne tient pas compte de leur comportement agressif plutôt que de les récompenser par un surcroît d'attention, et lorsqu'on renforce leur comportement non agressif (Hamblin *et al.*, 1969). Punir l'agresseur est habituellement moins efficace. Dans des conditions idéales – lorsque la punition est forte, prompte et assurée, lorsqu'elle est combinée à la récompense pour le comportement désiré et lorsque l'agresseur n'est pas en colère –, la menace de punition peut dissuader de l'agression (R. A. Baron, 1977). Cela fut évident, en 1969, lorsque le corps policier de Montréal entreprit une grève de 16 heures. Une vague de pillage et de destruction s'ensuivit – jusqu'au retour au travail de la police. Cependant, les effets secondaires de la punition, surtout de la punition physique, peuvent la faire échouer. La punition constitue une stimulation désagréable. Elle donne souvent l'exemple du comportement précis qu'elle cherche à prévenir. Sans compter qu'elle est coercitive (rappelez-vous que les conduites qui sont imposées à l'aide de fortes justifications extérieures ont peu de chances d'être intériorisés). Ce sont peut-être là certaines des raisons pour lesquelles les adolescents violents et les parents abusifs ont tendance à provenir de milieux où la discipline se présentait sous forme de sévères punitions physiques (Bandura et Walters, 1959; Lefkowitz *et al.*, 1976; Straus et Gelles, 1980).

Nous avons vu que l'observation de modèles agressifs peut faire baisser les inhibitions d'un individu par rapport à l'agression tout en suscitant l'imitation. Cela semble indiquer qu'il faille prendre de nouvelles mesures pour diminuer les comportements brutaux et déshumanisants à la télévision, des mesures comparables à celles qui ont déjà été adoptées pour diminuer le racisme et le sexisme des personnages télévisés. Il semble également qu'il faille immuniser les enfants contre les effets de la violence médiatique. Désespérant que les réseaux de télévision n'en viennent un jour à «faire face à la réalité et à changer leur programmation», Leonard Eron et Rowell Huesmann (1984) ont enseigné à 170 enfants de Oak Park, en Illinois, que la télévision donnait une description non réaliste du monde, que l'agression est moins répandue et efficace que ne le laisse croire la télévision et que le comportement agressif est indésirable. (Se fondant sur la recherche portant sur les attitudes, Eron et Huesmann encouragèrent les enfants à tirer leurs propres conclusions et à attribuer leurs critiques exprimées à l'égard de la télévision à leurs propres convictions.) Évalués deux ans plus tard, ces enfants étaient moins influencés par la violence qu'ils avaient vue que ne l'étaient les enfants n'ayant pas reçu cette formation.

Nous avons vu que l'agression s'apprend aussi par l'expérience directe et qu'elle est suscitée par les stimuli agressifs. Cela semble indiquer qu'il faille réduire la disponibilité des armes telles que les pistolets. La Jamaïque a mis sur pied, en 1974, un large programme anticriminalité qui incluait un contrôle sévère des pistolets et la censure des scènes de fusil à la télévision et dans les films (Diener et Crandall, 1979). Au cours de l'année suivante, les vols avec violence diminuèrent de 25 % et les coups de feu non meurtriers de 37 %. En Suède, l'industrie du jouet a cessé la vente de jouets de guerre. Selon le Service d'information suédois (1980), la Suède a décidé que «Jouer à la guerre signifie apprendre à régler les conflits par des moyens violents.»

Étant donné que la stimulation peut être «dirigée» vers l'hostilité ou vers d'autres émotions, selon le contexte, on peut essayer de réorienter la colère d'un individu. Cela fonctionne souvent avec les enfants dont la colère peut parfois se changer en intenses éclats de rire. Le rire, quand il éclate, engendre probablement une émotion plus plaisante. Il en va de même pour la faible excitation sexuelle et l'empathie qui sont incompatibles avec la colère.

Toutes ces réactions incompatibles ont tendance à diminuer l'agression. Robert A. Baron (1976) l'a démontré à une intersection près de l'Université Purdue. Il a demandé à un conducteur d'hésiter 15 secondes devant une autre automobile au moment où le feu de circulation passerait au vert. En réaction à cette faible frustration, 90 % des conducteurs firent ce à quoi il fallait s'attendre: ils klaxonnèrent (un geste un peu agressif). Si, au moment du feu rouge, une femme passait à pied entre deux automobiles pour disparaître avant que le feu ne tourne au vert, le taux de coups de klaxon frôlait encore les 90 %. Mais lorsqu'on répéta ce scénario avec des piétons en béquilles (suscitant l'empathie) ou vêtus de vêtements collants (suscitant une faible excitation sexuelle) ou portant un masque de clown bizarre (suscitant l'humour), le taux des coups de klaxon baissait jusqu'à environ 50 %.

Des expériences faites par Norma Feshbach et Seymour Feshbach (1981) confirment que l'empathie est effectivement incompatible avec l'agression. Ils donnèrent à des enfants du primaire de Los Angeles une session de formation de 10 semaines les entraînant à reconnaître les sentiments des autres, à admettre le point de vue des autres et à faire part de leurs émotions. Comparativement aux autres enfants des groupes témoins, ceux qui reçurent cette formation à l'empathie devinrent beaucoup moins agressifs dans leur comportement à l'école.

De telles suggestions peuvent aider à minimiser l'agression (pour d'autres suggestions, voir Goldstein *et al.*, 1981). Mais compte tenu de la complexité des causes de l'agression et de la difficulté à les maîtriser, nous pouvons mieux percevoir l'optimisme exprimé par Andrew Carnegie lorsque, en 1900, il fit la prédiction qu'au cours du xxᵉ siècle «Tuer un homme sera aussi répugnant que l'est aujourd'hui le fait d'en manger un». Depuis que Carnegie a exprimé ces joyeux propos, quelque 200 millions d'êtres humains furent tués. C'est une triste ironie que, même si nous comprenons aujourd'hui l'agression humaine mieux que jamais auparavant, la cruauté humaine n'a guère diminué. À un colloque québécois sur la violence des jeunes, un intervenant concluait en disant «On a un urgent besoin d'espoir». Cet espoir, il croit qu'une recherche sur les sens de la vie aidera à le trouver. Selon une autre intervenante, la responsable de l'unité des adolescents à l'Institut Pinel, les jeunes qui arrivent là ne savent pas pourquoi ils ont tué. Le traitement est là pour le leur apprendre (Langis, 1989).

RÉSUMÉ

QU'EST-CE QUE L'AGRESSION ?

L'agression se manifeste sous deux formes: l'*agression hostile* émanant d'émotions telles que la colère et ayant pour but de blesser, et l'*agression instrumentale* qui, tout en ayant également pour but de blesser, constitue un moyen vers une autre fin.

NATURE DE L'AGRESSION

Il y a trois grandes théories de l'agression. Celle de l'*instinct* est habituellement associée à Sigmund Freud et à Konrad Lorenz. Elle prétend que l'énergie agressive, si elle n'est pas défoulée, s'accumulera à l'intérieur, comme l'eau s'accumulant derrière un barrage. Même si les preuves dont on dispose ne semblent pas appuyer cette théorie, l'agression est, d'un point de vue biologique, influencée par l'hérédité, la chimie sanguine et le cerveau.

Selon la deuxième théorie, la *frustration* engendre la colère et, lorsqu'il y a des signes d'agressivité, cette colère peut être libérée sous forme d'agression. La frustration ne vient pas nécessairement de la privation comme telle, mais de l'écart entre les attentes et les réalisations. Comme les attentes s'élèvent toujours plus haut que les réalisations antérieures et que les gens ont tendance à se comparer aux autres, les personnes prospères peuvent ressentir autant de frustration que les gens moins bien nantis.

La troisième théorie, celle de l'*apprentissage social*, considère l'agression comme un comportement acquis. L'expérience et l'observation du succès des autres nous enseignent que l'agression est parfois payante. Voilà pourquoi nous aurons tendance à agresser lorsque nous sommes stimulés par une expérience désagréable et que nous avons l'impression que l'agression est sans risque et plutôt bénéfique.

FACTEURS INFLUENÇANT L'AGRESSION

Les expériences désagréables n'incluent pas seulement les frustrations, mais aussi l'inconfort, la douleur et les attaques personnelles, qu'elles soient verbales ou physiques. En fait, la stimulation provenant d'à peu près n'importe quelle source, même de l'exercice physique ou de l'excitation sexuelle, peut être orientée par l'environnement vers la colère.

La télévision nord-américaine dépeint énormément de violence. Les recherches en laboratoire ont démontré que l'observation de modèles violents augmente la violence du comportement. Il n'est donc pas surprenant que les chercheurs se penchent actuellement sur l'impact de la télévision. Les recherches corrélationnelles et expérimentales convergent quant à leur conclusion que l'observation de la violence (a) engendre une faible augmentation de l'agressivité dans le comportement et (b) insensibilise les téléspectateurs à l'agression tout en modifiant leurs perceptions de la réalité. Ces deux conclusions vont dans le même sens que celles de la recherche contemporaine concernant les effets de l'observation de la pornographie. Il se peut toutefois que le plus grand effet de la télévision soit indirect et tienne au fait qu'elle prenne le pas sur d'autres activités.

Beaucoup d'agressions sont le fait de groupes. Les circonstances provoquant les individus peuvent également provoquer les groupes. La situation de groupe semble en fait amplifier les réactions agressives.

POUR DIMINUER L'AGRESSION

Peut-on minimiser l'agression ? Contrairement à l'hypothèse de la catharsis, l'agression semble plus souvent engendrer l'agression future plutôt que de la diminuer. Une forme d'éducation sociale propose de maîtriser l'agression en contrecarrant les facteurs qui la provoquent – par exemple, en enseignant aux gens à minimiser la stimulation désagréable, en récompensant et en donnant l'exemple de la non-agression et en suscitant des réactions incompatibles avec l'agression.

LECTURES SUGGÉRÉES

Ouvrages en français

KARLI, P. (1987). *L'homme agressif.* Paris, Seuil.

LAURENDEAU, M. (1990). *Les Québécois violents. La violence politique 1962-1972.* Montréal, Boréal.

LORENZ, K. (1969). *L'agression. Une histoire naturelle du mal.* Paris, Flammarion.

Ouvrages en anglais

ARCHER, D. et GARTNER, R. (1984). *Violence and crime in cross-national perspective.* New Haven, Yale University Press.

GROEBEL, J. et HINDE, R. (dir.). (1988). *Agression and war: Their biological and social bases.* New York, Cambridge University Press.

OSKAMP, S. (dir.). (1988). *Television as a social issue.* Newbury Park, Ca, Sage.

ATTRACTION:
CEUX QUI NOUS PLAISENT ET QUE NOUS AIMONS

Au commencement, il y avait l'attraction – l'attraction entre tel homme et telle femme à qui chacun d'entre nous doit son existence. Tout au long de notre vie, notre interdépendance place nos relations au centre de notre existence. À la question «Qu'est-ce qui donne un sens à votre vie?» ou «De quoi dépend votre bonheur?» la plupart des gens mentionnent – avant toute chose – des relations intimes satisfaisantes avec les amis, la famille, le partenaire amoureux ou la partenaire amoureuse (Berscheid, 1985; Berscheid et Peplau, 1983). Il n'est donc pas surprenant alors que ceux qui sont rejetés, comme certains enfants à l'école, aient des problèmes de comportement (Bégin, 1988) ou que la solitude soit difficile à vivre (Perlman et Joshi, 1987).

Qu'est-ce qui prédispose une personne à apprécier ou à aimer une autre personne? Peu de questions touchant la nature humaine suscitent autant d'intérêt. L'éclosion et la disparition des affections alimentent les feuilletons mélodramatiques, la musique populaire, les romans et la plupart de nos conversations quotidiennes. Bien avant de connaître l'existence de la psychologie sociale, j'avais mémorisé la recette de Dale Carnegie sur la manière de se faire des amis et d'influencer les autres. On a en fait tellement écrit au sujet de l'amour et de l'amitié que toutes les explications possibles – de même que leur contraire – ont déjà été proposées. L'absence nourrit-elle les sentiments? Ou doit-on plutôt dire que «loin des yeux, loin du cœur»? Sont-ce les personnes semblables qui s'attirent? Ou les contraires?

Alors que l'observation scientifique nous a fourni une estimation presque exacte de la circonférence de la terre il y a plus de 2000 ans, ce n'est que tout dernièrement que l'amour et l'amitié se virent soumis à une minutieuse analyse scientifique.

UNE THÉORIE SIMPLE DE L'ATTRACTION

Quand on leur demande pourquoi ils sont amis avec telle personne plutôt qu'avec telle autre, ou pourquoi ils étaient attirés par leur fiancé ou leur fiancée, leur époux ou leur épouse, la plupart des gens peuvent facilement répondre: «J'aime Caroline parce qu'elle est chaleureuse, spirituelle et cultivée.» Ces explications font abstraction de ce que les psychologues sociaux considèrent comme le plus important, c'est-à-dire soi-même. L'attraction engage autant la personne attirée que la personne attirante. C'est pourquoi une réponse plus exacte du point de vue psychologique pourrait être: «J'aime Caroline en raison de ce que je ressens en sa présence.» Nous sommes attirés par les personnes dont la présence *nous* semble satisfaisante et gratifiante. L'attraction est dans l'œil (et l'esprit) de la personne attirée.

On peut exprimer cette idée sous la forme d'un simple principe psychologique: nous aimons les personnes qui nous gratifient ou qui sont associées à des gratifications. Ce principe de la **gratification** est élaboré dans deux théories apparentées. Il y a d'abord le principe de la motivation **minimax**; minimiser les coûts et maximiser les récompenses. Ce principe implique que si une relation entraîne davantage de gratifications que de coûts, nous l'apprécierons et voudrons par conséquent la poursuivre. Cela sera d'autant plus vrai si la relation est plus profitable que d'autres (Burgess et Huston, 1979; Kelley, 1979; Rusbult, 1980). Minimax: minimiser l'ennui, les conflits, les dépenses; maximiser l'estime de soi, le plaisir, la sécurité. Il y a quelque 300 ans, La Rochefoucauld (1665) avait de même supposé: «L'amitié est un système d'échange d'avantages personnels et de faveurs susceptibles de profiter à l'estime de soi.»

Théorie de l'attraction fondée sur la gratification:
Théorie selon laquelle nous aimons les gens dont le comportement est gratifiant ou les gens qui sont associés à des événements gratifiants.

Minimax:
Minimiser les coûts et maximiser les gratifications.

Équité :
Condition dans laquelle ce que l'on retire d'une relation est proportionnel à ce qu'on y investit. À noter qu'il n'est pas toujours nécessaire que les avantages équitables soient des avantages égaux.

Si les deux partenaires d'une amitié recherchent bon gré mal gré à satisfaire leurs désirs personnels, l'amitié ne survivra probablement pas longtemps. Voilà pourquoi notre société nous enseigne à nous échanger les gratifications selon la règle de l'**équité**, ainsi dénommée par Elaine Hatfield, William Walster et Ellen Berscheid (1978) : ce que vous et votre ami retirez de la relation devrait être proportionnel à ce que chacun de vous y a investi. Si deux personnes obtiennent les mêmes résultats, leurs contributions devraient alors être égales; autrement, on risque de percevoir la relation comme étant injuste. Si les deux sentent que les résultats correspondent aux efforts et aux atouts que chacun apporte à la relation, les deux percevront alors l'équité de la relation.

Les étrangers et les gens qui se connaissent peu maintiennent l'équité en échangeant directement des bénéfices : tu me prêtes tes notes de cours et je te prêterai plus tard les miennes; je t'invite à ma soirée, tu m'invites à la tienne. Les amoureux (ou les gens qui ont vécu ensemble pendant un certain temps – Berg, 1984) se sentent moins liés à l'échange des bénéfices « de même nature » : notes pour notes, soirées pour soirées. Ils se sentent plus libres de maintenir l'équité en échangeant différents bénéfices (« Quand tu passes pour me prêter tes notes de cours, pourquoi ne restes-tu pas à souper ? ») et de cesser éventuellement de tenir le compte de qui doit à qui.

« L'amour est la forme la plus subtile de l'intérêt personnel. »
Holbrook Johnson

Il peut sembler grossier que l'amitié et l'amour soient enracinés dans un échange équitable de gratifications. Ne nous arrive-t-il pas parfois de répondre aux besoins d'une personne aimée sans en attendre un bénéfice réciproque ? Certes, les personnes engagées dans une relation équitable à *long terme* se préoccupent moins de l'équité à *court terme*. Margaret Clark et Judson Mills (1979; Clark, 1984, 1986; Mills et Clark, 1982) soutiennent que les gens vont même se donner beaucoup de mal pour éviter de calculer tout échange de bénéfices. Lorsque nous aidons un grand ami, nous ne voulons pas de paiement instantané en retour. Si quelqu'un nous invite à souper, nous attendons avant de rendre la pareille, de peur que notre invitation ne soit attribuée à l'acquittement pur et simple d'une obligation sociale. Les véritables amis sont à l'écoute de leurs besoins mutuels même lorsque l'échange est impossible (Clark *et al.*, 1986, 1989). En fait, l'un des signes qu'une simple connaissance tourne à l'amitié est la participation de la personne au moment où l'on ne s'y attend pas (Miller *et al.*, 1989).

Au cours d'expériences avec des étudiants de l'Université du Maryland, Clark et Mills ont confirmé que l'absence de calcul est la marque de l'amitié. Le fait de se rendre la pareille augmentait la sympathie réciproque des gens lorsque leur relation était plutôt officielle, mais la *diminuait* lorsque les deux recherchaient l'amitié. C'est ce qui poussa Clark et Mills à présumer que les contrats de mariage où chacun spécifie ce qu'il attend de l'autre risquent davantage de miner l'amour du couple que de le favoriser. Ce n'est que lorsque le comportement positif de l'autre est volontaire qu'on peut l'attribuer à l'amour.

Nous n'aimons pas seulement les gens dont la présence comporte des gratifications; nous aimons aussi, selon la deuxième version du principe de la gratification, ceux que nous *associons* aux sentiments agréables. Selon les théoriciens Donn Byrne et Gerald Clore (1970) ainsi que Albert Lott et Bernice Lott (1974), le conditionnement social engendre des sentiments positifs envers les personnes que l'on a associées à des événements gratifiants. Après une semaine fatigante, lorsque nous nous détendons près du feu en profitant de bonne nourriture, de boisson et de musique, nous nous sentirons probablement plus chaleureux envers ceux qui nous entourent, même s'ils ne sont pas en eux-mêmes particulièrement gratifiants.

Il est moins probable que nous éprouvions ce genre de sentiment envers une personne rencontrée au moment où nous souffrons d'un atroce mal de tête.

Des expériences effectuées par William Griffitt (1970) et d'autres confirment ce phénomène de sympathie et d'antipathie par association. Au cours de l'une d'elles, des collégiens ayant pour tâche d'évaluer des étrangers dans une pièce agréable les trouvèrent davantage sympathiques que les élèves devant effectuer cette tâche dans une pièce inconfortablement surchauffée. Une autre expérience consistait à demander aux participants d'évaluer des photographies d'autres personnes alors qu'ils se trouvaient soit dans une pièce élégante, somptueusement meublée et à l'éclairage tamisé, soit dans une pièce sale, minable et dénudée (Maslow et Mintz, 1956). Là encore, les sentiments agréables suscités par l'environnement élégant furent projetés sur les personnes évaluées. On a même découvert qu'un étranger à peine entrevu est plus apprécié à la suite de bonnes nouvelles entendues à la radio qu'à la suite de mauvaises nouvelles (Veitch et Griffitt, 1976). Elaine Hatfield et William Walster (1978) tirent un conseil pratique de ces recherches : «Les soupers romantiques, les sorties au théâtre, les soirées passées ensemble et les vacances ont toujours leur importance... Pour faire durer votre relation, il est important que vous continuiez *tous les deux* à associer votre relation à des choses agréables.»

Cette théorie assez simple de l'attraction – que nous aimons les personnes gratifiantes et celles qui sont associées aux gratifications – est utile quoiqu'elle ne réponde pas à toutes les questions, comme c'est le cas pour la plupart des généralisations hâtives. Qu'est-ce, au juste, qui *est* gratifiant ? Certes, la réponse différera d'une personne à l'autre et d'une situation à l'autre. Mais, généralement, est-il plus gratifiant d'être en présence d'une personne qui nous ressemble ou d'être en présence d'une personne différente de nous ? Vaut-il mieux être couvert d'éloges ou critiqué de façon constructive ? La valeur d'une théorie dépend de la précision de ses prédictions.

Devant tant de possibilités, mieux vaut étudier des éléments précis de l'attraction. Quels sont, chez les gens en général et la plupart du temps, les facteurs générateurs de sympathie et d'amour ? Commençons par les facteurs favorisant la naissance de l'amitié et voyons ensuite ceux qui aident à maintenir et à approfondir une relation. Mais, avant, peut-être pourriez-vous vous arrêter un moment pour identifier les facteurs qui semblent avoir contribué à développer vos propres amitiés. Vous pourrez ainsi comparer votre liste à celle qu'ont établie les psychologues sociaux au sujet des facteurs générateurs de sympathie et d'amour.

SYMPATHIE : QUI AIME QUI ?

Ce sont d'abord des facteurs apparemment banals, quoiqu'ils ne le soient pas en réalité, qui font que nous sommes très attirés par les autres : la simple proximité géographique ou des qualités physiques superficielles – des facteurs auxquels probablement peu d'entre nous attribueraient leurs amitiés.

PROXIMITÉ

Proximité :
Il s'agit de la proximité géographique. La proximité (ou plus précisément la « distance fonctionnelle ») est l'un des meilleurs indices pour prédire la sympathie.

La pure et simple **proximité** de deux individus est l'un des meilleurs facteurs pour prédire leur amitié. La proximité peut également susciter l'hostilité; la plupart des assauts et des meurtres impliquent des gens vivant très près les uns des autres, souvent sous le même toit. Mais il arrive heureusement beaucoup plus souvent que la proximité engendre la sympathie. Même si cela peut sembler banal à ceux qui réfléchissent aux mystérieuses origines de l'amour romantique, les sociologues ont découvert que la plupart des gens se marient avec une personne de leur voisinage, ou travaillant avec eux, ou assistant aux mêmes cours (Bossard, 1932; Burr, 1973; Clarke, 1952; Girard, 1974; Katz et Hill, 1958). Regardez autour de vous. Si vous choisissez de vous marier, ce sera probablement avec une personne qui a travaillé, vécu ou étudié pas très loin de chez vous.

Lorsqu'ils ont étudié la naissance des amitiés dans les appartements des étudiants mariés de l'Institut de technologie du Massachusetts (figure 11.1), Leon Festinger, Stanley Schachter et Kurt Back (1950) ont découvert que la proximité engendre la sympathie. Étant donné que les appartements étaient répartis essentiellement au hasard et sans tenir compte des amitiés antérieures, les chercheurs ont pu évaluer l'importance de la proximité – qui se révéla justement très importante. Lorsqu'on demanda aux épouses le nom de leurs amis les plus intimes à l'intérieur de tous les bâtiments du campus, les deux tiers des personnes nommées vivaient dans le même édifice, et les deux tiers, sur le même étage. Quelle était la personne le plus souvent choisie? Celle qui occupait l'appartement voisin.

Figure 11.1
Diagramme d'une résidence pour étudiants mariés à l'Institut de technologie du Massachusetts. Dans l'optique de vous faire des amis, quels appartements auriez-vous choisi d'habiter? Les chercheurs ont conclu que les locataires des appartements 1 et 5, qui permettent la plus grande facilité d'accès aux appartements de l'étage supérieur de même qu'à ceux du rez-de-chaussée, ont les meilleures occasions de se faire des amis.

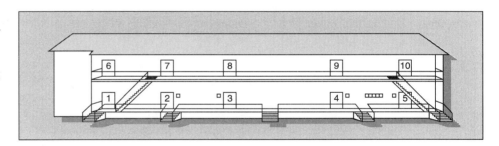

Interaction

Ce n'est pas tant la distance géographique comme telle qui importe, mais plutôt la « distance fonctionnelle » – la fréquence avec laquelle les gens se croisent. C'est souvent avec les personnes qui utilisent les mêmes entrées, les mêmes stationnements et les mêmes sites de récréation que les gens se font amis. Une étude auprès de travailleurs d'un centre de formation navale de Californie a démontré que ce qu'ils aimaient le plus était de parler à ceux de leurs collègues qu'ils croisaient le plus souvent (Monge et Kirste, 1980). À l'université où j'enseigne, il y eut un temps où étudiants et étudiantes vivaient séparément aux deux extrémités du campus. On peut comprendre qu'ils déploraient l'absence d'amitiés entre les sexes. Ils occupent maintenant différents espaces dans les mêmes dortoirs, empruntant les mêmes trottoirs, utilisant les mêmes salles de repos et les mêmes buanderies, de sorte que les amitiés entre les deux sexes sont beaucoup plus fréquentes. Ainsi donc, si vous venez d'arriver en ville et voulez vous faire des amis, essayez d'avoir l'appartement le plus près des boîtes aux lettres, un bureau près de la machine à café, un stationnement près des bâtiments principaux. C'est là l'architecture de l'amitié.

La proximité engendre
la sympathie.

Une brillante étude auprès d'étudiants de l'Université de la Caroline du Nord et effectuée par Chester Insko et Midge Wilson (1977) a prouvé que la distance géographique n'est
pas le seul élément crucial pour se faire des amis, mais qu'il importe aussi d'avoir des possibilités d'interactions. Ils ont fait asseoir trois étudiants en triangle et face à face et ont
ensuite demandé aux personnes A et B de converser pendant que C les observerait et à B
et C de converser alors que A les observerait. Ainsi, par exemple, B et C étaient à la même
distance de A et observaient le même comportement de sa part. Mais qui de B et C aimait
davantage A? C'était habituellement la personne B avec qui A avait parlé. L'interaction de
deux personnes stimule habituellement leur sympathie réciproque. Cela tient au fait que
l'interaction permet aux deux interlocuteurs d'explorer leurs ressemblances, de sentir la sympathie mutuelle et de se percevoir comme formant une entité sociale (Arkin et Burger,
1980). De même, les étudiants qui partagent la même chambre de dortoir, par suite du
hasard de l'attribution des chambres, et qui, de toute évidence, peuvent difficilement éviter
de fréquentes interactions ont beaucoup plus de chances de devenir bons amis qu'ennemis
(Newcomb, 1961). Le rapprochement physique pourrait aider les membres de groupes
ethniques minoritaires à s'intégrer à la majorité. Lorsque Fathali Moghaddam *et al.* (1989)
posent la question à des Haïtiennes et à des Indiennes vivant à Montréal, les unes comme les
autres affirment ne pas vouloir s'établir dans des quartiers séparés. Mais, encore faut-il que
les membres des minorités ethniques soient les bienvenus. Une étude récente (Hilton *et al.*,
1989) montre que ce n'est pas le cas. Les propriétaires québécois francophones préfèrent, et
de loin, les locataires québécois francophones aux Haïtiens et, dans une moindre mesure,
aux Asiatiques, aux Italiens et aux Québécois anglophones.

Mais pourquoi la proximité engendre-t-elle la sympathie ? L'un des facteurs est la disponibilité des gens qui nous côtoient ; il est évident qu'il est plus difficile de faire la connaissance de quelqu'un qui fréquente une autre école ou vit dans une autre ville. Il y a cependant autre chose, car comment expliquer que les gens ont tendance à aimer davantage leurs colocataires ou les personnes habitant à la porte voisine que les personnes habitant à deux portes de chez eux ? Après tout, ces gens qui n'habitent qu'à quelques pas ou même à l'étage au-dessous ne sont quand même pas à une distance infranchissable. Sans compter que nos proches sont autant des amis que des ennemis potentiels. Alors pourquoi la proximité encourage-t-elle plus souvent l'affection que l'animosité ?

«Lorsque je ne suis pas près de la personne aimée, j'aime la personne près de moi.»

E. Y. Harburg, *Finian's Rainbow,* London, Chappell Music, 1947

Anticipation de l'interaction

Nous avons déjà trouvé une réponse : La proximité, surtout la proximité fonctionnelle, permet aux gens, grâce aux interactions, de découvrir leurs points communs et d'échanger des gratifications. En outre, le simple fait d'*anticiper* l'interaction peut stimuler la sympathie. John Darley et Ellen Berscheid (1976) l'ont démontré lorsqu'ils ont donné à des étudiantes de l'Université du Minnesota des informations ambiguës concernant deux autres femmes, dont l'une devait avoir une conversation passablement intime avec les étudiantes. Quand on leur demanda leur appréciation de chacune, les étudiantes étaient plus attirées par la femme qu'elles s'attendaient de rencontrer.

Cela serait-il dû au fait que l'anticipation d'une interaction donne aux gens l'impression qu'ils forment un groupe ? (Rappelez-vous le «biais de l'endogroupe» que nous avons vu au chapitre 9.) Ou serait-ce parce que nous sommes stimulés à percevoir l'autre personne comme étant agréable et compatible, maximisant de la sorte les chances d'une relation gratifiante (Knight et Vallacher, 1981 ; Miller et Marks, 1982 ; Tyler et Sears, 1977) ? Il semble que les deux facteurs interviennent parce que les gens ont tendance à éprouver une sorte de lien de parenté envers les membres de leur groupe. Une chose semble cependant claire : le phénomène est fonctionnel. Nos vies sont pleines de relations avec des gens que nous n'avons peut-être pas choisis, mais avec qui nous anticipons des interactions continues – colocataires, grands-parents, professeurs, camarades de classe, collègues de travail. La sympathie que nous éprouvons envers ces personnes favorise sûrement de meilleures relations avec elles.

Simple exposition

Il y a encore une autre raison au fait que la proximité engendre la sympathie. De multiples études effectuées par Robert Zajonc et d'autres ont démontré que, contrairement au vieux proverbe voulant que la familiarité engendre le mépris, la familiarité engendre plutôt la tendresse. La simple exposition à toutes sortes de stimuli nouveaux – des syllabes dénuées de sens, des personnages chinois, des morceaux choisis de musique, des visages – provoquait des évaluations enthousiastes de ces stimuli. Les supposés mots turcs *nansoma, saricik* et *afworbu* signifient-ils quelque chose de mieux ou de pire que les mots *iktitaf, biwojni* et *kadirga* ? Les étudiants de l'Université du Michigan testés par Zajonc (1968 ; 1970) préférèrent les mots qu'ils avaient le plus souvent vus. Plus ils avaient vu un mot dénué de sens ou un idéogramme chinois, plus ils avaient tendance à lui donner un sens positif.

Effet de la simple présence:
Tendance à apprécier davantage et à évaluer plus positivement les nouveaux stimuli auxquels on a été exposé de manière répétitive.

Parmi les lettres de l'alphabet, les Européens préfèrent les lettres composant leur propre nom et celles qu'ils utilisent souvent lorsqu'ils parlent (Nuttin, 1987). Les étudiants français considèrent le W, la lettre la moins fréquente en français, comme celle qu'ils aiment le moins.

En 1969, on présenta aux résidants de Grand Rapids, au Michigan, la nouvelle attraction du centre de la ville, une énorme sculpture de métal réalisée par l'artiste Alexander Calder. Leur réaction? «Une abomination», «un embarras», «un gaspillage d'argent», dirent dédaigneusement certains commentateurs et auteurs de lettres. D'autres résidants se montrèrent neutres; quelques citoyens semblaient enthousiastes. Mais, en moins d'une décennie, la sculpture devint un objet de fierté civile, ses critiques se turent et sa photographie ornait les chèques bancaires, les affiches publicitaires de la ville et les brochures touristiques. De même, lorsque la tour Eiffel fut complétée en 1889, à Paris, on s'en moqua et on la trouva grotesque. Cette géante est aujourd'hui le symbole chéri de Paris (Harrison, 1977). Ce genre de volte-face porte à réfléchir sur les premières réactions des gens aux œuvres d'art. Les visiteurs du Louvre, à Paris, adorent-ils vraiment la *Mona Lisa* ou ne sont-ils que simplement ravis de découvrir un visage familier? Il y a peut-être des deux: la connaître c'est l'aimer.

Peut-être avez-vous des objections et êtes-vous d'avis qu'il faut vraiment bien connaître les gens avant de les détester et que certains stimuli perdent de leur charme lorsqu'on les voit trop souvent. Une nouvelle pièce musicale qui s'impose petit à petit peut finir par devenir ennuyeuse quand on l'écoute pour la centième fois. Sans doute faut-il nuancer le principe voulant que «l'exposition engendre la sympathie». Premièrement, les répétitions incessantes n'ont pas seulement pour effet de diminuer l'impact positif, mais elles peuvent parfois avoir un effet éventuellement négatif (Suedfeld *et al.*, 1975). Cet effet négatif semble plus probable lorsque les premières réactions des gens au stimulus sont déjà négatives plutôt que neutres ou positives (Grush, 1976). Deuxièmement, les réactions positives s'atténuent lorsque les répétitions sont incessantes plutôt que clairsemées parmi d'autres expériences. Troisièmement, l'effet d'exposition, comme bien d'autres influences, est modeste; il ne constitue qu'une influence parmi bien d'autres et ne peut, à lui seul, venir à bout d'impressions fortes ayant d'autres origines.

Toutefois, en tant que généralisation, le principe semble indiscutable. De plus, Zajonc et ses collaborateurs William Kunst-Wilson et Richard Moreland ont découvert que l'exposition peut susciter la sympathie des gens même lorsque ce à quoi ils sont exposés leur échappe (Wilson, 1979; Kunst-Wilson et Zajonc, 1980; Moreland et Zajonc, 1977). Au cours d'une expérience, des étudiantes munies d'écouteurs entendaient d'une oreille un extrait de prose, répétaient tout haut les mots qu'elles entendaient et les comparaient à une version écrite, en vérifiant les erreurs. Pendant ce temps, on leur faisait écouter de l'autre oreille de courtes mélodies nouvelles. Cette méthode attirait leur attention sur le matériel verbal et la détournait des airs musicaux. Lorsqu'elles entendirent plus tard ces mêmes airs disséminés parmi d'autres airs semblables qu'elles n'avaient jamais entendus, elles ne les reconnurent pas. Néanmoins, les airs qu'elles *préférèrent* furent ceux qu'elles avaient déjà entendus. Au cours d'une autre expérience, on montrait aux participants une série de figures géométriques, l'une à la suite de l'autre et chacune pendant une milliseconde – juste assez longtemps pour ne percevoir qu'un éclair lumineux. Même s'ils étaient incapables plus tard de reconnaître les figures qu'on leur avait montrées, cela ne les empêcha pas de les préférer.

«C'est étrange – mais c'est vrai; car la vérité est toujours étrange – plus étrange que la fiction.»
Lord Byron, *Don Juan*

Remarquez que, dans ces deux expériences, les jugements conscients des gens touchant les stimuli constituaient un indice beaucoup moins fiable que leurs impressions instantanées de ce qu'ils avaient entendu ou vu. Même si leurs préférences n'étaient pas consciemment raisonnées, elles n'en étaient pas moins réelles. Peut-être pouvez-vous, vous aussi, vous rappeler avoir immédiatement aimé ou détesté quelque chose ou quelqu'un sans savoir consciemment pourquoi. Ce n'est qu'après coup que vous avez pu verbaliser les raisons de vos sentiments. Zajonc (1980) soutient que nos émotions sont souvent plus instantanées, plus primitives que notre pensée. Par exemple, les sentiments de peur ou de méfiance ne sont pas toujours le fruit de croyances stéréotypées; les croyances surviennent parfois plus tard pour justifier des impressions intuitives.

Qu'est-ce qui provoque la relation familiarité-sympathie? Même si le phénomène est effectivement reconnu, son explication demeure incertaine (Grush, 1979). Certains sont d'avis qu'il s'agit là d'une «néophobie», une tendance fonctionnelle à se méfier des choses inconnues jusqu'à ce qu'on ait la preuve qu'elles ne sont pas dangereuses. Les animaux aussi ont tendance à préférer les stimuli familiers à ceux qui leur sont étrangers (Hill, 1978).

Quelle qu'en soit l'explication, le phénomène rehausse les évaluations que nous faisons des gens. Nous aimons davantage les personnes qui nous sont familières (Swap, 1977). Nous nous aimons même davantage nous-mêmes lorsque nous sommes tels que nous avons l'habitude de nous voir. Au cours d'une expérience amusante, Theodore Mita, Marshall Dermer et Jeffrey Knight (1977) photographièrent des étudiantes de l'Université de Wisconsin-Milwaukee et montrèrent ensuite à chacune la véritable photographie de même qu'une image en miroir de la photographie. Lorsqu'on leur demanda laquelle elles préféraient, la plupart préférèrent l'image en miroir, qui représente évidemment ce qu'elles ont l'habitude de voir. (Pas étonnant que nos photographies ne nous semblent jamais tout à fait justes.) Lorsqu'on montra toutefois à des amies intimes des participantes les deux mêmes photographies, elles préférèrent la véritable photographie, soit l'image dont *elles* avaient l'habitude.

BEAUTÉ PHYSIQUE

«Nous devrions considérer l'intelligence plutôt que l'apparence extérieure.»
Ésope, *Fables*

«La beauté personnelle constitue une meilleure recommandation que n'importe quelle lettre de présentation.»
Diogène Laërce, *Aristote*

Que recherchez-vous (ou recherchiez-vous) chez un éventuel petit ami ou une éventuelle petite amie? La sincérité? Une belle apparence? Du caractère? L'habileté à converser? Les gens raffinés et intelligents ne se préoccupent guère de qualités superficielles comme l'apparence physique; ils savent que «la beauté n'est pas tout» et «qu'on ne peut juger d'un livre à sa couverture». Du moins savent-ils que c'est ce qu'ils *devraient* sentir. Comme le conseillait Cicéron: «Le bien suprême et le premier devoir de l'homme sage est de résister aux apparences.»

L'idée que l'apparence importe peu pourrait constituer un autre exemple de notre déni des véritables influences auxquelles nous sommes exposés, puisque nous disposons maintenant d'un gros dossier sur les études indiquant que l'apparence joue un rôle important en matière d'attraction initiale. L'ampleur et la constance de cette influence sont étonnantes, pour ne pas dire déconcertantes. Une belle apparence constitue un atout important.

Fréquentations

Que cela nous plaise ou non, le fait est que la beauté physique d'une jeune femme peut assez bien prédire la fréquence de ses rendez-vous amoureux. La beauté d'un jeune homme prédit à peine moins bien la fréquence de ses rendez-vous amoureux (Berscheid *et al.*, 1971; Krebs et Adinolfi, 1975; Reis *et al.*, 1980, 1982; Walster *et al.*, 1966). Est-ce à dire, comme beaucoup l'ont supposé, que les femmes ont moins de difficulté à suivre le conseil de Cicéron de «résister aux apparences»? Ou n'est-ce là que le reflet du fait que ce sont plus souvent les hommes qui font les invitations? Si les femmes devaient indiquer leurs préférences parmi différents hommes, l'apparence physique aurait-elle autant d'importance qu'elle en a pour les hommes? Ce n'était pas l'avis du philosophe Bertrand Russell (1930, p. 139): «En général, les femmes ont tendance à aimer les hommes pour leur caractère alors que les hommes ont tendance à aimer les femmes pour leur apparence.»

Pour vérifier si les hommes étaient effectivement plus influencés par l'apparence physique, les chercheurs ont donné à des étudiants et à des étudiantes diverses informations touchant une personne de l'autre sexe et leur ont ensuite demandé s'ils seraient intéressés à fréquenter cette personne. Dans ces expériences, les femmes étaient pratiquement aussi influencées que les hommes par l'apparence physique (S. M. Andersen et S. L. Bem, 1981; Crouse et Mehrabian, 1977; Nida et Williams, 1977; Stretch et Figley, 1980). On a découvert des effets semblables de la beauté – qu'elle soit montrée sur cassettes vidéo ou décrite par la personne – dans les réponses des gens aux rubriques de rencontre comme les annonces de cœurs esseulés dans les revues pour célibataires (Lynn et Shurgot, 1984; Riggio et Woll, 1984; Woll, 1986).

Au cours d'une ambitieuse recherche, Elaine Hatfield et ses collègues (1966) ont assorti 752 nouveaux étudiants de l'Université du Minnesota pour une danse de «bienvenue». Les chercheurs firent passer à chaque personne des tests d'aptitudes et de personnalité et leur donnèrent les résultats, mais apparièrent en fait les couples au hasard. Le soir de la danse, les couples dansèrent et parlèrent deux heures et demie et firent une pause pour évaluer leur partenaire. Jusqu'à quel point les tests d'aptitudes et de personnalité réussirent-ils à prédire l'attraction? La personne ayant beaucoup d'estime de soi, ou peu d'anxiété, ou différente de son partenaire en ce qui a trait à la sociabilité était-elle plus appréciée? Les chercheurs étudièrent une longue liste de possibilités, mais tout ce qu'ils purent déterminer avec précision fut qu'une seule chose avait de l'importance: la beauté physique de la personne. Plus la femme était jolie, selon l'évaluation du chercheur et surtout de son partenaire, plus ce dernier l'appréciait et désirait la revoir. De même, plus le jeune homme était séduisant, plus la jeune femme l'appréciait et désirait le revoir. La beauté plaît.

Après une brève rencontre, les gens ayant une belle apparence sont ceux qui sont le plus appréciés. Mais les gens ne finissent pas tous par se retrouver avec un partenaire à la beauté éblouissante. Comment les gens s'apparient-ils?

Tendance à s'assortir

À en juger d'après les recherches de Bernard Murstein (1986) et d'autres, les gens s'apparient avec une personne aussi séduisante qu'eux. Par exemple, plusieurs recherches ont démontré une forte correspondance entre la beauté des époux, des amoureux et même des membres de certaines fraternités (Feingold, 1988). Les gens ont tendance à choisir comme amis et surtout à épouser quelqu'un qui correspond non seulement à leur niveau d'intelligence, mais aussi à leur beauté physique. Ainsi, tout en préférant une personne extrêmement belle, les gens choisissent et épousent habituellement quelqu'un «de même calibre qu'eux». Des expériences ont vérifié cette **tendance à s'assortir**. Au moment de faire des avances, sachant que la personne est libre de dire oui ou non, les gens ont tendance à rechercher l'équité et à approcher une personne dont la beauté correspond grosso modo à la leur (Berscheid *et al.*, 1971 ; Huston, 1973 ; Stroebe *et al.*, 1971).

Les assortiments physiques réussis peuvent également favoriser de bonnes relations. Lorsque Gregory White (1980) étudia les couples d'amoureux de l'UCLA, il découvrit que les partenaires les plus semblables sur le plan de la beauté physique étaient ceux qui avaient le plus de chances d'éprouver encore plus d'amour l'un pour l'autre neuf mois plus tard. En se fondant sur cette découverte, qui, d'après vous, des gens mariés ou des gens se fréquentant, seraient les mieux assortis sur le plan de la beauté physique ? White a découvert, comme l'ont fait d'autres chercheurs (Cavior et Boblett, 1972) que ce sont les gens mariés.

Les gens ont tendance à se marier avec quelqu'un s'appariant de manière adéquate à leur style de beauté.

Voilà qui vous incite peut-être à penser à des couples heureux où les deux partenaires diffèrent sur le plan de la beauté physique. Dans les cas de ce genre, la personne la moins belle possède souvent des qualités compensatrices. Chacun des partenaires a des atouts qu'il peut faire valoir sur le marché social et c'est la valeur de leurs atouts respectifs qui rend un assortiment équitable. Les annonces des agences de rencontre manifestent cet échange des atouts (Koestner et Wheeler, 1988). Les hommes offrent habituellement le statut et recherchent la beauté ; les femmes font plus souvent le contraire : «Femme séduisante et intelligente, 38 ans, mince, cherche un professionnel capable de tendresse.» Le processus d'échanges sociaux peut nous permettre de comprendre pourquoi de belles jeunes femmes épousent souvent des hommes de statut supérieur au leur (Elder, 1969). Le prince Charles n'était peut-être pas particulièrement beau aux yeux de Lady Diana, mais il était extrêmement riche, puissant et prestigieux.

Les personnes exceptionnellement belles épousent souvent une personne de statut social supérieur.

Certains universitaires craignent qu'en *décrivant* le marché amoureux les chercheurs ne *favorisent* une approche calculatrice et égoïste des relations : si votre partenaire engraisse ou devient ridé et si vous avez gagné une fortune et du prestige, pourquoi ne pas vous débarrasser de l'ancien partenaire pour quelqu'un de plus grande valeur ? «Il ne faudrait pas s'étonner de ce qu'une orientation mercantile des choix amoureux fasse monter le taux des divorces», disent Michael et Lise Wallach (1983, p. 25). «Une telle orientation ne ferait, après tout, que permettre d'être à l'affût d'une meilleure affaire [...] une chance d'échanger pour mieux.»

Stéréotype de la beauté physique

Les avantages de la beauté physique se limitent-ils au fait d'être sexuellement désirable ? Certes non. Les jeunes enfants ont un parti pris favorable pour les beaux enfants à la manière des adultes qui jugent favorablement les adultes séduisants (Dion, 1973; Dion et Berscheid, 1974; J. H. Langlois et Stephan, 1981). À en juger selon le temps qu'ils passent à contempler quelqu'un, même les bébés préfèrent les beaux visages aux visages désagréables (J. H. Langlois *et al.*, 1987). Le même parti pris se manifeste chez les adultes lorsqu'ils considèrent les enfants. Margaret Clifford et Elaine Hatfield (Clifford et Walster, 1973) ont donné à des enseignants de cinquième année du Missouri des informations identiques touchant un garçon ou une fille, avec toutefois la photographie d'un bel enfant ou d'un enfant moins attirant. Les enseignants qui jugèrent le bel enfant le trouvèrent plus intelligent et plus susceptible de réussir à l'école. Ou imaginez-vous dans la peau d'un moniteur devant discipliner un enfant récalcitrant. S'il s'agit d'un bel enfant, seriez-vous tenté, comme les étudiantes de l'Université du Minnesota étudiées par Karen Dion (1972) de lui accorder davantage le bénéfice du doute ?

Qui plus est, on suppose également que les belles personnes, même si elles sont de notre sexe, possèdent certains traits désirables. Toutes choses étant égales, on suppose qu'elles sont plus heureuses, plus intelligentes, plus sociables, qu'elles ont plus de succès et qu'elles sont moins déviantes socialement (Hatfield et Sprecher, 1986). Un visage séduisant semble avoir un sourire plus confiant et semble témoigner d'un statut plus élevé (Forgas, 1987 ; Kalick, 1988).

La compilation de ces résultats indique un **stéréotype de la beauté physique** : ce qui est beau est bon. On enseigne très tôt ce stéréotype aux enfants. Blanche Neige et Cendrillon sont belles – et bonnes ; la sorcière et les belles-sœurs sont laides – et méchantes. Comme l'a dit une fillette de la maternelle lorsqu'on lui a demandé ce que cela signifiait d'être jolie, «C'est comme être une princesse. Tout le monde vous aime» (Dion, 1979). Il semble, toutefois, que l'attrait physique ne soit pas un indice aussi important pour évaluer autrui dans les cultures où les valeurs mettent plus l'accent sur l'importance de la collectivité que sur celle de l'individu. Des étudiants chinois inscrits dans des universités canadiennes ne manifestent pas de stéréotypie en fonction de l'attrait physique (Dion *et al.*, 1990).

Si la beauté physique revêt une telle importance, le fait de changer irrémédiablement l'apparence physique de quelqu'un devrait modifier les réactions de son entourage. Mais est-il moral de changer l'apparence de quelqu'un ? Aux États-Unis, les chirurgiens esthétiques et les orthodontistes font plus d'un million d'interventions de ce genre par année. Michael Kalick (1977) a demandé à des étudiants de l'Université Harvard d'indiquer leurs impressions concernant huit femmes, à partir de photographies prises de profil avant et après une chirurgie esthétique. Non seulement trouvèrent-ils les femmes plus belles après l'opération, mais ils les trouvèrent également plus tendres, plus sensibles, plus chaleureuses et plus expressives sexuellement, plus aimables, et ainsi de suite. Karen Korabik (1981) a parallèlement découvert que les étudiants de l'Université Guelph, en Ontario, évaluaient des étudiantes ayant subi un traitement orthodontique comme étant plus intelligentes, mieux adaptées, et ainsi de suite. Chose étonnante, les évaluations étaient fondées sur des photographies prises avant et après l'intervention, et sur lesquelles les bouches étaient fermées, sans qu'on puisse voir les dents. Le traitement orthodontique modifie la structure du visage autant que celle des dents, et les personnes qui ont fait les évaluations ont apparemment réagi à ces subtiles modifications du visage. Ellen Berscheid (1981) note que, même si ces améliorations esthétiques ont tendance à améliorer l'image de soi, elles peuvent aussi être temporairement troublantes :

> La plupart d'entre nous – du moins ceux d'entre nous qui *n'*ont *pas* vécu de modifications rapides de leur apparence physique – peuvent continuer à croire que leur beauté physique joue un rôle mineur dans la manière dont les autres les traitent. Ceux qui ont effectivement subi de rapides modifications de leur apparence éprouvent toutefois plus de difficultés à continuer à nier et à minimiser l'influence que la beauté physique exerce dans leur vie – et ce fait peut occasionner un certain trouble, même si les changements améliorent l'apparence.

Dire que la beauté physique est importante, toutes choses étant par ailleurs égales, ne revient pas à dire que l'apparence physique est toujours plus importante que les autres qualités. La beauté physique influence probablement plus les premières impressions : l'apparence d'un individu est frappante et attire immédiatement l'attention. À mesure que se développe une relation, l'apparence *peut* avoir moins d'importance. [Une recherche a contesté cette idée en démontrant que l'apparence physique *gagnait* de l'importance avec la fréquence des rencontres (Mathes, 1975).] Il n'empêche que les premières impressions sont importantes – et peuvent en avoir encore davantage à mesure que la société devient plus

---

Stéréotype de la beauté physique :
Présomption que les personnes physiquement attirantes possèdent également d'autres traits de caractère socialement désirables : ce qui est beau est bon.

«Même la vertu est plus belle dans un beau corps.»
Virgile, *L'Énéide*

mobile et plus urbanisée et que les contacts entre les individus deviennent plus éphémères (Berscheid, 1981). De plus, la beauté physique influence les premières impressions lors des entrevues pour obtenir un emploi (Cash et Janda, 1984; Marvelle et Green, 1980). Voilà qui peut aider à comprendre pourquoi les belles personnes décrochent des emplois plus prestigieux, ont de meilleurs salaires et se disent plus heureuses (Umberson et Hughes, 1987).

Le stéréotype de la beauté physique est-il exact?

Les belles personnes ont-elles effectivement de belles qualités? Ou Léon Tolstoï avait-il raison d'écrire que c'est «une étrange illusion [...] de supposer que la beauté est la bonté»? Il se peut bien que le stéréotype ait un soupçon de vérité. Les enfants et les jeunes adultes qui sont beaux ont tendance à avoir un peu plus d'estime de soi et à être un peu moins sujets aux troubles psychologiques (Hatfield et Sprecher, 1986; Maruyama et Miller, 1981). Ils ont plus d'assurance même si on les croit également plus égotistes (Jackson et Huston, 1975). Ils ne sont pas plus ou moins capables sur le plan scolaire [contrairement au stéréotype négatif voulant que «la beauté multipliée par l'intelligence égale une constante»] (Sparacino et Hansell, 1979). Ils ont toutefois un peu plus de vernis social. C'est ce qu'ont démontré William Goldman et Philip Lewis (1977) en demandant à 60 étudiants de l'Université de Géorgie de parler cinq minutes au téléphone à trois étudiantes. Quand les étudiants et les étudiantes évaluèrent par la suite leurs partenaires invisibles, les partenaires qui étaient très beaux furent évalués comme étant un peu plus aimables et dégourdis socialement.

Ces petites différences moyennes entre belles et moins belles personnes sont sûrement dues aux prophéties s'autoréalisant. Les belles personnes sont valorisées et favorisées, de sorte que plusieurs d'entre elles acquièrent plus d'assurance sur le plan social. (Peut-être vous rappelez-vous une expérience relatée au chapitre 4 où des femmes invisibles que l'on *croyait* belles étaient traitées d'une manière qui les incitait à réagir plus chaleureusement.) Selon cette analyse, ce qui importe le plus pour votre habileté sociale n'est pas votre apparence physique, mais la manière dont on vous traite et la manière dont vous vous percevez – si vous vous acceptez, si vous vous aimez et vous sentez bien dans votre peau. Sara Kiesler et Roberta Baral (1970) ont poussé des douzaines d'étudiants de l'Université Yale à se sentir bien ou mal – en leur faisant croire qu'ils avaient des scores élevés ou faibles à un test d'intelligence et de créativité. Au moment de la pause pendant le test, l'expérimentateur et le participant allaient prendre un café et s'asseoir auprès d'une supposée amie de l'expérimentateur. La femme, en fait une complice, était sur son trente et un ou bien était très négligée et portait les cheveux sévèrement attachés et de grotesques lunettes. Lorsque l'expérimentateur s'éclipsait pour placer un appel téléphonique, la complice observait l'attitude chevaleresque et chaleureuse de l'étudiant. Lui parlait-il? Lui payait-il un café? L'invitait-il pour une sortie? Les étudiants qui se sentaient bien se comportèrent de la façon la plus chevaleresque envers la belle complice. Ceux dont l'estime de soi avait souffert se montrèrent plus intéressés par la complice à l'aspect négligé.

Malgré tous les avantages associés à la beauté physique, les chercheuses Elaine Hatfield et Susan Sprecher (1986) rapportent qu'il y a aussi une triste vérité à propos de la beauté. Les personnes exceptionnellement belles peuvent avoir à subir d'importunes avances sexuelles de la part des membres de l'autre sexe et le ressentiment des membres de leur propre sexe. Elles risquent de se demander si les autres réagissent à leurs qualités personnelles ou à leur apparence qui ne résistera pas à l'usure du temps. Les autres les considèrent souvent plus vaniteuses et sexuellement infidèles. De plus, si elles peuvent compter sur leur apparence, elles risquent d'être moins motivées à se développer sur d'autres plans. Ellen Berscheid se demande si nous n'en serions pas encore à nous éclairer à la chandelle si Charles Steinmetz, le génie de l'électricité si court de taille et d'apparence si peu attrayante, avait dû affronter les tentations sociales qu'a connues un Mel Gibson.

Qu'entend-on par belles personnes ?

Nous avons parlé de la beauté physique comme s'il s'agissait d'une qualité objective telle que la grandeur, quelque chose que certaines personnes auraient en quantité et que d'autres auraient moins. À strictement parler, la beauté est ce que les gens de n'importe où et de n'importe quelle époque trouvent séduisant. Il s'agit évidemment de quelque chose qui peut varier. Les normes occidentales de la beauté grâce auxquelles nous choisissons «Miss Univers» ne valent probablement pas pour l'ensemble du monde. Sans compter qu'à un endroit et à une époque donnés il y a (heureusement) un certain désaccord concernant la beauté et la laideur (Morse et Gruzen, 1976).

Mais il y a aussi un certain consensus. En général, la «belle» physionomie et le «beau» corps ne sont pas très éloignés de la moyenne (Symons, 1981; Beck *et al.*, 1976; Graziano *et al.*, 1978). Les nez, les jambes ou les statures qui ne sont pas extraordinairement grands ou petits sont habituellement perçus comme étant relativement séduisants. Il y a aussi des différences reliées au sexe en ce qui concerne la définition d'un beau visage. Conformément au pouvoir social historiquement supérieur des hommes (voir le chapitre 5), on a tendance à juger une femme plus jolie lorsqu'elle a des traits immatures, comme de grands yeux, symbole de non-domination (Cunningham, 1986; Keating, 1985). Quant aux hommes, on les trouve plus beaux lorsque leur visage – et leur comportement – évoque la maturité et la domination (Sadalla *et al.*, 1987).

Même si les normes de beauté diffèrent d'une culture à l'autre, il y a des gens qu'à peu près tout le monde s'entend à trouver beaux. Paulina Porizkova (de Pologne), l'un des mannequins les mieux payés de la fin des années 1980, et Mel Gibson (d'Australie), un acteur qui doit une bonne part de son succès à sa beauté physique, en sont deux exemples frappants.

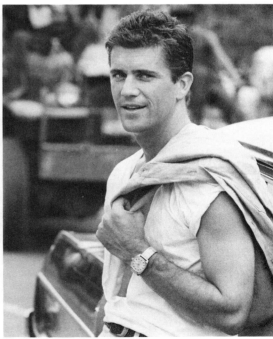

Le point de vue sociobiologique

Les psychologues travaillant selon la perspective sociobiologique expliquent ces différences entre les sexes en fonction de la stratégie de reproduction (Buss, 1988; Kenrick et Trost, 1988). Ils prétendent que l'évolution prédispose les hommes à préférer les traits féminins impliquant la jeunesse et la santé – soit un bon potentiel reproducteur – et les femmes à préférer les traits masculins signifiant une habileté à pourvoir aux besoins d'une femme et de sa progéniture. David Buss (1987) nous invite à imaginer un monde où il n'en serait pas ainsi, un monde où «les hommes n'exprimeraient aucune préférence pour les traits physiques se rapportant à la capacité reproductrice des femmes». Ces hommes s'accoupleraient parfois à des femmes n'ayant plus l'âge d'être fécondées et n'auraient ainsi «aucune descendance». Par conséquent, si une préférence pour les femmes ayant l'air jeunes et fécondes ne s'appuie, ne serait-ce que faiblement, sur une base génétique, ce genre de préférences «évoluerait alors nécessairement» dans le temps. Et c'est ce qui explique, selon Buss (1989), pourquoi les hommes qu'il a étudiés et qui sont issus de 37 cultures – de l'Australie à la Zambie – préfèrent effectivement les traits féminins reliés à la capacité de reproduction. La culture et l'apprentissage social renforcent nos préférences en matière de beauté physique (Dion, 1986). La culture accentue ce que l'évolution amorce.

Les mêmes mécanismes évolutifs serviraient à expliquer la préférence des femmes pour les hommes dont les traits et les ressources suggèrent une contribution potentielle maximale à leur progéniture. Voilà pourquoi les indices de statut, d'ambition et de domination importent plus aux femmes qu'aux hommes, ce qui explique pourquoi les belles femmes ont tendance à épouser des hommes de statut supérieur et pourquoi les hommes affichent tant de détermination dans leur lutte pour la fortune et la réussite. Du moins est-ce là ce que prétend la théorie sociobiologique.

La beauté est relative

Ce qui nous paraît séduisant dépend également de ce à quoi nous nous sommes adaptés. Douglas Kenrick et Sara Gutierres (1980) ont demandé à des compères masculins d'aller voir des étudiants de l'Université d'État du Montana dans leur chambre pour leur dire: «Un de nos amis vient nous voir cette semaine et nous voulons lui présenter une femme, mais nous ne savons pas si elle fera l'affaire, alors nous avons décidé de faire une enquête. [...] Nous voulons que vous nous donniez votre appréciation de cette personne [...] sur une échelle de 1 à 7.» Devant la photographie d'une jeune femme ordinaire, les étudiants qui venaient de voir trois belles femmes à l'émission télévisée *Charlie's Angels* la trouvèrent moins belle que ceux qui n'avaient pas vu l'émission. Les expériences en laboratoire confirment cet «effet de contraste». Pour les hommes ayant récemment contemplé les pages centrales de certaines revues, les femmes ordinaires – ou même leur propre épouse – semblent moins séduisantes (Kenrick *et al.*, 1988). La vue de films pornographiques où des étrangers se connaissant à peine s'adonnent rapidement à des ébats sexuels passionnés a tendance à augmenter le mécontentement sexuel et l'insatisfaction à l'égard de son propre partenaire (Zillmann et Bryant, 1988). Le fait d'être excité sexuellement peut temporairement faire percevoir plus attirante une personne du sexe opposé. Mais le contact visuel avec des «10» parfaits ou avec des scènes sexuelles non réalistes a pour effet résiduel de rendre son propre partenaire moins désirable – plus près du «5» que du «8».

Nous pouvons conclure notre exposé de la beauté sur une note réconfortante. Non seulement trouvons-nous les belles personnes aimables, mais nous trouvons aussi les personnes aimables belles physiquement. Peut-être avez-vous le souvenir de personnes qui, à mesure que s'approfondissait votre amour, devenaient plus belles, car vous remarquiez moins leurs imperfections physiques. Alan Gross et Christine Crofton (1977), par exemple, ont montré à des étudiants de l'Université Missouri-St-Louis la photographie d'une personne dont ils venaient de lire une description favorable ou défavorable de la personnalité. Les personnes décrites comme chaleureuses, serviables et prévenantes furent perçues comme étant plus belles (voir aussi Owens et Ford, 1978; Felson et Bohrnstedt, 1979). D'autres chercheurs ont découvert que, à mesure que nous décelons les points communs que nous avons avec une personne, cette dernière semble devenir plus belle (Beaman et Klentz, 1983; Klentz *et al.*, 1987). Enfin, plus une femme aime un homme, plus elle le trouve beau physiquement (Price *et al.*, 1974). Pour paraphraser Benjamin Franklin, si Marie est en amour, elle est mauvais juge de la beauté de Mathieu.

«Est-ce parce que tu es belle que je t'aime ou est-ce parce que je t'aime que tu es belle?»
Le prince charmant, dans *Cendrillon* de Rogers et Hammerstein

RESSEMBLANCE PAR OPPOSITION À COMPLÉMENTARITÉ

De ce que l'on vient de dire, on pourrait supposer que Léon Tolstoï avait tout à fait raison : «L'amour dépend [...] de la fréquence des rencontres, du style de la coiffure, et de la couleur et de la coupe de la robe.» La proximité et la beauté facilitent effectivement les rencontres. Cependant, à mesure que les gens apprennent à se connaître, d'autres influences se font sentir pour déterminer si cette relation se changera en amitié.

Est-il vrai que «qui se ressemble s'assemble»?

Nous pouvons être sûrs d'au moins une chose : les gens qui s'assemblent se ressemblent. Les amis, les fiancés et les époux sont de loin plus susceptibles que les gens assortis au hasard de partager les mêmes attitudes, les mêmes idées et les mêmes valeurs. En outre, parmi les couples mariés, plus la ressemblance est grande entre le mari et la femme, plus ils ont de chances de connaître une union heureuse et moins ils risquent de divorcer (Byrne, 1971). Ces découvertes sont fascinantes. Mais le fait qu'elles soient de type corrélationnel n'explique pas leur cause et leur effet. La ressemblance conduit-elle à la sympathie? Est-ce la sympathie qui mène à la ressemblance? Ou la similitude d'attitudes et la sympathie dérivent-elles toutes les deux d'un troisième facteur tel qu'un bagage culturel commun?

La ressemblance engendre la sympathie

Pour discerner la cause et l'effet, nous faisons des expériences. Supposons que, lors d'une fête au collège, Suzanne entame une longue discussion avec François et Guillaume au sujet de la politique, de la religion, des goûts et des dégoûts personnels. Suzanne et Guillaume découvrent qu'ils partagent le même avis sur presque tout, alors qu'elle s'aperçoit qu'elle ne s'entend avec François que sur quelques points. Elle se dit plus tard, «Guillaume est si intelligent et si aimable. J'espère que nous nous reverrons.» Au cours de nombreuses expériences contrôlées, Donn Byrne (1971) et ses collègues ont reproduit l'expérience vécue par Suzanne. Ils découvrirent constamment que si vous entendez simplement parler des attitudes de quelqu'un à l'égard de différents sujets, plus ses attitudes seront semblables aux vôtres, plus vous trouverez la personne aimable. Ce rapport «ressemblance-engendre-sympathie» est vrai non seulement pour les étudiants, mais aussi pour les enfants et les personnes âgées, pour les gens de différents métiers et de divers pays. Ce n'est pas seulement le nombre d'attitudes semblables qu'exprime l'autre personne qui importe (Kaplan et Anderson, 1973), mais aussi la proportion : la personne qui partage votre avis sur quatre questions sur six est davantage appréciée que celle qui est de votre avis 8 fois sur 16 (Byrne et Nelson, 1965).

On a également testé cet effet «d'accord» dans des situations de vie quotidienne en observant les choix d'amitié sur une certaine période (Lapidus *et al.*, 1985; Neimeyer et Mitchell, 1988). À l'Université du Michigan, Theodore Newcomb (1961) a étudié deux groupes de 17 étudiants qui ne se connaissaient pas et qui venaient juste d'être transférés. Après 13 semaines de vie commune dans une pension, ceux qui avaient le plus de points en commun au début étaient les plus susceptibles d'avoir développé des amitiés profondes. Un groupe d'amis se composait de cinq étudiants en arts libéraux, tous d'allégeance politique libérale et ayant tous de forts intérêts intellectuels. Un autre groupe se composait de trois conservateurs convaincus qui étaient tous inscrits à la faculté d'ingénierie. La ressemblance engendre le contentement.

Comme les pensionnaires étaient plus souvent qu'autrement à l'extérieur, il fallut un certain temps aux individus semblables pour s'attirer. William Griffitt et Russell Veitch (1974) ont comprimé le processus de rapprochement en confinant 13 hommes qui ne se connaissaient pas dans un abri nucléaire. (Les hommes étaient des volontaires rémunérés.) Les chercheurs se sont aperçus que, en se fiant aux informations touchant les idées des hommes sur différentes questions, ils pouvaient prédire assez précisément quelles seraient, pour chaque individu, la personne la plus sympathique et la personne la plus antipathique au cours de leur séjour souterrain. À l'instar des étudiants vivant en pension, les hommes aimaient davantage ceux qui leur ressemblaient le plus.

> «Et les amis sont ceux qui finissent par considérer les mêmes choses comme étant bonnes et les mêmes choses comme étant mauvaises, ceux qui sont amis avec les mêmes personnes et qui détestent les mêmes personnes. [...] Nous aimons ceux qui nous ressemblent et qui luttent pour les mêmes causes.»
>
> Aristote, *Rhétorique*

«Qu'est-ce que ce sera, mon beau ?»

Les personnes les plus attirantes sont sans contredit celles qui nous ressemblent.

Comme toutes les généralisations, le principe de la ressemblance-attraction doit être nuancé. Premièrement, si les circonstances nous poussent à nous sentir comme un membre anonyme d'une foule homogène, nous désirerons alors davantage nous associer aux gens qui nous permettent de nous sentir quelque peu différents et uniques (Snyder et Fromkin, 1980). Deuxièmement, la ressemblance entraîne parfois la dissension – lorsque les gens rivalisent pour obtenir des récompenses rares, comme des notes d'excellence dans une classe où les résultats suivent une courbe. Troisièmement, le *type* de ressemblance est important. La ressemblance a plus d'importance pour les questions sérieuses que pour les détails; nous aimons les gens qui poursuivent les mêmes idéaux (Wetzel et Insko, 1982). Et tandis que nous *aimons* mieux les gens qui s'adonnent à nos activités préférées, nous *respectons* davantage les gens qui ont les mêmes attitudes que nous (Lydon *et al.*, 1988). Quatrièmement, la ressemblance est relative : le simple fait d'être originaire du même pays peut suffire à engendrer la sympathie lorsqu'on étudie à l'étranger ou que l'on voyage hors du pays. Je me souviens de deux couples de Français qui se sont retrouvés au Québec à la même époque et qui sont devenus de grands amis. Tant qu'ils ont été ici. Retournés en France, la division idéologique gauche-droite était redevenue saillante et, malgré la faible distance physique qui les séparait, ils ont, à toutes fins utiles, cessé de se fréquenter.

La généralisation n'en reste pas moins très valable. Des recherches impliquant diverses méthodes et différents individus ne cessent de démontrer que les attitudes semblables constituent un puissant facteur d'attraction. Qui se ressemble s'assemble effectivement – un phénomène que vous avez probablement déjà remarqué en tissant des liens d'amitié avec une personne spéciale qui partageait vos idées, vos valeurs et vos désirs, une âme sœur aimant le même genre de musique, les mêmes activités et jusqu'aux mêmes aliments que vous.

La sympathie fait percevoir la ressemblance

Comme nous l'avons déjà dit, l'inverse joue également : ceux qui s'assemblent trouvent qu'ils se ressemblent. Les électeurs surestiment le degré de ressemblance entre leurs idées et celles de leurs candidats favoris (Judd *et al.*, 1983). Les hommes amoureux d'une femme surestiment la ressemblance entre ses idées et ses intérêts et les leurs (Gold *et al.*, 1984). L'attraction que nous éprouvons devant de simples photographies de certains visages peut provoquer la perception que ces gens aimables nous ressemblent (Moreland et Zajonc, 1982). Comme l'indique la figure 11.2, de telles perceptions peuvent renforcer par la suite la sympathie que nous éprouvons envers quelqu'un. Par exemple, des étrangers à qui l'on fait croire qu'ils se ressemblent (que cela soit vrai ou faux) se parleront aussi amicalement que des amis, ce qui peut, en retour, les inciter à devenir amis (Piner et Berg, 1988).

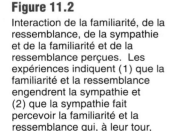

Figure 11.2

Interaction de la familiarité, de la ressemblance, de la sympathie et de la familiarité et de la ressemblance perçues. Les expériences indiquent (1) que la familiarité et la ressemblance engendrent la sympathie et (2) que la sympathie fait percevoir la familiarité et la ressemblance qui, à leur tour, (3) augmentent la sympathie.

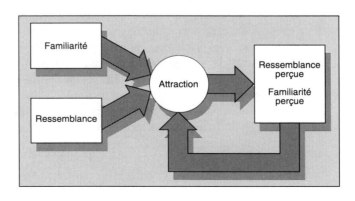

La dissemblance provoque l'antipathie

Nous avons tendance – «effet de faux consensus» (p. 97) – à supposer que les autres ont les mêmes attitudes que nous. Lorsque nous découvrons qu'une personne a des attitudes différentes des nôtres, il se peut que nous la trouvions antipathique. Les démocrates de l'État d'Iowa interrogés lors d'un sondage n'avaient pas autant d'affection pour les autres démocrates que de mépris pour les républicains (Rosenbaum, 1986). C'est ainsi que nos perceptions touchant la ressemblance ou la dissemblance des gens de race différente influenceront nos attitudes raciales.

En fait, sauf dans les cas de relations amoureuses, la perception de ressemblance d'idées semble plus importante que la ressemblance de peau en matière d'attraction. La plupart des Blancs expriment plus de sympathie et d'intérêt à travailler avec un Noir partageant leurs idées qu'avec un Blanc n'ayant pas les mêmes idées qu'eux (Rokeach, 1968; Insko *et al.*, 1983). Néanmoins, le «racisme culturel» subsiste, selon James Jones (1988), parce que les différences culturelles font partie de la vie. La culture noire est centrée sur le présent, expressive, spirituelle et émotive; la culture blanche se montre plus centrée sur l'avenir, individualiste, matérialiste et à la poursuite du succès, jugeant les individus selon ces critères. Au lieu d'essayer d'éliminer ces différences, Jones est d'avis que nous ferions mieux d'apprécier leur «apport à la mosaïque culturelle d'une société multiculturelle». Il y a des situations où il vaut mieux s'exprimer et d'autres où la préoccupation devant l'avenir est de mise. Chaque culture a donc beaucoup à apprendre de l'autre.

Les contraires s'attirent-ils?

Mais ne sommes-nous pas aussi attirés par les gens qui sont *différents* de nous, qui diffèrent au sens où ils complètent nos propres caractéristiques? Les chercheurs se sont penchés sur cette question et ont comparé des époux non seulement au point de vue de leurs idées et de leurs attitudes, mais aussi au point de vue de leur âge, de leur religion, de leur race, de leur consommation de tabac, de leur statut économique, de leur instruction, de leur grandeur, de leur intelligence et (comme nous l'avons déjà vu) de leur apparence. Pour tous ces facteurs et même pour d'autres, la ressemblance prévalait toujours (Buss, 1985; Kandel, 1978). Les gens intelligents se tiennent ensemble. C'est la même chose pour les riches, les protestants, les grands et les personnes physiquement avantagées.

Mais nous ne sommes toujours pas convaincus: ne sommes-nous pas attirés par les gens dont les besoins et la personnalité complètent les nôtres? La rencontre d'un sadique et d'un masochiste ne produirait-elle pas une relation gratifiante? Même le *Reader's Digest* nous dit que «les contraires s'attirent. [...] Les gens sociables s'apparient avec des solitaires, les avant-gardistes avec ceux qui détestent le changement, les dépensiers avec les radins, les aventuriers avec les prudents» (Jacoby, 1986). Le sociologue Robert Winch (1958) pensait que les besoins d'une personne extravertie et dominatrice complétaient naturellement ceux d'une personne timide et soumise. La logique semble convaincante et la plupart d'entre nous peuvent penser à des couples qui perçoivent leurs différences comme des complémentarités: «Mon époux et moi sommes parfaits l'un pour l'autre. Je suis poisson – quelqu'un de décidé. Il est balance – il ne peut prendre de décisions; mais il est toujours content des décisions que je prends.»

Si l'on considère la popularité de cette idée, il est étonnant de voir l'incapacité des chercheurs de la confirmer. Par exemple, la plupart des gens sont attirés par les gens expressifs et sociables (Friedman *et al.*, 1988). Cela ne vaudrait-il pas encore plus pour les gens ayant le cafard ? Les gens déprimés recherchent-ils les personnes dont la gaîté pourrait leur remonter le moral ? Au contraire, ce sont les personnes *non* déprimées qui préfèrent la présence des gens partageant leur état d'esprit (Rosenblatt et Greenberg, 1988). Lorsqu'on broie du noir, la personne ayant une vitalité pétillante n'est pas particulièrement attirante.

Complémentarité :
Tendance de chaque partenaire d'une relation à deux à compenser ce qui manque à l'autre. L'hypothèse de la complémentarité suppose que les gens sont attirés par les personnes ayant des besoins autres que les leurs, de façon à compléter leurs besoins propres.

Même si une certaine «complémentarité» peut s'établir à mesure que s'approfondit la relation (même une relation entre deux jumeaux identiques), les gens semblent plutôt portés à se marier avec des individus dont la personnalité et les besoins sont semblables aux leurs (Berscheid et Walster, 1978; Buss, 1984; Nias, 1979; D. Fishbein et Thelen, 1981a, 1981b). Peut-être allons-nous découvrir quelques secteurs (autres que l'hétérosexualité) où les différences engendrent habituellement la sympathie. Mais le chercheur David Buss (1985) en doute : «On n'a jamais pu démontrer la tendance, chez les contraires, à se marier ou à s'apparier [...] en dehors de la seule exception du sexe.» Il semble donc que la règle à l'effet que «les contraires s'attirent», si tant est qu'elle soit vraie, a très peu d'importance comparativement à la tendance marquée des semblables à s'attirer.

AIMER CEUX QUI NOUS AIMENT

Rétrospectivement, le principe de la gratification peut nous servir à expliquer les conclusions suivantes :

- La *proximité* est gratifiante parce qu'on a moins d'efforts et de temps à fournir pour jouir des bénéfices de l'amitié lorsque la personne habite ou travaille près de chez soi.
- Nous aimons les *belles* personnes parce qu'elles conviennent à nos goûts esthétiques, parce que nous percevons chez elles d'autres traits désirables et parce que nous retirons certains avantages à nous associer avec elles.
- Si les autres sont du *même* avis que nous, nous en retirons une gratification parce que nous croyons qu'ils nous aiment en retour (Condon et Crano, 1988). De plus, les gens qui partagent nos idées nous permettent de les valider. Voilà pourquoi nous aimons particulièrement les gens que nous avons réussi à convaincre (Lombardo *et al.*, 1972; Riordan, 1980; Sigall, 1970).

S'il est vrai que nous aimons tout spécialement les gens dont le comportement est gratifiant, nous devrions alors sûrement adorer ceux qui nous aiment et nous admirent. La plus grande amitié en serait alors une d'admiration mutuelle. Aimons-nous vraiment ceux qui nous aiment ? Penchons-nous sur les preuves.

Il est vrai que nous aimons ceux qui, croyons-nous, nous aiment (Sternberg, 1986). Et il est également vrai que nous supposons que les personnes que nous aimons nous aiment en retour (Curry et Emerson, 1970). Mais peut-être ne nous aiment-elles pas; peut-être n'est-ce que nous qui supposons que les personnes adorées ressentent la même chose à notre égard. Dans l'expérience de rencontres pour la Semaine de bienvenue à l'Université du Minnesota, la sympathie que l'étudiant éprouvait pour sa partenaire n'avait aucun rapport avec celle qu'elle éprouvait pour lui.

Devant cette déconcertante découverte – Nous imaginons-nous à tort que nos amis nous aiment ? – David Kenny et William Nasby (1980) se sont demandé s'il ne fallait pas raffiner la méthode de recherche pour mieux voir si la sympathie n'aurait pas tendance, malgré tout, à être réciproque. Pour répondre à cette question, ils ont analysé plusieurs couples en cherchant à savoir ce qu'éprouvait A pour B, *comparativement* à ce qu'éprouvaient les autres pour B et *comparativement* à ce que A éprouvait pour les autres. Comme prévu, la relative sympathie d'une personne pour une autre prédisait une relative sympathie de l'autre en retour. La sympathie était mutuelle.

Mais est-ce la sympathie d'une personne pour une autre qui *cause* la réciproque ? Jusqu'à maintenant, les expériences indiquent que oui. Les personnes à qui l'on disait que d'autres les aimaient ou les estimaient beaucoup éprouvaient immédiatement une affection réciproque (Berscheid et Walster, 1978). Ellen Berscheid et ses collègues (1969) ont même découvert que les étudiants de l'Université du Minnesota aimaient davantage leur camarade qui avait prononcé huit jugements positifs à leur égard que celui qui en avait prononcé sept positifs et un négatif. Nous sommes évidemment très sensibles à la moindre critique. L'écrivain Larry L. King parle au nom de bien des gens en disant «Je me suis aperçu, avec les années, que les comptes rendus élogieux n'arrivent étrangement pas à rendre l'auteur aussi heureux qu'il est malheureux des comptes rendus désavantageux.»

Le simple fait de *croire* que quelqu'un nous aime ou nous déteste peut devenir autodéterminant. C'est ce qu'ont découvert Rebecca Curtis et Kim Miller (1986) en faisant croire à des étudiants de l'Université Adelphi qu'une personne brièvement rencontrée les avait aimés ou détestés. Lorsqu'ils parlèrent par la suite avec cette personne, ceux qui se sentaient aimés s'ouvrirent davantage, exprimèrent moins de désaccord et adoptèrent une attitude et un ton de voix plus chaleureux – inspirant par conséquent plus de sollicitude de la part du naïf interlocuteur.

Ce principe général – que nous aimons et traitons affectueusement ceux qui semblent nous aimer – avait été admis bien avant qu'il ne soit confirmé par les psychologues sociaux. Les observateurs, que ce soit à partir du temps de l'ancien philosophe Hécatée de Milet («Si vous voulez être aimés, aimez») jusqu'à Ralph Waldo Emerson («La seule manière de se faire un ami est d'en être un») et à Dale Carnegie («Prodigue généreusement les éloges»), avaient déjà anticipé ces résultats. Toutefois, ils n'ont pas anticipé les conditions exactes assurant la véracité du principe.

Attribution

Comme nous l'avons vu, la flatterie vous mènera *effectivement* quelque part. Mais pas partout. Si les éloges vont carrément à l'encontre de la vérité – si quelqu'un nous dit «tes cheveux sont magnifiques», alors que nous ne les avons pas lavés depuis des jours et que nous les sentons graisseux –, le flatteur risque le mépris ou alors nous nous demanderons si le compliment ne poursuivrait pas d'autres buts (Shrauger, 1975). C'est l'une des raisons qui font que la critique nous semble souvent plus sincère que le compliment (Coleman *et al.*, 1987). Les expériences en laboratoire révèlent quelque chose que nous avons vu dans les chapitres précédents: nos réactions dépendent de nos attributions. Attribuons-nous la flatterie de l'autre à quelque désir égoïste de s'attirer nos faveurs? La personne cherche-t-elle à nous duper – veut-elle nous faire acheter quelque chose, nous faire des avances sexuelles, a-t-elle quelque chose à nous demander? Si c'est le cas, le flatteur et les flatteries perdent

Patelinerie:
Ensemble de stratégies, telles que la flatterie, ayant pour but de s'attirer les faveurs de quelqu'un.

leur intérêt (E. E. Jones, 1964; Lowe et Goldstein, 1970). Mais s'il n'y a pas d'autre motivation apparente, la flatterie et le flatteur seront alors très appréciés.

Ce à quoi nous attribuons nos propres actions est également important. Clive Seligman, Russell Fazio et Mark Zanna (1980) ont payé des couples d'étudiants se fréquentant pour leur faire dire «pourquoi vous fréquentez cette personne». Ils ont demandé à certains de classer sept raisons intrinsèques telles que: «Je sors avec _____ parce que nous avons toujours du plaisir ensemble» et «parce que nous avons les mêmes intérêts et les mêmes préoccupations.» Les autres devaient classer des raisons extrinsèques possibles: «parce que mes amis m'estiment davantage depuis que je sors avec elle ou lui», «parce qu'il ou elle connaît bien des gens importants». Lorsqu'on leur demanda plus tard d'évaluer leur «amour», ceux dont l'attention avait été attirée sur des raisons extrinsèques se montrèrent moins amoureux de leur partenaire et voyaient même le mariage comme une possibilité moins probable que ne le voyaient ceux à qui l'on avait parlé de possibles raisons intrinsèques. (Sensibles aux préoccupations éthiques, les chercheurs ont fait, par la suite, un compte rendu critique à tous les participants et ils ont plus tard confirmé que l'expérience n'avait eu aucun effet à long terme sur les relations des participants.)

Estime de soi et attraction

Après l'expérience, le Dr Hatfield a consacré près d'une heure à chaque participante pour lui expliquer l'expérience et échanger avec elle. Elle rapporte qu'à la fin aucune ne demeura perturbée de la blessure temporaire d'estime de soi ou du faux rendez-vous.

Le principe de la gratification implique aussi que l'approbation d'une autre personne devrait être particulièrement gratifiante lorsque nous avons été privés d'approbation, tout comme la nourriture est vraiment gratifiante lorsque nous avons grand faim. Pour vérifier cette idée, Elaine Hatfield (Walster, 1965) a donné à des étudiantes de l'Université Stanford des analyses très favorables ou très défavorables de leur personnalité, offrant ainsi un renforcement à l'estime de soi de certaines et une blessure temporaire à celle des autres. On leur demanda ensuite d'évaluer plusieurs personnes, incluant un beau compère masculin qui avait entrepris une amicale conversation avec chaque participante juste avant l'expérience et les avait toutes invitées pour une sortie. (Aucune ne refusa.) Après les éloges et la critique, lesquelles de ces femmes aimaient davantage le compère? Ce furent celles qui avaient subi une blessure d'estime de soi et qui avaient probablement faim d'approbation sociale. Cela aide à comprendre pourquoi les gens tombent parfois rapidement en amour sous le coup d'un rejet cuisant pour l'ego.

Se gagner l'estime d'un autre

Si l'approbation est extrêmement gratifiante à la suite de la désapprobation, cela voudrait-il alors dire que nous aimerons davantage (1) la personne qui nous aimera après nous avoir détesté ou (2) la personne qui nous aura aimé dès le début? Philippe fait partie d'une petite classe de discussion avec Geneviève, la cousine de son colocataire. Après la première semaine de cours, Philippe apprend par son «pipeline» que Geneviève le trouve plutôt insignifiant, superficiel et socialement maladroit. Cependant, à mesure que s'écoule le semestre, il apprend que Geneviève pense de plus en plus de bien de lui; elle en vient graduellement à le percevoir comme quelqu'un d'intelligent, de sérieux et de charmant. Philippe aimera-t-il Geneviève autant qu'il l'aurait aimée si elle avait eu une bonne opinion de lui dès le début? Si Philippe se contente de faire le compte des commentaires approbateurs qu'il reçoit, la réponse sera alors non: il aurait davantage aimé Geneviève si elle avait toujours exprimé des commentaires positifs. Mais si, après la désapprobation du début, les commentaires gratifiants de Geneviève ont plus de poids, alors Philippe pourrait bien l'aimer tout autant que si elle avait toujours fait des commentaires positifs.

Pour voir laquelle des deux hypothèses est plus souvent la bonne, Elliot Aronson et Darwyn Linder (1965) ont recréé, grâce à une expérience contrôlée, l'essence de l'expérience vécue par Philippe. On s'arrangea pour que 80 étudiantes de l'Université du Minnesota entendent par hasard une suite de jugements portés sur elles par une autre femme. Certaines étudiantes n'entendirent que des choses positives à leur sujet, d'autres n'entendirent que des choses négatives. D'autres, enfin, entendirent des évaluations passant du négatif au positif (comme les évaluations de Geneviève concernant Philippe) ou du positif au négatif. Dans des expériences de ce genre, la personne cible est habituellement autant aimée et même davantage aimée lorsque la participante a l'impression de se *gagner* l'estime de l'autre, surtout lorsque le gain est graduel et va dans le sens contraire des critiques antérieures (Aronson et Mettee, 1974; Core *et al.*, 1975). Les commentaires positifs de Geneviève ont peut-être plus de crédibilité après ses propos moins agréables. Ou peut-être ont-ils d'autant plus de poids qu'ils se sont fait attendre.

Aronson suppose même que l'approbation constante d'une personne chère peut perdre de sa valeur. Lorsque l'époux élogieux dit pour la 500e fois «Comme tu es belle, chérie!», ses paroles ont beaucoup moins d'impact que s'il disait tout à coup «Cette robe ne te va vraiment pas bien, chérie!». Il est difficile de vraiment faire plaisir à la personne adorée, mais facile de la blesser profondément. Cela semble indiquer qu'une relation franche et honnête – où les gens jouissent de l'estime et de l'approbation de l'autre tout en exprimant candidement leurs sentiments négatifs – sera probablement plus gratifiante que la relation émoussée par la suppression des émotions déplaisantes et où les gens ne font que ce que conseillait Dale Carnegie, «prodiguer des éloges». Aronson (1988) en parle ainsi:

> À mesure qu'une relation se fait plus intime, l'authenticité prend de plus en plus d'importance – c'est-à-dire notre capacité de renoncer à essayer de faire bonne impression et de commencer à révéler honnêtement ce que nous sommes, même les côtés désagréables. De plus, nous ne devons pas avoir peur de communiquer une large gamme de sentiments à nos amis quand les circonstances s'y prêtent et d'une manière reflétant notre affection. Ainsi... deux personnes vraiment éprises l'une de l'autre auront une relation plus satisfaisante et plus excitante sur une plus longue période si elles sont capables d'exprimer à la fois les sentiments positifs et les sentiments négatifs que si elles sont toujours «très gentilles» l'une envers l'autre. (p. 323)

«La haine que l'amour réussit à faire entièrement disparaître se transforme en amour, et l'amour qui s'ensuit est plus grand que s'il n'avait été précédé par la haine.»
Benedict Spinoza, *Éthique*

AMOUR

Dans leurs recherches sur l'attraction, la plupart des chercheurs ont étudié ce qui est le plus facile à étudier – les réactions au cours de brèves rencontres entre étrangers, au lieu de celles qui se manifestent dans les relations déjà établies. Ces réactions ne sont pas sans importance, car les premières impressions durent souvent. Même devant la preuve du contraire, les premières idées se maintiennent. En outre, ce qui détermine dès le début notre sympathie envers une personne – la proximité, la beauté, la ressemblance et le fait d'être aimé – influence également le développement à long terme de nos relations intimes. Les premières impressions des couples qui se fréquentent et des colocataires peuvent donc prédire leur avenir à long terme (Berg, 1984, 1986).

Les premières impressions sont donc importantes et prophétiques. Admettant toutefois que l'amour n'est pas la simple intensification d'une sympathie initiale, les psychologues sociaux se détournent de la faible attraction éprouvée lors des premières rencontres pour étudier les relations intimes et durables.

Même les enfants peuvent vivre des passions.

Qu'est-ce qu'on appelle au juste l'amour ? L'amour est plus complexe que la sympathie et, par conséquent plus difficile à mesurer, plus embarrassant à étudier. Les gens languissent d'amour, vivent d'amour et meurent d'amour. Mais ce n'est qu'au cours des quelques dernières années que l'amour – en dépit du mépris du sénateur Proxmire – est devenu un sérieux sujet d'étude en psychologie sociale. Voyons les conclusions auxquelles on a abouti jusqu'à maintenant.

Une partie de la recherche a consisté à comparer la nature de l'amour éprouvé dans diverses relations intimes – les amitiés de même sexe, les relations parents-enfants, les époux ou les amants (Davis, 1985 ; Maxwell, 1985 ; Sternberg et Grajek, 1984). Ces recherches font ressortir certains éléments communs à toutes les relations d'amour : la compréhension réciproque, l'encouragement donné et reçu, et le fait d'apprécier et de jouir de la présence de l'être cher. Même si ces ingrédients valent également pour l'amour entre deux grands amis ou entre mari et femme, ils sont différemment apprêtés selon la nature de la relation. L'amour passionné, surtout à sa phase initiale, se caractérise par l'affection physique, le désir d'exclusivité et une intense fascination envers l'être cher. Pour éviter que l'on pense que l'amour passionné n'est réservé qu'aux amants romantiques, Phillip Shaver et ses collègues (1988) font remarquer que les enfants de un an démontrent habituellement un attachement passionné pour leurs parents. Tout comme les jeunes amants adultes, ils sont très friands d'affection physique, souffrent de la séparation, expriment une intense affection lorsqu'ils retrouvent leurs parents et tirent beaucoup de plaisir de leur attention et de leur approbation. John Carlson et Elaine Hatfield (1989) rapportent que les enfants de cinq ans manifestent, eux aussi, de l'amour passionné en admettant l'existence d'un enfant de l'autre sexe auquel ils ne peuvent s'empêcher de penser, avec qui ils veulent être et qu'ils aiment toucher ou par qui ils aiment être touchés. Ce n'est cependant pas sur ce genre de passions rudimentaires que les chercheurs se sont penchés, mais sur l'amour romantique des adolescents et des adultes.

AMOUR PASSIONNÉ

La première étape pour étudier l'amour romantique, comme pour étudier n'importe quelle variable, consiste à décider comment le définir et le mesurer. Nous disposons de moyens pour mesurer l'agression, l'altruisme, le préjugé et la sympathie, mais comment mesurer l'amour? Elizabeth Barrett Browning a posé une question semblable: «Comment je t'aime? Attends que j'en compte les manières.» Les scientifiques sociaux en ont compté plusieurs. Le psychologue Robert Sternberg (1988) considère l'amour comme un triangle, dont les trois côtés (de longueur différente) sont la passion, l'intimité et l'engagement (voir la figure 11.3). Se référant à la philosophie ancienne et à la littérature, le sociologue John Alan Lee (1988) et les psychologues Clyde Hendrick et Susan Hendrick (1986, 1988) identifient trois styles primaires d'amour – *eros* (passion), *ludus* (jeu) et *storge* (amitié) – qui, comme les couleurs primaires, se combinent pour donner des styles secondaires d'amour comme la manie (un mélange d'*eros* et de *ludus*). Zick Rubin (1970, 1973), l'un des premiers chercheurs en ce domaine, a identifié des facteurs quelque peu différents. Pour les évaluer, il a rédigé des phrases à compléter du genre:

1. *Attachement* (par exemple, «Si j'étais seul, ma première pensée serait d'aller chercher _____.»)

2. *Affection* (par exemple, «Si_____se sentait déprimé, mon premier devoir serait de lui remonter le moral.»)

3. *Intimité* (par exemple, «J'ai l'impression de pouvoir pratiquement tout dire à _____.»)

Rubin a fait passer son test d'amour à des centaines de couples qui se fréquentaient de l'Université du Michigan. Il a ensuite fait venir au laboratoire les couples dont les résultats semblaient indiquer une relation faible ou forte et amoureuse. Au moment où chaque couple attendait la rencontre, des observateurs derrière un miroir à sens unique chronométraient le temps des contacts visuels. Les couples dont l'amour était «faible» se regardaient moins que les couples dont l'amour était «fort» et qui se trahissaient en se regardant dans les yeux.

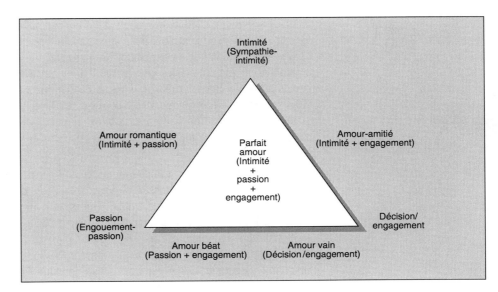

Figure 11.3
Conception de Robert Sternberg (1988) quant aux différentes sortes d'amour selon les combinaisons des trois principales composantes de l'amour.

Amour passionné :
Intense désir d'union avec une autre personne. Les amants passionnés se fondent l'un dans l'autre, sont en extase lorsqu'ils obtiennent l'amour de l'autre et sont inconsolables s'ils le perdent.

L'**amour passionné** est émotionnel, excitant, intense. Hatfield (1988) le définit comme *un intense désir d'union avec quelqu'un* (p. 193). S'il est réciproque, la personne se sent comblée et joyeuse; dans le cas contraire, elle se sent vide et désespérée. Comme pour les autres formes d'excitation émotionnelle, l'amour passionné comporte un mélange d'exultation et de mélancolie, de frissons d'ivresse et de tristesse accablante.

Comme l'implique cette définition, les gens peuvent éprouver un amour passionné pour une personne suscitant la souffrance, l'anxiété et la jalousie. Pourquoi ? L'amour romantique semble parfois s'écarter du principe raisonnable voulant que nous aimions les personnes gratifiantes et détestions celles qui nous font souffrir. Douglas Kenrick et Robert Cialdini (1977) proposent une explication : si la personne aimée peut causer de la souffrance et de l'anxiété, elle a aussi le pouvoir d'apaiser ces émotions. L'amant peut provoquer de la jalousie lorsqu'il est avec quelqu'un d'autre, mais c'est aussi lui qui offrira un soulagement extatique par son retour (Auger, 1988). Le fait d'aimer les personnes associées au soulagement des sentiments négatifs illustre en fait le principe de la gratification. Peut-être pouvez-vous vous souvenir d'une «querelle d'amoureux» qui n'avait d'autre justification que l'intense plaisir procuré par la réconciliation.

Une théorie de l'amour passionné

Hatfield explique l'amour passionné de manière fort différente en se servant d'une théorie de l'émotion que nous avons vue au chapitre 10. On y disait qu'une certaine dose d'excitation peut éveiller n'importe laquelle de plusieurs émotions, selon la chose à laquelle on attribue l'excitation. Une émotion concerne autant le corps que l'esprit, autant l'excitation que l'interprétation et l'appellation qu'on lui donne. Imaginez-vous avec le cœur battant la chamade et les mains qui tremblent : vivez-vous de la peur, de l'anxiété ou de la joie ? Sur le plan physiologique, une émotion ressemble beaucoup à une autre. Ainsi, vous percevrez probablement l'excitation comme de la joie si vous êtes dans une situation euphorique, de la colère si votre environnement est hostile et (selon Hatfield) de l'amour passionné si la situation est romantique.

Si la passion est effectivement un état d'emballement que l'on étiquette amour, l'expérience de l'«amour» sera alors intensifiée par tout ce qui emballe. Dans plusieurs expériences, des étudiants sexuellement excités par la lecture ou le spectacle de scènes érotiques se montraient plus intéressés envers une femme [en ayant, par exemple, de meilleurs résultats au test d'amour de Rubin dans la description qu'ils faisaient de leur petite amie] (Carducci *et al.*, 1978; Dermer et Pyszczynski, 1978; Stephan *et al.*, 1971). Les partisans de la **théorie de l'émotion à double facteur** soutiennent que, lorsque les hommes emballés réagissaient à une femme, ils se trompaient facilement en lui attribuant une part de leur excitation.

Théorie de l'émotion à double facteur:
Excitation × étiquette = émotion.

Selon cette théorie, la stimulation provenant de *toute* source devrait intensifier les sentiments passionnés – à condition que l'individu soit libre d'attribuer une partie de la stimulation à un stimulus romantique. Donald Dutton et Arthur Aron (1974) ont invité des étudiants de l'Université de Colombie-Britannique à participer à une expérience d'apprentissage. Après avoir rencontré leur séduisante partenaire, certains furent terrifiés à l'idée d'avoir à subir des électrochocs «assez douloureux». Avant d'entreprendre l'expérience, l'expérimentateur leur fit remplir un bref questionnaire «afin de connaître votre état actuel et vos réactions, puisqu'ils jouent souvent un rôle dans l'apprentissage». Lorsqu'on leur demanda s'ils aimeraient sortir avec leur partenaire ou l'embrasser, les étudiants stimulés (terrifiés) se dirent plus intensément attirés par la partenaire que les étudiants qui n'avaient pas été stimulés. Gregory White et ses collaborateurs (1981; White et Kight, 1984) ont aussi découvert que les étudiants stimulés – que ce soit par la course sur place, par le spectacle d'une comédie ou par l'écoute de l'enregistrement d'une sinistre torture humaine – réagissaient plus fortement à une complice; ils exprimaient plus d'attraction pour une jolie femme et plus d'antipathie pour une femme moins séduisante.

«L'"adrénaline" associée à un grand nombre d'émotions fortes peut se diffuser et rendre la passion encore plus passionnée. (Une sorte "d'amour augmenté par un phénomène chimique".)»
Elaine Hatfield et Richard Rapson, 1987

Peut-on observer ce phénomène à l'extérieur du laboratoire? Dutton et Aron (1974) ont demandé à une jolie jeune femme d'approcher individuellement les jeunes hommes qui traversaient un étroit pont suspendu, d'une longueur de 140 m, et oscillant au-dessus des rapides rocailleux de la rivière Capilano en Colombie-Britannique. Elle demandait à chacun de l'aider à remplir un questionnaire. Une fois la tâche effectuée, elle griffonnait sur un bout de papier son nom et son numéro de téléphone en l'invitant à lui téléphoner s'il désirait en savoir plus long sur le projet. La plupart de ceux qui ont accepté de l'aider ont pris le numéro de téléphone et la moitié d'entre eux lui téléphonèrent. Par contre, les hommes qui étaient approchés par une femme au moment où ils traversaient un pont solide et peu élevé de même que ceux qui étaient approchés par un *homme* sur un pont élevé téléphonèrent rarement. C'est donc dire que l'adrénaline attendrissait le cœur.

Est-ce donc là quelque chose d'habituel? Les psychologues sociaux (Kenrick *et al.*, 1979; Furst *et al.*, 1980) se le demandent. La théorie de l'amour romantique à double facteur prédit que la stimulation intensifiera d'autant plus l'amour que son origine en sera ambiguë, nous laissant ainsi la liberté d'attribuer faussement la stimulation à la passion. Nous avons l'impression que la cause de notre stimulation est parfois *non* ambiguë; nous ne savons que trop bien pourquoi nous sommes anxieux, irrités ou effrayés. Le fait de ruminer le problème peut même nous *fermer* à l'expérience de l'amour romantique. En d'autres occasions, comme lorsque nous sommes transportés de joie ou exaltés par un événement qui ne nous ronge pas l'esprit, l'excitation que nous éprouvons peut plus facilement se changer en passion. L'une des raisons en est que la stimulation réelle provenant d'une expérience – par exemple, la pulsation cardiaque élevée qui subsiste après l'exercice physique – dure plus longtemps que le *sentiment* ressenti (Cacioppo *et al.*, 1987). Cette persistance de la stimulation, bien qu'elle ne soit pas perçue, signifie qu'il nous faut alors moins de stimulation pour avoir les réactions caractéristiques à l'état de stimulation. Ainsi, la persistance d'une stimulation antérieure se déverse dans une nouvelle émotion. Même en sachant qu'une activité comme l'exercice physique nous a stimulés, la stimulation n'en alimente pas moins tout autre foyer d'incendie susceptible de s'allumer (Allen *et al.*, 1989).

Différentes sortes d'amour

Différences historiques et culturelles

Nous sommes sans cesse tentés (l'effet du faux consensus) de supposer que tout le monde partage nos idées et nos sentiments personnels. Nous tenons pour acquis, par exemple, que l'amour est une condition nécessaire au mariage. Ce n'est pourtant pas ce que l'on pense dans les cultures où les mariages sont arrangés à l'avance. Et, jusqu'à tout récemment, les choix matrimoniaux en Amérique du Nord, principalement chez les femmes, étaient fortement influencés par des considérations touchant la sécurité financière, le contexte familial et le statut professionnel. Mais de nos jours, comme l'indique la figure 11.4, près de 9 jeunes adultes sur 10 interrogés disent que l'amour est indispensable au mariage. Les cultures (et même la nôtre) diffèrent donc quant à l'importance qu'elles accordent à l'amour romantique. Dans notre culture actuelle, l'amour précède généralement le mariage, tandis que dans d'autres cultures il succède plus souvent au mariage.

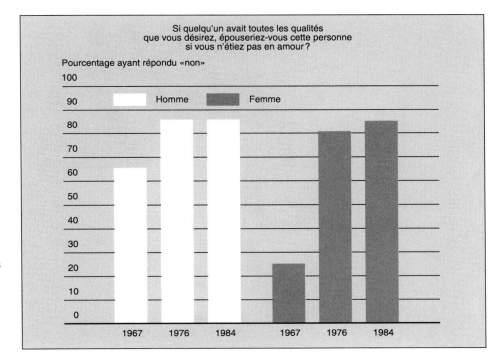

Figure 11.4

Amour passionné : de nos jours, mais pas toujours, c'est une condition essentielle au mariage en Amérique du Nord. Depuis quelques décennies, les femmes ont de plus en plus tendance à considérer l'amour comme un préalable au mariage, du fait qu'elles sont devenues plus indépendantes des hommes sur le plan financier. (Tiré de Simpson *et al.*, 1986.)

Différences en fonction de la personnalité

Selon les endroits et l'époque, les individus diffèrent aussi dans leur conception des relations hétérosexuelles. Certains recherchent une suite de courts engagements, d'autres désirent l'intimité d'une relation durable et exclusive. Mark Snyder et ses collègues (1985, 1988; Snyder et Simpson, 1985) ont identifié le type de personnalité rattaché à ces deux conceptions de l'amour. Nous avons vu, au chapitre 2, que certaines personnes – celles qui sont très fortes en «autosurveillance» – surveillent de près leur comportement afin de créer l'effet désiré dans toute situation. D'autres personnes – celles qui se surveillent peu – sont davantage guidées de l'intérieur, agissant, selon elles, toujours de la même façon, sans tenir compte de la situation. Selon vous, quel genre de personne – les fortes ou les faibles en autosurveillance – seront les plus influencées par l'apparence physique d'un éventuel partenaire? Lesquelles seront les plus disposées à mettre fin à une relation au profit d'un nouveau partenaire et à fréquenter, par conséquent, plus de gens sur de courtes périodes? Lesquelles auront des mœurs sexuelles plus légères? Snyder et Simpson rapportent que ce seront toujours les personnes fortes en autosurveillance. Ces personnes sont spécialistes des premières impressions et ont tendance à être moins engagées dans des relations profondes et durables. Quant à celles qui sont peu portées à l'autosurveillance, moins centrées sur l'extérieur, elles se montrent plus loyales dans leurs engagements et se préoccupent davantage des qualités intérieures des gens. Ainsi, en scrutant les dossiers d'employés ou de partenaires potentiels, elles attachent plus de prix aux qualités personnelles qu'à l'apparence. Et lorsqu'elles ont à choisir entre quelqu'un qui partage leurs attitudes et quelqu'un qui partage leurs activités préférées, les personnes qui se surveillent peu (contrairement à celles qui se surveillent beaucoup) penchent pour les personnes ayant les mêmes attitudes (Jamieson et al., 1987).

Différences entre les sexes

Les hommes et les femmes diffèrent souvent quant à leur façon de vivre l'amour passionné. Des recherches auprès d'hommes et de femmes tombant en amour ou n'éprouvant plus d'amour ont abouti à quelques surprises. La plupart des gens, y compris l'auteur de la lettre suivante à un courrier du cœur, supposent que les femmes tombent plus facilement en amour:

> Cher Dr Roberts,
>
> Croyez-vous qu'il est efféminé pour un jeune homosexuel de 19 ans d'être si intensément amoureux que le monde semble sens dessus dessous? Je pense que je suis réellement fou parce que cela m'est arrivé plusieurs fois jusqu'à maintenant, à croire que l'amour me tombe dessus sans crier gare... Mon père dit que ce sont les filles qui tombent en amour comme cela, que les garçons vivent cela différemment – du moins sont-ils censés le faire. Je ne peux pas me changer, mais cela m'inquiète pas mal. – P. T. (Cité par Dion et Dion, 1985)

P. T. serait rassuré d'apprendre qu'on a découvert que ce sont en fait les hommes qui tombent plus facilement en amour (Dion et Dion, 1985; Peplau et Gordon, 1985). Les hommes semblent également plus lents à cesser d'aimer et ont moins tendance que les femmes à prendre l'initiative de la rupture d'une liaison prématrimoniale. Cependant, les femmes amoureuses sont habituellement aussi affectivement engagées que leur partenaire quand ce n'est pas plus – elles ont plutôt une tendance plus marquée à se dire euphoriques et «libres et insouciantes», comme si elles «flottaient sur un nuage». Les femmes sont également un peu plus portées que les hommes à s'intéresser à l'aspect intime de leur relation et à se préoccuper de leur partenaire, tandis que les hommes pensent plus que les femmes aux côtés ludiques et physiques de la relation.

AMOUR-AMITIÉ

Même si l'amour passionné est brûlant, il en vient nécessairement à se refroidir. Tout comme nous acquérons une tolérance aux effets euphorisants de la drogue, l'amour passionné que nous ressentons pour notre partenaire est, lui aussi, destiné à se refroidir. Plus une relation dure, moins elle suscite de hauts et de bas émotionnels (Berscheid *et al.*, 1989). L'excitation amoureuse peut durer quelques mois et même quelques années. Mais, comme nous l'avons vu au chapitre 10 à propos du niveau d'adaptation, aucune excitation ne dure éternellement. Pour qu'une relation intime survive à l'excitation du début, elle doit donc s'établir sur des bases plus solides mais affectueuses que Hatfield appelle l'**amour-amitié**.

Contrairement aux émotions violentes de l'amour passionné, l'amour-amitié est plus modéré ; c'est un attachement profond et affectueux. Et il est tout aussi réel. Les couples engagés dans une relation de longue durée participent à moins d'activités, en retirent moins de plaisir, mais montrent peu d'écart entre le nombre d'activités désirées et les activitées vraiment réalisées. Il se peut que les couples qui sont ensemble depuis longtemps aient identifié les activités qui les satisfont mutuellement et qu'ils se consacrent uniquement à celles-ci (Assh et Byers, 1990). Même si une drogue n'a plus beaucoup d'effet, le sevrage n'en reste pas moins douloureux. C'est la même chose pour les relations intimes. Les couples mutuellement dépendants, qui ne ressentent plus la flamme de l'amour passionné, découvriront souvent, à la suite d'un divorce ou au décès du conjoint, qu'ils ont perdu plus qu'ils ne le pensaient. S'étant concentrés sur ce qui n'allait pas, ils ont souvent oublié de remarquer tout ce qui fonctionnait, incluant leurs centaines d'activités interdépendantes (Carlson et Hatfield, 1989).

Amour-amitié :
Affection que l'on ressent pour les gens qui se trouvent mêlés de très près à nos vies.

« Lorsque deux personnes sont sous l'emprise de la passion la plus violente, la plus folle, la plus illusoire et la plus éphémère, on leur demande de jurer de se maintenir dans cet état d'excitation anormale et épuisante jusqu'à ce que la mort les sépare. »
George Bernard Shaw

Contrairement aux émotions violentes de l'amour passionné, l'amour-amitié est un attachement profond et affectueux.

On peut voir l'atténuation de l'amour passionné et l'importance grandissante d'autres facteurs, comme les valeurs partagées, en comparant les sentiments exprimés par les gens qui, en Inde, ont fait un mariage arrangé par opposition à ceux qui se sont mariés par amour. Quand Usha Gupta et Pushpa Singh (1982) ont demandé à 50 couples de Jaipur, en Inde, de remplir le test d'amour de Zick Rubin, ils ont découvert que les gens qui s'étaient mariés par amour se disaient moins épris s'ils étaient mariés depuis plus de cinq ans. Par contre, les époux de mariages arrangés se déclarèrent *plus* épris que lorsqu'ils étaient nouveaux mariés (figure 11.5). Il semble que l'amour romantique qui avait assuré les premiers succès du mariage n'était pas nécessairement capable d'assurer le succès à long terme de la relation.

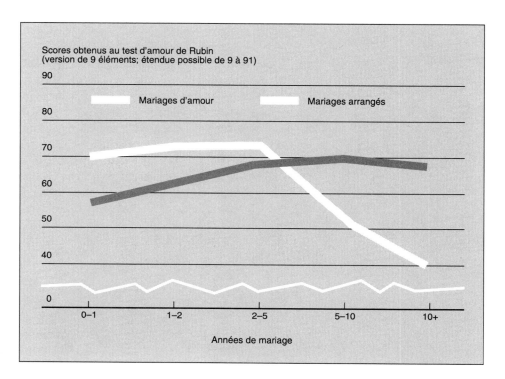

Figure 11.5

Amour romantique éprouvé par les conjoints de mariages préarrangés ou de mariages d'amour, à Jaipur, en Inde. (Données tirées de Gupta et Singh, 1982.)

Selon un modèle de André Blais *et al.* (1990), le bonheur dans le couple dépend de la perception du degré d'accord à propos de différents aspects de la relation (par exemple, la quantité de temps passé ensemble), de la cohésion du couple (par exemple, travailler ensemble sur un projet) et de l'accord dans l'expression de l'affection. Mais ces différentes perceptions dépendraient elles-mêmes de la nature de la motivation qui unit les deux membres du couple. La qualité de la relation sera d'autant meilleure que la motivation est de type intrinsèque («J'aime les moments agréables vécus avec mon compagnon») plutôt que de type amotivationnel («Je ne sais pas pourquoi je suis avec elle») ou de type externe («Parce que les personnes qui me sont importantes sont fières de notre relation et je ne voudrais pas les décevoir»).

Le refroidissement des sentiments passionnés entraîne souvent une période de désillusion, surtout chez les personnes qui considèrent ce genre d'amour essentiel à la fondation d'un foyer (rappelez-vous la figure 11.3) et à sa longévité. Jeffry Simpson, Bruce Campbell et Ellen Berscheid (1986) croient, par conséquent, que «la croissance marquée du taux des divorces au cours des deux dernières décennies est reliée, du moins en partie, à l'importance croissante accordée aux intenses expériences émotionnelles positives (comme l'amour passionné) dans la vie des gens, expériences qui peuvent être particulièrement difficiles à maintenir sur une longue période». En comparaison des Nord-Américains, les Asiatiques se préoccupent moins des sentiments personnels, comme la passion, et davantage des aspects pratiques des liens sociaux (Dion et Dion, 1988). C'est pourquoi ils sont probablement moins vulnérables au désenchantement.

Le déclin de l'intense fascination mutuelle peut être, dans l'optique de la survie de notre espèce, naturel et fonctionnel. Les enfants constituent souvent l'aboutissement de l'amour passionné et leur survie sera facilitée par la diminution de l'obsession amoureuse de leurs parents (Kenrick et Trost, 1986). Toutefois, pour les gens mariés depuis plus de vingt ans, l'amour romantique d'antan connaît souvent un nouveau regain avec le départ des enfants, qui redonne aux parents la liberté de se consacrer l'un à l'autre (Hatfield et Sprecher, 1986). Si la relation a été intime et gratifiante pour les deux partenaires, l'amour-amitié va probablement se développer. Mais qu'entend-on par «intimité»? Et que signifie l'expression «mutuellement gratifiante»?

AMOUR ÉTERNEL? ÉMOTIONS EMBOUTEILLÉES

SEATTLE, WASH. (UPI) – Il y a dix ans, un homme écrivit un poème d'amour à sa femme, le mit dans une enveloppe et glissa le tout dans une bouteille qu'il laissa tomber dans l'océan Pacifique, à mi-chemin entre Seattle et Hawaii.

Chris Willie, un employé de la National Wildlife Federation trouva dernièrement la bouteille en faisant son jogging sur une plage de Guam. Après avoir remplacé l'enveloppe – le timbre de dix cents était quelque peu dépassé – il posta consciencieusement la lettre à Seattle.

Quand la lettre lui revint avec la mention «personne déménagée», Willie la fit parvenir au *Seattle Times*.

Le message imprimé était du plus pur romantisme d'antan.

«Si je deviens vieux et grisonnant avant que tu ne reçoives cette lettre, je sais que notre amour sera aussi intense qu'il l'est aujourd'hui.

«Ce message peut prendre une semaine ou des années à te parvenir. Quoi qu'il advienne, il aura été entre les mains d'un bien étrange et imprévisible messager – la mer.

«S'il ne te parvient jamais, il n'en restera pas moins gravé dans mon cœur que je ferai tout pour te prouver mon amour. Ton mari, Bob.»

On réussit à joindre par téléphone la destinataire et on lui lut la missive. Elle éclata de rire – et rit de plus belle au fil de la lecture.

«Nous sommes divorcés», dit-elle avant de raccrocher brutalement.

Note: Milwaukee Journal, 27 août 1981, p. 1.

S'ouvrir à l'autre

Les relations profondes d'amour-amitié sont des relations intimes. Elles nous permettent de nous faire connaître tels que nous sommes vraiment et de nous sentir acceptés. Cette merveilleuse expérience est le propre d'un mariage réussi ou d'une amitié profonde – une relation où la confiance remplace l'anxiété et où nous sommes par conséquent libres de nous

Ouverture de soi :
Révéler aux autres des aspects intimes de soi.

ouvrir à l'autre sans crainte de perdre son affection (Holmes et Rempel, 1989). Les relations de ce genre se caractérisent par ce que feu Sidney Jourard appelait l'**ouverture de soi** ou ce que Dalmas Taylor (1979) et Irwin Altman (Altman et Taylor, 1973) ont nommé la «perspicacité sociale». À mesure que progresse la relation, les personnes engagées se dévoilent de plus en plus l'une à l'autre; leur connaissance de l'autre s'approfondit constamment jusqu'à atteindre un niveau approprié. La personne privée d'occasions semblables d'intimité risque de connaître les affres de la solitude (Berg et Peplau, 1982; Solano *et al.*, 1982).

Dans des expériences, on a exploré les *causes* et les *effets* de l'ouverture de soi. Les chercheurs se sont demandé : Quand les gens sont-ils davantage disposés à révéler des informations intimes touchant «ce que vous aimez et n'aimez pas à propos de vous-mêmes» ou «qu'est-ce qui vous fait le plus honte et de quoi êtes-vous le plus fier»? Et comment ces révélations touchent-elles les personnes qui les font et celles qui les reçoivent?

Ouverture réciproque :
Tendance à ajuster son degré d'ouverture intime de soi à celui de l'interlocuteur.

Le résultat le plus fiable est l'effet d'**ouverture réciproque** : l'ouverture de soi engendre l'ouverture de l'autre (Berg, 1987; Reis et Shaver, 1988). C'est ainsi que nous nous confions plus à ceux qui se sont ouverts à nous. Mais l'intimité est rarement instantanée. Elle se développe beaucoup plus souvent à la manière d'une danse : je me confie un peu, tu te confies un peu – mais pas trop; tu te confies ensuite un peu plus et j'en fais autant.

Il y a même des gens particulièrement doués pour inciter les autres à s'ouvrir – des gens qui incitent facilement les autres à s'ouvrir, même les personnes qui livrent normalement peu d'elles-mêmes (Miller *et al.*, 1983). Ces personnes excellent habituellement à l'écoute. Durant la conversation, elles maintiennent des expressions faciales attentives et semblent intéressées et à l'aise (Purvis *et al.*, 1984). Elles vont aussi exprimer leur intérêt par des mots d'encouragement à leur interlocuteur. Leur écoute, selon les termes du psychologue Carl Rogers (1980), «favorise la croissance» – ce sont des gens *authentiques* lorsqu'ils révèlent leurs sentiments; *respectueux* des sentiments d'autrui; et qui écoutent de manière *empathique*, sensible et réfléchie.

L'état d'esprit du partenaire a également son importance. Il y a des gens qui sont naturellement plus intimes avec leurs proches (Prager, 1986). Et la grande majorité des gens se révèlent davantage lorsqu'ils sont de bonne humeur (M. Cunningham, 1988). Lorsque nous sommes de mauvaise humeur, nous avons tendance à nous taire.

Quelles sont les conséquences de l'ouverture de soi? Jourard (1964) disait que le fait d'abaisser nos masques et de nous faire connaître nourrit l'amour. Il pensait qu'il est gratifiant de s'ouvrir à l'autre et de jouir ensuite de la confiance qu'il nous manifeste en s'ouvrant à nous. Le fait d'avoir, par exemple, un ami intime avec qui parler de ce qui menace notre image de soi semble nous aider à bien surmonter ce genre de stress (Swann et Predmore, 1985). Une amitié sincère est une amitié qui nous aide à vivre nos autres relations.

«Qu'est-ce qu'un ami? Je vais vous le dire. C'est une personne avec qui vous osez être vous-mêmes.»
Frank Crane, *A Definition of Friendship*

Même s'il est vrai que l'intimité peut être gratifiante, les résultats de nombreuses expériences nous mettent en garde contre l'idée que l'ouverture de soi va automatiquement provoquer l'amour. Les choses ne sont pas aussi simples. S'il semble vrai que nous aimons plus les gens à qui nous nous sommes confiés (R. L. Archer *et al.*, 1980), nous ne nous entichons pas toujours des gens qui se mettent complètement à nu devant nous (Archer et Burleson, 1980; Archer *et al.*, 1980). La personne que l'on vient à peine de connaître et qui se dépêche de nous révéler des détails intimes de sa vie risque de donner l'impression d'être indiscrète, immature et même instable (Dion et Dion, 1978; Miell *et al.*, 1979). Néanmoins, les gens préfèrent souvent une personne qui s'ouvre à une personne qui demeure sur ses gardes. Cela vaut surtout dans les cas où l'ouverture de soi se produit en réaction à une conversation, comme lorsqu'une personne habituellement réservée déclare que «quelque chose» chez le partenaire «m'a incité à m'ouvrir» et à lui faire des confidences (Archer et Cook, 1986; D. Taylor *et al.*, 1981). Il semble qu'il soit gratifiant d'être la personne choisie pour recevoir les confidences.

Bien qu'elle ne suscite pas automatiquement l'attraction, l'ouverture de soi semble effectivement l'un des grands plaisirs de l'amour-amitié. Les couples qui se fréquentent et les couples mariés qui se révèlent beaucoup l'un à l'autre sont ceux qui se disent les plus satisfaits de leur relation et qui ont le plus de chances de s'y maintenir (Berg et McQuinn, 1986; Hendrick et al., 1988; Sprecher, 1987). Les chercheurs ont aussi découvert que les femmes se montrent plus disposées que les hommes à révéler leurs peurs et leurs faiblesses (J. Cunningham, 1981). Ce type de confidence est perçu comme plus intime qu'une confidence émotivement positive (Howell et Conway, 1990). Comme le dit Kate Millett (1975), «Les femmes expriment, les hommes répriment.» Heureusement que les hommes d'aujourd'hui, surtout ceux qui ont des attitudes égalitaires à l'égard des rôles sexuels, semblent de plus en plus disposés à révéler leurs sentiments intimes et à goûter aux plaisirs d'une relation réciproque de confiance et d'ouverture de soi.

Équité

Nous avons déjà vu qu'une règle d'équité joue dans le phénomène d'assortiment : les gens apportent habituellement des avantages égaux à l'intérieur de leurs relations amoureuses. Ils sont souvent assortis sur le plan de la beauté, du statut, et ainsi de suite. Et si l'assortiment fait défaut dans un domaine (en matière de beauté, par exemple), il y aura probablement un autre défaut compensateur d'assortiment dans un autre domaine (en matière de statut, par exemple); ils seront donc équitablement assortis sur le total des avantages. Personne ne dit, et probablement peu le pensent, «Je t'échange ma beauté contre ton gros revenu.» Mais l'équité est la règle, surtout dans les relations durables.

Pour commencer, les personnes vivant une relation équitable sont plus satisfaites (Fletcher *et al.*, 1987; Gray-Little et Burks, 1983; Hatfield *et al.*, 1985). Celles qui perçoivent une inégalité dans leur relation se sentent mal à l'aise; la personne du couple qui est la plus avantagée peut ressentir de la culpabilité, tandis que l'autre vivra son désavantage avec irritation. (Compte tenu du biais auto-avantageux, la personne «suravantagée» sera probablement moins sensible à l'inégalité.) Robert Schafer et Patricia Keith (1980) ont interrogé plusieurs centaines de couples mariés de tous âges, prenant bonne note de ceux qui percevaient leur mariage comme quelque peu injuste parce que le mari ou la femme contribuait trop peu à la préparation des repas, à l'entretien domestique et aux tâches de pourvoyeur ou aux rôles de compagnon et de parent. L'injustice faisait des ravages : ceux qui percevaient une injustice quelconque étaient aussi ceux qui avaient tendance à se sentir plus malheureux et déprimés.

Mettre un terme à une relation intime

Que font les gens lorsqu'ils perçoivent qu'une relation n'est pas équitable ? Certains se retireront de la relation. Chez les couples qui se fréquentent, plus la relation est intime et dure depuis longtemps, et plus les solutions de rechange se font rares, plus la séparation est douloureuse (Simpson, 1987). Chez les couples mariés, les séparations entraînent d'autres coûts : les parents et les amis sont bouleversés, les droits parentaux sont restreints, sans compter la culpabilité d'avoir brisé des vœux. Mais, chaque année, des millions de couples préfèrent toutefois affronter ces coûts plutôt que d'avoir à endurer les coûts, à leur avis, plus élevés d'une relation pénible et non satisfaisante.

Caryl Rusbult et ses collègues (1986, 1987) se sont penchés sur trois autres manières de faire face à une relation défaillante. Certaines personnes font preuve de *loyauté* – en attendant passivement quoique avec optimisme que les choses s'améliorent. Les problèmes sont trop pénibles à aborder et les risques de séparation trop grands, de sorte que le loyal partenaire serre les dents et attend, espérant le retour du bon vieux temps. D'autres (surtout les hommes) se montrent *négligents* en laissant passivement la relation se détériorer. Le fait d'ignorer délibérément les pénibles insatisfactions provoque un insidieux détachement émotionnel qui pousse les partenaires à envisager séparément leur avenir. Et il y a enfin ceux qui *parleront* de leurs problèmes et feront quelque chose pour améliorer la relation. Le chercheur Robert Sternberg (1988) est d'avis que c'est là le seul moyen de maintenir une relation intime :

> «Vivre heureux pour toujours» n'est pas nécessairement un mythe, mais pour que cela devienne une réalité, le bonheur doit reposer sur diverses configurations de sentiments réciproques à différents moments de la relation. Les couples qui anticipent une passion éternelle ou une intimité à l'abri des difficultés courent au-devant du désappointement... Il nous faut constamment comprendre, créer et recréer nos relations amoureuses. Les relations sont des édifices qui tombent en ruine à défaut d'entretien et de réparations. Nous ne pouvons espérer d'une relation qu'elle s'entretienne d'elle-même pas plus que nous ne pouvons l'espérer d'un édifice. Nous devons plutôt endosser la responsabilité de la qualité de nos relations.

Si un mariage se termine par un divorce, les membres du couple chercheront les raisons de cet échec. Une étude de Yvon Lussier et Michel Alain (1986) montre que les personnes les plus attachées à leur ex-partenaire sont celles qui s'attribuent la responsabilité de la rupture (par exemple, «Je travaillais toujours sur la route»). Ces personnes sont aussi celles dont l'ajustement (par exemple, la participation à des activités sociales) est le moins bon.

RÉSUMÉ

UNE THÉORIE SIMPLE DE L'ATTRACTION

Qui aime qui et pourquoi ? Peu de questions en psychologie sociale ont provoqué un intérêt aussi soutenu. Plusieurs influences jouant sur l'attraction que nous éprouvons l'un pour l'autre peuvent s'expliquer grâce à un principe simple : nous aimons les gens dont le comportement est gratifiant ou que nous avons associés à des événements gratifiants.

SYMPATHIE : QUI AIME QUI ?

Dans le présent chapitre, nous avons abordé quatre importants facteurs influençant la sympathie. Le meilleur indice pour prédire l'amitié entre deux personnes est leur simple *proximité*. La proximité permet les interactions qui, à leur tour, permettent aux gens de découvrir leurs ressemblances et de ressentir leur sympathie réciproque. La sympathie est également stimulée du simple fait de s'attendre à des interactions avec quelqu'un. Pour finir, la proximité permet aux gens de se voir et le simple fait de se voir souvent a tendance à engendrer la sympathie.

Un deuxième facteur déterminant l'attraction initialement éprouvée envers quelqu'un est la *beauté physique* de l'individu. Que ce soit en études expérimentales ou en recherches sur le terrain impliquant des rendez-vous à l'aveugle, les étudiants ont tendance à aimer davantage la personne qui est belle. Les gens ont toutefois tendance, dans leur vie quotidienne, à choisir et à épouser une personne dont la beauté est équivalente à la leur (ou une personne qui, si elle est moins belle, a d'autres qualités compensatrices). Les qualités positives attribuées aux belles personnes sont si diversifiées que bien des chercheurs croient à l'existence d'un puissant stéréotype de la beauté physique – l'idée que ce qui est beau est bon. Mais, là encore, la beauté est relative – non seulement repose-t-elle sur notre définition culturelle de la beauté, mais elle dépend aussi des personnes à qui l'on compare quelqu'un et de la sympathie que l'on éprouve envers la personne.

À mesure que l'on fait plus ample connaissance, deux autres facteurs aident à déterminer si la relation va devenir une amitié. La sympathie réciproque sera plus marquée si les attitudes, les idées et les valeurs sont *semblables*. Beaucoup d'expériences en laboratoire et sur le terrain ont constamment prouvé que la ressemblance engendre la sympathie. Les chercheurs n'ont pu, jusqu'à maintenant, identifier les besoins et les traits de caractères faisant que les gens recherchent des personnes ne leur ressemblant pas. Il semble que les contraires s'attirent rarement.

Nous avons aussi tendance à nous faire amis avec les gens qui *nous aiment*. Cette tendance à aimer ceux qui nous aiment et nous admirent sera d'autant plus marquée si (1) nous n'attribuons pas les compliments de l'autre à des désirs de s'attirer nos bonnes grâces, (2) nous venons de traverser une période où l'approbation se faisait rare et (3) les louanges de l'autre remplacent ses critiques antérieures.

AMOUR

Il arrive parfois qu'une relation ne se change pas seulement en amitié, mais en *amour passionné*. Ce genre d'amour est un déconcertant mélange de ravissement et d'anxiété, d'exultation et de souffrance. Les partisans du principe de la gratification soutiennent que l'on peut aimer quelqu'un qui nous fait souffrir parce que c'est cette même personne qui a le pouvoir de soulager la souffrance. Les partisans de la théorie de l'émotion à double facteur soutiennent que, dans un contexte amoureux, l'excitation provenant de quelque origine que ce soit et même d'expériences pénibles peut alimenter la passion.

Les meilleures relations sont celles où l'engouement amoureux du début fait place à un attachement plus affectueux appelé l'*amour-amitié*. L'un des grands plaisirs de l'amour-amitié est l'ouverture de soi à l'autre, ce qui se produit graduellement, au fur et à mesure que les deux partenaires se révèlent progressivement l'un à l'autre. L'amour-amitié sera d'autant plus durable que les deux partenaires le perçoivent équitable, c'est-à-dire que chacun reçoit en proportion de ce qu'il donne.

LECTURES SUGGÉRÉES

Ouvrage en français

BREHM, S. S. (1984). Les relations intimes. *In* S. Moscovici (dir.). *Psychologie sociale* (p. 169-191). Paris, Presses Universitaires de France.

GIRARD, A. (1974). *Le choix du conjoint*. Paris, Presses Universitaires de France.

MAISONNEUVE, J. et BRUCHON-SCHWEITZER, M. (1982). *Modèles du corps et psychologie esthétique*. Paris, Presses Universitaires de France.

Ouvrage en anglais

DUCK, S. (1983). *Friends for life*. New York, St. Martins Press.

HATFIELD, E. et SPRECHER, S. (1986). *Mirror, mirror: The importance of looks in everyday life*. Albany, N.Y., SUNY Press.

MARSH, P. (dir.). (1988). *Eye to eye: How people interact*. Topsfield, Ma, Salem House Publishers.

PERLMAN, D. S. et DUCK, S. (dir.). (1986). *Intimate relationships: Development, dynamics, and deterioration*. Beverly Hills, Ca, Sage.

STERNBERG, R. J. et BARNES, M. L. (dir.). (1988). *The psychology of love*. New Haven, Ct, Yale University Press.

CHAPITRE

12

ALTRUISME :
AIDER LES AUTRES

———

Le 26 octobre 1965, à Indianapolis, en Indiana, on découvrit le corps à demi famélique et brutalisé de Sylvia Likens, une adolescente de 16 ans. Elle vivait en pension depuis le mois de juillet de cette même année chez Gertrude Braniszewski qui, assistée de ses trois enfants adolescents et de deux voisins, l'avait battue, brûlée et marquée au fer rouge. Sylvia n'avait pas accepté passivement ces mauvais traitements. Elle s'était défendue. Plusieurs voisins avaient entendu ses cris. Sa biographe Kate Millett (1979) note:

> Ils l'entendirent crier pendant des semaines, à la fin. Judy Duke avait vu Sylvia se faire battre et avait même décrit les scènes à sa mère en faisant la vaisselle du soir: le verdict fut que la jeune fille méritait d'être punie. Mme Vermillion, la plus proche voisine dont la maison n'était qu'à quelque quatre mètres de la fenêtre du sous-sol où vivait Sylvia, a sûrement entendu l'enfant souffrir jusqu'à la folie, semaine après semaine, avant qu'un autre bruit, celui d'une pelle à charbon raclant le sol, ne lui donne tout à coup l'idée d'appeler la police. Elle s'arrêta net dans son élan. Tout comme Sylvia s'arrêta net, la pelle ne bougeant plus, donnant finalement signe de vie, criant à l'aide [...]
>
> De sorte que Mme Vermillon raccrocha le téléphone, grommela encore une fois à l'adresse de son mari [...] et retourna à sa lassitude morale. (p. 22-23)

Pourquoi les voisins de Sylvia ne sont-ils pas venus à son secours? Étaient-ils sans cœur, indifférents, apathiques? Étaient-ils, comme le suppose Millett, «des esprits végétaux»? Si oui, il y en a plusieurs qui ont un esprit de ce genre. Voyez ce qui suit:

> Kitty Genovese est attaquée par un individu armé d'un couteau au moment où elle revient à son appartement, à 3 h 00. Trente-huit de ses voisins sont réveillés par ses cris de terreur et ses appels à l'aide: «Oh! mon Dieu, il m'a poignardée! Au secours! À l'aide!» La plupart vont à leur fenêtre pour la regarder se débattre avec son agresseur pendant plus de 35 minutes. Ce n'est qu'après le départ de l'agresseur que quelqu'un se donna la peine d'appeler la police. Elle mourut quelque temps après.
>
> Andrew Mormille est poignardé à l'estomac alors qu'il rentre à la maison par le métro. Quand ses agresseurs sortent du wagon, 11 autres passagers le regardent saigner jusqu'à la mort.
>
> Une standardiste de 18 ans, travaillant seule, est agressée sexuellement. Elle réussit momentanément à échapper à son agresseur et court, nue et ensanglantée, dans la rue, criant à l'aide. Quarante piétons regardent le violeur essayer de la traîner à l'intérieur. Heureusement, deux policiers passaient par là et arrêtèrent l'agresseur.
>
> Eleanor Bradley trébuche et se casse une jambe en faisant ses emplettes au centre commercial. Étourdie et souffrante, elle appelle à l'aide. Pendant 40 minutes, la foule de gens continue de circuler autour d'elle. Finalement, un chauffeur de taxi lui vient en aide et l'amène chez le médecin (Darley et Latané, 1968).

Ce qui choque, dans ces exemples, n'est pas que des personnes ne soient pas venues au secours des autres, mais que dans chacun de ces groupes (des groupes de 38, de 11, de 40 et de plus de 100 personnes) c'est presque 100% des personnes intéressées qui n'ont pas répondu à l'appel. Pourquoi? Devant des situations identiques ou semblables, réagiriez-vous, réagirions-nous, comme eux?

Certes, il y a aussi des anecdotes de grand héroïsme.

Le Québécois le plus âgé (106 ans au moment où j'écris ces lignes) racontait à un journaliste qui l'interrogeait un acte de bravoure qui lui avait valu une augmentation de salaire de 5 $ par année alors qu'il était jeune policier. Il dirigeait la circulation (des chevaux) au carrefour des rues Saint-Denis et Mont-Royal quand il a dû se jeter sur un cheval pour arrêter sa course folle et sauver ainsi des vies.

Il était 14 h 00, par un après-midi d'été de 1983, lorsque Joe Delaney, un joueur de football de l'équipe des Kansas City Chiefs, vit des gens attroupés autour d'un énorme trou qui s'était empli d'eau. Trois garçons s'y étaient aventurés, sans savoir que la petite sortie par le fond s'était effondrée. Soudain, ils perdirent pied et se mirent à se débattre et à appeler à l'aide. Comme Joe était le seul à se précipiter vers la mare, un petit garçon lui demanda «Savez-vous nager?» «Je ne suis pas bon nageur, lui répondit Joe, mais il faut que je sauve ces enfants. Si je n'y parviens pas, va chercher quelqu'un.» L'un des garçons réussit à s'en sortir. Les deux autres – de même que Joe Delaney – furent repêchés par des sauveteurs quelques moments plus tard, morts (Deford, 1983).

Sur le flanc d'une colline, à Jérusalem, 800 arbres sont alignés en une seule rangée. C'est l'avenue du Juste. Sous chaque arbre, il y a une plaque commémorative portant le nom d'un chrétien européen ayant donné refuge à un ou à plusieurs Juifs, lors de l'holocauste nazie. Ces «Gentils Justes» savaient que si l'on découvrait les réfugiés, la politique nazie réservait le même sort au réfugié et à l'hôte. Plusieurs le connurent (Hellman, 1980; Wiesel, 1985).

Des actes moins spectaculaires de réconfort, de sollicitude et d'assistance abondent: sans rien demander en retour, des gens donnent des renseignements, de l'argent ou de leur sang. Pourquoi et à quel moment les gens agiront-ils ainsi? Et que peut-on faire pour diminuer l'indifférence et encourager l'altruisme? Voilà les principales questions du présent chapitre.

Altruisme:
Se préoccuper des autres et les aider sans rien demander en retour; dévouement aux autres en dehors de toute considération consciente de ses propres intérêts.

L'**altruisme** est le contraire de l'égoïsme. La personne altruiste est celle qui se soucie des autres et leur vient en aide, même si elle n'en attend aucune compensation ou qu'on ne lui en offre aucune. L'exemple classique de l'altruisme est la parabole du bon Samaritain racontée par Jésus:

Un homme descendait de Jérusalem à Jéricho, et il tomba au milieu de brigands qui, après l'avoir dépouillé et roué de coups, s'en allèrent, le laissant à demi mort. Un prêtre vint à descendre par ce chemin-là; il le vit et passa outre. Pareillement un lévite, survenant en ce lieu, le vit et passa outre. Mais un Samaritain, qui était en voyage, arriva près de lui, le vit et fut pris de pitié. Il s'approcha, banda ses plaies, y versant de l'huile et du vin, puis le chargea sur sa propre monture, le mena à l'hôtellerie et prit soin de lui. Le lendemain, il tira deux deniers et les donna à l'hôtelier, en disant: «Prends soin de lui, et ce que tu auras dépensé en plus, je te le rembourserai, moi, à mon retour.» (Luc 10:30-35)

Le Samaritain illustre l'altruisme sous sa forme la plus pure. Plein de compassion, il donne volontairement de son temps, de son énergie et de son argent à un parfait étranger, n'en n'espérant ni remboursement ni reconnaissance.

Pour étudier les actes altruistes, les psychologues sociaux ont examiné les conditions poussant les gens à poser de tels gestes. Avant de voir ce que révèlent ces expériences, commençons d'abord par considérer trois théories de l'altruisme.

POURQUOI NOUS ENTRAIDONS-NOUS ?

ÉCHANGE SOCIAL: COÛTS ET BÉNÉFICES DE L'AIDE

Théorie de l'échange social:
Idée que les interactions humaines sont des transactions visant à maximiser les bénéfices personnels et à minimiser les coûts personnels.

L'une des explications de l'altruisme nous vient de la **théorie de l'échange social**: les interactions sont régies par une «économie sociale». Nous n'échangeons pas seulement des biens matériels et de l'argent, mais aussi des bienfaits *sociaux* – de l'amour, des services, des informations, des statuts (Foa et Foa, 1975). Lorsque nous le faisons, c'est en utilisant la stratégie «minimax» – minimiser les coûts, maximiser les bénéfices. La théorie de l'échange social ne dit pas que nous tenons consciemment le compte des coûts et des bénéfices, mais plutôt que ce genre de considérations peut servir à prédire notre comportement. Ainsi, si nous passons à côté d'une automobile vide dont les phares sont allumés, il se peut que nous nous arrêtions pour essayer d'ouvrir la porte du conducteur, mais si cette porte est fermée à clef, il est peu probable que nous fassions l'effort plus coûteux de partir à la recherche du propriétaire. Il est plus probable que nous donnions de la monnaie pour téléphoner à un camarade de classe (qui est susceptible de nous rendre la pareille ou dont nous convoitons l'amitié) qu'à un étranger.

Comment cette théorie des coûts-bénéfices expliquerait-elle la décision de donner ou non de son sang ? Supposons qu'il y ait, à votre collège, une campagne de don de sang et qu'on vous demande d'y participer. Ne soupèseriez-vous pas les *coûts* associés au fait de donner du sang (la douleur, le temps, la fatigue) par opposition à ceux qui sont associés au refus de donner (la culpabilité, la désapprobation) ? Ne considéreriez-vous pas également les *bénéfices* du don de sang (l'agréable sentiment d'être utile, les rafraîchissements gratuits) par opposition aux bénéfices de ne pas en donner (s'épargner le temps, le malaise et l'anxiété) ? Selon la théorie de l'échange social – et selon les études de Jane Allyn Piliavin, Dorcas Evans et Peter Callero (1982) auprès des donneurs de sang du Wisconsin –, ce sont là les calculs subtils qui précèdent les décisions d'aider ou non.

«Les hommes n'accordent aucune valeur à une bonne action à moins qu'elle n'entraîne une récompense.»
Ovide, *Epistulae ex Ponto*

Altruisme en tant qu'intérêt personnel déguisé

Les récompenses qui motivent l'aide peuvent être extérieures ou intérieures. Lorsque des compagnies donnent de l'argent pour améliorer leur image corporative ou lorsqu'une personne offre à une autre d'aller la reconduire en espérant sa reconnaissance ou son amitié, la récompense désirée est extérieure. Nous donnons pour recevoir. Nous sommes donc plus disposés à aider une personne qui nous intéresse ou dont nous désirons l'approbation (Krebs, 1970; Unger, 1979b).

Les bénéfices de l'aide comprennent également des bénéfices personnels intérieurs tels que l'atténuation de sa propre anxiété. En présence d'une personne en détresse, les gens réagissent habituellement avec empathie. Les cris d'une femme que vous entendez de votre fenêtre vous mettent en alerte et vous bouleversent. Si vous ne pouvez diminuer votre tension en interprétant les cris comme faisant partie d'un jeu, vous irez alors chercher ou donner de l'aide, diminuant ainsi votre malaise aigu (Piliavin et Piliavin, 1973). En effet, Dennis Krebs (1975) a découvert que les étudiants de l'Université Harvard dont les réactions physiologiques et les comptes rendus personnels montraient qu'ils étaient les plus bouleversés par la détresse d'un autre étaient aussi ceux qui s'empressaient le plus auprès de la personne. Les actes altruistes augmentent également notre sentiment de valeur personnelle. Tous les donneurs de sang de la recherche de Jane Piliavin admirent, par exemple, que le fait de donner du sang «fait que vous vous sentez bien dans votre peau» et «vous donne un sentiment de satisfaction personnelle».

Certains lecteurs diront peut-être que l'idée des coûts-bénéfices nous rabaisse, car elle enlève à l'altruisme toute part de désintéressement. Peut-être. En défense de la théorie, n'est-il quand même pas tout à l'honneur de l'humanité que nous puissions prendre plaisir à aider les autres, que notre comportement n'est pas, dans l'ensemble, «antisocial» mais «prosocial», et que nous puissions même trouver un accomplissement dans l'amour donné? Ne serait-ce pas bien pis si nous n'avions du plaisir qu'à chercher nos intérêts personnels?

«Vrai, dira peut-être le lecteur, mais la théorie de l'échange social n'implique-t-elle pas qu'un acte serviable n'est jamais tout à fait altruiste, que nous ne faisons que l'*appeler* altruiste lorsque ses bénéfices ne sont pas évidents? Si nous venons au secours de la femme qui crie pour nous attirer l'approbation sociale, atténuer notre profond malaise ou améliorer notre image personnelle, s'agit-il alors d'un acte altruiste?» Voilà qui fait penser à l'analyse que faisait B. F. Skinner (1971) de l'altruisme. Il disait que nous attribuons aux gens le mérite de leurs bonnes actions uniquement parce que nous ignorons pourquoi ils les posent. (Dans le langage de la théorie de l'attribution, nous n'attribuons leur comportement à leurs dispositions intérieures que lorsque nous sommes à court d'explications extérieures.) Lorsque les causes extérieures sont manifestes, c'est à elles plutôt qu'à la personne que nous attribuons le comportement.

Reconnaissant le stress physique que vivent les coureurs, lors du marathon de Montréal, des bénévoles offrent leur aide pour des raisons altruistes plutôt que par intérêt personnel.

La théorie de l'échange social a toutefois une faiblesse. Elle dégénère facilement en explications par étiquetage. Si une jeune femme se propose pour devenir Grande Sœur, il est tentant d'«expliquer» son geste de compassion par la satisfaction qu'elle y trouve. Mais ce genre d'étiquetage après coup des bénéfices donne lieu à une explication circulaire: «Pourquoi s'est-elle proposée?» «À cause des satisfactions intérieures qu'elle en retire.» «Comment savez-vous qu'elle en retire des satisfactions intérieures?» «Pour quelle autre raison se serait-elle proposée?» C'est à cause de ce genre de raisonnement circulaire que la doctrine philosophique de l'«égoïsme psychologique» – l'idée que tout comportement est nécessairement motivé par l'intérêt personnel – est tombée en discrédit.

Pour éviter les raisonnements circulaires, il nous faut définir les bénéfices et les coûts, indépendamment du comportement que l'on cherche à expliquer. Si l'on suppose que l'approbation sociale motive quelqu'un à offrir de l'aide, les expériences devraient alors nous démontrer que l'aide augmente lorsqu'elle est liée à l'approbation. Et c'est effectivement ce qui se passe (Staub, 1978). Qui plus est, l'analyse des coûts-bénéfices suggère autre chose. Elle laisse à penser que les spectateurs passifs qui virent le violeur traîner la standardiste n'étaient peut-être pas apathiques. Ils étaient peut-être effectivement très bouleversés quoique paralysés par les coûts éventuels d'une intervention de leur part.

Empathie en tant que source du véritable altruisme

Les secouristes héroïques, les donneurs de sang et les Bérets bleus remplis d'esprit de «sacrifice» ne sont-ils donc *jamais* motivés par un pur altruisme, par un objectif suprême de souci désintéressé pour les autres? Ou leur principal objectif n'est-il toujours qu'une forme quelconque d'avantage personnel, même s'il s'agit d'un avantage louable comme le soulagement de la misère humaine ou d'une culpabilité ultérieure?

Nous ne savons jamais quels bénéfices nous retirerons du fait d'aider une personne en détresse.

«Êtes-vous correct, Monsieur? Puis-je faire quelque chose?»

«Jeune homme, vous êtes le seul à vous être arrêté! Je suis millionnaire et je vais vous donner cinq mille dollars!»

Le psychologue Daniel Batson (1987) soutient toutefois que notre empressement à secourir est motivé *autant* par des considérations égoïstes que par du désintéressement (voir la figure 12.1). Le fait de nous sentir *bouleversés* des souffrances de quelqu'un peut nous motiver à atténuer notre trouble, soit en fuyant la situation bouleversante (comme le firent le prêtre et le lévite), soit en se portant à l'aide (comme le fit le Samaritain). Mais, de dire Batson et ses collègues, nous ressentons aussi de l'*empathie*, surtout lorsque nous avons un lien affectif avec la personne en détresse. Les parents affectueux pleurent lorsque leurs enfants souffrent et se réjouissent des joies de leurs enfants – une empathie qui n'existe pas chez les parents abusifs et toutes les autres personnes cruelles (Miller et Eisenberg, 1988). Lorsque nous éprouvons de l'empathie, nous ne nous concentrons pas tant sur notre propre trouble que sur celui de la victime. C'est ce genre de véritable sympathie et de compassion qui nous poussent à aider quelqu'un pour son propre bien.

Figure 12.1

Les voies égoïstes et altruistes que peut emprunter l'aide aux autres. Le spectacle de la détresse peut susciter un mélange de détresse personnelle et d'empathie envers les autres. Les chercheurs admettent que la détresse provoque des pulsions égoïstes, mais se demandent si l'empathie peut engendrer une pulsion purement altruiste. (Adapté de Batson, Fultz et Schoenrade, 1987.)

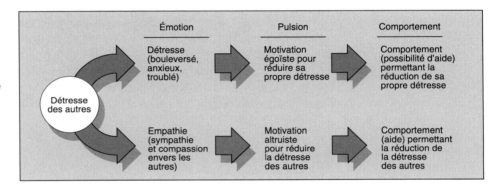

Le trouble intérieur et l'empathie vont souvent opérer conjointement pour motiver les réactions à une crise. En 1983, les gens virent, à la télévision, un feu de brousse détruire complètement des centaines de maisons près de Melbourne, en Australie. Paul Amato (1986) étudia par la suite les dons d'argent et de marchandises qu'offraient les gens. Il s'aperçut que les gens qui éprouvaient de la colère ou de l'indifférence donnaient moins que ceux qui se sentaient troublés (choqués et dégoûtés) ou empathiques (sympathisant et se faisant du souci pour les victimes). Pour faire la distinction entre le soulagement égoïste du trouble et l'empathie altruiste, Batson et son équipe de chercheurs effectuèrent sept expériences visant à susciter chez les gens des sentiments d'empathie, pour voir ensuite s'ils chercheraient à atténuer leur trouble intérieur en fuyant la situation ou s'ils feraient l'effort d'aider la personne. Les résultats furent constants: s'ils éprouvaient de l'empathie, ils se portaient habituellement au secours de la personne; rarement décidaient-ils de passer outre.

Batson et ses collègues (1981), dans l'une de ces expériences, avaient demandé à des étudiantes de l'Université du Kansas d'observer une jeune femme apparemment en train de subir des électrochocs. Lors d'une pause, la victime manifestement souffrante expliqua à l'expérimentateur qu'une chute, datant de son enfance, contre une clôture électrifiée l'avait rendue extrêmement sensible aux électrochocs. Sympathisant avec elle, l'expérimentateur proposa que l'observatrice (le véritable sujet de l'expérience) accepterait peut-être de prendre sa place pour recevoir la dernière série d'électrochocs. La moitié des véritables participantes s'étaient auparavant laissé convaincre que la personne souffrante avait les mêmes valeurs et les mêmes intérêts qu'elles-mêmes (éveillant de la sorte leur sympathie). On fit également croire à d'autres participantes qu'elles avaient fait ce que l'on attendait d'elles dans cette expérience et que tout ce qu'elles avaient à faire, quelle que soit la situation, était d'observer la femme en train de souffrir. Néanmoins, une fois leur sympathie éveillée, pratiquement toutes les observatrices s'offrirent pour remplacer la victime et endurer les électrochocs à sa place.

Est-ce là de l'altruisme véritable ? Mark Schaller et Robert Cialdini (1988) en doutent. Ils font remarquer que l'empathie ressentie pour une personne qui souffre rend triste. Dans l'une de leurs expériences, ils firent croire aux participants qu'on leur ferait passer leur tristesse au moyen d'une autre technique pour remonter le moral – en écoutant une comédie enregistrée. Dans ces conditions, les gens éprouvant de l'empathie n'étaient pas particulièrement portés à venir en aide. Schaller et Cialdini en concluent que lorsque nous éprouvons de l'empathie et que nous connaissons un moyen de nous sentir mieux, nous n'aurons pas tellement tendance à venir en aide.

D'autres résultats indiquent toutefois que le véritable altruisme existe probablement. Par exemple, l'empathie pousse à venir en aide seulement lorsque les gens pensent que l'autre sera vraiment aidé (Dovidio *et al.*, 1988). De plus, les gens chez qui l'on a suscité de l'empathie se porteront au secours de l'autre même s'ils croient que personne ne le saura et ils se feront du souci jusqu'à ce que quelqu'un *soit* venu en aide (Fultz *et al.*, 1986). Et les gens persisteront parfois à vouloir aider une personne en difficulté même s'ils croient avoir avalé une pilule ayant le pouvoir de «geler temporairement» leur trouble intérieur (Schroeder *et al.*, 1988).

NORMES SOCIALES

Il nous arrive souvent d'aider les autres non pas tant parce que nous avons consciemment calculé qu'il y allait de notre intérêt personnel, mais simplement parce que quelque chose nous dit que c'est ce que nous *devons* faire. Nous devons aider notre nouveau voisin à déménager. Nous devons éteindre les phares d'une automobile vide. Nous devons retourner le portefeuille que nous avons trouvé. Les normes (comme nous l'avons vu au chapitre 5) sont les attentes sociales. Elles *prescrivent* le comportement approprié, nos devoirs. Les chercheurs étudiant le comportement serviable ont identifié deux normes sociales qui semblent motiver l'altruisme.

Norme de réciprocité

Norme de réciprocité:
Attente selon laquelle les gens vont aider ceux qui les ont aidés, et non leur nuire.

Le sociologue Alvin Gouldner (1960) soutenait qu'il y a un code moral universel constitué de la **norme de réciprocité**: nous devrions rendre la pareille et non faire tort à ceux qui nous ont aidés. Gouldner croit que cette norme est aussi universelle que le tabou de l'inceste. Nous «investissons» dans les autres et en espérons des dividendes. Les politiciens savent que celui qui fait une faveur peut en espérer une en retour. La norme de réciprocité s'applique même au mariage; il se peut que l'un des conjoints donne parfois plus qu'il ne reçoit, mais il s'attend à long terme à un équilibre de l'échange. Dans toutes les interactions de ce genre, recevoir sans donner en retour constitue une violation de la norme de réciprocité. Les personnes qui agissent de la sorte doivent s'attendre au rejet.

La norme peut bien être universelle; néanmoins, l'obligation de rendre la pareille varie selon les circonstances. Nous nous sentons très redevables à la personne qui consent librement à faire pour nous un gros sacrifice, mais nous nous sentons moins redevables lorsque le sacrifice est petit et prévisible (Tesser *et al.*, 1968; Wilke et Lanzetta, 1970). Prenons, par exemple, les élèves blancs d'une école secondaire de l'Afrique du Sud qui participèrent à une expérience dirigée par Stanley Morse et ses collègues (1977). Chaque élève gagna un disque d'une chanson à succès grâce aux indices fournis par un meneur de jeu. Lorsque le meneur demanda plus tard de l'aide pour un projet, ceux qui ne s'attendaient pas à avoir des indices offrirent presque deux fois plus de leur temps que ceux qui s'attendaient à recevoir des indices. La norme semble donc être de rendre les faveurs, surtout les grandes faveurs inattendues. Les gens qui assument le plus cette norme de réciprocité se comportent souvent avec générosité, préférant que les autres leur doivent quelque chose plutôt que de devoir quelque chose aux autres (Eisenberger *et al.*, 1987).

La norme de réciprocité vaut surtout pour nos interactions avec des égaux. Ce sont les gens qui ne se sentent pas inférieurs à nous ou dépendants de nous qui ressentiront davantage le besoin de nous rendre la pareille. Ainsi, s'ils ne peuvent le faire, ces gens se sentiront probablement menacés ou rabaissés d'accepter de l'aide et ils seront par conséquent moins portés à demander de l'aide que les gens dotés d'une faible estime de soi (Fisher *et al.*, 1983; Nadler *et al.*, 1985). Lorsque nous avons affaire à des gens manifestement dépendants et incapables de rendre la pareille – les enfants, les gens extrêmement démunis ou handicapés, et ceux que l'on pense incapables de donner autant qu'ils ont reçu –, nous sommes poussés à les aider par une autre norme sociale très répandue: la norme de responsabilité sociale.

«Il n'y a pas d'obligation plus indispensable que celle de rendre une faveur.»

Cicéron

Norme de responsabilité sociale

La norme de réciprocité régit l'échange social; elle nous incite à équilibrer l'offre et la demande dans nos relations sociales. S'il n'y avait eu toutefois que la norme de réciprocité, il n'y aurait jamais eu de bon Samaritain. Dans sa parabole, Jésus avait manifestement à l'esprit une visée plus humanitaire que l'on trouve plus explicitée dans ses autres enseignements: «Si vous aimez ceux qui vous aiment [la norme de réciprocité] quel est votre mérite? [...] En vérité je vous le dis, aimez vos ennemis.» (Mathieu 5:46, 44)

L'idée qu'il faut aider les gens dans le besoin sans se préoccuper des échanges futurs fut appelée la **norme de responsabilité sociale** (Berkowitz, 1972b; Schwartz, 1975). La norme s'applique dans les cas allant du livre que l'on retrouve pour la personne en béquilles qui l'avait échappé aux parents qui veillent sur leurs enfants (R. D. Clark, 1975).

Norme de responsabilité sociale: Attente selon laquelle les gens aideront ceux qui dépendent d'eux.

Les expériences démontrent que les gens vont souvent s'empresser d'aider des gens dans le besoin – même lorsque les personnes qui viennent en aide demeurent anonymes et ne s'attendent à aucune reconnaissance sociale (Shotland et Stebbins, 1983). En pratique, cependant, les gens appliquent généralement la norme de responsabilité sociale de façon sélective – aux gens dont la misère ne semble pas découler de leur négligence. La norme semble être: Donnez aux gens ce qu'ils méritent. S'ils sont victimes de circonstances, comme d'un désastre naturel, soyez alors de la plus grande générosité. Par contre, s'ils semblent avoir eux-mêmes créé leurs problèmes, par paresse ou par manque de prévoyance, ils devraient alors en subir les conséquences. Les réactions des gens sont ainsi très liées à leurs *attributions*. Si nous attribuons le besoin à une situation insurmontable, nous aidons. Si nous attribuons le besoin où se trouve une personne à ses propres choix, nous ne sommes, en toute justice, pas obligés de l'aider; après tout, c'est sa propre faute (Weiner, 1980). Mais, même quand la personne n'est pas responsable de son état, il peut y avoir des degrés dans l'intensité du besoin tel qu'il est perçu. Ainsi, l'aide aux personnes souffrant de cécité sera plus fréquente que celle que l'on accorde aux personnes souffrant de surdité (Frydman et Bruyninckx, 1987).

Pour rendre cette idée plus concrète, imaginez-vous dans la peau d'un des étudiants de l'Université du Wisconsin participant à une expérience menée par Richard Barnes, William Ickes et Robert Kidd (1979). Vous recevez un appel d'un certain «Jean Laliberté» qui vous dit faire partie de votre classe pour le cours d'introduction à la psychologie. Il dit qu'il a besoin d'aide pour le prochain examen et qu'il a trouvé vos coordonnées sur la liste des étudiants. «Je ne sais pas. On dirait que je ne suis pas capable de prendre des notes dans ce cours», explique Jean. «Je sais que je peux, mais il m'arrive de n'en avoir pas envie, ce qui fait que je ne peux pas vraiment étudier avec les notes que j'ai.» Sympathiseriez-vous avec Jean? Serait-ce pour vous un grand sacrifice de lui prêter vos notes? Si vous ressemblez aux étudiants de cette expérience, vous aurez probablement beaucoup moins envie d'aider Jean que s'il vous avait dit que ses problèmes étaient indépendants de sa volonté. D'autres expériences ont abouti à des résultats similaires (Gruder *et al.*, 1978; Meyer et Mulherin, 1980) : quand les gens ont besoin de notre aide, nous sommes souvent disposés à les aider – si nous ne les tenons pas responsables de leurs problèmes.

«Les héros morts à la guerre n'ont pas d'enfants. Si le sacrifice de soi a pour résultat une descendance moins nombreuse, on peut s'attendre que les gènes permettant la création de héros disparaîtront graduellement de la population.»
E. O. Wilson, 1978, p. 152-153

SOCIOBIOLOGIE

La troisième explication de l'altruisme provient de la théorie de l'évolution. Dans les chapitres 5 et 11, nous avons expliqué sommairement comment les sociobiologistes étudient et élaborent des théories de l'évolution du comportement social. La sociobiologie soutient que l'essence de la vie est la survie des gènes. Nos gènes nous poussent à maximiser leurs chances de survie. Lorsque nous mourons, ils nous survivent habituellement.

Comme le sous-entend le titre d'un livre populaire, *The Selfish Gene* (Dawkins, 1976), la sociobiologie propose une image humiliante de l'humanité – une image qui, selon le psychologue Donald Campbell (1975a,b), constitue une reformulation biologique d'un «péché originel» d'égoïsme profond. Le sociobiologiste David Barash (1979) le dit carrément : «Le véritable altruisme de bonne foi n'existe tout simplement pas dans la nature» (p. 135). Les gènes qui prédisposeraient les gens à promouvoir magnanimement le bien-être d'étrangers ne survivraient pas à la compétition évolutionniste. Quoi qu'il en soit, voyons comment l'égoïsme génétique pourrait, en fait, prédisposer à deux types de comportement désintéressé pour ne pas dire d'esprit de sacrifice.

Protection familiale : les gènes se soucient des membres de la famille chez qui ils résident

L'une des formes de sacrifice *pouvant* contribuer à la survie de nos gènes est le dévouement envers nos enfants. Les parents qui accordent une plus grande importance au bien-être de leurs enfants qu'à leur propre bien-être ont plus de chances de transmettre leurs gènes à la postérité que les parents qui ne se préoccupent pas du bien-être de leurs enfants. On pourrait dire que l'évolution *a* choisi l'altruisme envers les enfants. (Les enfants ont moins d'intérêt à la survie des gènes de leurs parents. Ce qui expliquerait pourquoi les parents sont habituellement plus dévoués à leurs enfants que leurs enfants ne le sont envers eux.)

Les membres de notre parenté partagent nos gènes selon leurs liens biologiques avec nous. Vous partagez la moitié de vos gènes avec vos frères et sœurs, le huitième avec vos cousins et cousines. Le fait que «les gènes s'aident eux-mêmes en ayant entre eux de bons rapports, même s'ils se trouvent dans des corps différents» (Barash, 1979, p. 153) a fait plaisanter le biologiste évolutionniste J. B. S. Haldane qui disait que, alors qu'il ne donnerait pas sa vie pour son frère, il se sacrifierait pour *trois* frères – ou pour neuf cousins. Haldane ne serait pas surpris d'apprendre que, en comparaison des jumeaux non identiques, les jumeaux génétiquement identiques s'apportent beaucoup plus de réconfort mutuel (Segal, 1984).

Il ne s'agit pas de dire que nous calculons nos liens génétiques avant d'aider, mais que la vie sociale est telle qu'elle favorise la proche parenté biologique. On ne donne jamais une médaille pour un acte de bravoure à quelqu'un qui a sauvé la vie d'un proche parent, car c'est là une chose qui va de soi. Mais ce qui est inattendu (et par conséquent honoré) est l'altruisme des gens qui risquent leur vie pour sauver un étranger.

Nous partageons également des gènes avec bien d'autres gens. Les personnes aux yeux bleus se partagent les gènes des yeux bleus. Mais comment détecter les personnes chez qui se trouvent le plus de copies de nos gènes? Comme l'indique l'exemple des gènes des yeux bleus, les ressemblances physiques constituent un bon indice (Rushton *et al.*, 1984). De plus, l'histoire évolutionniste montre que nous trouverons probablement plus de nos propres gènes chez les voisins que chez des étrangers. Sommes-nous alors biaisés d'un point de vue biologique de façon à nous comporter avec plus d'altruisme envers les gens qui nous ressemblent et ceux qui vivent près de nous? Le sociobiologiste ne serait pas surpris de l'ordre de priorité qui prévaut dans l'aide qu'on apporte aux gens à la suite d'un désastre naturel: d'abord les membres de la famille, ensuite les amis et les voisins et en dernier lieu les étrangers (Form et Nosow, 1985).

Sélection familiale:
Idée que l'évolution a favorisé l'altruisme envers les membres de la famille afin de promouvoir la survie des gènes communs.

Même si l'altruisme biaisé n'est probablement plus nécessaire à la survie humaine, certains sociobiologistes croient que notre passé évolutionniste nous a légué ce genre de tendance. Dans ce cas, de conclure le sociobiologiste E. O. Wilson (1978), la **sélection familiale** – l'expression employée par les sociobiologistes pour désigner le favoritisme envers les gens qui partagent nos gènes – est un bienfait mitigé. En effet, «l'altruisme fondé sur la sélection familiale est l'ennemi de la civilisation. Si les êtres humains ont fortement tendance [...] à favoriser leur propre parenté et leur propre tribu, il n'y a que peu d'harmonie globale possible» (p. 167).

Réciprocité

La théorie voulant qu'un intérêt génétique sous-tende l'altruisme envers les autres porteurs de nos gènes prédit également la réciprocité. Le biologiste Robert Trivers soutient qu'un organisme en aide un autre parce qu'il s'attend à être payé de retour (le donneur s'attend à être plus tard le receveur) et parce que le fait de ne pas rendre la pareille est puni et, par conséquent, non favorisé par la sélection naturelle (Binham, 1980). Le tricheur, le renégat, le traître sont universellement méprisés.

La réciprocité fonctionne le mieux dans les petits groupes isolés, les groupes où l'individu continuera d'avoir des interactions avec les gens à qui il a rendu des services. C'est ainsi que la réciprocité est plus marquée dans les lointaines îles Cook du Pacifique Sud que dans la ville de New York (Barash, 1979, p. 160). Les petites villes, les petites écoles, les petites paroisses, les petites équipes de travail et les petits dortoirs favorisent tous un esprit communautaire où les gens se préoccupent davantage les uns des autres pour jouir en retour de la sollicitude des autres. C'est peut-être ce qui explique pourquoi les chercheurs ont remarqué que, en comparaison des gens issus de milieux ruraux, les habitants des grandes villes sont moins désireux de transmettre un message téléphonique, vont moins souvent poster les lettres «perdues», coopèrent moins avec les enquêteurs, aident moins un enfant perdu et se montrent peu disposés à rendre de petits services (Steblay, 1987).

Si l'intérêt personnel gagne toujours dans la compétition génétique, pourquoi y a-t-il de l'altruisme non réciproque envers des étrangers ? Qu'est-ce qui pousse une mère Teresa à faire ce qu'elle fait ?

La réponse que donne Donald Campbell (1975a; 1975b) est que les sociétés humaines ont élaboré des règles éthiques et religieuses visant à freiner le biais biologique de l'intérêt personnel. Des commandements comme «Aime ton prochain» nous exhortent à l'équilibre entre l'intérêt personnel et l'intérêt collectif, de façon à favoriser ainsi la survie du groupe. Le sociobiologiste Richard Dawkins (1976) en arrive à une conclusion semblable : «Essayons d'*enseigner* la générosité et l'altruisme parce que nous sommes égoïstes de nature. Essayons de comprendre où veulent en venir nos gènes égoïstes pour avoir au moins la chance de contrecarrer leurs desseins, une chose à laquelle aucune autre espèce n'a pu aspirer» (p.3).

Batson (1983) croit que les images religieuses de l'«amour fraternel» envers tous nos frères et sœurs «enfants de Dieu» dans la «famille» humaine étendent la portée de l'altruisme familial au-delà de notre parenté biologique. Même si le lien entre la piété religieuse et l'aide offerte sous l'impulsion du moment à des étrangers demeure obscur, il semble effectivement relever de l'altruisme à long terme plutôt d'une exception rare comme mère Teresa. Parmi les Américains classés par George Gallup (1984) comme étant «très engagés spirituellement», 46 % déclarèrent travailler présentement auprès des pauvres, des handicapés ou des personnes âgées – une proportion de loin supérieure à celle des gens moins engagés sur le plan spirituel (voir la figure 12.2).

Figure 12.2

Religion et altruisme à long terme. Les gens classés par George Gallup (1984) comme «très engagés sur le plan spirituel» ont une tendance plus marquée à déclarer un travail bénévole auprès des nécessiteux.

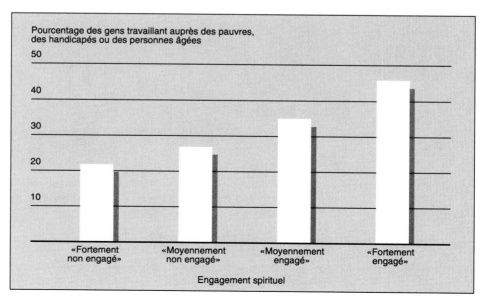

COMPARAISON ET ÉVALUATION DES THÉORIES DE L'ALTRUISME

Jusqu'à maintenant, vous avez peut-être remarqué des ressemblances entre les perspectives de l'échange social, des normes sociales et de la sociobiologie en matière d'altruisme. Les parallèles sont effectivement frappants. Comme l'indique le tableau 12.1, chaque théorie propose deux types de comportement prosocial: un échange réciproque du genre «un prêté pour un rendu!» et une aide moins conditionnelle. Nous pourrions en fait considérer ces trois théories comme trois niveaux complémentaires d'explication. En effet, si l'interprétation sociobiologique de l'altruisme est correcte, nos prédispositions génétiques devraient alors se manifester dans des phénomènes psychologiques et sociologiques. Les théoriciens des trois camps auraient alors des explications à fournir pour l'altruisme réciproque, par exemple.

Chacune de ces théories fait appel à la logique. Toutefois, elles peuvent toutes se voir accusées d'être des spéculations après coup. Lorsqu'on part d'un phénomène connu (les concessions mutuelles de la vie quotidienne) et qu'on l'explique en supposant un processus d'échange social, une «norme de réciprocité» ou une origine évolutionniste, on risque fort de n'expliquer qu'en nommant. Il est difficile, par exemple, de réfuter l'argument qu'un comportement existe en vertu de sa fonction de survie. Si l'on peut expliquer après coup n'importe quel comportement comme le résultat d'un échange social, d'une norme ou d'une sélection naturelle, il sera alors impossible de réfuter ces théories. Chaque théorie se doit par conséquent d'établir des prédictions qui nous permettent de la vérifier.

Tableau 12.1
Comparaison des théories de l'altruisme

| Théorie | Comment explique-t-on l'altruisme ? | | |
	Niveau d'explication	«Altruisme» réciproque	Altruisme intrinsèque
Normes sociales	Sociologique	Norme de réciprocité	Norme de responsabilité sociale
Échange social	Psychologique	Récompenses externes pour l'aide apportée	Détresse → récompenses internes pour l'aide apportée
Sociobiologie	Biologique	Réciprocité	Sélection familiale

Une bonne théorie doit également fournir une classification cohérente pour résumer diverses observations. Par rapport à ce critère, les trois théories de l'altruisme obtiennent de meilleures notes. Chacune nous offre une large perspective nous permettant de comprendre à la fois les engagements à long terme sous forme de dons d'argent ou de temps et les formes plus spontanées de l'aide qui firent l'objet des expériences relatées dans les pages suivantes.

QUAND APPORTERONS-NOUS NOTRE AIDE ?

Les psychologues sociaux voulurent comprendre l'«indifférence» des spectateurs lors d'événements comme le meurtre de Kitty Genovese. Ils firent donc des expériences pour trouver à quel moment les gens apporteront leur aide lors d'une urgence. Plus récemment, on a élargi la question pour se demander aussi à quel moment les gens apporteront leur aide dans des situations non urgentes – par des actes tels que des dons d'argent, de sang ou de temps. Voyons ces expériences, en examinant d'abord les *circonstances* qui favorisent l'aide et ensuite les traits de caractère propres aux *gens* serviables.

Quand vient le moment de donner,
il y en a dont la limite se situe à zéro.

INFLUENCE DE LA SITUATION : QUAND SERONS-NOUS POUSSÉS À JOUER LES BONS SAMARITAINS ?

Nombre de spectateurs

La passivité des spectateurs dans des cas d'urgence a incité les critiques sociaux à se plaindre de l'aliénation, de l'apathie, de l'indifférence et des impulsions sadiques inconscientes de notre culture. Remarquez que toutes ces explications attribuent la non-intervention des spectateurs à leurs dispositions intérieures. Cela nous permet de nous rassurer en nous disant que nous ne sommes pas comme ces gens qui n'ont rien fait pour aider. Si nous éprouvons de la consternation à lire les comptes rendus de ces incidents, nous pouvons nous dire que nous ne sommes pas indifférents. Pourquoi ces spectateurs se sont-ils alors comportés de façon aussi inhumaine ?

Deux psychologues sociaux, Bibb Latané et John Darley (1970), n'étaient pas convaincus que les spectateurs étaient des êtres inhumains. Latané et Darley se sont donc ingéniés à créer des urgences pour s'apercevoir qu'un seul facteur circonstanciel – la présence d'autres spectateurs – diminuait de beaucoup l'intervention. En 1980, on avait déjà accumulé quatre douzaines de comparaisons entre l'aide apportée par des spectateurs qui se croyaient soit seuls, soit avec d'autres. Dans environ 90 % de ces comparaisons intéressant près de 6000 personnes, les spectateurs seuls montraient plus d'empressement à aider (Latané et Nida, 1981). Parfois, la victime avait en fait moins de chances de recevoir de l'aide lorsqu'il y avait plusieurs personnes susceptibles de venir à son secours. Par exemple, lorsque Latané, James Dabbs (1975) et 145 collaborateurs échappèrent «accidentellement» des pièces de monnaie ou des crayons pendant 1497 tours d'ascenseur, ils furent aidés 40 % des fois lorsqu'une seule personne se trouvait dans l'ascenseur et moins de 20 % des fois lorsqu'il y avait six usagers. Pourquoi ? Latané et Darley présumèrent que plus il y avait de spectateurs, moins il était probable qu'ils *remarquent* l'incident, qu'ils *interprètent* l'incident comme une urgence et qu'ils *assument la responsabilité* d'intervenir. Voyons ces trois éléments séparément.

Remarquer

Trente minutes après qu'Eleanor Bradley fut tombée et se fut cassé la jambe sur un trottoir mouvementé, vous arrivez. Vos yeux sont rivés sur le dos des passants qui vous précèdent (ce n'est pas poli de dévisager ceux qui vous croisent) et vous pensez aux événements de la journée. Est-ce à dire que vous porterez probablement moins attention à la femme blessée que si le trottoir avait été pratiquement désert ?

Pour vérifier cette hypothèse, Latané et Darley (1968) ont demandé à des étudiants de l'Université Columbia de remplir un questionnaire dans une pièce, soit seul ou en compagnie de deux étrangers. Pendant qu'ils travaillaient (et qu'on les observait par une vitre teintée), une urgence se déclarait: de la fumée provenant d'une bouche d'aération murale envahissait la pièce. Les étudiants *solitaires*, qui jetaient souvent un coup d'œil circulaire dans la pièce tout en travaillant, remarquèrent presque immédiatement la fumée – habituellement en moins de cinq secondes. Ceux qui travaillaient *en groupe* gardaient les yeux sur leur travail. Il leur fallait habituellement environ 20 secondes pour remarquer la fumée.

Interpréter

Une fois qu'on a remarqué un événement ambigu, il faut ensuite l'interpréter. Imaginez-vous dans la pièce pleine de fumée. Même si vous êtes quelque peu inquiet, vous ne voulez pas avoir l'air agité. Vous jetez un coup d'œil aux autres. Ils semblent calmes et indifférents. Pensant que la situation n'est sûrement pas grave, vous décidez de ne plus y penser et reprenez votre travail. C'est alors que quelqu'un d'autre s'aperçoit qu'il y a de la fumée et, voyant que vous ne semblez pas vous en faire, décide d'en faire autant. C'est là encore un autre exemple de l'influence informative (chapitre 6), chaque personne se servant du comportement des autres comme d'une information sur la réalité.

S'agit-il d'une urgence? Ou l'homme n'est-il qu'endormi ou ivre? Les réactions des autres à son égard peuvent influencer notre interprétation de la situation.

Et c'est exactement ce qui se produisit dans l'expérience. Lorsque les étudiants travaillant seuls s'apercevaient de la fumée, ils hésitaient habituellement un instant, se levaient et se dirigeaient vers la bouche d'aération, sentaient, reniflaient et brassaient la fumée, hésitaient encore une fois et sortaient ensuite pour signaler l'incident. En opposition remarquable, les étudiants en groupes ne bougeaient pas. Parmi les 24 étudiants de huit groupes, un seul a signalé la présence de fumée au cours des quatre premières minutes (figure 12.3). À la fin de l'expérience qui durait six minutes, la fumée était assez dense pour brouiller la vue des étudiants et les faire tousser et se frotter les yeux. Qu'à cela ne tienne, ce n'est que dans trois groupes sur huit qu'un seul étudiant sortit pour signaler le problème.

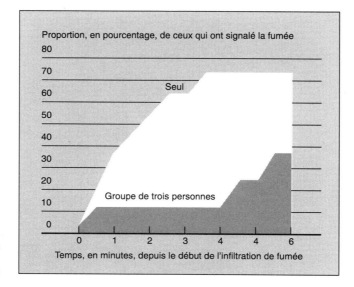

Figure 12.3
Expérience de la pièce remplie de fumée. Les individus travaillant seuls avaient beaucoup plus tendance que les individus travaillant en groupes de trois à signaler la présence de fumée dans la pièce. (Données tirées de Latané et Darley, 1968.)

Fait tout aussi intéressant, des entrevues subséquentes ont révélé que la passivité des groupes influençait les interprétations des individus. À quoi était due la fumée? «À une fuite dans le système de climatisation», «Aux laboratoires de chimie», «Aux tuyaux d'échappement», «À un gaz de vérité». Ils fournirent de nombreuses explications. Aucun ne dit «au feu». Les membres du groupe, présentant un modèle d'absence de réaction, s'influencèrent mutuellement quant à leur interprétation de la situation comme n'étant pas urgente.

Ce dilemme expérimental équivaut aux dilemmes auxquels nous avons tous fait face. Les cris perçants provenant de l'extérieur ne sont-ils que simple jeu ou les cris désespérés d'une personne victime d'un attentat? L'échauffourée des garçons n'est-elle qu'une bagarre amicale ou une sérieuse empoignade? La femme affaissée dans la porte est-elle endormie ou gravement malade, peut-être dans un coma diabétique?

Effet du spectateur:
La découverte qu'un individu a moins tendance à apporter son aide lorsqu'il y a d'autres spectateurs.

Contrairement à l'expérience de la pièce pleine de fumée, chacune de ces expériences quotidiennes comporte un danger pour quelqu'un d'autre plutôt qu'un danger pour soi-même. Pour voir si le même **effet du spectateur** pourrait se produire dans ce genre de situations, Latané et Judith Rodin (1969) ont imaginé une expérience autour d'une femme en détresse. Dans cette expérience, une expérimentatrice de l'Université Columbia demandait à des étudiants de remplir un questionnaire et allait ensuite dans un bureau adjacent, séparé par un rideau. Quatre minutes plus tard, on pouvait l'entendre (grâce à un magnétophone à haute fidélité) monter sur une chaise pour atteindre des documents. Il s'ensuivait ensuite un hurlement et un bruyant fracas, car la chaise se renversait et la femme allait s'écraser par terre. «Oh! mon Dieu! mon pied!... Je... je... ne peux pas le bouger», disait-elle en sanglotant. «Oh!... ma cheville!... Je... ne peux enlever cette... chose... sur moi.» Ce n'était qu'après deux minutes de gémissements qu'elle réussissait à sortir de son bureau.

C'est dans une proportion de 70 % que les étudiants qui se trouvaient seuls au moment où ils entendaient l'«accident», allèrent dans son bureau ou appelèrent à l'aide. Mais lorsque c'étaient des groupes de deux étudiants étrangers l'un à lautre qui faisaient face à l'urgence, ce n'est que dans 40 % des cas que l'un des deux offrit son aide. Voilà qui démontre encore une fois l'effet du spectateur: plus le nombre de personnes au courant de l'urgence augmente, plus la probabilité que l'une ou l'autre de ces personnes intervienne diminue. Pour la victime, il n'y avait donc aucune sécurité rattachée au nombre. Ceux qui ne firent rien interprétèrent apparemment la situation comme n'étant pas urgente. «Une petite foulure», dirent certains. «Je ne voulais pas la gêner», expliquèrent d'autres.

Les interprétations des gens influencent également leurs réactions aux crimes survenant dans les rues. En mettant en scène des bagarres physiques entre un homme et une femme, Lance Shotland et Margaret Straw (1976) s'aperçurent que les spectateurs intervenaient dans une proportion de 65 % lorsque la femme criait «Laisse-moi tranquille, je ne te connais pas» et dans une proportion de 19 % lorsqu'elle criait «Laisse-moi tranquille, je ne sais pas ce qui m'a prise de t'épouser.» Dans la seconde situation, les gens percevaient une moindre menace pour la femme et une plus grande menace pour eux s'ils intervenaient. Harold Takooshian et Herzel Bodinger (1982) soupçonnaient que les interprétations pouvaient aussi modifier les réactions des spectateurs aux cambriolages. Lorsqu'ils organisèrent des centaines de vols à l'intérieur d'automobiles dans 18 villes (utilisant un cintre pour avoir accès à un objet précieux comme un téléviseur ou un manteau de fourrure), ils furent étonnés de ce que moins d'un spectateur sur 10 intervienne en se contentant de leur demander ce qu'ils faisaient. Plusieurs des passants les remarquèrent et s'arrêtèrent même pour les observer, pour plaisanter ou leur offrir de l'aide. Il semble que certains aient pensé que le «cambrioleur» était le propriétaire de la voiture.

Assumer la responsabilité

L'erreur d'interprétation n'était cependant pas le seul facteur. Takooshian et Bodinger rapportent qu'il n'y eut pratiquement aucune intervention de la part des New Yorkais, même lorsque le «cambrioleur» n'était qu'un pauvre adolescent de 14 ans, lorsqu'une personne forçait simultanément deux voitures adjacentes ou lorsque les spectateurs pouvaient voir que la personne qui s'introduisait dans la voiture n'était pas celle qui venait d'en sortir. Et que dire de ces fois où il est clair qu'il y a urgence? Ceux qui virent Kitty Genovese se faire attaquer et qui entendirent ses appels à l'aide interprétèrent correctement la nature de la situation. Mais les lumières et les silhouettes aperçues aux fenêtres leur disaient qu'il y avait d'autres spectateurs, dispersant ainsi la responsabilité de faire quelque chose.

Figure 12.4
Arbre décisionnel de Latané et Darley. Il n'y a qu'une branche, en haut de l'arbre, qui mène à l'aide. À chaque embranchement, la présence d'autres spectateurs peut pousser l'individu sur une branche à ne pas aider. (Adapté de Darley et Latané, 1968.)

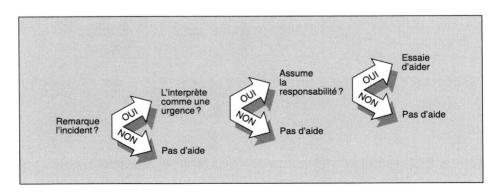

Peu d'entre nous furent témoins d'un crime. Cependant, en présence des autres, nous avons tous été plus lents à réagir à une nécessité. Afin de comprendre pourquoi la présence d'autres spectateurs inhibe notre intervention, Darley et Latané (1968) ont simulé le drame Genovese. Ils ont placé les participants dans des pièces séparées d'où leur provenaient les appels à l'aide d'une victime. Pour créer cette situation, Darley et Latané demandèrent à des étudiants de l'Université de New York de discuter à l'interphone des problèmes qu'ils vivaient à l'université. On fit savoir aux étudiants que, pour assurer leur anonymat, ils ne pourraient pas voir à qui ils parlaient et que l'expérimentatrice n'écouterait pas non plus leurs conversations. Durant la discussion qui s'ensuivit et lorsque l'expérimentatrice mit en marche son microphone, les participants entendirent quelqu'un devenir la proie d'une crise épileptique; s'exprimant avec difficulté, il suppliait avec de plus en plus d'intensité pour qu'on lui vienne en aide.

Quatre-vingt-cinq pour cent des participants qui se croyaient les seuls auditeurs cherchèrent de l'aide. Seulement 31 % de ceux qui croyaient que quatre autres personnes avaient, elles aussi, entendu la victime se mirent en frais de chercher de l'aide. Est-ce à dire que les participants qui ne firent rien étaient apathiques et indifférents? Ce n'est pas l'effet qu'ils firent à l'expérimentatrice lorsqu'elle entra dans la pièce pour mettre fin à l'expérience. En fait, la plupart d'entre eux se dirent immédiatement très inquiets; plusieurs avaient les mains tremblantes et les paumes moites. Ils croyaient qu'il y avait urgence, mais ne savaient pas s'ils devaient faire quelque chose.

Après les expériences de la pièce remplie de fumée, de la femme en détresse et de la crise d'épilepsie, Latané et Darley ont demandé aux participants si la présence des autres les avaient influencés. Manifestement, la présence d'autres spectateurs avaient eu un impact dramatique. Malgré tout, les participants niaient presque toujours avoir été influencés. Quelle était la réponse habituelle? «Je me rendais compte de la présence des autres, mais j'aurais eu la même réaction s'ils n'avaient pas été là.» Encore une fois, cette réponse confirme un point souligné au chapitre 4: Nous ignorons souvent pourquoi nous agissons comme nous le faisons. Et c'est évidemment ce qui fait l'intérêt d'expériences de ce genre. Une enquête auprès des spectateurs passifs à la suite d'une véritable urgence n'aurait probablement pas fait ressortir l'effet du spectateur.

D'autres expériences ont cependant révélé certaines situations où la présence des autres n'empêche parfois *pas* les gens d'offrir leur aide. Irving Piliavin et ses collègues (1969) ont créé une urgence dans un laboratoire sur roues, les participants involontaires étant les 4450 usagers du métro de New York. À 103 reprises, un compère entrait dans un wagon et se plaçait au centre, près d'un poteau. Quand le train se mettait en marche, il chancelait, puis s'écroulait. Quand la victime avait une canne, un ou deux spectateurs se précipitaient presque immédiatement à son secours. Même lorsque la victime transportait une bouteille et sentait l'alcool, on lui offrait rapidement de l'aide – une aide qui était particulièrement empressée lorsque plusieurs spectateurs masculins se trouvaient près d'elle. Pourquoi? La présence d'autres passagers procurait-elle un sentiment de sécurité à ceux qui lui venaient en aide? Était-ce parce que la situation n'était pas ambiguë? (Les passagers ne pouvaient faire autrement que de remarquer et de comprendre ce qui se passait.)

Pour vérifier cette dernière hypothèse, Linda Solomon, Henry Solomon et Ronald Stone (1978) ont fait une série d'expériences au cours desquelles des New Yorkais voyaient ou entendaient une personne en détresse, comme dans le cas de l'expérience du métro, ou ne pouvaient que l'entendre, comme dans le cas de l'expérience de la femme en détresse (une situation où la marge d'interprétation était plus large). Lorsque les urgences n'étaient pas ambiguës, les personnes en groupes n'étaient que légèrement moins serviables que les personnes seules. Mais lorsque les urgences étaient quelque peu ambiguës, les participants en groupes étaient beaucoup moins portés à aider que ne l'étaient les spectateurs solitaires.

Dans l'expérience du métro, il se peut qu'un autre facteur significatif ait été le fait que les spectateurs étaient assis face à face, leur permettant de voir leurs visages alarmés. Pour vérifier cette hypothèse, Darley, Allan Teger et Lawrence Lewis (1973) ont créé une situation où les gens travaillaient en se faisant face ou en ayant le dos tourné lorsqu'ils entendaient un fracas provenant de la pièce adjacente au moment où plusieurs paravents de métal s'effondraient sur un ouvrier. Contrairement à ceux qui travaillaient seuls et qui offrirent presque toujours leur aide, les individus travaillant deux par deux et en se tournant le dos offrirent rarement leur aide. Toutefois, la personne travaillant en faisant face à son partenaire pouvait lire la surprise sur le visage de l'autre et savait que l'autre avait fait la même observation de son côté. Cela incita apparemment les deux à interpréter la situation comme en étant une d'urgence et à ressentir une certaine responsabilité à intervenir, car ces paires de participants se montrèrent pratiquement aussi serviables que les individus travaillant seuls. Le fait d'être reconnu leader d'un groupe a sensiblement le même effet, car les leaders se montrent aussi secourables envers une personne en détresse que les individus travaillant seuls (Baumeister *et al.*, 1988). Il en va de même pour les gens qui se sentent particulièrement compétents pour apporter de l'aide, comme les infirmières qui sont témoins d'un accident (Cramer *et al.*, 1988).

Finalement, toutes ces expériences dont nous avons parlé engageaient des groupes de gens étrangers les uns aux autres. Imaginez-vous faisant face à n'importe laquelle de ces urgences en compagnie d'un groupe d'amis. Le fait de connaître les autres spectateurs changerait-il quelque chose? Des expériences faites dans deux villes d'Israël et à l'Université d'Illinois, à Chicago, laissent supposer que la réponse est oui (Rutkowski *et al.*, 1983; Yinon *et al.*, 1982). Les groupes cohésifs se montrent *moins* inhibés que les individus solitaires quand il s'agit de secourir quelqu'un. En résumé, la présence d'autres spectateurs inhibe le secours lorsque l'urgence est *ambiguë* et que les autres spectateurs sont des *étrangers* qui *ne peuvent pas facilement connaître leurs réactions mutuelles*.

Voilà qui semble une autre bonne raison de soulever le problème de l'éthique expérimentale. A-t-on le droit de forcer des centaines d'usagers du métro à être témoins de l'apparent effondrement d'une personne? Les chercheurs de l'expérience de la crise d'épilepsie avaient-ils le droit de forcer les gens à se demander s'ils devaient interrompre la discussion pour signaler l'incident? Vous objecteriez-vous à participer à ce genre d'expérience? Remarquez qu'il aurait été impossible d'obtenir votre «consentement éclairé», car cela aurait mis l'expérience à découvert.

On peut dire deux choses à la défense des chercheurs. Premièrement, ils ont toujours pris grand soin de rencontrer leurs participants après coup afin de leur expliquer à la fois la nature et les objectifs de l'expérience. Après avoir expliqué l'expérience de la crise d'épilepsie, qui fut probablement la plus stressante, l'expérimentateur fit remplir un questionnaire à ses participants. Ils déclarèrent à l'unanimité que le leurre était justifié et qu'ils seraient encore disposés à participer à des expériences similaires. Aucun d'entre eux ne se dit en colère contre l'expérimentateur. D'autres chercheurs ont également rapporté qu'une écrasante majorité des participants de ce genre d'expériences déclarent après coup que leur participation avait été aussi instructive que moralement justifiée (Schwartz et Gottlieb, 1981). Au cours des expériences sur le terrain, un compère se portait au secours de la victime lorsque personne ne le faisait, de façon à rassurer les spectateurs sur le fait qu'on s'occupait du problème.

Deuxièmement, souvenons-nous que le psychologue social fait face à une double obligation morale: protéger les participants et accroître le bien-être de l'humanité par la découverte de ce qui influence le comportement humain. Certaines de ces découvertes peuvent nous mettre au fait d'influences indésirables et nous indiquer, comme nous le verrons, comment faire appel à des influences positives. Il semble donc que le principe éthique soit: Si le bien-être des participants est protégé, comme ce fut apparemment le cas dans cette recherche, les psychologues sociaux assument leur responsabilité envers la société en poursuivant ces recherches.

Modèles: venir en aide lorsque quelqu'un d'autre le fait

Si l'observation d'un modèle agressif peut augmenter l'agression (chapitre 10) et si les modèles d'indifférence peuvent accroître l'indifférence, les modèles d'aide ne pourraient-ils pas favoriser l'aide? Supposez que l'on entende un fracas suivi de pleurs et de gémissements. Si la réaction d'un autre témoin signifiait «Oh! oh! voilà une urgence! Il faut que je fasse quelque chose», cela n'inciterait-il pas également les autres à aider?

La preuve est claire: les modèles prosociaux favorisent effectivement l'altruisme chez les autres. James Bryan et Mary Ann Test (1967) ont découvert que les automobilistes de Los Angeles avaient plus tendance à aider une automobiliste à changer un pneu lorsqu'ils avaient vu, 400 mètres plus tôt, quelqu'un aider une autre femme à changer son pneu. Dans une autre expérience, Bryan et Test ont remarqué que les gens du New Jersey qui faisaient leurs emplettes de Noël avaient plus tendance à jeter de la monnaie dans une timbale de l'Armée du Salut lorsqu'ils venaient de voir quelqu'un d'autre le faire. Philippe Rushton et Anne Campbell (1977), lors d'une enquête auprès d'adultes britanniques, s'aperçurent aussi que les gens étaient habituellement réticents à donner de leur sang, sauf si on les approchait après qu'ils eurent vu un compère consentir à donner de son sang.

Il arrive parfois que les modèles agissent en contradiction avec ce qu'ils prêchent. Les parents peuvent avertir leurs enfants de faire ce qu'ils disent plutôt que ce qu'ils font. Les expériences indiquent que les enfants acquièrent leurs valeurs morales autant des discours qu'ils entendent que des pratiques dont ils sont les témoins (Rice et Grusec, 1975; Rushton, 1975). Au contact d'hypocrites, ils ont tendance à se modeler selon ce modèle: ils font ce que fait le modèle et disent ce que dit le modèle.

Cependant, les modèles ne sont pas toujours imités. L'exemple que propose un modèle *détesté* peut faire boomerang. Imaginez-vous dans la peau de l'un des centaines de résidants de Madison, au Wisconsin, qui trouvèrent une enveloppe adressée laissant s'échapper plusieurs documents personnels. Les documents étaient entourés d'une note rédigée par quelqu'un qui avait trouvé l'enveloppe et avait décidé de ne pas s'en occuper. Dans cette note, l'homme se disait un Africain du Sud «fort déçu de l'égoïsme et de la puérilité des Américains», ajoutant «vous avez beaucoup à apprendre de notre manière honnête de tenir nos Nègres» et «Je dois dire que cela m'a ennuyé de me voir pris avec tout ce problème de retourner ces choses» (Schwartz et Ames, 1977). Dans ces conditions – avoir un modèle repoussant qui n'aimait pas aider –, les trois quarts des résidants postèrent l'enveloppe. Il

«En vérité, nous sommes, pour plus de la moitié, le produit de nos imitations. L'important est donc de choisir de bons modèles et de les étudier attentivement.»

Lord Chesterfield, *Letters*, 18 janvier 1750

Vieux proverbe écossais

semble que les gens se soient dit «S'il est contre le fait d'aider, moi je suis pour.» Lorsque le modèle était détesté et qu'il exprimait néanmoins un *plaisir* à aider, la moitié environ des résidants postèrent l'enveloppe. «Je ne suis pas certain de vouloir coopérer avec un type comme celui-là.»

Les enfants apprennent en imitant les comportements de leurs parents.

Les gens pressés

Darley et Batson (1973) ont identifié un autre facteur déterminant d'aide dans la parabole du bon Samaritain. Le prêtre et le lévite étaient tous deux occupés, des gens importants se hâtant probablement vers leurs devoirs. Le modeste Samaritain était certainement moins bousculé par le temps. Pour voir si les gens pressés se comporteraient comme le prêtre et le lévite, Darley et Batson ont brillamment reproduit la situation décrite dans la parabole.

Après avoir demandé aux étudiants du grand séminaire du Princeton de rassembler leurs idées en vue de l'enregistrement d'une brève conversation improvisée (qui devait porter, pour la moitié des participants, sur la parabole du bon Samaritain), on les amena au studio d'enregistrement d'un édifice adjacent. Sur leur chemin, ils passèrent près d'un homme affaissé dans l'embrasure d'une porte, la tête baissée, toussant et gémissant. On avait envoyé certains étudiants de manière nonchalante: «Ils vont être prêts à vous recevoir dans quelques minutes, mais il se peut que vous n'ayez pas à attendre.» Presque les deux tiers de ces étudiants s'arrêtèrent pour offrir leur aide. On avait dit aux autres: «Oh! vous êtes en retard! On vous attendait avant... vous feriez mieux de vous dépêcher.» De ce groupe, seulement 10 % offrirent leur aide.

Réfléchissant à ces résultats, Darley et Batson ont noté que

Une personne qui n'est pas pressée peut s'arrêter et offrir son aide à quelqu'un en détresse. Une personne pressée va probablement poursuivre son chemin. L'ironie est qu'elle poursuivra son chemin, même si c'est pour aller parler de la parabole du bon Samaritain qu'elle se dépêche, confirmant ainsi et par inadvertance ce que dit la parabole. (Il arriva effectivement à plusieurs reprises qu'un séminariste passe littéralement par-dessus la victime dans sa hâte d'aller parler de la parabole du bon Samaritain !)

C'est là l'une des scènes les plus ironiquement humoristiques à être rapportées à la suite d'une expérience de psychologie sociale : un «prêtre» contemporain passant à côté d'une victime affaissée et gémissante alors qu'il réfléchit à la parabole du bon Samaritain.

Mais peut-être sommes-nous injustes envers les séminaristes qui, après tout, se hâtaient pour *aider* l'expérimentateur. Peut-être avaient-ils une conscience aiguë de la norme de responsabilité sociale qui les poussait à la fois vers l'expérimentateur et vers la victime. Dans une autre mise en scène de la situation du bon Samaritain, Batson et ses associés (1978) ont mené 40 étudiants de l'Université du Kansas à un autre édifice pour y faire une expérience. Ils dirent à la moitié d'entre eux qu'ils étaient en retard, et aux autres, qu'ils avaient tout leur temps. La moitié des étudiants pensaient que leur participation était d'importance capitale pour l'expérimentateur et l'autre moitié, qu'elle n'était pas essentielle. Les résultats ? Ceux qui, comme le Lapin blanc dans *Alice au pays des merveilles*, étaient en retard à leur important rendez-vous, s'arrêtèrent rarement pour aider. Ils avaient à répondre à une obligation sociale urgente. Ceux qui allaient vers un rendez-vous plus ou moins important s'arrêtèrent habituellement pour aider.

Pouvons-nous en conclure que les étudiants pressés étaient sans cœur ? Les séminaristes avaient-ils remarqué la détresse de la victime et choisi ensuite consciemment de l'ignorer ? Non. Dans leur hâte, ils ne saisirent jamais très bien la situation. Tourmentés, préoccupés et se dépêchant pour arriver à temps, ils ne prirent tout simplement pas le temps de se mettre à l'écoute du besoin de la victime.

Dans une étude, Marcel Frydman et Pascal Foucart (1987) ont remarqué que les gens affirment en très grande majorité (93 %) qu'ils porteraient secours à quelqu'un en difficulté, mais que seulement 10 % interviennent lorsque l'occasion se présente concrètement. La principale raison invoquée par les autres est justement le manque de temps (par exemple, la crainte d'arriver en retard au bureau).

D'autres facteurs de la situation peuvent aussi diminuer la conduite d'aide. C'est le cas notamment de l'exposition au bruit. Des sujets exposés au bruit acceptent moins volontiers de répondre à un questionnaire (Moch, 1988).

À qui venons-nous en aide ?

En expliquant la norme de responsabilité sociale, nous avons souligné la tendance à aider les gens les plus dans le besoin, ceux qui le méritent le plus. Dans l'expérience du métro, la «victime» recevait beaucoup plus rapidement de l'aide lorsqu'elle avait une canne que lorsqu'elle transportait une bouteille d'alcool. On a découvert que les gens qui font leur épicerie acceptent plus volontiers de donner de la monnaie à une femme désireuse, selon eux, d'acheter du lait qu'à une femme voulant acheter de la pâte à biscuits (Bickman et Kamzan, 1973).

Sexe d'appartenance

S'il est vrai que notre perception du besoin de quelqu'un influence fortement notre désir de l'aider, les femmes, perçues comme étant moins compétentes et plus dépendantes, recevront-elles davantage d'aide que les hommes? Alice Eagly et Maureen Crowley (1986) ont compilé 35 recherches comparant l'aide qu'ont reçue des victimes de sexe masculin ou de sexe féminin. (Presque toutes ces recherches impliquaient de brèves rencontres avec des étrangers dans le besoin – le genre même de situations où les hommes sont censés faire preuve de galanterie, notent Eagly et Crowley.) Lorsque les aides potentiels étaient des hommes, les victimes de sexe féminin avaient plus de chances que les victimes de sexe masculin de recevoir de l'aide, et ce, dans quatre recherches sur cinq. Lorsque les aides potentielles étaient des femmes, les victimes des deux sexes avaient des chances égales de recevoir de l'aide. Plusieurs expériences ont démontré que les femmes aux prises avec une automobile défectueuse (avec une crevaison, par exemple) reçoivent beaucoup plus d'offres d'aide que les hommes (Penner *et al.*, 1973; Pomazal et Clore, 1973; West *et al.*, 1975). De même, les auto-stoppeuses solitaires reçoivent beaucoup plus d'offres d'aide que les auto-stoppeurs solitaires ou en couples (Pomazal et Clore, 1973; M. Snyder *et al.*, 1974).

Certes, la galanterie des hommes envers les femmes seules peut avoir une autre motivation que l'altruisme. Certains des hommes secourables peuvent se dire que l'effort pour venir en aide est minimal (ne serait-ce qu'en ce qui concerne le risque couru), alors que les bénéfices potentiels sont maximaux. On ne sera donc pas surpris d'apprendre que les hommes aident plus fréquemment une belle femme qu'une femme moins jolie (Mims *et al.*, 1975; Stroufe *et al.*, 1977; West et Brown, 1975). En revanche, une personne (homme ou femme) qui a besoin d'aide sollicitera moins facilement une personne attrayante, sans doute pour ne pas paraître incompétente devant une catégorie de personne si valorisée dans notre société (Alain, 1985).

Pour sa part, Guy Bégin (1978) demande à des personnes de signer une pétition. Lorsque ces personnes voient un modèle qui accepte de signer, elles signent plus souvent que celles qui ne voient pas de modèle. Il en va de même du refus de signer, quand il y a un modèle qui refuse, les personnes refusent plus souvent que celles d'un groupe témoin. Cependant, si la personne qui fait la demande n'est pas du même sexe que la personne sollicitée, il y a une acceptation plus grande et le modèle n'a plus d'effet.

Ressemblance

C'est peut-être parce que la ressemblance engendre la sympathie (voir le chapitre 11) et que la sympathie engendre l'aide que nous sommes aussi portés vers ceux qui nous *ressemblent*. Tim Emswiller et ses collègues (1971) ont demandé à des compères, habillés de façon traditionnelle ou selon la mode contre-culturelle, d'approcher les étudiants à l'allure «hippie» ou «traditionnelle» de l'Université Purdue afin de leur demander 10 ¢ pour téléphoner. Moins de la moitié des étudiants rendirent le service à ceux qui n'étaient pas vêtus comme eux et plus des deux tiers le firent pour ceux qui avaient le même genre de vêtements qu'eux. Parallèlement, Stuart Karabenick, Richard Lerner et Michael Beecher (1973) demandèrent à des travailleurs du camp Nixon et McGovern d'échapper «accidentellement» des tracts électoraux près des bureaux de vote, le jour même du scrutin de 1972. Les travailleurs reçurent l'aide de moins de la moitié des passants qui préféraient l'autre candidat et celle des deux tiers des passants ayant la même préférence qu'eux.

Le biais de la ressemblance s'étend-il à la race? Les chercheurs se sont posé la question au cours des années 1970 et ont obtenu des résultats mitigés: certaines recherches ont confirmé un biais favorable aux individus de même race (Benson *et al.*, 1976; R. D. Clark, 1974; Franklin, 1974; Gaertner, 1973; Gaertner et Bickman, 1971; Sissons, 1981). D'autres n'ont révélé aucun biais (Gaertner, 1975; R. M. Lerner et Frank, 1974; D. W. Wilson et Donnerstein, 1979; Wispe et Freshley, 1971). D'autres encore – surtout celles qui impliquaient des situations de face à face – ont montré un biais favorable aux gens de race différente (Dutton, 1971, 1973; Dutton et Lake, 1973; I. Katz *et al.*, 1975). Y a-t-il une règle générale pouvant concilier ces découvertes apparemment contradictoires?

Il est possible que les gens aient tendance à favoriser leur propre race, tout en s'abstenant d'en parler afin de conserver une bonne image. Peu de gens veulent paraître comme quelqu'un ayant des préjugés. Si cette explication est correcte, le biais favorable à sa propre race se manifesterait seulement lorsque l'absence d'aide de quelqu'un envers une personne de race différente peut être attribuée à des facteurs autres que la race. Et c'est ce qui arriva au cours d'expériences dirigées par Samuel Gaertner et John Dovidio (1977, 1986). Par exemple, des étudiantes blanches de l'Université du Delaware manifestèrent moins d'empressement à aider une femme noire «en détresse» qu'une femme blanche si la responsabilité pouvait en incomber aux autres spectateurs («Je n'ai pas aidé la femme noire parce que d'autres pouvaient le faire»); lorsqu'il n'y avait pas d'autres spectateurs, les femmes se montrèrent aussi serviables envers les deux femmes. La règle semble donc être: Lorsque les normes du comportement approprié sont clairement définies, les Blancs ne font pas de discrimination; lorsque les normes sont ambiguës ou contradictoires, la ressemblance raciale peut biaiser les réactions.

INFLUENCE DE LA PERSONNALITÉ: QUI SONT LES BONS SAMARITAINS?

Nous avons vu quelques facteurs influençant la décision d'aider – le nombre de spectateurs, le modèle suivi, la hâte et les caractéristiques de la personne dans le besoin. Il nous faut aussi considérer des facteurs internes, des facteurs se rapportant à l'état ou aux caractéristiques de la personne qui vient en aide.

Culpabilité

Toute l'histoire écrite nous prouve que la culpabilité a été une émotion pénible, si pénible en fait que les cultures ont institutionnalisé divers moyens de s'en débarrasser: les sacrifices d'animaux et d'humains, les offrandes de semailles et d'argent, le comportement de pénitence, la confession, le déni. Dans l'ancien royaume d'Israël, les péchés des gens étaient périodiquement rejetés sur un «bouc émissaire» animal qui était ensuite conduit au désert, emportant ainsi avec lui la culpabilité des gens (de Vaux, 1965).

Pour étudier les conséquences de la culpabilité, les psychologues sociaux ont incité des gens à pécher accidentellement ou volontairement: à mentir, à administrer des électrochocs, à renverser une table pleine de cartes classées par ordre alphabétique, à briser une machine, à tricher. On offrait ensuite subtilement aux participants chargés de culpabilité un moyen commode d'y remédier par la confession, le dénigrement de la personne blessée ou en faisant une bonne action en compensation de la mauvaise. Les résultats furent immanquablement les mêmes: les gens vont faire tout ce qu'ils peuvent pour enrayer la culpabilité et rétablir leur image de soi.

Bien des gens se soulagent de la culpabilité au moyen de la confession, que ce soit à une personne d'autorité ou à des amis.

Imaginez-vous dans la peau de l'un des participants à ces expériences dirigées par David McMillen et James Austin (1971) en collaboration avec les étudiants de l'Université d'État du Mississippi. Vous et un autre étudiant, tous les deux désireux de répondre aux exigences d'un cours afin d'en obtenir les unités, vous présentez pour l'expérience. Peu après, un compère de l'expérimentateur entre et vous dit qu'en participant à l'expérience antérieure il a oublié son livre. Il engage la conversation et mentionne que l'expérience comporte un test à choix multiples où la plupart des bonnes réponses sont «B». Après le départ du compère, l'expérimentateur arrive, explique l'expérience et vous demande: «L'un de vous a-t-il déjà participé à cette expérience ou en a-t-il déjà entendu parler?»

Mentiriez-vous? Le comportement de ceux qui vous ont précédé dans cette expérience – qui ont opté à 100% pour le petit mensonge – laisse à penser que vous le feriez. Après avoir fait le test (sans aucun commentaire en retour de la part de l'expérimentateur), l'expérimentateur vous dit: «Vous êtes libres de partir, mais, si vous avez du temps libre, vous pourriez m'aider à corriger des questionnaires.» En supposant que vous ayez menti, pensez-vous que vous seriez maintenant plus disposé à donner de votre temps? À en juger d'après les résultats, la réponse est encore oui. En moyenne, les participants qui n'avaient pas été incités à mentir n'offraient que deux minutes de leur temps. Mais ceux qui avaient menti semblaient apparemment impatients de se racheter; ils offrirent en moyenne 63 bonnes minutes. L'une des leçons à tirer de cette expérience fut bien exprimée par une fillette de sept ans qui écrivit, dans l'une de nos expériences: «Dis la vérité, sinon tu vivras avec la culpabilité.» Et si vous souffrez de culpabilité, vous ressentirez le besoin de l'atténuer.

Notre empressement à faire le bien après avoir fait le mal reflète autant notre besoin de réduire la culpabilité *privée* et de raffermir notre image de soi ébranlée que notre désir de bonifier notre image *publique* positive. Dans un centre commercial du nord de New York, Dennis Regan et ses associés (1972) ont démontré l'effet de la culpabilité privée en faisant croire à des femmes qu'elles avaient brisé une caméra. Un peu plus tard, un compère transportant un sac d'où s'échappaient des bonbons croisait chacune des femmes. En comparaison des femmes que l'on n'avait pas poussées à la culpabilité – dont seulement 15 % se donnèrent la peine de signaler au compère les bonbons qui se répandaient –, presque quatre fois plus de femmes en proie à la culpabilité le firent. Les femmes qui se sentaient coupables n'avaient pas besoin de se racheter aux yeux du compère, de sorte que la meilleure explication à leur aide est d'y voir un moyen d'atténuer leurs sentiments privés de culpabilité. Si ces sentiments peuvent être atténués autrement – comme par la confession –, l'aide subséquente sera alors moindre (Carlsmith *et al.*, 1968).

Le souci que nous avons de notre image publique est relié de près à nos sentiments privés de culpabilité. C'est pourquoi nous aurons encore plus tendance à nous racheter par un comportement altruiste si d'autres personnes sont au courant de nos mauvaises actions (Carlsmith et Gross, 1969). C'est aussi le cas pour la restauration de notre image publique à la suite d'un échec. Dans une série d'expériences en laboratoire et en milieu naturel, Bégin (1978) a été à même de le démontrer. Des sujets, par exemple, qui avaient échoué à une tâche motrice étaient plus susceptibles d'aider l'expérimentateur à démêler des feuilles.

Humeur

Si la culpabilité augmente l'aide, d'autres sentiments négatifs, comme la tristesse, ont-ils le même effet sur l'aide ? Si quelqu'un devant vous échappe des papiers sur le trottoir alors que vous êtes justement déprimé parce que vous avez eu une mauvaise note, serez-vous plus ou moins empressé que d'habitude à l'aider ?

À première vue, les résultats sont déroutants. Le fait de pousser les gens à une humeur négative (par exemple, en leur faisant lire quelque chose de triste ou en leur faisant penser à quelque chose de triste) parfois augmente leur altruisme et parfois le diminue. Ce genre de contradiction apparente excite le côté détective du scientifique. En y regardant de plus près, nous découvrons les indices d'un certain ordre au milieu de la confusion. Pour commencer, les recherches où l'humeur négative diminue l'aide apportée concernaient généralement des enfants (Isen *et al.*, 1973 ; Kenrick *et al.*, 1979 ; Moore *et al.*, 1973) ; celles où l'aide augmente étaient habituellement effectuées auprès d'adultes (Aderman et Berkowitz, 1970 ; Apsler, 1975 ; Cialdini *et al.*, 1973 ; Cialdini et Kenrick, 1976). Qu'est-ce qui explique, selon vous, que les enfants et les adultes réagissent différemment ?

Robert Cialdini, Douglas Kenrick et Donald Baumann (1981 ; Baumann *et al.*, 1981) supposent que l'altruisme est gratifiant pour les adultes. Il comporte ses propres récompenses intérieures. Les donneurs de sang se sentent mieux après avoir fait leur don de sang. Ainsi, lorsqu'un adulte se sent coupable, est triste ou dans une autre humeur négative, une action serviable (ou toute chose susceptible d'améliorer l'humeur) peut aider à neutraliser les sentiments pénibles. Cela implique (et les expériences le confirment) que si l'on offre à une personne de mauvaise humeur un autre moyen de changer d'humeur (par exemple, trouver de l'argent, écouter un enregistrement humoristique) et qu'on lui fournit ensuite une occasion d'aider, l'aide ne sera nullement modifiée par l'humeur négative du début (Cialdini *et al.*, 1973; Cunningham *et al.*, 1980; Kidd et Berkowitz, 1976). De même, si l'on fait croire aux gens que leur humeur est temporairement due à un médicament et qu'on ne peut rien y faire, le fait d'être de mauvaise humeur ne modifiera alors en rien leur désir d'aider (Manucia *et al.*, 1984). Répétons-le: Lorsque l'aide constitue un moyen d'améliorer l'humeur, l'adulte triste est serviable.

Mais pourquoi cela ne fonctionne-t-il pas avec les enfants? Cialdini, Kenrick et Baumann soutiennent que l'altruisme n'est pas aussi gratifiant pour les enfants. En lisant des histoires, les enfants du primaire considèrent les personnages non serviables comme plus heureux que les personnages serviables; leurs idées se modifient à mesure qu'ils grandissent (Perry *et al.*, 1986). Bien qu'ils ne soient pas dénués d'empathie, les enfants trouvent peu de plaisir dans l'aide; ce genre de comportement est en effet un produit de la *socialisation*, du moins est-ce là ce que pensent Cialdini et ses collègues. Pour vérifier cette idée, ils ont demandé à des enfants du début et de la fin du primaire de même qu'à ceux du secondaire de raconter des souvenirs d'expériences tristes ou neutres, après quoi les enfants avaient l'occasion de donner en privé à d'autres enfants des billets pour un tirage de prix (Cialdini et Kenrick, 1976). Lorsqu'ils étaient tristes, les plus jeunes enfants donnaient un peu moins, les enfants un peu plus vieux donnaient un peu plus et les adolescents donnaient beaucoup plus. Seuls les adolescents semblaient considérer la générosité comme une technique auto-gratifiante pour retrouver la bonne humeur. Comme le soulignent les chercheurs, ces résultats concordent avec le point de vue sociobiologique de Donald Campbell: nous naissons égoïstes, de sorte que l'altruisme doit nous être socialement inculqué. Mais ces résultats concordent aussi avec l'idée que l'altruisme, tout comme la grandeur, est un processus naturel qui se développe à mesure que l'enfant prend de l'âge et qu'il acquiert la capacité de voir les choses selon le point de vue d'une autre personne (Bar-Tal, 1982; Rushton, 1976; Underwood et Moore, 1982). Il se peut même que ce soit une combinaison de ces deux idées («l'altruisme acquis» et «l'altruisme naturel») qui se rapproche le plus de la vérité.

Doit-on en conclure qu'il faut toujours s'attendre au phénomène «fais le bien si tu te sens mal» de la part des adultes bien socialisés? Non. Nous avons vu, au chapitre précédent, qu'une des humeurs négatives, la colère, provoque tout, sauf la compassion. Une autre exception à ce phénomène serait probablement la dépression qui, de façon beaucoup plus marquée que la culpabilité, paralyse les gens par un lourd souci de soi non accompagné d'un souci social (Carlson et Miller, 1987). Le profond chagrin serait une autre exception. Les gens qui ont subi la perte d'un conjoint ou d'un enfant, que ce soit par décès ou par séparation, traversent souvent une période d'intense préoccupation personnelle, un état qui ne favorise guère le don de soi (Aderman et Berkowitz, 1983; Gibbons et Wicklund, 1982).

Dans une simulation expérimentale très engageante sur le plan émotif et portant sur le chagrin personnel, William Thompson, Claudia Cowan et David Rosenhan (1980) ont demandé à des étudiants de l'Université Stanford d'écouter en privé la description enregistrée d'une personne (qu'ils devaient se représenter comme leur meilleur ami de l'autre sexe) mourant du cancer. L'expérience, pour certains étudiants, attirait leur attention sur leur propre inquiétude et leur propre chagrin:

> Cette personne pourrait mourir et vous la perdriez, vous n'auriez plus jamais l'occasion de lui parler. Ou pire, elle pourrait mourir lentement. Vous sauriez que chaque minute pourrait être vos derniers moments passés ensemble. Pendant des mois, il vous faudrait vous montrer de bonne humeur malgré la tristesse que vous ressentiriez. Il vous faudrait la regarder mourir par morceaux jusqu'à ce qu'à la fin le dernier morceau disparaisse, vous laissant seul.

On attirait l'attention des autres étudiants sur l'ami de l'autre sexe:

> Cette personne passait son temps allongée dans le lit, attendant pendant toutes ces heures inter-
> minables, ne faisant qu'attendre et espérer qu'il se passe quelque chose, n'importe quoi. Elle
> vous dit que le plus difficile c'est de ne pas savoir ce qui va se passer.

Les chercheurs rapportent que, quel que fût l'enregistrement écouté, les participants
furent profondément bouleversés et ébranlés sans pour autant regretter d'avoir participé
(même si les participants du groupe témoin qui durent écouter un enregistrement ennuyeux
éprouvaient des regrets). Leur humeur avait-elle influencé leur aide? Lorsque, par la suite,
on leur fournissait immédiatement l'occasion d'aider une sortante dans ses recherches, 25 %
des étudiants dont l'attention avait été attirée sur eux-mêmes offrirent leur aide, alors que
83 % de ceux dont l'attention avait été attirée sur l'autre le firent. Les deux groupes avaient
été très touchés, mais seuls les participants centrés sur l'autre trouvèrent particulièrement
gratifiant le fait d'aider quelqu'un. En résumé, l'effet «fais le bien quand tu te sens mal»
semble se manifester chez les gens dont l'attention est centrée sur les autres, chez ces gens
pour qui l'altruisme est par conséquent gratifiant (Barnett *et al.*, 1980; McMillen *et al.*,
1977). À moins d'être égocentriques, les gens tristes sont des gens sensibles et serviables.

Est-ce donc à dire que les gens heureux ne sont pas serviables? C'est plutôt le contraire. Il y a peu de résultats plus constants dans toute la psychologie écrite: les gens heureux sont des gens serviables. Cet effet se manifeste autant chez les adultes que chez les
enfants, quelle que soit la cause de la bonne humeur: une réussite qui valorise, des pensées
agréables ou n'importe quelle autre expérience positive. Une femme se souvenait ainsi de ce
qu'elle avait vécu après être devenue amoureuse:

> Au bureau, je pouvais à peine me retenir de crier ma joie débordante. Le travail était facile;
> j'acceptais sans sourciller de faire ce qui auparavant m'ennuyait. Et j'avais de fortes envies
> d'aider les autres; je voulais partager ma joie. Quand la machine à écrire de Marie s'est brisée, je
> me suis pratiquement précipitée pour l'aider. Marie! Mon ancienne «ennemie»! (Tennov,
> 1979, p. 22)

Dans les expériences, la personne habituellement aidée est une personne rencontrée
«après» l'expérience – une personne sollicitant des dons, un expérimentateur aux prises avec
du travail d'écriture, une femme qui échappe des documents. Alice Isen, Margaret Clark et
Mark Schwartz (1976) ont demandé à une complice d'appeler des gens qui venaient de
recevoir, depuis un laps de temps allant de 0 à 20 minutes, un échantillon gratuit de papier à
lettres, prétendant avoir perdu sa dernière pièce de 10 ¢ en composant un faux numéro.
Comme l'indique la figure 12.5, leur empressement à retransmettre le message téléphonique
augmenta légèrement au cours des quatre ou cinq minutes suivant la réception du cadeau, le
temps qu'il leur fallut peut-être pour comprendre ce qui se passait ou pour se remettre de
leur distraction. Mais, à mesure que se dissipait l'excitation du moment, leur aide diminuait.

Si les gens tristes sont hyperserviables, du moins dans certaines circonstances, comment se peut-il que les gens heureux soient, eux aussi, serviables? Les expériences semblent
indiquer que plusieurs facteurs interviennent (Carlson *et al.*, 1988). Tout comme la mauvaise humeur peut parfois s'atténuer grâce à un comportement positif, la bonne humeur
peut se maintenir grâce à un comportement positif. Sans compter que la bonne humeur
incite aux pensées positives et au respect de soi positif, lesquels prédisposent au comportement positif (Berkowitz, 1987; Isen *et al.*, 1978). Les gens qui sont de bonne humeur après

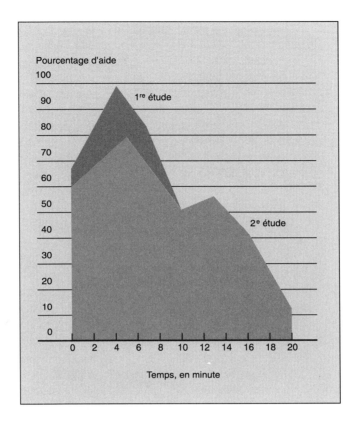

Figure 12.5

Pourcentage de gens acceptant de transmettre un message téléphonique, de 0 à 20 minutes après avoir reçu un échantillon gratuit. Seulement 10 % des membres du groupe témoin n'ayant pas reçu de cadeau acceptèrent. (Données tirées de Isen *et al.*, 1976.)

avoir reçu un cadeau, par exemple, ou parce qu'ils goûtent encore les plaisirs d'un succès ont plus tendance à avoir des pensées positives et à voir l'aide d'un bon œil. Il semble que les penseurs positifs font des acteurs positifs. Murray Millar *et al.* (1988) présentent des énoncés positifs ou négatifs concernant des personnes ou leurs amis. Ces personnes doivent ensuite accomplir une conduite d'aide pour eux-mêmes ou pour leurs amis. Aider les amis a réduit l'intensité de l'humeur se rapportant à soi et accru l'intensité de l'humeur se rapportant aux amis. Inversement, s'aider soi-même a accru l'intensité de l'humeur à son propre égard.

Traits de personnalité

Nous venons de voir que l'humeur et la culpabilité influencent énormément l'altruisme d'un individu. Les traits de personnalité ont-ils une influence aussi marquée? Il doit sûrement y avoir des traits qui différencient les êtres tournés vers les autres comme Albert Schweitzer, mère Teresa et Jean Vanier de ceux qui sont aveuglés par leur propre égocentrisme.

Sans doute. Mais les psychologues sociaux furent longtemps incapables d'identifier un seul trait de caractère qui pouvait prédire l'altruisme, ne serait-ce qu'avec un peu de la force prédictive des facteurs circonstanciels, de la culpabilité et de l'humeur. On n'a trouvé que de faibles relations entre l'aide et certaines variables personnelles telles que le besoin d'approbation sociale. Mais, en règle générale, les tests de personnalité étaient incapables d'identifier les gens serviables.

En 1980, on croyait donc en majorité que la situation pouvait fortement influencer l'empressement à aider et que la personnalité ne comptait pas beaucoup. Si cela vous rappelle quelque chose, c'est peut-être relié à une conclusion semblable à laquelle en sont venus les chercheurs en matière de conformité (chapitre 6) : la conformité aussi semble très influencée par la situation tout en étant essentiellement impossible à prédire à partir des tests de personnalité. Peut-être vous souvenez-vous aussi de l'idée que ce que nous sommes influence ce que nous faisons. Au chapitre 2, nous avons vu que, alors que les évaluations des traits et des attitudes prédisent rarement un geste *spécifique* (ce que mesurent la plupart des expériences portant sur l'altruisme, plutôt que de mesurer l'altruisme de toute une vie comme celle d'Albert Schweitzer), elles prédisent avec plus de précision le comportement général d'une personne dans plusieurs situations.

En fait, les chercheurs en matière de personnalité ont relevé le défi, premièrement, en démontrant qu'il y a des différences individuelles dans le degré d'aide, que ces différences se maintiennent dans le temps et qu'elles peuvent être remarquées par les pairs (Hampson, 1984 ; Rushton *et al.*, 1981). Deuxièmement, les chercheurs recueillent les indices de l'ensemble des traits de caractère prédisposant à l'aide. Les indications préliminaires nous apprennent que les gens dont l'empathie et l'efficacité personnelle sont marquées sont fort probablement des gens serviables (Batson, 1987 ; Tice et Baumeister, 1985).

Troisièmement, la personnalité influence la réaction des gens à des situations spécifiques (Romer *et al.*, 1986 ; Wilson et Petruska, 1984). Les gens très portés à l'autosurveillance, étant très à l'affût des attentes des gens, seront particulièrement serviables s'ils pensent que l'aide est socialement récompensée (White et Gerstein, 1987). Les gens peu portés à l'autosurveillance, étant plus guidés de l'intérieur, sont moins influencés par ce que les autres pensent de l'aide.

On peut également percevoir cette interaction de l'individu et de la situation dans les 172 recherches comparant l'aide de près de 50 000 participants et participantes. Résumant les résultats de toutes ces études, Alice Eagly et Maureen Crowley (1986) rapportent que, devant des situations potentiellement dangereuses où des étrangers ont besoin d'aide (comme dans le cas d'une crevaison ou d'une chute dans le métro), les hommes ont plus tendance à aider. (Eagly et Crowley rapportent de plus que des 6767 récipiendaires de la médaille Carnegie de sauvetage héroïque, 90 % furent des hommes.) Cependant, dans les situations moins dangereuses, comme se porter volontaire pour une expérience ou consacrer du temps aux enfants retardés, les femmes semblaient un peu plus disposées à aider. Ainsi la différence entre les sexes est en interaction avec (dépend de) la situation. De plus, Eagly et Crowley soupçonnent que, si les chercheurs étudiaient la sollicitude dans les relations intimes à long terme plutôt qu'à l'intérieur de brèves rencontres avec des étrangers, ils découvriraient que les femmes sont beaucoup plus serviables.

L'altruisme à long terme dépend des valeurs personnelles des individus. Peter Benson et ses collègues (1980), par exemple, ont découvert qu'au cours de l'année précédente, au collège Earlham, les étudiants très engagés sur le plan religieux consacrèrent davantage d'heures de bénévolat que les étudiants moins engagés pour donner des leçons particulières, travailler pour les œuvres de secours, militer en faveur de la justice sociale, et ainsi de suite (voir également Batson et Gray, 1981 ; Batson et Ventis, 1982). Les prochaines recherches révéleront certainement d'autres facteurs influençant l'aide à court terme et à long terme.

COMMENT FAVORISER L'ENTRAIDE ?

En tant que scientifiques sociaux, nous cherchons à comprendre le comportement humain et à suggérer du même coup des moyens de l'améliorer. C'est pourquoi les psychologues sociaux se demandent comment favoriser l'altruisme à partir des idées ressortant de la recherche sur l'altruisme.

DÉMANTELER LES CONTRAINTES DE L'AIDE

L'une des manières de favoriser l'altruisme consiste à contrecarrer les facteurs inhibant l'altruisme. Compte tenu que les gens préoccupés et pressés ont moins tendance à aider, pouvons-nous imaginer des moyens de les encourager à vivre un peu plus au ralenti et à tourner leur attention vers l'extérieur ? Et si la présence des autres émousse le sens de la responsabilité chez chacun des spectateurs, comment pouvons-nous accroître le sens de la responsabilité chez un spectateur ?

Réduire l'ambiguïté, accroître la responsabilité

Si l'arbre de décision de Latané et Darley (figure 12.4) constitue une description précise des dilemmes auxquels font face les spectateurs, le fait d'aider les gens à interpréter correctement un incident et à assumer la responsabilité devrait alors augmenter leur participation. Leonard Bickman et ses collègues (1975; 1977; 1979) ont vérifié cette hypothèse par une série d'expériences sur le signalement de crimes. Dans chacune des expériences, des clients de supermarchés ou de librairies étaient témoins d'un vol à l'étalage. Certains témoins avaient vu des affiches destinées à sensibiliser les gens au vol à l'étalage et à leur dire comment le signaler. Mais les pancartes avaient peu d'effet. D'autres témoins entendirent un spectateur interpréter l'incident: «Regardez-la, elle vole à l'étalage. Elle a mis cela dans son sac.» (Le spectateur s'éloignait ensuite pour chercher un enfant égaré.) Et d'autres, enfin, entendirent cette personne dire «Nous l'avons vue. Nous devrions la signaler. C'est notre responsabilité.» Ces deux commentaires en face à face ont beaucoup favorisé le signalement du crime.

La force de l'influence personnelle directe s'est également manifestée dans d'autres recherches. Robert Foss (1978) a questionné plusieurs centaines de donneurs de sang pour s'apercevoir que les donneurs néophytes, contrairement aux vétérans, se trouvaient habituellement là parce que quelqu'un le leur avait personnellement demandé. Leonard Jason et ses collaborateurs (1984) confirment que les demandes personnelles de dons de sang sont beaucoup plus efficaces que les affiches et les annonces apparaissant dans les médias – si les demandes personnelles proviennent d'amis. Les demandes non verbales peuvent, elles aussi, être efficaces lorsqu'elles sont personnalisées. Mark Snyder et ses collègues (1974) ont découvert que les auto-stoppeurs doublaient le nombre d'offres qui leur étaient faites en regardant les conducteurs droit dans les yeux. Le fait d'être personnellement approchés semble inciter les gens à se sentir moins anonymes, plus responsables.

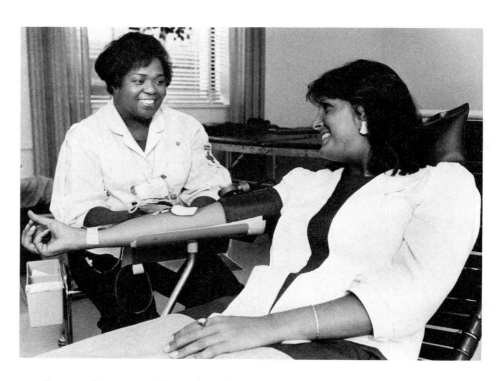

Qu'est-ce qui a incité cette femme à accepter de donner du sang?

On a pu observer un effet similaire de la réduction de l'anonymat dans des expériences effectuées par Henry Solomon et Linda Solomon (1978; Solomon *et al.*, 1981). Ils se sont aperçus que les spectateurs qui s'échangeaient leurs nom, âge, et ainsi de suite, avaient une tendance plus marquée que les spectateurs demeurés anonymes à offrir leur aide à une personne malade. De même, lorsqu'une expérimentatrice captait le regard d'un autre client et lui souriait chaleureusement avant de prendre l'ascenseur, ce client était de loin plus enclin qu'un autre à lui offrir son aide lorsqu'elle disait par la suite «Zut! j'ai oublié mes lunettes! Quelqu'un peut-il me dire à quel étage se trouvent les parapluies?». Même la conversation momentanée la plus banale – «Excusez-moi, n'êtes-vous pas la sœur de Suzie Spear?» «Non. Pas du tout.» – augmentait de manière spectaculaire l'aide subséquente de la personne interpellée.

L'altruisme peut également s'accroître quand la personne s'attend de rencontrer plus tard la victime ou d'autres témoins. Se servant d'un système d'interphone, Jody Gottlieb et Charles Carver (1980) ont fait croire à des étudiants de l'Université de Miami qu'ils discutaient avec d'autres étudiants des problèmes de la vie universitaire. (En fait, leurs interlocuteurs étaient des enregistrements.) Au moment où l'un des supposés interlocuteurs se mit à suffoquer et à appeler à l'aide, l'aide la plus prompte provint des participants qui pensaient avoir sous peu l'occasion de rencontrer leurs interlocuteurs. En bref, tout ce qui personnalise les spectateurs – une demande personnelle, un contact visuel, le fait de dire son nom, la prévision d'une rencontre – augmente leur empressement à faire quelque chose.

Le fait de se sentir personnellement interpellés rend probablement les spectateurs plus conscients d'eux-mêmes et, par conséquent, plus près de leurs propres idéaux altruistes. Souvenez-vous (chapitres 2 et 8) que les gens rendus plus conscients d'eux-mêmes (par le fait d'agir en face d'un miroir ou d'une caméra de télévision, par exemple) manifestent habituellement plus de cohérence entre leurs attitudes et leurs actions. En opposition, les gens qui sont «désindividués» ont tendance à devenir moins responsables. Cela implique que les circonstances augmentant la conscience de soi – les étiquettes d'identification, le fait d'être observé et évalué, la tranquillité – vont également augmenter l'altruisme. Shelley Duval, Virginia Duval et Robert Neely (1979) ont confirmé cette hypothèse en montrant à des étudiantes de l'Université de la Californie du Sud leur propre image à l'écran ou en leur faisant remplir un questionnaire biographique juste avant de leur offrir l'occasion de donner du temps et de l'argent à des gens dans le besoin. Les étudiantes devenues conscientes d'elles-mêmes contribuèrent davantage. Parallèlement, les piétons dont on vient de prendre la photographie se montrent plus enclins à aider un autre passant à récupérer des enveloppes qu'il vient d'échapper (Hoover *et al.*, 1983). La conscience de soi, quand elle ne se transforme pas en souci de soi, augmente la probabilité que les gens agissent selon leurs idéaux.

Culpabilité et souci de l'image de soi

Nous avons déjà vu que les gens ayant «péché» désirent ardemment atténuer leurs sentiments privés de culpabilité et raffermir leur valeur personnelle. Peut-on alors augmenter leur désir d'aider en rendant les gens encore plus conscients de leurs mauvaises actions? C'est ce que voulut savoir une équipe de recherche du collège Reed, dirigée par Richard Katzev (1978). Lorsque des visiteurs du musée d'Art de Portland désobéissaient à l'ordre affiché «Ne pas toucher, s.v.p.», les expérimentateurs se mirent en frais d'en réprimander quelques-uns: «Ne touchez pas aux objets, s'il-vous-plaît. Si tout le monde y touche, ils vont se détériorer.» Certains des visiteurs du zoo de Portland qui donnaient à manger aux ours des aliments non autorisés se virent, eux aussi, réprimandés: «Hé! vous, ne donnez pas des aliments non autorisés aux animaux! Ne savez-vous pas qu'ils pourraient en souffrir?» Dans les deux cas, 58% des sujets ainsi culpabilisés s'offrirent peu de temps après à aider un autre expérimentateur qui avait échappé «accidentellement» quelque chose. Seulement un tiers des personnes qui n'avaient pas été réprimandées offrirent leur aide.

Les gens se soucient également de leur image en public. C'est là une autre corde sur laquelle on peut jouer pour les inciter à aider les autres. Lorsque Robert Cialdini et ses collègues (1975) demandèrent à certains étudiants de l'Université d'État de l'Arizona de chaperonner de jeunes délinquants lors d'une visite au zoo, seulement 32% acceptèrent. Avec les autres étudiants, l'expérimentateur commença par une très grosse demande – qu'ils s'engagent pendant deux ans à titre de conseillers bénévoles auprès de jeunes délinquants. Après s'être vu fermer la **porte au nez** en réponse à sa demande (tous refusèrent), l'expérimentateur revint à la charge avec la demande de chaperons, leur disant en fait: «Très bien. Puisque vous refusez ceci, accepteriez-vous au moins de faire cela?» En utilisant cette technique, près du double – 56% – acceptèrent.

Morton Goldman (1986) obtint encore plus de succès pour une demande d'aide lorsqu'il combina la technique de la porte fermée au nez avec celle du premier pas (p. 52). Lorsqu'il téléphona à un échantillon de résidants de Kansas City au nom du zoo local et qu'il leur demanda leur aide pour remplir et adresser 75 enveloppes, seulement 22% acceptèrent. Avec d'autres, il commença par une demande exigeante – «Voudriez-vous appeler 150 personnes [...] et faire une enquête à propos du zoo?» Quand on lui ferma la porte au nez, Goldman poursuivit avec la demande concernant les enveloppes; 42% sauvegardèrent leur

Technique de la porte fermée au nez:
Stratégie pour obtenir une concession. Elle consiste à fournir d'abord à quelqu'un l'occasion de refuser une grosse requête (fermer la porte au nez) et de revenir ensuite à la charge avec une requête plus raisonnable.

image de soi en disant oui. Avec un troisième groupe, Goldman fit suivre la demande carrément refusée par une petite demande d'entrevue du genre premier pas à la suite de quoi 57 % acceptèrent d'aider pour les enveloppes.

Le souci de l'image de soi ressortait également d'une autre expérience où Cialdini et David Schroeder (1976) demandèrent à un solliciteur d'approcher des banlieusards pour leur dire «Je ramasse des fonds pour la Société américaine du cancer»; 29 % contribuèrent avec une moyenne de 1,44 $ chacun. Quand le solliciteur ajoutait «Un seul sou pourrait aider», 50 % contribuèrent avec une moyenne de 1,54 $ chacun. Et lorsque James Weyant (1984) répéta l'expérience, il obtint des résultats presque identiques : la petite phrase «même un sou pourrait aider» fit grimper le nombre des contributions de 39 % à 57 %. Et parmi 6000 personnes sollicitées par écrit par la Société américaine du cancer, les gens à qui l'on avait demandé de petites contributions avaient plus tendance à donner – et ne donnèrent pas moins que la moyenne – que les gens sollicités pour de gros montants (Weyant et Smith, 1987). Il est apparemment difficile de refuser une demande pour une faible contribution et de maintenir une image altruiste de soi.

SOCIALISATION À L'ALTRUISME

Si l'altruisme n'est effectivement pas inné, comment faire alors pour l'enseigner? Voici trois possibilités.

Donner l'exemple de l'altruisme

Nous avons vu, dans le présent chapitre, que lorsque nos compagnons spectateurs ne font rien nous ne sommes pas portés à aider, tandis que si nous en voyons un se porter à l'aide nous aurons plus tendance à offrir notre aide. On a observé un effet semblable à l'intérieur des familles. Les recherches auprès des Européens chrétiens qui ont risqué leur vie pour sauver des Juifs et d'autres recherches portant sur les militants pour les droits civils à la fin des années 1950 ont révélé, dans les deux cas, que ces altruistes exceptionnels avaient de profondes relations avec au moins un parent qui était, lui aussi, un «moraliste» convaincu ou qui se dévouait à des causes humanitaires (London, 1979; Oliner et Oliner, 1988; Rosenhan, 1970). Leur famille – et souvent leurs amis et leur religion – leur avait enseigné la norme d'aider et de se soucier des autres.

Les effets des modèles positifs s'étendent-ils à la télévision de la même manière que ses modèles agressifs favorisent l'agression? La recherche indique que les modèles prosociaux présentés à la télévision ont encore plus d'influence que les modèles antisociaux. Susan Hearold (1979; et Rushton, 1979) a statistiquement combiné 108 comparaisons d'émissions prosociales par opposition aux émissions neutres ou à l'absence d'émissions pour découvrir que, en moyenne, «si le téléspectateur regardait des émissions prosociales plutôt que des émissions neutres, il passerait [du moins temporairement] du 50e au 74e centile pour ce qui est du comportement prosocial – ce que l'on appelle habituellement l'altruisme».

Attribuer le comportement altruiste à des motivations altruistes

Effet de la justification excessive:
Voir le chapitre 2.

Une autre information touchant l'apprentissage social de l'altruisme nous vient d'une recherche portant sur l'«effet de la justification excessive»: lorsque la justification d'un acte est extérieurement suffisante, il se peut que l'individu attribue l'acte à une justification extrinsèque plutôt qu'à une motivation intérieure. Voilà pourquoi le fait de récompenser les gens pour faire ce qu'ils feraient de toute façon peut miner leur motivation intérieure. On peut formuler ce principe de manière positive: En ne donnant aux gens que la justification suffisante pour les inciter aux bonnes actions (les habituant dans la mesure du possible à se passer de réprimandes et de menaces), nous pourrions ainsi les aider à maximiser leur plaisir à poser d'eux-mêmes ces gestes.

Daniel Batson et ses associés (1978; 1979) ont illustré le phénomène de la justification excessive. Plusieurs expériences leur ont démontré que les étudiants de l'Université du Kansas se sentaient beaucoup plus altruistes après avoir accepté d'aider quelqu'un sans rémunération ou en l'absence de pression sociale implicite. Quand on leur offrait de l'argent ou qu'on exerçait des pressions sociales, les gens se sentaient moins altruistes après avoir aidé. Dans une autre expérience, on amenait les étudiants qu'on avait recrutés pour aider quelqu'un à attribuer leur aide à la complaisance («Je pense que nous n'avons vraiment pas le choix») ou à la compassion («Ce type a vraiment besoin d'aide...»). Quand on demanda par la suite aux étudiants de donner de leur temps à une agence locale de secours, 25% de ceux que l'on avait poussés à percevoir leur aide antérieure comme de la simple complaisance se portèrent volontaires; 60% de ceux qui se percevaient comme des êtres compatissants se portèrent volontaires. La morale? C'est très simple: quand les gens se demandent «Quelle est la raison de mon aide?» la meilleure chose est que les circonstances leur permettent de répondre «Parce que l'aide était nécessaire et que je suis une personne attentionnée, généreuse et serviable.» Tout ce qui se situe à l'extérieur de ce cadre risque de miner le sentiment altruiste, comme l'ont découvert Batson et ses collègues (1987). Ils ont demandé à des gens de décrire «une situation où vous avez volontairement secouru quelqu'un d'autre au prix d'un très grand effort» et de réfléchir ensuite «aux raisons de votre aide» en notant par écrit les raisons pertinentes. En comparaison de ceux qui n'avaient pas analysé leurs raisons d'aider, ces gens finirent par se sentir d'un altruisme moins désintéressé.

Comme nous l'avons vu au chapitre 2, les récompenses, lorsqu'elles visent à dicter le comportement, minent la motivation intrinsèque. Un compliment inattendu peut cependant intensifier la motivation intrinsèque en suscitant un sentiment de compétence et de valeur. Si on tord le bras de Jean en lui disant «Si tu cesses d'être poltron et donnes du sang, tu gagneras le prix de la confrérie pour la plupart des dons», il n'attribuera probablement pas son don à l'altruisme. Alors que si l'on récompense Jocelyne par «C'est incroyable que tu aies choisi de prendre une heure d'une semaine aussi chargée pour donner du sang», elle s'en ira probablement avec une image de soi altruiste – et, par conséquent, donnera encore de son sang (J. A. Piliavin *et al.*, 1982; G. C. Thomas et Batson, 1981; Thomas *et al.*, 1981).

C'est un fait que bien des gens commencent à donner du sang à cause des récompenses et des pressions sociales, mais les dons répétés développent en eux la motivation intrinsèque (Callero et Piliavin, 1983). La bonté, comme la méchanceté, se développe souvent petit à petit. Les Gentils qui ont sauvé des Juifs ont souvent commencé par un petit engagement – cacher quelqu'un pour moins d'un jour ou deux. Ce pas les a conduits à se percevoir différemment, comme des gens serviables, et à s'engager ensuite plus à fond (Goleman, 1985).

L'importance de l'image de soi ressort également de la recherche sur les effets de l'étiquetage des gens. Robert Kraut (1973) dit à des femmes de New Heaven, au Connecticut, qui venaient de faire un don charitable: «Vous êtes une personne généreuse.» Deux semaines plus tard, ces femmes se montrèrent plus enclines que les femmes non étiquetées à donner à une autre œuvre de charité. De même, Angelo Strenta et William DeJong (1981) dirent à certains étudiants que leur test de personnalité dévoilait que «vous êtes une personne aimable et prévenante». Ces étudiants se montraient par la suite plus enclins que les autres étudiants à l'amabilité et à la gentillesse envers un compère qui avait échappé une pile de cartes informatisées.

En savoir plus sur l'altruisme

Les chercheurs ont découvert un autre moyen de favoriser l'altruisme, un moyen qui nous fait conclure le présent chapitre sur une note optimiste. Certains psychologues sociaux se sont mis à redouter que, à mesure que les gens prennent connaissance des découvertes de la psychologie sociale, ils modifient leur comportement, infirmant par le fait même lesdits résultats (Gergen, 1973). Le fait d'avoir appris quels facteurs inhibent l'altruisme protégera-t-il les gens de l'influence de ces facteurs? Ce genre d'«éclaircissements» n'est parfois pas un problème pour nous, mais plutôt l'un de nos objectifs, objectif qui conduit à un comportement plus compatissant.

Des expériences effectuées par Arthur Beaman et ses collègues (1978) auprès d'étudiants de l'Université du Montana révèlent que, une fois que les gens ont compris pourquoi la présence de spectateurs inhibent l'aide, ils se montrent plus enclins à aider dans les situations de groupe. Les chercheurs firent à certains étudiants un exposé touchant la manière dont le refus d'aider des spectateurs peut influencer à la fois l'interprétation que l'on fait d'une urgence et le sentiment de responsabilité. D'autres étudiants eurent droit à un exposé différent ou à aucun exposé. Deux semaines plus tard, dans le cadre d'une expérience différente, les participants se retrouvèrent en train de marcher (avec un compère indifférent) et croisèrent une personne écroulée par terre ou une personne affalée à côté d'une bicyclette. Environ le quart des étudiants n'ayant pas entendu l'exposé sur l'aide s'arrêtèrent pour offrir de l'aide; il y en eut deux fois plus à le faire parmi ceux qui avaient été «éclairés».

Tout à fait par hasard, juste avant de rédiger le dernier paragraphe, une ancienne étudiante, habitant maintenant Washington, D.C., est venue me voir. Elle m'a dit qu'elle s'était dernièrement retrouvée parmi un flot de passants marchant à grandes enjambées près d'un homme gisant inconscient sur le trottoir. «Cela m'a ramenée en esprit à mon cours de psychologie sociale et aux raisons pour lesquelles les gens ne font rien dans ce genre de situations. Je me suis alors demandé qui viendrait à son aide si, moi aussi, je poursuivais mon chemin.» Elle a donc composé le numéro des urgences et a attendu avec la victime – et d'autres spectateurs qui s'étaient maintenant joints à elle – que le secours arrive.

RÉSUMÉ

POURQUOI NOUS ENTRAIDONS-NOUS ?

Trois importantes théories tentent d'expliquer le comportement altruiste. La *théorie de l'échange social* suppose que l'aide, comme les autres comportements sociaux, est motivée par le désir des gens de minimiser leurs coûts et de maximiser leurs bénéfices – que ce soit des récompenses extérieures (l'approbation sociale, par exemple) ou intérieures (par exemple, la diminution de la détresse ou l'accroissement de la satisfaction personnelle). D'autres psychologues sont d'avis que l'aide peut aussi être simplement motivée par une pure préoccupation altruiste envers le bien-être de quelqu'un d'autre.

Notre aide est aussi motivée par les *normes sociales*. La *norme de réciprocité* nous incite à rendre le bien pour le bien et non le mal pour le bien. La *norme de responsabilité sociale* fait que nous ressentons l'obligation de secourir les gens dans le besoin et les gens méritants, même s'ils ne peuvent pas nous rendre la pareille.

La *sociobiologie* suppose deux sortes d'altruisme qui sont favorisées par la sélection naturelle : le dévouement envers notre famille et la réciprocité. Les sociobiologistes croient cependant que les gènes des individus égoïstes ont de meilleures chances de survie que les gènes des personnes qui se sacrifient pour les autres, si bien que la société doit enseigner l'altruisme.

Ces trois théories se complètent. Chacune fait appel à des concepts psychologiques, sociologiques ou biologiques pour rendre compte de deux types d'altruisme : (1) un «altruisme» d'échanges réciproques – un petit service en attire un autre – et (2) un altruisme inconditionnel. Il n'en reste pas moins que chacune de ces théories prête flanc à des accusations de spéculation et d'invention d'explications, des explications qui décrivent plus qu'elles ne prédisent l'altruisme.

QUAND APPORTERONS-NOUS NOTRE AIDE ?

Plusieurs influences de la situation concourent à inhiber ou à encourager l'altruisme. Plus il y a de témoins d'une urgence, moins chacun des spectateurs a de chances (1) de remarquer l'incident, (2) de l'interpréter comme une urgence et (3) d'en assumer la responsabilité. Cela vaut surtout pour les situations ambiguës ou celles où les témoins ne peuvent pas facilement décoder leurs signaux d'alarme.

Quand les gens sont-ils le plus susceptibles d'aider ? (1) Après avoir observé quelqu'un d'autre le faire et (2) lorsqu'ils ne sont pas pressés. Et *qui* sont ceux que nous serons plus portés à aider ? (1) Ceux que nous considérons comme dans le besoin et méritants et (2) ceux qui nous ressemblent.

De plus, l'aide dépend d'influences personnelles comme l'humeur des gens. Après une mauvaise action, on devient souvent plus enclin à offrir son aide, espérant ainsi, semble-t-il, atténuer la culpabilité ou rétablir son image de soi. Les gens tristes ont également tendance à être serviables, surtout lorsque ce genre de comportement constitue un moyen de se changer les idées. Cet effet du «quand tu te sens mal, fais le bien» ne se retrouve cependant pas chez les enfants, ce qui suppose que les récompenses intérieures de l'aide sont un produit de l'apprentissage social ultérieur. Finalement, on s'est constamment aperçu que les gens heureux sont des gens serviables.

En comparaison de l'importance de facteurs tels que les circonstances et l'humeur en ce qui touche l'altruisme, les résultats aux tests de personnalité n'ont réussi que très modestement à prédire l'altruisme. De nouvelles données indiquent toutefois que certaines personnes sont constamment plus altruistes que d'autres et que l'influence de la personnalité ou du sexe d'appartenance peut dépendre de la situation.

COMMENT FAVORISER L'ENTRAIDE ?

La recherche indique que nous pouvons favoriser l'entraide de deux manières. Premièrement, en contrecarrant les facteurs qui inhibent l'aide. Nous pouvons faire en sorte de réduire l'ambiguïté d'une situation urgente ou de renforcer les sentiments de responsabilité (en atténuant, par exemple, les sentiments d'anonymat ou en augmentant la conscience de soi). Nous pouvons même utiliser les réprimandes ou la technique de la porte fermée au nez pour susciter des sentiments de culpabilité ou une inquiétude quant à l'image de soi.

Deuxièmement, nous pouvons enseigner l'altruisme. La recherche sur les modèles prosociaux diffusés à la télévision indique clairement le pouvoir éducatif de ce médium pour enseigner des comportements positifs. Les enfants qui voient un comportement serviable ont tendance à agir de même. Mais si nous cherchons à amener les gens à se comporter de manière altruiste, nous ferions mieux de ne pas oublier l'effet de la justification excessive : quand on utilise trop de récompenses ou de menaces pour forcer les gens à bien agir, l'amour intrinsèque des gens pour l'activité s'émousse souvent. Si l'on donne juste assez de justification aux gens pour les décider à faire le bien, ils auront davantage tendance à attribuer leur comportement à leur propre motivation altruiste et à être par la suite plus serviables.

LECTURES SUGGÉRÉES

Ouvrage en français

BÉGIN, G. (1979). Altruisme et comportement d'aide. *In* G. Bégin et P. Joshi (dir.). *Psychologie sociale* (p. 227-256). Québec, Presses de l'Université Laval.

CHALON, J. C. (1982). Intention altruiste et comportement d'aide : revue bibliographique. *Les Cahiers de psychologie sociale, 15.*

LEVASSEUR, R. (1990). *De la sociabilité, spécificité et mutations.* Montréal, Les Éditions du Boréal.

Ouvrage en anglais

GILKEY, L. (1966). *Shantung Compound.* New York, Harper & Row.

OLINER, S.P. et OLINER P.M. (1988). *The altruistic personality : Rescuers of Jews in Nazi Europe.* New York, The Free Press.

PILIAVIN, J.A., DOVIDIO, J.F., GAERTNER, S.L. et CLARK, R. D. III (1981). *Emergency intervention.* New York, Academic Press.

Acceptation. Agir et penser conformément à la pression sociale.

Accommodation langagière. Ajustement (convergence ou divergence) de la communication verbale en fonction de l'interlocuteur auquel quelqu'un s'adresse.

Acquiescement. Agir publiquement conformément à la pression sociale tout en se sentant intérieurement en désaccord.

Agression. Comportement physique ou verbal visant à blesser intentionnellement quelqu'un. Au cours des expériences en laboratoire, cela pourrait vouloir dire administrer des chocs électriques ou dire quelque chose pouvant heurter les sentiments de quelqu'un. Selon cette définition donnée par la psychologie sociale, il est possible de s'affirmer socialement sans être agressif.

Agression hostile. Agression issue de la colère et constituant une fin en soi.

Agression instrumentale. Agression constituant un moyen vers une autre fin.

Altruisme. Se préoccuper des autres et les aider sans rien demander en retour; dévouement aux autres en dehors de toute considération consciente de ses propres intérêts.

Amorçage. Activation d'associations spécifiques dans la mémoire.

Amour-amitié. Affection que l'on ressent pour les gens qui se trouvent mêlés de très près à nos vies.

Amour passionné. Intense désir d'union avec une autre personne. Les amants passionnés se fondent l'un dans l'autre, sont en extase lorsqu'ils obtiennent l'amour de l'autre et sont inconsolables s'ils le perdent.

Androgynie (*andros*, homme + *gyne*, femme). Fait de posséder les traits psychologiques «masculins» et «féminins». On dit de la personne androgyne qu'elle possède de façon marquée autant les qualités traditionnellement masculines (comme l'indépendance, l'affirmation de soi et la tendance à la compétition) que les qualités traditionnellement féminines (comme la chaleur humaine, la tendresse et la compassion).

Appréhension de l'évaluation. Se demander comment les autres nous évaluent.

Attitude. Réaction, favorable ou défavorable à l'égard de quelqu'un ou de quelque chose, manifestée par les croyances, les sentiments ou les intentions.

Attrait. Posséder des qualités attirantes pour l'auditoire. La source attrayante (ayant beaucoup de traits communs avec l'auditoire) est davantage persuasive dans les domaines touchant les préférences subjectives.

Auto-efficacité. Sentiment d'être compétent et efficace. À distinguer de l'estime de soi et du sentiment de sa propre valeur. L'aviateur bombardier peut ressentir beaucoup d'auto-efficacité et peu d'estime de soi.

Autosurveillance. Se modeler sur le comportement d'autrui dans les situations sociales et adopter un comportement créant l'impression désirée.

Biais auto-avantageux. Tendance à se percevoir favorablement.

Biais de confirmation. Tendance à chercher l'information confirmant ses idées préconçues.

Biais de la rétrospective. Tendance à exagérer sa propre capacité de prévoir le cours des événements, *après* en avoir pris connaissance. Également appelé phénomène du «je-le-savais!».

Biais de l'endogroupe. Tendance à favoriser son propre groupe.

«Burnout». Hostilité, apathie ou perte d'idéal résultant d'un stress prolongé ou d'un conflit entre personnes jouant des rôles antagonistes.

Canal de communication. Comment est transmis le message – face à face, par écrit, sur film ou autrement.

Cartographie mentale. Étude de l'acquisition, de l'emmagasinage et du décodage de l'information spatiale se rapportant à l'environnement physique habituel.

Catharsis. Libération émotionnelle. L'interprétation cathartique de l'agression veut que l'impulsion agressive soit affaiblie lorsqu'on peut «libérer» l'énergie agressive en agissant agressivement ou en imaginant l'agression.

Cohésion. Sentiment du «nous» – degré d'union entre les membres d'un groupe, reposant, par exemple, sur l'attirance qu'ils éprouvent les uns envers les autres.

Comparaison sociale. Évaluer ses idées et ses capacités en se comparant avec les autres.

Compère. Personne travaillant avec l'expérimentateur et pour le compte de ce dernier.

Complémentarité. Tendance de chaque partenaire d'une relation à deux à compenser ce qui manque à l'autre. L'hypothèse de la complémentarité suppose que les gens sont attirés par les personnes ayant des besoins autres que les leurs, de façon à compléter leurs besoins propres.

Comportement instinctif. Type de comportement inné et non appris, propre à tous les membres d'une espèce.

Comportement prosocial. Comportement social positif, constructif et utile; le contraire du comportement antisocial.

Composante imagérielle. Représentation de l'information sous forme d'image (par opposition à la représentation sous forme verbale).

Confirmation par le comportement. Genre de prophétie s'autoréalisant où les attentes sociales des gens les poussent à agir de façon que les autres confirment leurs attentes.

Conflit entre la personne et son rôle. Tension entre la personnalité ou les attitudes d'une personne et les attentes reliées au rôle qu'elle joue.

Conflit interrôle. Tension engendrée par les exigences de deux rôles qu'il faut jouer simultanément.

Conflit intrarôle. Tension créée par des attentes contradictoires quant à la façon de jouer un rôle.

Conformité. Changement de croyance ou de comportement provenant d'une pression de groupe réelle ou imaginée.

Conscience de soi. État de conscience où l'attention est dirigée sur soi-même. Sensibilise les gens à leurs propres dispositions et à leurs propres attitudes.

Consentement éclairé. Principe éthique voulant que les participants à une expérience soient suffisamment informés pour pouvoir choisir s'ils désirent ou non participer.

Coparticipants. Groupe de personnes travaillant simultanément et individuellement à une tâche non compétitive.

Corrélation illusoire. Perception d'une relation entre deux facteurs là où il n'y en a pas ou perception d'une relation plus marquée que celle qui existe réellement. Par exemple, fausse impression que deux variables, comme l'intelligence et le sexe, sont associées.

Crédibilité. Confiance. La source crédible est perçue comme expert en même temps que digne de foi.

Densité extérieure. Densité mesurée par le nombre d'habitants par mètre carré de terrain construit.

Densité intérieure. Densité sociale dans les territoires primaires d'une personne.

Densité sociale. Densité qui augmente par l'addition de nouvelles personnes dans le même site.

Densité spatiale. Densité qui augmente par le déplacement d'une quantité donnée de personnes dans un site plus petit.

Déplacement. Réorientation de l'agression vers une source autre que celle de la frustration. En général, la nouvelle cible est moins dangereuse, c'est-à-dire qu'elle risque moins de se venger ou que l'agression contre elle est mieux acceptée socialement.

Désindividuation. Perte de la conscience de soi et de l'appréhension de l'évaluation; se produit dans les situations de groupe entretenant l'anonymat et attirant l'attention de l'individu ailleurs que sur lui-même.

Dilemme social. Situation où, si l'option la mieux récompensée pour chacun est choisie par tout le monde, il en résultera une perte pour tout le monde.

Discrimination. Comportement négatif injustifiable à l'égard d'un groupe et de ses membres.

Dissonance cognitive. Impressions de tensions ressenties lors de la prise de conscience de deux cognitions incompatibles. Par exemple, la dissonance peut se manifester quand on se rend compte que l'on a agi, sans justification, contrairement à ses attitudes, ou que l'on a pris une décision favorisant une option alors qu'il y avait de bonnes raisons d'en favoriser une autre.

Distance intime. Distance interpersonnelle appropriée aux interactions affectueuses ou à l'agression.

Distance personnelle. Distance interpersonnelle appropriée aux interactions habituelles entre les amis et les connaissances.

Distance publique. Distance interpersonnelle appropriée aux interactions officielles telles que celles qui existent entre un conférencier et son auditoire.

Distance sociale. Distance interpersonnelle appropriée aux interactions impersonnelles telles que celles des transactions d'affaires.

Dyade. Groupe de deux.

Échantillon au hasard. Méthode d'enquête où chaque personne du groupe étudié a une chance égale d'être choisie.

Effet d'assoupissement. Effet à retardement d'un message; survient lorsqu'on se souvient d'un message après avoir oublié la raison de le rejeter.

Effet d'autoréférence. Tendance à traiter efficacement l'information portant sur soi-même et à bien s'en souvenir.

Effet de fausse unicité. Tendance à sous-estimer le caractère général de ses propres capacités ou de ses comportements désirables ou couronnés de succès.

Effet de la justification excessive. Soudoyer les gens pour faire ce qu'ils aiment déjà faire a pour conséquence qu'ils en viendront probablement à percevoir ce qu'ils font comme étant extérieurement dirigé plutôt qu'intrinsèquement intéressant.

Effet de la justification insuffisante. Diminution de la dissonance par une justification intérieure de son propre comportement quand les incitations extérieures sont insuffisantes pour justifier totalement.

Effet de la simple présence. Tendance à apprécier davantage et à évaluer plus positivement les nouveaux stimuli auxquels on a été exposé de manière répétitive.

Effet de primauté. Toutes choses étant égales, l'information présentée en premier est habituellement celle qui a le plus d'influence.

Effet de récence. C'est parfois l'information présentée en dernier qui a le plus d'influence. Les effets de récence sont moins habituels que les effets de primauté.

Effet du faux consensus. Tendance à surestimer le caractère général de ses propres opinions et de ses conduites indésirables ou fâcheuses.

Effet du spectateur. La découverte qu'un individu a moins tendance à apporter son aide lorsqu'il y a d'autres spectateurs.

Emphatie. Expérience indirecte des sentiments de quelqu'un d'autre : se mettre à la place de quelqu'un.

Endogroupe. Groupe de personnes partageant un sentiment d'appartenance, une impression d'identité commune.

Entassement. Impression subjective qu'il n'y a pas suffisamment d'espace pour chaque personne.

Équité. Condition dans laquelle ce que l'on retire d'une relation est proportionnel à ce qu'on y investit. À noter qu'il n'est pas toujours nécessaire que les avantages équitables soient des avantages égaux.

Erreur d'attribution fondamentale. Tendance, en observant le comportement d'autrui, à sous-estimer les influences de la situation et à surestimer les influences des dispositions intérieures. (Appelée aussi «biais de la correspondance» – l'idée que les dispositions intérieures des gens correspondent à leur comportement.)

Erreur de la ligne de base. Tendance à ne pas tenir compte de la ligne de base (information décrivant la plupart des gens) et d'être plutôt influencé par des caractéristiques particulières au cas jugé.

Espace personnel. Région entourant un individu, qu'il traite comme une partie de lui-même et dont la majorité des gens sont exclus.

Ethnocentrisme. Conviction de la supériorité de son propre groupe ethnique et culturel, accompagnée d'un mépris correspondant pour tous les autres groupes.

Exogroupe. Toute personne ou tout groupe de personnes considérées comme particulièrement différentes ou exclues du groupe d'appartenance.

Facilitation sociale. (1) Signification originale – tendance des gens à mieux accomplir des tâches simples ou bien apprises en présence des autres. (2) Signification actuelle – renforcement des réponses prédominantes (les plus fréquentes ou les plus probables) du fait de la présence des autres.

Faux pipeline. Procédé de détection des attitudes. On convainc d'abord les participants qu'une nouvelle machine peut utiliser leurs réponses psychologiques pour évaluer leurs attitudes secrètes. On leur demande ensuite de prédire ce que trouvera la machine, dévoilant par le fait même leurs attitudes.

Flux d'information en deux étapes. L'influence des médias se fait souvent sentir par l'intermédiaire des leaders d'opinion qui influencent ensuite les autres.

Frustration. Blocage d'un comportement visant un objectif.

Groupe. Deux personnes ou plus qui, pour plus de quelques instants, interagissent, s'influencent mutuellement et se perçoivent comme un «nous».

Handicap intentionnel. Protège l'image de soi en créant une excuse toute prête en cas d'échec.

Heuristique de la disponibilité. Approximation efficace mais faillible qui détermine la probabilité des choses en fonction de leur disponibilité dans la mémoire. Si des exemples d'une chose nous viennent facilement à l'esprit, nous supposons qu'elle est habituelle.

Hypothèse. Proposition vérifiable qui décrit une relation pouvant exister entre les événements.

Hypothèse du contact. Prédiction selon laquelle, dans certaines conditions, le contact direct entre des groupes peut aider à diminuer les préjugés.

Ignorance pluraliste. Fausse impression concernant la façon dont les autres pensent, se sentent ou réagissent.

Illusion du contrôle. Perception de pouvoir contrôler des événements incontrôlables ou de les voir plus contrôlables qu'ils ne le sont en réalité.

Illusion naturaliste. Définir le bien à partir de ce que l'on observe. Par exemple, ce qui est typique est normal; ce qui est normal est bien.

Influence informative. Conformité engendrée par l'acceptation des idées émises par les autres au sujet de la réalité.

Influence normative. Conformité fondée sur le désir de l'individu d'être accepté du groupe.

Inoculation. Consiste à exposer les gens à de faibles attaques de leurs attitudes pour qu'ils puissent ainsi disposer de réfutations devant des attaques plus fortes.

Interaction. L'effet d'un facteur (comme la biologie) dépend d'un autre facteur (comme l'environnement).

Leadership. Façon dont certains membres du groupe motivent et guident le groupe.

Minimax. Minimiser les coûts et maximiser les gratifications.

Mouvement autocinétique. (*auto*, soi-même + *kinesis*, mouvement). Apparente mobilité d'un point lumineux stationnaire dans l'obscurité.

Norme de réciprocité. Attente selon laquelle les gens vont aider ceux qui les ont aidés, et non leur nuire.

Norme de responsabilité sociale. Attente selon laquelle les gens aideront ceux qui dépendent d'eux.

Normes. Règles touchant le comportement accepté et désirable. Les normes prescrivent le comportement «approprié».

Ouverture de soi. Révéler aux autres des aspects intimes de soi.

Ouverture réciproque. Tendance à ajuster son degré d'ouverture intime de soi à celui de l'interlocuteur.

Paresse sociale. Tendance des gens à fournir moins d'efforts lorsqu'ils combinent leurs efforts en vue d'un objectif commun que lorsqu'ils doivent répondre individuellement de leurs actes.

Passagers non payants (*free riders*). Gens qui profitent du groupe et donnent peu en retour.

Patelinerie. Ensemble de stratégies, telles que la flatterie, ayant pour but de s'attirer les faveurs de quelqu'un.

Pensée de groupe. Façon de penser qu'adoptent les gens lorsque la recherche de l'accord devient si prédominante dans un groupe cohésif qu'elle tend à l'emporter sur une évaluation réaliste des autres possibilités d'action.

Perception subjective des caractéristiques de la situation. Indices permettant aux participants de découvrir, au cours de l'expérience, ce que l'on attend d'eux.

Persistance des croyances. S'accrocher à son idée de départ, comme lorsque le fondement de la croyance est discrédité, mais que survit une explication de la raison pour laquelle la croyance pourrait être vraie.

Phénomène de surconfiance. Tendance à être plus sûr de soi qu'à avoir raison – à surestimer l'exactitude de ses propres croyances.

Phénomène du niveau d'adaptation. Tendance à s'adapter à un certain niveau de stimulation et, par conséquent, à remarquer les changements en fonction de ce niveau et à y réagir.

Phénomène du premier pas. Tendance, chez les gens ayant déjà accepté de répondre à une petite demande, d'obtempérer par la suite à une demande plus importante.

Polarisation de groupe. Renforcement, produit par le groupe, des tendances préexistantes des membres. Se rapporte au renforcement de la tendance générale des membres et non à une rupture au sein du groupe.

Préjugé. Attitude négative injustifiable envers un groupe et ses membres individuels.

Présentation de soi. Une façon de s'exprimer de même qu'un comportement destinés à créer soit une impression favorable, soit une impression correspondant à ses idéaux (on parle aussi de «gestion de l'impression»).

Privation relative. Perception qu'on est moins bien nanti que les gens avec qui l'on se compare.

Prophétie s'autoréalisant. Tendance, propre aux attentes personnelles, à susciter le comportement confirmant ces attentes.

Proximité. Il s'agit de la proximité géographique. La proximité (ou plus précisément la «distance fonctionnelle») est l'un des meilleurs indices pour prédire la sympathie.

Psychologie de l'environnement. Champ de la psychologie qui traite de l'interaction de l'environnement physique et du comportement humain.

Psychologie écologique. Approche où les chercheurs utilisent l'observation du milieu naturel pour étudier les relations entre le comportement et l'environnement dans lequel il a lieu.

Psychologie sociale. Étude scientifique de la façon dont les gens se perçoivent, s'influencent et entrent en relation les uns avec les autres.

Racisme. (1) Attitudes préjudiciables et comportement discriminatoire d'un individu à l'égard des représentants d'une race ou (2) pratiques institutionnelles (même si elles ne se fondent pas sur des préjugés) subordonnant les représentants d'une race.

Réactance. Impulsion à protéger ou à rétablir son sentiment de liberté. La réactance s'éveille lorsque la liberté d'action est menacée.

Réalisme de notre monde. Degré de similitude superficielle d'une expérience avec les situations quotidiennes.

Réalisme expérimental. Degré auquel une expérience absorbe et engage les participants.

Recherche corrélationnelle. Étude des relations s'établissant naturellement entre des variables.

Recherche expérimentale. Étude cherchant des indices de relations de cause à effet grâce à la modification de un ou de plusieurs éléments, tout en maîtrisant les autres (en les maintenant constants).

Recherche sur le terrain. Recherche effectuée dans l'environnement naturel et quotidien, hors du laboratoire.

Régression vers la moyenne. Tendance statistique, en ce qui concerne les résultats ou les comportement extrêmes, à retourner à la moyenne de l'individu.

Répartition faite au hasard. Répartir les participants dans des conditions d'une expérience en faisant en sorte que toutes les personnes aient une chance égale d'être dans une condition donnée. Cela égalise les conditions au début de l'expérience. Par conséquent, si les participants dans les conditions différentes se comportent par la suite différemment, cela sera rarement dû aux différences préexistant en eux. (Notez la différence entre la *répartition* faite au hasard lors des expériences et l'*échantillon* pris au hasard lors des enquêtes.)

Représentations sociales. Croyances ayant cours dans une société. Idées et valeurs largement répandues, incluant nos idéologies culturelles et nos suppositions. Nos représentations sociales nous aident à trouver un sens à notre monde.

Rôle. Ensemble de normes prescrivant la façon de se comporter selon la position sociale occupée.

Rôle sexuel. Ensemble d'attentes reliées au comportement (normes) pour les hommes et les femmes.

Secte. Groupe habituellement caractérisé par (1) le rituel particulier de sa dévotion à un dieu ou à un être humain, (2) l'isolement de la culture environnante «diabolique» et (3) un chef charismatique vivant.

Sélection familiale. Idée que l'évolution a favorisé l'altruisme envers les membres de la famille afin de promouvoir la survie des gènes communs.

Sexisme. (1) Attitudes préjudiciables et comportement discriminatoire d'un individu à l'égard des représentants d'un sexe ou (2) pratiques institutionnelles (même si elles ne se fondent pas sur des préjugés) subordonnant les représentants d'un sexe.

Sites comportementaux. Endroits où des formes particulières de comportements humains se produisent normalement et de façon prévisible.

Sociobiologie. Étude de l'émergence du comportement social à partir des principes de la biologie évolutionniste.

Stéréotype. Généralisation touchant un groupe de personnes et les différenciant des autres. Les stéréotypes peuvent être généralisés à l'excès, être inexacts et résister à l'information nouvelle.

Stéréotype de la beauté physique. Présomption que les personnes physiquement attirantes possèdent également d'autres traits de caractère socialement désirables: ce qui est beau est bon.

Technique de l'amorçage. Technique faisant en sorte que les gens acceptent de faire quelque chose. Les gens ayant accepté une demande initiale (tout en n'ayant pas encore passé aux actes) ont plus tendance à accepter une hausse de la demande que les gens à qui l'on ne présente que la demande finale.

Technique de la porte fermée au nez. Stratégie pour obtenir une concession. Elle consiste à fournir d'abord à quelqu'un l'occasion de refuser une grosse requête (fermer la porte au nez) et de revenir ensuite à la charge avec une requête plus raisonnable.

Tendance à s'assortir. Tendance, chez les hommes et les femmes, à choisir comme partenaires les personnes qui «s'apparient bien» à leur apparence et à leurs autres traits de caractère.

Territoire. Espace qu'une personne, en tant qu'individu ou en tant que membre d'un groupe, revendique comme étant le sien.

Territoire primaire. Territoire possédé par un individu ou un groupe sur une longue période.

Territoire public. Territoire que peut s'approprier temporairement un individu, mais par rapport auquel il n'a pas une prétention de propriété.

Territoire secondaire. Territoire utilisé fréquemment, mais partagé avec d'autres.

Théorie. Ensemble intégré de principes expliquant et prévoyant les événements observés.

Théorie de la perception de soi. Théorie voulant que, lorsque nous sommes incertains de nos attitudes, nous les déduisions, comme le ferait quelqu'un nous observant – en examinant notre comportement et les circonstances qui l'entourent.

Théorie de l'apprentissage social. Théorie à l'effet que nous apprenons le comportement social par l'observation et l'imitation, ainsi que par les récompenses et les punitions.

Théorie de l'attraction fondée sur la gratification. Théorie selon laquelle nous aimons les gens dont le comportement est gratifiant ou les gens qui sont associés à des événements gratifiants.

Théorie de l'attribution. Théorie de la façon dont on s'explique le comportement d'autrui – en l'attribuant, par exemple, à des *dispositions* internes (traits de caractères durables, motifs et attitudes) ou à des *situations* externes.

Théorie de l'échange social. Idée que les interactions humaines sont des transactions visant à maximiser les bénéfices personnels et à minimiser les coûts personnels.

Théorie de l'émotion à double facteur. Excitation × étiquette = émotion.

Violence télévisée. Action physiquement contraignante menaçant de blesser ou de tuer, ou tuant et blessant effectivement.

Vitalité ethnolinguistique. Ensemble des facteurs (statut, démographie, appui institutionnel) qui favorisent la survie d'un groupe.

Vitalité ethnolinguistique subjective. Vitalité ethnolinguistique perçue.

BIBLIOGRAPHIE

ABBEY, A. (1987). Misperceptions of friendly behavior as sexual interest: A survey of naturally occurring incidents. *Psychology of Women Quarterly, 11,* 173-194.

ABELSON, R. (1972). Are attitudes necessary? *In* B.T.King et E.McGinnies (dir.). *Attitudes, conflict and social change.* New York, Academic Press.

ABELSON, R.P., KINDER, D.R., PETERS, M.D. et FISKE, S.T. (1982). Affective and semantic components in political person perception. *Journal of Personality and Social Psychology, 42,* 619-630.

ABRAMSON, L.Y. (dir.) (1988). *Social cognition and clinical psychology: A synthesis.* New York, Guilford.

ABRAMSON, L.Y., ALLOY, L.B. et ROSOFF, R. (1981). Depression and the generation of complex hypotheses in the judgement of contingency. *Behavior Research and Theory, 19,* 34-45.

ABRAMSON, L.Y., METALSKY, G.I. et ALLOY, L.B. (1989). Hopelessness depression: A theory-based subtype. *Psychological Review, 96,* 358-372.

ACORN, D.A., HAMILTON, D.L. et SHERMAN, S.J. (1988). Generalization of biased perceptions of groups based on illusory correlations. *Social Cognition, 6,* 345-372.

ADAIR, J.G., DUSHENKO, T.W. et LINDSAY, R.C.L. (1985). Ethical regulations and their impact on research practice. *American Psychologist, 40,* 59-72.

ADAMS, D. *et al.* (1987). Statement on violence. *Medicine and War, 3,* 191-193.

ADERMAN, D. et BERKOWITZ, L. (1970). Observational set, empathy, and helping. *Journal of Personality and Social Psychology, 14,* 141-148.

ADERMAN, D. et BERKOWITZ, L. (1983). Self-concern and the unwillingness to be helpful. *Social Psychology Quarterly, 46,* 293-301.

ADLER, R.P., LESSER, G.S., MERINGOFF, L.K., ROBERTSON, T.S. et WARD, S. (1980). *The effects of television advertising on children.* Lexington, Mass., Lexington Books.

ADORNO, T., FRENKEL-BRUNSWIK, E., LEVINSON, D. et SANFORD, R.N. (1950). *The authoritarian personality.* New York, Harper.

AGRES, S.J. (1987). *Rational, emotional and mixed appeals in advertising: Impact on recall and persuasion.* Communication présentée au congrès de l'American Psychological Association. (En vente chez Lowe Marschalk, Inc., 1345 Avenue of the Americas, New York, N.Y., 10105.)

AJZEN, I. (1982). On behaving in accordance with one's attitudes. *In* M.P.Zanna, E.T.Higgins et C.P. Herman (dir.). *Consistency in Social Behavior: The Ontario Symposium,* vol.2. Hillside, N.J., Erlbaum.

AJZEN, I. et FISHBEIN, M. (1977). Attitude-behavior relations: A theoretical analysis and review of empirical research. *Psychological Bulletin, 84,* 888-918.

AJZEN, I. et TIMKO, C. (1986). Correspondence between health attitudes and behavior. *Basic and Applied Social Psychology, 7,* 259-276.

ALBEE, G. (19 juin 1979). *Politics, power, prevention, and social change.* Allocution présentée à la Vermont Conference on Primary Prevention of Psychopathology.

ALLEE, W.C. et MASURE, R.M. (1936). A comparison of maze behavior in paired and isolated shell-parakeets (*Melopsittacus undulatus Shaw*) in a two-alley problem box. *Journal of Comparative Psychology, 22,* 131-155.

ALLEN, J.B., KENRICK, D.T., LINDER, D.E. et McCALL, M.A. (1989). Arousal and attraction: A response facilitation alternative to misattribution and negative reinforcement models. *Journal of Personality and Social Psychology.*

ALLEN, V.L. et LEVINE, J.M. (1969). Consensus and conformity. *Journal of Experimental Social Psychology, 5,* 389-399.

ALLEN, V.L. et WILDER, D.A. (1979). Group categorization and attribution of belief similarity. *Small Group Behavior, 10,* 73-80.

ALLEN, V.L. et WILDER, D.A. (1980). Impact of group consensus and social support on stimulus meaning: Mediation of conformity by cognitive restructuring. *Journal of Personality and Social Psychology, 39,* 1116-1124.

ALLGEIER, A.R., BYRNE, D., BROOKS, B. et REVNES, D. (1979). The waffle phenomenon: Negative evaluations of those who shift attitudinally. *Journal of Applied Social Psychology, 9,* 170-182.

ALLISON, S.T. et MESSICK, D.M. (1985). The group attribution error. *Journal of Experimental Social Psychology, 21,* 563-579.

ALLISON, S.T. et MESSICK, D.M. (1987). From individual inputs to group outputs, and back again: Group processes and inferences about members. *In* C.Hendrick (dir.). *Group processes: Review of personality and social psychology,* vol.8. Newbury Park, Ca, Sage.

ALLOY, L.B. et ABRAMSON, L.Y. (1979). Judgment of contingency in depressed and nondepressed students: Sadder but wiser? *Journal of Experimental Psychology: General, 108,* 441-485.

ALLOY, L.B. et ABRAMSON, L.Y. (1980). The cognitive component of human helplessness and depression: A critical analysis. *In* J.Garber et M.E. P.Seligman (dir.). *Human helplessness: Theory and applications.* New York, Academic Press.

ALLOY, L.B. et ABRAMSON, L.Y. (1982). Learned helplessness, depression, and the illusion of control. *Journal of Personality and Social Psychology, 42,* 1114-1126.

ALLOY, L.B. et ABRAMSON, L.Y. (1988). Depressive realism: Four theoretical perspectives. *In* L.B.Alloy (dir.). *Cognitive processes in depression.* New York, Guilford.

ALLOY, L.B., ABRAMSON, L.Y. et VISCUSI, Z. (1981). Induced mood and the illusion of control. *Journal of Personality and Social Psychology 41,* 1129-1140.

ALLPORT, F.M. (1920). The influence of the group upon association and thought. *Journal of Experimental Psychology, 3,* 159-182.

ALLPORT, G. (1954). *The nature of prejudice.* Cambridge, Mass., Addison-Wesley.

ALLPORT, G.W. (1978). *Waiting for the Lord: 33 Meditations on God and Man* (édité par P.A. Bertocci). New York, Macmillan.

ALLPORT, G.W. et POSTMAN, L. (1958). *The psychology of rumor.* New York, Henry Holt and Co., 1975. (Première édition, 1947). Aussi dans

E.E. Maccoby, T.M.Newcomb et E.L.Hartley (dir.). *Readings in social psychology*. New York, Holt, Rinehart and Winston.

ALLPORT, G.W. et ROSS, J.M. (1967). Personal religious orientation and prejudice. *Journal of Personality and Social Psychology, 5*, 432-443.

ALTEMEYER, B. (1988). *Enemies of freedom: Understanding right-wing authoritarianism*. San Francisco, Jossey-Bass.

ALTMAN, I. et TAYLOR, D. (1973). *Social penetration: The development of interpersonal relations*. New York, Holt, Rinehart and Winston.

ALTMAN, I. et VINSEL, A.M. (1978). Personal space: An analysis of E.T.Hall's proxemics framework. *In* I.Altman et J.Wohlwill (dir.). *Human behavior and the environment*. New York, Plenum Press.

ALWIN, D.F. (1989). Historical changes in parental orientations to children. *In* N.Mandell (dir.). *Sociological studies of child development*, vol.3. Greenwich, Ct, JAI Press.

AMABILE, T.M. et GLAZEBROOK, A.H. (1982). A negativity bias in interpersonal evaluation. *Journal of Experimental Social Psychology, 18*, 1-22.

AMATO, P.R. (1979). Juror-defendant similarity and the assessment of guilt in politically motivated crimes. *Australian Journal of Psychology, 31*, 79-88.

AMATO, P.R. (1983). Helping behavior in urban and rural environments: Field studies based on a taxonomic organization of helping episodes. *Journal of Personality and Social Psychology, 45*, 571-586.

AMATO, P.R. (1986). Emotional arousal and helping behavior in a real-life emergency. *Journal of Applied Social Psychology, 16*, 633-641.

AMERICAN PSYCHOLOGICAL ASSOCIATION (1981). Ethical principles of psychologists. *American Psychologist, 36*, 633-638.

AMIR, Y. (1969). Contact hypothesis in ethnic relations. *Psychological Bulletin, 71*, 319-342.

ANDERSON, C.A. (1982). Inoculation and counterexplanation: Debiasing techniques in the perseverance of social theories. *Social Cognition, 1*, 126-139.

ANDERSON, C.A. (1988). *Attributions as decisions: A two-stage information processing model*. Communication présentée à la Third Attribution Conference, California School of Professional Psychology, Los Angeles.

ANDERSON, C.A. (1989). Temperature and aggression: The ubiquitous effects of heat on the occurrence of human violence. *Psychological Bulletin*.

ANDERSON, C.A. et ANDERSON D.C. (1984). Ambient temperature and violent crime: Tests of the linear and curvilinear hypotheses. *Journal of Personality and Social Psychology, 46*, 91-97.

ANDERSON, C.A. et HARVEY, R.J. (1988). Discriminating between problems in living: An examination of measures of depression, loneliness, shyness, and social anxiety. *Journal of Social and Clinical Psychology, 6*, 482-491.

ANDERSON, C.A., HOROWITZ, L.M. et FRENCH, R.D. (1983). Attributional style of lonely and depressed people. *Journal of Personality and Social Psychology, 45*, 127-136.

ANDERSON, C.A., JENNINGS, D.L. et ARNOULT, L.H. (1988). Validity and utility of the attributional style construct at a moderate level of specificity. *Journal of Personality and Social Psychology, 55*, 979-990.

ANDERSON, C.A., LEPPER, M.R. et ROSS, L. (1980). Perseverance of social theories: The role of explanation in the persistence of discredited information. *Journal of Personality and Social Psychology, 39*, 1037-1049.

ANDERSON, C.A. et SECHLER, E.S. (1986). Effects of explanation and counterexplanation on the development and use of social theories. *Journal of Personality and Social Psychology, 50*, 24-34.

ANDERSON, N.H. (1968). A simple model of information integration. *In* R.B.Abelson, E.Aronson, W.J.McGuire, T.M.Newcomb, M.J.Rosenberg et P.H.Tannenbaum (dir.). *Theories of cognitive consistency: A sourcebook*. Chicago, Rand McNally.

ANDERSON, N.H. (1974). Cognitive algebra: Integration theory applied to social attribution. *In* L.Berkowitz (dir.). *Advances in Experimental Social Psychology*, vol.7. New York, Academic Press.

ANDERSON, S.M. et BEM, S.L. (1981). Sex typing and androgyny in dyadic interaction: Individual differences in responsiveness to physical attractiveness. *Journal of Personality and Social Psychology, 41*, 74-86.

ANDREWS, K.H. et KANDEL, D.B. (1979). Attitude and behavior: A specification of the contingent consistency hypothesis. *American Sociological Review, 44*, 298-310.

ANTILL, J.K. (1983). Sex role complementarity versus similarity in married couples. *Journal of Personality and Social Psychology, 45*, 145-155.

APSLER, R. (1975). Effects of embarrassment on behavior toward others. *Journal of Personality and Social Psychology, 32*, 145-153.

ARCHEA, J. (1980). *The architectural basis for analyzing certain aspects of spatial behavior*. Communication présentée au congrès de l'American Psychological Association.

ARCHER, D. et GARTNER, R. (1976). Violent acts and violent times: A comparative approach to postwar homicide rates. *American Sociological Review, 41*, 937-963.

ARCHER, D. et GARTNER, R. (1984). *Violence and crime in cross-national perspective*. New Haven, Ct, Yale University Press.

ARCHER, D., IRITANI, B., KIMES, D.B. et BARRIOS, M. (1983). Face-ism: Five studies of sex differences in facial prominence. *Journal of Personality and Social Psychology, 45*, 725-735.

ARCHER, R.L., BERG, J.M. et BURLESON, J.A. (1980). *Self-disclosure and attraction: A self-perception analysis*. Manuscrit inédit, Université du Texas à Austin.

ARCHER, R.L., BERG, J.M. et RUNGE, T.E. (1980). Active and passive observers' attraction to a self-disclosing other. *Journal of Experimental Social Psychology, 16*, 130-145.

ARCHER, R.L. et BURLESON, J.A. (1980). The effects of timing of self-disclosure on attraction and reciprocity. *Journal of Personality and Social Psychology, 38*, 120-130.

ARCHER, R.L. et COOK, C.E. (1986). Personalistic self-disclosure and attraction: Basis for relationship or scarce resource. *Social Psychology Quarterly, 49*, 268-272.

ARCHER, R.L., FOUSHEES, H.C., DAVIS, M.H. et ADERMAN, D. (1979). Emotional empathy in a courtroom simulation: A person-situation interaction. *Journal of Applied Social Psychology, 9*, 275-291.

ARENDT, H. (1963). *Eichmann in Jerusalem: A report on the banality of evil*. New York, Viking Press.

ARENDT, H. (1971). Organized guilt and universal responsibility. *In* R.W.Smith (dir.). *Guilt: Man and society*. Garden City, N.Y., Doubleday Anchor Books. Réimprimé de *Jewish Frontier*, 1945, *12*.

ARGYLE, M. (1988). A social psychologist visits Japan. *The Psychologist, 1*, 361-363.

ARGYLE, M. et DEAN J. (1965). Eye-contact, distance and affiliation. *Sociometry, 28*, 289-304.

ARGYLE, M. et HENDERSON, M. (1985). *The anatomy of relationships*. London, Heinemann.

ARGYLE, M., SHIMODA, K. et LITTLE, B. (1978). Variance due to persons and situations in England and Japan. *British Journal of Social and Clinical Psychology, 17*, 335-337.

ARISTOTE. *Poétique*, livre six.

ARKES, H.R., FAUST, D., GUILMETTE, T.J. et HART, K. (1988). Eliminating the hindsight bias. *Journal of Applied Psychology, 73*, 305-307.

ARKES, H.R. et ROTHBART, M. (1985). Memory, retrieval, and contingency judgments. *Journal of Personality and Social Psychology, 49*, 598-606.

ARKIN, R.M., APPELMAN, A. et BURGER, J.M. (1980). Social anxiety, self-presentation, and the self-serving bias in causal attribution. *Journal of Personality and Social Psychology, 38*, 23-35.

ARKIN, R.M. et BAUMGARDNER, A.H. (1985). Self-handicapping. *In* J.H.Harvey et C.Weary (dir.). *Attribution: Basic issues and applications*. New York, Academic Press.

ARKIN, R.M. et BURGER, J.M. (1980). Effects of unit relation tendencies on interpersonal attraction. *Social Psychology Quarterly, 43*, 380-391.

ARKIN, R.M., COOPER H. et KOLDITZ, T. (1980). A statistical review of the literature concerning the self-serving attribution bias in interpersonal influence situations. *Journal of Personality, 48*, 435-448.

ARKIN, R.M., LAKE, E.A. et BAUMGARDNER, A.H. (1986). Shyness and self-presentation. *In* W.H. Jones, J.M.Cheek et S.R.Briggs (dir.). *Shyness: Perspectives on research and treatment.* New York, Plenum.

ARKIN, R.M. et MARUYAMA, G.M. (1979). Attribution, affect, and college exam performance. *Journal of Educational Psychology, 71,* 85-93.

ARMS, R.L., RUSSELL, G.W. et SANDILANDS, M.L. (1979). Effects on the hostility of spectators of viewing aggressive sports. *Social Psychology Quarterly, 42,* 275-279.

ARMSTRONG, B. (1981). An interview with Herbert Kelman. *APA Monitor,* janvier, 4-5, 55.

ARONSON, E. (1988). *The social animal.* New York, Freeman.

ARONSON, E., BLANEY, N., STEPHAN, C., SIKES, J. et SNAPP, M. (1978). *The jigsaw classroom.* Beverly Hills, Ca, Sage Publications.

ARONSON, E., BREWER, M. et CARLSMITH, J.M. (1985). Experimentation in social psychology. *In* G.Lindzey et E.Aronson (dir.). *Handbook of Social Psychology,* vol.1. Hillsdale, N.J., Erlbaum.

ARONSON, E. et BRIDGEMAN, D. (1979). Jigsaw groups and the desegregated classroom: In pursuit of common goals. *Personality and Social Psychology Bulletin, 5,* 438-446.

ARONSON, E. et CARLSMITH, J.M. (1969). Experimentation in social psychology. *In* G.Lindzey et E.Aronson (dir.). *Handbook of Social Psychology,* 2ᵉ éd., vol.2. Reading, Mass., Addison-Wesley.

ARONSON, E. et COPE, V. (1968). My enemy's enemy is my friend. *Journal of Personality and Social Psychology, 8,* 8-12.

ARONSON, E. et GONZALEZ, A. (1988). Desegregation, jigsaw, and the Mexican-American experience. *In* P.A.Katz et D.Taylor (dir.). *Towards the elimination of racism: Profiles in controversy.* New York, Plenum.

ARONSON, E. et LINDER, D. (1965). Gain and loss of esteem as determinants of interpersonal attractiveness. *Journal of Experimental Social Psychology, 1,* 156-171.

ARONSON, E. et METTEE, D.R. (1974). Affective reactions to appraisal from others. *Foundations of Interpersonal Attraction.* New York, Academic Press.

ARONSON, E. et MILLS, J. (1959). The effect of severity of initiation on liking for a group. *Journal of Abnormal and Social Psychology, 59,* 177-181.

ARONSON, E., TURNER, J.A. et CARLSMITH, J.M. (1963). Communicator credibility and communicator discrepancy as determinants of opinion change. *Journal of Abnormal and Social Psychology, 67,* 31-36.

ASCH, S.E. (1946). Forming impressions of personality. *Journal of Abnormal and Social Psychology, 41,* 258-290.

ASCH, S.E. (novembre 1955). Opinions and social pressure. *Scientific American,* 31-35.

ASCH, S.E. (1956). Studies of independence and conformity: A minority of one against a unanimous majority. *Psychological Monographs, 70,* (9, n° 416).

ASENDORPF, J.B. (1987). Videotape reconstruction of emotions and cognitions related to shyness. *Journal of Personality and Social Psychology, 53,* 542-549.

ASHER, J. (avril 1987). Born to be shy? *Psychology Today,* 56-64.

ASSOCIATED PRESS (10 juillet 1988). Rain in Iowa. *Grand Rapids Press,* A6.

ASTIN, A.W. (1972). *Four critical years.* San Francisco, Jossey-Bass.

ASTIN, A.W., GREEN, K.C. et KORN, W.S. (1987). *The American freshman: Twenty year trends.* Los Angeles, Higher Education Research Institute, UCLA. (*a*)

ASTIN, A.W., GREEN, K.C., KORN, W.S. et SCHALIT, M. (1987). *The American freshman: National norms for Fall 1987.* Los Angeles, Higher Education Research Institute, UCLA. (*b*)

AUSTIN, W. (1980). Friendship and fairness: Effects of type of relationship and task performance on choice of distribution rules. *Personality and Social Psychology Bulletin, 6,* 402-408.

AVERILL, J.R. (1983). Studies on anger and aggression: Implications for theories of emotion. *American Psychologist, 38,* 1145-1160.

AVIELLO, J.R., THOMPSON, D.E. et BRODZINSKY, D.M. (1983). How funny is crowding anyway? Effects of room size, group size, and the introduction of humor. *Basic and Applied Social Psychology, 4,* 193-207.

AXELROD, R. et DION, D. (1988). The further evolution of cooperation. *Science, 242,* 1385-1390.

AXSOM, D., YATES, S. et CHAIKEN, S. (1987). Audience response as a heuristic cue in persuasion. *Journal of Personality and Social Psychology, 53,* 30-40.

AZRIN, N.H. (mai 1967). Pain and aggression. *Psychology Today,* 27-33.

AZRIN, N.H., HUTCHINSON, R.R. et HAKE, D.F. (1966). Extinction-induced aggression. *Journal of the Experimental Analysis of Behavior, 9,* 191-204.

BABAD, E. (1987). Wishful thinking and objectivity among sports fans. *Social Behavior, 2,* 231-240.

BACHMAN, J.G., JOHNSTON, L.D., O'MALLEY, P.M. et HUMPHREY, R.N. (1988). Explaining the recent decline in marijuana use: Differentiating the effects of perceived risks, disapproval, and general lifestyle factors. *Journal of Health and Social Behavior, 29,* 92-112.

BAER, R., HINKLE, S., SMITH, K. et FENTON, M. (1980). Reactance as a function of actual versus projected autonomy. *Journal of Personality and Social Psychology, 38,* 416-422.

BALES, R.F. (1958). Task roles and social roles in problem-solving groups. *In* E.E.Maccoby,

T.M.Newcomb et E.L.Hartley (dir.). *Readings in Social Psychology,* 3ᵉ éd. New York, Holt, Rinehart and Winston.

BANDURA, A. (1979). The social learning perspective: Mechanisms of aggression. *In* H.Tock (dir.). *Psychology of crime and criminal justice.* New York: Holt, Rinehart and Winston.

BANDURA, A. (1982). Self-efficacy: Mechanism in human agency. *American Psychologist, 37,* 122-147.

BANDURA, A. (1986). *Social foundations of thought and action: A social cognitive theory.* Englewood Cliffs, N.J., Prentice-Hall.

BANDURA, A., ROSS, D. et ROSS, S.A. (1961). Transmission of aggression through imitation of aggressive models. *Journal of Abnormal and Social Psychology, 63,* 575-582.

BANDURA, A. et WALTERS, R.H. (1959). *Adolescent aggression.* New York, Ronald Press.

BANDURA, A. et WALTERS, R.H. (1963). *Social learning and personality development.* New York, Holt, Rinehart and Winston.

BARASH, D. (1979). *The whisperings within.* New York, Harper & Row.

BARGH, J.A. (1989). Conditional automaticity: Varieties of automatic influence in social perception and cognition. *In* J.S.Uleman et J.A.Bargh (dir.). *Unintended thought: Causes and consequences for judgment, emotion, and behavior.* New York, Guilford.

BAR-HILLEL, M. et FISCHOFF, B. (1981). When do base rates affect prediction? *Journal of Personality and Social Psychology, 41,* 671-680.

BARKER, R.G. *et al.* (1978). *Habitats, environments, and human behavior.* San Francisco, Jossey-Bass.

BARNES, R.D., ICKES, W. et KIDD, R.F. (1979). Effects of the perceived intentionality and stability of another's dependency on helping behavior. *Personality and Social Psychology Bulletin, 5,* 367-372.

BARNETT, M.A., KING, L.M., HOWARD, J.A. et MELTON, E.M. (1980). *Experiencing negative affect about self or other: Effects on helping behavior in children and adults.* Communication présentée au congrès de la Midwestern Psychological Association.

BARNETT, P.A. et GOTLIB, I.H. (1988). Psychosocial functioning and depression: Distinguishing among antecedents, concomitants, and consequences. *Psychological Bulletin, 104,* 97-126.

BARON, J. et HERSHEY, J.C. (1988). Outcome bias in decision evaluation. *Journal of Personality and Social Psychology, 54,* 569-579.

BARON, L. et STRAUS, M.A. (1984). Sexual stratification, pornography, and rape in the United States. *In* N.M.Malamuth et E.Donnerstein (dir.). *Pornography and sexual aggression.* New York, Academic Press.

BARON, R.A. (1976). The reduction of human aggression: A field study of the influence of incompatible reactions. *Journal of Applied Social Psychology, 6,* 260-274.

BARON, R.M., MANDEL, D.R., ADAMS, C.A. et GRIFFEN, L.M. (1976). Effects of social density in university residential environments. *Journal of Personality and Social Psychology, 34,* 434-446.

BARON, R.M. et NEEDEL, S.P. (1980). Toward an understanding of the differences in the responses of humans and other animals to density. *Psychological Review, 87,* 320-326.

BARON, R.S. (1986). Distraction-conflict theory: Progress and problems. *In* L.Berkowitz (dir.). *Advances in Experimental Social Psychology,* Orlando, Fla, Academic Press.

BARON, R.S., MOORE, D. et SANDERS, G.S. (1978). Distraction as a source of drive in social facilitation research. *Journal of Personality and Social Psychology, 36,* 816-824.

BAR-TAL, D. (1982). Sequential development of helping behavior: A cognitive-learning approach. *Developmental Review, 2,* (2), 101-124.

BARUCH, G.K. et BARNETT, R. (1986). Role quality, multiple role involvement, and psychological well-being in midlife women. *Journal of Personality and Social Psychology, 51,* 578-585.

BARZUN, J. (1975). *Simple and direct.* New York, Harper & Row, 173-174.

BATSON, C.D. (1975). Rational processing or rationalization? The effect of disconfirming information on a stated religious belief. *Journal of Personality and Social Psychology, 32,* 176-184.

BATSON, C.D. (1983). Sociobiology and the role of religion in promoting prosocial behavior: An alternative view. *Journal of Personality and Social Psychology, 45,* 1380-1385.

BATSON, C.D. (1987). Prosocial motivation: Is it ever truly altruistic? *In* L.Berkowitz (dir.). *Advances in experimental social psychology,* vol.20, Orlando, Fla, Academic Press.

BATSON, C.D., BOLEN, M.H., CROSS, J.A. et NEURINGER-BENEFIEL, H.E. (1986). Where is the altruism in the altruistic personality? *Journal of Personality and Social Psychology, 50,* 212-220.

BATSON, C.D., COCHRAN, P.J., BIEDERMAN, M.F., BLOSSER, J.L., RYAN, M.J. et VOGT, B. (1978). Failure to help when in a hurry: Callousness or conflict? *Personality and Social Psychology Bulletin, 4,* 97-101.

BATSON, C.D., COKE, J.S., JASNOSKI, M.L. et HANSON, M. (1978). Buying kindness: Effect of an extrinsic incentive for helping on perceived altruism. *Personality and Social Psychology Bulletin, 4,* 86-91.

BATSON, C.D., DUNCAN, B.D., ACKERMAN, P., BUCKLEY, T. et BIRCH, K. (1981). Is empathic emotion a source of altruistic motivation? *Journal of Personality and Social Psychology, 40,* 290-302.

BATSON, C.D., FLINK, C.H., SCHOENRADE, P.A.,

FULTZ, J. et PYCH, V. (1986). Religious orientation and overt versus covert racial prejudice. *Journal of Personality and Social Psychology, 50,* 175-181.

BATSON, C.D., FULTZ, J. et SCHOENRADE, P.A. (1987). Distress and empathy: Two qualitatively distinct vicarious emotions with different motivational consequences. *Journal of Personality, 55,* 19-40.

BATSON, C.D., FULTZ, J., SCHOENRADE, P.A. et PADUANO, A. (1987). Critical self-reflection and self-perceived altruism: When self-reward fails. *Journal of Personality and Social Psychology, 53,* 594-602.

BATSON, C.D. et GRAY, R.A. (1981). Religious orientation and helping behavior: Responding to one's own or to the victim's needs? *Journal of Personality and Social Psychology, 40,* 511-520.

BATSON, C.D., HARRIS, A.C., McCAUL, K.D., DAVIS, M. et SCHMIDT, T. (1979). Compassion or compliance: Alternative dispositional attributions for one's helping behavior. *Social Psychology Quarterly, 42,* 405-409.

BATSON, C.D., SCHOENRADE, P.A. et PYCH, V. (1985). Brotherly love or self-concern? Behavioural consequences of religion. *In* L.B.Brown (dir.). *Advances in the psychology of religion.* Oxford, Pergamon Press.

BATSON, C.D. et VENTIS, W.L. (1982). *The religious experience: A social psychological perspective.* New York, Oxford University Press.

BAUM, A., AIELLO, J.R. et CALESNICK, L.E. (1978). Crowding and personal control: Social density and the development of learned helplessness. *Journal of Personality and Social Psychology, 36,* 1000-1011.

BAUM, A. et DAVIS, G.E. (1980). Reducing the stress of high-density living: An architectural intervention. *Journal of Personality and Social Psychology, 38,* 471-481.

BAUM, A. et GATCHEL, R.J. (1981). Cognitive determinants of reaction to uncontrollable events: Development of reactance and learned helplessness. *Journal of Personality and Social Psychology, 40,* 1078-1089.

BAUM, A., HARPIN, R.E. et VALINS, S. (1975). The role of group phenomena in the experience of crowding. *Environmental and Behavior, 7,* 185-198.

BAUM, A. et VALINS, S. (1977). *Architectural and social behavior.* Hillsdale, N.J., Lawrence Erlbaum.

BAUMANN, D.J., CIALDINI, R.B. et KENRICK, D.T. (1981). Altruism as hedonism: Helping and self-gratification as equivalent responses. *Journal of Personality and Social Psychology, 40,* 1039-1046.

BAUMEISTER, R.F. (1982). A self-presentational view of social phenomena. *Psychological Bulletin, 91,* 3-26.

BAUMEISTER, R.F. (1985). *Four selves and two motives: Outline of self-presentation theory.* Communication présentée au congrès de la Midwestern Psychological Association.

BAUMEISTER, R.F., CHESNER, S.P., SENDERS, P.S. et TICE, D.M. (1988). Who's in charge here? Group leaders to lend help in emergencies. *Personality and Social Psychology Bulletin, 14,* 17-22.

BAUMEISTER, R.F. et DARLEY, J.M. (1982). Reducing the biasing effect of perpetrator attractiveness in jury simulation. *Personality and Social Psychology Bulletin, 8,* 286-292.

BAUMEISTER, R.F., HUTTON, D.B. et TICE, D.M. (1989). Cognitive processes during deliberate self-presentation: How self-presenters alter and misinterpret the behavior of their interaction partners. *Journal of Experimental Social Psychology, 25,* 59-78.

BAUMEISTER, R.F. et SCHER, S.J. (1988). Self-defeating behavior patterns among normal individuals: Review and analysis of common self-destructive tendencies. *Psychological Bulletin, 104,* 3-22.

BAUMEISTER, R.F. et STEINHILBER, A. (1984). Paradoxical effects of supportive audiences on performance under pressure: The home field disadvantage in sports championships. *Journal of Personality and Social Psychology, 47,* 85-93.

BAUMEISTER, R.F. et TICE, D.M. (1984). Role of self-presentation and choice in cognitive dissonance under forced compliance: Necessary or sufficient causes? *Journal of Personality and Social Psychology, 46,* 5-13.

BAUMGARDNER, A.H. et BROWNLEE, E.A. (1987). Strategic failure in social interaction: Evidence for expectancy disconfirmation process. *Journal of Personality and Social Psychology, 52,* 525-535.

BAUMHART, R. (1968). *An honest profit.* New York, Holt, Rinehart & Winston.

BAXTER, T.L. et GOLDBERG, L.R. (1987). Perceived behavioral consistency underlying trait attributions to oneself and another: An extension of the actor-observer effect. *Personality and Social Psychology Bulletin, 13,* 437-447.

BAYER, E. (1929). Beitrage zur zeikomponenten theorie des hungers. *Zeitschrift fur Psychologie, 112,* 1-54.

BAZERMAN, M.H. (juin 1986). Why negotiations go wrong. *Psychology Today,* 54-58.

BEAMAN, A.L., BARNES, P.J., KLENTZ, B. et McQUIRK, B. (1978). Increasing helping rates through information dissemination: Teaching pays. *Personality and Social Psychology Bulletin, 4,* 406-411.

BEAMAN, A.L., COLE, C.M., PRESTON, M., KLENTZ, B. et STEBLAY, N.M. (1983). Fifteen years of foot-in-the-door research: A meta-analysis. *Personality and Social Psychology Bulletin, 9,* 181-196.

BEAMAN, A.L. et KLENTZ, B. (1983). The supposed physical attractiveness bias against supporters of the women's movement: A meta-analysis. *Personality and Social Psychology Bulletin, 9,* 544-550.

BEAMAN, A.L., KLENTZ, B., DIENER, E. et SVA-NUM, S. (1979). Self-awareness and transgression in children : Two field studies. *Journal of Personality and Social Psychology, 37,* 1835-1846.

BEAUVOIS, J.L. et DUBOIS, N. (1988). The norm of internality in the explanation of psychological events. *European Journal of Social Psychology, 18,* 299-316.

BECK, A.T. (1982). *Depression : Clinical, experimental, and theoretical aspects.* New York, Harper & Row.

BECK, A.T. et YOUNG, J.E. (septembre 1978). College blues. *Psychology Today,* 80-92.

BECK, S.B., WARD-HULL, C.I. et McLEAR, P.M. (1976). Variables related to women's somatic preferences of the male and female body. *Journal of Personality and Social Psychology, 34,* 1200-1210.

BECKER, B.J. (1986). Influence again : Another look at studies of gender differences in social influence. *In* J.S.Hyde et M.Linn (dir.). *The psychology of gender : Advances through meta-analysis.* Baltimore, Johns Hopkins University Press.

BECKER, F.D., SOMMER, R., BEE, J. et OXLEY, B. (1973). College classroom ecology. *Sociometry, 36,* 514-525.

BECKER, L.J. (1978). Joint effect of feedback and goal setting on performance : A field study of residential energy conservation. *Journal of Applied Psychology, 63,* 428-433.

BECKER, L.J. et SELIGMAN, C. (1978). Reducing air conditioning waste by signaling it is cool outside. *Personality and Social Psychology Bulletin, 4,* 412-415.

BECKER, L.J., SELIGMAN, C. et DARLEY, J.M. (1979). Psychological strategies to reduce energy consumption : Project summary report. Princeton, N.J., Center for Energy and Environmental Studies, Université Princeton.

BECKER, L.J., SELIGMAN, C., FAZIO, R.H. et DARLEY, J.M. (1981). Relating attitudes to residential energy use. *Environment and Behavior, 13,* 590-609.

BELL, B.E. et LOFTUS, E.F. (1988). Degree of detail of eyewitness testimony and mock juror judgments. *Journal of Applied Social Psychology, 18,* 1171-1192.

BELL, P.A. (1980). Effects of heat, noise, and provocation on retaliatory evaluative behavior. *Journal of Social Psychology, 110,* 97-100.

BELL, R.Q. et CHAPMAN, M. (1986). Child effects in studies using experimental or brief longitudinal approaches to socialization. *Developmental Psychology, 22,* 595-603.

BELSON, W.A. (1978). *Television violence and the adolescent boy.* Westmead, England, Saxon House, Teakfield Ltd.

BEM, D.J. (1972). Self-perception theory. *In* L.Berkowitz (dir.). *Advances in experimental social psychology,* vol.6. New York, Academic Press.

BEM, D.J. et McCONNELL, H.K. (1970). Testing the self-perception explanation of dissonance phenomena : On the salience of premanipulation attitudes. *Journal of Personality and Social Psychology, 14,* 23-31.

BEM, S.L. (1987). Masculinity and femininity exist only in the mind of the perceiver. *In* J.M.Reinisch, L.A.Rosenblum et S.A.Sanders (dir.). *Masculinity/femininity : Basic perspectives.* New York, Oxford University Press.

BENNIS, W. (1984). Transformative power and leadership. *In* T.J.Sergiovani et J.E.Corbally (dir.). *Leadership and organizational culture.* Urbana, University of Illinois Press.

BEN-SHAKHAR, G., BAR-HILLEL, M., BILU, Y., BEN-ABBA, E. et FLUG, A. (1986). Can graphology predict occupational success ? Two empirical studies and some methodological ruminations. *Journal of Applied Psychology, 71,* 645-653.

BENSON, P.L., DEHORITY, J., GARMAN, L., HANSON, E., HOCHSCHWENDER, M., LEBOLD, C., ROHR, R. et SULLIVAN, J. (1980). Intrapersonal correlates of nonspontaneous helping behavior. *Journal of Social Psychology, 110,* 87-95.

BENTLER, P.M. et SPECKART, G. (1981). Attitudes «cause» behaviors : A structural equation analysis. *Journal of Personality and Social Psychology, 40,* 226-238.

BENWARE, C. et DECI, E. (1975). Attitude change as a function of the inducement for exposing a proattitudinal communication. *Journal of Experimental Social Psychology, 11,* 271-278.

BERG, J.H. (1984). Development of friendship between roommates. *Journal of Personality and Social Psychology, 46,* 346-356.

BERG, J.H. (1987). Responsiveness and self-disclosure. *In* V.J.Derlega et J.H.Berg (dir.). *Self-disclosure : Theory, research, and therapy.* New York, Plenum.

BERG, J.H. et McQUINN, R.D. (1986). Attraction and exchange in continuing and noncontinuing dating relationships. *Journal of Personality and Social Psychology, 50,* 942-952.

BERG, J.H. et McQUINN, R.D. (1988). *Loneliness and aspects of social support networks.* Manuscrit inédit, Université du Mississippi.

BERG, J.H. et PEPLAU, L.A. (1982). Loneliness : The relationship of self-disclosure and androgyny. *Personality and Social Psychology Bulletin, 8,* 624-630.

BERG, J.H. et WRIGHT-BUCKLEY, C. (s.d.). Effects of racial similarity and interviewer intimacy in a peer counseling analog. *Journal of Counseling.*

BERGER, P. (1963). *Invitation to sociology : A humanistic perspective.* Garden City, N.Y., Doubleday Anchor Books.

BERGLAS, S. et JONES, E.E. (1978). Drug choice as a self-handicapping strategy in response to noncontingent success. *Journal of Personality and Social Psychology, 36,* 405-417.

BERKOWITZ, L. (1954). Group standards, cohesiveness, and productivity. *Human Relations, 7,* 509-519.

BERKOWITZ, L. (février 1964). The effects of observing violence. *Scientific American,* 35-41.

BERKOWITZ, L. (septembre 1968). Impulse, aggression and the gun. *Psychology Today,* 18-22.

BERKOWITZ, L. (1972). Frustrations, comparisons, and other sources of emotional arousal as contributors to social unrest. *Journal of Social Issues, 28,* 77-91. (a)

BERKOWITZ, L. (1972). Social norms, feelings, and other factors affecting helping and altruism. *In* L. Berkowitz (dir.). *Advances in experimental social psychology,* vol.6. New York, Academic Press. (b)

BERKOWITZ, L. (1978). Whatever happened to the frustration-aggression hypothesis ? *American Behavioral Scientists, 21,* 691-708.

BERKOWITZ, L. (juin 1982). How guns control us. *Psychology Today,* 11-12 (b)

BERKOWITZ, L. (1983). Aversively stimulated aggression : Some parallels and differences in research with animals and humans. *American Psychologist, 38,* 1135-1144.

BERKOWITZ, L. (1984). Some effects of thoughts on anti- and prosocial influences of media events : A cognitive-neoassociation analysis. *Psychological Bulletin, 95,* 140-427.

BERKOWITZ, L. (1987). Mood, self-awareness, and willingness to help. *Journal of Personality and Social Psychology, 52,* 721-729.

BERKOWITZ, L. (1988). Frustrations, appraisals, and aversively stimulated aggression. *Aggressive Behavior, 14,* 3-11.

BERKOWITZ, L. et GEEN, R.G. (1966). Film violence and the cue properties of available targets. *Journal of Personality and Social Psychology, 3,* 525-530.

BERKOWITZ, L. et LePAGE, A. (1967). Weapons as aggression-eliciting stimuli. *Journal of Personality and Social Psychology, 7,* 202-207.

BERMAN, J.J., MURPHY-BERMAN, V. et PACHAURI, A. (1988). Sex differences in friendship patterns in India and in the United States. *Basic and Applied Social Psychology, 9,* 61-71.

BERNSTEIN, W.M., STEPHAN, W.G. et DAVIS, M.H. (1979). Explaining attributions for achievement : A path analytic approach. *Journal of Personality and Social Psychology, 37,* 1810-1821.

BERRY, D.S. et ZEBROWITZ-McARTHUR, L. (1988). What's in a face : Facial maturity and the attribution of legal responsibility. *Personality and Social Psychology Bulletin, 14,* 23-33.

BERSCHEID, E. (1981). An overview of the psychological effects of physical attractiveness and some comments upon the psychological effects of knowledge of the effects of physical attractiveness. *In* W. Lucker, K.Ribbens et J.A.McNamera (dir.).

Logical aspects of facial form (craniofacial growth series). Ann Arbor, University of Michigan Press.

BERSHEID, E. (1985). Interpersonal attraction. *In* G.Lindzey et E.Aronson (dir.). *The Handbook of Social Psychology.* New York, Random House.

BERSHEID, E. (s.d.). The importance of physical attractiveness. *In* C.P.Herman (dir.). *The Ontario Symposium,* vol.III. Beverly Hills, Ca, Erlbaum.

BERSCHEID, E., BOYE, D. et WALSTER (HATFIELD), E. (1968). Retaliation as a means of restoring equity. *Journal of Personality and Social Psychology, 10,* 370-376.

BERSCHEID, E., DION, K., WALSTER (HATFIELD), E. et WALSTER, G.W. (1971). Physical attractiveness and dating choice: A test of the matching hypotheses. *Journal of Experimental Social Psychology, 7,* 173-189.

BERSCHEID, E. et PEPLAU, L.A. (1983). The emerging science of relationships. *In* H.H.Kelley, E. Berscheid, A.Christensen, J.H.Harvey, T.L.Huston, G.Levinger, E.McClintock, L.A.Peplau et D.R.Peterson (dir.). *Close relationships.* New York, Freeman.

BERSCHEID, E., SNYDER, M. et OMOTO, A.M. (1989). Issues in studying close relationships: Conceptualizing and measuring closeness. *In* C. Hendrick (dir.). *Review of personality and social psychology,* vol.10. Newbury Park, Ca, Sage.

BERSCHEID, E. et WALSTER (HATFIELD), E. (1978). *Interpersonal attraction.* Reading, Mass., Addison-Wesley.

BERSCHEID, E., WALSTER, G.W. et WALSTER (HATFIELD), E. (1978). Effects of accuracy and positivity of evaluation on liking for the evaluator. Manuscrit inédit, 1969.Résumé par E.Berscheid et E.Walster (Hatfield) dans *Interpersonal attraction.* Reading, Mass., Addison-Wesley.

BERSOFF, D.N. (1987). Social science date and the Supreme Court: Lockhart as a case in point. *American Psychologist, 42,* 52-58.

BETTELHEIM, B. (1966). Violence: A neglected mode of behavior. *Annals of American Academy of Political Social Science, 364,* 50-59. Cité par K.Menninger dans *The crime of punishment.* New York, Viking, 1968, 173.

BICKMAN, L. (1975). Bystander intervention in a crime: The effect of a mass-media campaign. *Journal of Applied Social Psychology, 5,* 296-302.

BICKMAN, L. (1979). Interpersonal influence and the reporting of a crime. *Personality and Social Psychology Bulletin, 5,* 32-35.

BICKMAN, L. et GREEN, S.K. (1977). Situational cues and crime reporting: Do signs make a difference? *Journal of Applied Social Psychology, 7,* 1-18.

BICKMAN, L. et KAMZAN, M. (1973). The effect of race and need on helping behavior. *Journal of Social Psychology, 89,* 73-77.

BICKMAN, L. et ROSENBAUM, D.P. (1977). Crime reporting as a function of bystander encourage-

ment, surveillance, and credibility. *Journal of Personality and Social Psychology, 35,* 577-586.

BICKMAN, L., TEGER, A., GABRIELE, T., McLAUGHLIN, C., BERGER, M. et SUNADAY, E. (1973). Dormitory density and helping behavior. *Environment and Behavior, 5,* 465-490.

BIERBRAUER, G. (1979). Why did he do it? Attribution of obedience and the phenomenon of dispositional bias. *European Journal of Social Psychology, 9,* 67-84.

BIERLY, M.M. (1985). Prejudice toward contemporary outgroups as a generalized attitude. *Journal of Applied Social Psychology, 15,* 189-199.

BIGAM, R.G. (1981). Voir dire: The attorney's job. *Trial 13,* mars 1977, 3. Cité par G.Bermant et J.Shepard dans «The voir dire examination, juror challenges, and adversary advocacy». *In* B.D.Sales (dir.). *Perspectives in law and psychology (vol.II): The trial process.* New York, Plenum Press.

BILLIG, M. (1988). Social representation, objectification and anchoring: A rhetorical analysis. *Social Behaviour, 3,* 1-16.

BILLIG, M. et TAJFEL, H. (1973). Social categorization and similarity in intergroup behaviour. *European Journal of Social Psychology, 3,* 27-52.

BINHAM, R. (mars-avril 1980). Trivers in Jamaica. *Science 80,* 57-67.

BISHOP, G.D. (1987). Lay conceptions of physical symptoms. *Journal of Applied Social Psychology, 17,* 127-146.

BLACKBURN, R.T., PELLINO, G.R., BOBERG, A. et O'CONNELL, C. (1980). Are instructional improvement programs off target? *Current Issues in Higher Education, 1,* 32-48.

BLACKSTONE, W. (1980). *Commentaries on the laws of England of public wrongs.* Boston, Beacon Press, 1972. (Première édition, 1769). Cité par M.F. Kaplan et C.Schersching dans «Reducing juror bias: An experimental approach». *In* P.D.Lipsitt et B.D.Sales (dir.). *New directions in psychological research.* New York, Van Nostrand Reinhold.

BLAKE, R.R. et MOUTON, J.S. (1962). The intergroup dynamics of win-lose conflict and problemsolving collaboration in union-management relations. *In* M.Sherif (dir.). *Intergroup relations and leadership.* New York, Wiley.

BLAKE, R.R. et MOUTON, J.S. (1979). Intergroup problem solving in organizations: From theory to practice. *In* W.G.Austin et S.Worchel (dir.). *The social psychology of intergroup relations.* Monterey, Ca, Brooks/Cole.

BLANCHARD, F.A. et COOK, S.W. (1976). Effects of helping a less competent member of a cooperating interracial group on the development of interpersonal attraction. *Journal of Personality and Social Psychology, 34,* 1245-1255.

BLANK, P.D., ROSENTHALL, R. et CORDELL, L.H. (1985). The appearance of justice: Judges' verbal

and nonverbal behavior in criminal jury trials. *Stanford Law Review, 38,* 89-164.

BLOCK, J. et FUNDER, D.C. (1986). Social roles and social perception: Individual differences in attribution and error. *Journal of Personality and Social Psychology, 51,* 1200-1207.

BODENHAUSEN, G.V. (1988). Stereotypic biases in social decision making and memory: Testing process models of stereotype use. *Journal of Personality and Social Psychology, 55,* 726-737.

BOGGIANO, A.K., BARRETT, M., WEIHER, A.W., McCLELLAND, G.H. et LUSK, C.M. (1987). *Journal of Personality and Social Psychology, 53,* 866-879.

BOGGIANO, A.K., HARACKIEWICZ, J.M., BESSETTE, J.M. et MAIN, D.S. (1985). Increasing children's interest through performance-contingent reward. *Social Cognition, 3,* 400-411.

BOGGIANO, A.K. et RUBLE, D.N. (1985). Children's responses to evaluative feedback. *In* R.Schwarzer (dir.). *Self-related cognitions in anxiety and motivation.* Hillsdale, N.J., Erlbaum.

BOHNER, G., BLESS, H., SCHWARZ, N. et STRACK, F. (1988). What triggers causal attributions? The impact of valence and subjective probability. *European Journal of Social Psychology, 18,* 335-345.

BOND, C.F., Jr. et ANDERSON, E.L. (1987). The reluctance to transmit bad news: Private discomfort or public display? *Journal of Experimental Social Psychology, 23,* 176-187.

BOND, C.F., Jr. et TITUS, L.J. (1983). Social facilitation: A meta-analysis of 241 studies. *Psychological Bulletin, 94,* 265-292.

BOND, M.H. (1979). Winning either way: The effect of anticipating a competitive interaction on person perception. *Personality and Social Psychology Bulletin, 5,* 316-319.

BOND, M.H. (1988). *The cross-cultural challenge to social psychology.* Newbury Park, Ca, Sage.

BOND, M.H. (1989). Finding universal dimensions of individual variation in multi-cultural studies of values: The Rokeach and Chinese Value Surveys. *Journal of Personality and Social Psychology.*

BORCHARD, E.M. (1932). *Convicting the innocent: Errors of criminal justice.* New Haven, Yale University Press. Cité par E.R.Hilgard et E.F.Loftus (1979) dans «Effective interrogation of the eyewitness». *International Journal of Clinical and Experimental Hypnosis, 27,* 342-359.

BORGIDA, E. (1981). Legal reform of rape laws. *In* L.Bickman (dir.). *Applied Social Psychology Annual,* vol.2. Beverly Hills, Ca, Sage Publications, 211-241.

BORGIDA, E. et BREKKE, N. (1985). Psycholegal research on rape trials. *In* A.W.Burgess (dir.). *Rape and sexual assault: A research handbook.* New York, Garland.

BORGIDA, E. et CAMPBELL, B. (1982). Belief relevance and attitude-behavior consistency: The moderating role of personal experience. *Journal of Personality and Social Psychology, 42,* 239-247.

BORGIDA, E., LOCKSLEY, A. et BREKKE, N. (1981). Social stereotypes and social judgment. In N.Cantor et J.Kihlstrom (dir.). *Cognition, social interaction, and personality.* Hillsdale, N.J., Lawrence Erlbaum.

BORGIDA, E. et WHITE, P. (1980). *Judgmental bias and legal reform.* Manuscrit inédit, Université du Minnesota.

BORNSTEIN, G. et RAPOPORT, A. (1988). Intergroup competition for the provision of step-level public goods: Effects of preplay communication. *European Journal of Social Psychology, 18,* 125-142.

BOSSARD, J.H.S. (1932). Residential propinquity as a factor in marriage selection. *American Journal of Sociology, 38,* 219-224.

BOTHWELL, R.K., BRIGHAM, J.C. et MALPASS, R.S. (1989). Cross-racial identification. *Personality and Social Psychology Bulletin, 15,* 19-25.

BOTHWELL, R.K., DEFFENBACHER, K.A. et BRIGHAM, J.C. (1987). Correlation of eyewitness accuracy and confidence: Optimality hypothesis revised. *Journal of Applied Psychology, 72,* 691-695.

BOWEN, E. (4 avril 1988). What ever became of Honest Abe? *Time,* 68.

BOWER, G.H. (juin 1981). Mood and memory. *Psychology Today,* 60-69.

BOWER, G.H. (1986). Prime time in cognitive psychology. In P.Eelen (dir.). *Cognitive research and behavior therapy: Beyond the conditioning paradigm.* Amsterdam, North Holland Publishers.

BOWER, G.H. (1987). Commentary on mood and memory. *Behavioral Research and Therapy, 25,* 443-455.

BOWER, G.H. et MASLING, M. (1979). *Causal explanations as mediators for remembering correlations.* Manuscrit inédit, Université Stanford.

BOYD, B. (17 décembre 1988). Women in the board room. *Detroit News,* C1.

BRADLEY, W. et MANNELL, R.C. (1984). Sensitivity of intrinsic motivation to reward procedure instructions. *Personality and Social Psychology Bulletin, 10,* 426-431.

BRANDON, R. et DAVIES, C. (1973). *Wrongful imprisonment: Mistaken convictions and their consequences.* Hamden, Ct, Archon Books.

BRAY, R.M. et KERR, N.L. (1982). Methodological considerations in the study of the psychology of the courtroom. In N.L.Kerr et R.M.Bray (dir.). *The psychology of the courtroom.* Orlando, Fla, Academic Press.

BRAY, R.M. et NOBLE, A.M. (1978). Authoritarianism and decisions of mock juries: Evidence of jury bias and group polarization. *Journal of Personality and Social Psychology, 36,* 1424-1430.

BRAY, R.M. et SUGARMAN, R. (1980). Social facilitation among interacting groups: Evidence for the

evaluation apprehension hypothesis. *Personality and Social Psychology Bulletin, 6,* 137-142.

BRECKLER, S.J. (1984). Empirical validation of affect, behavior, and cognition as distinct components of attitude. *Journal of Personality and Social Psychology, 47,* 1191-1205.

BREGMAN, N.J. et McALLISTER, H.A. (1982). Eyewitness testimony: The role of commitment in increasing reliability. *Social Psychology Quarterly, 45,* 181-184.

BREHM, J.W. (1956). Post-decision changes in desirability of alternatives. *Journal of Abnormal Social Psychology, 52,* 384-389.

BREHM, S. et BREHM, J.W. (1981). *Psychological reactance: A theory of freedom and control.* New York, Academic Press.

BREHM, S.S. et SMITH, T.W. (1986). Social psychological approaches to psychotherapy and behavior change. In S.L.Garfield et A.E.Bergin (dir.). *Handbook of psychotherapy and behavior change,* 3e éd. New York, Wiley.

BRENNER, S.N. et MOLANDER, E.A. (1977). Is the ethics of business changing? *Harvard Business Review,* janvier-février, 57-71.

BRETL, D.J. et CANTOR, J. (1988). The portrayal of men and women in U.S.television commercials: A recent content analysis and trends over 15 years. *Sex Roles, 18,* 595-609.

BREWER, M.B. (1979). In-group bias in the minimal intergroup situation: A cognitive-motivational analysis. *Psychological Bulletin, 86,* 307-324.

BREWER, M.B. (1987). Collective decisions. *Social Science, 72,* 140-143.

BREWER, M.B. (1988). A dual process model of impression formation. In T.Srull et R.Wyer (dir.). *Advances in Social Cognition,* vol.1. Hillsdale, N.J., Erlbaum.

BREWER, M.B. et LUI, L. (1984). Categorization of the elderly by the elderly: Effects of perceiver's category membership. *Personality and Social Psychology Bulletin, 10,* 585-595.

BREWER, M.B. et MILLER, N. (1988). Contact and cooperation: When do they work? In P.A.Katz et D.Taylor (dir.). *Towards the elimination of racism: Profiles in controversy.* New York, Plenum.

BREWER, M.B. et SILVER, M. (1978). In-group bias as a function of task characteristics. *European Journal of Social Psychology, 8,* 393-400.

BRICKMAN, P. (1978). Is it real? In J.Harvey, W.Ickes et R.Kidd (dir.). *New directions in attribution research,* vol.2. Hillsdale, N.J., Erlbaum.

BRICKMAN, P. et CAMPBELL, D.T. (1971). Hedonic relativism and planning the good society. In M.H. Appley (dir.). *Adaptation-level theory.* New York, Academic Press.

BRICKMAN, P., COATES, D. et JANOFF-BULMAN, R.J. (1978). Lottery winners and accident victims:

Is happiness relative? *Journal of Personality and Social Psychology, 36,* 917-927.

BRICKMAN, P., RABINOWITZ, V.C., KARUZA, J., Jr., COATES, D., COHN, E. et KIDDER, L. (1982). Models of helping and coping. *American Psychologist, 37,* 368-384.

BRICKNER, M.A., HARKINS, S.G. et OSTROM, T.M. (1986). Effects of personal involvement: Thought-provoking implications for social loafing. *Journal of Personality and Social Psychology, 51,* 763-769.

BRIGHAM, J.C. et CAIRNS, D.L. (1988). The effect of mugshot inspections on eyewitness identification accuracy. *Journal of Applied Social Psychology, 18,* 1394-1410.

BRIGHAM, J.C. et MALPASS, R.S. (1985). The role of experience and contact in the recognition of faces of own- and other-race persons. *Journal of Social Issues, 41,* 139-155.

BRIGHAM, J.C. et RICHARDSON, C.B. (1979). Race, sex, and helping in the marketplace. *Journal of Applied Social Psychology, 9,* 314-322.

BRIGHAM, J.C. et WILLIAMSON, N.L. (1979). Cross-racial recognition and age: When you're over 60, do they still all look alike? *Personality and Social Psychology Bulletin, 5,* 218-222.

BROCK, T.C. (1965). Communicator-recipient similarity and decision change. *Journal of Personality and Social Psychology, 1,* 650-654.

BROCKNER, J. et HULTON, A.J.B. (1978). How to reverse the vicious cycle of low self-esteem: The importance of attentional focus. *Journal of Experimental Social Psychology, 14,* 564-578.

BROCKNER, J., RUBIN, J.Z., FINE, J., HAMILTON, T.P., THOMAS, B. et TURETSKY, B. (1982). Factors affecting entrapment in escalating conflicts: The importance of timing. *Journal of Research in Personality, 16,* 247-266.

BRODT, S.E. et ZIMBARDO, P.G. (1981). Modifying shyness-related social behavior through symptom misattribution. *Journal of Personality and Social Psychology, 41,* 437-449.

BRONFENBRENNER, U. (1961). The mirror image in Soviet-American relations. *Journal of Social Issues, 17(3),* 45-56.

BROOK, P. (1969). Filming a masterpiece. *Observer Weekend Review,* 26 juillet 1964. Cité par L.Tiger dans *Men in groups.* New York, Random House, 163.

BROOKS, W.N. et DOOB, A.N. (1975). Justice and the jury. *Journal of Social Issues, 31,* 171-182.

BROWN, D. (1971). *Bury my heart at Wounded Knee.* New York, Holt, Rinehart, & Winston.

BROWN, J.D. (1986). Evaluations of self and others: Self-enhancement biases in social judgments. *Social Cognition, 4,* 353-376.

BROWN, J.D., COLLINS, R.L. et SCHMIDT, G.W. (1988). Self-esteem and direct versus indirect forms of self-enhancement. *Journal of Personality and Social Psychology, 55,* 445-453.

BROWN, J.D. et SIEGEL, J.M. (1988). Attributions for negative life events and depression: The role of perceived control. *Journal of Personality and Social Psychology, 54,* 316-322.

BROWN, J.D. et TAYLOR, S.E. (1986). Affect and the processing of personal information: Evidence for mood-activated self-schemata. *Journal of Experimental Social Psychology, 22,* 436-452.

BROWN, R. (1965). *Social psychology.* New York, Free Press.

BROWN, R. (1974). Further comment on the risky shift. *American Psychologist, 29,* 468-470.

BROWNMILLER, S. (1980). Commentaires sur le symposium «pornography and aggression» au congrès de l'American Psychological Association.

BROWNMILLER, S. (novembre 1984). Commentaires sur le débat «The place of pornography», *Harper's,* 31-45.

BRUCK, C. (avril 1976). Zimbardo: Solving the maze. *Human Behavior,* 25-31.

BRYAN, J.H. et TEST, M.A. (1967). Models and helping: Naturalistic studies in aiding behavior. *Journal of Personality and Social Psychology, 6,* 400-407.

BRYANT, J. et ZILLMAN, D. (1979). Effect of intensification of annoyance through unrelated residual excitation on substantially delayed hostile behavior. *Journal of Experimental Social Psychology, 15,* 470-480.

BUCKHOUT, R. (décembre 1974). Eyewitness testimony. *Scientific American,* 23-31.

BULLETIN OF THE ATOMIC SCIENTISTS (avril 1988). Nuclear pursuits, 60.

BUNDY, T. (25 janvier 1989). Interview with James Dobson. *Detroit Free Press,* 1A, 5A.

BURCHILL, S.A.L. et STILES, W.B. (1988). Interactions of depressed college students with their roommates: Not necessarily negative. *Journal of Personality and Social Psychology, 55,* 410-419.

BURGER, J.M. (1986). Temporal effects on attributions: Actor and observer differences. *Social Cognition, 4,* 377-387.

BURGER, J.M. (1987). Increased performance with increased personal control: A self-presentation interpretation. *Journal of Experimental Social Psychology, 23,* 350-360.

BURGER, J.M. et BURNS, L. (1988). The illusion of unique invulnerability and the use of effective contraception. *Personality and Social Psychology Bulletin, 14,* 264-270.

BURGER, J.M. et PETTY, R.E. (1981). The lowball compliance technique: Task or person commitment? *Journal of Personality and Social Psychology, 40,* 492-500.

BURGESS, R.L. et HUSTON, T.L. (dir.) (1979). *Social exchange in developing relationships.* New York, Academic Press.

BURNS, D.D. (1980). *Feeling good: The new mood therapy.* New York, Signet.

BURNSTEIN, E. et KITAYAMA, S. (1989). Persuasion in groups. *In* T.C.Brock et S.Shavitt (dir.). *The psychology of persuasion.* San Francisco, Freeman.

BURNSTEIN, E. et VINOKUR, A. (1977). Persuasive argumentation and social comparison as determinants of attitude polarization. *Journal of Experimental Social Psychology, 13,* 315-332.

BURNSTEIN, E. et WORCHEL, P. (1962). Arbitrariness of frustration and its consequences for aggression in a social situation. *Journal of Personality, 30,* 528-540.

BURR, W.R. (1973). *Theory construction and the sociology of the family.* New York, Wiley.

BURROS, M. (24 février 1988). Women: Out of the house but not out of the kitchen. *New York Times.*

BURTON, J.W. (1969). *Conflict and communication.* New York, Free Press.

BUSS, A.H. (1971). Aggression pays. *In* J.L.Singer (dir.). *The control of aggression and violence: Cognitive and physiological factors.* New York, Academic Press.

BUSS, D.M. (1984). Toward a psychology of person-environment (PE) correlation: The role of spouse selection. *Journal of Personality and Social Psychology, 47,* 361-377.

BUSS, D.M. (1985). Human mate selection. *American Scientist, 73,* 47-51.

BUSS, D.M. (1987). Sex differences in human mate selection criteria: An evolutionary perspective. *In* C.Crawford, M.Smith et D.Krebs (dir.). *Sociobiology and psychology: Issues, ideas, and findings.* Hillsdale, N.J., Erlbaum.

BUSS, D.M. (1988). The evolution of human intrasexual competition: Tactics of mate attraction. *Journal of Personality and Social Psychology, 54,* 616-628.

BUSS, D.M. (1989). Sex differences in human mate preferences: Evolutionary hypotheses tested in 37 cultures. *Behavioral and Brain Sciences, 12,* 1-49.

BUTCHER, S.H. (1951). *Aristotle's theory of poetry and fine art.* New York, Dover Publications.

BYRNE, D. (1971). *The attraction paradigm.* New York, Academic Press.

BYRNE, D. et CLORE, G.L. (1970). A reinforcement model of evaluative responses. *Personality: An International Journal, 1,* 103-128.

BYRNE, D. et NELSON, D. (1965). Attraction as a linear function of proportion of positive reinforcements. *Journal of Personality and Social Psychology, 1,* 659-663.

BYRNE, D. et WONG, T.J. (1962). Racial prejudice, interpersonal attraction, and assumed dissimilarity of attitudes. *Journal of Abnormal and Social Psychology, 65,* 246-253.

BYTWERK, R.L. (1976). Julius Streicher and the impact of *Der Stürmer. Wiener Library Bulletin, 29,* 41-46.

BYTWERK, R.L. et BROOKS, R.D. (1980). *Julius Streicher and the rhetorical foundations of the holocaust.* Communication présentée au congrès de la Central States Speech Association.

CACIOPPO, J.T., MARTZKE, J.S., PETTY, R.E. et TASSINARY, L.G. (1988). Specific forms of facial EMG response index emotions during an interview: From Darwin to the continuous flow hypothesis of affect-laden information processing. *Journal of Personality and Social Psychology, 54,* 592-604.

CACIOPPO, J.T. et PETTY, R.E. (1986). Social processes. *In* M.G.H.Coles, E.Donchin et S.W.Porges (dir.). *Psychophysiology.* New York, Guilford Press.

CACIOPPO, J.T., PETTY, R.E., KAO, C.F. et RODRIGUEZ, R. (1986). Central and peripheral routes to persuasion: An individual difference perspective. *Journal of Personality and Social Psychology, 51,* 1032-1043.

CACIOPPO, J.T., PETTY, R.E. et MORRIS, K.J. (1983). Effects of need for cognition on message evaluation, recall, and persuasion. *Journal of Personality and Social Psychology, 45,* 805-818.

CACIOPPO, J.T., TASSINARY, L.G., STONEBRAKER, T.B. et PETTY, R.E. (1987). Self-report and cardiovascular measures of arousal fractionation during residual arousal. *Biological Psychology, 25,* 1-17.

CALHOUN, J.B. (février 1962). Population density and social pathology. *Scientific American,* 139-148.

CALLERO, P.L. et PILIAVIN, J.A. (1983). Developing a commitment to blood donation: The impact of one's first experience. *Journal of Applied Social Psychology, 13,* 1-16.

CAMERON, P. (1977). *The life cycle: Perspectives and commentary.* Oceanside, N.Y., Dabor.

CAMPBELL, D.T. (1975). The conflict between social and biological evolution and the concept of original sin. *Zygon, 10,* 234-249. (a)

CAMPBELL, D.T. (1975). On the conflicts between biological and social evolution and between psychology and moral tradition. *American Psychologist, 30,* 1103-1126. (b)

CAMPBELL, E.Q. et PETTIGREW, T.F. (1959). Racial and moral crisis: The role of Little Rock ministers. *American Journal of Sociology, 64,* 509-516.

CANN, A., CALHOUN, L.G. et SELBY, J.W. (1979). Attributing responsibility to the victim of rape: Influence of information regarding past sexual experience. *Human Relations, 32,* 57-67.

CANTRIL, H. et BUMSTEAD, C.H. (1960). *Reflections on the human venture.* New York, New York University Press.

CAPLAN, N. (1970). The new ghetto man: A review of recent empirical studies. *Journal of Social Issues, 26*(1), 59-73.

CAPRONI, V., LEVINE, D., O'NEAL, E., McDONALD, P. et GARWOOD, G. (1977). Seating position, instructor's eye contact availability, and student participation in a small seminar. *Journal of Social Psychology, 103,* 315-316.

CARDUCCI, B.J., COSBY, P.C. et WARD, C.D. (1978). Sexual arousal and interpersonal evaluations. *Journal of Experimental Social Psychology, 14,* 449-457.

CARLSMITH, J.M. et ANDERSON, C.A. (1979). Ambient temperature and the occurrence of collective violence: A new analysis. *Journal of Personality and Social Psychology, 37,* 337-344.

CARLSMITH, J.M., ELLSWORTH, P. et WHITESIDE, J. (1978). Guilt, confession and compliance. Manuscrit inédit, Université Stanford, 1968.Cité par J.L.Freeman, D.O.Sears et J.M.Carlsmith dans *Social psychology.* Englewood Cliffs, N.J., Prentice-Hall, 275-276.

CARLSMITH, J.M. et GROSS, A.E. (1968). Some effects of guilt on compliance. *Journal of Personality and Social Psychology, 11,* 232-239.

CARLSON, J.G. et HATFIELD, E. (1989). *Psychology of emotion.* Belmont, Ca, Wadsworth.

CARLSON, M., CHARLIN, V. et MILLER, N. (1988). Positive mood and helping behavior: A test of six hypotheses. *Journal of Personality and Social Psychology, 55,* 211-229.

CARLSON, M. et MILLER, N. (1987). Explanation of the relation between negative mood and helping. *Psychological Bulletin, 102,* 91-108.

CARLSON, S. (1985). A double-blind test of astrology. *Nature, 318,* 419-425.

CARLSTON, D.E. et SHOVAR, N. (1983). Effects of performance attributions on others' perceptions of the attributor. *Journal of Personality and Social Psychology, 44,* 515-525.

CARRETTA, T.R. et MORELAND, R.L. (1982). Nixon and Watergate: A field demonstration of belief perseverance. *Personality and Social Psychology Bulletin, 8,* 446-453.

CARROLL, E.I. (1971). *The face of emotion.* New York, Appleton.

CARTER, B.D. et McCLOSKEY, L.A. (1983-1984). Peers and the maintenance of sex-typed behavior: The development of children's conceptions of cross-gender behavior in their peers. *Social Cognition, 2,* 294-314.

CARTWRIGHT, D.S. (1975). The nature of gangs. *In* D.S.Cartwright, B.Tomson et H.Schwartz (dir.). *Gang delinquency.* Monterey, Ca., Brooks/Cole.

CARVER, C.S., GANELLEN, R.J., FROMING, W.J. et CHAMBERS, W. (1983). Modeling: An analysis in terms of category accessibility. *Journal of Experimental Social Psychology, 19,* 403-421.

CARVER, C.S. et SCHEIER, M.F. (1978). Self-focusing effects of dispositional self-consciousness, mirror presence, and audience presence. *Journal of Personality and Social Psychology, 36,* 324-332.

CARVER, C.S. et SCHEIER, M.F. (1981). *Attention and self-regulation.* New York, Springer-Verlag.

CARVER, C.S. et SCHEIER, M.F. (1986). Analyzing shyness: A specific application of broader self-regulatory principles. *In* W.H.Jones, J.M.Cheek et S.R. Briggs (dir.). *Shyness: Perspectives on research and treatment.* New York, Plenum.

CASH, T.F. (1981). Physical attractiveness: An annotated bibliography of theory and research in the behavioral sciences (Ms.2370). *Catalog of Selected Documents in Psychology, 11,* 83.

CASH, T.F. et JANDA, L.H. (décembre 1984). The eye of the beholder. *Psychology Today,* 46-52.

CASS, R.C. et EDNEY, J.J. (1978). The commons dilemma: A simulation testing the effects of resource visibility and territorial division. *Human Ecology, 6,* 371-386.

CBS NEWS/NEW YORK TIMES (janvier-février 1979). Poll on sex-role norms, octobre 1977. Compte rendu dans *Public Opinion,* 37.

CECI, S.J. et PETERS, D. (1984). Letters of reference: A naturalistic study of the effects of confidentiality. *American Psychologist, 39,* 29-31.

CECI, S.J., TOGLIA, M.P. et ROSS, D.F. (1987). *Children's eyewitness memory.* New York, Springer-Verlag.

CHAGNON, N.A. (1988). Life histories, blood revenge, and warfare in a tribal population. *Science, 239,* 985-991.

CHAIKEN, S. (1979). Communicator physical attractiveness and persuasion. *Journal of Personality and Social Psychology, 37,* 1387-1397.

CHAIKEN, S. (1980). Heuristic versus systematic information processing and the use of source versus message cues in persuasion. *Journal of Personality and Social Psychology, 39,* 752-766.

CHAIKEN, S. (1987). The heuristic model of persuasion. *In* M.P.Zanna, J.M.Olson et C.P.Herman (dir.). *Social influence: The Ontario symposium,* vol.5, Hillsdale, N.J., Erlbaum.

CHAIKEN, S. et EAGLY, A.H. (1978). Communication modality as a determinant of message persuasiveness and message comprehensibility. *Journal of Personality and Social Psychology, 34,* 605-614.

CHAIKEN, S. et EAGLY, A.H. (1983). Communication modality as a determinant of persuasion: The role of communicator salience. *Journal of Personality and Social Psychology, 45,* 241-256.

CHANCE, J.E. (1985). *Faces, folklore, and research hypotheses.* Allocution du président au congrès de la Midwestern Psychological Association.

CHANCE, J.E. et GOLDSTEIN, A.G. (1981). Depth of processing in response to own- and other-race faces. *Personality and Social Psychology Bulletin, 7,* 475-480.

CHAPMAN, L.J. et CHAPMAN, J.P. (1969). Genesis of popular but erroneous psychodiagnostic observations. *Journal of Abnormal Psychology, 74,* 272-280.

CHAPMAN, L.J. et CHAPMAN, J.P. (novembre 1971). Test results are what you think they are. *Psychology Today,* 18-22, 106-107.

CHARNY, I.W. (1982). *How can we commit the unthinkable? Genocide: The human cancer.* Boulder, Co, Westview Press.

CHECK, J. et MALAMUTH, N. (1984). Can there be positive effects of participation in pornography experiments? *Journal of Sex Research, 20,* 14-31.

CHEN, S.C. (1937). Social modification of the activity of ants in nest-building. *Physiological Zoology, 10,* 420-436.

CHICKERING, A.W. et McCORMICK, J. (1973). Personality development and the college experience. *Research in Higher Education,* n° 1, 62-64.

CHRISTENSEN, L. (1988). Deception in psychological research: When is its use justified? *Personality and Social Psychology Bulletin, 14,* 664-675.

CHRISTIAN, J.J., FLYDER, V. et DAVIS, D.E. (1960). Factors in the mass mortality of a herd of sika deer, *Cervus Nippon. Chesapeake Science, 1,* 79-95.

CHURCH, G.J. (6 janvier 1986). China. *Time,* 6-19.

CIALDINI, R.B. (1988). *Influence: Science and practice.* Glenview, Il., Scott, Foresman/Little, Brown.

CIALDINI, R.B., BICKMAN, L. et CACIOPPO, J.T. (1979). An example of consumeristic social psychology: Bargaining tough in the new car showroom. *Journal of Applied Social Psychology, 9,* 115-126.

CIALDINI, R.B., BORDEN, R.J., THORNE, A., WALKER, M.R., FREEMAN, S. et SLOAN, L.R. (1976). Basking in reflected glory: Three (football) field studies. *Journal of Personality and Social Psychology, 39,* 406-415.

CIALDINI, R.B., CACIOPPO, J.T., BASSETT, R. et MILLER, J.A. (1978). Lowball procedure for producing compliance: Commitment then cost. *Journal of Personality and Social Psychology, 36,* 463-476.

CIALDINI, R.B., DARBY, B.L. et VINCENT, J.E. (1973). Transgression and altruism: A case for hedonism. *Journal of Experimental Social Psychology, 9,* 502-516.

CIALDINI, R.B. et KENRICK, D.T. (1976). Altruism as hedonism: A social development perspective on the relationship of negative mood state and helping. *Journal of Personality and Social Psychology, 34,* 907-914.

CIALDINI, R.B., KENRICK, D.T. et BAUMANN, D.J. (1981). Effects of mood on prosocial behavior in children and adults. *In* N.Eisenberg-Berg (dir.). *The development of prosocial behavior.* New York, Academic Press.

CIALDINI, R.B. et RICHARDSON, K.D. (1980). Two indirect tactics of image management: Basking and blasting. *Journal of Personality and Social Psychology, 39,* 406-415.

CIALDINI, R.B. et SCHROEDER, D.A. (1976). Increasing compliance by legitimizing paltry contributions: When even a penny helps. *Journal of Personality and Social Psychology, 34,* 599-604.

CIALDINI, R.B., VINCENT, J.E., LEWIS, S.K., CATA-LAN, J., WHEELER, D. et DANBY, B.L. (1975). Reciprocal concessions procedure for inducing compliance: The door-in-the-face technique. *Journal of Personality and Social Psychology, 31,* 206-215.

CICERO. *De Finibus.* Vol.3, chap.9, sec.31.

CLARK, K. et CLARK M. (1947). Racial identification and preference in Negro children. *In* T.M. Newcomb et E.L.Hartley (dir.). *Readings in social psychology.* New York, Holt.

CLARK, M.S. (1984). Record keeping in two types of relationships. *Journal of Personality and Social Psychology, 47,* 549-557.

CLARK, M.S. (1986). Evidence for the effectiveness of manipulations of desire for communal versus exchange relationships. *Personality and Social Psychology Bulletin, 12,* 414-425.

CLARK, M.S. et MILLS, J. (1979). Interpersonal attraction in exchange and communal relationships. *Journal of Personality and Social Psychology, 37,* 12-24.

CLARK, M.S., MILLS, J. et CORCORAN, D. (1989). Keeping track of needs and inputs of friends and strangers. *Personality and Social Psychology Bulletin.*

CLARK, M.S., MILLS, J. et POWELL, M.C. (1986). Keeping track of needs in communal and exchange relationships. *Journal of Personality and Social Psychology, 51,* 333-338.

CLARK, R.D., III (1974). Effects of sex and race on helping behavior in a nonreactive setting. *Representative Research in Social Psychology, 5,* 1-6.

CLARK, R.D., III (1975). The effects of reinforcement, punishment and dependency on helping behavior. *Personality and Social Psychology Bulletin, 1,* 596-599.

CLARK, R.D., III et MAAS, A. (1988). Social categorization in minority influence: The case of homosexuality. *European Journal of Social Psychology, 18,* 347-364.

CLARK, R.D., III et MAAS, A. (1989). The role of social categorization and perceived source credibility in minority influence. *European Journal of Social Psychology, 19.*

CLARKE, A.C. (1952). An examination of the operation of residual propinquity as a factor in mate selection. *American Sociological Review, 27,* 17-22.

CLEGHORN, R. (31 octobre 1980). ABC News, meet the Literary Digest. *Detroit Free Press.*

CLIFFORD, M.M. et WALSTER, E.H. (1973). The effect of physical attractiveness on teacher expectation. *Sociology of Education, 46,* 248-258.

CLINE, V.B., CROFT, R.G. et COURRIER, S. (1973). Desensitization of children to television violence. *Journal of Personality and Social Psychology, 27,* 360-365.

CLORE, G.L., BRAY, R.M., ITKIN, S.M. et MURPHY, P. (1978). Interracial attitudes and behavior at a summer camp. *Journal of Personality and Social Psychology, 36,* 107-116.

CLORE, G.L., WIGGINS, N.H. et ITKIN, G. (1975). Gain and loss in attraction: Attributions from nonverbal behavior. *Journal of Personality and Social Psychology, 31,* 706-712.

COATES, B., PUSSER, H.E. et GOODMAN, I. (1976). The influence of «Sesame Street» and «Mister Rogers' Neighborhood» on children's social behavior in the preschool. *Child Development, 47,* 138-144.

COCOZZA, J.J. et STEADMAN, H.J. (1978). Prediction in psychiatry: An exemple of misplaced confidence in experts. *Social Problems, 25,* 265-276.

CODOL, J.-P. (1976). On the so-called superior conformity of the self behavior. Twenty experimental investigations. *European Journal of Social Psychology, 5,* 457-501.

COHEN, D. (mars 1980). Familiar faces at the British psychology society meeting. *APA Monitor, 13.*

COHEN, E.G. (1980). Design and redesign of the desegregated school: Problems of status, power and conflict. *In* W.G.Stephan et J.R.Feagin (dir.). *School desegregation: Past, present, and future.* New York, Plenum Press. (*a*)

COHEN, E.G. (1980). *A multi-ability approach to the integrated classroom.* Communication présentée au congrès de l'American Psychological Association. (*b*)

COHEN, S. (1980). *Training to understand TV advertising: Effects and some policy implications.* Communication présentée au congrès de l'American Psychological Association.

COHERTY, W.J. et BALDWIN, C. (1985). Shifts and stability in locus of control during the 1970s: Divergence of the sexes. *Journal of Personality and Social Psychology, 48,* 1048-1053.

COLE, D.L. (1982). Psychology as a liberating art. *Teaching of Psychology, 9,* 23-26.

COLEMAN, J.S. (1957). *Community conflict.* New York, Free Press.

COLEMAN, L.M., JUSSIM, L. et ABRAHAM, J. (1987). Students' reactions to teachers' evaluations: The unique impact of negative feedback. *Journal of Applied Social Psychology, 17,* 1051-1070.

COLLINS, B.E. et HOYT, M.F. (1972). Personal responsibility-for-consequences: An integration and extension of the forced compliance literature. *Journal of Experimental Social Psychology, 8,* 558-593.

CONDON, J.W. et CRANO, W.D. (1988). Inferred evaluation and the relation between attitude similarity and interpersonal attraction. *Journal of Personality and Social Psychology, 54,* 789-797.

CONDRAN, J.G. (1979). Changes in white attitudes toward blacks: 1963-1977. *Public Opinion Quarterly, 43,* 463-476.

CONDRY, J. et CONDRY, S. (1976). Sex differences: A study in the eye of the beholder. *Child Development, 47,* 812-819.

CONVERSE, P.E. et TRAUGOTT, M.W. (1986). Assessing the accuracy of polls and surveys. *Science, 234,* 1094-1098.

CONWAY, F. et SIEGELMAN, J. (1979). *Snapping: America's epidemic of sudden personality change.* New York, Delta Books.

CONWAY, M. et ROSS, M. (1984). Getting what you want by revising what you had. *Journal of Personality and Social Psychology, 47,* 738-748.

CONWAY, M. et ROSS, M. (1985). Remembering one's own past: The construction of personal histories. *In* R.Sorrentino et E.T.Higgins (dir.). *Handbook of motivation and cognition.* New York, Guilford.

COOK, S.W. (1978). Interpersonal and attitudinal outcomes in cooperating interracial groups. *Journal of Research and Development in Education, 12,* 97-113.

COOK, S.W. (1985). Experimenting on social issues: The case of school desegregation. *American Psychologist, 40,* 452-460.

COOK, T.D. et CURTIN, T.R. (1987). The mainstream and the underclass: Why are the differences so salient and the similarities so unobtrusive? *In* J.C.Masters et W.P.Smith (dir.). *Social comparison, social justice, and relative deprivation: Theoretical, empirical, and policy perspectives.* Hillsdale, N.J., Erlbaum.

COOK, T.D. et FLAY, B.R. (1978). The persistance of experimentally induced attitude change. *In* L. Berkowitz (dir.). *Advances in experimental social psychology,* vol.11. New York, Academic Press.

COOPER, H. (1983). Teacher expectation effects. *In* L.Bickman (dir.). *Applied social psychology annual,* vol.4. Beverly Hills, Ca, Sage.

COOPER, H.M. (1979). Statistically combining independent studies: A metaanalysis of sex differences in conformity research. *Journal of Personality and Social Psychology, 37,* 131-146.

COOPER, J. et FAZIO, R.H. (1984). A new look at dissonance theory. *In* L.Berkowitz (dir.). *Advances in Experimental Social Psychology,* vol.17. New York, Academic Press.

COOPER, J., ZANNA, M.P. et TAVES, P.A. (1978). Arousal as a necessary condition for attitude change following induced compliance. *Journal of Personality and Social Psychology, 36,* 1101-1106.

COTA, A.A. et DION, K.L. (1986). Salience of gender and ad hoc group sex composition: An experimental test of distinctiveness theory. *Journal of Personality and Social Psychology.*

COTTON, J.L. (1981). *Ambient temperature and violent crime.* Communication présentée au congrès de la Midwestern Psychological Association.

COTTON, J.L. (1986). Ambient temperature and violent crime. *Journal of Applied Social Psychology, 16,* 786-801.

COTTRELL, N.B., WACK, D.L., SEKERAK, G.J. et RITTLE, R.M. (1968). Social facilitation of dominant responses by the presence of an audience and the mere presence of others. *Journal of Personality and Social Psychology, 9,* 245-250.

COURT, J.H. (1985). Sex and violence: A ripple effect. *In* N.M.Malamuth et E.Donnerstein (dir.). *Pornography and sexual aggression.* New York, Academic Press.

COUSINS, N. (16 septembre 1978). The taxpayers revolt: Act two. *Saturday Review,* 56.

COUSINS, S.D. (1989). Culture and self-perception in Japan and the United States. *Journal of Personality and Social Psychology, 56,* 124-131.

CRAMER, R.E., McMASTER, M.R., BARTELL, P.A. et DRAGNA, M. (1988). Subject competence and minimization of the bystander effect. *Journal of Applied Social Psychology, 18,* 1133-1148.

CRANDALL, C.S. (1988). Social contagion of binge eating. *Journal of Personality and Social Psychology, 55,* 588-598.

CRANO, W.D. et MELTON, P.M. (1978). Causal influence of teachers' expectations on children's academic performance: A cross-legged panel analysis. *Journal of Educational Psychology, 70,* 39-49.

CRAWFORD, T.J. (1974). Sermons on racial tolerance and the parish neighborhood context. *Journal of Applied Social Psychology, 4,* 1-23.

CROCKER, J. (1981). Judgment of covariation by social perceivors. *Psychological Bulletin, 90,* 272-292.

CROCKER, J. et GALLO, L. (1985). *The self-enhancing effect of downward comparison.* Communication présentée au congrès de l'American Psychological Association.

CROCKER, J., HANNAH, D.B. et WEBER, R. (1983). Personal memory and causal attributions. *Journal of Personality and Social Psychology, 44,* 55-56.

CROCKER, J. et McGRAW, K.M. (1984). What's good for the goose is not good for the gander: Solo status as an obstacle to occupational achievement for males and females. *American Behavioral Scientist, 27,* 357-370.

CROCKER, J. et PARK, B. (1985). *The consequences of social stereotypes.* Manuscrit inédit, Université Northwestern.

CROCKER, J., THOMPSON, L.L., McGRAW, K.M. et INGERMAN, C. (1987). Downward comparison, prejudice, and evaluations of others: Effects of self-esteem and threat. *Journal of Personality and Social Psychology, 52,* 907-916.

CROSBY, F. (1982). *Relative deprivation and working women.* New York, Oxford University Press.

CROSBY, F., BROMLEY, S. et SAXE, L. (1980). Recent unobtrusive studies of black and white discrimination and prejudice: A literature review. *Psychological Bulletin, 87,* 546-563.

CROSBY, F., PUFALL, A., SNYDER, R.C., O'CONNELL, M. et WHALEN, P. (1989). The denial of personal disadvantage among you, me, and all the

other ostriches. *In* M.Crawford et M.Gentry (dir.). *Gender and thought.* New York, Springer-Verlag.

CROSS, P. (1977). Not *can* but *will* college teaching be improved? *New directions for Higher Education,* printemps, nº 17, 1-15.

CROUSE, B.B. et MEHRABIAN, A. (1977). Affiliation of opposite-sexed strangers. *Journal of Research in Personality, 11,* 38-47.

CROXTON, J.S., EDDY, T. et MORROW, N. (1984). Memory biases in the reconstruction of interpersonal encounters. *Journal of Social and Clinical Psychology, 2,* 348-354.

CROXTON, J.S. et MILLER, A.G. (1987). Behavioral disconfirmation and the observer bias. *Journal of Social Behavior and Personality, 2,* 145-152.

CROXTON, J.S. et MORROW, N. (1984). What does it take to reduce observer bias? *Psychological Reports, 55,* 135-138.

CROYLE, R.T. et COOPER, J. (1983). Dissonance arousal: Physiological evidence. *Journal of Personality and Social Psychology, 45,* 782-791.

CRUTCHFIELD, R.A. (1955). Conformity and character. *American Psychologist, 10,* 191-198.

CUNNINGHAM, J.D. (1981). Self-disclosure intimacy: Sex, sex-of-target, cross-national, and generational differences. *Personality and Social Psychology Bulletin, 7,* 314-319.

CUNNINGHAM, M.R. (1986). Levites and brother's keepers: A sociobiological perspective on prosocial behavior. *Humboldt Journal of Social Relations, 12,* 35-67.

CUNNINGHAM, M.R. (1986). Measuring the physical in physical attractiveness: Quasi-experiments on the sociobiology of female facial beauty. *Journal of Personality and Social Psychology, 50,* 925-935.

CUNNINGHAM, M.R. (1988). Does happiness mean friendliness? Induced mood and heterosexual self-disclosure. *Personality and Social Psychology Bulletin, 14,* 283-297. (*a*)

CUNNINGHAM, M.R. (1988). What do you do when you're happy or blue? Mood, expectancies and behavioral interest. *Motivation and Emotion.* (*b*)

CUNNINGHAM, S. (novembre 1983). Not such a long way, baby: Women and cigarette ads. *APA Monitor,* 15.

CURRY, T.J. et EMERSON, R.M. (1970). Balance theory: A theory of interpersonal attraction? *Sociometry, 33,* 216-238.

CURTIS, R.C. et MILLER, K. (1986). Believing another likes or dislikes you: Behaviors making the beliefs come true. *Journal of Personality and Social Psychology, 51,* 284-290.

CUTLER, B.L. et PENROD, S.D. (1988). Context reinstatement and eyewitness identification. *In* G.M. Davies et D.M.Thomson (dir.). *Context reinstatement and eyewitness identification.* New York, Wiley. (*a*)

CUTLER, B.L. et PENROD, S.D. (1988). Improving the reliability of eyewitness identification: Lineup

construction and presentation. *Journal of Applied Psychology, 73.* (*b*)

CUTLER, B.L., PENROD, S.D. et DEXTER, H.R. (1988). The eyewitness, the expert psychologist and the jury. *Law and Human Behavior.*

CUTLER, B.L., PENROD, S.D. et MARTENS, T.K. (1987). The reliability of eyewitness identification: The role of system and estimator variables. *Law and Human Behavior, 11,* 233-258.

CUTLER, B.L., PENROD, S.D. et STUVE, T.E. (1988). Juror decision making in eyewitness identification cases. *Law and Human Behavior, 12,* 41-55.

DABBS, J.M. et JANIS, I.L. (1965). Why does eating while reading facilitate opinion change? An experimental inquiry. *Journal of Experimental Social Psychology, 1,* 133-144.

DABBS, Jr., J.M., RUBACK, R.B., FRADY, R.L., HOPPER, C.H. et SGOUTAS, D.S. (1988). Saliva testosterone and criminal violence among women. *Personality and Individual Differences, 7,* 269-275.

DALLAS, M.E.W. et BARON, R.S. (1985). Do psychotherapists use a confirmatory strategy during interviewing? *Journal of Social and Clinical Psychology, 3,* 106-122.

DANIELS, R. (1975). *The decision to relocate the Japanese Americans.* New York, Lippincott.

DARLEY, J.M. et BATSON, C.D. (1973). From Jerusalem to Jericho: A study of situational and dispositional variables in helping behavior. *Journal of Personality and Social Psychology, 27,* 100-108.

DARLEY, J.M. et BERSCHEID, E. (1967). Increased liking as a result of the anticipation of personal contact. *Human Relations, 20,* 29-40.

DARLEY, J.M., FLEMING, J.H., HILTON, J.L. et SWANN, W.B., Jr. (1988). Dispelling negative expectancies: The impact of interaction goals and target characteristics on the expectancy confirmation process. *Journal of Experimental Social Psychology, 24,* 19-36.

DARLEY, J.M. et GROSS, P.H. (1983). A hypothesis-conforming bias in labelling effects. *Journal of Personality and Social Psychology, 44,* 20-33.

DARLEY, J.M. et LATANÉ, B. (1968). Bystander intervention in emergencies: Diffusion of responsibility. *Journal of Personality and Social Psychology, 8,* 377-383.

DARLEY, J.M. et LATANÉ, B. (décembre 1968). When will people help in a crisis? *Psychology Today,* 54-57, 70-71.

DARLEY, J.M., SELIGMAN, C. et BECKER, L.J. (avril 1979). The lesson of twin rivers: Feedback works. *Psychology Today, 16,* 23-24.

DARLEY, J.M., TEGER, A.I. et LEWIS, L.D. (1973). Do groups always inhibit individuals' response to potential emergencies? *Journal of Personality and Social Psychology, 26,* 395-399.

DARLEY, S. et COOPER, J. (1972). Cognitive consequences of forced noncompliance. *Journal of Personality and Social Psychology, 24,* 321-326.

DARROW, C. (1933), cité par E.H.Sutherland et D.R. Cressy, *Principles of criminology.* Pa, Lippincott, 1966, 442.

DASHIELL, J.F. (1930). An experimental analysis of some group effects. *Journal of Abnormal and Social Psychology, 25,* 190-199.

DAVIS, J.H., HOLT, R.W., SPITZER, C.E. et STASSER, G. (1981). The effects of consensus requirements and multiple decisions on mock juror verdict preferences. *Journal of Experimental Social Psychology, 17,* 1-15.

DAVIS, J.H., KERR, N.L., ATKIN, R.S., HOLT, R. et MEEK, D. (1975). The decision processes of 6- and 12-person mock juries assigned unanimous and two-thirds majority rules. *Journal of Personality and Social Psychology, 32,* 1-14.

DAVIS, J.H., KERR, N.L., STRASSER, G., MEEK, D. et HOLT, R. (1977). Victim consequences, sentence severity, and decision process in mock juries. *Organizational Behavior and Human Performance, 18,* 346-365.

DAVIS, K.E. (février 1985). Near and dear: Friendship and love compared. *Psychology Today,* 22-30.

DAVIS, K.E. et JONES, E.E. (1960). Changes in interpersonal perception as a means of reducing cognitive dissonance. *Journal of Abnormal and Social Psychology, 61,* 402-410.

DAVIS, L., LAYKASEK, L. et PRATT, R. (1984). Teamwork and friendship: Answers to social loafing. Communication présentée à la Southwestern Psychological Association, New Orleans.

DAVIS, M.H. (1979). *The case for attributional egotism.* Communication présentée au congrès de l'American Psychological Association.

DAVIS, M.H. et FRANZOI, S.L. (1986). Adolescent loneliness, self-disclosure, and private self-consciousness: A longitudinal investigation. *Journal of Personality and Social Psychology, 51,* 595-608.

DAVIS, M.H. et STEPHAN, W.G. (1980). Attributions for exam performance. *Journal of Applied Social Psychology, 10,* 235-248.

DAWES, R.M. (1976). Shallow psychology. *In* J.S. Carroll et J.W.Payne (dir.). *Cognition and social behavior.* Hillsdale, N.J., Lawrence Erlbaum.

DAWES, R.M. (1980). Social dilemmas. *Annual Review of Psychology, 31,* 169-193.

DAWES, R.M. (1980). You can't systematize human judgment: Dyslexia. *In* R.A.Shweder (dir.). *New directions for methodology of social and behavioral science: Fallible judgment in behavioral research.* San Francisco, Jossey-Bass.

DAWES, R.M. (janvier 1989). Resignation letter to the American Psychological Association. *APS Observer,* 14-15.

DAWES, R.M., McTAVISH, J. et SHAKLEE, H. (1977). Behavior, communication, and assumptions about other people's behavior in a commons dilemma situation. *Journal of Personality and Social Psychology, 35,* 1-11.

DAWKINS, R. (1976). *The selfish gene.* New York, Oxford University Press.

DEAUX, K. (1984). From individual difference to social categories: Analysis of a decade's research on gender. *American Psychologist, 39,* 105-116.

DEAUX, K. et EMSWILLER, T. (1974). Explanations of successful performance on sex-linked tasks: What is skill for the male is luck for the female. *Journal of Personality and Social Psychology, 29,* 80-85.

DEAVER, M. (9 octobre 1985). Cité dans L.H.Gelb, Reagan: A master of political compromise and ideological purity. *International Herald Tribune,* 10.

DECI, E.L., NEZLEK, J. et SHEINMAN, L. (1981). Characteristics of the rewarder and intrinsics of motivation of the rewardee. *Journal of Personality and Social Psychology, 40,* 1-10.

DECI, E.L. et RYAN, R.M. (1985). *Intrinsic motivation and self-determination in human behavior.* New York, Plenum.

DECI, E.L. et RYAN, R.M. (1987). The support of autonomy and the control of behavior. *Journal of Personality and Social Psychology, 53,* 1024-1037.

DEFORD, F. (7 novembre 1983). Sometimes the good die young. *Sports Illustrated,* 44-50.

DeJONG, W. (1979). An examination of self-perception mediation of the foot-in-the-door effect. *Journal of Personality and Social Psychology, 37,* 2221-2239.

DeJONG-GIERVELD, J. (1987). Developing and testing a model of loneliness. *Journal of Personality and Social Psychology, 53,* 119-128.

DELGADO, J. (1973). *In* M.Pines, *The brain changers.* New York, Harcourt Brace Jovanovich.

DEMBROSKI, T.M. et COSTA, P.T., Jr. (1987). Coronary prone behavior: Components of the Type A pattern and hostility. *Journal of Personality, 55,* 211-236.

DEMBROSKI, T.M., LASATER, T.M. et RAMIREZ, A. (1978). Communicator similarity, fear arousing communications, and compliance with health care recommendations. *Journal of Applied Social Psychology, 8,* 254-269.

DENGERINK, H.A. et MYERS, J.D. (1977). Three effects of failure and depression on subsequent aggression. *Journal of Personality and Social Psychology, 35,* 88-96.

DePAULO, B.M., KENNY, D.A., HOOVER, C.W., WEBB, W. et OLIVER, P.V. (1987). *Journal of Personality and Social Psychology, 52,* 303-315.

DERLEGA, V., WINSTEAD, B.A., WONG, P.T.P. et HUNTER, S. (1985). Gender effects in an initial encounter: A case where men exceed women in disclosure. *Journal of Social and Personal Relationships, 2,* 25-44.

DERMER, M., COHEN, S.J., JACOBSEN, E. et ANDERSON, E.A. (1979). Evaluation judgments of aspects of life as a function of vicarious exposure to hedonic extremes. *Journal of Personality and Social Psychology, 37,* 247-260.

DERMER, M. et PYSZCZYNSKI, T.A. (1978). Effects of erotica upon men's loving and liking responses for women they love. *Journal of Personality and Social Psychology, 36,* 1302-1309.

DERMER, M. et THIEL, D.L. (1975). When beauty may fail. *Journal of Personality and Social Psychology, 31,* 1168-1176.

DESMOND, E.W. (30 novembre 1987). Out in the open. *Time,* 80-90.

DESOR, J.A. (1972). Toward a psychological theory of crowding. *Journal of Personality and Social Psychology, 21,* 79-83.

DEUTSCH, M. (1985). *Distributive justice: A social psychological perspective.* New Haven, Yale University Press.

DEUTSCH, M. (1986). Folie à deux: A psychological perspective on Soviet-American relations. *In* M.P. Kearns (dir.). *Persistent patterns and emergent structures in a waving century.* New York, Praeger.

DEUTSCH, M. et COLLINS, M.E. (1951). *Interracial housing: A psychological evaluation of a social experiment.* Minneapolis, University of Minnesota Press.

DEUTSCH, M. et GERARD, H.B. (1955). A study of normative and informational social influence upon individual judgment. *Journal of Abnormal and Social Psychology, 51,* 629-636.

DEUTSCH, M. et KRAUSS, R.M. (1960). The effect of threat upon interpersonal bargaining. *Journal of Abnormal and Social Psychology, 61,* 181-189.

DeVAUX, R. (1965). *Ancient Israel (vol.2): Religious institutions.* New York, McGraw-Hill.

DEVINE, P.G. (1989). Stereotypes and prejudice: Their automatic and controlled components. *Journal of Personality and Social Psychology, 56,* 5-18.

DEVINE, P.G. et MALPASS, R.S. (1985). Orienting strategies in differential face recognition. *Personality and Social Psychology Bulletin, 11,* 33-40.

DeVRIES, N.K. et Van KNIPPENBERG, A. (1987). Biased and unbiased self-evaluations of ability: The effects of further testing. *British Journal of Social Psychology, 26,* 9-15.

DICKSON, D.H. et KELLY, I.W. (1985). The «Barnum effect» in personality assessment: A review of the literature. *Psychological Reports, 57,* 367-382.

DIENER, E. (1976). Effects of prior destructive behavior, anonymity, and group presence on deindividuation and aggression. *Journal of Personality and Social Psychology, 33,* 497-507.

DIENER, E. (1979). Deindividuation, self-awareness, and disinhibition. *Journal of Personality and Social Psychology, 37,* 1160-1171.

DIENER, E. (1980). Deindividuation: The absence of self-awareness and self-regulation in group members. *In* P.Paulus (dir.). *The psychology of group influence.* Hillsdale, N.J., Erlbaum.

DIENER, E. et CRANDALL, R. (1979). An evaluation of the Jamaican anticrime program. *Journal of Applied Social Psychology, 9,* 135-146.

DIENER, E., FRASER, S.C., BEAMAN, A.L. et KELEM, R.T. (1976). Effects of deindividuation variables on stealing among Halloween trick-or-treaters. *Journal of Personality and Social Psychology, 33,* 178-183.

DIENER, R. et WALLBOM, M. (1976). Effects of self-awareness on antinormative behavior. *Journal of Research in Personality, 10,* 107-111.

DILLARD, J.P., HUNTER, J.E. et BURGOON, M. (1984). Sequential-request persuasive strategies: Metaanalysis of foot-in-the-door and door-in-the-face. *Human Communication Research, 10,* 461-488.

DILLEHAY, R.C. et NIETZEL, M.T. (1980). Constructing a science of jury behavior. *In* L.Wheeler (dir.). *Review of personality and social psychology,* vol.1. Beverly Hills, Ca, Sage Publications.

DION, K.K. (1972). Physical attractiveness and evaluations of children's transgressions. *Journal of Personality and Social Psychology, 24,* 207-213.

DION, K.K. (1973). Young children's stereotyping of facial attractiveness. *Developmental Psychology, 9,* 183-188.

DION, K.K. (1979). Physical attractiveness and interpersonal attraction. *In* M.Cook et G.Wilson (dir.). *Love and attraction.* New York, Pergamon Press.

DION, K.K. et BERSCHEID, E. (1974). Physical attractiveness and peer perception among children. *Sociometry, 37,* 1-12.

DION, K.K. et DION, K.L. (1978). Defensiveness, intimacy, and heterosexual attraction. *Journal of Research in Personality, 12,* 479-487.

DION, K.K. et DION, K.L. (1985). Personality, gender, and the phenomenology of romantic love. *In* P.R.Shaver (dir.). *Review of personality and social psychology,* vol.6. Beverly Hills, Ca, Sage.

DION, K.K. et STEIN, S. (1978). Physical attractiveness and interpersonal influence. *Journal of Experimental Social Psychology, 14,* 97-109.

DION, K.L. (1979). Intergroup conflict and intragroup cohesiveness. *In* W.G.Austin et S.Worchel (dir.). *The social psychology of intergroup relations.* Monterey, Ca, Brooks/Cole.

DION, K.L. (1986). Responses to perceived discrimination and relative deprivation. *In* J.M.Olson, C.P. Herman et M.P.Zanna (dir.). *Relative deprivation and social comparison: The Ontario symposium,* vol.4, Hillsdale, N.J., Erlbaum.

DION, K.L. (1987). What's in a title? The Ms. stereotype and images of women's titles of address. *Psychology of Women Quarterly, 11,* 21-36.

DION, K.L. et DION, K.K. (1988). Romantic love: Individual and cultural perspectives. *In* R.J. Stern-berg et M.L.Barnes (dir.). *The psychology of love.* New Haven, Ct, Yale University Press.

DiVASTO, P.V., KAUFMAN, A., ROSNER, L., JACK-SON, R., CHRISTY, J., PEARSON, S. et BURGETT, T. (1984). The prevalence of sexually stressful events among females in the general population. *Archives of Sexual Behavior, 13,* 59-67.

DIXON, B. (avril 1986). Dangerous thoughts: How we think and feel can make us sick. *Science 86,* 63-66.

DOISE, W. (1986). *Levels of explanation in social psychology.* Cambridge, Cambridge University Press.

DOLLARD, J., DOOB, L., MILLER, N., MOWRER, O.H. et SEARS, R.R. (1939). *Frustration and aggression.* New Haven, Ct, Yale University Press.

DOMS, M. et VAN AVARMAET, E. (1980). Majority influence, minority influence and conversion behavior: A replication. *Journal of Experimental Social Psychology, 16,* 283-292.

DONNERSTEIN, E. (1980). Aggressive erotica and violence against women. *Journal of Personality and Social Psychology, 39,* 269-277.

DONNERSTEIN, E. et BERKOWITZ, L. (1981). Victim reactions in aggressive erotic films as a factor in violence against women. *Journal of Personality and Social Psychology, 41,* 710-724.

DONNERSTEIN, E., LINZ, D. et PENROD, S. (1987). *The question of pornography.* London, Free Press.

DOOB, A.N. et KIRSHENBAUM, H.M. (1973). Bias in police lineups–partial remembering. *Journal of Police Science and Administration, 1,* 287-293.

DOOB, A.N. et ROBERTS, J. (1988). Public attitudes toward sentencing in Canada. *In* N.Walker et M. Hough (dir.). *Sentencing and the public.* London, Gower.

DOUGLASS, F. (1845/1960). *Narrative of the life of Frederick Douglass, an American slave: Written by himself.* (B.Quarles, dir.). Cambridge, Mass., Harvard University Press.

DOVIDIO, J.F., BROWN, C.E., HELTMAN, K., ELLYSON, S.L. et KEATING, C.F. (1988). Power displays between women and men in discussions of gender-linked tasks: A multichannel study. *Journal of Personality and Social Psychology, 55,* 580-587.

DOVIDIO, J.F., ELLYSON, S.L., KEATING, C.F., HELTMAN, K. et BROWN, C.E. (1988). The relationship of social power to visual displays of dominance between men and women. *Journal of Personality and Social Psychology, 54,* 233-242.

DOVIDIO, J.F. et GAERTNER, S.L. (1988). *Changes in the expression and assessment of racial prejudice.* Conférence sur «Opening Doors: An Appraisal of Race Relations in America», Université d'Alabama.

DOVIDIO, J.F., MANN, J. et GAERTNER, S.L. (1989). Resistance to affirmative action: The implications of aversive racism. *In* F.Blanchard et F.Crosby (dir.). *Affirmative action in perspective.* New York, Springer-Verlag.

DOVIDIO, J.F., SCHROEDER, D.A., ALLEN, J., JOHNSTON, K. et SIBICKY, M. (1988). *Relieving another person's distress: Egoistic or altruistic motivation?* Communication présentée au congrès de l'Eastern Psychological Association.

DRABMAN, R.S. et THOMAS, M.H. (1974). Does media violence increase children's toleration of real-life aggression? *Developmental Psychology, 10,* 418-421.

DRABMAN, R.S. et THOMAS, M.H. (1975). Does TV violence breed indifference? *Journal of Communications, 25(4),* 86-89.

DRABMAN, R.S. et THOMAS, M.H. (1976). Does watching violence on television cause apathy? *Pediatrics, 57,* 329-331.

DUNCAN, B.L. (1976). Differential social perception and attribution of intergroup violence: Testing the lower limits of stereotyping of blacks. *Journal of Personality and Social Psychology, 34,* 590-598.

DUNNING, D., MEYEROWITZ, J.A. et HOLZBERG, A.D. (1989). Ambiguity and self-evaluation. *Journal of Personality and Social Psychology.*

DUNNING, D., MILOJKOVIC, J.H. et ROSS, L. (1989). The overconfidence effect in social prediction. *Journal of Personality and Social Psychology.*

DUNNING, D. et ROSS, L. (1988). *Overconfidence in individual and group prediction: Is the collective any wiser?* Manuscrit inédit, Université Cornell.

DUTTON, D.G. (1971). Reactions of restaurateurs to blacks and whites violating restaurant dress regulations. *Canadian Journal of Behavioural Science, 3,* 298-302.

DUTTON, D.G. (1973). Reverse discrimination: The relationship of amount of perceived discrimination toward a minority group on the behavior of majority group members. *Canadian Journal of Behavioural Science, 5,* 34-45.

DUTTON, D.G. et ARON, A.P. (1974). Some evidence for heightened sexual attraction under conditions of high anxiety. *Journal of Personality and Social Psychology, 30,* 510-517.

DUTTON, D.G. et LAKE, R.A. (1973). Threat of own prejudice and reverse discrimination in interracial situations. *Journal of Personality and Social Psychology, 28,* 94-100.

DUVAL, S. (1976). Conformity on a visual task as a function of personal novelty on attitudinal dimensions and being reminded of the object status of self. *Journal of Experimental Social Psychology, 12,* 87-98.

DUVAL, S., DUVAL, V.H. et NEELY, R. (1979). Self-focus, felt responsibility, and helping behavior. *Journal of Personality and Social Psychology, 37,* 1769-1778.

DUVAL, S. et WICKLUND, R.A. (1972). *A theory of objective self-awareness.* New York, Academic Press.

EAGLY, A.H. (1987). *Sex differences in social behavior: A social-role interpretation.* Hillsdale, N.J., Erlbaum.

EAGLY, A.H. et CARLI, L.L. (1981). Sex of researcher and sex-typed communications as determinants of sex differences in influenceability: A meta-analysis of social influence studies. *Psychological Bulletin, 90,* 1-20.

EAGLY, A.H. et CROWLEY, M. (1986). Gender and helping behavior: A meta-analytic review of the social psychological literature. *Psychology Bulletin, 100,* 309-330.

EAGLY, A.H. et JOHNSON, B.T. (1988). *Gender and leadership style: meta-analysis.* Manuscrit inédit, Université Purdue.

EAGLY, A.H. et STEFFEN, V.J. (1986). Gender and aggressive behavior: A meta-analytic review of the social psychological literature. *Psychological Bulletin, 100,* 309-330.

EAGLY, A.H. et WOOD, W. (1982). Inferred sex differences in status as a determinant of gender stereotypes about social influence. *Journal of Personality and Social Psychology, 43,* 915-928.

EAGLY, A.H. et WOOD, W. (1985). Gender and influenceability: Stereotype versus behavior. *In* V.E.O'Leary, R.K.Unger et B.S.Wallston (dir.). *Women, gender, and social psychology.* Hillsdale, N.J., Erlbaum.

EAGLY, A.H. et WOOD, W. (1988). *Explaining sex differences in social behavior: A meta-analytic perspective.* Communication présentée au congrès de l'American Psychological Association.

EAGLY, A.H., WOOD, W. et CHAIKEN, S. (1978). Casual inferences about communicators and their effect on opinion change. *Journal of Personality and Social Psychology, 36,* 424-435.

EAGLY, A.H., WOOD, W. et FISHBAUGH, L. (1981). Sex differences in conformity: Surveillance by the group as a determinant of male conformity. *Journal of Personality and Social Psychology, 40,* 384-394.

EATON, W.O. et ENNS, L.R. (1986). Sex differences in human motor activity level. *Psychological Bulletin, 100,* 19-28.

EBBESEN, E.B., DUNCAN, B. et KONECNI, V.J. (1975). Effects of content of verbal agression on future verbal aggression: A field experiment. *Journal of Experimental Social Psychology, 11,* 192-204.

EDNEY, J.J. (août 1979). Free riders en route to disaster. *Psychology Today,* 80-87, 102. *(a)*

EDNEY, J.J. (1979). The nuts game: A concise commons dilemma analog. *Environmental Psychology and Nonverbal Behavior, 3,* 252-254. *(b)*

EDNEY, J.J. (1980). The commons problem: Alternative perspectives. *American Psychologist, 35,* 131-150.

EDNEY, J.J. et HARPER, C.S. (1978). The commons dilemma: A review of contributions from psychology. *Environmental Management, 2,* 491-507.

EFRAN, M.G. (1974). The effect of physical appearance on the judgement of guilt, interpersonal attraction, and severity of recommended punishment in a simulated jury task. *Journal of Research in Personality, 8,* 45-54.

EHRHARDT, A.A. (1987). A transactional perspective on the development of gender differences. *In* J.M.Reinisch, L.A.Rosenblum et S.A.Sanders (dir.). *Masculinity/feminity: Basic perspectives.* New York, Oxford University Press.

EISENBERG, N., CIALDINI, R.B., McCREATH, H. et SHELL, R. (1987). Consistency-based compliance: When and why do children become vulnerable? *Journal of Personality and Social Psychology, 52,* 1174-1181.

EISENBERG, N. et LENNON, R. (1983). Sex differences in empathy and related capacities. *Psychological Bulletin, 94,* 100-131.

EISENBERGER, R., COTTERELL, N. et MARVEL, J. (1987). Reciprocation ideology. *Journal of Personality and Social Psychology, 53,* 743-750.

EISINGER, R. et MILLS, J. (1968). Perception of the sincerity and competence of a communicator as a function of the extremity of his position. *Journal of Experimental Social Psychology, 4,* 224-232.

ELASHOFF, J.R. et SNOW, R.E. (1971). *Pygmalion reconsidered.* Worthington, Ohio, Charles A.Jones.

ELDER, G.H., Jr. (1969). Appearance and education in marriage mobility. *American Sociological Review, 34,* 519-533.

ELDERSVELD, S.J. et DODGE, R.W. (1954). Personal contact or mail propaganda? An experiment in voting turnout and attitude change. *In* D.Katz, D. Cartwright, S.Eldersveld et A.M.Lee (dir.). *Public opinion and propaganda.* New York, Dryden Press.

ELIOT, T.S. (1958). «The Hollow Men.» *In The Complete Poems and Plays, 1909-1950.* New York, Harcourt Brace and Company.

ELKIN, I. (1986). *Outcome findings and therapist performance.* Communication présentée au congrès de l'American Psychological Association.

ELLIOTT, G.C. (1986). Self-esteem and self-consistency: A theoretical and empirical link between two primary motivations. *Social Psychological Quarterly, 49,* 207-218.

ELLIS, H.D. (1981). Theoretical aspects of face recognition. *In* G.H.Davies, H.D.Ellis et J.Shepherd (dir.). *Perceiving and remembering faces.* London, Academic Press.

ELLSWORTH, P. (juillet 1985). Juries on trial. *Psychology Today,* 44-46.

ELLYSON, S.L. et DOVIDIO, J.F. (1985). *Power, dominance, and nonverbal behavior.* New York, Springer-Verlag.

ELWORK, A., SALES, B.D. et ALFINI, J.J. (1982). *Making jury instructions understandable.* Charlottesville, Va, The Michie Co.

EMSWILLER, T., DEAUX, K. et WILLITS, J.E. (1971). Similarity, sex, and requests for small favors. *Journal of Applied Social Psychology, 1,* 284-291.

EPSTEIN, J.F., O'NEAL, E.C. et JONES, K.J. (1980). *Prior experience with firearms can mitigate the weapons effect.* Communication présentée au congrès de l'American Psychological Association.

EPSTEIN, S. (1980). The stability of behavior: II. Implications for psychological research. *American Psychologist, 35,* 790-806.

EPSTEIN, S. et FEIST, G.J. (1988). Relation between self- and other-acceptance and its moderation by identification. *Journal of Personality and Social Psychology, 54,* 309-315.

ERICKSON, B., HOLMES, J.G., FREY, R., WALKER, L. et THIBAUT, J. (1974). Functions of a third party in the resolution of conflict: The role of a judge in pretrial conferences. *Journal of Personality and Social Psychology, 30,* 296-306.

ERICKSON, B., LIND, E.A., JOHNSON, B.C. et O'BARR, W.M. (1978). Speech style and impression formation in a court setting: The effects of powerful and powerless speech. *Journal of Experimental Social Psychology, 14,* 266-279.

ERON, L.D. (1981). Parent-child interaction, television violence, and aggression of children. *American Psychologist, 37,* 197-211.

ERON, L.D. (1985). The social responsibility of the researchers. *In* J.H.Goldstein (dir.). *Reporting science: The case of aggression.* Hillsdale, N.J., Erlbaum.

ERON, L.D. (1987). The development of aggressive behavior from the perspective of a developing behaviorism. *American Psychologist, 42,* 425-442.

ERON, L.D. et HUESMANN, L.R. (1980). Adolescent aggression and television. *Annals of the New York Academy of Sciences, 347,* 319-331.

ERON, L.D. et HUESMANN, L.R. (1984). The control of aggressive behavior by changes in attitudes, values, and the conditions of learning. *In* R.J. Blanchard et C.Blanchard (dir.). *Advances in the study of aggression,* vol.1. Orlando, Fla, Academic Press.

ERON, L.D. et HUESMANN, L.R. (1985). The role of television in the development of prosocial and antisocial behavior. *In* D.Olweus, M.Radke-Yarrow et J.Block (dir.). *Development of antisocial and prosocial behavior.* Orlando, Fla, Academic Press.

ESSES, V.M. et WEBSTER, C.D. (1988). Physical attractiveness, dangerousness, and the Canadian criminal code. *Journal of Applied Social Psychology, 18,* 1017-1031.

ETZIONI, A. (1967). The Kennedy experiment. *The Western Political Quarterly, 20,* 361-380.

ETZIONI, A. (3 juin 1972). Human beings are not very easy to change after all. *Saturday Review,* 45-47.

EUROPEAN ECONOMIC COMMUNITY COMMISSION (1980). Étude, octobre-novembre, 1977. Compte rendu dans *Public Opinion,* février-mars, 37.

EVANS, G.W. (1979). Behavioral and physiological consequences of crowding in humans. *Journal of Applied Social Psychology, 9,* 27-46.

EVANS, R.I., SMITH, C.K. et RAINES, B.E. (1984). Deterring cigarette smoking in adolescents: A psycho-social-behavioral analysis of an intervention strategy. In A.Baum, J.Singer et S.Taylor (dir.). *Handbook of psychology and health: Social psychological aspects of health*, vol.4, Hillsdale, N.J., Erlbaum.

FARANDA, J.A., KAMINSKI, J.A. et GIZA, B.K. (1979). *An assessment of attitudes toward women with the bogus pipeline*. Communication présentée au congrès de l'American Psychological Association.

FARQUHAR, J.W., MACCOBY, N., WOOD, P.D., ALEXANDER, J.K., BREITROSE, H., BROWN, B.W., Jr., HASKELL, W.L., McALISTER, A.L., MEYER, A.J., NASH, J.D. et STERN, M.P. (4 juin 1977). Community education for cardiovascular health. *Lancet*, 1192-1195.

FAUST, D. et ZISKIN, J. (1988). The expert witness in psychology and psychiatry. *Science, 241*, 31-35.

FAZIO, R. (1987). Self-perception theory: A current perspective. In M.P.Zanna, J.M.Olson et C.P Herman (dir.). *Social influence: The Ontario symposium*, vol.5. Hillsdale, N.J., Erlbaum.

FAZIO, R.H. (1981). On the self-perception explanation of the overjustification effect: the role of the salience of initial attitude. *Journal of Experimental Social Psychology, 17*, 417-426.

FAZIO, R.H. (1986). How do attitudes guide behavior? In R.M.Sorrentino et E.T.Higgins (dir.). *The handbook of motivation and cognition: Foundations of social behavior*. New York, Guilford Press.

FAZIO, R.H., EFFREIN, E.A. et FALENDER, V.J. (1981). Self-perceptions following social interaction. *Journal of Personality and Social Psychology, 41*, 232-242.

FAZIO, R.H. et ZANNA, M.P. (1981). Direct experience and attitude-behavior consistency. In L.Berkowitz (dir.). *Advances in experimental social psychology*, vol.14. New York, Academic Press.

FAZIO, R.H., ZANNA, M.P. et COOPER, J. (1977). Dissonance versus self-perception: An integrative view of each theory's proper domain of application. *Journal of Experimental Social Psychology, 13*, 464-479.

FAZIO, R.H., ZANNA, M.P. et COOPER, J. (1979). On the relationship of data to theory: A reply to Ronis and Greenwald. *Journal of Experimental Social Psychology, 15*, 70-76.

FEATHER, N.T. (1983). Causal attributions and beliefs about work and unemployment among adolescents in state and independent secondary schools. *Australian Journal of Psychology, 35*, 211-232. (a)

FEATHER, N.T. (1983). Causal attributions for good and bad outcomes in achievement and affiliation situations. *Australian Journal of Psychology, 35*, 37-48. (b)

FEIERABEND, I. et FEIERABEND, R. (mai 1968). Conflict, crisis, and collision: A study of international stability. *Psychology Today*, 26-32, 69-70.

FEIERABEND, I. et FEIERABEND, R. (1972). Systemic conditions of political aggression: An application of frustration-aggression theory. In I.K. Feierabend, R.L.Feierabend et T.R.Gurr (dir.). *Anger, violence, and politics: Theories and research*. Englewood Cliffs, N.J., Prentice-Hall.

FEINGOLD, A. (1988). Matching for attractiveness in romantic partners and same-sex friends: A meta-analysis and theoretical critique. *Psychology Bulletin, 104*, 226-235.

FELDMAN, K.A. et NEWCOMB, T.M. (1969). *The impact of college on students*. San Francisco, Jossey-Bass.

FELDMAN, R.S. et PROHASKA, T. (1979). The student as Pygmalion: Effect of student expectation on the teacher. *Journal of Educational Psychology, 71*, 485-493.

FELDMAN, R.S. et THEISS, A.J. (1982). The teacher and student as Pygmalions: Joint effects of teacher and student expectations. *Journal of Educational Psychology, 74*, 217-223.

FELDMAN-SUMMERS, S. et KIESLER, S.B. (1974). Those who are number two try harder: The effect of sex on attributions of causality. *Journal of Personality and Social Psychology, 30*, 846-855.

FELLER, W. (1980). *An introduction to probability theory and its applications*, vol.1. New York, Wiley, 1968. Cité par B.Fischhoff dans For those condemned to study the past: Reflections on historical judgment. In R.A.Shweder (dir.). *New directions for methodology of social and behavior science*. San Francisco, Jossey-Bass.

FELSON, R.B. (1984). The effect of self-appraisals on ability on academic performance. *Journal of Personality and Social Psychology, 47*, 944-952.

FELSON, R.B., et BOHRNSTEDT, G.W. (1979). Are the good beautiful or the beautiful good? The relationship between children's perceptions of ability and perceptions of physical attractiveness. *Social Psychology Quarterly, 42*, 385-392.

FENIGSTEIN, A. (1984). Self-consciousness and the overperception of self as a target. *Journal of Personality and Social Psychology, 47*, 860-870.

FENIGSTEIN, A. et CARVER, C.S. (1978). Self-focusing effects of heartbeat feedback. *Journal of Personality and Social Psychology, 36*, 1241-1250.

FERNANDEZ-COLLADO, C. et GREENBERG, B.S. avec KORZENNY, F. et ATKIN, C.K. (1978). Sexual intimacy and drug use in TV series. *Journal of Communication, 28*(3), 30-37.

FESHBACH, N.D. (1980). *The child as «psychologist» and «economist»: Two curricula*. Communication présentée au congrès de l'American Psychological Association.

FESHBACH, N.D. et FESHBACH, S. (1981). *Empathy training and the regulation of aggression: Potentialities and limitations*. Communication présentée au congrès de la Western Psychological Association.

FESHBACH, S. (1970). Aggression. In P.H.Mussen (dir.). *Carmichael's manual of child psychology*, vol.3. New York, Wiley.

FESHBACH, S. (1980). *Television advertising and children: Policy issues and alternatives*. Communication présentée au congrès de l'American Psychological Association.

FESTINGER, L. (1954). A theory of social comparison processes. *Human Relations, 7*, 117-140.

FESTINGER, L. (1957). *A theory of cognitive dissonance*. Stanford, Stanford University Press.

FESTINGER, L. (1964). Behavioral support for opinion change. *Public Opinion Quarterly, 28*, 404-417.

FESTINGER, L. et CARLSMITH, J.M. (1959). Cognitive consequences of forced compliance. *Journal of Abnormal and Social Psychology, 58*, 203-210.

FESTINGER, L. et MACCOBY, N. (1964). On resistance to persuasive communications. *Journal of Abnormal and Social Psychology, 68*, 359-366.

FESTINGER, L., PEPITONE, A. et NEWCOMB, T. (1952). Some consequences of deindividuation in a group. *Journal of Abnormal and Social Psychology, 47*, 382-389.

FESTINGER, L., SCHACHTER, S. et BACK, K. (1950). *Social Pressures in informal groups: A study of human factors in housing*. New York, Harper & Bros.

FEYNMAN, R. (1967). *The character of physical law*. Cambridge, Mass., MIT Press.

FICHTER, J. (1968). *America's forgotten priests: What are they saying?* New York, Harper.

FIEDLER, F.E. (septembre 1987). When to lead, when to stand back. *Psychology Today*, 26-27.

FIEDLER, F.W. (1981). Leadership effectiveness. *American Behavioral Scientist, 24*, 619-632.

FIELDS, J.M. et SCHUMAN, H. (1976). Public beliefs about the beliefs of the public. *Public Opinion Quarterly, 40*, 427-448.

FINCH, J.F et CIALDINI, R.B. (1989). Another indirect tactic of (self-) image management: Boosting. *Personality and Social Psychology Bulletin*.

FINCHAM, F.D., BEACH, S.R. et BAUCOM, D.H. (1987). Attribution processes in distressed and nondistressed couples: 4.Self-partner attribution differences. *Journal of Personality and Social Psychology, 52*, 739-748.

FINCHAM, F.D. et JASPARS, J.M. (1980). Attribution of responsibility: From man the scientist to man as lawyer. In L.Berkowitz (dir.). *Advances in Experimental Social Psychology*, vol.13. New York, Academic Press.

FINDLEY, M.J. et COOPER, H.M. (1983). Locus of control and academic achievement: A literature review. *Journal of Personality and Social Psychology, 33*, 419-427.

FINE, M. et BOWERS, C. (1984). Racial self-identification: The effects of social history and gender. *Journal of Applied Social Psychology, 14*, 136-146.

FISCHER, K., SCHOENEMAN, T.J. et RUBANOWITZ, D.E. (1987). Attributions in the advice columns: II. The dimensionality of actors' and observers' explanations for interpersonal problems. *Personality and Social Psychology Bulletin, 13*, 458-466.

FISCHHOFF, B. et BAR-HILLEL, M. (1984). Diagnosticity and the base rate effect. *Memory and Cognition, 12*, 402-410.

FISCHHOFF, B. et BEYTH, R. (1975). «I knew it would happen»: Remembered probabilities of once-future things. *Organizational Behavior and Human Performance, 13*, 1-16.

FISCHHOFF, B., SLOVIC, P. et LICHTENSTEIN, S. (1977). Knowing with certainty: The appropriateness of extreme confidence. *Journal of Experimental Psychology: Human Perception and Performance, 3*, 552-564.

FISHBEIN, D. et THELEN, M.H. (1981). *Husband-wife similarity and marital satisfaction: A different approach.* Communication présentée au congrès de la Midwestern Psychological Association. (a)

FISHBEIN, D. et THELEN, M.H. (1981). Psychological factors in mate selection and marital satisfaction: A review (Ms.2374). *Catalog of Selected Documents in Psychology, 11*, 84. (b)

FISHBEIN, M. et AJZEN, I. (1974). Attitudes toward objects as predictive of single and multiple behavioral criteria. *Psychological Review, 81*, 59-74.

FISHER, G.H. (1968). Ambiguity of form: Old and new. *Perception and Psychophysics, 4*, 189-192.

FISHER, J.D., NADLER, A. et DePAULO, B.M. (1983). *New directions in helping. Vol.1: Recipient reactions to aid.* Orlando, Fla, Academic Press.

FISHER, R. et URY, W.L. (1981). *Getting to YES: Negotiating agreement without giving in.* Boston, Houghton Mifflin.

FISHER, R.P., GEISELMAN, R.E. et AMADOR, M. (1989). Field test of the cognitive interview: Enhancing the recollection of actual victims and witnesses of crime. *Journal of Applied Social Psychology.*

FISHER, R.P., GEISELMAN, R.E. et RAYMOND, D.S. (1987). Critical analysis of police interview techniques. *Journal of Police Science and Administration, 15*, 177-185.

FISKE, S.T. (1987). People's reactions to nuclear war: Implications for psychologists. *American Psychologist, 42*, 207-217.

FISKE, S.T. et PAVELCHAK, M.A. (1986). Category-based versus piecemeal-based affective responses: Developments in schema-triggered affect. *In* B.M. Sorrentino et E.T.Higgins (dir.). *The handbook of motivation and cognition: Foundations of social behavior.* New York, Guilford Press.

FISKE, S.T. et TAYLOR, S.E. (1984). *Social Cognition.* Reading, Mass., Addison-Wesley.

FITZPATRICK, A.R. et EAGLY, A.H. (1981). Anticipatory belief polarization as a function of the expertise of a discussion partner. *Personality and Social Psychology Bulletin, 1*, 636-642.

FLAY, B.R., RYAN, K.B., BEST, J.A., BROWN, K.S., KERSELL, M.W., d'AVERNAS, J.R. et ZANNA, M.P. (1985). Are social-psychological smoking prevention programs effective? The Waterloo study. *Journal of Behavioral Medicine, 8*, 37-59.

FLEISCHER, R.A. et CHERTKOFF, J.M. (1986). Effects of dominance and sex on leader selection in dyadic work groups. *Journal of Personality and Social Psychology, 50*, 94-99.

FLEMING, I., BAUM, A. et WEISS, L. (1987). Social density and perceived control as mediators of crowding stress in high-density residential neighborhoods. *Journal of Personality and Social Psychology, 52*, 899-906.

FLETCHER, G.J.O., DANILOVICS, P., FERNANDEZ, G., PETERSON, D. et REEDER, G.D. (1986). Attributional complexity: An individual differences measure. *Journal of Personality and Social Psychology, 51*, 875-884.

FLETCHER, G.J.O., FINCHAM, F.D., CRAMER, L. et HERON, N. (1987). The role of attributions in the development of dating relationships. *Journal of Personality and Social Psychology, 53*, 481-489.

FLETCHER, G.J.O. et WARD, C. (1989). Attribution theory and processes: A cross-cultural perspective. *In* M.H.Bond (dir.). *The cross-cultural challenge to social psychology.* Newbury Park, Ca, Sage.

FOA, U.G. et FOA, E.B. (1975). *Resource theory of social exchange.* Morristown, N.J., General Learning Press.

FOLEY, L.A. (1976). Personality and situational influences on changes in prejudice: A replication of Cook's railroad game in a prison setting. *Journal of Personality and Social Psychology, 34*, 846-856.

FONBERG, E. (1979). Physiological mechanisms of emotional and instrumental aggression. *In* S.Feshbach et A.Fraczek (dir.). *Aggression and behavior change.* New York, Praeger.

FORER, B.R. (1949). The fallacy of personal validation: A classroom demonstration of gullibility. *Journal of Abnormal and Social Psychology, 44*, 118-123.

FORGAS, J.P. (1987). The role of physical attractiveness in the interpretation of facial expression cues. *Personality and Social Psychology Bulletin, 13*, 478-489.

FORGAS, J.P., BOWER, G.H. et KRANTZ, S.E. (1984). The influence of mood on perceptions of social interactions. *Journal of Experimental Social Psychology, 20*, 497-513.

FORGAS, J.P. et MOYLAN, S. (1987). After the movies: Transient mood and social judgments. *Personality and Social Psychology Bulletin, 13*, 467-477.

FORM, W.H. et NOSOW, S. (1958). *Community in disaster.* New York, Harper.

FÖRSTERLING, F. (1986). Attributional conceptions in clinical psychology. *American Psychologist, 41*, 275-285.

FORSYTH, D.R., BERGER, R.E. et MITCHELL, T. (1981). The effects of self-serving vs. other-serving claims of responsibility on attraction and attribution in groups. *Social Psychology Quarterly, 44*, 59-64.

FORWARD, J.R. et WILLIAMS, J.R. (1970). Internal-external control and black militancy. *Journal of Social Issues, 26*(1), 75-92.

FOSS, R.D. (1978). *The role of social influence in blood donation.* Communication présentée au congrès de l'American Psychological Association.

FOSS, R.D. (1981). Structural effects in simulated jury decision making. *Journal of Personality and Social Psychology, 40*, 1053-1062.

FOULKE, E. et STICHT, T.G. (1969). Review of research on the intelligibility and comprehension of accelerated speech. *Psychological Bulletin, 72*, 50-62.

FOX, D.L. et SCHOFIELD, J.W. (1989). Issue salience, perceived efficacy and perceived risk: An experimental study of the origins of antinuclear war activity. *Journal of Applied Social Psychology.*

FRANK, J.D. (1984). Lettre ouverte au nom du Council for a Livable World.

FRANK, M.G. et GILOVICH, T. (1988). The dark side of self and social perception: Black uniforms and aggression in professional sports. *Journal of Personality and Social Psychology, 54*, 74-85.

FRANKEL, A. et SNYDER, M.L. (1987). *Egotism among the depressed: When self-protection becomes self-handicapping.* Communication présentée au congrès de l'American Psychological Association.

FRANKLIN, B.J. (1974). Victim characteristics and helping behavior in a rural southern setting. *Journal of Social Psychology, 93*, 93-100.

FRANZOI, S.L., DAVIS, M.H. et YOUNG, R.D. (1985). The effects of private self-consciousness and perspective taking on satisfaction in close relationships. *Journal of Personality and Social Psychology, 48*, 1584-1594.

FREEDMAN, J.L. (1979). Reconciling apparent differences between the responses of humans and other animals to crowding. *Psychological Review, 86*, 80-85.

FREEDMAN, J.L. (1984). Effect of television violence on aggressiveness. *Psychological Bulletin, 96*, 227-246.

FREEDMAN, J.L. (1988). Television violence and aggression: What the evidence shows. *In* S. Oskamp (dir.). *Television as a social issue.* Applied Social Psychology Annual, vol.8. Newbury Park, Ca, Sage.

FREEDMAN, J.L., BIRSKY, J. et CAVOUKIAN, A. (1980). Environmental determinants of behavioral contagion: Density and number. *Basic and Applied Social Psychology, 1*, 155-161.

FREEDMAN, J.L. et FRASER, S.C. (1966). Compliance without pressure: The foot-in-the-door technique. *Journal of Personality and Social Psychology, 4*, 195-202.

FREEDMAN, J.L. et PERLICK, D. (1979). Crowding, contagion, and laughter. *Journal of Experimental Social Psychology, 15*, 295-303.

FREEDMAN, J.L. et SEARS, D.O. (1965). Warning, distraction, and resistance to influence. *Journal of Personality and Social Psychology, 1*, 262-266.

FREEDMAN, J.S. (1965). Long-term behavioral effects of cognitive dissonance. *Journal of Experimental Social Psychology, 1*, 145-155.

FRENCH, J.R.P. (1968). The conceptualization and the measurement of mental health in terms of self-identity theory. In S.B.Sells (dir.). *The definition and measurement of mental health.* Washington, D.C., Department of Health, Education, and Welfare. (Cité par M.Rosenberg, 1979, *Conceiving the self.* New York, Basic Books.)

FRIEDMAN, H.S., RIGGIO, R.E. et CASELLA, D.F. (1988). Nonverbal skill, personal charisma, and initial attraction. *Personality and Social Psychology Bulletin, 14*, 203-211.

FRIEDRICH, L.K. et STEIN, A.H. (1973). Aggressive and prosocial television programs and the natural behavior of preschool children. *Monographs of the Society for Research in Child Development, 38* (4, Série n° 151).

FRIEDRICH, L.K. et STEIN, A.H. (1975). Prosocial television and young children: The effects of verbal labeling and role playing on learning and behavior. *Child Development, 46*, 27-38.

FROMING, W.J., WALKER, G.R. et LOPYAN, K.J. (1982). Public and private self-awareness: when personal attitudes conflict with societal expectations. *Journal of Experimental Social Psychology, 18*, 476-487.

FULBRIGHT, J.W. (1972). United Press International, 5 avril 1971. Cité par A.C.Elms, *Social psychology and social reliance.* Boston, Little, Brown.

FULD, K. et NEVIN, J.A. (1988). Why doesn't everyone work to prevent nuclear war? A decision theory analysis. *Journal of Applied Social Psychology, 18*, 59-65.

FULTZ, J., BATSON, C.D., FORTENBACH, V.A., McCARTHY, P.M. et VARNEY, L.L. (1986). Social evaluation and the empathy-altruism hypothesis. *Journal of Personality and Social Psychology, 50*, 761-769.

FUNDER, D.C. (1980). On seeing ourselves as others see us: Self-other agreement and discrepancy in personality ratings. *Journal of Personality, 48*, 473-493.

FUNDER, D.C. (1987). Errors and mistakes: Evaluating the accuracy of social judgment. *Psychological Bulletin, 101*, 75-90.

FURNHAM, A. (1982). Explanations for unemployment in Britain. *European Journal of Social Psychology, 12*, 335-352.

FURNHAM, A. et GUNTER, B. (1984). Just world beliefs and attitudes towards the poor. *British Journal of Social Psychology, 23*, 265-269.

FURST, C.J., BURNAM, M.A. et KOCEL, K.M. (1980). *Life stressors and romantic affiliation.* Communication présentée au congrès de la Western Psychological Association.

GABRENYA, W.K., Jr., WANG, Y.-E. et LATANÉ, B. (1985). Cross-cultural differences in social loafing on an optimizing task: Chinese and Americans. *Journal of Cross-Cultural Psychology, 16*, 223-242.

GAEBELEIN, J.W. et MANDER, A. (1978). Consequences for targets of aggression as a function of aggressor and instigator roles: Three experiments. *Personality and Social Psychology Bulletin, 4*, 465-468.

GAERTNER, S.L. (1973). Helping behavior and racial discrimination among liberals and conservatives. *Journal of Personality and Social Psychology, 25*, 335-341.

GAERTNER, S.L. (1975). The role of racial attitudes in helping behavior. *Journal of Social Psychology, 97*, 95-101.

GAERTNER, S.L. et BICKMAN, L. (1971). Effects of race on the elicitation of helping behavior. *Journal of Personality and Social Psychology, 20*, 218-222.

GAERTNER, S.L. et DOVIDIO, J.F. (1977). The subtlety of white racism, arousal, and helping behavior. *Journal of Personality and Social Psychology, 35*, 691-707.

GAERTNER, S.L. et DOVIDIO, J.F. (1986). The aversive form of racism. In J.F.Dovidio et S.L.Gaertner (dir.). *Prejudice, discrimination, and racism.* Orlando, Fla, Academic Press.

GAERTNER, S.L., DOVIDIO, J.F. et JOHNSON, G. (1982). Race of victim, nonresponsive bystanders, and helping behavior. *Journal of Social Psychology, 117*, 69-77.

GAERTNER, S.L., MANN, J., MURRELL, A. et DOVIDIO, J.F. (1989). Reducing intergroup bias: The benefits of recategorization. *Journal of Personality and Social Psychology.*

GAERTNER, S.L., MANN, J., MURRELL, A., POMARE, M. et DOVIDIO, J.F. (1988). *How does cooperation reduce intergroup bias?* Communication présentée au congrès de l'Eastern Psychological Association.

GALIZIO, M. et HENDRICK, C. (1972). Effect of musical accompaniment on attitude: The guitar as a prop for persuasion. *Journal of Applied Social Psychology, 2*, 350-359.

GALLUP, G., Jr. (mars 1984). Religion in America. *The Gallup Report*, rapport n° 222.

GALLUP, G.H. (1972). *The Gallup poll: Public opinion 1935-1971*, vol.3. New York, Random House, 551, 1716.

GALLUP OPINION INDEX (1980). Décembre, n° 183, 75.

GALLUP ORGANIZATION (juin 1986). Cigarette smoking audit. *Gallup Report* n° 263, 20-21.

GALLUP POLL (1981). 14-23 février 1981. Compte rendu dans *Newsweek*, 9 mars.

GALLUP POLL (1981). 5-8 décembre 1980. Compte rendu dans *Public Opinion*, avril-mai, 38.

GALLUP POLL (1981). Equal rights amendment. Compte rendu par NBC *Today Show*, 4 décembre.

GALLUP REPORT (septembre 1983). Prejudice in politics, 9-14 dans le rapport n° 216.

GAMSON, W.A., FIREMAN, B. et RYTINA, S. (1982). *Encounters with unjust authority.* Homewood, Ill., Dorsey Press.

GANELLEN, R.J. et CARVER, C.S. (1985). Why does self-reference promote incidental encoding? *Journal of Experimental Social Psychology, 21*, 284-300.

GARBARINO, J. et BRONFENBRENNER, U. (1976). The socialization of moral judgment and behavior in cross-cultural perspective. In T.Lickona (dir.). *Moral development and behavior: Theory, research, and social issues.* New York, Holt, Rinehart and Winston.

GASKIE, M.F. (mi-août 1980). Toward workability of the workplace. *Architectural Record*, 70-75.

GASTORF, J.W., SULS, J. et SANDERS, G.S. (1980). Type A coronary-prone behavior pattern and social facilitation. *Journal of Personality and Social Psychology, 8*, 773-780.

GATES, M.F. et ALLEE, W.C. (1933). Conditioned behavior of isolated and grouped cockroaches on a simple maze. *Journal of Comparative Psychology, 15*, 331-358.

GAVANSKI, I. et HOFFMAN, C. (1987). *Journal of Personality and Social Psychology, 52*, 453-463.

GAZZANIGA, M. (1972). The split brain in man. In R.Held et W.Richard (dir.). *Perception: Mechanisms and models.* San Francisco, W.H.Freeman.

GAZZANIGA, M. (1985). *The social brain: Discovering the network of the mind.* New York, Basic Books.

GEEN, R.G. (1981). Evaluation apprehension and social facilitation: A reply to Sanders. *Journal of Experimental Social Psychology, 17*, 252-256.

GEEN, R.G. et GANGE, J.J. (1983). Social facilitation: Drive theory and beyond. In H.H.Blumberg, A.P.Hare, V.Kent et M.Davies (dir.). *Small groups and social interaction*, vol.1. London, Wiley.

GEEN, R.G. et QUANTY, M.B. (1977). The catharsis of aggression: An evaluation of a hypothesis. In L.Berkowitz (dir.). *Advances in experimental social psychology*, vol.10. New York, Academic Press.

GEEN, R.G., RAKOSKY, J.J. et PIGG, R. (1972). Awareness of arousal and its relation to aggression. *British Journal of Social and Clinical Psychology, 11*, 115-121.

GEEN, R.G. et THOMAS, S.L. (1986). The immediate effects of media violence on behavior. *Journal of Social Issues, 42*(3), 7-28.

GEIS, F.L., BROWN, V., JENNINGS (WALSTEDT), J. et PORTER, N. (1984). TV commercials as achievement scripts for women. *Sex Roles, 10,* 513-525.

GERARD, H.B. et MATHEWSON, G.C. (1966). The effects of severity of initiation on liking for a group: A replication. *Journal of Experimental Social Psychology, 2,* 278-287.

GERARD, H.B., WILHELMY, R.A. et CONOLLEY, E.S. (1968). Conformity and group size. *Journal of Personality and Social Psychology, 8,* 79-82.

GERASIMOV, G. (1988). Cité dans *Parade,* 10 juillet 1988, 2.

GERBASI, K.C., ZUCKERMAN, M. et REIS, H.T. (1977). Justice needs a new blindfold: A review of mock jury research. *Psychological Bulletin, 83,* 323-345.

GERBNER, G., GROSS, L., MORGAN, M. et SIGNORIELLI, N. (1986). Living with television: The dynamics of the cultivation process. *In* J.Bryant et D.Zillman (dir.). *Perspectives on media effects.* Hillsdale, N.J., Erlbaum.

GERBNER, G., GROSS, L., SIGNORIELLI, N. et MORGAN, M. (1980). Television violence, victimization, and power. *American Behavioral Scientist, 23,* 705-716.

GERBNER, G., GROSS, L., SIGNORIELLI, N., MORGAN, M. et JACKSON-BEECK, M. (1979). The demonstration of power: Violence profile n° 10. *Journal of Communication, 29*(3), 177-196.

GERGEN, K.J., GERGEN, M.M. et BARTON, W.N. (octobre 1973). Deviance in the dark. *Psychology Today,* 129-130.

GIBBONS, F.X. (1978). Sexual standards and reactions to pornography: Enhancing behavioral consistency through self-focused attention. *Journal of Personality and Social Psychology, 36,* 976-987.

GIBBONS, F.X. (1986). Social comparison and depression: Company's effect on misery. *Journal of Personality and Social Psychology, 51,* 140-148.

GIBBONS, F.X. et WICKLUND, R.A. (1982). Self-focused attention and helping behavior. *Journal of Personality and Social Psychology, 43,* 462-474.

GIFFORD, R. et PEACOCK, J. (1979). Crowding: More fearsome than crime-provoking? Comparison of an Asian city and a North American city. *Psychologia, 22,* 79-83.

GILBERT, D.T. et JONES, E.E. (1986). Perceiver-induced constraint: Interpretations of self-generated reality. *Journal of Personality and Social Psychology, 50,* 269-280.

GILBERT, D.T., PELHAM, B.W. et KRULL, D.S. (1988). On cognitive busyness: When person perceivers meet persons perceived. *Journal of Personality and Social Psychology, 54,* 733-740.

GILKEY, L. (1966). *Shantung compound.* New York, Harper & Row.

GILLIGAN, C. (1982). *In a different voice: Psychological theory and women's development.* Cambridge, Mass., Harvard University Press.

GILLIS, J.S. et AVIS, W.E. (1980). The male-taller norm in mate selection. *Personality and Social Psychology Bulletin, 6,* 396-401.

GILMOR, T.M. et REID, D.W. (1979). Locus of control and causal attribution for positive and negative outcomes on university examinations. *Journal of Research in Personality, 13,* 154-160.

GILOVICH, T. (1981). Seeing the past in the present: The effect of associations to familiar events on judgments and decisions. *Journal of Personality and Social Psychology, 40,* 797-808.

GILOVICH, T. (1983). Biased evaluation and persistence in gambling. *Journal of Personality and Social Psychology, 44,* 1110-1126.

GILOVICH, T. (1987). Secondhand information and social judgment. *Journal of Experimental Social Psychology, 23,* 59-74.

GILOVICH, T. (1988). *How we know what isn't so: The foundations of questionable and erroneous beliefs.* Manuscrit inédit, Université Cornell.

GILOVICH, T. (1989). Judgmental biases in the world of sports. *In* W.F.Straub et J.M.Williams (dir.). *Cognitive sports psychology.* New York, Sports Science Associates.

GILOVICH, T. et DOUGLAS, C. (1986). Biased evaluations of randomly determined gambling outcomes. *Journal of Experimental Social Psychology, 22,* 228-241.

GINOSSAR, Z. et TROPE, Y (1987). Problem solving in judgment under uncertainty. *Journal of Personality and Social Psychology, 52,* 464-474.

GINSBURG, B. et ALLEE, W.C. (1942). Some effects of conditioning on social dominance and subordination in inbred strains of mice. *Physiological Zoology, 15,* 485-506.

GLASS, D.C. (1964). Changes in liking as a means of reducing cognitive discrepancies between self-esteem and aggression. *Journal of Personality, 32,* 591-649.

GLEASON, J.M. et HARRIS, V.A. (1979). Group discussion and defendant's socio-economic status as determinants of judgments by simulated jurors. *Journal of Applied Social Psychology, 6,* 186-191.

GLENN, N.D. (1980). Aging and attitudinal stability. *In* O.G.Brim, Jr. et J.Kagan (dir.). *Constancy and change in human development.* Cambridge, Mass., Harvard University Press.

GLENN, N.D. (1981). Communication personnelle.

GOETHALS, G.R. et NELSON, E.R. (1973). Similarity in the influence process: The belief-value distinction. *Journal of Personality and Social Psychology, 25,* 117-122.

GOETHALS, G.R. et ZANNA, M.P. (1979). The role of social comparison in choice shifts. *Journal of Personality and Social Psychology, 37,* 1469-1476.

GOFFMAN, E. (1967). *Interaction ritual.* Garden City, N.Y., Doubleday Anchor.

GOGGIN, W.C. et RANGE L.M. (1985). The disadvantages of hindsight in the perception of suicide. *Journal of Social and Clinical Psychology, 3,* 232-237.

GOLD, J.A., RYCKMAN, R.M. et MOSLEY, N.R. (1984). Romantic mood induction and attraction to a dissimilar other: Is love blind? *Personality and Social Psychology Bulletin, 10,* 358-368.

GOLDBERG, L.R. (1968). Simple models or simple processes? Some research on clinical judgments. *American Psychologist, 23,* 483-496.

GOLDBERG, P. (avril 1968). Are women prejudiced against women? *Transaction,* 28-30.

GOLDING, W. (1962). *Lord of the flies.* New York, Coward-McCann.

GOLDMAN, C. (1980). An examination of social facilitation. Manuscrit inédit, Université du Michigan, 1967. Cité par R.B.Zajonc dans Compresence. *In* P.B.Paulus (dir.). *Psychology of group influence.* Hillsdale, N.J., Lawrence Erlbaum.

GOLDMAN, M. (1986). Compliance employing a combined foot-in-the-door and door-in-the-face procedure. *Journal of Social Psychology, 126,* 111-116.

GOLDMAN, W. et LEWIS, P. (1977). Beautiful is good: Evidence that the physically attractive are more socially skillful. *Journal of Experimental Social Psychology, 13,* 125-130.

GOLDSTEIN, A.G., CHANCE, J.E. et SCHNELLER, G.R. (1989). Frequency of eyewitness identification in criminal cases: A survey of prosecuters. *Bulletin of the Psychonomic Society.*

GOLDSTEIN, A.P., GARR, E.G., DAVIDSON, W.S., II et WEHR, P. *In response to aggression: Methods of control and prosocial alternatives.* Elmsford, N.Y., Pergamon Press.

GOLDSTEIN, J.H. et ARMS, R.L. (1971). Effects of observing athletic contests on hostility. *Sociometry, 34,* 83-90.

GOLEMAN, D. (5 mars 1985). Great altruists: Science ponders soul of goodness. *New York Times,* C1, C2.

GONZALES, M.H., ARONSON, E. et COSTANZO, M.A. (1988). Using social cognition and persuasion to promote energy conservation: A quasi-experiment. *Journal of Applied Social Psychology, 18,* 1049-1066.

GOODHART, D.E. (1986). The effects of positive and negative thinking on performance in an achievement situation. *Journal of Personality and Social Psychology, 51,* 117-124.

GORMLY, J. (1983). Predicting behavior from personality trait scores. *Personality and Social Psychology Bulletin, 9,* 267-270.

GORSUCH, R.L. (1976). Religion as a significant predictor of important human behavior. *In* W.J. Donaldson, Jr. (dir.). *Research in Mental Health and Religious Behavior,* Psychological Studies Institute.

GORSUCH, R.L. (1988). Psychology of religion. *Annual Review of Psychology, 39,* 201-222.

GORSUCH, R.L. et ALESHIRE, D. (1974). Christian faith and ethnic prejudice: A review and interpretation of research. *Journal for the Scientific Study of Religion, 13,* 281-307.

GOTTLIEB, J. et CARVER, C.S. (1980). Anticipation of future interaction and the bystander effect. *Journal of Experimental Social Psychology, 16,* 253-260.

GOULD, R., BROUNSTEIN, P.J. et SIGALL, H. (1977). Attributing ability to an opponent: Public aggrandizement and private denigration. *Sociometry, 40,* 254-261.

GOULD, S.J. (juillet 1988). Kropotkin was no crackpot. *Natural History,* 12-21.

GOULDNER, A.W. (1960). The norm of reciprocity: A preliminary statement. *American Sociological Review, 25,* 161-178.

GRAY-LITTLE, B. et BURKS, N. (1983). Power and satisfaction in marriage: A review and critique. *Psychological Bulletin, 93,* 513-538.

GRAZIANO, W., BROTHEN, T. et BERSCHEID, E. (1978). Height and attraction: Do men and women see eye-to-eye? *Journal of Personality, 46,* 128-145.

GREELEY, A.M. (1976). Pop psychology and the Gospel. *Theology Today, 23,* 224-231.

GREELEY, A.M. et SHEATSLEY, P.B. (1971). Attitudes toward racial integration. *Scientific American, 225*(6), 13-19. (*b*)

GREENBERG, J. (1979). Group vs. individual equity judgments: Is there a polarization effect? *Journal of Experimental Social Psychology, 15,* 504-512.

GREENBERG, J. (1980). Attentional focus and locus of performance causality as determinants of equity behavior. *Journal of Personality and Social Psychology, 38,* 579-585.

GREENBERG, J. (1986). Differential intolerance for inequity from organizational and individual agents. *Journal of Applied Social Psychology, 16,* 191-196.

GREENWALD, A.G. (1968). Cognitive learning, cognitive response to persuasion, and attitude change. *In* A.G.Greenwald, T.C.Brock et T.M. Ostrom (dir.). *Psychological foundations of attitudes.* New York, Academic Press.

GREENWALD, A.G. (1975). On the inconclusiveness of crucial cognitive tests of dissonance versus self-perception theories. *Journal of Experimental Social Psychology, 11,* 490-499.

GREENWALD, A.G. (1980). The totalitarian ego: Fabrication and revision of personal history. *American Psychologist, 35,* 603-618.

GREENWALD, A.G. et BRECKLER, S.J. (1985). To whom is the self presented? *In* B.R.Schlenker

(dir.). *The self and social life.* New York, McGraw-Hill.

GREENWALD, A.G., CARNOT, C.G., BEACH, R. et YOUNG, B. (1987). Increasing voting behavior by asking people if they expect to vote. *Journal of Applied Psychology, 72,* 315-318.

GREENWALD, J. (13 janvier 1986). Is there cause for fear of flying? *Time,* 39-40.

GRIFFIN, B.Q., COMBS, A.L., LAND, M.L. et COMBS, N.N. (1983). Attribution of success and failure in college performance. *Journal of Psychology, 114,* 259-266.

GRIFFITT, W. (1970). Environmental effects on interpersonal affective behavior. Ambient effective temperature and attraction. *Journal of Personality and Social Psychology, 15,* 240-244.

GRIFFITT, W. et VEITCH, R. (1971). Hot and crowded: Influences of population density and temperature on interpersonal affective behavior. *Journal of Personality and Social Psychology, 17,* 92-98.

GRIFFITT, W. et VEITCH, R. (1974). Preacquaintance attitude similarity and attraction revisited: Ten days in a fallout shelter. *Sociometry, 37,* 163-173.

GROFMAN, B. (1980). The slippery slope: Jury size and jury verdict requirements – legal and social science approaches. *In* B.H.Raven (dir.). *Policy studies review annual,* vol.4. Beverly Hills, Ca, Sage Publications.

GROSS, A.E. et CROFTON, C. (1977). What is good is beautiful. *Sociometry, 40,* 85-90.

GROSS, A.E. et FLEMING, I. (1982). Twenty years of deception in social psychology. *Personality and Social Psychology Bulletin, 8,* 402-408.

GRUBE, J.W., KLEINHESSELINK, R.R. et KEARNEY, K.A. (1982). Male self-acceptance and attraction toward women. *Personality and Social Psychology Bulletin, 8,* 107-112.

GRUDER, C.L. (1977). Choice of comparison persons in evaluating oneself. *In* J.M.Suls et R.L.Miller (dir.). *Social comparison processes.* Washington, Hemisphere Publishing.

GRUDER, C.L., COOK, T.D., HENNIGAN, K.M., FLAY, B., ALESSIS, C. et KALAMAJ, J. (1978). Empirical tests of the absolute sleeper effect predicted from the discounting cue hypothesis. *Journal of Personality and Social Psychology, 36,* 1061-1074.

GRUDER, C.L., ROMER, D. et KORTH, B. (1978). Dependency and fault as determinants of helping. *Journal of Experimental Social Psychology, 14,* 227-235.

GRUMAN, J.C. et SLOAN, R.P. (1983). Disease as justice: Perceptions of the victims of physical illness. *Basic and Applied Social Psychology, 4,* 39-46.

GRUNBERGER, R. (1971). *The 12-year-Reich: A social history of Nazi Germany 1933-1945.* New York, Holt, Rinehart & Winston.

GRUSH, J.E. (1976). Attitude formation and mere exposure phenomena: A nonartifactual explanation

of empirical findings. *Journal of Personality and Social Psychology, 33,* 281-290.

GRUSH, J.E. (1979). A summary review of mediating explanations of exposure phenomena. *Personality and Social Psychology Bulletin, 5,* 154-159.

GRUSH, J.E. (1980). Impact of candidate expenditures, regionality, and prior outcomes on the 1976 Democratic presidential primaries. *Journal of Personality and Social Psychology, 38,* 337-347.

GRUSH, J.E. et GLIDDEN, M.V. (1987). *Power and satisfaction among distressed and nondistressed couples.* Communication présentée au congrès de la Midwestern Psychological Association.

GRUSH, J.E., McKEOUGH, K.L. et AHLERING, R.F. (1978). Extrapolating laboratory exposure research to actual political elections. *Journal of Personality and Social Psychology, 36,* 257-270.

GUDYKUNST, W.B. (1989). Culture and intergroup processes. *In* M.H.Bond (dir.). *The cross-cultural challenge to social psychology.* Newbury Park, Ca, Sage.

GUERIN, B. (1986). Mere presence effects in humans: A review. *Journal of Personality and Social Psychology, 22,* 38-77.

GUERIN, B. et INNES, J.M. (1982). Social facilitation and social monitoring: A new look at Zajonc's mere presence hypothesis. *British Journal of Social Psychology, 21,* 7-18.

GUNTER, B., FURNHAM, A. et LEESE, J. (1986). Memory for information from a party political broadcast as a function of the channel of communication. *Social Behaviour, 1,* 135-142.

GUPTA, U. et SINGH, P. (1982). Exploratory study of love and liking and type of marriages. *Indian Journal of Applied Psychology, 19,* 92-97.

GURR, T.R. (1972). The calculus of civil conflict. *Journal of Social Issues, 28*(1), 27-47.

HAAN, N. (1978). Two moralities of action contexts: Relationships to thought, ego regulation, and development. *Journal of Personality and Social Psychology, 36,* 286-305.

HACKER, H.M. (1951). Women as a minority group. *Social Forces, 30,* 60-69.

HACKMAN, J.R. (1986). The design of work teams. *In* J.Lorsch (dir.). *Handbook of organizational behavior.* Englewood Cliffs, N.J., Prentice-Hall.

HADDEN, J.K. (1969). *The gathering storm in the churches.* Garden City, N.Y., Doubleday.

HAEMMERLIE, F.M. (1983). Heterosexual anxiety in college females: A biased interaction treatment. *Behavior Modification, 7,* 611-623.

HAEMMERLIE, F.M. (1987). *Creating adaptive illusions in counseling and therapy using a self-perception theory perspective.* Communication présentée à la Midwestern Psychological Association, Chicago.

HAEMMERLIE, F.M. et MONTGOMERY, R.L. (1982). Self-perception theory and unobtrusively biased interactions: A treatment for heterosocial anxiety. *Journal of Counseling Psychology, 29,* 362-370.

HAEMMERLIE, F.M. et MONTGOMERY, R.L. (1984). Purposefully biased interventions: Reducing heterosocial anxiety through self-perception theory. *Journal of Personality and Social Psychology, 47,* 900-908.

HAEMMERLIE, F.M. et MONTGOMERY, R.L. (1986). Self-perception theory and the treatment of shyness. *In* W.H.Jones, J.M.Cheek et S.R.Briggs (dir.). *A sourcebook on shyness: Research and treatment.* New York, Plenum.

HAGIWARA, S. (1983). Role of self-based and sample-based consensus estimates as mediators of responsibility judgments for automobile accidents. *Japanese Psychological Research, 25,* 16-28.

HALBERSTADT, A.G. et SAITTA, M.B. (1987). Gender, nonverbal behavior, and perceived dominance: A test of the theory. *Journal of Personality and Social Psychology, 53,* 257-272.

HALL, C.S. (1978). The incredible Freud. *Contemporary Psychology, 23,* 38-39.

HALL, J.A. (1984). *Nonverbal sex differences: Communication accuracy and expressive style.* Baltimore, Johns Hopkins University Press.

HALL, J.A. (1987). On explaining gender differences: The case of nonverbal communication. *In* P.Shaver et C.Hendrick (dir.). *Sex and gender: review of personality and social psychology,* vol.7. Beverly Hills, Sage.

HALL, T. (25 juin 1985). The unconverted: Smoking of cigarettes seems to be becoming a lower-class habit. *Wall Street Journal,* 1, 25.

HAMBLIN, R.L., BUCKHOLDT, D., BUSHELL, D., ELLIS, D. et FERRITOR, D. (1969). Changing the game from get the teacher to learn. *Transaction,* janvier, 20-25, 28-31.

HAMILL, R., WILSON, T.D. et NISBETT, R.E. (1980). Insensitivity to sample bias: Generalizing from atypical cases. *Journal of Personality and Social Psychology, 39,* 578-589.

HAMILTON, D.L. (1981). Illusory correlation as a basis for stereotyping. *In* D.L.Hamilton (dir.). *Cognitive processes in stereotyping and intergroup behavior.* Hillsdale, N.J., Erlbaum.

HAMILTON, D.L. et BISHOP, G.D. (1976). Attitudinal and behavioral effects of initial integration of white suburban neighborhoods. *Journal of Social Issues, 32*(2), 47-67.

HAMILTON, D.L., CARPENTER, S. et BISHOP, G.D. (1984). Desegregation of suburban neighborhoods. *In* N.Miller et M.B.Brewer (dir.). *Groups in contact: The psychology of desegregation.* Orlando, Fla, Academic Press.

HAMILTON, D.L. et GIFFORD, R.K. (1976). Illusory correlation in interpersonal perception: A cognitive basis of stereotypic judgments. *Journal of Experimental Social Psychology, 12,* 392-407.

HAMILTON, D.L. et ROSE, T.L. (1980). Illusory correlation and the maintenance of stereotypic beliefs. *Journal of Personality and Social Psychology, 39,* 832-845.

HAMILTON, D.L. et SHERMAN, S.J. (1989). Illusory correlations: Implications for stereotype theory and research. *In* D.Bar-Tal, C.F.Graumann, A.W. Kruglanski et W.Stroebe (dir.). *Stereotypes and prejudice: Changing conceptions.* New York, Springer-Verlag.

HAMILTON, D.L. et ZANNA, M.P. (1972). Differential weighting of favorable and unfavorable attributes in impressions of personality. *Journal of Experimental Research in Personality, 6,* 204-212.

HAMPSON, R.B. (1984). Adolescent prosocial behavior: Peer-group and situational factors associated with helping. *Journal of Personality and Social Psychology, 46,* 153-162.

HANS, V.P. (1981). Evaluating the jury: A case study of the uses of research in policy formation. *In* R. Roesch et R.Corrado (dir.). *Evaluation and criminal justice policy.* Beverly Hills, Ca, Sage Publications.

HANS, V.P. et VIDMAR, N. (1981). Jury selection. *In* N.L.Kerr et R.M.Bray (dir.). *The psychology of the courtroom.* New York, Academic Press.

HANSEN, C.H. (1989). Priming sex-role stereotypic event schemas with rock music videos: Effects on impression favorability, trait inferences, a recall of a subsequent male-female interaction. *Basic and Applied Social Psychology.*

HANSEN, C.H. et HANSEN, R.D. (1988). Priming stereotypic appraisal of social interactions: How rock music videos can change what's seen when boy meets girl. *Sex Roles, 19,* 287-316.

HARDIN, G. (1968). The tragedy of the commons. *Science, 162,* 1243-1248.

HARDY, C. et LATANÉ, B. (1986). Social loafing on a cheering task. *Social Science, 71,* 165-172.

HARITOS-FATOUROS, M. (1988). The official torturer: A learning model for obedience to the authority of violence. *Journal of Applied Social Psychology, 18,* 1107-1120.

HARKINS, S.G. (1981). Effects of task difficulty and task responsibility on social loafing. Présentation à la First International Conference on Social Processes in Small Groups, Kill Devil Hills, North Carolina.

HARKINS, S.G. et JACKSON, J.M. (1985). The role of evaluation in eliminating social loafing. *Personality and Social Psychology Bulletin, 11,* 457-465.

HARKINS, S.G. et LATANÉ, B. (1980). *Population and political participation.* Communication présentée au congrès de l'American Psychological Association.

HARKINS, S.G., LATANÉ, B. et WILLIAMS, K. (1980). Social loafing: Allocating effort or taking it easy? *Journal of Experimental Social Psychology, 16,* 457-465.

HARKINS, S.G. et PETTY, R.E. (1982). Effects of task difficulty and task uniqueness on social loafing. *Journal of Personality and Social Psychology, 43,* 1214-1229.

HARKINS, S.G. et PETTY, R.E. (1987). Information utility and the multiple source effect. *Journal of Personality and Social Psychology, 52,* 260-268.

HARKINS, S.G. et SZYMANSKI, K. (1987). Social loafing and social facilitation: New wine in old bottles. *In* C.Hendrick (dir.). *Group processes and intergroup relations: Review of personality and social psychology,* vol.9. Newbury Park, Ca, Sage.

HARKINS, S.G. et SZYMANSKI, K. (1988). Social loafing and self-evaluation with an objective standard. *Journal of Experimental Social Psychology, 24,* 354-365.

HARRIES, K.D. et STADLER, S.J. (1988). Heat and violence: New findings from Dallas field data, 1980-1981. *Journal of Applied Social Psychology, 18,* 129-138.

HARRIS, L. *et al.* (26 janvier 1988). *Sexual material on American network television during the 1987-88 season.* Mené pour la Planned Parenthood Federation of America, New York.

HARRIS, M.J. et ROSENTHALL, R. (1985). Mediation of interpersonal expectancy effects: 31 meta-analyses. *Psychological Bulletin, 97,* 363-386.

HARRIS, T.G. (1978). Introduction to E.H.Walster and G.W.Walster, *A new look at love.* Reading, Mass., Addison-Wesley.

HARRISON, A.A. (1977). Mere exposure. *In* L.Berkowitz (dir.). *Advances in experimental social psychology,* vol.10. New York, Academic Press, 39-83.

HARVEY, J.H. (1987). Attribution in close relationships: Research and theory developments. *Journal of Social and Clinical Psychology, 5,* 420-434.

HARVEY, J.H., TOWN, J.P. et YARKIN, K.L. (1981). How fundamental is the fundamental attribution error? *Journal of Personality and Social Psychology, 40,* 346-349.

HASSAN, I.N. (1980). Role and status of women in Pakistan: An empirical research review. *Pakistan Journal of Psychology, 13,* 36-56.

HASTIE, R., PENROD, S.D. et PENNINGTON, N. (1983). *Inside the jury.* Cambridge, Mass., Harvard University Press.

HASTORF, A. et CANTRIL, H. (1954). They saw a game: A case study. *Journal of Abnormal and Social Psychology, 49,* 129-134.

HATFIELD, E. Voir aussi E.Walster (Hatfield).

HATFIELD, E. (1988). Passionate and compassionate love. *In* R.J.Sternberg et M.L.Barnes (dir.). *The psychology of love.* New Haven, Ct, Yale University Press.

HATFIELD, E. et RAPSON, R.L. (1987). Passionate love: New directions in research. *In* W.H.Jones et D.Perlman (dir.). *Advances in personal relationships,* vol.1. Greenwich, Ct, JAI Press.

HATFIELD, E. et SPRECHER, S. (1985). *Measuring passionate love in intimate relations*. Manuscrit inédit, Université d'Hawaii à Manoa.

HATFIELD, E. et SPRECHER, S. (1986). *Mirror, mirror: The importance of looks in everyday life*. Albany, N.Y., SUNY Press.

HATFIELD, E., TRAUPMANN, J., SPRECHER, S., UTNE, M. et HAY, J. (1985). Equity and intimate relations: Recent research. *In* W.Ickes (dir.). *Compatible and incompatible relationships*. New York, Springer-Verlag.

HATFIELD, E., WALSTER, G.W. et TRAUPMANN, J. (1979). Equity and premarital sex. *In* M.Cook and G.Wilson (dir.). *Love and attraction*. New York, Pergamon Press.

HATFIELD, M.O. (1972). *On neighborhood government*. Rapport au Platform Committee, Republican National Convention.

HATFIELD, M.O. (1er octobre 1975). Neighborhood government act of 1975. *Congressional Record, 121*, n° 146, 30.

HATVANY, N. et STRACK, F. (1980). The impact of a discredited key witness. *Journal of Applied Social Psychology, 10*, 490-509.

HAUGTVEDT, C., PETTY, R.E., CACIOPPO, J.T. et STEIDLEY, T. (1988). Personality and ad effectiveness. *Advances in Consumer Research, 15*.

HAYDUCK, L.A. (1983). Personal space: Where we now stand. *Psychological Bulletin, 94*, 293-335.

HAYS, R.B. (1985). A longitudinal study of friendship development. *Journal of Personality and Social Psychology, 48*, 909-924.

HEAROLD, S. (1986). A synthesis of 1043 effects of television on social behavior. *In* G.Comstock (dir.). *Public communication and behavior*, vol.1. Orlando, Fla, Academic Press.

HEATH, L. et PETRAITIS, J. (1987). Television viewing and fear of crime: Where is the mean world? *Basic and Applied Social Psychology, 8*, 97-123.

HEBB, D.O. (1980). *Essay on mind*. Hillsdale, N.J., Erlbaum.

HEESACKER, M. (1986). Extrapolating from the elaboration likelihood model of attitude change to counseling. *In* F.J.Dorn (dir.). *The social influence process in counseling and psychotherapy*. Springfield, Ill., Charles C.Thomas. (*a*)

HEESACKER, M. (1986). Counseling pretreatment and the elaboration likelihood model of attitude change. *Journal of Counseling Psychology, 33*, 107-114. (*b*)

HEIDER, F. (1958). *The psychology of interpersonal relations*. New York, Wiley.

HEILMAN, M.E. (1976). Oppositional behavior as a function of influence attempt intensity and retaliation threat. *Journal of Personality and Social Psychology, 33*, 574-578.

HELLMAN, P. (1980). *Avenue of the righteous of nations*. New York, Atheneum.

HEMSLEY, G.D. et DOOB, A.N. (1978). The effect of looking behavior on perceptions of a communicator's credibility. *Journal of Applied Social Psychology, 8*, 136-144.

HENDRICK, C. (1988). Roles and gender in relationships. *In* S.Duck (dir.). *Handbook of personal relationships*. Chichester, England, Wiley.

HENDRICK, C. et HENDRICK, S.S. (1986). A theory and method of love. *Journal of Personality and Social Psychology, 50*, 392-402.

HENDRICK, C. et HENDRICK, S.S. (1988). Lovers wear rose colored glasses. *Journal of Social and Personal Relationships, 5*, 161-183.

HENDRICK, S.S. (1981). Self-disclosure and marital satisfaction. *Journal of Personality and Social Psychology, 40*, 1150-1159.

HENDRICK, S.S., HENDRICK, C. et ADLER, N.L. (1988). Romantic relationships: Love, satisfaction, and staying together. *Journal of Personality and Social Psychology, 54*, 980-988.

HENDRICK, S.S., HENDRICK, C., SLAPION-FOOTE, J. et FOOTE, F.H. (1985). Gender differences in sexual attitudes. *Journal of Personality and Social Psychology, 48*, 1630-1642.

HENLEY, N. (1977). *Body politics: Power, sex, and nonverbal communication*. Englewood Cliffs, N.J., Prentice-Hall.

HENNIGAN, K.M., Del ROSARIO, M.L., HEATH, L., COOK, T.D., WHARTON, J.D. et CALDER, B.J. (1982). Impact of the introduction of television on crime in the United States: Empirical findings and theoretical implications. *Journal of Personality and Social Psychology, 42*, 461-477.

HENSLIN, M. (1967). Craps and magic. *American Journal of Sociology, 73*, 316-330.

HEPWORTH, J.T. et WEST, S.G. (1988). Lynchings and the economy: A time-series reanalysis of Hovland and Sears (1940). *Journal of Personality and Social Psychology, 55*, 239-247.

HERADSTVEIT, D. (1980). *The Arab-Israeli conflict: Psychological obstacles to peace*, vol.28. Oslo, Norway, Universitetsforlaget, 1979. Distribué par Columbia University Press.Compte rendu de R.K. White, *Contemporary Psychology, 25*, 11-12.

HEREK, G.M. (1986). The instrumentality of attitudes: Toward a neofunctional theory. *Journal of Social Issues, 42*(2), 99-114.

HEREK, G.M. (1987). Can functions be measured? A new perspective on the functional approach to attitudes. *Social Psychology Quarterly, 50*, 285-303.

HEREK, G.M. (1987). Religious orientation and prejudice: A comparison of racial and sexual attitudes. *Personality and Social Psychology Bulletin, 13*, 34-44. (*b*)

HEWSTONE, M. (1988). Causal attribution: From cognitive processes to collective beliefs. *The Psychologist, 8*, 323-327.

HEWSTONE, M., JASPARS, J. et LALLJEE, M. (1982). Social representations, social attribution and social identity: The intergroup images of «public» and «comprehensive» schoolboys. *European Journal of Social Psychology, 12*, 241-269.

HEWSTONE, M. et WARD, C. (1985). Ethnocentrism and causal attribution in southeast Asia. *Journal of Personality and Social Psychology, 48*, 614-623.

HIGBEE, K.L., MILLARD, R.J. et FOLKMAN, J.R. (1982). Social psychology research during the 1970s: Predominance of experimentation and college students. *Personality and Social Psychology Bulletin, 8*, 180-183.

HIGGINS, E.T. et BARGH, J.A. (1987). Social cognition and social perception. *Annual Review of Psychology, 38*, 369-425.

HIGGINS, E.T. et McCANN, C.D. (1984). Social encoding and subsequent attitudes, impressions and memory: «Context-driven» and motivational aspects of processing. *Journal of Personality and Social Psychology, 47*, 26-39.

HIGGINS, E.T. et RHOLES, W.S. (1978). Saying is believing: Effects of message modification on memory and liking for the person described. *Journal of Experimental Social Psychology, 14*, 363-378.

HILGARD, E.R. et LOFTUS, E.F. (1979). Effective interrogation of the eyewitness. *International Journal of Clinical and Experimental Hypnosis, 27*, 342-357.

HILL, G.W. (1982). Group versus individual performance: Are N + 1 heads better than one? *Psychological Bulletin, 91*, 517-539.

HILL, W.F. (1978). Effects of mere exposure on preferences in nonhuman animals. *Psychological Bulletin, 85*, 1177-1198.

HINDE, R.A. (1984). Why do the sexes behave differently in close relationships? *Journal of Social and Personal Relationships, 1*, 471-501.

HIRT, E.R. et KIMBLE, C.E. (1981). *The homefield advantage in sports: Differences and correlates*. Communication présentée au congrès de la Midwestern Psychological Association.

HODGES, B.H. (1974). Effect of valence on relative weighting in impression formation. *Journal of Personality and Social Psychology, 30*, 378-381.

HOFFMAN, M.L. (1981). Is altruism part of human nature? *Journal of Personality and Social Psychology, 40*, 121-137.

HOFLING, C.K., BROTZMAN, E., DALRYMPLE, S., GRAVES, N. et PIERCE, C.M. (1966). An experimental study in nurse-physician relationships. *Journal of Nervous and Mental Disease, 143*, 171-180.

HOKANSON, J.E. et BURGESS, M. (1962). The effects of frustration and anxiety on overt aggression. *Journal of Abnormal and Social Psychology, 65*, 232-237. (*a*)

HOKANSON, J.E. et BURGESS, M. (1962). The effects of three types of aggression on vascular processes. *Journal of Abnormal and Social Psychology, 64,* 446-449. (*b*)

HOKANSON, J.E., BURGESS, M. et COHEN, M.F. (1963). Effects of displaced aggression on systolic blood pressure. *Journal of Abnormal and Social Psychology, 67,* 214-218.

HOKANSON, J.E. et EDELMAN, R. (1966). Effects of three social responses on vascular processes. *Journal of Personality and Social Psychology, 3,* 442-447.

HOKANSON, J.E. et SHETLER, S. (1961). The effect of overt aggression on physiological arousal. *Journal of Abnormal and Social Psychology, 63,* 446-448.

HOLLANDER, E.P. (1958). Conformity, status, and idiosyncrasy credit. *Psychological Review, 65,* 117-127.

HOLLANDER, E.P. (1985). Leadership and power. *In* G.Lindzey et E.Aronson (dir.). *The Handbook of Social Psychology,* 3e éd. New York, Random House.

HOLMES, J.G. et REMPEL, J.K. (1989). Trust in close relationships. *In* C.Hendrick (dir.). *Review of personality and social psychology,* vol.10. Newbury Park, Ca, Sage.

HOLMES, O.W. (1975). Law in science and science in law. *Harvard Law Review,* 1889, *12,* 443. Cité par W.N.Brooks et A.N.Doob.Justice and the jury. *Journal of Social Issues, 31,* 171-182.

HOLTZWORTH-MUNROE, A. et JACOBSON, N.S. (1985). Causal attributions of married couples: When do they search for causes? What do they conclude when they do? *Journal of Personality and Social Psychology, 48,* 1398-1412.

HOOVER, C.W., WOOD, E.E. et KNOWLES, E.S. (1983). Forms of social awareness and helping. *Journal of Experimental Social Psychology, 19,* 577-590.

HORMUTH, S.E. (1986). Lack of effort as a result of self-focused attention: An attributional ambiguity analysis. *European Journal of Social Psychology, 16,* 181-192.

HORNSTEIN, H. (1976). *Cruelty and kindness.* Englewood Cliffs, N.J., Prentice-Hall.

HOULDEN, P., LaTOUR, S., WALKER, L. et THIBAULT, J. (1978). Preference for modes of dispute resolution as a function of process and decision control. *Journal of Experimental Social Psychology, 14,* 13-30.

HOUSE, R. (1977). A 1976 theory of charismatic leadership. *In* J.G.Hunt et L.Larson (dir.). *Leadership: The cutting edge.* Carbondale, Ill., Southern Illinois Press.

HOUSE, R.J. et SINGH, J.V. (1987). Organizational behavior: Some new directions for I/O psychology. *Annual Review of Psychology, 38,* 669-718.

HOVLAND, C.I., LUMSDAINE, A.A. et SHEFFIELD, F.D. (1949). *Experiments on mass communication. Studies in social psychology in World War II,* vol.3. Princeton, N.J., Princeton University Press.

HOVLAND, C.I. et SEARS, R. (1940). Minor studies of aggression: Correlation of lynchings with economic indices. *Journal of Psychology, 9,* 301-310.

HOWARD, A., PION, G.M., GOTTFREDSON, G.D., FLATTAU, P.E., OSKAMP, S., PFAFFLIN, S.M., BRAY, D.W. et BURSTEIN, A.G. (1986). The changing face of American psychology: A report from the committee on employment and human resources. *American Psychologist, 41,* 1311-1327.

HOWES, M.J., HOKANSON, J.E. et LOEWENSTEIN, D.A. (1985). Induction of depressive affect after prolonged exposure to a mildly depressed individual. *Journal of Personality and Social Psychology, 49,* 1110-1113.

HUESMANN, L.R., LAGERSPETZ, K. et ERON, L.D. (1984). Intervening variables in the TV violence-aggression relation: Evidence from two countries. *Developmental Psychology, 20,* 746-775.

HULL, J.G. et BOND, Jr., C.F. (1986). Social and behavioral consequences of alcohol consumption and expectancy: A meta-analysis. *Psychological Bulletin, 99,* 347-360.

HULL, J.G., LEVENSON, R.W., YOUNG, R.D. et SHER, K.J. (1983). Self-awareness-reducing effects of alcohol consumption. *Journal of Personality and Social Psychology, 44,* 461-473.

HULL, J.G. et YOUNG, R.D. (1983). The self-awareness-reducing effects of alcohol consumption: Evidence and implications. *In* J.Suls et A.G. Greenwald (dir.). *Psychological perspectives on the self,* vol.2. Hillsdale, N.J., Erlbaum.

HUNT, P.J. et HILLERY, J.M. (1973). Social facilitation in a location setting: An examination of the effects over learning trials. *Journal of Experimental Social Psychology, 9,* 563-571.

HUSTON, T.L. (1973). Ambiguity of acceptance, social desirability, and dating choice. *Journal of Experimental Social Psychology, 9,* 32-42.

HUTCHINSON, R.R. (1983). The pain-aggression relationship and its expression in naturalistic settings. *Aggressive Behavior, 9,* 229-242.

HYDE, J.S. (s.d.). Gender differences in aggression. *In* J.S.Hyde et M.C.Linn (dir.). *The psychology of gender: Advances through meta-analysis.* Baltimore, Johns Hopkins University Press.

HYMAN, H.H. et SHEATSLEY, P.B. (1956 et 1964). Attitudes toward desegregation. *Scientific American,* 195(6), 35-39, et 211(1), 16-23.

HYMAN, R. (1981). Cold reading: How to convince strangers that you know all about them. *In* K.Frazier (dir.). *Paranormal borderlands of science.* Buffalo, N.Y., Prometheus Books.

ICKES, B. (1980). *On disconfirming our perceptions of others.* Communication présentée au congrès de l'American Psychological Association.

ICKES, W. (1981). Sex role influences in dyadic interaction: A theoretical model. *In* C.Mayo et N.Henley (dir.). *Gender and nonverbal behavior.* New york, Springer-Verlag.

ICKES, W. (1985). Sex-role influences on compatibility in relationships. *In* W.Ickes (dir.). *Compatible and incompatible relationships.* New York, Springer-Verlag.

ICKES, W. et BARNES, R.D. (1978). Boys and girls together – and alienated: On enacting stereotyped sex roles in mixed-sex dyads. *Journal of Personality and Social Psychology, 36,* 669-683.

ICKES, W. et LAYDEN, M.A. (1978). Attributional styles. *In* J.H.Harvey, W.Ickes et R.F.Kidd (dir.). *New directions in attribution research,* vol.2. Hillsdale, N.J., Lawrence Erlbaum.

ICKES, W., LAYDEN, M.A. et BARNES, R.D. (1978). Objective self-awareness and individuation: An empirical link. *Journal of Personality, 46,* 146-161.

ICKES, W., PATTERSON, M.L., RAJECKI, D.W. et TANFORD, S. (1982). Behavioral and cognitive consequences of reciprocal versus compensatory responses to preinteraction expectancies. *Social Cognition, 1,* 160-190.

INGHAM, A.G., LEVINGER, G., GRAVES, J. et PECKHAM, V. (1974). The Ringelmann effect: Studies of group size and group performance. *Journal of Experimental Social Psychology, 10,* 371-384.

INGLEHARD, R. et RABIER, J.R. (1986). Aspirations adapt to situations – but why are the Belgians so much happier than the French? A cross-cultural analysis of the subjective quality of life. *In* F.M. Andrews (dir.). *Research on the quality of life.* Ann Arbor, Mi., Survey Research Center, Institute of Social Research, Université du Michigan.

INSKO, C.A., NACOSTE, R.W. et MOE, J.L. (1983). Belief congruence and racial discrimination: Review of the evidence and critical evaluation. *European Journal of Social Psychology, 13,* 153-174.

INSKO, C.A., SMITH, R.H., ALICKE, M.D., WADE, J. et TAYLOR, S. (1985). Conformity and group size: The concern with being right and the concern with being liked. *Personality and Social Psychology Bulletin, 11,* 41-50.

INSKO, C.A. et WILSON, M. (1977). Interpersonal attraction as a function of social interaction. *Journal of Personality and Social Psychology, 35,* 903-911.

INSTONE, D., MAJOR, B. et BUNKER, B.B. (1983). Gender, self confidence, and social influence strategies: An organizational simulation. *Journal of Personality and Social Psychology, 44,* 322-333.

ISEN, A.M., CLARK, M. et SCHWARTZ, M.F. (1976). Duration of the effect of good mood on helping: Footprints on the sands of time. *Journal of Personality and Social Psychology, 34,* 385-393.

ISEN, A.M. et MEANS, B. (1983). The influence of positive affect on decision-making strategy. *Social Cognition, 2,* 28-31.

ISEN, A.M., SHALKER, T.E., CLARK, M. et KARP, L. (1978). Affect, accessibility of material in memory, and behavior: A cognitive loop. *Journal of Personality and Social Psychology, 36,* 1-12.

ISOZAKI, M. (1984). The effect of discussion on polarization of judgments. *Japanese Psychological Research, 26,* 187-193.

ISR NEWSLETTER (1975). Institute for Social Research, Université du Michigan, 3(4), 4-7.

JACKMAN, M.R. et SENTER, M.S. (1981). Beliefs about race, gender, and social class different, therefore unequal: Beliefs about trait differences between groups of unequal status. *In* D.J.Treiman et R.V.Robinson (dir.). *Research in stratification and mobility,* vol.2. Greenwich, Ct, JAI Press.

JACKSON, D.J. et HUSTON, T.L. (1975). Physical attractiveness and assertiveness. *Journal of Social Psychology, 96,* 79-84.

JACKSON, J. et WILLIAMS, K.D. (1985). Social loafing on difficult tasks: Working collectively can improve performance. *Journal of Personality and Social Psychology, 49,* 937-942.

JACKSON, J.M. et HARKINS, S.G. (1985). Equity in effort: An explanation of the social loafing effect. *Journal of Personality and Social Psychology, 49,* 1199-1206.

JACKSON, J.M. et LATANÉ, B. (1981). All alone in front of all those people: Stage fright as a function of number and type of co-performers and audience. *Journal of Personality and Social Psychology, 40,* 73-85.

JACKSON, J.M. et WILLIAMS, K.D. (1988). *Social loafing: A review and theoretical analysis.* Manuscrit inédit, Université Fordham.

JACOBS, R.C. et CAMPBELL, D.T. (1961). The perpetuation of an arbitrary tradition through several generations of a laboratory microculture. *Journal of Abnormal and Social Psychology, 62,* 649-658.

JACOBY, S. (décembre 1986). When opposites attract. *Reader's Digest,* 95-98.

JAFFE, Y., SHAPIR, N. et YINON, Y. (1981). Aggression and its escalation. *Journal of Cross-Cultural Psychology, 12,* 21-36.

JAFFE, Y. et YINON, Y. (1983). Collective aggression: The group-individual paradigm in the study of collective antisocial behavior. *In* H.H.Blumberg, A.P.Hare, V.Kent et M.Davies (dir.). *Small groups and social interaction,* vol.1. Cambridge, Wiley.

JAMES, W. (1958). *The varieties of religious experience.* New York, Mentor Books. (Première édition, 1902.)

JAMES, W. (1976). *Talks to teachers on psychology: And to students on some of life's ideals.* New York, Holt, 1922, 33. (Première édition, 1899.) Cité par W.J.McKeachie, Psychology in America's bicentennial year. *American Psychologist, 31,* 819-833.

JAMIESON, D.W., LYDON, J.E., STEWART, G. et ZANNA, M.P. (1987). Pygmalion revisited: New evidence for student expectancy effects in the classroom. *Journal of Educational Psychology, 79,* 461-466.

JAMIESON, D.W., LYDON, J.E. et ZANNA, M.P. (1987). Attitude and activity preference similarity: Differential bases of interpersonal attraction for low and high self-monitors. *Journal of Personality and Social Psychology, 53,* 1052-1060.

JAMIESON, D.W. et ZANNA, M.P. (1983). *The lie detector expectation procedure: Ensuring veracious self-reports of attitude.* Communication présentée à la Canadian Psychological Association, Winnipeg.

JAMIESON, D.W. et ZANNA, M.P. (1989). Need for structure in attitude formation and expression. *In* A.R.Pratkanis, S.J.Breckler et A.G.Greenwald (dir.). *Attitude structure and function.* Hillsdale, N.J., Erlbaum.

JANIS, I. (1989). *Crucial decisions: Leadership in policymaking and crisis management.* New York, Free Press.

JANIS, I.L. (novembre 1971). Groupthink. *Psychology Today,* 43-46.

JANIS, I.L. (1982). *Groupthink,* 2e éd. Boston, Houghton Mifflin.

JANIS, I.L. (1982). Counteracting the adverse effects of concurrence-seeking in policy-planning groups: Theory and research perspectives. *In* H.Brandstatter, J.H.Davis et G.Stocker-Kreichgauer (dir.). *Group decision making.* New York, Academic Press. (a)

JANIS, I.L. (1985). Sources of error in strategic decision making. *In* J.M.Pennings (dir.). *Organizational strategy and change.* San Francisco, Jossey-Bass.

JANIS, I.L., KAYE, D. et KIRSCHNER, P. (1965). Facilitating effects of eating while reading on responsiveness to persuasive communications. *Journal of Personality and Social Psychology, 1,* 181-186.

JANIS, I.L. et MANN, L. (1965). Effectiveness of emotional role-playing in modifying smoking habits and attitudes. *Journal of Experimental Research in Personality, 1,* 84-90.

JANIS, I.L. et MANN, L. (1977). *Decision-making: A psychological analysis of conflict, choice and commitment.* New York, Free Press.

JANOFF-BULMAN, R., TIMKO, C. et CARLI, L.L. (1985). Cognitive biases in blaming the victim. *Journal of Experimental Social Psychology, 21,* 161-177.

JASON, L.A., ROSE, T., FERRARI, J.R. et BARONE, R. (1984). Personal versus impersonal methods for recruiting blood donations. *Journal of Social Psychology, 123,* 139-140.

JEFFERY, R. (1964). The psychologist as an expert witness on the issue of insanity. *American Psychologist, 19,* 838-843.

JELALIAN, E. et MILLER, A.G. (1984). The perseverance of beliefs: Conceptual perspectives and research developments. *Journal of Social and Clinical Psychology, 2,* 25-56.

JELLISON, J.M. et GREEN, J. (1981). A self-presentation approach to the fundamental attribution error: The norm of internality. *Journal of Personality and Social Psychology, 40,* 643-649.

JEMMOTT, J.B., III et LOCKE, S.E. (1984). Psychosocial factors, immunologic mediation, and human susceptibility to infectious diseases: How much do we know? *Psychological Bulletin, 95,* 78-108.

JENNINGS, D.L., AMABILE, T.M. et ROSS, L. (1982). Informal covariation assessment: Data-based vs theory-based judgments. *In* D.Kahneman, P.Slovic et A.Tversky (dir.). *Judgment under uncertainty: Heuristics and biases.* New York, Cambridge University Press.

JENNINGS, D.L., LEPPER, M.R. et ROSS, L. (1981). Persistence of impressions of personal persuasiveness: Perseverance of erroneous self-assessments outside the debriefing paradigm. *Personality and Social Psychology Bulletin, 7,* 257-262.

JENNINGS (Walstedt), J., GEIS, F.L. et BROWN, V. (1980). Influence of television commercials on women's self-confidence and independent judgment. *Journal of Personality and Social Psychology, 38,* 203-210.

JERVIS, R. (1973). Hypotheses on misperception. *In* M.Halperin et A.Kanter (dir.). *Readings in American foreign policy.* Boston, Little, Brown.

JERVIS, R. (1985). Perceiving and coping with threat: Psychological perspectives. *In* R.Jervis, R.N.Lebow et J.Stein (dir.). *Psychology and deterrence.* Baltimore, Johns Hopkins University Press.

JERVIS, R. (2 avril 1985). Cité par D.Coleman, Political forces come under new scrutiny of psychology. *New York Times,* C1, C4.

JOHNSON, B.T. et EAGLY, A.H. (1989). The effects of involvement on persuasion: A meta-analysis. *Psychological Bulletin.*

JOHNSON, D.W. et JOHNSON, R.T. (1987). *Learning together and alone: Cooperative, competitive, and individualistic learning,* 2e éd. Englewood Cliffs, N.J., Prentice-Hall.

JOHNSON, D.W. et JOHNSON, R.T. (1989). *A meta-analysis of cooperative, competitive, and individualistic goal structures.* Hillsdale, N.J., Erlbaum.

JOHNSON, D.W., MARUYAMA, G., JOHNSON, R., NELSON, D. et SKON, L. (1981). Effects of cooperative, competitive, and individualistic goal structures on achievement: A meta-analysis. *Psychological Bulletin, 89,* 47-62.

JOHNSON, E.J. et TVERSKY, A. (1983). Affect, generalization, and the perception of risk. *Journal of Personality and Social Psychology, 45,* 20-31.

JOHNSON, J.T., GAIN, L.M., FALKE, T.L., HAYMAN, J. et PERILLO, E. (1985). The «Barnum Effect» revisited: Cognitive and motivational factors in the acceptance of personality descriptions. *Journal of Personality and Social Psychology, 49,* 1378-1391.

JOHNSON, J.T., JEMMOTT, III, J.B. et PETTIGREW, T.F. (1984). Causal attribution and dispositional inference: Evidence of inconsistent judgments. *Journal of Experimental Social Psychology, 20,* 567-585.

JOHNSON, M.H. et MAGARO, P.A. (1987). Effects of mood and severity on memory processes in depression and mania. *Psychological Bulletin, 101,* 28-40.

JOHNSON, N., HORTON, R.W. et SANTOGROSSI, D.A. (1978). *Mitigating the impact of televised violence.* Communication présentée au congrès de l'American Psychological Association.

JOHNSON, N.R., STEMLER, J.G. et HUNTER, D. (1977). Crowd behavior as risky shift: A laboratory experiment. *Sociometry, 40,* 183-187.

JOHNSON, P. (25-27 novembre 1988). Hearst seeks pardon. *USA Today,* 3A.

JOHNSON, R.D. et DOWNING, L.J. (1979). Deindividuation and valence of cues: Effects of prosocial and antisocial behavior. *Journal of Personality and Social Psychology, 37,* 1532-1538.

JOHNSON, R.N. (1972). *Aggression in man and animals.* Pa, W.B.Saunders.

JOHNSTON, L.D. (13 janvier 1988). Résumé des résultats de l'étude sur les drogues, 1987. Rapport médiatique remis aux Offices of the Secretary of Health and Human Services.

JONES, E.E. (1964). *Ingratiation.* New York, Appleton-Century-Crofts.

JONES, E.E. (1976). How do people perceive the causes of behavior? *American Scientist, 64,* 300-305.

JONES, E.E. (1979). The rocky road from acts to dispositions. *American Psychologist, 34,* 107-117.

JONES, E.E. et BERGLAS, S. (1978). Control of attributions about the self through self-handicapping strategies: The appeal of alcohol and the role of underachievement. *Personality and Social Psychology, 4,* 200-206.

JONES, E.E. et DAVIS, K.E. (1965). From acts to dispositions: The attribution process in person perception. *In* L.Berkowitz (dir.). *Advances in experimental social psychology,* vol.2. New York, Academic Press.

JONES, E.E. et HARRIS, V.A. (1967). The attribution of attitudes. *Journal of Experimental Social Psychology, 3,* 2-24.

JONES, E.E. et NISBETT, R.E. (1971). *The actor and the observer: Divergent perceptions of the causes of behavior.* Morristown, N.J., General Learning Press.

JONES, E.E., RHODEWALT, F., BERGLAS, S. et SKELTON, J.A. (1981). Effects of strategic self-presentation on subsequent self-esteem. *Journal of Personality and Social Psychology, 41,* 407-421.

JONES, E.E., ROCK, L., SHAVER, K.G., GOETHALS, G.R. et WARD, L.M. (1968). Pattern of performance and ability attribution: An unexpected primacy effect. *Journal of Personality and Social Psychology, 10,* 317-340.

JONES, E.E. et SIGALL, H. (1971). The bogus pipeline: A new paradigm for measuring affect and attitude. *Psychological Bulletin, 76,* 349-364.

JONES, J.M. (1983). The concept of race in social psychology: From color to culture. *In* L.Wheeler et P.Shaver (dir.). *Review of personality and social psychology,* vol.4. Beverly Hills, Ca, Sage.

JONES, J.M. (1988). *Piercing the veil: Bi-cultural strategies for coping with prejudice and racism.* Allocution à la conférence nationale, «Opening Doors: An Appraisal of Race Relations in America», Université d'Alabama, 11 juin.

JONES, R.A. et BREHM, J.W. (1970). Persuasiveness of one- and two-sided communications as a function of awareness there are two sides. *Journal of Experimental Social Psychology, 6,* 47-56.

JONES, W.H., FREEMON, J.E. et GOSWICK, R.A. (1981). The persistence of loneliness: Self and other determinants. *Journal of Personality, 49,* 27-48.

JONES, W.H., HOBBS, S.A. et HOCKENBURY, D. (1982). Loneliness and social skill deficits. *Journal of Personality and Social Psychology, 42,* 682-689.

JONES, W.H., SANSONE, C. et HELM, B. (1983). Loneliness and interpersonal judgments. *Personality and Social Psychology Bulletin, 9,* 437-441.

JORGENSON, D.O. et PAPCIAK, A.S. (1981). The effects of communication, resource feedback, and identifiability on behavior in a simulated commons. *Journal of Experimental Social Psychology, 17,* 373-385.

JOSEPHSON, W.L. (1987). Television violence and children's aggression: Testing the priming, social script, and disinhibition predictions. *Journal of Personality and Social Psychology, 53,* 882-890.

JOURARD, S.M. (1964). *The transparent self.* Princeton, N.J., Van Nostrand.

JUDD, C.M., KENNY, D.A. et KROSNICK, J.A. (1983). Judging the positions of political candidates: Models of assimilation and contrast. *Journal of Personality and Social Psychology, 44,* 952-963.

JUDD, C.M. et PARK, B. (1988). Out-group homogeneity: Judgments of variability at the individual and group levels. *Journal of Personality and Social Psychology, 54,* 778-788.

JUSSIM, L. (1986). Self-fulfilling prophecies: A theoretical and integrative review. *Psychological Review, 93,* 429-445.

KAGAN, J., REZNICK, J.S. et SNIDMAN, N. (1988). Biological bases of childhood shyness. *Science, 240,* 167-171.

KAGEHIRO, D.K. et STANTON, W.C. (1985). Legal vs. quantified definitions of standards of proof. *Law and Human Behavior, 9,* 159-178.

KAHLE, L.R. (1983). *Attitudes, attributes and adaptation.* London, Pergamon Press.

KAHLE, L.R. et BEATTY, S.E. (1987). Cognitive consequences of legislating postpurchase behavior: Growing up with the bottle bill. *Journal of Applied Social Psychology, 17,* 828-843.

KAHLE, L.R. et BERMAN, J. (1979). Attitudes cause behaviors: A cross-lagged panel analysis. *Journal of Personality and Social Psychology, 37,* 315-321.

KAHN, A.S. et GAEDDERT, W.P. (1985). From theories of equity to theories of justice. *In* V.W.O'Leary, R.K.Unger et B.S.Wallston (dir.). *Women, gender, and social psychology.* Hillsdale, N.J., Erlbaum.

KAHN, M.W. (1951). The effect of severe defeat at various age levels on the aggressive behavior of mice. *Journal of Genetic Psychology, 79,* 117-130.

KAHNEMAN, D., SLOVIC, P. et TVERSKY, A. (dir.) (1982). *Judgment under uncertainty: Heuristics and biases.* N.Y., Cambridge University Press.

KAHNEMAN, D. et TVERSKY, A. (1972). Subjective probability: A judgment of representativeness. *Cognitive Psychology, 3,* 430-454.

KAHNEMAN, D. et TVERSKY, A. (1973). On the psychology of prediction. *Psychological Review, 80,* 237-251.

KAHNEMAN, D. et TVERSKY, A. (1979). Intuitive prediction: Biases and corrective procedures. *Management Science, 12,* 313-327.

KALICK, S.M. (1981). *Plastic surgery, physical appearance, and person perception.* Thèse de doctorat inédite, Université Harvard, 1977. Cité par E.Berscheid dans An overview of the psychological effects of physical attractiveness and some comments upon the psychological effects of knowledge of the effects of physical attractiveness. *In* W.Lucker, K.Ribbens, et J.A.McNamera (dir.). *Logical aspects of facial form* (craniofacial growth series). Ann Arbor, University of Michigan Press.

KALICK, S.M. (1988). Physical attractiveness as a status cue. *Journal of Experimental Social Psychology, 24,* 469-489.

KALLGREN, C.A. et WOOD, W. (1986). Access to attitude-relevant information in memory as a determinant of attitude-behavior consistency. *Journal of Experimental Social Psychology, 22,* 328-338.

KALVEN, H., Jr. et ZEISEL, H. (1966). *The American jury.* Chicago, University of Chicago Press.

KAMEN, L.P., SELIGMAN, M.E.P., DWYER, J. et RODIN, J. (1988). *Pessimism and cell-mediated immunity.* Manuscrit inédit, Université de Pennsylvanie.

KAMMER, D. (1982). Differences in trait ascriptions to self and friend: Unconfounding intensity from variability. *Psychology Reports, 51,* 99-102.

KANDEL, D.B. (1978). Similarity in real-life adolescent friendship pairs. *Journal of Personality and Social Psychology, 36,* 306-312.

KANEKAR, S. et NAZARETH, A. (1988). Attributed rape victim's fault as a function of her attractiveness, physical hurt, and emotional disturbance. *Social Behaviour, 3,* 37-40.

KAPLAN, M.F. et ANDERSON, N.H. (1973). Information integration theory and reinforcement theory as approaches to interpersonal attraction. *Journal of Personality and Social Psychology, 28*, 301-312.

KAPLAN, M.F. et MILLER, C.E. (1987). Group decision making and normative versus informational influence: Effects of type of issue and assigned decision rule. *Journal of Personality and Social Psychology, 53*, 306-313.

KAPLAN, M.F. et SCHERSCHING, C. (1980). Reducing juror bias: An experimental approach. *In* P.D. Lipsitt et B.D.Sales (dir.). *New directions in psycholegal research.* New York, Van Nostrand Reinhold, 149-170.

KARABENICK, S.A., LERNER, R.M. et BEECHER, M.D. (1973). Relation of political affiliation to helping behavior on election day, 7 novembre 1972. *Journal of Social Psychology, 91*, 223-227.

KARLINS, M., COFFMAN, T.L. et WALTERS, G. (1969). On the fading of social stereotypes: Studies in three generations of college students. *Journal of Personality and Social Psychology, 13*, 1-17.

KASSIN, S.M. (1979). Consensus information, prediction, and causal attribution: A review of the literature and issues. *Journal of Personality and Social Psychology, 37*, 1966-1981.

KASSIN, S.M. et WRIGHTSMAN, L.S. (1979). On the requirements of proof: The timing of judicial instruction and mock juror verdicts. *Journal of Personality and Social Psychology, 37*, 1877-1887.

KATZ, A.M. et HILL, R. (1958). Residential propinquity and marital selection: A review of theory, method, and fact. *Marriage and Family Living, 20*, 27-35.

KATZ, E. (1957). The two-step flow of communication: An up-to-date report on a hypothesis. *Public Opinion Quarterly, 21*, 61-78.

KATZ, I., COHEN, S. et GLASS, D. (1975). Some determinants of cross-racial helping behavior. *Journal of Personality and Social Psychology, 32*, 964-970.

KATZ, L.S. et REID, J.F. (1977). Expert testimony on the fallibility of eyewitness identification. *Criminal Justice Journal, 1*, 177-206.

KATZEV, R., EDELSACK, L., STEINMETZ, G. et WALKER, T. (1978). The effect of reprimanding transgressions on subsequent helping behavior: Two field experiments. *Personality and Social Psychology Bulletin, 4*, 126-129.

KEATING, C.F. (1985). Gender and the physiognomy of dominance and attractiveness. *Social Psychology Quarterly, 48*, 61-70.

KEATING, J.P. et BROCK, T.C. (1974). Acceptance of persuasion and the inhibition of counterargumentation under various distraction tasks. *Journal of Experimental Social Psychology, 10*, 301-309.

KELLEY, H.H. (1972). Attribution in social interaction. *In* E.E.Jones, D.E.Kanouse, H.H.Kelley,

R.E. Nisbett, S.Valins et B.Weiner (dir.). *Attribution: Perceiving the causes of behavior.* Morristown, N.J., General Learning Press.

KELLEY, H.H. (1973). The process of causal attribution. *American Psychologist, 28*, 107-128.

KELLEY, H.H. (1979). *Personal relationships: Their structures and processes.* Hillsdale, N.J., Lawrence Erlbaum.

KELLEY, H.H. et STAHELSKI, A.J. (1970). The social interaction basis of cooperators' and competitors' beliefs about others. *Journal of Personality and Social Psychology, 16*, 66-91.

KELMAN, H.C. et COHEN, S.P. (1979). Reduction of international conflict: An interactional approach. *In* W.G.Austin et S.Worchel, *The social psychology of intergroup relations.* Monterey, Ca, Brooks/Cole.

KELMAN, H.C. et COHEN, S.P. (1986). Resolution of international conflict: An interactional approach. *In* S.Worchel et W.G.Austin (dir.). *Psychology of intergroup relations.* Chicago, Nelson-Hall.

KENNEDY, J.F. (1956). *Profiles in courage.* New York, Harper.

KENNY, D.A. et ALBRIGHT, L. (1987). Accuracy in interpersonal perception: A social relations analysis. *Psychological Bulletin, 102*, 390-402.

KENNY, D.A. et NASBY, W. (1980). Splitting the reciprocity correlation. *Journal of Personality and Social Psychology, 38*, 249-256.

KENRICK, D.T. (1987). Gender, genes, and the social environment: A biosocial interactionist perspective. *In* P.Shaver et C.Hendrick (dir.). *Sex and gender: Review of personality and social psychology,* vol.7. Beverly Hills, Ca, Sage.

KENRICK, D.T., BAUMANN, D.J. et CIALDINI, R.B. (1979). A step in the socialization of altruism as hedonism: Effects of negative mood on children's generosity under public and private conditions. *Journal of Personality and Social Psychology, 37*, 747-755.

KENRICK, D.T. et CIALDINI, R.B. (1977). Romantic attraction: Misattribution versus reinforcement explanations. *Journal of Personality and Social Psychology, 35*, 381-391.

KENRICK, D.T., CIALDINI, R.B. et LINDER, D.E. (1979). Misattribution under fear-producing circumstances: Four failures to replicate. *Personality and Social Psychology Bulletin, 5*, 329-334.

KENRICK, D.T. et GUTIERRES, S.E. (1980). Contrast effects and judgments of physical attractiveness: When beauty becomes a social problem. *Journal of Personality and Social Psychology, 38*, 131-140.

KENRICK, D.T., GUTIERRES, S.E. et GOLDBERG, L.L. (1989). Influence of popular erotica on judgments of strangers and mates. *Journal of Experimental Social Psychology, 25*, 159-167.

KENRICK, D.T. et MacFARLANE, S.W. (1986). Ambient temperature and horn-honking: A field study of the heat/aggression relationship. *Environment and Behavior, 18*, 179-191.

KENRICK, D.T. et TROST, M.R. (1987). A biosocial theory of heterosexual relationships. *In* K.Kelly (dir.). *Females, males, and sexuality.* Albany, State University of New York Press.

KENRICK, D.T. et TROST, M.R. (1989). Reproductive exchange model of heterosexual relationships: Putting proximate economics in ultimate perspective. *In* C.Hendrick (dir.). *Review of personality and social psychology,* vol.10. Newbury Park, Ca, Sage.

KERR, N.L. (1978). Beautiful and blameless: effects of victim attractiveness and responsibility on mock jurors' verdicts. *Journal of Personality and Social Psychology Bulletin, 4*, 479-482. (*a*)

KERR, N.L. (1978). Severity of prescribed penalty and mock jurors' verdicts. *Journal of Personality and Social Psychology, 36*, 1431-1442. (*b*)

KERR, N.L. (1981). Effects of prior juror experience on juror behavior. *Basic and Applied Social Psychology, 2*, 175-193.

KERR, N.L. (1983). Motivation losses in small groups: A social dilemma analysis. *Journal of Personality and Social Psychology, 45*, 819-828.

KERR, N.L. (1989). Illusions of efficacy: The effects of group size on perceived efficacy in social traps. *Journal of Experimental Social Psychology.*

KERR, N.L., ATKIN, R.S., STASSER, G., MEEK, D., HOLT, R.W. et DAVIS, J.H. (1976). Guilt beyond a reasonable doubt: Effects of concept definition and assigned decision rule on the judgments of mock jurors. *Journal of Personality and Social Psychology, 34*, 282-294.

KERR, N.L. et BRUUN, S.E. (1981). Ringelmann revisited: Alternative explanations for the social loafing effect. *Personality and Social Psychology Bulletin, 7*, 224-231.

KERR, N.L. et BRUUN, S.E. (1983). Dispensibility of member effort and group motivation losses: Free-rider effects. *Journal of Personality and Social Psychology, 44*, 78-94.

KERR, N.L., HARMON, D.L. et GRAVES, J.K. (1982). Independence of multiple verdicts by jurors and juries. *Journal of Applied Social Psychology, 12*, 12-29.

KERR, N.L. et MacCOUN, R.J. (1985). The effects of jury size and polling method on the process and product of jury deliberation. *Journal of Personality and Social Psychology, 48*, 349-363.

KHRUSHCHEV, N. (1980). Cité dans *Time*, 23 juin, 65.

KIDD, J.B. et MORGAN, J.R. (1969). A predictive informations system for management. *Operational Research Quarterly, 20*, 149-170.

KIDD, R.F. et BERKOWITZ, L. (1976). Effect of dissonance arousal on helpfulness. *Journal of Personality and Social Psychology, 33*, 613-622.

KIESLER, C.A. et KIESLER, S.B. (1969). *Conformity.* Reading, Mass., Addison-Wesley.

KIESLER, C.A. et PALLAK, M.S. (1975). Minority influence: The effect of majority reactionaries and defectors, and minority and majority compromisers, upon majority opinion and attraction. *European Journal of Social Psychology, 5,* 237-256.

KIESLER, S.B. et BARAL, R.L. (1970). The search for a romantic partner: The effects of self-esteem and physical attractiveness on romantic behavior. *In* K.Gergen et D.Marlowe (dir.). *Personality and Social Behavior.* Reading, Mass., Addison Wesley.

KIHLSTROM, J.F., CANTOR, N., ALBRIGHT, J.S., CHEW, B.R., KLEIN, S.B. et NIEDENTHAL, P.M. (1988). Information processing and the study of the self. *In* L.Berkowitz (dir.). *Advances in experimental social psychology.* Orlando, Fla, Academic Press.

KIMBLE, C.E., FITZ, D. et ONORAD, J.R. (1977). Effectiveness of counteraggression strategies in reducing interactive aggression by males. *Journal of Personality and Social Psychology, 35,* 272-278.

KIMMEL, M.J., PRUITT, D.G., MAGENAU, J.M., KONAR-GOLDBAND, E. et CARNEVALE, P.J.D. (1980). Effects of trust, aspiration, and gender on negotiation tactics. *Journal of Personality and Social Psychology, 38,* 9-22.

KIMURA, D. (novembre 1985). Male brain, female brain – The hidden difference. *Psychology Today,* 50-58.

KINDER, D.R. (1986). The continuing American dilemma: White resistance to racial change 40 years after Myrdal. *Journal of Social Issues, 42,* 151-171.

KINDER, D.R. et SEARS, D.O. (1981). Prejudice and politics: Symbolic racism versus racial threats to the good life. *Journal of Personality and Social Psychology, 40,* 414-431.

KINDER, D.R. et SEARS, D.O. (1985). Public opinion and political action. *In* G.Lindzey et E.Aronson (dir.). *The handbook of social psychology,* 3e éd. New York, Random House.

KIRKPATRICK, J. (1981). Discours fait à la National Conservative Political Action Conference, 21 mars.

KIRMEYER, S.L. (1978). Urban density and pathology: A review of research. *Environment and Behavior, 10,* 257-269.

KITSON, G.C. et SUSSMAN, M.B. (1982). Marital complaints, demographic characteristics, and symptoms of mental distress in divorce. *Journal of Marriage and the Family, 44,* 87-101.

KLAAS, E.T. (1978). Psychological effects of immoral actions: The experimental evidence. *Psychological Bulletin, 85,* 756-771.

KLAYMAN, J. et HA, Y-W. (1987). Confirmation, disconfirmation, and information in hypothesis testing. *Psychological Review, 94,* 211-228.

KLECK, R.E. et STRENTA, A. (1980). Perceptions of the impact of negatively valued physical characteristics on social interaction. *Journal of Personality and Social Psychology, 5,* 861-873.

KLEINKE, C.L. (1977). Compliance to requests made by gazing and touching experimenters in field settings. *Journal of Experimental Social Psychology, 13,* 218-223.

KLENTZ, B., BEAMAN, A.L., MAPELLI, S.D. et ULLRICH, J.R. (1987). Perceived physical attractiveness of supporters and nonsupporters of the women's movement: An attitude-similarity-mediated error (AS-ME). *Personality and Social Psychology Bulletin, 13,* 513-523.

KLOPFER, P.M. (1958). Influence of social interaction on learning rates in birds. *Science, 128,* 903-904.

KNIGHT, G.P. et DUBRO, A.F. (1984). Cooperative, competitive, and individualistic social values: An individualized regression and clustering approach. *Journal of Personality and Social Psychology, 46,* 98-105.

KNIGHT, J.A. et VALLACHER, R.R. (1981). Interpersonal engagement in social perception: The consequences of getting into the action. *Journal of Personality and Social Psychology, 40,* 990-999.

KNIGHT, P.A. et WEISS, H.M. (1980). *Benefits of suffering: Communicator suffering, benefiting, and influence.* Communication présentée au congrès de l'American Psychological Association.

KNOWLES, E.S. (1983). Social physics and the effects of others: Tests of the effects of audience size and distance on social judgment and behavior. *Journal of Personality and Social Psychology, 45,* 1263-1279.

KNOX, R.E. et INKSTER, J.A. (1968). Postdecision dissonance at post-time. *Journal of Personality and Social Psychology, 8,* 319-323.

KNUDSON, R.M., SOMMERS, A.A. et GOLDING, S.L. (1980). Interpersonal perception and mode of resolution in marital conflict. *Journal of Personality and Social Psychology, 38,* 751-763.

KOESTNER, R. et WHEELER, L. (1988). Self-presentation in personal advertisements: The influence of implicit notions of attraction and role expectations. *Journal of Social and Personal Relationships, 5,* 149-160.

KOHLBERG, L. (1981). *The philosophy of moral development: Essays in moral development,* vol.I. New York, Harper & Row.

KOHLBERG, L. (1984). *The psychology of moral development: Essays on moral development,* vol.II. San Francisco, Harper & Row.

KOHN, A. (octobre 1987). It's hard to get left out of a pair. *Psychology Today,* 53-57.

KOMORITA, S.S. et BARTH, J.M. (1985). Components of reward in social dilemmas. *Journal of Personality and Social Psychology, 48,* 364-373.

KOOCHER, G.P. (1977). Bathroom behavior and human dignity. *Journal of Personality and Social Psychology, 35,* 120-121.

KOOP, C.E. (1987). Report of the Surgeon General's workshop on pornography and public health. *American Psychologist, 42,* 944-945.

KORABIK, K. (1981). Changes in physical attractiveness and interpersonal attraction. *Basic and Applied Social Psychology, 2,* 59-66.

KORIAT, A., LICHTENSTEIN, S. et FISCHHOFF, B. (1980). Reasons for confidence. *Journal of Experimental Psychology: Human Learning and Memory, 6,* 107-118.

KORTE, C. (1980). Urban-nonurban differences in social behavior and social psychological models of urban impact. *Journal of Social Issues, 36,* 29-51.

KOSS, M.P., DINERO, T.E., SEIBEL, C.A. et COX, S.L. (1988). Stranger and acquaintance rape. *Psychology of Women, 12,* 1-24.

KRAUT, R.E. (1973). Effects of social labeling on giving to charity. *Journal of Experimental Social Psychology, 9,* 551-562.

KRAUT, R.E. et POE, D. (1980). Behavioral roots of person perception: The deception judgments of customs inspectors and laymen. *Journal of Personality and Social Psychology, 39,* 784-798.

KRAVITZ, D.A. et MARTIN, B. (1986). Ringelmann rediscovered: The original article. *Journal of Personality and Social Psychology, 50,* 936-941.

KREBS, D. (1970). Altruism – An examination of the concept and a review of the literature. *Psychological Bulletin, 73,* 258-302.

KREBS, D. (1975). Empathy and altruism. *Journal of Personality and Social Psychology, 32,* 1134-1146.

KREBS, D. et ADINOLFI, A.A. (1975). Physical attractiveness, social relations, and personality style. *Journal of Personality and Social Psychology, 31,* 245-253.

KRECH, D., CRUTCHFIELD, R.A. et BALLACHEY, E.I. (1962). *Individual in society.* New York, McGraw-Hill.

KRESSEL, K. et PRUITT, D.G. (1985). Themes in the mediation of social conflict. *Journal of Social Issues, 41*(2), 179-198.

KRISTIANSEN, C.M. et HARDING, C.M. (1988). A comparison of the coverage of health issues by Britain's quality and popular press. *Social Behaviour, 3,* 25-32.

KROSNICK, J.A. et SCHUMAN, H. (1988). Attitude intensity, importance, and certainty and susceptibility to response effects. *Journal of Personality and Social Psychology, 54,* 940-952.

KRUEGER, J. et ROTHBART, M. (1988). Use of categorical and individuating information in making inferences about personality. *Journal of Personality and Social Psychology, 55,* 187-195.

KRUGLANSKI, A.W. et AJZEN, I. (1983). Bias and error in human judgment. *European Journal of Social Psychology, 13,* 1-44.

KRUGLANSKI, A.W. et FREUND, T. (1983). The freezing and unfreezing of lay-inferences. Effects of impressional primacy, ethnic stereotyping, and numerical anchoring. *Journal of Experimental Social Psychology, 19,* 448-468.

KUIPER, N.A. (1978). Depression and causal attributions for success and failure. *Journal of Personality and Social Psychology, 36*, 236-246.

KUIPER, N.A. et HIGGINS, E.T. (1985). Social cognition and depression: A general integrative perspective. *Social Cognition, 3*, 1-15.

KUNDA, Z. (1987). Motivated inference: Self-serving generation and evaluation of causal theories. *Journal of Personality and Social Psychology, 53*, 636-647.

KUNST-WILSON, W.R. et ZAJONC, R.B. (1980). Affective discrimination of stimuli that cannot be recognized. *Science, 207*, 557-558.

KURDEK, L.A. et SCHMITT, J.P. (1986). Interaction of sex role self-concept with relationship quality and relationship beliefs in married, heterosexual cohabiting, gay, and lesbian couples. *Journal of Personality and Social Psychology, 51*, 365-370.

LaFRANCE, M. (1985). Does your smile reveal your status? *Social Science News Letter, 70* (printemps), 15-18.

LAGERSPETZ, K. (1979). Modification of aggressiveness in mice. In S.Feshbach et A.Fraczek (dir.). *Aggression and behavior change.* New York, Praeger.

LAGERSPETZ, K.M.J., BJORKQVIST, K., BERTS, M. et KING, E. (1982). Group aggression among school children in three schools. *Scandinavian Journal of Psychology, 23*, 45-52.

LAIRD, J.D. (1974). Self-attribution of emotion: The effects of expressive behavior on the quality of emotional experience. *Journal of Personality and Social Psychology, 29*, 475-486.

LAIRD, J.D. (1984). The real role of facial response in the experience of emotion: A reply to Tourangeau and Ellsworth, and others. *Journal of Personality and Social Psychology, 47*, 909-917.

LALLJEE, M., LAMB, R., FURNHAM, A. et JASPARS, J. (1984). Explanations and information search: Inductive and hypothesis-testing approaches to arriving at an explanation. *British Journal of Social Psychology, 23*, 201-212.

LAMAL, P.A. (1979). College student common beliefs about psychology. *Teaching of Psychology, 6*, 155-158.

LANDERS, A. (1973). Syndicated newspaper column. 8 avril 1969. Cité par L.Berkowitz dans The case for bottling up rage. *Psychology Today*, septembre, 24-31.

LANDERS, A. (août 1985). Is affection more important than sex? *Reader's Digest*, 44-46.

LANDERS, S. (juillet 1988). Sex, drugs 'n' rock: Relation not causal. *APA Monitor*, 40.

LANGER, E.J. (1977). The psychology of chance. *Journal for the Theory of Social Behavior, 7*, 185-208.

LANGER, E.J. et IMBER, L. (1980). The role of mindlessness in the perception of deviance. *Journal of Personality and Social Psychology, 39*, 360-367.

LANGER, E.J., JANIS, I.L. et WOFER, J.A. (1975). Reduction of psychological stress in surgical patients. *Journal of Experimental Social Psychology, 11*, 155-165.

LANGER, E.J. et RODIN, J. (1976). The effects of choice and enhanced personal responsibility for the aged: A field experiment in an institutional setting. *Journal of Personality and Social Psychology, 334*, 191-198.

LANGER, E.J. et ROTH, J. (1975). Heads I win, tails it's chance: The illusion of control as a function of the sequence of outcomes in a purely chance task. *Journal of Personality and Social Psychology, 32*, 951-955.

LANGLOIS, J.H., ROGGMAN, L.A., CASEY, R.J., RITTER, J.M., RIESER-DANNER, L.A. et JENKINS, V.Y. (1987). Infant preferences for attractive faces: Rudiments of a stereotype? *Developmental Psychology, 23*, 363-369.

LANGLOIS, J.H. et STEPHAN, C.W. (1981). Beauty and the beast: The role of physical attractiveness in the development of peer relations and social behavior. In S.S.Brehm, S.M.Kassin et F.X.Gibbons (dir.). *Developmental social psychology.* New York, Oxford University Press.

LANSING, J.B., MARANS, R.W. et ZEHNER, R.G. (1970). *Planned residential environments.* Ann Arbor, Mich., Institute for Social Research, Université du Michigan.

LANZETTA, J.T. (1955). Group behavior under stress. *Human Relations, 8*, 29-53.

LAPIDUS, J., GREEN, S.K. et BARUH, E. (1985). Factors related to roommate compatibility in the residence hall – a review. *Journal of College Student Personnel, 26*, 420-434.

La ROCHEFOUCAULD (1965). *Maxims, 1665.* Traduit par J.Heard, 1917. Boston, International Pocket Library.

LARSEN, K. (1974). Conformity in the Asch experiment. *Journal of Social Psychology, 94*, 303-304.

LARSEN, R.J. et DIENER, E. (1987). Affect intensity as an individual difference characteristic: A review. *Journal of Research in Personality, 21*, 1-39.

LARSON, R.J., CSIKSZENTMIHALYI, N. et GRAEF, R. (1982). Time alone in daily experience: Loneliness or renewal? In L.A.Peplau et D.Perlman (dir.). *Loneliness: A sourcebook of current theory, research and therapy.* New York, Wiley.

LARWOOD, L. (1978). Swine flu: A field study of self-serving biases. *Journal of Applied Social Psychology, 18*, 283-289.

LARWOOD, L. et WHITTAKER, W. (1977). Managerial myopia: Self-serving biases in organizational planning. *Journal of Applied Social Psychology, 62*, 194-198.

LASSITER, G.D. et IRVINE, A.A. (1986). Videotaped confessions: The impact of camera point of view on judgments of coercion. *Journal of Applied Social Psychology, 16*, 268-276.

LATANÉ, B. (1981). The psychology of social impact. *American Psychologist, 36*, 343-356.

LATANÉ, B. et DABBS, J.M., Jr. (1975). Sex, group size and helping in three cities. *Sociometry, 38*, 180-194.

LATANÉ, B. et DARLEY, J.M. (1968). Group inhibition of bystander intervention in emergencies. *Journal of Personality and Social Psychology, 10*, 215-221.

LATANÉ, B. et DARLEY, J.M. (1970). *The unresponsive bystander: Why doesn't he help?* New York, Appleton-Century-Crofts.

LATANÉ, B. et NIDA, S. (1981). Ten years of research on group size and helping. *Psychological Bulletin, 89*, 308-324.

LATANÉ, B. et RODIN, J. (1969). A lady in distress: Inhibiting effects of friends and strangers on bystander intervention. *Journal of Experimental Social Psychology, 5*, 189-202.

LATANÉ, B., WILLIAMS, K. et HARKINS, S. (1979). Many hands make light the work: The causes and consequences of social loafing. *Journal of Personality and Social Psychology, 37*, 822-832.

LAUGHLIN, P.R. (1980). Social combination processes of cooperative problem-solving groups in verbal intellective tasks. In M.Fishbein (dir.). *Progress in social psychology.* Hillsdale, N.J., Erlbaum.

LAUGHLIN, P.R. et ADAMOPOULOS, J. (1980). Social combination processes and individual learning for six-person cooperative groups on an intellective task. *Journal of Personality and Social Psychology, 38*, 941-947.

LAYDEN, M.A. (1982). Attributional therapy. In C.Antaki et C.Brewin (dir.). *Attributions and psychological change: Applications of attributional theories to clinical and educational practice.* London, Academic Press.

LEARY, M.R. (1982). Hindsight distortion and the 1980 presidential election. *Personality and Social Psychology Bulletin, 8*, 257-263.

LEARY, M.R. (1984). *Understanding social anxiety.* Beverly Hills, Ca, Sage.

LEARY, M.R. (1986). The impact of interactional impediments on social anxiety and self-presentation. *Journal of Experimental Social Psychology, 22*, 122-135.

LEARY, M.R. et KOWALSKI, R.M. (1989). Impression management: A literature review and two-component model. *Psychological Bulletin.*

LEARY, M.R. et MADDUX, J.E. (1987). Progress toward a viable interface between social and clinical-counseling psychology. *American Psychologist, 42*, 904-911.

LEBOW, R.N. et STEIN, J.G. (1987). Beyond deterrence. *Journal of Social Issues, 43*(4), 5-71.

LEE, J.A. (1988). Love-styles. In R.J.Sternberg et M.L.Barnes (dir.). *The psychology of love.* New Haven, Yale University Press.

LEE, M.T. et OFSHE, R. (1981). The impact of behavioral style and status characteristics on social influence: A test of two competing theories. *Social Psychology Quarterly, 44,* 73-82.

LEFCOURT, H.M. (1982). *Locus of control: Current trends in theory and research.* Hillsdale, N.J., Erlbaum.

LEFEBVRE, L.M. (1979). Causal attributions for basketball outcomes by players and coaches. *Psychological Belgica, 19,* 109-115.

LEFFLER, A., GILLESPIE, D.L. et CONATY, J.C. (1982). The effects of status differentiation on nonverbal behavior. *Social Psychology Quarterly, 45,* 153-161.

LEFKOWITZ, M.M., ERON, L.D., WALDER, L.O. et HUESMANN, L.R. (1976). *Growing up to be violent.* New York, Pergamon.

LEHMAN, D.R., LEMPERT, R.O. et NISBETT, R.E. (1988). The effects of graduate training on reasoning: Formal discipline and thinking about everyday-life events. *American Psychologist, 43,* 431-442.

LEHMAN, D.R. et NISBETT, R.E. (1985). *Effects of higher education on inductive reasoning.* Manuscrit inédit, Université du Michigan.

LEHMAN, D.R. et REIFMAN, A. (1987). Spectator influence on basketball officiating. *Journal of Social Psychology, 127,* 673-675.

LEIPPE, M.R. (1985). The influence of eyewitness nonidentification on mock-jurors. *Journal of Applied Social Psychology, 15,* 656-672.

LEIPPE, M.R., BRIGHAM, J.C., COUSINS, C. et ROMANCZYK, A. (1988). The opinions and practices of criminal attorneys regarding child eyewitnesses: A survey. In S.J.Ceci, D.F.Ross et M.P.Toglia (dir.). *Perspectives on children's testimony.* New York, Springer-Verlag.

LEIPPE, M.R. et ELKIN, R.A. (1987). When motives clash: Issue involvement and response involvement as determinants of persuasion. *Journal of Personality and Social Psychology, 52,* 269-278.

LEIPPE, M.R. et ELKIN, R.A. (1987). *Dissonance reduction strategies and accountability to self and others: Ruminations and some initial research.* Présentation à la Fifth International Conference on Affect, Motivation, and Cognition, Nags Head Conference Center.

LEIPPE, M.R. et ROMANCZYK, A. (1989). Reactions to child (versus adult) eyewitnesses: The influence of jurors' preconceptions and witness behavior. *Law and Human Behavior, 13,* 103-132.

LEMYRE, L. et SMITH, P.M. (1985). Intergroup discrimination and self-esteem in the minimal group paradigm. *Journal of Personality and Social Psychology, 49,* 660-670.

LENIHAN, K.J. (1965). *Perceived climates as a barrier to housing desegregation.* Manuscrit inédit, Bureau of Applied Social Research, Université Columbia.

LEON, D. (1979). *The Kibbutz: A new way of life.* London, Pergamon Press, 1969. Cité par B.Latané,

K.Williams et S.Harkins dans Many hands make light the work: The causes and consequences of social loafing. *Journal of Personality and Social Psychology, 37,* 822-832.

LEPPER, M.R. et GREENE, D. (dir.) (1979). *The hidden costs of reward.* Hillsdale, N.J., Erlbaum.

LEPPER, M.R., ROSS, L. et LAU, R.R. (1986). Persistence of inaccurate beliefs about the self: Perseverance effects in the classroom. *Journal of Personality and Social Psychology, 50,* 482-491.

LERNER, M.J. (1980). *The belief in a just world: A fundamental delusion.* New York, Plenum.

LERNER, M.J. et MILLER, D.T. (1978). Just world research and the attribution process: Looking back and ahead. *Psychological Bulletin, 85,* 1030-1051.

LERNER, M.J. et SIMMONS, C.H. (1966). Observer's reaction to the «innocent victim»: Compassion or rejection? *Journal of Personality and Social Psychology, 4,* 203-210.

LERNER, R.M. et FRANK, P. (1974). Relation of race and sex to supermarket helping behavior. *Journal of Social Psychology, 94,* 201-203.

LEUNG, K. et BOND, M.H. (1984). The impact of cultural collectivism on reward allocation. *Journal of Personality and Social Psychology, 47,* 793-804.

LEVENTHAL, G.S. (1976). The distribution of rewards and resources in groups and organizations. In L.Berkowitz et E.Walster (Hatfield) (dir.). *Advances in experimental social psychology,* vol.9. New York, Academic Press.

LEVENTHAL, H. (1970). Findings and theory in the study of fear communications. In L.Berkowitz (dir.). *Advances in experimental social psychology,* vol.5. New York, Academic Press.

LEVIN, I.P. (1987). Associative effects of information framing. *Bulletin of the Psychonomic Society, 25,* 85-86.

LEVIN, I.P., SCHNITTJER, S.K. et THEE, S.L. (1988). Information framing effects in social and personal decisions. *Journal of Experimental Social Psychology, 24,* 520-529.

LEVINE, D.W., O'NEAL, E.C., GARWOOD, S.G. et McDONALD, P.J. (1980). Classroom ecology: The effects of seating position on grades and participation. *Personality and Social Psychology Bulletin, 6,* 409-412.

LEVINE, J.M. (1980). Reaction to opinion deviance in small groups. In P.B.Paulus. *Psychology of group influence.* Hillsdale, N.J., Erlbaum.

LEVINE, J.M. (1989). Reaction to opinion deviance in small groups. In P.Paulus (dir.). *Psychology of group influence: New perspectives.* Hillsdale, N.J., Erlbaum.

LEVINE, J.M. et MORELAND, R.L. (1985). Innovation and socialization in small groups. In S.Moscovici, G.Mugny et E.Van Avermaet (dir.). *Perspectives on minority influence.* Cambridge, Cambridge University Press.

LEVINE, J.M. et MORELAND, R.L. (1987). Social comparison and outcome evaluation in group contexts. In J.C.Masters et W.P.Smith (dir.). *Social comparison, social justice, and relative deprivation: Theoretical, empirical, and policy perspectives.* Hillsdale, N.J., Erlbaum.

LEVINE, J.M. et RUSSO, E.M. (1987). Majority and minority influence. In C.Hendrick (dir.). *Group processes: Review of personality and social psychology,* vol.8. Newbury Park, Ca, Sage.

LEVINE, R. et ULEMAN, J.S. (1979). Perceived locus of control, chronic self-esteem, and attributions to success and failure. *Journal of Personality and Social Psychology, 5,* 69-72.

LEVINGER, G. (1987). The limits of deterrence: An introduction. *Journal of Social Issues, 43*(4), 1-4.

LEVY, S., SELIGMAN, M.E.P., MORROW, L., BAGLEY, C. et LIPPMAN, M. (1988). Survival hazards analysis in first recurrent breast cancer patients: Seven-year follow-up. *Psychosomatic Medicine.*

LÉVY-LEBOYER, C. (1988). Success and failure in applying psychology. *American Psychologist, 43,* 779-785.

LEWICKI, P. (1983). Self-image bias in person perception. *Journal of Personality and Social Psychology, 45,* 384-393.

LEWICKI, P. (1985). Nonconscious biasing effects of single instances on subsequent judgments. *Journal of Personality and Social Psychology, 48,* 563-574.

LEWIN, K. (1936). *A dynamic theory of personality.* New York, McGraw-Hill.

LEWINSOHN, P.M., HOBERMAN, H., TERI, L. et HAUTZINER, M. (1985). An integrative theory of depression. In S.Reiss et R.Bootzin (dir.). *Theoretical issues in behavior therapy.* New York, Academic Press.

LEWINSOHN, P.M., MISCHEL, W., CHAPLINE, W. et BARTON, R. (1980). Social competence and depression: The role of illusionary self-perceptions. *Journal of Abnormal Psychology, 89,* 203-212.

LEWINSOHN, P.M. et ROSENBAUM, M. (1987). Recall of parental behavior by acute depressives, remitted depressives, and nondepressives. *Journal of Personality and Social Psychology, 52,* 611-619.

LEWIS, C.S. (1960). *Mere Christianity.* New York, Macmillan.

LEWIS, C.S. (1974). *The horse and his boy.* New York, Collier Books.

LEWIS, H.W. (2 septembre 1985). Proven probabilities should help us assess risks. *International Hearld Tribune,* 4.

LEYENS, J.P., CAMINO, L., PARKE, R.D. et BERKOWITZ, L. (1975). Effects of movie violence on aggression in a field setting as a function of group dominance and cohesion. *Journal of Personality and Social Psychology, 32,* 346-360.

LICHTENSTEIN, S. et FISCHHOFF, B. (1980). Training for calibration. *Organizational Behavior and Human Performance, 26,* 149-171.

LIEBERMAN, S. (1956). The effects of changes in roles on the attitudes of role occupants. *Human Relations, 9,* 385-402.

LIEBERT, R.M. et BARON, R.A. (1972). Some immediate effects of televised violence on children's behavior. *Developmental Psychology, 6,* 469-475.

LIEBRAND, W.B.G., MESSICK, D.M. et WOLTERS, F.J.M. (1986). Why we are fairer than others: A cross-cultural replication and extension. *Journal of Experimental Social Psychology, 22,* 590-604.

LIFE (printemps 1988). What we believe. 69-70.

LINDSAY, R.C.L. et WELLS, G.L. (1985). Improving eyewitness identifications from lineups: Simultaneous versus sequential lineup presentation. *Journal of Applied Psychology, 70,* 556-564.

LINDSAY, R.C.L., WELLS, G.L. et RUMPEL, C.H. (1981). Can people detect eyewitness-identification accuracy within and across situations? *Journal of Applied Psychology, 66,* 79-89.

LINDSKOLD, S. (1978). Trust development, the GRIT proposal, and the effects of conciliatory acts on conflict and cooperation. *Psychological Bulletin, 85,* 772-793.

LINDSKOLD, S. (1979). Conciliation with simultaneous or sequential interaction: Variations in trustworthiness and vulnerability in the prisoner's dilemma. *Journal of Conflict Resolution, 23,* 704-714.

LINDSKOLD, S. (1979). Managing conflict through announced conciliatory initiatives backed with retaliatory capability. *In* W.G.Austin et S.Worchel (dir.). *The social psychology of intergroup relations.* Monterey, Ca, Brooks/Cole. (a)

LINDSKOLD, S. (1981). *The laboratory evaluation of GRIT: Trust, cooperation, aversion to using conciliation.* Communication présentée au congrès de l'American Association for the Advancement of Science. (b)

LINDSKOLD, S. (1983). Cooperators, competitors, and response to GRIT. *Journal of Conflict Resolution, 27,* 521-532.

LINDSKOLD, S. et ARONOFF, R. (1980). Conciliatory strategies and relative power. *Journal of Experimental Social Psychology, 16,* 187-198.

LINDSKOLD, S., BENNETT, R. et WAYNER, M. (1976). Retaliation level as a foundation for subsequent conciliation. *Behavioral Science, 21,* 13-18.

LINDSKOLD, S., BETZ, B. et WALTERS, P.S. (1986). Transforming competitive or cooperative climate. *Journal of Conflict Resolution, 30,* 99-114.

LINDSKOLD, S. et COLLINS, M.G. (1978). Inducing cooperation by groups and individuals. *Journal of Conflict Resolution, 22,* 679-690.

LINDSKOLD, S. et FINCH, M.L. (1981). Styles of announcing conciliation. *Journal of Conflict Resolution, 25,* 145-155.

LINDSKOLD, S. et HAN, G. (1988). GRIT as a foundation for integrative bargaining. *Personality and Social Psychology Bulletin, 14,* 335-345.

LINDSKOLD, S., HAN, G. et BETZ, B. (1986). The essential elements of communication in the GRIT strategy. *Personality and Social Psychology Bulletin, 12,* 179-186. (a)

LINDSKOLD, S., HAN, G. et BETZ, B. (1986). Repeated persuasion in interpersonal conflict. *Journal of Personality and Social Psychology, 51,* 1183-1188. (b)

LINDSKOLD, S., WALTERS, P.S., KOUTSOURAIS, H. et SHAYO, R. (1981). *Cooperators, competitors, and response to GRIT.* Manuscrit inédit, Université Ohio.

LINVILLE, P.W. (1987). Self-complexity as a cognitive buffer against stress-related illness and depression. *Journal of Personality and Social Psychology, 52,* 663-676.

LINZ, D.G., DONNERSTEIN, E. et ADAMS, S.M. (1989). Physiological desensitization and judgments about female victims of violence. *Human Communication Research, 15.*

LINZ, D.G., DONNERSTEIN, E. et PENROD, S. (1988). Effects of long term exposure to violent and sexually degrading depictions of women. *Journal of Personality and Social Psychology, 55,* 758-768.

LIPSET, S.M. (1966). University students and politics in underdeveloped countries. *Comparative Education Review, 10,* 132-162.

LOCKSLEY, A., BORGIDA, E., BREKKE, N. et HEPBURN, C. (1980). Sex stereotypes and social judgment. *Journal of Personality and Social Psychology, 39,* 821-831.

LOCKSLEY, A., HEPBURN, C. et ORTIZ, V. (1982). Social stereotypes and judgments of individuals: An instance of the base-rate fallacy. *Journal of Experimental Social Psychology, 18,* 23-42.

LOCKSLEY, A., ORTIZ, V. et HEPBURN, C. (1980). Social categorization and discriminatory behavior: Extinguishing the minimal intergroup discrimination effect. *Journal of Personality and Social Psychology, 39,* 773-783.

LOCKSLEY, A. et STANGOR, C. (1984). Why versus how often: Causal reasoning and the incidence of judgmental bias. *Journal of Experimental Social Psychology, 20,* 470-483.

LOFLAND, J. et STARK, R. (1965). Becoming a worldsaver: A theory of conversion to a deviant perspective. *American Sociological Review, 30,* 862-864.

LOFTUS, E.F. (décembre 1974). Reconstructing memory: The incredible eyewitness. *Psychology Today,* 117-119.

LOFTUS, E.F. (1979). *Eyewitness testimony.* Cambridge, Mass., Harvard University Press. (a)

LOFTUS, E.F. (1979). The malleability of human memory. *American Scientist, 67,* 312-320. (b)

LOFTUS, E.F. (1980). Impact of expert psychological testimony on the unreliability of eyewitness identification. *Journal of Applied Psychology, 65,* 9-15. (a)

LOFTUS, E.F. (1980). *Memories are made of this: New insights into the workings of human memory.* Reading, Mass., Addison-Wesley. (b)

LOFTUS, E.F. et LOFTUS, G.R. (1980). On the permanence of stored information in the human being. *American Psychologist, 35,* 409-420.

LOFTUS, E.F., MILLER, D.G. et BURNS, H.J. (1978). Semantic integration of verbal information into a visual memory. *Journal of Experimental Psychology: Human Learning and Memory, 4,* 19-31.

LOFTUS, E.F. et PALMER, J.C. (1973). Reconstruction of automobile destruction: An example of the interaction between language and memory. *Journal of Verbal Learning and Verbal Behavior, 13,* 585-589.

LOFTUS, E.F. et ZANNI, G. (1975). Eyewitness testimony: The influence of the wording in a question. *Bulletin of the Psychonomic Society, 5,* 86-88.

LOMBARDO, J.P., WEISS, R.F. et BUCHANAN, W. (1972). Reinforcing and attracting functions of yielding. *Journal of Personality and Social Psychology, 21,* 359-368.

LONDON, P. (1970). The rescuers: Motivational hypotheses about Christians who saved Jews from the Nazis. *In* J.Macaulay et L.Berkowitz (dir.). *Altruism and helping behavior.* New York, Academic Press.

LONNER, W.J. (1989). The introductory psychology text and cross-cultural psychology: Beyond Ekman, Whorf, and biased I.Q.tests. *In* D.Keats, D.R.Munro et L.Mann (dir.). *Heterogeneity in cross-cultural psychology.* Lisse, Netherlands, Swets & Zeitlinger.

LORD, C.G., LEPPER, M.R. et PRESTON, E. (1984). Considering the opposite: A corrective strategy for social judgment. *Journal of Personality and Social Psychology, 47,* 1231-1243.

LORD, C.G., ROSS, L. et LEPPER, M. (1979). Biased assimilation and attitude polarization: The effects of prior theories on subsequently considered evidence. *Journal of Personality and Social Psychology, 37,* 2098-2109.

LORD, C.G. et SAENZ, D.S. (1985). Memory deficits and memory surfeits: Differential cognitive consequences of tokenism for tokens and observers. *Journal of Personality and Social Psychology, 49,* 918-926.

LORENZ, K. (1976). *On aggression.* New York, Bantam Books.

LOTT, A.J. et LOTT, B.E. (1961). Group cohesiveness, communication level, and conformity. *Journal of Abnormal and Social Psychology, 62,* 408-412.

LOTT, A.J. et LOTT, B.E. (1974). The role of reward in the formation of positive interpersonal attitudes. *In* T.Huston (dir.). *Foundations of interpersonal attraction.* New York, Academic Press.

LOUIS HARRIS *et al.* (avec une analyse de SIMON, W. et MILLER, P.) (1979). *The Playboy report on American men.* Chicago, Playboy.

LOUW-POTGIETER, J. (1988). The authoritarian personality: An inadequate explanation for inter-group conflict in South Africa. *Journal of Social Psychology, 128,* 75-87.

LOWE, C.A. et GOLDSTEIN, J.W. (1970). Reciprocal liking and attributions of ability: Mediating effects of perceived intent and personal involvement. *Journal of Personality and Social Psychology, 16,* 291-297.

LOWRY, D.T., LOVE, G. et KIRBY, M. (1981). Sex on the soap operas: Patterns of intimacy. *Journal of Communication, 31*(3), 90-96.

LOY, J.W. et ANDREWS, D.S. (1981). They also saw a game: A replication of a case study. *Replications in Social Psychology, 1*(2), 45-59.

LUMSDAINE, A.A. et JANIS, I.L. (1953). Resistance to «counter-propaganda» produced by one-sided and two-sided «propaganda» presentations. *Public Opinion Quarterly, 17,* 311-318.

LUMSDEN, A., ZANNA, M.P. et DARLEY, J.M. (1980). *When a newscaster presents counter-attitudinal information: Education or propaganda?* Communication présentée au congrès annuel de la Canadian Psychological Association.

LYDON, J.E., JAMIESON, D.W. et ZANNA, M.P. (1988). Interpersonal similarity and the social and intellectual dimensions of first impressions. *Social Cognition, 6,* 269-286.

LYNN, M. et OLDENQUIST, A. (1986). Egoistic and nonegoistic motives in social dilemmas. *American Psychologist, 41,* 529-534.

LYNN, M. et SHURGOT, B.A. (1984). Responses to lonely hearts advertisements: Effects of reported physical attractiveness, physique, and coloration. *Personality and Social Psychology, 10,* 349-357.

MAASS, A., BRIGHAM, J.C. et WEST, S.G. (1985). Testifying on eyewitness reliability: Expert advice is not always persuasive. *Journal of Applied Social Psychology, 15,* 207-229.

MAASS, A. et CLARK, R.D., III (1984). Hidden impact of minorities: Fifteen years of minority influence research. *Psychological Bulletin, 95,* 428-450.

MAASS, A. et CLARK, R.D., III (1986). Conversion theory and simultaneous majority/minority influence: Can reactance offer an alternative explanation? *European Journal of Social Psychology, 16,* 305-309.

MAASS, A., WEST, S.G. et CIALDINI, R.B. (1987). Minority influence and conversion. *In* C.Hendrick (dir.). *Group processes: Review of personality and social psychology,* vol.8. Newbury Park, Ca, Sage.

MacARTHUR, D. (1973). Cité dans J.D.Frank's statement on psychological aspects of international relations before a hearing of the Committee on Foreign Relations, United States Senate, 25 mai 1966. Réimprimé dans D.E.Linder (dir.). *Psychological dimensions of social interaction: Readings and perspectives.* Reading, Mass., Addison-Wesley.

MACCOBY, E.E. (1980). *Social development.* New York, Harcout Brace Jovanovich.

MACCOBY, E.E. et JACKLIN, C.N. (1974). *The psychology of sex differences.* Stanford, Ca, Stanford University Press.

MACCOBY, N. (1980). Promoting positive health behaviors in adults. *In* L.A.Bond et J.C.Rosen (dir.). *Competence and coping during adulthood.* Hanover, N.H., University Press of New England.

MACCOBY, N. et ALEXANDER, J. (1980). Use of media in lifestyle programs. *In* P.O.Davidson et S.M.Davidson (dir.). *Behavioral medicine: Changing health lifestyles.* New York, Brunner/Mazel.

MacCOUN, R.J. et KERR, N.L. (1988). Asymmetric influence in mock jury deliberation: Jurors' bias for leniency. *Journal of Personality and Social Psychology, 54,* 21-33.

MacKAY, J.L. (1980). Selfhood: Comment on Brewster Smith. *American Psychologist, 35,* 106-107.

MACKIE, D.M. (1987). Systemic and nonsystematic processing of majority and minority persuasive communications. *Journal of Personality and Social Psychology, 53,* 41-52.

MACKIE, D.M. et ALLISON, S.T. (1987). Group attribution errors and the illusion of group attitude change. *Journal of Experimental Social Psychology, 23,* 460-480.

MACKIE, D.M. et WORTH, L.T. (1988). *Cognitive deficits and the mediation of positive affect in persuasion.* Manuscrit inédit, Université de Californie, Santa Barbara.

MacLACHLAN, J. (novembre 1979). What people really think of fast talkers. *Psychology Today,* 113-117.

MacLACHLAN, J. et SIEGEL, M.H. (1980). Reducing the costs of TV commercials by use of time compressions. *Journal of Marketing Research, 17,* 52-57.

MADDUX, J.E. (1986). Self-efficacy theory in contemporary psychology: An overview. *Journal of Social and Clinical Psychology, 4,* 249-255.

MADDUX, J.E., NORTON, L.W. et LEARY, M.R. (1988). Cognitive components of social anxiety: An investigation of the integration of self-presentation theory and self-efficacy theory. *Journal of Social and Clinical Psychology, 6,* 180-190.

MADDUX, J.E. et ROGERS, R.W. (1980). Effects of source expertness, physical attractiveness, and supporting arguments on persuasion: A case of brains over beauty. *Journal of Personality and Social Psychology, 39,* 235-244.

MADDUX, J.E. et ROGERS, R.W. (1983). Protection motivation and self-efficacy: A revised theory of fear appeals and attitude change. *Journal of Experimental Social Psychology, 19,* 469-479.

MAGNUSON, E. (10 mars 1986). «A serious deficiency»: The Rogers Commission faults NASA's «flawed» decision-making process. *Time,* 40-42, édition internationale.

MAGNUSSON, S. (1981). *The flying Scotsman.* London, Quartet Books.

MAJOR, B. (1987). Gender, justice, and the psychology of entitlement. *In* P.Shaver et C.Hendrick (dir.). *Sex and gender: Review of personality and social psychology,* vol.7. Beverly Hills, Sage.

MAJOR, B. et ADAMS, J.B. (1983). Role of gender, interpersonal orientation, and self-presentation distributive-justice behavior. *Journal of Personality and Social Psychology, 45,* 598-608.

MAJOR, B. et TESTA, M. (1989). Social comparison processes and judgments of entitlement and satisfaction. *Journal of Experimental Social Psychology, 25,* 101-120.

MALAMUTH, N.M. (1984). Aggression against women: Cultural and individual causes. *In* N.M. Malamuth et E.Donnerstein (dir.). *Pornography and sexual aggression.* Orlando, Fla, Academic Press.

MALAMUTH, N.M. (1986). Predictors of naturalistic sexual aggression. *Journal of Personality and Social Psychology, 50,* 953-962.

MALAMUTH, N.M. (1989). The attraction to sexual aggression scale: Part one. *Journal of Sex Research, 25.*

MALAMUTH, N.M. et CHECK, J.V.P. (1981). The effects of media exposure on acceptance of violence against women: A field experiment. *Journal of Research in Personality, 15,* 436-446.

MALAMUTH, N.M. et CHECK, J.V.P. (1984). Debriefing effectiveness following exposure to pornographic rape depictions. *Journal of Sex Research, 20,* 1-13.

MALKIEL, B.G. (1985). *A random walk down Wall Street,* 4e éd. New York, W.W.Norton.

MALPAAS, R.S. et DEVINE, P.G. (1984). Research on suggestion in lineups and photospreads. *In* G.L. Wells et E.F.Loftus (dir.). *Eyewitness identification: Psychological perspectives.* New York, Cambridge University Press.

MANIS, M. (1977). Cognitive social psychology. *Personality and Social Psychology Bulletin, 3,* 550-566.

MANIS, M., AVIS, N.E. et CARDOZE, S. (1981). Reply to Bar-Hillel and Fischoff. *Journal of Personality and Social Psychology, 41,* 681-683.

MANIS, M., CORNELL, S.D. et MOORE, J.C. (1974). Transmission of attitude-relevant information through a communication chain. *Journal of Personality and Social Psychology, 30,* 81-94.

MANIS, M., DOVALINA, I., AVIS, N.E. et CARDOZE, S. (1980). Base-rates *can* affect individual predictions. *Journal of Personality and Social Psychology, 38,* 231-248.

MANIS, M., NELSON, T.E. et SHEDLER, J. (1988). Stereotypes and social judgment: Extremity, assimilation, and contrast. *Journal of Personality and Social Psychology, 55,* 28-36.

MANN, L. (1981). The baiting crowd in episodes of threatened suicide. *Journal of Personality and Social Psychology, 41,* 703-709.

MANN, L. et JANIS, I.L. (1968). A follow-up study on the long-term effects of emotional role playing. *Journal of Personality and Social Psychology, 8*, 339-342.

MANTELL, D.M. (1971). The potential for violence in Germany. *Journal of Social Issues, 27*(4), 101-112.

MANZ, C.C. et SIMS, H.P., Jr. (1982). The potential for «groupthink» in autonomous work groups. *Human Relations, 35*, 773-784.

MARCUS, S. (1974). Review of *Obedience to authority. New York Times Book Review*, 13 janvier, 1-2.

MARKS, G. (1984). Thinking one's abilities are unique and one's opinions are common. *Personality and Social Psychology Bulletin, 10*, 203-208.

MARKS, G. et MILLER, N. (1987). Ten years of research on the false-consensus effect: An empirical and theoretical review. *Psychological Bulletin, 102*, 72-90.

MARKS, G., MILLER, N. et MARUYAMA, G. (1981). Effect of targets' physical attractiveness on assumptions of similarity. *Journal of Personality and Social Psychology, 41*, 198-206.

MARKS, G., MILLER, N. et MARUYAMA, G. (1981). The effect of physical attractiveness on assumptions of similarity. *Journal of Personality and Social Psychology, 41*, 198-206.

MARKUS, H. et SENTIS, K. (1982). The self in information processing. *In* J.Suls (dir.). *Psychological perspectives on the self*, vol.1. Hillsdale, N.J., Erlbaum.

MARKUS, H. et WURF, E. (1987). The dynamic self-concept: A social psychological perspective. *Annual Review of Psychology, 38*, 299-337.

MARLER, P. (1974). *Aggression and its control in animal society*. Présentation au congrès de l'American Psychological Association.

MARSHALL, W.L. (1988). The use of sexually explicit stimuli by rapists, child molesters, and nonoffenders. *The Journal of Sex Research, 25*, 267-288.

MARTIN, C.L. (1987). A ratio measure of sex stereotyping. *Journal of Personality and Social Psychology, 52*, 489-499.

MARTIN, J. (1980). Relative deprivation: A theory of distributive injustice for an era of shrinking resources. *In Research in organizational behavior*, vol.3. Greenwich, Ct, JAI Press.

MARTY, M.E. (1982). Watch your language. *Context*, 15 avril, 6.

MARUYAMA, G. et MILLER, N. (1981). Physical attractiveness and personality. *In* B.A.Maher et W.B.Maher (dir.). *Progress in Experimental Personality Research*. New York, Academic Press.

MARUYAMA, G., RUBIN, R.A. et KINGBURY, G. (1981). Self-esteem and educational achievement: Independent constructs with a common cause? *Journal of Personality and Social Psychology, 40*, 962-975.

MARVELLE, K. et GREEN, S. (1980). Physical attractiveness and sex bias in hiring decisions for two types of jobs. *Journal of the National Association of Women Deans, Administrators, and Counselors, 44*(1), 3-6.

MASLACH, C. (1978). The client role in staff burnout. *Journal of Social Issues, 34*(4), 111-124.

MASLACH, C. (1982). *Burnout: The cost of caring.* Englewood Cliffs, N.J., Prentice-Hall.

MASLACH, C. et JACKSON, S.E. (mai 1979). Burned-out cops and their families. *Psychology Today*, 59-62.

MASLOW, A.H. et MINTZ, N.L. (1956). Effects of esthetic surroundings: 1.Initial effects of three esthetic conditions upon perceiving «energy» and «well-being» in faces. *Journal of Psychology, 41*, 247-254.

MASLOW, B.G. (dir.) (1972). *Abraham H.Maslow: A memorial volume*. Monterey, Ca, Brooks/Cole.

MATHES, E. (1975). The effects of physical attractiveness and anxiety on heterosexual attraction over a series of five encounters. *Journal of Marriage and the Family, 37*, 769-774.

MAXWELL, G.M. (1985). Behaviour of lovers: Measuring the closeness of relationships. *Journal of Social and Personal Relationships, 2*, 215-238.

MAYER, F.S., DUVAL, S. et DUVAL, V.H. (1980). An attributional analysis of commitment. *Journal of Personality and Social Psychology, 39*, 1072-1080.

MAYER, J.D. et SALOVEY, P. (1987). Personality moderates the interaction of mood and cognition. *In* K.Fiedler et J.Forgas (dir.). *Affect, cognition, and social behavior*. Toronto, Hogrefe.

McALISTER, A., PERRY, C., KILLEN, J., SLINKARD, L.A. et MACCOBY, N. (1980). Pilot study of smoking, alcohol and drug abuse prevention. *American Journal of Public Health, 70*, 719-721.

McALISTER, A.L., PERRY, C. et MACCOBY, N. (1979). Adolescent smoking: Onset and prevention. *Pediatrics, 63*, 650-658.

McANDREW, F.T. (1981). Pattern of performance and attributions of ability and gender. *Personality and Social Psychology Bulletin, 7*, 583-587.

McARTHUR, L.A. (1972). The how and what of why: Some determinants and consequences of causal attribution. *Journal of Personality and Social Psychology, 22*, 171-193.

McARTHUR, L.Z. et FRIEDMAN, S.A. (1980). Illusory correlation in impression formation: Variations in the shared distinctiveness effect as a function of the distinctive person's age, race, and sex. *Journal of Personality and Social Psychology, 39*, 615-624.

McCAIN, G., COX, C. et PAULUS, P.B. (1981). The relationship between crowding and manifestations of illness in prison settings. *In* D.J.Osborne *et al.* (dir.). *Research in psychology and medicine*, vol.II. New York, Academic Press.

McCANN, C.D. et HANCOCK, R.D. (1983). Self-monitoring in communicative interactions: Social cognitive consequences of goal-directed message modification. *Journal of Experimental Social Psychology, 19*, 109-121.

McCANNE, T.R. et ANDERSON, J.A. (1987). Emotional responding following experimental manipulation of facial electromyographic activity. *Journal of Personality and Social Psychology, 52*, 759-768.

McCARREY, M., EDWARDS, H.P. et ROZARIO, W. (1982). Ego-relevant feedback, affect, and self-serving attributional bias. *Personality and Social Psychology Bulletin, 8*, 189-194.

McCARTHY, D.P. et SAEGERT, S. (1979). Residential density, social overload, and social withdrawal. *In* J.R.Aiello et A.Baum (dir.). *Residential crowding and design*. New York, Plenum Press.

McCARTHY, J.D. et HOGE, D.R. (1984). The dynamics of self-esteem and delinquency. *American Journal of Sociology, 90*, 396-410.

McCARTHY, J.F. et KELLY, B.R. (1978). Aggressive behavior and its effect on performance over time in ice hockey athletes: An archival study. *International Journal of Sport Psychology, 9*, 90-96. (a)

McCARTHY, J.F. et KELLY, B.R. (1978). Aggression, performance variables, and anger self-report in ice hockey players. *Journal of Psychology, 99*, 97-101. (b)

McCAUL, K.D., HINSZ, V.B. et McCAUL, H.S. (1987). The effects of commitment to performance goals on effort. *Journal of Applied Social Psychology, 17*, 437-452.

McCAUL, K.D. et MAKI, R.H. (1984). Self-reference versus desirability ratings and memory for traits. *Journal of Personality and Social Psychology, 47*, 953-955.

McCAULEY, C.R. et SEGAL, M.E. (1987). Social psychology of terrorist groups. *In* C.Hendrick (dir.). *Group processes and intergroup relations: Review of personality and social psychology*, vol.9. Newbury Park, Ca, Sage.

McCLELLAND, L. et COOK, S.W. (1979-1980). Energy conservation effects of continuous in-home feedback in all-electric homes. *Journal of Environmental Systems, 9*, 169-173. (a)

McCLELLAND, L. et COOK, S.W. (1980). Promoting energy conservation in mastered-metered apartments through group financial incentives. *Journal of Applied Social Psychology, 10*, 20-31. (b).

McCONAHAY, J.B. (1981). Reducing racial prejudice in desegregated schools. *In* W.D.Hawley (dir.). *Effective school desegregation*. Beverly Hills, Ca, Sage.

McCONAHAY, J.B. (1982). Self-interest versus racial attitudes as correlates of anti-busing attitudes in Louisville: Is it the buses or the blacks? *Journal of Politics, 44*, 692-720.

McCONAHAY, J.B. (1983). *It is still the blacks and not the buses: Self-interest vs. racial attitudes as correlates of opposition to busing in Louisville, a replication.*

Manuscrit inédit, Institute of Policy Sciences and Public Affairs, Université Duke.

McCONAHAY, J.B., HARDEE, B.B. et BATTS, V. (1981). Has racism declined in America: It depends upon who is asking and what is asked. *Journal of Conflict Resolution, 25*(4), 563-579.

McCULLOUGH, J.L. et OSTROM, T.M. (1974). Repetition of highly similar messages and attitude change. *Journal of Applied Psychology, 59,* 395-397.

McFARLAND, C. et ROSS, M. (1985). *The relation between current impressions and memories of self and dating partners.* Manuscrit inédit, Université de Waterloo.

McGILLICUDDY, N.B., WELTON, G.L. et PRUITT, D.G. (1987). Third-party intervention: A field experiment comparing three different models. *Journal of Personality and Social Psychology, 53,* 104-112.

McGILLIS, D. (1979). Biases and jury decision making. In I.H.Frieze, D.Bar-Tal et J.S.Carroll. *New approaches to social problems.* San Francisco, Jossey-Bass.

McGRATH, J.E. (1984). *Groups: Interaction and performance.* Englewood Cliffs, N.J., Prentice-Hall.

McGUINNESS, D. et PRIBRAM, K. (1978). The origins of sensory bias in the development of gender differences in perception and cognition. *In* M.Bortner (dir.). *Cognitive growth and development: Essays in honor of Herbert G.Birch.* New York, Brunner/Mazel, 1978. Cité par D.Goleman dans Special abilities of the sexes: Do they begin in the brain? *Psychology Today,* novembre, 48-59, 120.

McGUIRE, W.J. (1964). Inducing resistance to persuasion: Some contemporary approaches. *In* L.Berkowitz (dir.). *Advances in experimental social psychology,* vol.1. New York, Academic Press.

McGUIRE, W.J. (1968). Personality and susceptibility to social influence. *In* E.F.Borgatta et W.W.Lambert (dir.). *Handbook of personality theory and research.* Chicago, Rand-McNally.

McGUIRE, W.J. (1978). An information-processing model of advertising effectiveness. *In* H.L.Davis et A.J.Silk (dir.). *Behavioral and management sciences in marketing.* New York, Ronald Press.

McGUIRE, W.J. (1986). The myth of massive media impact: Savagings and salvagings. *In* G.Comstock (dir.). *Public communication and behavior,* vol.1. Orlando, Fla, Academic Press.

McGUIRE, W.J. et McGUIRE, C.V. (1986). Differences in conceptualizing self versus conceptualizing other people as manifested in contrasting verb types used in natural speech. *Journal of Personality and Social Psychology, 51,* 1135-1143.

McGUIRE, W.J., McGUIRE, C.V., CHILD, P. et FUJIOKA, T. (1978). Salience of ethnicity in the spontaneous self-concept as a function of one's ethnic distinctiveness in the social environment. *Journal of Personality and Social Psychology, 36,* 511-520.

McGUIRE, W.J., McGUIRE, C.V. et WINTON, W. (1979). Effects of household sex composition on the salience of one's gender in the spontaneous self-concept. *Journal of Experimental Social Psychology, 15,* 77-90.

McGUIRE, W.J. et PADAWER-SINGER, A. (1978). Trait salience in the spontaneous self-concept. *Journal of Personality and Social Psychology, 33,* 743-754.

McMILLEN, D.L. et AUSTIN, J.B. (1971). Effect of positive feedback on compliance following transgression. *Psychonomic Science, 24,* 59-61.

McMILLEN, D.L., SANDERS, D.Y. et SOLOMON, G.S. (1977). Self-esteem, attentiveness, and helping behavior. *Personality and Social Psychology Bulletin, 3,* 257-261.

McNEEL, S.P. (1980). *Tripling up: Perceptions and effects of dormitory crowding.* Communication présentée au congrès de l'American Psychological Association.

MEDALIA, N.Z. et LARSEN, O.N. (1958). Diffusion and belief in a collective delusion: The Seattle windshield pitting epidemic. *American Sociological Review, 23,* 180-186.

MEEHL, P.E. (1954). *Clinical vs. statistical prediction: A theoretical analysis and a review of evidence.* Minneapolis, University of Minnesota Press.

MEEHL, P.E. (1986). Causes and effects of my disturbing little book. *Journal of Personality Assessment, 50,* 370-375.

MEEUS, W.H.J. et RAAIJMAKERS, Q.A.W. (1986). Administrative obedience: Carrying out orders to use psychological-administrative violence. *European Journal of Social Psychology, 16,* 311-324.

MEHRABIAN, A. et DIAMOND, S.G. (1971). Effects of furniture arrangement, props, and personality on social interaction. *Journal of Personality and Social Psychology, 20,* 18-30.

MEINDL, J.R. et LERNER, M.J. (1984). Exacerbation of extreme responses to an out-group. *Journal of Personality and Social Psychology, 47,* 71-84.

MELTON, G.B., MONAHAN, J. et SAKS, M.J. (1987). Psychologists as law professors. *American Psychologist, 42,* 502-509.

MENDONCA, P.J. et BREHM, S.S. (1983). Effects of choice on behavioral treatment of overweight children. *Journal of Social and Clinical Psychology, 1,* 343-358.

MENNINGER, K. (7 septembre 1968). The crime of punishment. *Saturday Review,* 21-24.

MENTO, A.J., STEEL, R.P. et KARREN, R.J. (1987). A meta-analytic study of the effects of goal setting on task performance: 1966-1984. *Organizational Behavior and Human Decision Process, 39,* 52-83.

MERTON, R.K. et KITT, A.S. (1950). Contributions to the theory of reference group behavior. *In* R.K. Merton et P.F.Lazarsfeld (dir.). *Continuities in social research: Studies in the scope and method of the American soldier.* Glencoe, Ill., Free Press.

MESSE, L.A. et SIVACEK, J.M. (1979). Predictions of others' responses in a mixed-motive game: Self-jutification or false consensus? *Journal of Personality and Social Psychology, 37,* 602-607.

MESSICK, D.M., BLOOM, S., BOLDIZAR, J.P. et SAMUELSON, C.D. (1985). Why we are fairer than others. *Journal of Experimental Social Psychology, 21,* 480-500.

MESSICK, D.M. et SENTIS, K.P. (1979). Fairness and preference. *Journal of Experimental Social Psychology, 15,* 418-434.

MESSICK, D.M., WILKE, H., BREWER, M.B., KRAMER, R.M., ZEMKE, P.E. et LUI, L. (1983). Individual adaptations and structural change as solutions to social dilemmas. *Journal of Personality and Social Psychology, 44,* 294-309.

MEYER, D.S. (1975). *The winning candidate: How to defeat your political candidate.* New York, Heinemann, 1966. Cité par P.Suedfeld, D.Rank et R.Borre dans Frequency of exposure and evaluation of candidates and campaign speeches. *Journal of Applied Social Psychology, 15,* 118-126.

MEYER, J.P. et MULHERIN, A. (1980). From attribution to helping: An analysis of the mediating effects of affect and expectancy. *Journal of Personality and Social Psychology, 39,* 201-210.

MICHAELS, J.W., BLOMMEL, J.M., BROCATO, R.M., LINKOUS, R.A. et ROWE, J.S. (1982). Social facilitation and inhibition in a natural setting. *Replications in Social Psychology, 2,* 21-24.

MIDDLEMIST, R.D., KNOWLES, E.S. et MATTER, C.F. (1976). Personal space invasion in the lavatory: Suggestive evidence for arousal. *Journal of Personality and Social Psychology, 33,* 541-546.

MIDDLEMIST, R.D., KNOWLES, E.S. et MATTER, C.F. (1977). What to do and what to report: A reply to Koocher. *Journal of Personality and Social Psychology, 35,* 122-124.

MIELL, D., DUCK, S. et La GAIPA, J. (1979). Interactive effects of sex and timing in self disclosure. *British Journal of Social and Clinical Psychology, 18,* 355-362.

MIKULA, G. (1984). Justice and fairness in interpersonal relations: Thoughts and suggestions. *In* H.Tajfel (dir.). *The social dimension: European developments in social psychology,* vol.1, Cambridge, Cambridge University Press.

MILGRAM, S. (décembre 1961). Nationality and conformity. *Scientific American,* décembre, 45-51.

MILGRAM, S. (1965). Some conditions of obedience and disobedience to authority. *Human Relations, 18,* 57-76.

MILGRAM, S. (1974). *Obedience to authority.* New York, Harper and Row.

MILGRAM, S. (1984). *Cyranoids.* Communication présentée au congrès de l'American Psychological Association.

MILGRAM, S., BICKMAN, L. et BERKOWITZ, L. (1969). Note on the drawing power of crowds of different size. *Journal of Personality and Social Psychology, 13,* 79-82.

MILGRAM, S. et SABINI, J. (1983). On maintaining social norms: A field experiment in the subway. *In* H.H.Blumberg, A.P.Hare, V.Kent et M.Davies (dir.). *Small groups and social interaction,* vol.1. London, Wiley.

MILLAR, M.G. et TESSER, A. (1985). *Effects of affective and cognitive focus on the attitude-behavior relationship.* Manuscrit inédit, Institute for Behavioral Research, Université de Géorgie.

MILLAR, M.G. et TESSER, A. (1986). Thought-induced attitude change: The effects of schema structure and commitment. *Journal of Personality and Social Psychology, 51,* 259-269.

MILLAR, M.G. et TESSER, A. (1989). The effects of affective-cognitive consistency and thought on the attitude-behavior relation. *Journal of Experimental Social Psychology, 25,* 189-202.

MILLER, A.G. (1986). *The obedience experiments: A case study of controversy in social science.* New York, Praeger.

MILLER, A.G., GILLEN, B., SCHENKER, C. et RADLOVE, S. (1973). Perception of obedience to authority. *Proceedings of the 81st annual convention of the American Psychological Association, 8,* 127-128.

MILLER, C.E. et ANDERSON, P.D. (1979). Group decision rules and the rejection of deviates. *Social Psychology Quarterly, 42,* 354-363.

MILLER, D.T. (1977). Altruism and threat to a belief in a just world. *Journal of Experimental Social Psychology, 13,* 113-124.

MILLER, D.T. et McFARLAND, C. (1987). Pluralistic ignorance: When similarity is interpreted as dissimilarity. *Journal of Personality and Social Psychology, 53,* 298-305.

MILLER, D.T. et TURNBULL, W. (1986). Expectancies and interpersonal processes. *In* M.R. Rosenzweig et L.W.Porter (dir.). *Annual Review of Psychology,* vol.37. Palo Alto, Annual Reviews.

MILLER, F.D., SMITH, E.R. et ULEMAN, J. (1981). Measurement and interpretation of situational and dispositional attributions. *Journal of Experimental Social Psychology, 17,* 80-95.

MILLER, G.R. et FONTES, N.E. (1979). *Videotape on trial: A view from the jury box.* Beverly Hills, Ca, Sage Publications.

MILLER, J.G. (1984). Culture and the development of everyday social explanation. *Journal of Personality and Social Psychology, 46,* 961-978.

MILLER, K.I. et MONGE, P.R. (1986). Participation, satisfaction, and productivity: A meta-analytic review. *Academy of Management Journal, 29,* 727-753.

MILLER, L.C., BERG, J.H. et ARCHER, R.L. (1983). Openers: Individuals who elicit intimate self-disclosure. *Journal of Personality and Social Psychology, 44,* 1234-1244.

MILLER, L.C., BERG, J.H. et RUGS, D. (1989). *Selectivity and sharing: Needs and norms in developing friendships.* Manuscrit inédit, Scripps College.

MILLER, L.E. et GRUSH, J.E. (1986). Individual differences in attitudinal versus normative determination of behavior. *Journal of Experimental Social Psychology, 22,* 190-202.

MILLER, N. et CAMPBELL, D.T. (1959). Recency and primacy in persuasion as a function of the timing of speeches and measurements. *Journal of Abnormal and Social Psychology, 59,* 1-9.

MILLER, N. et MARKS, G. (1982). Assumed similarity between self and other: Effect of expectation of future interaction with that other. *Social Psychology Quarterly, 45,* 100-105.

MILLER, N., MARUYAMA, G., BEABER, R.J. et VALONE, K. (1976). Speed of speech and persuasion. *Journal of Personality and Social Psychology, 34,* 615-624.

MILLER, N.E. (1941). The frustration-aggression hypothesis. *Psychological Review, 48,* 337-342.

MILLER, N.E. et BUGELSKI, R. (1948). Minor studies of aggression: II. The influence of frustrations imposed by the in-group on attitudes expressed toward out-groups. *Journal of Psychology, 25,* 437-442.

MILLER, P.A. et EISENBERG, N. (1988). The relation of empathy to aggressive and externalizing/antisocial behavior. *Psychological Bulletin, 103,* 324-344.

MILLER, P.C., LEFCOURT, H.M., HOLMES, J.G., WARE, E.E. et SALEY, W.E. (1986). Marital locus of control and marital problem solving. *Journal of Personality and Social Psychology, 51,* 161-169.

MILLER, R.S. et SCHLENKER, B.R. (1985). Egotism in group members: Public and private attributions of responsibility for group performance. *Social Psychology Quarterly, 48,* 85-89.

MILLETT, K. (1975). The shame is over. *Ms.,* janvier, 26-29.

MILLETT, K. (1979). *The basement: Meditations on human sacrifice.* New York, Simon & Schuster.

MILLS, J. et CLARK, M.S. (1982). Exchange and communal relationships. *In* L.Wheeler (dir.). *Review of personality and social psychology,* vol.III. Beverly Hills, Ca, Sage.

MIMS, P.R., HARTNETT, J.J. et NAY, W.R. (1975). Interpersonal attraction and help volunteering as a function of physical attractiveness. *Journal of Psychology, 89,* 125-131.

MINARD, R.D. (1952). Race relationship in the Pocohontas coal field. *Journal of Social Issues, 8*(1), 29-44.

MIRELS, H.L. et McPEEK, R.W. (1977). Self-advocacy and self-esteem. *Journal of Consulting and Clinical Psychology, 45,* 1132-1138.

MISCHEL, W. (1968). *Personality and assessment.* New York, Wiley.

MITA, T.H., DERMER, M. et KNIGHT, J. (1977). Reversed facial images and the mere-exposure hypothesis. *Journal of Personality and Social Psychology, 35,* 597-601.

MOGHADDAM, F.M. (1987). Psychology in the three worlds: As reflected by the crisis in social psychology and the move toward indigenous third-world psychology. *American Psychologist, 42,* 912-920.

MONACO, C. (printemps-été 1988). The difficult birth of the typewriter. *Invention and Technology,* 11-21.

MONEY, J. (1987). Sin, sickness, or status? Homosexual gender identity and psychoneuroendocrinology. *American Psychologist, 42,* 384-399.

MONGE, P.T. et KIRSTE, K.K. (1980). Measuring proximity in human organization. *Social Psychology Quarterly, 43,* 110-115.

MONSON, T.C., HESLEY, J.W. et CHERNICK, L. (1982). Specifying when personality traits can and cannot predict behavior: An alternative to abandoning the attempt to predict single-act criteria. *Journal of Personality and Social Psychology, 43,* 385-399.

MONSON, T.C. et SNYDER, M. (1977). Actors, observers, and the attribution process: Toward a reconceptualization. *Journal of Experimental Social Psychology, 13,* 89-111.

MOODY, K. (1980). *Growing up on television: The TV effect.* New York, Times Books.

MOORE, D.L. et BARON, R.S. (1983). Social facilitation: A physiological analysis. *In* J.T.Cacioppo et R.Petty (dir.). *Social psychophysiology.* New York, Guilford Press.

MORAN, G. et COMFORT, J.C. (1982). Scientific juror selection: Sex as a moderator of demographic and personality predictors of impaneled felony juror behavior. *Journal of Personality and Social Psychology, 43,* 1052-1063.

MORELAND, R.L. et ZAJONC, R.B. (1977). Is stimulus recognition a necessary condition for the occurrence of exposure effects? *Journal of Personality and Social Psychology, 35,* 191-199.

MORELAND, R.L. et ZAJONC, R.B. (1982). Exposure effects in person perception: Familiarity, similarity and attraction. *Journal of Experimental Social Psychology, 18,* 395-415.

MORGAN, R. (1980). Theory and practice: Pornography and rape. *In* L.Lederer (dir.). *Take back the night: Women on pornography.* New York, Morrow.

MORRIS, W.N. et MILLER, R.S. (1975). The effects of consensus-breaking and consensus-preempting partners on reduction of conformity. *Journal of Experimental Social Psychology, 11,* 215-223.

MORROW, L. (1er août 1983). All the hazards and threats of success. *Time,* 20-25.

MORSE, S.J., GERGEN, K.J., PEELE, S. et Van RYNEVELD, J. (1977). Reactions to receiving expected and unexpected help from a person who violates or does not violate a norm. *Journal of Experimental Social Psychology, 13,* 397-402.

MORSE, S.J. et GRUZEN, J. (1976). The eye of the beholder: A neglected variable in the study of physical attractiveness. *Journal of Psychology, 44,* 209-225.

MOSCOVICI, S. (1985). Social influence and conformity. *In* G.Lindzey et E.Aronson (dir.). *The Handbook of Social Psychology,* 3e éd. Hillsdale, N.J., Erlbaum.

MOSCOVICI, S. (1988). Notes towards a description of social representations. *European Journal of Social Psychology, 18,* 211-250.

MOSCOVICI, S., LAGE, S. et NAFFRECHOUX, M. (1969). Influence on a consistent minority on the responses of a majority in a color perception task. *Sociometry, 32,* 365-380.

MOSCOVICI, S. et PERSONNAZ, B. (1980). Studies in social influence: V.Minority influence and conversion behavior in a perceptual task. *Journal of Experimental Social Psychology, 16,* 270-282.

MOSCOVICI, S. et ZAVALLONI, M. (1969). The group as a polarizer of attitudes. *Journal of Personality and Social Psychology, 12,* 124-135.

MOYER, K.E. (1976). *The psychobiology of aggression.* New York, Harper & Row.

MOYER, K.E. (1983). The physiology of motivation: Aggression as a model. *In* C.J.Scheier et A.M. Rogers (dir.). *G.Stanley Hall Lecture Series,* vol.3. Washington, D.C., American Psychological Association.

MOYNIHAN, D.P. (1979). Social science and the courts. *Public Interest, 54,* 12-31.

MUEHLENHARD, C.L. (1988). Misinterpreted dating behaviors and the risk of date rape. *Journal of Social and Clinical Psychology, 6,* 20-37.

MUELLER, C.W., DONNERSTEIN, E. et HALLAM, J. (1983). Violent films and prosocial behavior. *Personality and Social Psychology Bulletin, 9,* 83-89.

MULLEN, B. (1985). Strength and immediacy of sources: A meta-analytic evaluation of the forgotten elements of social impact theory. *Journal of Personality and Social Psychology, 48,* 1458-1466.

MULLEN, B. (1986). Atrocity as a function of lynch mob composition: A self-attention perspective. *Personality and Social Psychology Bulletin, 12,* 187-197. (a)

MULLEN, B. (1986). Stuttering, audience size, and the other-total ratio: A self-attention perspective. *Journal of Applied Social Psychology, 16,* 139-149. (b)

MULLEN, B., ATKINS, J.L., CHAMPION, D.S., EDWARDS, C., HARDY, D., STORY, J.E. et VANDERKLOK, M. (1985). The false consensus effect: A meta-analysis of 115 hypothesis tests. *Journal of Experimental Social Psychology, 21,* 262-283.

MULLEN, B. et BAUMEISTER, R.F. (1987). Group effects on self-attention and performance: Social loafing, social facilitation, and social impairment.

In C.Hendrick (dir.). *Group processes and intergroup relations: Review of personality and Social Psychology,* vol.9. Newbury Park, Ca, Sage.

MULLEN, B., COOPER, C. et DRISKELL, J.E. (1988). *Jaywalking as a function of model behavior.* Manuscrit inédit, Université Syracuse.

MULLEN, B., GOETHALS, G.R., WORTH, L.T. et CHAPMAN, J.G. (1988). *The causes and consequences of social projection.* Manuscrit inédit, Université Syracuse.

MULLEN, B. et HU, L.T. (1989). Perceptions of ingroup and outgroup variability: A meta-analytic integration. *Basic and Applied Social Psychology.* (a)

MULLEN, B. et HU, L.T. (1988). Social projection as a function of cognitive mechanisms: Two meta-analytic integrations. *British Journal of Social Psychology, 27,* 333-356. (b)

MULLEN, B. et JOHNSON, C. (1988). *Distinctiveness-based illusory correlations and stereotyping: A meta-analytic integration.* Manuscrit inédit, Université Syracuse.

MULLEN, B. et RIORDAN, C.A. (1988). Self-serving attributions for performance in naturalistic settings: A meta-analytic review. *Journal of Applied Social Psychology, 18,* 3-22.

MUMFORD, M.D. (1986). Leadership in the organizational context: A conceptual approach and its applications. *Journal of Applied Social Psychology, 16,* 508-531.

MURDOCK, G.P. (1945). The common denominator of cultures. *In* R.Linton (dir.). *The science of man and the world crisis.* New York, Columbia University Press.

MURPHY-BERMAN, V., BERMAN, J.J., SINGH, P., PACHAURI, A. et KUMAR, P. (1984). Factors affecting allocation to needy and meritorious recipients: A cross-cultural comparison. *Journal of Personality and Social Psychology, 46,* 1267-1272.

MURPHY-BERMAN, V. et SHARMA, R. (1986). Testing the assumptions of attribution theory in India. *Journal of Social Psychology, 126,* 607-616.

MURSTEIN, B.L. (1986). *Paths to marriage.* Newbury Park, Ca, Sage.

MUSON, G. (1978). Teenage violence and the telly. *Psychology Today,* mars, 50-54.

MYERS, D.G. (1967). *Enhancement of initial risk tendencies in social situations.* Thèse de doctorat inédite, Université d'Iowa. (Microfilms de l'université, nos 68-958).

MYERS, D.G. (1978). Polarizing effects of social comparison. *Journal of Experimental Social Psychology, 14,* 554-563.

MYERS, D.G. (1986). *Psychology.* New York, Worth.

MYERS, D.G. et BACH, P.J. (1976). Group discussion effects on conflict behavior and self-justification. *Psychological Reports, 38,* 135-140.

MYERS, D.G. et BISHOP, G.D. (1970). Discussion effects on racial attitudes. *Science, 169,* 778-789.

NADLER, A., GOLDBERG, M. et JAFFE, Y. (1982). Effect of self-differentiation and anonymity in group on deindividuation. *Journal of Personality and Social Psychology, 42,* 1127-1136.

NADLER, A., MAYSELESS, O., PERI, N. et CHEMERINSKI, A. (1985). Effects of opportunity to reciprocate and self-esteem on help-seeking behavior. *Journal of Personality, 53,* 23-35.

NAGAR, D. et PANDEY, J. (1987). Affect and performance on cognitive task as a function of crowding and noise. *Journal of Applied Social Psychology, 17,* 147-157.

NAPOLITAN, D.A. et GOETHALS, G.R. (1979). The attribution of friendliness. *Journal of Experimental Social Psychology, 15,* 105-113.

NATIONAL COMMISSION ON THE CAUSES AND PREVENTION OF VIOLENCE (1969). *To establish justice, insure domestic tranquility.* Washington, D.C., U.S.Government Printing Offices.

NATIONAL INSTITUTE OF MENTAL HEALTH (1982). *Television and Behavior: Ten Years of Scientific Progress and Implications for the Eighties.*

NATIONAL OPINION RESEARCH CENTER (1980). *General social surveys, 1972-1980: Cumulative codebook.* Storrs, Ct, Roper Public Opinion Research Center, Université du Connecticut.

NBC NEWS POLL (1979). 29-30 novembre 1977. Cité par *Public Opinion,* janvier-février, 36. (b)

NCTV (1988). TV and film alcohol research. *NCTV News, 9,* (3-4), 4.

NEIMEYER, R.A. et MITCHELL, K.A. (1988). Similarity and attraction: A longitudinal study. *Journal of Social and Personal Relationships, 5,* 131-148.

NEMETH, C. (1977). Interactions between jurors as a function of majority vs. unanimity decision rules. *Journal of Applied Social Psychology, 7,* 38-56.

NEMETH, C. (1979). The role of an active minority in intergroup relations. *In* W.G.Austin and S.Worchel (dir.). *The social psychology of intergroup relations.* Monterey, Ca, Brooks/Cole.

NEMETH, C. (1984). Group process and trial by jury: The U.S.and France. *In* S.Moscovici (dir.). *Manuel de psychologie sociale.* Paris, Presses Universitaires de France.

NEMETH, C. (1986). Differential contributions of majority and minority influence. *Psychological Review, 93,* 23-32.

NEMETH, C. (1986). Intergroup relations between majority and minority. *In* S.Worchel et W.G.Austin (dir.). *Psychology of intergroup relations.* Chicago, Nelson-Hall.

NEMETH, C. et CHILES, C. (1988). Modelling courage: The role of dissent in fostering independence. *European Journal of Social Psychology, 18,* 275-280.

NEMETH, C. et WACHTLER, J. (1974). Creating the perceptions of consistency and confidence: A necessary condition for minority influence. *Sociometry, 37,* 529-540.

NEUBERG, S.L. (1989). The goal of forming accurate impressions during social interactions: Attenuating the impact of negative expectancies. *Journal of Personality and Social Psychology, 56,* 374-386.

NEWCOMB, T.M. (1961). *The acquaintance process.* New York, Holt, Rinehart and Winston.

NEWMAN, H.M. et LANGER, E.J. (1981). Post-divorce adaptation and the attribution of responsibility. *Sex Role, 7,* 223-231.

NEWMAN, O. (1972). *Defensible space.* New York, Macmillan.

NEWMAN, O. (1973). *Architectural design for crime prevention.* Government Printing Office, U.S. Department of Justice.

NEWSWEEK. (1981). 2 mars 1981, 38; 9 mars 1981, 28.

NIAS, D.K.B. (1979). Marital choice: Matching or complementation? *In* M.Cook et G.Wilson (dir.). *Love and attraction.* Oxford, Pergamon.

NICHOLSON, N., COLE, S.G. et ROCKLIN, T. (1985). Conformity in the Asch situation: A comparison between contemporary British and U.S. university students. *British Journal of Social Psychology, 24,* 59-63.

NIDA, S.A. et WILLIAMS, J.E. (1977). Sex-stereotyped traits, physical attractiveness, and interpersonal attraction. *Psychological Reports, 41,* 1311-1322.

NIGRO, G.N., HILL, D.E., GELBEIN, M.E. et CLARK, C.L. (1988). Changes in the facial prominence of women and men over the last decade. *Psychology of Women Quarterly, 12,* 225-235.

NISBETT, R. (automne 1988). The Vincennes incident: Congress hears psychologists. *Science Agenda* (American Psychological Association), 4.

NISBETT, R.E. et BELLOWS, N. (1977). Verbal reports about causal influences on social judgments: Private access versus public theories. *Journal of Personality and Social Psychology, 35,* 613-624.

NISBETT, R.E., BORGIDA, E., CRANDALL, R. et REED, H. (1976). Popular induction: Information is not necessarily informative. *In* J.S.Carroll et J.W. Payne (dir.). *Cognition and social behavior.* Hillsdale, N.J., Erlbaum.

NISBETT, R.E., FONG, G.T., LEHMAN, D.R. et CHENG, P.W. (1987). Teaching reasoning. *Science, 238,* 625-631.

NISBETT, R.E. et ROSS, L. (1980). *Human inference: Strategies and shortcomings of social judgment.* Englewood Cliffs, N.J., Prentice-Hall.

NISBETT, R.E. et SCHACHTER, S. (1966). Cognitive Manipulation of pain. *Journal of Experimental Social Psychology, , 2,* 227-236.

NISBETT, R.E. et WILSON, T.D. (1977). Telling more than we can know: Verbal reports on mental process. *Psychological Review, 84,* 231-259.

NISBETT, R.E., ZUKIER, H. et LEMLEY, R.E. (1981). The dilution effect: Nondiagnostic information weakens the implications of diagnostic information. *Cognitive Psychology, 13,* 248-277.

NOEL, J.G., FORSYTH, D.R. et KELLEY, K.N. (1987). Improving the performance of failing students by overcoming their self-serving attributional biases. *Basic and Applied Social Psychology, 8,* 151-162.

NOLEN-HOEKSEMA, S., GIRGUS, J.S. et SELIGMAN, M.E.P. (1986). Learned helplessness in children: A longitudinal study of depression, achievement, and explanatory style. *Journal of Personality and Social Psychology, 51,* 435-442.

NOON, E. et HOLLIN, C.R. (1987). Lay knowledge of eyewitness behaviour: A British survey. *Applied Cognitive Psychology, 1,* 143-153.

NOREM, J.K. et CANTOR, N. (1986). Defensive pessimism: Harnessing anxiety as motivation. *Journal of Personality and Social Psychology, 51,* 1208-1217.

NUTTIN, J.M., Jr. (1987). Affective consequences of mere ownership: The name letter effect in twelve European languages. *European Journal of Social Psychology, 17,* 318-402.

O'DEA, T.F. (1968). Sects and cults. *In* D.L.Sills (dir.). *International encyclopedia of the social sciences,* vol.14. New York, Macmillan.

O'GORMAN, H.J. et GARRY, S.L. (1976). Pluralistic ignorance – a replication and extension. *Public Opinion Quarterly, 40,* 449-458.

OHBUCHI, K. et KAMBARA, T. (1985). Attacker's intent and awareness of outcome, impression management, and retaliation. *Journal of Experimental Social Psychology, 21,* 321-330.

O'LEARY, M.R. et DENGERINK, H.A. (1973). Aggression as a function of the intensity and pattern of attack. *Journal of Experimental Research in Psychology, 7,* 61-70.

O'LEARY, V.E. et DONOGHUE, J.M. (1978). Latitudes of masculinity: Reactions to sex-role deviance in men. *Journal of Social Issues, 34,* 17-28.

OLGUIN, A., OSKAMP, S. et MEREDITH, L. (1988). *Effects of the television series* AMERIKA *on public attitudes.* Communication présentée au congrès de l'American Psychological Association.

OLINER, S.P. et OLINER, P.M. (1988). *The altruistic personality: Rescuers of Jews in Nazi Europe.* New York, The Free Press.

OLSEN, M.E. (1981). Consumers' attitudes toward energy conservation. *Journal of Social Issues, 37(2),* 108-131.

OLSON, J.M. et CAL, A.V. (1984). Source credibility, attitudes, and the recall of past behaviours. *European Journal of Social Psychology, 14,* 203-210.

OLSON, J.M., HERMAN, C.P. et ZANNA, M.P. (1986). *Relative deprivation and social comparison: The Ontario Symposium,* vol.4. Hillsdale, N.J., Erlbaum.

OLSON, J.M. et ZANNA, M.P. (1981). *Promoting physical activity: A social psychological perspective.* Compte rendu préparé pour le Ministry of Culture and Recreation, Sports and Fitness Branch, 77, rue Bloor Ouest, 8e étage, Toronto (Ontario) M7A 2R9,

novembre.

OLWEUS, D. (1979). Stability of aggressive reaction patterns in males; A review. *Psychological Bulletin, 86,* 852-875.

ORBELL, J.M., Van de KRAGT, A.J.C. et DAWES, R.M. (1988). Explaining discussion-induced cooperation. *Journal of Personality and Social Psychology, 54,* 811-819.

ORIVE, R. (1984). Group similarity, public self-awareness, and opinion extremity: A social projection explanation of deindividuation effects. *Journal of Personality and Social Psychology, 47,* 727-737.

ORLOFSKY, J.L. et O'HERON, C.A. (1987). Stereotypic and nonstereotypic sex role trait and behavior orientations: Implications for personal adjustment. *Journal of Personality and Social Psychology, 52,* 1034-1052.

OSBERG, T.M. et SHRAUGER, J.S. (1986). Self-prediction: Exploring the parameters of accuracy. *Journal of Personality and Social Psychology, 51,* 1044-1057.

OSGOOD, C.E. (1962). *An alternative to war or surrender.* Urbana, Ill., University of Illinois Press.

OSGOOD, C.E. (1973). Statement on psychological aspects of international relations.Committee on Foreign Relations, United States Senate, 25 mai 1966. Réimprimé dans D.G.Linder (dir.). *Psychological dimensions of social interaction.* Reading, Mass., Addison-Wesley.

OSGOOD, C.E. (1980). *GRIT: A strategy for survival in mankind's nuclear age?* Communication présentée à la Pugwash Conference on New Directions in Disarmament, Racine, Wis.

OSKAMP, S. (1971). Effects of programmed strategies on cooperation in the prisoner's dilemma and other mixed-motive games. *Journal of Conflict Resolution, 15,* 225-229.

OSKAMP, S., KING, J.C., BURN, S.M., KONRAD, A.M., POLLARD, J.A. et WHITE, M.A. (1985). The media and nuclear war: Fallout from TV's « The Day After». *In* S.Oskamp (dir.). *Applied social psychology annual,* vol.6. Beverly Hills, Ca, Sage.

OSTERHOUSE, R.A. et BROCK, T.C. (1970). Distraction increases yielding to propaganda by inhibiting counterarguing. *Journal of Personality and Social Psychology, 15,* 344-358.

OWENS, G. et FORD, J.G. (1978). Further consideration of the «what is good is beautiful» finding. *Social Psychology, 41,* 73-75.

PADGETT, V.R. (1986). *Predicting violence in totalitarian organizations: An application of 11 powerful principles of obedience from Milgram's experiments on obedience to authority.* Manuscrit inédit, Université Marshall.

PAGE, M.M. et SCHEIDT, R.J. (1971). The elusive weapons effect: Demand awareness, evaluation, apprehension, and slightly sophisticated subjects.

Journal of Personality and Social Psychology, 20, 304-318.

PALLAK, M.S., COOK, D.A. et SULLIVAN, J.J. (1980). Commitment and energy conservation. *In* L.Bickman (dir.). *Applied social psychology annual*, vol.1. Beverly Hills, Ca, Sage Publications.

PALLACK, M.S., MUELLER, M., DOLLAR, K. et PALLAK, J. (1972). Effect of commitment on responsiveness to an extreme consonant communication. *Journal of Personality and Social Psychology, 23*, 429-436.

PALLAK, S.R., MURRONI, E. et KOCH, J. (1983). Communicator attractiveness and expertise, emotional versus rational appeals, and persuasion: A heuristic versus systematic processing interpretation. *Social Cognition, 2*, 122-141.

PALMER, E.L. et DORR, A. (dir.) (1980). *Children and the faces of television: Teaching, violence, selling.* New York, Academic Press.

PALOUTZIAN, R. (1979). *Pro-ecology behavior: Three field experiments on litter pickup.* Communication présentée au congrès de la Western Psychological Association.

PANDEY, J., SINHA, Y., PRAKASH, A. et TRIPATHI, R.C. (1982). Right-left political ideologies and attribution of the causes of poverty. *European Journal of Social Psychology, 12*, 327-331.

PARK, B. et ROTHBART, M. (1982). Perception of out-group homogeneity and levels of social categorization: Memory for the subordinate attributes of in-group and out-group members. *Journal of Personality and Social Psychology, 42*, 1051-1068.

PARKE, R.D. (1974). Rules, roles, and resistance to deviation: Recent advances in punishment, discipline, and self-control. *In* A.Pick (dir.). *Symposia of Child Psychology*, vol.8. Minneapolis, University of Minnesota Press.

PARKE, R.D., BERKOWITZ, L., LEYENS, J.P., WEST, S.G. et SEBASTIAN, J. (1977). Some effects of violent and nonviolent movies on the behavior of juvenile delinquents. *In* L.Berkowitz (dir.). *Advances in experimental social psychology*, vol.10. New York, Academic Press.

PATTERSON, G.R., LITTMAN, R.A. et BRICKER, W. (1967). Assertive behavior in children: A step toward a theory of aggression. *Monographs of the Society for Research in Child Development* (série n° 113), *32*, 5.

PATTERSON, M.L. (1976). An arousal model of interpersonal crowding. *Psychological Review, 83*, 235-245.

PATTERSON, T.E. (1980). The role of the mass media in presidential campaigns: The lessons of the 1976 election. *Items, 34*, 25-30.Social Science Research Council, 605 Third Avenue, New York, N.Y. 10016.

PAULHUS, D. (1982). Individual differences, self-presentation, and cognitive dissonance: Their concurrent operation in forced compliance. *Journal of Personality and Social Psychology, 43*, 838-852.

PAULING, L. (1962). Cité par Etzioni, A. *The hard way to peace: A new strategy.* New York, Collier.

PENNER, L.A., DERTKE, M.C. et ACHENBACH, C.J. (1973). The «flash» system: A field study of altruism. *Journal of Applied Social Psychology, 3*, 362-370.

PENROD, S. (1981). *Research summary from study of attorney and scientific jury selection models.* Manuscrit inédit, Université du Wisconsin.

PENROD, S. et CUTLER, B.L. (1987). Assessing the competence of juries. *In* I.B.Weiner et A.K.Hess (dir.). *Handbook of forensic psychology.* New York, Wiley.

PEPLAU, L.A. et GORDON, S.L. (1985). Women and men in love: Gender differences in close heterosexual relationships. *In* V.E.O'Leary, R.K.Unger et B.S. Wallston (dir.). *Women, gender, and social psychology.* Hillsdale, N.J., Erlbaum.

PERLOFF, L.S. (1987). Social comparison and illusions of invulnerability. *In* C.R.Snyder et C.R.Ford (dir.). *Coping with negative life events: Clinical and social psychological perspectives.* New York, Plenum.

PERLOFF, L.S. et FARBISZ, R. (1985). *Perceptions of uniqueness and illusions of invulnerability to divorce.* Communication présentée au congrès de la Midwestern Psychological Association.

PERLOFF, R.M. et BROCK, T.C. (1980). «...And thinking makes it so»: Cognitive responses to persuasion. *In* M.E.Roloff et G.R.Miller (dir.). *Persuasion: New directions in theory and research.* Beverly Hills, Sage Publications.

PERLS, F.S. (1973). *Ego, hunger and aggression: The beginning of Gestalt therapy.* Random House, 1969. Cité par Berkowitz dans The case for bottling up rage. *Psycholody Today*, juillet, 24-30.

PERRIN, S. et SPENCER, C. (1980). The Asch effect – a child of its time? *Bulletin of the British Psychology Society, 32*, 405-406.

PERRIN, S. et SPENCER, C. (1981). Independence or conformity in the Asch experiment as a reflection of cultural or situational factors. *British Journal of Social Psychology, 20*, 205-209.

PERRY, L.C., PERRY, D.G. et WEISS, R.J. (1986). Age differences in children's beliefs about whether altruism makes the actor feel good. *Social Cognition, 4*, 263-269.

PESSIN, J. (1933). The comparative effects of social and mechanical stimulation on memorizing. *American Journal of Psychology, 45*, 263-270.

PESSIN, J. et HUSBAND, R.W. (1933). Effects of social stimulation on human maze learning. *Journal of Abnormal and Social Psychology, 28*, 148-154.

PETERSON, C. et BARRETT, L.C. (1987). Explanatory style and academic performance among university freshmen. *Journal of Personality and Social Psychology, 53*, 603-607.

PETERSON, C., SCHWARTZ, S.M. et SELIGMAN, M.E.P. (1981). Self-blame and depression symp-

toms. *Journal of Personality and Social Psychology, 41*, 253-259.

PETERSON, C. et SELIGMAN, M.E.P. (1984). Causal explanations as a risk factor for depression: Theory and evidence. *Psychological Review, 91*, 347-374.

PETERSON, C. et SELIGMAN, M.E.P. (1987). Explanatory style and illness. *Journal of Personality, 55*, 237-265.

PETERSON, C., SELIGMAN, M.E.P. et VAILLANT, G.E. (1988). Pessimistic explanatory style is a risk factor for physical illness: A thirty-five-year longitudinal study. *Journal of Personality and Social Psychology, 55*, 23-27.

PETERSON, J.L. et ZILL, N. (1981). Television viewing in the United States and children's intellectual, social, and emotional development. *Television and Children, 2*(2), 21-28.

PETTIGREW, T.F. (1958). Personality and socio-cultural factors in intergroup attitudes: A cross-national comparison. *Journal of Conflict Resolution, 2*, 29-42.

PETTIGREW, T.F. (1969). Racially separate or together? *Journal of Social Issues, 2*, 43-69.

PETTIGREW, T.F. (1978). Three issues in ethnicity: Boundaries, deprivations, and perceptions. *In* J.M. Yinger et S.J.Cutler (dir.). *Major social issues: A multidisciplinary view.* New York, Free Press.

PETTIGREW, T.F. (1979). The ultimate attribution error: Extending Allport's cognitive analysis of prejudice. *Personality and Social Psychology Bulletin, 5*, 461-476.

PETTIGREW, T.F. (1980). Prejudice. *In* S.Thernstrom et al. (dir.). *Harvard encyclopedia of American ethnic groups.* Cambridge, Mass., Harvard University Press.

PETTIGREW, T.F. (1985). New patterns of racism: The different worlds of 1984 and 1964. *Rutgers Law Review, 37*, 673-706.

PETTIGREW, T.F. (1986). The intergroup contact hypothesis reconsidered. *In* M.Hewstone et R.Brown (dir.). *Contact and conflict in intergroup encounters.* Oxford, Basil Blackwell.

PETTIGREW, T.F. (1988). *Advancing racial justice: Past lessons for future use.* Communication pour la conférence de l'Université d'Alabama: «Opening Doors: An Appraisal of Race Relations in America».

PETTINGALE, K.W., MORRIS, T., GREER, S. et HAYBITTLE, J.L. (30 mars 1985). Mental attitudes to cancer: An additional prognostic factor. *Lancet*, 750.

PETTY, R.E. et BROCK, T.C. (1979). Effects of «Barnum» personality assessments on cognitive behavior. *Journal of Consulting and Clinical Psychology, 47*, 201-203.

PETTY, R.E. et CACIOPPO, J.T. (1977). Forewarning cognitive responding, and resistance to persuasion. *Journal of Personality and Social Psychology, 35*, 645-655.

PETTY, R.E. et CACIOPPO, J.T. (1979). Effects of forewarning of persuasive intent and involvement on cognitive response and persuasion. *Personality and Social Psychology Bulletin, 5,* 173-176. (*a*)

PETTY, R.E. et CACIOPPO, J.T. (1979). Issue involvement can increase or decrease persuasion by enhancing message-relevant cognitive responses. *Journal of Personality and Social Psychology, 37,* 1915-1926. (*b*)

PETTY, R.E. et CACIOPPO, J.T. (1986). The elaboration likelihood model of persuasion. *In* L.Berkowitz (dir.). *Advances in experimental social psychology,* vol.19. New York, Academic Press.

PETTY, R.E., CACIOPPO, J.T. et HEESACKER, M. (1984). Central and peripheral routes to persuasion: Application to counseling. *In* R.P.McGlynn, J.E.Maddux, C.D.Stoltenberg et J.H.Harvey (dir.). *Social perception in clinical and counseling psychology.* Lubbock, Texas, Texas Tech Press.

PETTY, R.E., CACIOPPO, J.T. et SCHUMANN, D. (1983). Central and peripheral routes to advertising effectiveness: The moderating role of involvement. *Journal of Consumer Research, 10,* 135-146.

PETTY, R.E., OSTROM, T.M. et BROCK, T.C. (dir.). (1981). *Cognitive responses in persuasion.* Hillsdale, N.J., Erlbaum.

PETTY, R.E., WELLS, G.L. et BROCK, T.C. (1976). Distraction can enhance or reduce yielding to propaganda: Thought disruption versus effort justification. *Journal of Personality and Social Psychology, 34,* 874-884.

PHILLIPS, D.P. (1983). The impact of mass media violence on U.S.homicides. *American Sociological Review, 48,* 560-568.

PHILLIPS, D.P. (1985). Natural experiments on the effects of mass media violence on fatal aggression: Strengths and weaknesses of a new approach. *In* L.Berkowitz (dir.). *Advances in Experimental Social Psychology,* vol.19. Orlando, Fla, Academic Press.

PILIAVIN, I.M., RODIN, J. et PILIAVIN, J.A. (1969). Good Samaritanism: An underground phenomenon. *Journal of Personality and Social Psychology, 13,* 289-299.

PILIAVIN, J.A., EVANS, D.E. et CALLERO, P. (1982). Learning to «Give to unnamed strangers»: The process of commitment to regular blood donation. *In* E.Staub, D.BarTal, J.Karylowski et J.Reykawski (dir.). *The Development and Maintenance of Prosocial Behavior: International Perspectives.* New York, Plenum.

PILIAVIN, J.A. et PILIAVIN, I.M. (1973). *The Good Samaritan: Why does he help?* Manuscrit inédit, Université du Wisconsin.

PINER, K.E. et BERG, J.H. (1988). *The effects of availability on verbal interaction styles.* Communication présentée au congrès de l'American Psychological Association.

PLATZ, S.J. et HOSCH, H.M. (1988). Cross-racial/ethnic eyewitness identification: A field study. *Journal of Applied Social Psychology, 18,* 972-984.

PLECK, J. (1981). Changing patterns of work and family roles. Document de travail nº 81, Wellesley College, Center for Research on Women, Wellesley, Mass. 02181.

PLINER, P., HART, H., KOHL, J. et SAARI, D. (1974). Compliance without pressure: Some further data on the foot-in-the-door technique. *Journal of Experimental Social Psychology, 10,* 17-22.

PLOUS, S. (1985). Perceptual illusions and military realities: A social-psychological analysis of the nuclear arms race. *Journal of Conflict Resolution, 29,* 363-389.

POLIVY, J. et HERMAN, C.P. (1985). *Breaking the diet habit: The natural weight alternative.* New York, Basic Books.

POMAZAL, R.J. et CLORE, G.L. (1973). Helping on the highway: The effects of dependency and sex. *Journal of Applied Social Psychology, 3,* 150-164.

POMERLEAU, O.F. et RODIN, J. (1986). Behavioral medicine and health psychology. *In* S.L.Garfield et A.E.Bergin (dir.). *Handbook of psychotherapy and behavior change,* 3ᵉ éd. New York, Wiley.

PORTER, N., GEIS, F.L. et JENNINGS (Walstedt), J. (1983). Are women invisible as leaders? *Sex Roles, 9,* 1035-1049.

POWELL, J.L. (1988). A test of the knew-it-along effect in the 1984 presidential and statewide elections. *Journal of Applied Social Psychology, 18,* 760-773.

PRAGER, K.J. (1986). Intimacy status: Its relationship to locus of control, self-disclosure, and anxiety in adults. *Personality and Social Psychology Bulletin, 12,* 91-109.

PRATKANIS, A.R., GREENWALD, A.G., LEIPPE, M.R. et BAUMGARDNER, M.H. (1988). In search of reliable persuasion effects: III. The sleeper effect is dead. Long live the sleeper effect. *Journal of Personality and Social Psychology, 54,* 203-218.

PRENTICE-DUNN, S. et ROGERS, R.W. (1980). Effects of deindividuating situational cues and aggressive models on subjective deindividuation and aggression. *Journal of Personality and Social Psychology, 39,* 104-113.

PRENTICE-DUNN, S. et ROGERS, R.W. (1989). Deindividuation and the self-regulation of behavior. *In* P.B.Paulus (dir.). *Psychology of group influence,* 2ᵉ éd. Hillsdale, N.J., Erlbaum.

PRICE, G.H., DABBS, J.M., Jr., CLOWER, B.J. et RESIN, R.P. (1979). At first-glance – Or, is physical attractiveness more than skin deep? Communication présentée au congrès de l'Eastern Psychological Association, 1974. Cité par K.L.Dion et K.K.Dion. Personality and behavioral correlates of romantic love. *In* M.Cook et G.Wilson (dir.). *Love and attraction.* Oxford, Pergamon.

PROPST, R., ADAMS, J. et PROPST, C. (1977). *The Senator Hatfield office innovation project.* Ann Arbor, Mich., Herman Miller Research Corp., 3971 South Research Park Drive.

PRUITT, D.G. (1981). Kissinger as a traditional mediator with power. *In* J.Z.Rubin (dir.). *Dynamics of third party intervention: Kissinger in the Middle East.* New York, Praeger. (*a*)

PRUITT, D.G. (1981). *Negotiation behavior.* New York, Academic Press. (*b*)

PRUITT, D.G. (1986). Achieving integrative agreements in negotiation. *In* R.K.White (dir.). *Psychology and the prevention of nuclear war.* New York, New York University Press.

PRUITT, D.G. (juillet 1986). Trends in the scientific study of negotiation. *Negotiation Journal,* 237-244.

PRUITT, D.G. et LEWIS, S.A. (1975). Development of integrative solutions in bilateral negotiation. *Journal of Personality and Social Psychology, 31,* 621-633.

PRUITT, D.G. et LEWIS, S.A. (1977). The psychology of integrative bargaining. *In* D.Druckman (dir.). *Negotiations: A social-psychological analysis.* New York, Halsted.

PRUITT, D.G. et RUBIN, J.Z. (1986). *Social conflict.* San Francisco, Random House.

PUBLIC OPINION (août-septembre 1984). Tradeoffs, 36.

PUBLIC OPINION (août-septembre 1984). Vanity fare, 22.

PUBLIC OPINION (août-septembre 1984). Need vs. greed (Résumé du Roper Report 84-1), 25.

PUBLIC OPINION (février-mars 1985). Defining woman's place, 40.

PURVIS, J.A., DABBS, Jr., J.M. et HOPPER, C.H. (1984). The «opener»: Skilled user of facial expression and speech pattern. *Personality and Social Psychology Bulletin, 10,* 61-66.

PYSZCZYNSKI, T. et GREENBERG, J. (1983). Determinants of reduction in intended effort as a strategy for coping with anticipated failure. *Journal of Research in Personality, 17,* 412-422.

PYSZCZYNSKI, T. et GREENBERG, J. (1987). Self-regulatory perseveration and the depressive self-focusing style: A self-awareness theory of reactive depression. *Psychological Bulletin, 102,* 122-138. (*a*)

PYSZCZYNSKI, T. et GREENBERG, J. (1987). Toward an integration of cognitive and motivational perspectives on social inference: A biased hypothesis-testing model. *In* L.Berkowitz (dir.). *Advances in experimental social psychology,* vol.20. San Diego, Ca, Academic Press.

PYSZCZYNSKI, T., GREENBERG, J. et HOLT, K. (1985). Maintaining consistency between self-serving beliefs and available data: A bias in information evaluation. *Personality and Social Psychology Bulletin, 11,* 179-190.

QUATTRONE, G.A. (1982). Behavioral consequences of attributional bias. *Social Cognition, 1,* 358-378.

QUATTRONE, G.A. (s.d.). Overattribution and unit formation : When behavior engulfs the person. *Journal of Personality and Social Psychology, 42,* 593-607. *(a)*

QUATTRONE, G.A. et JONES, E.E. (1980). The perception of variability within in-groups and out-groups. Implications for the law of small numbers. *Journal of Personality and Social Psychology, 38,* 141-152.

RADECKI, T. (février-mars 1989). On picking good television and film entertainment. *NCTV NEWS, 10* (1-2), 5-6.

RAMIREZ, A. (1988). Racism toward Hispanics : The culturally monolithic society. *In* P.A.Katz et D.A. Taylor (dir.). *Eliminating racism: Profiles in controversy.* New York, Plenum.

RANK, S.G. et JACOBSON, C.K. (1977). Hospital nurses' compliance with medication overdose orders: A failure to replicate. *Journal of Health and Social Behavior, 18,* 188-193.

RAPAPORT, K. et BURKHART, B.R. (1984). Personality and attitudinal characteristics of sexually coercive college males. *Journal of Abnormal Psychology, 93,* 216-221.

RAPOPORT, A. (1980). *Fights, games, and debates.* Ann Arbor, University of Michigan Press.

RCAgenda (1979). Novembre-décembre, 11. 475 Riverside Drive, New York, N.Y. 10027.

REEDER, G.D., McCORMICK, C.B. et ESSELMAN, E.D. (1987). Self-reference processing and recall of prose. *Journal of Educational Psychology, 79,* 243-248.

REGAN, D.T. et CHENG, J.B. (1973). Distraction and attitude change : A resolution. *Journal of Experimental Social Psychology, 9,* 138-147.

REGAN, D.T. et FAZIO, R. (1977). On the consistency between attitudes and behavior : Look to the method of attitude formation. *Journal of Experimental Social Psychology, 13,* 28-45.

REGAN, D.T., WILLIAMS, M. et SPARLING, S. (1972). Voluntary expiation of guilt : A field experiment. *Journal of Personality and Social Psychology, 24,* 42-45.

REICHNER, R.F. (1979). Differential responses to being ignored: The effects of architectural design and social density on interpersonal behavior. *Journal of Applied Social Psychology, 9,* 13-26.

REIFMAN, A.S., LARRICK, R. et FEIN, S. (1988). *The heat-aggression relationship in major-league baseball.* Communication présentée au congrès de l'American Psychological Association.

REILLY, M.E. (1978). A case study of role conflict : Roman Catholic priests. *Human Relations, 31,* 77-90.

REIS, H.T., NEZLEK, J. et WHEELER, L. (1980). Physical attractiveness in social interaction. *Journal of Personality and Social Psychology, 38,* 604-617.

REIS, H.T., SENCHAK, M. et SOLOMON, B. (1985). Sex differences in the intimacy of social interaction : Further examination of potential explanations. *Journal of Personality and Social Psychology, 48,* 1204-1217.

REIS, H.T. et SHAVER, P. (1988). Intimacy as an interpersonal process. *In* S.Duck (dir.). *Handbook of personal relationships: Theory, relationships and interventions.* Chichester, England, Wiley.

REIS, H.T., WHEELER, L., SPIEGEL, N., KERNIS, M. H., NEZLEK, J. et PERRI, M. (1982). Physical attractiveness in social interaction : II. Why does appearance affect social experience ? *Journal of Personality and Social Psychology, 43,* 979-996.

REISENZEIN, R. (1983). The Schacter theory of emotion: Two decades later. *Psychological Bulletin, 94,* 239-264.

REITZES, D.C. (1953). The role of organizational structures : Union versus neighborhood in a tension situation. *Journal of Social Issues, 9*(1), 37-44.

REMLEY, A. (octobre 1988). From obedience to independence. *Psychology Today,* 56-59.

RENAUD, H. et ESTESS, F. (1961). Life history interviews with one hundred normal American males : «Pathogenicity» of childhood. *American Journal of Orthopsychiatry, 31,* 786-802.

RESTON, J. (14 mars 1975). Proxmire on love. *New York Times.*

REYCHLER, L. (1979). The effectiveness of a pacifist strategy in conflict resolution. *Journal of Conflict Resolution, 23,* 228-260.

REYES, R.M., THOMPSON, W.C. et BOWER, G.H. (1980). Judgmental biases resulting from differing availabilities on arguments. *Journal of Personality and Social Psychology, 39,* 2-12.

RHINE, R.J. et SEVERANCE, L.J. (1970). Ego-involvement, discrepancy, source credibility, and attitude change. *Journal of Personality and Social Psychology, 16,* 175-190.

RHODEWALT, F. (1987). *Is self-handicapping an effective self-protective attributional strategy ?* Communication présentée au congrès de l'American Psychological Association.

RHODEWALT, F. et AGUSTSDOTTIR, S. (1986). Effects of self-presentation on the phenomenal self. *Journal of Personality and Social Psychology, 50,* 47-55.

RHODEWALT, F., SALTZMAN, A.T. et WITTMER, J. (1984). Self-handicapping among competitive athletes: The role of practice in self-esteem protection. *Basic and Applied Social Psychology, 5,* 197-209.

RHOLES, F.H., Jr. (1981). Thermal comfort and strategies for energy conservation. *Journal of Social Issues, 37*(2), 132-149.

RHOLES, W.S., RISKIND, J.H. et NEVILLE, B. (1985). The relationship of cognitions and hope-lessness to depression and anxiety. *Social Cognition, 3,* 36-50.

RIANOSHEK, R. (1980). A comment on Sampson's psychology and the American ideal. *Journal of Personality and Social Psychology, 38,* 105-107.

RICE, B. (septembre 1985). Performance review: The job nobody likes. *Psychology Today,* 30-36.

RICE, M.E. et GRUSEC, J.E. (1975). Saying and doing: Effects on observer performance. *Journal of Personality and Social Psychology, 32,* 584-593.

RICHARDSON, J.T. (1985). Psychological and psychiatric studies of new religions. *In* L.B.Brown (dir.). *Advances in the Psychology of Religion.* Oxford, Pergamon Press.

RICHARDSON, L.F. (1960). Generalized foreign policy. *British Journal of Psychology Monographs Supplements, 1969, 23.* Cité par A.Rapoport dans *Fights, games, and debates.* Ann Arbor, University of Michigan Press, 15.

RIESS, M., ROSENFELD, P., MELBURG, V. et TEDESCHI, J.T. (1981). Self-serving attributions : Biased private perceptions and distorted public descriptions. *Journal of Personality and Social Psychology, 41,* 224-231.

RIGGIO, R.E. et WOLL, S.B. (1984). The role of nonverbal cues and physical attractiveness in the selection of dating partners. *Journal of Social and Personal Relationships, 1,* 347-357.

RIGGS, J.M. et CANTOR, N. (1984). Getting acquainted: The role of the self-concept and preconceptions. *Personality and Social Psychology Bulletin, 10,* 432-445.

RIORDAN, C.A. (1980). *Effects of admission of influence on attributions and attraction.* Communication présentée au congrès de l'American Psychological Association.

RIORDAN, C.A. et RUGGIERO, J. (1980). Producting equal status interracial interaction: A replication. *Social Psychology Quarterly, 43,* 131-136.

ROBBERSON, M.R. et ROGERS, R.W. (1988). Beyond fear appeals: Negative and positive persuasive appeals to health and self-esteem. *Journal of Applied Social Psychology, 18,* 277-287.

ROBERTSON, I. (1987). *Sociology.* New York, Worth Publishers.

ROBINSON, C.L., LOCKARD, J.S. et ADAMS, R.M. (1979). Who looks at a baby in public. *Ethology and Sociobiology, 1,* 87-91.

ROBINSON, J.P. (décembre 1988). Who's doing the housework ? *American Demographics,* 24-28, 63.

RODIN, J. et LANGER, E.J. (1977). Long-term effects of a control-relevant intervention with the institutionalized age. *Journal of Personality and Social Psychology, 35,* 897-902.

ROGERS, C.R. (1958). Reinhold Niebuhr's *The self and the dramas of history*: A criticism. *Pastoral Psychology, 9,* 15-17.

ROGERS, R.W. et MEWBORN, C.R. (1976). Fear appeals and attitude change: Effects of a threat's noxiousness, probability of occurence, and the efficacy of coping responses. *Journal of Personality and Social Psychology, 34*, 54-61.

ROGERS, R.W. et PRENTICE-DUNN, S. (1981). Deindividuation and anger-mediated interracial aggression: Unmasking regressive racism. *Journal of Personality and Social Psychology, 41*, 63-73.

ROHRER, J.H., BARON, S.H., HOFFMAN, E.L. et SWANDER, D.V. (1954). The stability of autokinetic judgments. *Journal of Abnormal and Social Psychology, 49*, 595-597.

ROKEACH, M. (1968). *Beliefs, attitudes, and values.* San Francisco, Jossey-Bass.

ROKEACH, M. et MEZEI, L. (1966). Race and shared beliefs as factors in social choice. *Science, 151*, 167-172.

ROMER, D., GRUDER, C.L. et LIZZADRO, T. (1986). A person-situation approach to altruistic behavior. *Journal of Personality and Social Psychology, 51*, 1001-1012.

ROOK, K.S. (1984). Promoting social bonding: Strategies for helping the lonely and socially isolated. *American Psychologist, 39*, 1389-1407.

ROOT, L. (5 novembre 1980). Designers modify the open house to meet complaints of workers. *Wall Street Journal*, 29.

ROPER ORGANIZATION (1985). *The 1985 Virginia Slims American Women's Opinion Poll.* Storrs, Ct, The Roper Organization.

ROSENBAUM, M.E. (1986). The repulsion hypothesis: On the nondevelopment of relationships. *Journal of Personality and Social Psychology, 51*, 1156-1166.

ROSENBAUM, M.E. et HOLTZ, R. (1985). *The minimal intergroup discrimination effect: Outgroup derogation, not in-group favorability.* Communication présentée au congrès de l'American Psychological Association.

ROSENBERG, L.A. (1961). Group size, prior experience and conformity. *Journal of Abnormal and Social Psychology, 63*, 436-437.

ROSENBLATT, A. et GREENBERG, J. (1988). Depression and interpersonal attraction: The role of perceived similarity. *Journal of Personality and Social Psychology, 55*, 112-119.

ROSENFELD, D. (1979). *The relationship between self-esteem and egotism in males and females.* Manuscrit inédit, Université Southern Methodist.

ROSENFELD, D., FOLGER, R. et ADELMAN, H.F. (1980). When rewards reflect competence: A qualification of the overjustification effect. *Journal of Personality and Social Psychology, 39*, 368-376.

ROSENHAN, D.L. (1970). The natural socialization of altruistic autonomy. In J.Macaulay et L.Berkowitz (dir.). *Altruism and helping behavior.* New York, Academic Press.

ROSENHAN, D.L. (1973). On being sane in insane places. *Science, 179*, 250-258.

ROSENKRANTZ, P.S., VOGEL, S.R., BEE, H., BROVERMAN, I.K. et BROVERMAN, D.M. (1968). Sex-role stereotypes and self-concepts in college students. *Journal of Consulting and Clinical Psychology, 32*, 287-295.

ROSENTHAL, R. (1985). From unconscious experimenter bias to teacher expectancy effects. In J.B. Dusek, V.C.Hall et W.J.Meyer (dir.). *Teacher expectancies.* Hillsdale, N.J., Erlbaum.

ROSENTHAL, R. (décembre 1987). Pygmalion effects: Existence, magnitude, and social importance. *Educational Researcher*, 37-41.

ROSENTHAL, R. et JACOBSON, L. (1968). *Pygmalion in the classroom: Teacher expectation and pupils' intellectual development.* New York, Holt, Rinehart & Winston.

ROSENTHAL, R. et RUBIN, D.B. (1978). Interpersonal expectancy effects: The first 345 studies. *Behavioral and Brain Science, 2*, 377-415.

ROSENZWEIG, M.R. (1972). Cognitive dissonance. *American Psychologist, 27*, 769.

ROSEWICZ, B. (31 janvier 1983). Study finds grim link between liquor, crime. *Detroit Free Press*, 1A, 4A.

ROSS, C. (12 février 1979). Rejected. *New West*, 39-43.

ROSS, L.D. (1977). The intuitive psychologist and his shortcomings: Distortions in the attribution process. In L.Berkowitz (dir.). *Advances in experimental social psychology*, vol.10. New York, Academic Press.

ROSS, L.D. (1981). The «intuitive scientist» formulation and its developmental implications. In J.H. Havell et L.Ross (dir.). *Social cognitive development: Frontiers and possible futures.* Cambridge, England, Cambridge University Press.

ROSS, L.D. (1988). Situationist perspectives on the obedience experiments. Critique de *The obedience experiments* de A.G.Miller. *Contemporary Psychology, 33*, 101-104.

ROSS, L.D., AMABILE, T.M. et STEINMETZ, J.L. (1977). Social roles, social control, and biases in social-perception processes. *Journal of Personality and Social Psychology, 35*, 485-494.

ROSS, L.D. et ANDERSON, C.A. (1982). Short-comings in the attribution process: On the origins and maintenance of erroneous social assessments. In D.Kahneman, P.Slovic et A.Tversky (dir.). *Judgment under uncertainty: Heuristics and biases.* New York, Cambridge University Press.

ROSS, L.D. et LEPPER, M.R. (1980). The perseverance of beliefs: Empirical and normative considerations. In R.A.Shweder (dir.). *New directions for methodology of behavioral science: Fallible judgment in behavioral research.* San Francisco, Jossey-Bass.

ROSS, L.D., LEPPER, M.R., STRACK, F. et STEINMETZ, J. (1977). Social explanation and social expectation: Effects of real and hypothetical expla-

nations on subjective likelihood. *Journal of Personality and Social Psychology, 35*, 817-829.

ROSS, L.D., TURIEL, E., JOSEPHSON, J. et LEPPER, M.R. (1978). *Developmental perspectives on the fundamental attribution error.* Manuscrit inédit, Université Stanford.

ROSS, M. et FLETCHER, G.J.O. (1985). Attribution and social perception. In G.Lindzey et E.Aronson (dir.). *The Handbook of Social Psychology*, 3ᵉ éd. New York, Random House.

ROSS, M., McFARLAND, C. et FLETCHER, G.J.O. (1981). The effect of attitude on the recall of personal histories. *Journal of Personality and Social Psychology, 40*, 627-634.

ROSS, M. et SICOLY, F. (1979). Egocentric biases in availability and attribution. *Journal of Personality and Social Psychology, 37*, 322-336.

ROSS, M., THIBAUT, J. et EVENBECK, S. (1971). Some determinants of the intensity of social protest. *Journal of Experimental Social Psychology, 7*, 401-418.

ROSSI, A. (juin 1978). The biosocial side of parenthood. *Human Nature*, 72-79.

ROTH, D.L., SNYDER, C.R. et PACE, L.M. (1986). Dimensions of favorable self-presentation. *Journal of Personality and Social Psychology, 51*, 867-874.

ROTHBART, M. et BIRRELL, P. (1977). Attitude and the perception of faces. *Journal of Research Personality, 11*, 209-215.

ROTHBART, M., FULERO, S., JENSEN, C., HOWARD, J. et BIRRELL, P. (1978). From individual to group impressions: Availability heuristics in stereotype formation. *Journal of Experimental Social Psychology, 14*, 237-255.

ROTHBART, M. et HALLMARK, W. (1988). In-group-out-group differences in the perceived efficacy of coercion and conciliation in resolving social conflict. *Journal of Personality and Social Psychology, 55*, 248-257.

ROTHBART, M. et JOHN, O.P. (1985). Social categorization and behavioral episodes: A cognitive analysis of the effects of intergroup contact. *Journal of Social Issues, 41*(3), 81-104.

ROTHBART, M. et LEWIS, S. (1988). Inferring category attributes from exemplar attributes: Geometric shapes and social categories. *Journal of Personality and Social Psychology, 55*, 861-872.

ROTHBART, M. et PARK, B. (1986). On the confirmability and disconfirmability of trait concepts. *Journal of Personality and Social Psychology, 50*, 131-142.

ROTTER, J. (1973). Internal-external locus of control scale. In J.P.Robinson et R.P.Shaver (dir.). *Measures of social psychological attitudes.* Ann Arbor, Institute for Social Research.

ROTTON, J. et FREY, J. (1985). Air pollution, weather, and violent crimes: Concomitant time-series analysis of archival data. *Journal of Personality and Social Psychology, 49*, 1207-1220.

ROWE, D. (1986). Letter. *Bulletin of the British Psychological Society, 39,* 425-426.

RUBACK, R.B., CARR, T.S. et HOPER, C.H. (1986). Perceived control in prison: Its relation to reported crowding, stress, and symptoms. *Journal of Applied Social Psychology, 16,* 375-386.

RUBIN, J.Z. (1980). Experimental research on third-party intervention in conflict: Toward some generalizations. *Psychological Bulletin, 87,* 379-391.

RUBIN, J.Z. (dir.) (1981). *Third party intervention in conflict: Kissinger in the Middle East.* New York, Praeger.

RUBIN, J.Z. (1986). *Can we negotiate with terrorists: Some answers from psychology.* Communication présentée au congrès de l'American Psychological Association.

RUBIN, J.Z. (1989). Some wise and mistaken assumptions about conflict and negotiation. *Journal of Social Issues.*

RUBIN, R.B. (1981). Ideal traits and terms of address for male and female college professors. *Journal of Personality and Social Psychology, 41,* 966-974.

RUBIN, Z. (1970). Measurement of romantic love. *Journal of Personality and Social Psychology, 16,* 265-273.

RUBIN, Z. (1973). *Liking and loving: An invitation to social psychology.* New York, Holt, Rinehart and Winston.

RUBLE, D.N., FELDMAN, S.N., HIGGINS, E.T. et KARLOVAC, M. (1979). Locus of causality and the use of information in the development of causal attributions. *Journal of Personality, 47,* 595-614.

RUBLE, D.N., FLEMING, A.S., HACKEL, L.S. et STANGOR, C. (1988). Changes in the marital relationship during the transition to first-time motherhood: Effects of violated expectations concerning division of household labor. *Journal of Personality and Social Psychology, 55,* 78-87.

RUFF, C. *et al.* (2 juin 1980). The office the 80's: Designing for people and productivity. *Fortune.*

RULE, B.G. et FERGUSON, T.J. (1986). The effects of media violence on attitudes, emotions, and cognitions. *Journal of Social Issues, 42*(3), 29-50.

RULE, B.G., TAYLOR, B.R. et DOBBS, A.R. (1987). Priming effects of heat on aggressive thoughts. *Social Cognition, 5,* 131-143.

RUSBULT, C.E. (1980). Commitment and satisfaction in romantic associations: A test of the investment model. *Journal of Experimental Social Psychology, 16,* 172-186.

RUSBULT, C.E., JOHNSON, D.J. et MORROW, G.D. (1986). Impact of couple patterns of problem solfing on distress and nondistress in dating relationships. *Journal of Personality and Social Psychology, 50,* 744-753.

RUSBULT, C.E., MORROW, G.D. et JOHNSON, D.J. (1987). Self-esteem and problem-solving behav-

iour in close relationships. *British Journal of Social Psychology, 26,* 293-303.

RUSHTON, J.P. (1975). Generosity in children: Immediate and long-term effects of modeling, preaching, and moral judgment. *Journal of Personality and Social Psychology, 31,* 459-466.

RUSHTON, J.P. (1976). Socialization and the altruistic behavior of children. *Psychological Bulletin, 83,* 898-913.

RUSHTON, J.P. (1979). The effects of prosocial television and film material on the behavior of viewers. In L.Berkowitz (dir.). *Advances in experimental social psychology,* vol.12. New York, Academic Press.

RUSHTON, J.P. (1980). *Altruism, socialization, and society.* Englewood Cliffs, N.J., Prentice-Hall.

RUSHTON, J.P., BRAINERD, C.J. et PRESSLEY, M. (1983). Behavioral development and construct validity: The principle of aggregation. *Psychological Bulletin, 94,* 18-38.

RUSHTON, J.P. et CAMPBELL, A.C. (1977). Modeling, vicarious reinforcement and extraversion on blood donating in adults: Immediate and long-term effects. *European Journal of Social Psychology, 7,* 297-306.

RUSHTON, J.P., CHRISJOHN, R.D. et FEKKEN, G.C. (1981). The altruistic personality and the self-report altruism scale. *Personality and Individual Differences, 2,* 293-302.

RUSHTON, J.P., FULKER, D.W., NEALE, M.C., NIAS, D.K.B. et EYSENCK, H.J. (1986). Altruism and aggression: The heritability of individual differences. *Journal of Personality and Social Psychology, 50,* 1192-1198.

RUSHTON, J.P., RUSSELL, R.J.H. et WELLS, P.A. (1984). Genetic similarity theory: Beyond kin selection. *Behavior Genetics, 14,* 179-193.

RUSSELL, B. (1930/1980). *The conquest of happiness.* London, Unwin Paperbacks.

RUSSELL, D.E.H. (1984). *Sexual exploitation: Rape, child sexual abuse, and workplace harassment.* Beverly Hills, Ca, Sage.

RUSSELL, G.W. (1983). Psychological issues in sports aggression. In J.H.Goldstein (dir.). *Sports violence.* New York, Springer-Verlag.

RUSSELL, G.W. (1985). Spectator moods at an aggressive sports event. *Journal of Sports Psychology, 3,* 217-227.

RUTKOWSKI, G.K., GRUDER, C.L. et ROMER, D. (1983). Group cohesiveness, social norms, and bystander intervention. *Journal of Personality and Social Psychology, 44,* 545-552.

RUZZENE, M. et NOLLER, P. (1986). Feedback motivation and reactions to personality interpretations that differ in favorability and accuracy. *Journal of Personality and Social Psychology, 51,* 1293-1299.

SABINI, J. et SILVER, M. (1982). *Moralities of everyday life.* New York, Oxford University Press.

SACKS, C.H. et BUGENTAL, D.P. (1987). Attributions as moderators of affective and behavioral responses to social failure. *Journal of Personality and Social Psychology, 53,* 939-947.

SADALLA, E.K., KENRICK, D.T. et VERSHURE, B. (1987). Dominance and heterosexual attraction. *Journal of Personality and Social Psychology, 52,* 730-738.

SAGAR, H.A. et SCHOFIELD, J.W. (1980). Integrating the desegregated school: Perspectives, practices and possibilities. In M.Wax (dir.). *Comparative studies in interracial education.* Washington, D.C., Government Printing Office. (a)

SAGAR, H.A. et SCHOFIELD, J.W. (1980). *Race and gender barriers: Preadolescent peer behavior in academic classrooms.* Communication présentée au congrès de l'American Psychological Association. (b)

SAGAR, H.A. et SCHOFIELD, J.W. (1980). Racial and behavioral cues in black and white children's perceptions of ambiguously aggressive acts. *Journal of Personality and Social Psychology, 39,* 590-598. (c)

SAKS, M.J. (1974). Ignorance of science is no excuse. *Trial, 10*(6), 18-20.

SAKS, M.J. (1977). *Jury verdicts.* Lexington, Mass., Heath.

SAKS, M.J. et HASTIE, R. (1978). *Social psychology in court.* New York, Van Nostrand Reinhold.

SAKURAI, M.M. (1975). Small group cohesiveness and detrimental conformity. *Sociometry, 38,* 340-357.

SALES, S.M. (1972). Economic threat as a determinant of conversion rates in authoritarian and nonauthoritarian churches. *Journal of Personality and Social Psychology, 23,* 420-428.

SALTZSTEIN, H.D. et SANDBERG, L. (1979). Indirect social influence: Change in judgmental processor anticipatory conformity. *Journal of Experimental Social Psychology, 15,* 209-216.

SAMPSON, E.E. (1975). On justice as equality. *Journal of Social Issues, 31*(3), 45-64.

SAMPSON, E.E. (1977). Psychology and the American ideal. *Journal of Personality and Social Psychology, 35,* 767-782.

SAMUELSON, C.D., MESSICK, D.M., RUTTE, C.G. et WILKE, H. (1984). Individual and structural solutions to resource dilemmas in two cultures. *Journal of Personality and Social Psychology, 47,* 94-104.

SANDBERG, G.G., JACKSON, T.L. et PETRETIC-JACKSON, P. (1985). *Sexual aggression and courtship violence in dating relationship.* Communication présentée au congrès de la Midwestern Psychological Association.

SANDE, G.N., GOETHALS, G.R. et RADLOFF, C.E. (1988). Perceiving one's own traits and others': The multifaceted self. *Journal of Personality and Social Psychology, 54,* 13-20.

SANDERS, G.S. (1981). Driven by distraction: An integrative review of social facilitation and theory and research. *Journal of Experimental Social Psychology, 17,* 227-251. (*a*)

SANDERS, G.S. (1981). Toward a comprehensive account of social facilitation: Distraction/conflict does not mean theoretical conflict. *Journal of Experimental Social Psychology, 17,* 262-265. (*b*)

SANDERS, G.S. et BARON, R.S. (1975). The motivating effects of distraction on task performance. *Journal of Personality and Social Psychology, 32,* 956-963.

SANDERS, G.S. et BARON, R.S. (1977). Is social comparison irrelevant for producing choice shifts? *Journal of Experimental Social Psychology, 13,* 303-314.

SANDERS, G.S., BARON, R.S. et MOORE, D.L. (1978). Distraction and social comparison as mediators of social facilitation effects. *Journal of Experimental Social Psychology, 14,* 291-303.

SANDERS, G.S. et CHIU, W. (1988). Eyewitness errors in the free recall of actions. *Journal of Applied Social Psychology, 18,* 1241-1259.

SANSONE, C. (1986). A question of competence: The effects of competence and task feedback on intrinsic interest. *Journal of Personality and Social Psychology, 51,* 918-931.

SAPADIN, L.A. (1988). Friendship and gender: Perspectives of professional men and women. *Journal of Social and Personal Relationships, 5,* 387-403.

SASFY, J. et OKUN, M. (1974). Form of evaluation and audience expertness as joint determinants of audience effects. *Journal of Experimental Social Psychology, 10,* 461-467.

SATO, K. (1987). Distribution of the cost of maintaining common resources. *Journal of Experimental Social Psychology, 23,* 19-31.

SAWYER, J. (1966). Measurement *and* prediction, clinical *and* statistical. *Psychological Bulletin, 66,* 178-200.

SCHACHTER, S. (1951). Deviation, rejection and communication. *Journal of Abnormal and Social Psychology, 46,* 190-207.

SCHACHTER, S. et SINGER, J.E. (1962). Cognitive, social and physiological determinants of emotional state. *Psychological Review, 69,* 379-399.

SCHAFER, R.B. et KEITH, P.M. (1980). Equity and depression among married couples. *Social Psychology Quarterly, 43,* 430-435.

SCHAFFNER, P.E. (1985). Specious learning about reward and punishment. *Journal of Personality and Social Psychology, 48,* 1377-1386.

SCHAFFNER, P.E., WANDERSMAN, A. et STANG, D. (1981). Candidate name exposure and voting: Two field studies. *Basic and Applied Social Psychology, 2,* 195-203.

SCHALLER, M. et CIALDINI, R.B. (1988). The economics of empathic helping: Support for a mood management motive. *Journal of Experimental Social Psychology, 24,* 163-181.

SCHEIER, M.F. et CARVER, C.S. (1987). Dispositional optimism and physical well-being: The influence of generalized outcome expectancies on health. *Journal of Personality, 55,* 169-210.

SCHEIER, M.F. et CARVER, C.S. (1988). A model of behavioral self-regulation: Translating intention into action. *In* L.Berkowitz (dir.). *Advances in Experimental Social Psychology,* vol.21. San Diego, Ca, Academic Press.

SCHEIN, E.H. (1956). The Chinese indoctrination program for prisoners of war: A study of attempted brainwashing. *Psychiatry, 19,* 149-172.

SCHIFFENBAUER, A. et SCHIAVO, R.S. (1976). Physical distance and attraction: An intensification effect. *Journal of Experimental Social Psychology, 12,* 274-282.

SCHLENKER, B.R. (1976). *Egocentric perceptions in cooperative groups: A conceptualization and research review.* Compte rendu final, Office of Naval Research Grant NR 170-797.

SCHLENKER, B.R. (1980). *Impression Management: The self-concept, social identity, and interpersonal relations.* Belmont, Ca, Brooks/Cole.

SCHLENKER, B.R. (1985). Introduction: Foundations of the self in social life. *In* B.R.Schlenker (dir.). *The self and social life.* New York, McGraw-Hill.

SCHLENKER, B.R. (1986). Self-identification: Toward an integration of the private and public self. *In* R.Baumeister (dir.). *Public self and private self.* New York, Springer-Verlag.

SCHLENKER, B.R. (1987). Threats to identity: Self-identification and social stress. *In* C.R.Snyder et C.E.Ford (dir.). *Coping with negative life events: Clinical and social psychological perspectives.* New York, Plenum Press.

SCHLENKER, B.R. et FORSYTH, D.R. (1977). On the ethics of psychological research. *Journal of Experimental Social Psychology, 13,* 369-396.

SCHLENKER, B.R. et LEARY, M.R. (1982). Audiences' reactions to self-enhancing, self-denigrating, and accurate self-presentations. *Journal of Experimental Social Psychology, 18,* 89-104. (*a*)

SCHLENKER, B.R. et LEARY, M.R. (1982). Social anxiety and self-presentation: A conceptualization and model. *Psychological Bulletin, 92,* 641-669. (*b*)

SCHLENKER, B.R. et LEARY, M.R. (1985). Social anxiety and communication about the self. *Journal of Language and Social Psychology, 4,* 171-192.

SCHLENKER, B.R. et MILLER, R.S. (1977). Group cohesiveness as a determinant of egocentric perceptions in cooperative groups. *Human Relations, 30,* 1039-1055. (*a*)

SCHLENKER, B.R. et MILLER, R.S. (1977). Egocentrism in groups: Self-serving biases or logical information processing? *Journal of Personality and Social Psychology, 35,* 755-764. (*b*)

SCHLENKER, B.R., MILLER, R.S., LEARY, M.R. et McGOWN, N.E. (1979). Group performance and interpersonal evaluations as determinants of egotistical attributions in groups. *Journal of Personality, 47,* 575-594.

SCHLESINGER, A.M., Jr. (1972). *A thousand days.* Boston, Houghton Mifflin, 1965. Cité par I.L.Janis dans *Victims of groupthink.* Boston, Houghton Mifflin, 40.

SCHOFIELD, J. (1982). *Black and white in school: Trust, tension, or tolerance?* New York, Praeger.

SCHOFIELD, J. et PAVELCHAK, M. (1985). The day after: The impact of a media event. *American Psychologist, 40,* 542-548.

SCHOFIELD, J.W. (1986). Causes and consequences of the colorblind perspective. *In* J.F.Dovidio et S.L.Gaertner (dir.). *Prejudice, discrimination, and racism.* Orlando, Fla, Academic Press.

SCHOOLER, J.W., GERHARD, D. et LOFTUS, E.F. (1986). Qualities of the unreal. *Journal of Experimental Psychology: Learning, Memory, and Cognition, 12,* 171-181.

SCHROEDER, D.A., DOVIDIO, J.F., SIBICKY, M.E., MATTHEWS, L.L. et ALLEN, J.L. (1988). Empathic concern and helping behavior: Egoism or altruism. *Journal of Experimental Social Psychology, 24,* 333-353.

SCHULZ, J.W. et PRUITT, D.G. (1978). The effects of mutual concern on joint welfare. *Journal of Experimental Social Psychology, 14,* 480-492.

SCHULZ, R. et DECKER, S. (1985). Long-term adjustment to physical disability: The role of social support, perceived control, and self-blame. *Journal of Personality and Social Psychology, 48,* 1162-1172.

SCHUMAN, H. et KALTON, G. (1985). Survey methods. *In* G.Lindzey et E.Aronson (dir.). *Handbook of Social Psychology,* vol.1. Hillsdale, N.J., Erlbaum.

SCHUMAN, H. et LUDWIG, J. (1983). The norm of even-handedness in surveys as in life. *American Sociological Review, 48,* 112-120.

SCHUMAN, H. et SCOTT, J. (1987). Problems in the use of survey questions to measure public opinion. *Science, 236,* 957-959.

SCHUTTE, N.S., MALOUFF, J.M., POST-GORDEN, J.C. et RODASTA, A.L. (1988). Effects of playing videogames on children's aggressive and other behaviors. *Journal of Applied Social Psychology, 18,* 454-460.

SCHWARZ, N., STRACK, F., KOMMER, D. et WAGNER, D. (1987). Soccer, rooms, and the quality of your life: Mood effects on judgments of satisfaction with life in general and with specific domains. *European Journal of Social Psychology, 17,* 69-79.

SCHWARTZ, S.H. (1975). The justice of need and the activation of humanitarian norms. *Journal of Social Issues, 31*(3), 111-136.

SCHWARTZ, S.H. et AMES, R.E. (1977). Positive and negative referent others as source of influence: A case of helping. *Sociometry, 40,* 12-21.

SCHWARTZ, S.H. et GOTTLIEB, A. (1981). Participants' post-experimental reactions and the ethics of bystander research. *Journal of Experimental Social Psychology, 17,* 396-407.

SCHWARZWALD, J., BIZMAN, A. et RAZ, M. (1983). The foot-in-the-door paradigm: Effects of second request size on donation probability and donor generosity. *Personality and Social Psychology Bulletin, 9,* 443-450.

SCHWEBEL, A.I. et CHERLIN, D.L. (1972). Physical and social distance in teacher-pupil relationships. *Journal of Educational Psychology, 63,* 543-550.

SCOTT, J.P. et MARSTON, M.V. (1953). Non-adaptive behavior resulting from a series of defeats in fighting mice. *Journal of Abnormal and Social Psychology, 48,* 417-428.

SEARS, D.O. (1979). *Life stage effects upon attitude change, especially among the elderly.* Manuscrit préparé pour le Workshop on the Elderly of the Future, Committee on Aging, National Research Council, Annapolis, Md., 3-5 mai.

SEARS, D.O. (1986). College sophomores in the laboratory: Influences of a narrow data base on social psychology's view of human nature. *Journal of Personality and Social Psychology, 51,* 515-530.

SEARS, D.O., HENSLER, C.P. et SPEER, L.K. (1979). Whites' opposition to «busing»: Self-interest or symbolic politics? *American Political Science Review, 73,* 369-384.

SEAVER, W.B. et PATTERSON, A.H. (1976). Decreasing fuel-oil consumption through feedback and social commendation. *Journal of Applied Behavior Analysis, 9,* 147-152.

SEBER, R. et CROCKER, J. (1983). Cognitive processes in the revision of stereotypic beliefs. *Journal of Personality and Social Psychology, 45,* 961-977.

SEGAL, H.A. (1954). Initial psychiatric findings of recently repatriated prisoners of war. *American Journal of Psychiatry, 61,* 358-363.

SEGAL, N.L. (1984). Cooperation, competition, and altruism within twin sets: A reappraisal. *Ethology and Sociobiology, 5,* 163-177.

SELBY, J.W., CALHOUN, L.G. et BROCK, T.A. (1977). Sex differences in the social perception of rape victims. *Personality and Social Psychology Bulletin, 3,* 412-415.

SELIGMAN, C., FAZIO, R.H., ZANNA, M.P. (1980). Effects of salience of extrinsic rewards on liking and loving. *Journal of Personality and Social Psychology, 38,* 453-460.

SELIGMAN, M.E.P. (1975). *Helplessness: On depression, development and death.* San Francisco, W.H. Freeman.

SELIGMAN, M.E.P. (mai 1977). Submissive death: Giving up on life. *Psychology Today,* 80-85.

SELIGMAN, M.E.P. (1988). *Why is there so much depression today? The waxing of the individual and the waning of the commons.* The G.Stanely Hall Lecture, congrès de l'American Psychological Association.

SELIGMAN, M.E.P. et SCHULMAN, P. (1986). Explanatory style as a predictor of productivity and quitting among life insurance sales agents. *Journal of Personality and Social Psychology, 50,* 832-838.

SELIGMAN, M.E.P. et VISINTAINER, M.A. (1985). Tumor rejection and early experience of uncontrollable shock in the rat. In F.R.Brush et J.B.Overmier (dir.). *Affect, conditioning, and cognition: Essays on the determinants of behavior.* Hillsdale, N.J., Erlbaum.

SELTZER, L.F. (1983). Influencing the «shape» of resistance: An experimental exploration of paradoxical directives and psychological reactance. *Basic and Applied Social Psychology, 4,* 47-71.

SETA, J.J. (1982). The impact of comparison processes on coactors' task performance. *Journal of Personality and Social Psychology, 42,* 281-291.

SETHI, A.S. et BALA, N. (1983). Relationship between sex-role orientation and self-esteem in Indian college of females. *Psychologia, 23,* 124-127.

SHAKESPEARE, W. (s.d.). *A midsummer night's dream.* Acte II, scène 2, 1.115.

SHARAN, S. et SHARAN, Y. (1976). *Small group teaching.* Englewood Cliffs, N.J., Educational Technology.

SHARMA, N. (1981). Some aspect of attitude and behaviour of mothers. *Indian Psychological Review, 20,* 35-42.

SHAVER, P., HAZAN, C. et BRADSHAW, D. (1988). Love as attachment: The integration of three behavioral systems. In R.J.Sternberg et M.L.Barnes (dir.). *The psychology of love.* New Haven, Yale University Press.

SHAVIT, H. et SHOUVAL, R. (1980). Self-esteem and cognitive consistency effects on self-other evaluation. *Journal of Experimental Social Psychology, 16,* 417-425.

SHAW, G.B. (1977). The quintessence of Ibsenism. In D.H.Lawrence (dir.). *Selected non-dramatic writings of Bernard Shaw.*Boston, Houghton Mifflin (s.d.). Cité par C.Tavris et C.Offir dans *The longest war: Sex differences in perspective.* New York, Harcourt Brace Jovanovich.

SHAW, M.E. (1981). *Group dynamics: The psychology of small group behavior.* New York, McGraw-Hill.

SHEPPARD, B.H. et VIDMAR, N. (1980). Adversary pretrial procedures and testimonial evidence: Effects of lawyer's role and machiavellianism. *Journal of Personality and Social Psychology, 39,* 320-322.

SHERIF, M. (1937). An experimental approach to the study of attitudes. *Sociometry, 1,* 90-98.

SHERIF, M. (1966). *In common predicament: Social psychology of intergroup conflict and cooperation.* Boston, Houghton Mifflin.

SHERIF, M. et SHERIF, C.W. (1969). *Social psychology.* New York, Harper & Row.

SHERMAN, S.J. (1980). On the self-erasing nature of errors of prediction. *Journal of Personality and Social Psychology, 39,* 211-221.

SHERMAN, S.J., CIALDINI, R.B., SCHWARTZMAN, D.F. et REYNOLDS, K.D. (1985). Imagining can heighten or lower the perceived likelihood of contracting a disease: The mediating effect of ease of imagery. *Personality and Social Psychology Bulletin, 11,* 118-127.

SHERMAN, S.J. et FAZIO, R.H. (1983). Parallels between attitudes and traits as predictors of behavior. *Journal of Personality, 51,* 308-345.

SHERMAN, S.J. et GORKIN, L. (1980). Attitude bolstering when behavior is inconsistent with central attitudes. *Journal of Experimental Social Psychology, 16,* 388-403.

SHERMAN, S.J., PRESSON, C.C., CHASSIN, L., BENSENBERG, M., CORTY, E. et OLSHAVSKY, R. (1983). Smoking intentions in adolescents: Direct experience and predictability. *Personality and Social Psychology Bulletin, 8,* 376-383.

SHORT, J.F., Jr. (dir.) (1969). *Gang delinquency and delinquent subcultures.* New York, Harper & Row.

SHOTLAND, R.L. (1989). A model of the causes of date rape in developing and close relationships. In C.Hendrick (dir.). *Review of Personality and Social Psychology,* vol.10. Beverly Hills, Sage.

SHOTLAND, R.L. et CRAIG, J.M. (1988). Can men and women differentiate between friendly and sexually interested behavior? *Social Psychology Quarterly, 51,* 67-73.

SHOTLAND, R.L. et STEBBINS, C.A. (1983). Emergency and cost as determinants of helping behavior and the slow accumulation of social psychological knowledge. *Social Psychology Quarterly, 46,* 36-46.

SHOTLAND, R.L. et STRAW, M.K. (1976). Bystander response to an assault: When a man attacks a woman. *Journal of Personality and Social Psychology, 34,* 990-999.

SHOUVAL, R., VENAKI, S.K., BRONFENBRENNER, U., DEVEREUS, E.C. et KIELY, E. (1975). Anomalous reactions to social pressure of Israeli and Soviet children raised in family versus collective settings. *Journal of Personality and Social Psychology, 32,* 477-489.

SHOWERS, C. et RUBEN, C. (1987). *Distinguishing pessimism from depression: Negative expectations and positive coping mechanisms.* Communication présentée au congrès de l'American Psychological Association.

SHRAUGER, J.S. (1975). Responses to evaluation as a function of initial self-perceptions. *Psychological Bulletin, 82,* 581-596.

SHRAUGER, J.S. (1983). *The accuracy of self-prediction: How good are we and why?* Communication présentée au congrès de la Midwestern Psychological Association.

SHUBIK, M. (1971). The dollar auction game: A paradox in noncooperating behavior and escalation. *Journal of Conflict Resolution, 15,* 109-111.

SHURE, G.H., MEEKER, R.J. et HANSFORD, E.A. (1965). The effectiveness of pacifist strategies in bargaining games. *Journal of Conflict Resolution, 9*(1), 106-117.

SIGALL, H. (1970). Effects of competence and consensual validation on a communicator's liking for the audience. *Journal of Personality and Social Psychology, 16,* 252-258.

SIGALL, H. et PAGE, R. (1971). Current stereotypes: A little fading, a little faking. *Journal of Personality and Social Psychology, 18,* 247-255.

SILVER, L.B., DUBLIN, C.C. et LOURIE, R.S. (1969). Does violence breed violence? Contributions from a study of the child abuse syndrome. *American Journal of Psychiatry, 126,* 404-407.

SILVER, M. et GELLER, D. (1978). On the irrelevance of evil: The organization and individual action. *Journal of Social Issues, 34,* 125-136.

SIMON, H.A. (1957). *Models of man: Social and rational.* New York, Wiley.

SIMON, P. (1980). Interview dans *Wittenburg Door,* juin-juillet, 20.

SIMPSON, J.A. (1987). The dissolution of romantic relationships: Factors involved in relationship stability and emotional distress. *Journal of Personality and Social Psychology, 53,* 683-692.

SIMPSON, J.A., CAMPBELL, B. et BERSCHEID, E. (1986). The association between romantic love and marriage: Kephart (1967) twice revisited. *Personality and Social Psychology Bulletin, 12,* 363-372.

SINGER, J.L. et SINGER, D.G. (1988). Some hazards of growing up in a television environment: Children's aggression and restlessness. *In* S.Oskamp (dir.). *Television as a social issue: Applied Social Psychology Annual,* vol.8. Newbury Park, Ca, Sage.

SINGER, J.L., SINGER, D.G. et RAPACZYNSKI, W.S. (1984). Family patterns and television viewing as predictors of children's beliefs and aggression. *Journal of Communication, 34*(2), 73-89.

SINGER, M. (1979). *Cults and cult members.* Allocution au congrès de l'American Psychological Association. (*a*)

SINGER, M. (juillet-août 1979). Interviewée par M. Freeman.Of cults and communication: A conversation with Margaret Singer. *APA Monitor,* 6-7. (*b*)

SISSONS, M. (1981). Race, sex, and helping behavior. *British Journal of Social Psychology, 20,* 285-292.

SIVACEK, J. et CRANO, W.D. (1982). Vested interest as a moderator of attitude-behavior consistency. *Journal of Personality and Social Psychology, 43,* 210-221.

SIVARD, R.L. (1987). *World military and social expenditures 1987-1988,* 12ᵉ éd. Washington, D.C., World Priorities.

SIX, B. et KRAHE, B. (1984). Implicit psychologists' estimates of attitude-behavior consistencies. *European Journal of Social Psychology, 14,* 79-86.

SKINNER, B.F. (1971). *Beyond freedom and dignity.* New York, Knopf.

SKOV, R.B. et SHERMAN, S.J. (1986). Information-gathering processes: Diagnosticity, hypothesis-confirmatory strategies, and perceived hypothesis confirmation. *Journal of Experimental Social Psychology, 22,* 93-121.

SLAVIN, R.E. (1980). *Cooperative learning and desegregation.* Communication présentée au congrès de l'American Psychological Association.

SLAVIN, R.E. (1985). Cooperative learning: Applying contact theory in desegregated schools. *Journal of Social Issues, 41*(3), 45-62.

SLAVIN, R.E. et MADDEN, N.A. (1979). School practices that improve race relations. *Journal of Social Issues, 16,* 169-180.

SLOAN, J.H., KELLERMAN, A.L., REAY, D.T., FERRIS, J.A., KOEPSELL, T., RIVARA, F.P., RICE, C., GRAY, L. et LoGERFO, J. (1988). Handgun regulations, crime, assaults, and homicide: A tale of two cities. *New England Journal of Medicine, 319,* 1256-1261.

SLOVIC, P. (1972). From Shakespeare to Simon: Speculations – and some evidence – about man's ability to process information. *Oregon Research Institute Research Bulletin, 12*(2).

SLOVIC, P. (30 janvier 1985). Only new laws will spur seat-belt use. *Wall Street Journal.*

SLOVIC, P. et FISCHHOFF, B. (1977). On the psychology of experimental surprises. *Journal of Experimental Psychology: Human Perception and Performance, 3,* 455-551.

SLUSHER, M.P. et ANDERSON, C.A. (1989). Belief perseverance and self-defeating behavior. *In* R.Curtis (dir.). *Self-defeating behaviors: Experimental research and practical implications.* New York, Plenum.

SMEDLEY, J.W. et BAYTON, J.A. (1978). Evaluative race-class stereotypes by race and perceived class of subjects. *Journal of Personality and Social Psychology, 3,* 530-535.

SMITH, A. (1976). *The wealth of nations.* Livre 1. Chicago, University of Chicago Press. (Première édition, 1776.)

SMITH, D.E., GIER, J.A. et WILLIS, F.N. (1982). Interpersonal touch and compliance with a marketing request. *Basic and Applied Social Psychology, 3,* 35-38.

SMITH, E.E. (1977). Methods for changing consumer attitudes: A report of three experiments. Cité par P.G.Zimbardo, E.B.Ebbesen et C.Maslach. *Influencing attitudes and changing behavior.* Reading, Mass., Addison-Wesley.

SMITH, H. (1979). *The Russians.* New York, Ballantine Books, 1976. Cité par B.Latané, K.Williams et S.Harkins dans Many hands make light the work. *Journal of Personality and Social Psychology, 37,* 822-832.

SMITH, H.W. (1981). Territorial spacing on a beach revisited: A cross-national exploration. *Social Psychology Quarterly, 44,* 132-137.

SMITH, M.B. (1978). Psychology and values. *Journal of Social Issues, 34,* 181-199.

SMITH, M.L., GLASS, G.V. et MILLER, R.L. (1980). *The benefits of psychotherapy.* Baltimore, Johns Hopkins Press.

SMITH, P.B. et TAYEB, M. (1989). Organizational structure and processes. *In* M.Bond (dir.). *The cross-cultural challenge to social psychology.* Newbury Park, Ca, Sage.

SMITH, T.W. (1979). Happiness: Time trends, seasonal variations, intersurvey differences, and other mysteries. *Social Psychology Quarterly, 42,* 18-30.

SMITH, T.W. (1984). The polls: Gender and attitudes toward violence. *Public Opinion Quarterly, 48,* 384-396.

SMITH, T.W. (1987). The use of public opinion data by the Attorney General's Commission on Pornography. *Public Opinion Quarterly, 51,* 249-267.

SMITH, T.W. et SHEATSLEY, P.B. (octobre-novembre 1984). American attitudes toward race relations. *Public Opinion,* 14-15, 50.

SMITH, V.L. et ELLSWORTH, P.C. (1987). The social psychology of eyewitness accuracy: Misleading questions and communicator expertise. *Journal of Applied Psychology, 72,* 294-300.

SMITH, V.L., KASSIN, S.M. et ELLSWORTH, P.C. (1989). Eyewitness accuracy and confidence: Within- versus between-subjects correlations. *Journal of Applied Psychology, 74,* 356-359.

SMITH, W.P. (1987). Conflict and negotiation: Trends and emerging issues. *Journal of Applied Social Psychology, 17,* 641-677.

SNODGRASS, M.A. (1987). The relationships of differential loneliness, intimacy, and characterological attributional style to duration of loneliness. *Journal of Social Behavior and Personality, 2,* 173-186.

SNODGRASS, S.E., HIGGINS, J.G. et TODISCO, L. (1986). *The effects of walking behavior on mood.* Communication présentée au congrès de l'American Psychological Association.

SNYDER, C.R. (1978). The «illusion» of uniqueness. *Journal of Humanistic Psychology, 18,* 33-41.

SNYDER, C.R. (1980). The uniqueness mystique. *Psychology Today,* mars, 86-90.

SNYDER, C.R. et FROMKIN, H.L. (1980). *Uniqueness: The human pursuit of difference.* New York, Plenum.

SNYDER, C.R. et HIGGINS, R.L. (1988). Excuses: Their effective role in the negotiation of reality. *Psychological Bulletin, 104,* 23-35.

SNYDER, C.R. et NEWBURG, C.L. (1981). The Barnum effect in a group setting. *Journal of Personality Assessment, 45,* 622-729.

SNYDER, C.R. et SMITH, T.W. (1986). On being «shy like a fox»: A self-handicapping analysis. *In* W.H.Jones *et al.* (dir.). *Shyness: Perspectives on research and treatment*. New York, Plenum.

SNYDER, M. (1981). Seek, and ye shall find: Testing hypotheses about other people. *In* E.T.Higgins, C.P.Herman et M.P.Zanna (dir.). *Social cognition: The Ontario symposium on personality and social psychology*. Hillsdale, N.J., Erlbaum. (*a*)

SNYDER, M. (1982). When believing means doing: Creating links between attitudes and behavior. *In* M.Zanna, E.T.Higgins et C.P.Herman (dir.). *Consistency in social behavior: The Ontario symposium*, vol.2. Hillsdale, N.J., Erlbaum. (*b*)

SNYDER, M. (1983). The influence of individuals on situations: Implications for understanding the links between personality and social behavior. *Journal of Personality, 51*, 497-516.

SNYDER, M. (1984). When belief creates reality. *In* L.Berkowitz (dir.). *Advances in Experimental Social Psychology*, vol.18. New York, Academic Press.

SNYDER, M. (1987). *Public appearances/private realities: The psychology of self-monitoring*. New York, Freeman.

SNYDER, M. (1988). Experiencing prejudice first hand: The «discrimination day» experiments. *Contemporary Psychology, 33*, 664-665.

SNYDER, M., BERSCHEID, E. et GLICK, P. (1985). Focusing on the exterior and the interior: Two investigations of the initiation of personal relationships. *Journal of Personality and Social Psychology, 48*, 1427-1439.

SNYDER, M., BERSCHEID, E. et MATWYCHUK, A. (1988). Orientations toward personnel selection: Differential reliance on appearance and personality. *Journal of Personality and Social Psychology, 54*, 972-979.

SNYDER, M., CAMPBELL, B. et PRESTON, E. (1982). Testing hypotheses about human nature: Assessing the accuracy of social stereotypes. *Social Cognition, 1*, 256-272.

SNYDER, M. et COPELAND, J. (1989). Self-monitoring processes in organizational settings. *In* R.A. Giacalone et P.Rosenfeld (dir.). *Impression management in the organization*. Hillsdale, N.J., Erlbaum.

SNYDER, M. et DeBONO, K.G. (1987). A functional approach to attitudes and persuasion. *In* M.P. Zanna, J.M.Olson et C.P.Herman (dir.). *Social influence: The Ontario symposium*, vol.5. Hillsdale, N.J., Erlbaum.

SNYDER, M. et DeBONO, K.G. (1989). Understanding the functions of attitudes: Lessons from personality and social behavior. *In* A.R. Pratkanis, S.J. Breckler et A.G.Greenwald (dir.). *Attitude structure and function*. Hillsdale, N.J., Erlbaum.

SNYDER, M., GRETHER, J. et KELLER, K. (1974). Staring and compliance: A field experiment on hitch-hiking. *Journal of Applied Social Psychology, 4*, 165-170.

SNYDER, M. et ICKES, W. (1985). Personality and social behavior. *In* G.Lindzey et E.Aronson (dir.). *Handbook of social psychology*, 3ᵉ éd. New York, Random House.

SNYDER, M. et SIMPSON, J. (1985). Orientations toward romantic relationships. *In* S.Duck et D.Perlman (dir.). *Understanding personal relationships*. Beverly Hills, Ca, Sage.

SNYDER, M., SIMPSON, J.A. et GANGESTAD, S. (1986). Personality and sexual relations. *Journal of Personality and Social Psychology, 51*, 181-190.

SNYDER, M. et SWANN, W.B., Jr. (1976). When actions reflect attitudes: The politics of impression management. *Journal of Personality and Social Psychology, 34*, 1034-1042.

SNYDER, M. et SWANN, W.B., Jr. (1978). Behavioral confirmation in social interaction: From social perception to social reality. *Journal of Experimental Social Psychology, 14*, 148-162. (*a*)

SNYDER, M., TANKE, E.D. et BERSCHEID, E. (1977). Social perception and interpersonal behavior: On the self-fulfilling nature of social stereotypes. *Journal of Personality and Social Psychology, 35*, 656-666. (*b*)

SNYDER, M. et THOMSEN, C.J. (1988). Interactions between therapists and clients: Hypothesis testing and behavioral confirmation. *In* D.C.Turk et P.Salovey (dir.). *Reasoning, inference, and judgment in clinical psychology*. New York, Free Press.

SOHN, D. (1980). Critique of Cooper's meta-analytic assessment of the findings on sex differences in conformity behavior. *Journal of Personality and Social Psychology, 39*, 1215-1221.

SOKOLL, G.R. et MYNATT, C.R. (1984). *Arousal and free throw shooting*. Communication présentée au congrès de la Midwestern Psychological Association, Chicago.

SOLANO, C.H., BATTEN, P.G. et PARISH, E.A. (1982). Loneliness and patterns of self-disclosure. *Journal of Personality and Social Psychology, 43*, 524-531.

SOLOMON, H. et SOLOMON, L.Z. (1978). *Effects of anonymity on helping in emergency situations*. Communication présentée au congrès de l'Eastern Psychological Association.

SOLOMON, H., SOLOMON, L.Z., ARNONE, M.M., MAUR, B.J., REDA, R.M. et ROTHER, E.O. (1981). Anonymity and helping. *Journal of Social Psychology, 113*, 37-43.

SOLOMON, L.Z., SOLOMON, H. et STONE, R. (1978). Helping as a function of number of bystanders and ambiguity of emergency. *Personality and Social Psychology Bulletin, 4*, 318-321.

SOMMER, R. (1967). Classroom ecology. *Journal of Applied Behavioral Science, 3*, 489-503.

SOMMER, R. (1969). *Personal space*. Englewood Cliffs, N.J., Prentice-Hall.

SOMMER, R. et OLSEN, H. (1980). The soft classroom. *Environment and Behavior, 5*, 3-16.

SOMMER, R. et ROSS, H. (1958). Social interaction on a geriatrics ward. *International Journal of Social Psychiatry, 4*, 128-133.

SONNE, J. et JANOFF, D. (1979). The effect of treatment attributions on the maintenance of weight reduction: A replication and extension. *Cognitive Therapy and Research, 3*, 389-397.

SORRENTINO, R.M., BOBOCEL, D.R., GITTA, M.Z., OLSEN, J.M. et HEWITT, E.C. (1988). Uncertainty orientation and persuasion: Individual differences in the effects of personal relevance on social judgments. *Journal of Personality and Social Psychology, 55*, 357-371.

SORRENTINO, R.M., KING, G. et LEO, G. (1980). The influence of the minority on perception: A note on a possible alternative explanation. *Journal of Experimental Social Psychology, 16*, 293-301.

SPARACINO, J. et HANSELL, S. (1979). Physical attractiveness and academic performance: Beauty is not always talent. *Journal of Personality, 47*, 449-469.

SPARRELL, J.A. et SHRAUGER, J.S. (1984). *Self-confidence and optimism in self-prediction*. Communication présentée au congrès de l'American Psychological Association.

SPECTOR, P.E. (1986). Perceived control by employees: A meta-analysis of studies concerning autonomy and participation at work. *Human Relations, 39*, 1005-1016.

SPEER, A. (1971). *Inside the Third Reich: Memoirs*. (Traduction de P.Winston et C.Winston). New York, Avon Books.

SPENCE, J.T., DEAUX, K. et HELMREICH, R.L. (1985). Sex roles in contemporary American society. *In* G.Lindzey et E.Aronson (dir.). *Handbook of Social Psychology*, 3ᵉ éd. Hillsdale, N.J., Erlbaum.

SPIEGEL, H.W. (1971). *The growth of economic thought*. Durham, N.C., Duke University Press.

SPITZBERG, B.H. et HURT, H.T. (1987). The relationship of interpersonal competence and skills to reported loneliness across time. *Journal of Social Behavior and Personality, 2*, 157-172.

SPIVAK, J. (6 juin 1979). *Wall Street Journal*.

SPRECHER, S. (1987). The effects of self-disclosure given and received on affection for an intimate partner and stability of the relationship. *Journal of Personality and Social Psychology, 4*, 115-127.

STANDING, L. et KEAYS, G. (1986). Computer assessment of personality: A demonstration of gullibility. *Social Behavior and Personality, 14*, 197-202.

STARK, R. et BAINBRIDGE, W.S. (1980). Networks of faith: Interpersonal bonds and recruitment to cults and sects. *American Journal of Sociology, 85*, 1376-1395.

STASSER, G., KERR, N.L. et BRAY, R.M. (1981). The social psychology of jury deliberations: Structure, process, and product. *In* N.L.Kerr et R.M.Bray (dir.). *The psychology of the courtroom.* New York, Academic Press.

STAUB, E. (1989). The psychology of torture and torturers. *Journal of Social Issues.*

STEBLAY, N.M. (1987). Helping behavior in rural and urban environments: A meta-analysis. *Psychological Bulletin, 102,* 346-356.

STEELE, C.M. (1988). The psychology of self-affirmation: Sustaining the integrity of the self. *In* L.Berkowitz (dir.). *Advances in experimental social psychology,* vol.21. Orlando, Fla, Academic Press.

STEELE, C.M. et SOUTHWICK, L. (1985). Alcohol and social behavior I: The psychology of drunken excess. *Journal of Personality and Social Psychology, 48,* 18-34.

STEELE, C.M., SOUTHWICK, L.L. et CRITCHLOW, B. (1981). Dissonance and alcohol: Drinking your troubles away. *Journal of Personality and Social Psychology, 41,* 831-846.

STEIN, A.H. et FRIEDRICH, L.K. (1972). Television content and young children's behavior. *In* J.P. Murray, E.A.Rubinstein et G.A.Comstock (dir.). *Television and social learning.* Washington, D.C., Government Printing Office.

STEIN, D.D., HARDYCK, J.A. et SMITH, M.B. (1965). Race and belief: An open and shut case. *Journal of Personality and Social Psychology, 1,* 281-289.

STEIN, R.T. et HELLER, T. (1979). An empirical analysis of the correlations between leadership status and participation rates reported in the literature. *Journal of Personality and Social Psychology, 37,* 1993-2002.

STEINEM, G. (1988). Six great ideas that television is missing. *In* S.Oskamp (dir.). *Television as a social issue: Applied Social Psychology Annual,* vol.8. Newbury Park, Ca, Sage.

STEINER, I.D. (1972). *Group process and productivity.* New York, Academic Press.

STEINER, I.D. (1982). Heuristic models of groupthink. *In* M.Brandstatter, J.H.Davis et G.Stocker-Kreichgauer (dir.). *Group decision making.* New York, Academic Press, 503-524.

STEPHAN, C.W. et STEPHAN, W.G. (1986). Habla Ingles? The effects of language translation on simulated juror decisions. *Journal of Applied Social Psychology, 16,* 577-589.

STEPHAN, W.G. (1986). The effects of school desegregation: An evaluation 30 years after *Brown.* *In* R.Kidd, L.Saxe et M.Saks (dir.). *Advances in applied social psychology.* New York, Erlbaum.

STEPHAN, W.G. (1987). The contact hypothesis in intergroup relations. *In* C.Hendrick (dir.). *Group processes and intergroup relations.* Newbury Park, Ca, Sage.

STEPHAN, W.G. (1988). *School desegregation: Short-term and long-term effects.* Communication présen-

tée à la conférence nationale «Opening doors: An appraisal of race relations in America», Université d'Alabama.

STEPHAN, W.G., BERNSTEIN, W.M., STEPHAN, C. et DAVIS, M.H. (1979). Attributions for achievement: Egotism vs. expectancy confirmation. *Social Psychology Quarterly, 42,* 5-17.

STEPHAN, W.G., BERSCHEID, E. et WALSTER, E. (1971). Sexual arousal and heterosexual perception. *Journal of Personality and Social Psychology, 20,* 93-101.

STEPHENSON, G.M., ABRAMS, D., WAGNER, W. et WADE, G. (1986). Partners in recall: Collaborative order in the recall of a police interrogation. *British Journal of Social Psychology, 25,* 341-343. (*a*)

STEPHENSON, G.M., BRANDSTATTER, H. et WAGNER, W. (1983). An experimental study of social performance and delay on the testimonial validity of story recall. *European Journal of Social Psychology, 13,* 175-191.

STEPHENSON, G.M., CLARK, N.K. et WADE, G.S. (1986). Meetings make evidence? An experimental study of collaborative and individual recall of a simulated police interrogation. *Journal of Personality and Social Psychology, 50,* 1113-1122. (*b*)

STERNBERG, R.J. (1988). Triangulating love. *In* R.J. Sternberg et M.L.Barnes (dir.). *The psychology of love.* New Haven, Yale University Press.

STERNBERG, R.J. et GRAJEK, S. (1984). The nature of love. *Journal of Personality and Social Psychology, 47,* 312-329.

STEWART, J.E., II. (1980). Defendant's attractiveness as a factor in the outcome of criminal trials: An observational study. *Journal of Applied Social Psychology, 10,* 348-361.

STEWART, J.E., II. (1983). *Appearance as a factor in conviction and sentencing: The attraction-leniency effect in the courtroom.* Communication présentée au congrès de la Midwestern Psychological Association.

STILLE, R.G., MALAMUTH, N. et SCHALLOW, J.R. (1987). *Prediction of rape proclivity by rape myth attitudes and hostility toward women.* Communication présentée au congrès de l'American Psychological Association.

STIRES, L. (1980). Classroom seating location, student grades, and attitudes: Environment or self-selection. *Environment and Behavior, 12,* 241- 254.

STOCKDALE, J.E. (1978). Crowding: Determinants and effects. *In* L.Berkowitz (dir.). *Advances in experimental social psychology,* vol.11. New York, Academic Press.

STOKES, J. et LEVIN, I. (1986). Gender differences in predicting loneliness from social network characteristics. *Journal of Personality and Social Psychology, 51,* 1069-1074.

STONE, A.A., HEDGES, S.M., NEALE, J.M. et SATIN, M.S. (1985). Prospective and cross-sectional mood reports offer no evidence of a «blue Monday» phe-

nomenon. *Journal of Personality and Social Psychology, 49,* 129-134.

STONE, A.L. et GLASS, C.R. (1986). Cognitive distortion of social feedback in depression. *Journal of Social and Clinical Psychology, 4,* 179-188.

STONER, J.A.F. (1962). *A comparison of individual and group decisions involving risk.* Thèse de maîtrise inédite. Massachusetts Institute of Technology, 1961. Cité par D.G.Marquis dans Individual responsibility and group decisions involving risk. *Industrial Management Review, 3,* 8-23.

STORMS, M.D. (1973). Videotape and the attribution process: Reversing actors' and observers' points of view. *Journal of Personality and Social Psychology, 27,* 165-175.

STORMS, M.D. et THOMAS, G.C. (1977). Reactions to physical closeness. *Journal of Personality and Social Psychology, 35,* 412-418.

STOUFFER, S.A., SUCHMAN, E.A., DeVINNEY, L.C., STAR, S.A. et WILLIAMS, R.M., Jr. (1949). *The American soldier: Adjustment during army life,* vol.1. Princeton, N.J., Princeton University Press.

STRACK, F., MARTIN, L.L. et STEPPER, S. (1988). Inhibiting and facilitating conditions of the human smile: A nonobstrusive test of the facial feedback hypothesis. *Journal of Personality and Social Psychology, 54,* 768-777.

STRACK, S. et COYNE, J.C. (1983). Social confirmation of dysphoria: Shared and private reactions to depression. *Journal of Personality and Social Psychology, 44,* 798-806.

STRAUSS, M.A. et GELLES, R.J. (1980). *Behind closed doors: Violence in the American family.* New York, Anchor/Doubleday.

STRENTA, A. et DeJONG, W. (1981). The effect of a prosocial label on helping behavior. *Social Psychology Quarterly, 44,* 142-147.

STRETCH, R.H. et FIGLEY, C.R. (1980). Beauty and the boast: Predictors of interpersonal attraction in a dating experiment. *Psychology, A Quarterly Journal of Human Behavior, 17,* 34-43.

STROEBE, W., INSKO, C.A., THOMPSON, V.D. et LAYTON, B.D. (1971). Effects of physical attractiveness, attitude similarity, and sex on various aspects of interpersonal attraction. *Journal of Personality and Social Psychology, 18,* 79-91.

STRONG, S.R. (1978). Social psychological approach to psychotherapy research. *In* S.L.Garfield et A.E. Bergin (dir.). *Handbook of psychotherapy and behavior change,* 2ᵉ éd. New York, Wiley.

STRUMPEL, B. (1976). Economic life-styles, values, and subjective welfare. *In* B.Strumpel (dir.). *Economic means for human needs.* Ann Arbor, Mich., Institute for Social Research, Université du Michigan.

SUE, S., SMITH, R.E. et CALDWELL, C. (1973). Effects of inadmissible evidence on the decisions of simulated jurors: A moral dilemma. *Journal of Applied Social Psychology, 3*, 345-353.

SUEDFELD, P., RANK, D. et BORRIE, R. (1975). Frequency of exposure and evaluation of candidates and campaign speeches. *Journal of Applied Social Psychology, 5*, 118-126.

SULS, J. et TESCH, F. (1978). Students' preferences for information about their test performance: A social comparison study. *Journal of Experimental Social Psychology, 8*, 189-197.

SULS, J. et WAN, C.K. (1987). In search of the false-uniqueness phenomenon: Fear and estimates of social consensus. *Journal of Personality and Social Psychology, 52*, 211-217.

SULS, J., WAN, C.K. et SANDERS, G.S. (1988). False consensus and false uniqueness in estimating the prevalence of health-protective behaviors. *Journal of Applied Social Psychology, 18*, 66-79.

SUMMERS, G. et FELDMAN, N.S. (1984). Blaming the victim versus blaming the perpetrator: An attributional analysis of spouse abuse. *Journal of Social and Clinical Psychology, 2*, 339-347.

SUNDSTROM, E. et SUNDSTROM, M.G. (1983). *Workplaces: The psychology of the physical environment in organizations*. Monterey, Ca, Brooks/Cole.

SURGEON GENERAL (1983). *The health consequences of smoking: Cardiovascular disease*. Washington, D.C., U.S.Government Printing Office.

SVENSON, O. (1981). Are we all less risky and more skillful than our fellow drivers? *Acta Psychologica, 47*, 143-148.

SWANN, W.B., Jr. (1984). Quest for accuracy in person perception: A matter of pragmatics. *Psychological Review, 91*, 457-475.

SWANN, W.B., Jr. (1987). Identity negotiation: Where two roads meet. *Journal of Personality and Social Psychology, 53*, 1038-1051.

SWANN, W.B., Jr. et ELY, R.J. (1984). A battle of wills: Self-verification versus behavioral confirmation. *Journal of Personality and Social Psychology, 46*, 1287-1302.

SWANN, W.B.Jr. et GIULIANO, T. (1987). Confirmatory search strategies in social interaction: How, when, why, and with what consequences. *Journal of Social and Clinical Psychology, 5*, 511-524.

SWANN, W.B., Jr., GIULIANO, T. et WEGNER, D.M. (1982). Where leading questions can lead: The power of conjecture in social interaction. *Journal of Personality and Social Psychology, 42*, 1025-1035.

SWANN, W.B., Jr., PELHAM, B.W. et CHIDESTER, T.R. (1988). Change through paradox: Using self-verification to alter beliefs. *Journal of Personality and Social Psychology, 54*, 268-273.

SWANN, W.B., Jr. et PREDMORE, S.C. (1985). Intimates as agents of social support: Sources of consolation or despair? *Journal of Personality and Social Psychology, 49*, 1609-1617.

SWANN, W.B., Jr. et READ, S.J. (1981). Acquiring self-knowledge: The search for feedback that fits. *Journal of Personality and Social Psychology, 41*, 1119-1128. (a)

SWANN, W.B., Jr. et READ, S.J. (1981). Self-verification processes: How we sustain our self-conceptions. *Journal of Experimental Social Psychology, 17*, 351-372. (b)

SWAP, W.C. (1977). Interpersonal attraction and repeated exposure to rewarders and punishers. *Personality and Social Psychology Bulletin, 3*, 248-251.

SWEDISH INFORMATION SERVICE (1980). *Social change in Sweden*, septembre, n° 19, 5. (édité par le Swedish Consulate General, 825 Third Avenue, New York, N.Y. 10022.)

SWEENEY, J. (1973). An experimental investigation of the free rider problem. *Social Science Research, 2*, 277-292.

SWEENEY, P.D., ANDERSON, K. et BAILEY, S. (1986). Attributional style in depression: A meta-analytic review. *Journal of Personality and Social Psychology, 50*, 974-991.

SWIM, J., BORGIDA, E., MARUYAMA, G. et MYERS, D.G. (1989). Joan McKay vs. John McKay: Do gender stereotypes bias evaluations? *Psychological Bulletin*.

SYMONS, D. (interviewé par S.Keen). (février 1981). Eros and alley cop. *Psychology Today*, 54.

TAJFEL, H. (novembre 1970). Experiments in intergroup discrimination. *Scientific American*, 96-102.

TAJFEL, H. (1981). *Human groups and social categories: Studies in social psychology*. London, Cambridge University Press.

TAJFEL, H. (1982). Social psychology of intergroup relations. *Annual Review of Psychology, 33*, 1-39.

TAJFEL, H. et BILLIG, M. (1974). Familiarity and categorization in intergroup behavior. *Journal of Experimental Social Psychology, 10*, 159-170.

TAKOOSHIAN, H. et BODINGER, H. (1982). Bystander indifference to street crime. *In* L.Savitz et N.Johnston (dir.). *Contemporary Criminology*. New York, Wiley.

TANKE, E.D. et TANKE, T.J. (1979). Getting off a slippery slope: Social science in the judicial processes. *American Psychologist, 34*, 1130-1138.

TAPP, J.L. (1980). Psychological and policy perspectives on the law: Reflections on a decade. *Journal of Social Issues, 36*(2), 165-192.

TAVRIS, C. (1982). *Anger.The misunderstood emotion*. New York, Simon & Schuster.

TAVRIS, C. et WADE, C. (1984). *The longest war: Sex differences in perspective*. New York, Harcourt Brace Jovanovich.

TAYLOR, D.A. (1979). Motivational bases. *In* G.J. Chelune (dir.). *Self-disclosure: Origins, patterns, and implications of openness in interpersonal relationships*. San Francisco, Jossey-Bass.

TAYLOR, D.A., GOULD, R.J. et BROUNSTEIN, P.J. (1981). Effects of personalistic self-disclosure. *Personality and Social Psychology Bulletin, 7*, 487-492.

TAYLOR, D.G., SHEATSLEY, P.B. et GREELEY, A.M. (1978). Attitudes toward racial integration. *Scientific American, 238*(6), 42-49.

TAYLOR, D.M. et DORIA, J.R. (1981). Self-serving and group-serving bias in attribution. *Journal of Social Psychology, 113*, 201-211.

TAYLOR, S.E. (1979). Allocution au symposium sur la psychologie sociale et la médecine, congrès de l'American Psychological Association.

TAYLOR, S.E. (1981). A categorization approach to stereotyping. *In* D.L.Hamilton (dir.). *Cognitive processes in stereotyping and intergroup behavior*. Hillsdale, N.J., Erlbaum.

TAYLOR, S.E. (1983). Adjustments to threatening events: A theory of cognitive adaptation. *American Psychologist, 38*, 1161-1173.

TAYLOR, S.E. et BROWN, J.D. (1988). Illusion and well-being: A social psychological perspective on mental health. *Psychological Bulletin, 103*, 193-210.

TAYLOR, S.E., CROCKER, J., FISKE, S.T., SPRINZEN, M. et WINKLER, J.D. (1979). The generalizability of salience effects. *Journal of Personality and Social Psychology, 37*, 357-368.

TAYLOR, S.E. et FISKE, S.T. (1978). Salience, attention, and attribution: Top of the head phenomena. *In* L.Berkowitz (dir.). *Advances in experimental social psychology*, vol.11. New York, Academic Press.

TAYLOR, S.E., FISKE, S.T., ETCOFF, N.L. et RUDERMAN, A.J. (1978). Categorical and contextual bases of person memory and stereotyping. *Journal of Personality and Social Psychology, 36*, 778-793.

TAYLOR, S.P. et LEONARD, K.E. (1983). Alcohol and human physical aggression. *Aggression, 2*, 77-101.

TAYLOR, S.P. et PISANO, R. (1971). Physical aggression as a function of frustration and physical attack. *Journal of Social Psychology, 84*, 261-267.

TAYNOR, J. et DEAUX, K. (1973). When women are more deserving than men: Equity, attribution, and perceived sex differences. *Journal of Personality and Social Psychology, 28*, 360-367.

TAYNOR, J. et DEAUX, K. (1975). Equity and perceived sex differences: Role behavior as defined by the task, the mode, and the actor. *Journal of Personality and Social Psychology, 32*, 381-390.

TEDESCHI, J.T., NESLER, M. et TAYLOR, E. (1987). *Misattribution and the bogus pipeline: A test of dissonance and impression management theories*. Communication présentée au congrès de l'American Psychological Association.

TEDESCHI, J.T., SCHLENKER, B.R. et BONOMA, T.V. (1973). *Conflict, power, and games*. Chicago, Aldine.

TEGER, A.I. (1980). *Too much invested to quit*. New York, Pergamon Press.

TEIGEN, K.H. (1986). Old truths or fresh insights? A study of students' evaluations of proverbs. *British Journal of Social Psychology, 25,* 43-50.

TELCH, M.J., KILLEN, J.D., McALISTER, A.L., PERRY, C.L. et MACCOBY, N. (1981). *Long-term follow-up of a pilot project on smoking prevention with adolescents.* Communication présentée au congrès de l'American Psychological Association.

TENNEN, H. et AFFLECK, G. (1987). The costs and benefits of optimistic explanations and dispositional optimism. *Journal of Personality, 55,* 377-393.

TENNOV, D. (1979). *Love and limerence: The experience of being in love.* New York, Stein and Day, 22.

TESSER, A. (1978). Self-generated attitude change. In L.Berkowitz (dir.). *Advances in experimental social psychology,* vol.11. New York, Academic Press.

TESSER, A. (1985). Some effects of self-evaluation maintenance on cognition and action. In R.M. Sorrentino et E.T.Higgins (dir.). *The handbook of motivation and cognition: Foundations of social behavior.* New York, Guilford.

TESSER, A. (1988). Toward a self-evaluation maintenance model of social behavior. In L.Berkowitz (dir.). *Advances in experimental social psychology,* vol.21. San Diego, Ca, Academic Press.

TESSER, A., GATEWOOD, R. et DRIVER, M. (1968). Some determinants of gratitude. *Journal of Personality and Social Psychology, 9,* 233-236.

TESSER, A., MILLAR, M. et MOORE, J. (1988). Some affective consequences of social comparison and reflection processes: The pain and pleasure of being close. *Journal of Personality and Social Psychology, 54,* 49-61.

TESSER, A. et PAULHUS, D. (1983). The definition of self: Private and public self-evaluation management strategies. *Journal of Personality and Social Psychology, 44,* 672-682.

TESSER, A., ROSEN, S. et CONLEE, M.C. (1972). News valence and available recipient as determinants of news transmission. *Sociometry, 35,* 619-628.

TETLOCK, P.E. (1981). Personality and isolationism: Content analysis of senatorial speeches. *Journal of Personality and Social Psychology, 41,* 737-743. (a)

TETLOCK, P.E. (1981). Pre- to post-election shifts in presidential rhetoric: Impression management or cognitive adjustment. *Journal of Personality and Social Psychology, 41,* 207-212. (b)

TETLOCK, P.E. (1983). Accountability and complexity of thought. *Journal of Personality and Social Psychology, 45,* 74-83.

TETLOCK, P.E. (1985). Integrative complexity of American and Soviet foreign policy rhetoric: A time-series analysis. *Journal of Personality and Social Psychology, 49,* 1565-1585.

TETLOCK, P.E. et MANSTEAD, A.S.R. (1985). Impression management versus intrapsychic expla-

nations in social psychology: A useful dichotomy? *Psychological Review, 92,* 59-77.

THOMAS, G.C. et BATSON, C.D. (1981). Effect of helping under normative pressure on self-perceived altruism. *Social Psychology Quarterly, 44,* 127-131.

THOMAS, G.C., BATSON, C.D. et COKE, J.S. (1981). Do Good Samaritans discourage helpfulness? Self-perceived altruism after exposure to highly helpful others. *Journal of Personality and Social Psychology, 40,* 194-200.

THOMAS, K.W. et PONDY, L.R. (1977). Toward an «intent» model of conflict management among principal parties. *Human Relations, 30,* 1089-1102.

THOMAS, L. (1978). Hubris in science? *Science, 200,* 1459-1462.

THOMAS, L. (1981). Cité par J.L.Powell. Testimony before the Senate Subcommittee on Science, Technology and Space, 22 avril.

THOMPSON, L.L. et CROCKER, J. (1985). *Prejudice following threat to the self-concept. Effects of performance expectations and attributions.* Manuscrit inédit, Université Northwestern.

THOMPSON, W.C., COWAN, C.L. et ROSENHAN, D.L. (1980). Focus of attention mediates the impact of negative affect on altruism. *Journal of Personality and Social Psychology, 38,* 291-300.

THOMPSON, W.C. et SCHUMANN, E.L. (1987). Interpretation of statistical evidence in criminal trials. *Law and Human Behavior, 11,* 167-187.

THORNDIKE, R.L. (1968). Review of *Pygmalion in the classroom. American Educational Research Journal, 5,* 707-711.

THORNTON, A. et FREEDMAN, D. (1979). Changes in the sex role attitudes of women, 1962-1977: Evidence from a panel study. *American Sociological Review, 44,* 831-842.

TICE, D.M. et BAUMEISTER, R.F. (1985). Masculinity inhibits helping in emergencies: Personality does predict the bystander effect. *Journal of Personality and Social Psychology, 49,* 420-428.

TIME (16 mars 1981), 31.

TORONTO NEWS (26 juillet 1977).

TOWSON, S.M.J. et ZANNA, M.P. (1983). Retaliation against sexual assault: Self-defense or public duty? *Psychology of Women Quarterly, 8,* 89-99.

TRAVIS, L.E. (1925). The effect of a small audience upon eye-hand coordination. *Journal of Abnormal and Social Psychology, 20,* 142-146.

TRIANDIS, H.C. (1981). *Some dimensions of intercultural variation and their implications for interpersonal behavior.* Communication présentée au congrès de l'American Psychological Association.

TRIANDIS, H.C. (1982). *Incongruence between intentions and behavior: A review.* Communication présentée au congrès de l'American Psychological Association.

TRIANDIS, H.C., BONTEMPO, R., VILLAREAL, M.J., ASAI, M. et LUCCA, N. (1988). Individualism and

collectivism: Cross-cultural perspectives on self-ingroup relationships. *Journal of Personality and Social Psychology, 54,* 323-338.

TRIMBLE, J.E. (1988). Stereotypical images, American Indians, and prejudice. In P.A.Katz et D.A.Taylor (dir.). *Eliminating racism: Profiles in controversy.* New York, Plenum.

TRIPLET, R.G., COHN, E.S. et WHITE, S.O. (1988). The effect of residence hall judicial policies on attitudes toward rule-violating behaviors. *Journal of Applied Social Psychology, 18,* 1288-1294.

TRIPLETT, N. (1898). The dynamogenic factors in pacemaking and competition. *American Journal of Psychology, 9,* 507-533.

TROLIER, T.K. et HAMILTON, D.L. (1986). Variables influencing judgments of correlational relations. *Journal of Personality and Social Psychology, 50,* 879-888.

TROPE, Y., BASSOK, M. et ALON, E. (1984). The questions lay interviewers ask. *Journal of Personality, 52,* 90-106.

TROST, M.R., CIALDINI, R.B. et MAAS, A. (1989). Effects of an international conflict simulation on perceptions of the Soviet Union: A FIREBREAKS backfire. *Journal of Social Issues.*

TSCHANN, J.M. (1988). Self-disclosure in adult friendship: Gender and marital status differences. *Journal of Social and Personal Relationships, 5,* 65-81.

TUAN, Yi-Fu (1982). *Segmented worlds and self.* Minneapolis, Minn., University of Minnesota Press.

TUBBS, M.E. (1986). Goal setting: A meta-analytic examination of the empirical evidence. *Journal of Applied Psychology, 71,* 474-483.

TUMIN, M.M. (1958). Readiness and resistance to desegregation: A social portrait of the hard core. *Social Forces, 36,* 256-273.

TURNER, C.W., HESSE, B.W. et PETERSON-LEWIS, S. (1986). Naturalistic studies of the long-term effects of television violence. *Journal of Social Issues, 42(3),* 51-74.

TURNER, J.C. (1984). Social identification and psychological group formation. In H.Tajfel (dir.). *The social dimension: European developments in social psychology,* vol.2, London, Cambridge University Press.

TURNER, J.C. (1987). *Rediscovering the social group: A self-categorization theory.* New York, Basil Blackwell.

TVERSKY, A. (juin 1985). Cité par Kevin McKean. Decisions, decisions. *Discover,* 22-31.

TVERSKY, A. et KAHNEMAN, D. (1973). Availability: A heuristic for judging frequency and probability. *Cognitive Psychology, 5,* 207-232.

TVERSKY, A. et KAHNEMAN, D. (1974). Judgment under uncertainty: Heuristics and biases. *Science, 185,* 1123-1131.

TVERSKY, A. et KAHNEMAN, D. (1980). Causal schemas in judgments under uncertainty. In

M.Fishbein (dir.). *Progress in social psychology*, vol.1. Hillsdale, N.J., Erlbaum.

TVERSKY, A. et KAHNEMAN, D. (1981). The framing of decisions and the psychology of choice. *Science, 211*, 453-458.

TV GUIDE (26 janvier 1977), 5-10.

TYLER, T.R. et COOK, F.L. (1984). The mass media and judgments of risk: Distinguishing impact on personal and societal level judgments. *Journal of Personality and Social Psychology, 47*, 693-708.

TYLER, T.R. et SEARS, D.O. (1977). Coming to like obnoxious people when we must live with them. *Journal of Personality and Social Psychology, 35*, 200-211.

UGWUEGBU, C.E. (1979). Racial and evidential factors in juror attribution of legal responsibility. *Journal of Experimental Social Psychology, 15*, 133-146.

ULEMAN, J.S. (1989). A framework for thinking intentionally about unintended thoughts. *In* J.S. Uleman et J.A.Bargh (dir.). *Unintended thought: The limits of awareness, intention, and control*. New York, Guilford.

UMBERSON, D. et HUGHES, M. (1987). The impact of physical attractiveness on achievement and psychological well-being. *Social Psychology Quarterly, 50*, 227-236.

UNDERWOOD, B. et MOORE, B. (1982). Perspective-taking and altruism. *Psychological Bulletin, 91*, 143-173.

UNGER, R.K. (1979). *Whom does helping help?* Communication présentée au congrès de l'Eastern Psychological Association, avril. *(a)*

UNGER, R.K. (1979). Toward a redefinition of sex and gender. *American Psychologist, 34*, 1085-1094.

UNGER, R.K. (1983). Through the looking glass: No wonderland yet! (The reciprocal relationship between methodology and models of reality.) *Psychology of Women Quarterly, 8*, 9-32.

UNGER, R.K. (1985). Epistemological consistency and its scientific implications. *American Psychologist, 40*, 1413-1414.

UPI (1970). 23 septembre 1967. Cité par P.G. Zimbardo dans The human choice: Individuation, reason, and order versus deindividuation, impulse, and chaos. *In* W.J.Arnold et D.Levine (dir.). *Nebraska Symposium on Motivation, 1969*. Lincoln, University of Nebraska Press.

U.S.COMMISSION ON OBSCENITY AND PORNOGRAPHY (1970). *The report of the Commission on Obscenity and Pornography*. Washington, D.C., Government Printing Office.

U.S.DEPARTMENT OF COMMERCE NEWS (3 mai 1981). Bureau of Economic Analysis.

U.S.DEPARTMENT OF JUSTICE (1980). *Sourcebook of criminal justice statistics*. Washington, D.C., Government Printing Office.

U.S.DEPARTMENT OF LABOR (1981). *Employment in perspective: Working women* (compte rendu 647). Washington, D.C., Bureau of Labor Statistics.

U.S.SUPREME COURT, PLESSY V.FERGUSON (1896). Cité par L.J.Severy, J.C.Brigham et B.R.Schlenker. *A contemporary introduction to social psychology*. New York, McGraw-Hill, 126.

VALLONE, R.P., ROSS, L. et LEPPER, M.R. (1985). The hostile media phenomenon: Biased perception and perceptions of media bias in coverage of the «Beirut Massacre». *Journal of Personality and Social Psychology, 49*, 577-585.

Van der PLIGHT, J., EISER, J.R. et SPEARS, R. (1987). Comparative judgments and preferences: The influence of the number of response alternatives. *British Journal of Social Psychology, 26*, 269-280.

VANDERSLICE, V.J., RICE, R.W. et JULIAN, J.W. (1987). The effects of participation in decision-making on worker satisfaction and productivity: An organizational simulation. *Journal of Applied Social Psychology, 17*, 158-170.

Van LEEUWEN, M.S. (1978). A cross-cultural examination of psychological differentiation in males and females. *International Journal of Psychology, 13*, 87-122.

VANNEMAN, R.D. et PETTIGREW, T. (1972). Race and relative deprivation in the urban United Sates. *Race, 13*, 461-486.

Van STADEN, F.J. (1987). White South Africans' attitudes toward the desegration of public amenities. *Journal of Social Psychology, 127*, 163-173.

VAUGHAN, K.B. et LANZETTA, J.T. (1981). The effect of modification of expressive displays on vicarious emotional arousal. *Journal of Experimental Social Psychology, 17*, 16-30.

VEITCH, R., DeWOOD, R. et BOSKO, K. (1977). Radio news broadcasts: Their effect on interpersonal helping. *Sociometry, 40*, 383-386.

VEITCH, R. et GRIFFITT, W. (1976). Good news – bad news: Affective and interpersonal effects. *Journal of Applied Social Psychology, 6*, 69-75.

VIDMAR, N. (1979). The other issues in jury simulation research. *Law and Human Behavior, 3*, 95-106.

VIDMAR, N. et LAIRD, N.M. (1983). Adversary social roles: Their effects on witnesses' communication of evidence and the assessments of adjudicators. *Journal of Personality and Social Psychology, 44*, 888-898.

VISHER, C.A. (1987). Juror decision making: The importance of evidence. *Law and Human Behavior, 11*, 1-17.

VISINTAINER, M.A. et SELIGMAN, M.E. (juillet-août 1983). The hope factor. *American Health*, 59-61.

VISINTAINER, M.A. et SELIGMAN, M.E.P. (1985). *Tumor rejection and early experience of uncontrollable shock in the rat*. Manuscrit inédit, Université de Pennsylvanie. Voir aussi M.A.Visintainer *et al.*

(1982). Tumor rejection in rats after inescapable versus escapable shock. *Science, 216*, 437-439.

VITELLI, R. (1988). The crisis issue assessed: An empirical analysis. *Basic and Applied Social Psychology, 9*, 301-309.

Von BAEYER, C.L., SHERK, D.L. et ZANNA, M.P. (1981). Impression management in the job interview: When the female applicant meets the male (chauvinist) interviewer. *Personality and Social Psychology Bulletin, 7*, 45-51.

WACHTLER, J. et COUNSELMAN, E. (1981). When increasing liking for a communicator decreases opinion change: An attribution analysis of attractiveness. *Journal of Experimental Social Psychology, 17*, 386-395.

WAGSTAFF, G. (1982). Attitudes to rape: The «just world» strikes again? Bulletin de la *British Psychological Society, 35*, 277-279.

WAGSTAFF, G.F. (1983). Attitudes to poverty, the Protestant ethic, and political affiliation: A preliminary investigation. *Social Behavior and Personality, 11*, 45-47.

WALKER, I. et MANN, L. (1987). Unemployment, relative deprivation, and social protest. *Personality and Social Psychology Bulletin, 13*, 275-283.

WALKER, M., HARRIMAN, S. et COSTELLO, S. (1980). The influence of appearance on compliance with a request. *Journal of Social Psychology, 112*, 159-160.

WALLACH, M.A. et WALLACH, L. (1983). *Psychology's sanction for selfishness: The error of egoism in theory and therapy*. San Francisco, Freeman.

WALLBOTT, H.G. (1988). In and out of context: Influences of facial expression and context information on emotion attributions. *British Journal of Social Psychology, 27*, 357-369.

WALLSTON, B.S. (1981). What are the questions in psychology of women? A feminist approach to research. *Psychology of Women Quarterly, 5*, 597-617.

WALLSTON, B.S. (1987). Social psychology of women and gender. *Journal of Applied Social Psychology, 17*, 1025-1050.

WALSTER (Hatfield), E. (1965). The effect of self-esteem on romantic liking. *Journal of Experimental Social Psychology, 1*, 184-197.

WALSTER (Hatfield), E., ARONSON, V., ABRAHAMS, D. et ROTTMAN, L. (1966). Importance of physical attractiveness in dating behavior. *Journal of Personality and Social Psychology, 4*, 508-516.

WALSTER (Hatfield), E. et FESTINGER, L. (1962). The effectiveness of «overheard» persuasive communications. *Journal of Abnormal and Social Psychology, 65*, 395-402.

WALSTER (Hatfield) E., WALSTER, G.W. et BERSCHEID, E. (1978). *Equity: Theory and research*. Boston, Allyn and Bacon.

WARD, W.C. et JENKINS, H.M. (1965). The display of information and the judgment of contingency. *Canadian Journal of Psychology, 19,* 231-241.

WASON, P.C. (1960). On the failure to eliminate hypotheses in a conceptual task. *Quarterly Journal of Experimental Psychology, 12,* 129-140.

WATSON, D. (1982). The actor and the observer: How are their perceptions of causality divergent? *Psychological Bulletin, 92,* 682-700.

WATSON, R.I., Jr. (1973). Investigation into deindividuation using a cross-cultural survey technique. *Journal of Personality and Social Psychology, 25,* 342-345.

WATTS, W.A. (1967). Relative persistence of opinion change induced by active compared to passive participation. *Journal of Personality and Social Psychology, 5,* 4-15.

WAX, S.L. (1958). A survey of restrictive advertising and discrimination by summer reports in the province of Ontario. Canadian Jewish Congress. *Information and Comment,* 1948, 7, 1-13. Cité par G.W.Allport dans *The nature of prejudice.* Garden City, N.Y., Doubleday Anchor Books, 5.

WEARY, G., HARVEY, J.H., SCHWIEGER, P., OLSON, C.T., PERLOFF, R. et PRITCHARD, S. (1982). Self-presentation and the moderation of self-serving biases. *Social Cognition, 1,* 140-159.

WEHR, P. (1979). *Conflict regulation.* Boulder, Colo., Westview Press.

WEINBERGER, M., HINER, S.L. et TIERNEY, W.M. (1987). In support of hassles as a measure of stress in predicting health outcomes. *Journal of Behavioral Medicine, 10,* 19-31.

WEINER, B. (1965). «Spontaneous» causal thinking. *Psychological Bulletin, 97,* 74-84.

WEINER, B. (1980). A cognitive (attribution)-emotion-action model of motivated behavior: An analysis of judgments of help-giving. *Journal of Personality and Social Psychology, 39,* 186-200.

WEINER, B. (1981). *The emotional consequences of causal ascriptions.* Manuscrit inédit, UCLA.

WEINSTEIN, N.D. (1980). Unrealistic optimism about future life events. *Journal of Personality and Social Psychology, 39,* 806-820.

WEINSTEIN, N.D. (1982). Unrealistic optimism about susceptibility to health problems. *Journal of Behavioral Medicine, 5,* 441-460.

WEINSTEIN, N.D. et LACHENDRO, E. (1982). Egocentrism and unrealistic optimism about the future. *Personality and Social Psychology Bulletin, 8,* 195-200.

WEISS, J. et BROWN, P. (1976). *Self-insight error in the explanation of mood.* Manuscrit inédit, Université Harvard.

WELLS, G.L. (1984). The psychology of lineup identifications. *Journal of Applied Social Psychology, 14,* 89-103.

WELLS, G.L. (1986). Expert psychological testimony. *Law and Human Behavior, 10,* 83-95.

WELLS, G.L., FERGUSON, T.J. et LINDSAY, R.C.L. (1981). The tractability of eyewitness confidence and its implications for triers of fact. *Journal of Applied Psychology, 66,* 688-696.

WELLS, G.L. et LEIPPE, M.R. (1981). How do triers of fact enter the accuracy of eyewitness identification? Memory for peripheral detail can be misleading. *Journal of Applied Psychology, 66,* 682-687.

WELLS, G.L., LINDSAY, R.C.L. et FERGUSON, T. (1979). Accuracy, confidence, and juror perceptions in eyewitness identification. *Journal of Applied Psychology, 64,* 440-448.

WELLS, G.L., LINDSAY, R.C.L. et TOUSIGNANT, J.P. (1980). Effects of expert psychological advice on human performance in judging the validity of eyewitness testimony. *Law and Human Behavior, 4,* 275-285.

WELLS, G.L. et MURRAY, D.M. (1983). What can psychology say about the *Neil v. Biggers* criteria for judging eyewitness accuracy? *Journal of Applied Psychology, 68,* 347-362.

WELLS, G.L. et MURRAY, D.M. (1984). Eyewitness confidence. *In* G.L.Wells et E.F.Loftus (dir.). *Eyewitness testimony: Psychological perspectives.* New York, Cambridge University Press.

WELLS, G.L. et PETTY, R.E. (1980). The effects of overt head movements on persuasion: Compatibility and incompatibility of responses. *Basic and Applied Social Psychology, 1,* 219-230.

WELLS, G.L. et TURTLE, J.W. (1986). Eyewitness identification: The importance of line-up models. *Psychological Bulletin, 99,* 320-329.

WELLS, G.L. et TURTLE, J.W. (1987). Eyewitness testimony research: Current knowledge and emergent controversies. *Canadian Journal of Behavioral Science, 19,* 363-388.

WELLS, G.L., WRIGHTSMAN, L.S. et MIENE, P.K. (1985). The timing of the defense opening statement: Don't wait until the evidence is in. *Journal of Applied Social Psychology, 15,* 758-772.

WENER, R., FRAZIER, W. et FARBSTEIN, J. (juin 1987). Building better jails. *Psychology Today,* 40-49.

WERNER, C.M., KAGEHIRO, D.K. et STRUBE, M.J. (1982). Conviction proneness and the authoritarian juror: Inability to disregard information or attitudinal bias? *Journal of Applied Psychology, 67,* 629-636.

WEST, L.J. et SINGER, M.T. (1980). Cults, quacks and nonprofessional psychotherapies. *In* H.I. Kaplan, A.M.Freedman et B.J.Sadock (dir.). *Comprehensive textbook of Psychiatry/III.* Baltimore, Williams & Wilkins.

WEST, S.G. et BROWN, T.J. (1975). Physical attractiveness, the severity of the emergency and helping: A field experiment and interpersonal simula-

tion. *Journal of Experimental Social Psychology, 11,* 531-538.

WEST, S.G., GUNN, S.P. et CHERNICKY, P. (1975). Ubiquitous Watergate: An attributional analysis. *Journal of Personality and Social Psychology, 32,* 55-65.

WEST, S.G., WHITNEY, G. et SCHNEDLER, R. (1975). Helping a motorist in distress: The effects of sex, race, and neighborhood. *Journal of Personality and Social Psychology, 31,* 691-698.

WETZEL, C.G. et INSKO, C.A. (1982). The similarity-attraction relationship: Is there an ideal one? *Journal of Experimental Social Psychology, 18,* 253-276.

WEYANT, J.M. (1984). Applying social psychology to induce charitable donations. *Journal of Applied Social Psychology, 14,* 441-447.

WEYANT, J.M. et SMITH, S.L. (1987). Getting more by asking for less: The effects of request size on donations of charity. *Journal of Applied Social Psychology, 17,* 392-400.

WHEELER, L., KOESTNER, R. et DRIVER, R.E. (1982). Related attributes in the choice of comparison others: It's there, but it isn't all there is. *Journal of Experimental Social Psychology, 18,* 489-500.

WHITE, G.L. (1980). Physical attractiveness and courtship progress. *Journal of Personality and Social Psychology, 39,* 660-668.

WHITE, G.L., FISHBEIN, S. et RUTSEIN, J. (1981). Passionate love and the misattribution of arousal. *Journal of Personality and Social Psychology, 41,* 56-62.

WHITE, G.L. et KIGHT, T.D. (1984). Misattribution of arousal and attraction: Effects of salience of explanations for arousal. *Journal of Experimental Social Psychology, 20,* 55-64.

WHITE, M.J. et GERSTEIN, L.H. (1987). Helping: The influence of anticipated social sanctions and self-monitoring. *Journal of Personality, 55,* 41-54.

WHITE, P.A. et YOUNGER, D.P. (1988). Differences in the ascription of transient internal states to self and other. *Journal of Experimental Social Psychology, 24,* 292-309.

WHITE, R. (1984). *Fearful warriors: A psychological profile of U.S.-Soviet relations.* New York, Free Press.

WHITE, R.K. (1969). Three not-so-obvious contributions of psychology to peace. *Journal of Social Issues, 25*(4), 23-39.

WHITE, R.K. (novembre 1971). Selective inattention. *Psychology Today,* 47-50, 78-84.

WHITE, R.K. (1977). Misperception in the Arab-Israeli conflict. *Journal of Social Issues, 33*(1), 190-221.

WHITE, R.K. (1988). Specifics in a positive approach to peace. *Journal of Social Issues, 44,* 191-202.

WHITEHEAD, III, G.I., SMITH, S.H. et EICHHORN, J.A. (1982). The effect of subject's race and other's race on judgments of causality for success and failure. *Journal of Personality, 50,* 193-202.

WHITLEY, B.E., Jr. (1985). Sex-role orientation and psychological well-being: Two meta-analyses. *Sex Roles, 12,* 207-225.

WHITLEY, B.E., Jr. (1987). The effects of discredited eyewitness testimony: A meta-analysis. *Journal of Social Psychology, 127,* 209-214.

WHITLEY, B.E., Jr. et FRIEZE, I.H. (1985). Children's causal attributions for success and failure in achievement settings. A meta-analysis. *Journal of Educational Psychology, 77,* 608-616.

WHITLEY, B.E., Jr. et FRIEZE, I.H. (1986). Measuring causal attributions for success and failure: A meta-analysis of the effects of question wording style. *Basic and Applied Social Psychology, 7,* 35-51.

WHITMAN, R.M., KRAMER, M. et BALDRIDGE, B. (1963). Which dream does the patient tell? *Archives of General Psychology, 8,* 277-282.

WHITTAKER, J.O. et MEADE, R.D. (1967). Social pressure in the modification and distortion of judgment: A cross-cultural study. *International Journal of Psychology, 2,* 109-113.

WICHMAN, H. et HEALY, V. (1979). *In their own spaces: Student-built lofts in dormitory rooms.* Communication présentée au congrès de l'American Psychological Association.

WICKER, A.W. (1969). Attitudes versus actions: The relationship of verbal and overt behavioral responses to attitude objects. *Journal of Social Issues, 25,* 41-78.

WICKER, A.W. (1971). An examination of the «other variables» explanation of attitude-behavior inconsistency. *Journal of Personality and Social Psychology, 19,* 18-30.

WICKER, A.W. (1979). Ecological psychology: Some recent and prospective developments. *American Psychologist, 34,* 755-765.

WICKLUND, R.A. (1979). The influence of self-awareness on human behavior. *American Scientist, 67,* 187-193.

WICKLUND, R.A. (1982). Self-focused attention and the validity of self-reports. *In* M.P.Zanna, E.T. Higgins et C.P.Herman (dir.). *Consistency in Social Behavior: The Ontario Sumposium,* vol.2. Hillsdale, N.J., Erlbaum.

WIEGMAN, O. (1985). Two politicians in a realistic experiment: Attraction, discrepancy, intensity of delivery, and attitude change. *Journal of Applied Social Psychology, 15,* 673-686.

WIESEL, E. (6 avril 1985). The brave Christians who saved Jews from the Nazis. *TV Guide, 4-6.*

WILDER, D.A. (1977). Perception of groups, size of opposition, and social influence. *Journal of Experimental Social Psychology, 13,* 253-268.

WILDER, D.A. (1978). Perceiving persons as a group: Effect on attributions of causality and beliefs. *Social Psychology, 41,* 13-23.

WILDER, D.A. (1981). Perceiving persons as a group: Categorization and intergroup relations. *In* D.L.Hamilton (dir.). *Cognitive processes in stereotyping and intergroup behavior.* Hillsdale, N.J., Lawrence Erlbaum.

WILDER, D.A. et SHAPIRO, P.N. (1984). Role of outgroup cues in determining social identity. *Journal of Personality and Social Psychology, 47,* 342-348.

WILDER, D.A. et SHAPIRO, P.N. (1989). Role of competition-induced anxiety in limiting the beneficial impact of positive behavior by out-group members. *Journal of Personality and Social Psychology, 56,* 60-69.

WILEY, M.G., CRITTENDEN, K.S. et BIRG, L.D. (1979). Why a rejection? Causal attribution of a career achievement event. *Social Psychology Quarterly, 42,* 214-222.

WILKE, H. et LANZETTA, J.T. (1970). The obligation to help: The effects of amount of prior help on subsequent helping behavior. *Journal of Experimental Social Psychology, 6,* 488-493.

WILKES, J. (juin 1987). Murder in mind. *Psychology Today,* 27-32.

WILLIAMS, J.E. et BEST, D.L. (1986). Sex stereotypes and intergroup relations. *In* S.Worchel et W.G.Austin (dir.). *Psychology of intergroup relations.* Chicago, Nelson-Hall.

WILLIAMS, K.D. (1981). *The effects of group cohesion on social loafing.* Communication présentée au congrès de la Midwestern Psychological Association.

WILLIAMS, K.D., HARKINS, S. et LATANÉ, B. (1981). Identifiability as a deterrent to social loafing: Two cheering experiments. *Journal of Personality and Social Psychology, 40,* 303-311.

WILLIAMS, R.M., Jr. (1975). Relative deprivation. *In* L.Coser (dir.). *The idea of social structure: Papers in honor of Robert K.Merton.* New York, Harcourt Brace Jovanovich.

WILLIAMS, T.M. (dir.) (1986). *The impact of television: A natural experiment in three communities.* Orlando, Fla, Academic Press.

WILLIS, F.N. et HAMM, H.K. (1980). The use of interpersonal touch in securing compliance. *Journal of Nonverbal Behavior, 5,* 49-55.

WILLS, T.A. (1978). Perceptions of clients by professional helpers. *Psychological Bulletin, 85,* 968-1000.

WILSON, D.K., KAPLAN, R.M. et SCHNEIDERMAN, L.J. (1987). Framing of decisions and selections of alternatives in health care. *Social Behaviour, 2,* 51-59.

WILSON, D.K., PURDON, S.E. et WALLSTON, K.A. (1988). Compliance to health recommendations: A theoretical overview of message framing. *Health Education Research, 3,* 161-171.

WILSON, D.K., WALLSTON, K.A. et KING, J.E. (1987). *The effects of message framing and self-efficacy on smoking cessation.* Communication présentée au congrès de la Southeastern Psychological Association.

WILSON, D.W. et DONNERSTEIN, E. (1979). *Anonymity and interracial helping.* Communication présentée au congrès de la Southeastern Psychological Association.

WILSON, E.O. (1978). *On human nature.* Cambridge, Mass., Harvard University Press.

WILSON, J.P. et PETRUSKA, R. (1984). Motivation, model attributes, and prosocial behavior. *Journal of Personality and Social Psychology, 46,* 458-468.

WILSON, R.C., GAFT, J.G., DIENST, E.R., WOOD, L. et BAVRY, J.L. (1975). *College professors and their impact on students.* New York, Wiley.

WILSON, R.S. et MATHENY, Jr., A.P. (1986). Behavior-genetics research in infant temperament: The Louisville twin study. *In* R.Plomin et J.Dunn (dir.). *The study of temperament: Changes, continuities, and challenges.* Hillsdale, N.J., Erlbaum.

WILSON, T.D. (1985). Strangers to ourselves: The origins and accuracy of beliefs about one's own mental states. *In* J.H.Harvey et G.Weary (dir.). *Attribution in contemporary psychology.* New York, Academic Press.

WILSON, T.D., DUNN, D.S., KRAFT, D. et LISLE, D.J. (1989). Introspection, attitude change, and attitude-behavior consistency: The disruptive effects of explaining why we feel the way we do. *In* L.Berkowitz (dir.). *Advances in experimental social psychology,* vol.22. San Diego, Ca, Academic Press.

WILSON, T.D., LASER, P.S. et STONE, J.I. (1982). Judging the predictors of one's mood: Accuracy and the use of shared theories. *Journal of Experimental Social Psychology, 18,* 537-556.

WILSON, T.D. et LASSITER, G.D. (1982). Increasing intrinsic interest with superfluous extrinsic constraints. *Journal of Personality and Social Psychology, 42,* 811-819.

WILSON, W.R. (1979). Feeling more than we can know: Exposure effects without learning. *Journal of Personality and Social Psychology, 37,* 811-821.

WINCH, R.F. (1958). *Mate selection: A study of complementary needs.* New York, Harper & Row.

WING, R.R. et JEFFERY, R.W. (1979). Outpatient treatments of obesity: A comparison of methodology and clinical results. *International Journal of Obesity, 3,* 261-279.

WINTER, F.W. (1973). A laboratory experiment of individual attitude response to advertising exposure. *Journal of Marketing Research, 10,* 130-140.

WIRTH, L. (1977). Cité par J.P.Wogaman dans *The great economic debate.* Philadelphia, Westminster Press, 29.

WISPE, L.G. et FRESHLEY, H.B. (1971). Race, sex, and sympathetic helping behavior: The broken bag caper. *Journal of Personality and Social Psychology, 17,* 59-65.

WITTENBERG, M.T. et REIS, H.T. (1986). Loneliness, social skills, and social perception. *Personality and Social Psychology Bulletin, 12,* 121-130.

WIXON, D.R. et LAIRD, J.D. (1976). Awareness and attitude change in the forced-compliance paradigm : The importance of when. *Journal of Personality and Social Psychology, 34,* 376-384.

WOLF, S. (1987). Majority and minority influence : A social impact analysis. *In* M.P.Zanna, J.M.Olson et C.P.Herman (dir.). *Social influence : The Ontario symposium on personality and social psychology,* vol.5. Hillsdale, N.J., Erlbaum.

WOLF, S. et LATANÉ, B. (1985). Conformity, innovation and the psycho-social law. *In* S.Moscovici, G.Mugny et E.Van Avermaet (dir.). *Perspectives on minority influence.* Cambridge, Cambridge University Press.

WOLL, S. (1986). So many to choose from : Decision strategies in videodating. *Journal of Social and Personal Relationships, 3,* 43-52.

WOOD, W. (1987). Meta-analytic review of sex differences in group performance. *Psychological Bulletin, 102,* 53-71.

WORCHEL, S. et BROWN, E.H. (1984). The role of plausibility in influencing environmental attributions. *Journal of Experimental Social Psychology, 20,* 86-96.

WORCHEL, S. et NORVELL, N. (1980). Effect of perceived environmental conditions during cooperation of intergroup attraction. *Journal of Personality and Social Psychology, 38,* 764-772.

WORD, C.O., ZANNA, M.P. et COOPER, J. (1974). The nonverbal mediation of self-fulfilling prophecies in interracial interaction. *Journal of Experimental Social Psychology, 10,* 109-120.

WORKMAN, E.A. et WILLIAMS, R.L. (1980). Effects of extrinsic rewards on intrinsic motivation in the classroom. *Journal of School Psychology, 18,* 141-147.

WORRINGHAM, C.J. et MESSICK, D.M. (1983). Social facilitation of running : An unobtrusive study. *Journal of Social Psychology, 121,* 23-29.

WORTH, L.T., ALLISON, S.T. et MESSICK, D.M. (1987). Impact of a group decision on perception of one's own and others' attitudes. *Journal of Personality and Social Psychology, 53,* 673-682.

WORTH, L.T. et MACKIE, D.M. (1987). Cognitive mediation of positive affect in persuasion. *Social Cognition, 5,* 76-94.

WRIGHT, P. et RIP, P.D. (1981). Retrospective reports on the causes of decisions. *Journal of Personality and Social Psychology, 40,* 601-614.

WRIGHTSMAN, L. (1978). The American trial jury on trial : Empirical evidence and procedural modifications. *Journal of Social Issues, 34,* 137-164.

WU, C. et SCHAFFER, D.R. (1988). Susceptibility of persuasive appeals as a function of source credibility and prior experience with the attitude object. *Journal of Personality and Social Psychology, 52,* 677-688.

WU, D.Y.H. et TSENG, W.S. (1985). Introduction : The characteristics of Chinese culture. *In* D.Y.H.Wu et W.S.Tseng (dir.). *Chinese culture and mental health.* San Diego, Ca., Academic Press.

WYER, R.S., Jr. et SRULL, T.K. (1986). Human cognition in its social context. *Psychological Review, 93,* 322-359.

WYLIE, R.C. (1979). *The self-concept (vol.2) : Theory and research on selected topics.* Lincoln, Neb., University of Nebraska Press.

YANCEY, W.L. (1971). Architecture, interaction, and social control : The case of a large-scale public housing project. *Environment and Behavior, 3,* 3-21.

YANKELOVICH, SKELLY et WHITE. (1980). Surveys conducted for the American Council of Life Insurance, 1973-1978. Compte rendu dans *Public Opinion,* décembre-janvier, 34.

YINON, Y., SHARON, I., GONEN, Y. et ADAM, R. (1982). Escape from responsibility and help in emergencies among persons alone or within groups. *European Journal of Social Psychology, 12,* 301-305.

YOUNG, W.R. (février 1977). There's a girl on the tracks ! *Reader's Digest,* 91-95.

YOUNGER, J.C., WALKER, L. et ARROWOOD, J.A. (1977). Postdecision dissonance at the fair. *Personality and Social Psychology Bulletin, 3,* 284-287.

YUCHTMAN (Yaar), E. (1976). Effects of social-psychological factors on subjective economic welfare. *In* B.Strumpel (dir.). *Economic means for human needs.* Ann Arbor, Institute for Social Research, Université du Michigan.

YUILLE, J.C. et CUTSHALL, J.L. (1986). A case study of eyewitness memory of a crime. *Journal of Applied Psychology, 71,* 291-301.

YUKL, G. (1974). Effects of the opponent's initial offer, concession magnitude, and concession frequency on bargaining behavior. *Journal of Personality and Social Psychology, 30,* 323-335.

ZABELKA, G. (août 1980). I was told it was necessary. *Sojourners,* 12-15. (Interview par C.C. McCarthy.)

ZACCARO, S.J. (1984). Social loafing : The role of task attractiveness. *Personality and Social Psychology Bulletin, 10,* 99-106.

ZAJONC, R.B. (1965). Social facilitation. *Science, 149,* 269-274.

ZAJONC, R.B. (1968). Attitudinal effects of mere exposure. *Journal of Personality and Social Psychology, 9,* Monograph Suppl.n° 2, 2ᵉ partie.

ZAJONC, R.B. (février 1970). Brainwash : Familiarity breeds comfort. *Psychology Today,* 32-35, 60-62.

ZAJONC, R.B. (1980). Feeling and thinking : Preferences need no inferences. *American Psychologist, 35,* 151-175.

ZAJONC, R.B., MURPHY, S.T. et INGLEHART, M. (1988). *Emotional consequences of facial muscular movement : An implication of the vascular theory of emotion.* Manuscrit inédit, Université du Michigan.

ZAJONC, R.B. et SALES, S.M. (1966). Social facilitation of dominant and subordinate responses. *Journal of Experimental Social Psychology, 2,* 160-168.

ZANDER, A. (1969). Students' criteria of satisfaction in a classroom committee project. *Human Relations, 22,* 195-207.

ZANN, M.P., CROSBY, F. et LOEWENSTEIN, G. (1987). Male reference groups and discontent among female professionals. *In* B.A.Gutek et L.Larwood (dir.). *Women's career development.* Newbury Park, Ca, Sage.

ZANNA, M.P., KLOSSON, E.C. et DARLEY, J.M. (1976). How television news viewers deal with facts that contradict their beliefs : A consistency and attribution analysis. *Journal of Applied Social Psychology, 6,* 159-176.

ZANNA, M.P. et OLSON, J.M. (1982). Individual differences in attitudinal relations. *In* M.P.Zanna, E.T. Higgins et C.P.Herman. *Consistency in social behavior : The Ontario symposium,* vol.2. Hillsdale, N.J., Erlbaum.

ZANNA, M.P., OLSON, J.M. et FAZIO, R.H. (1981). Self-perception and attitude-behavior consistency. *Personality and Social Psychology Bulletin, 7,* 252-256.

ZANNA, M.P. et PACK, S.J. (1975). On the self-fulfilling nature of apparent sex differences in behavior. *Journal of Experimental Social Psychology, 11,* 583-591.

ZANNA, M.P. et REMPEL, J.K. (1988). Attitudes : A new look at an old concept. *In* D.Bar-Tal et A.Kruglanski (dir.). *The social psychology of knowledge.* New York, Cambridge University Press.

ZANNA, M.P. et SANDE, G.N. (1987). The effects of collective actions on the attitudes of individual group members : A dissonance analysis. *In* M.P. Zanna, J.M.Olson et C.P.Herman (dir.). *Social influence : The Ontario symposium,* vol.5. Hillsdale, N.J., Erlbaum.

ZEBROWITZ-McARTHUR, L. (1988). Person perception in cross-cultural perspective. *In* M.H.Bond (dir.). *The cross-cultural challenge to social psychology.* Newbury Park, Ca, Sage.

ZEISEL, H. et DIAMOND, S.S. (1978). The jury selection in the Mitchell-Stans conspiracy trial. *American Bar Foundation Research Journal, 1976, 1,* 151-174 (voir 167). Cité par L.Wrightsman. The American trial jury on trial : Empirical evidence and procedural modifications. *Journal of Social Issues, 34,* 137-164.

ZENKER, S., LESLIE, R.C., PORT, E. et KOSLOFF, J. (1982). The sequence of outcomes and ESP : More evidence for a primacy effect. *Personality and Social Psychology Bulletin, 8,* 233-238.

ZILLMANN, D. (s.d.). Aggression and sex : Independent and joint operations. *In* H.L.Wagner et A.S.R. Manstead (dir.). *Handbook of psychophysiology : Emotion and social behavior.* Chichester, John Wiley.

ZILLMANN, D. (1988). Cognition-excitation interdependencies in aggressive behavior. *Aggressive Behavior, 14,* 51-64.

ZILLMANN, D. et BRYANT, J. (1974). Effect of residual excitation on the emotional response to provocation and delayed aggressive behavior. *Journal of Personality and Social Psychology, 30,* 782-791.

ZILLMANN, D. et BRYANT, J. (s.d.). Effects of prolonged consumption of pornography on family values. *Journal of Family Issues.*

ZILLMANN, D., KATCHER, A.H. et MILAVSKY, B. (1972). Exitation transfer from physical exercise to subsequent aggressive behavior. *Journal of Experimental Social Psychology, 8,* 247-259.

ZIMBARDO, P.G. (1970). The human choice: Individuation, reason, and order versus deindividuation, impulse, and chaos. *In* W.J.Arnold et D.Levine (dir.). *Nebraska Symposium on Motivation, 1969.* Lincoln, University of Nebraska Press.

ZIMBARDO, P.G. (1971). *The psychological power and pathology of imprisonment.* Un rapport préparé par la U.S.House of Representatives. Comité sur la magistrature, sous-comité n° 3: Audiences sur la réforme carcérale. San Francisco, Ca, 25 octobre.

ZIMBARDO, P.G. (avril 1972). Pathology of imprisonment. *Transaction/Society,* 4-8. (*a*)

ZIMBARDO, P.G. (1972). *The Stanford prison experiment.* Une présentation audiovisuelle produite par Philip G.Zimbardo, Inc., P.O.Box 4395, Stanford, Ca 94305. (*b*)

ZIMBARDO, P.G. (1983). Transforming experimental research into advocacy for social change. *In* H.H. Blumberg, A.P.Hare, V.Kent et M.Davies (dir.). *Small groups and social interaction,* vol.1. London, Wiley.

ZIMBARDO, P.G., EBBESEN, E.B. et MASLACH, C. (1977). *Influencing attitudes and changing behavior.* Reading, Mass., Addison-Wesley.

ZIMBARDO, P.G. et HARTLEY, C.F. (1985). Cults go to high school: A theoretical and empirical analysis of the initial stage in the recruitment process. *Cultic Studies Journal, 2,* 91-147.

ZUKIER, H.A. (1982). The dilution effect: The role of the correlation and the dispersion of predictor variables in the use of nondiagnostic information. *Journal of Personality and Social Psychology, 43,* 1163-1174.

ZUKIER, H. et PEPITONE, A. (1984). Social roles and strategies in prediction: Some determinants of the use of base-rate information. *Journal of Personality and Social Psychology, 47,* 349-360.

PHOTOGRAPHIES ET ILLUSTRATIONS

INDEX